DICIONÁRIO DE TERMOS MÉDICOS INGLÊS — PORTUGUÊS

F. RUIZ TORRES

ROCA

Traduzido do original
Diccionario de Terminos Medicos — Inglés — Español — Reimpresión de la cuarta edición, revisada, 1981.
Copyright © Editorial Alhambra, S.A.
ISBN 84-205-0654-0

Copyright © 1987 da 1ª edição da Livraria Roca Ltda.
ISBN 85-7241-510-6
Nenhuma parte desta publicação poderá ser reproduzida, guardada pelo sistema "retrieval" ou transmitida de qualquer modo ou por qualquer outro meio, seja este eletrônico, mecânico, de fotocópia, de gravação, ou outros, sem prévia autorização escrita da Editora.

Tradução:
 Dr. Cássio Galvão Monteiro

Capa:
 Nelson Mielnik

Todos os direitos para a língua portuguesa são reservados pela

EDITORA ROCA LTDA.
Rua Dr. Cesário Mota Jr., 73
CEP 01221-020 – São Paulo – SP
Tel.: (11) 3331-4478– Fax: (11) 3331-8653
E-mail: vendas@editoraroca.com.br – www.editoraroca.com.br

Impresso no Brasil
Printed in Brazil

Introdução

The *Diccionario de Términos Médicos* by F. Ruiz Torres has enjoyed considerable success in Spanish speaking countries throughout the world. The American Distributor feels the work should be more readily available in the United States. Not only does the text offer more than fifty thousand entries, it is enriched by the inclusion of useful phrases and idioms peculiar to the language of medicine, enabling the translator to handle more easily the complicated, unique material.

W. B. SAUNDERS COMPANY

Prefácio da Primeira Edição

Dedicados desde hace muchos años a la traducción de obras de Medicina, tropezamos siempre con el inconveniente de no disponer de un diccionario técnico médico inglés-español que, por su extensión, prestara una buena ayuda al traductor. Sin pretender otra cosa, emprendimos et trabajo, y hoy estamos en condicones de ofrecer este DICCIONARIO MÉDICO INGLÉS?ESPAÑOL/ESPAÑOL-INGLÉS, que contiene unas cincuenta mil voces. Estas palabras, que constituyem casi toda la terminología médica, se explican em muchos casos. Contiene, además, otras muchas sinónimas, que enriquecen el diccionario y le prestan claridad y otras que, sin ser médicas precisamente, se utilizan mucho en el lenguaje profesional. Al final de cada letra figura también una serie de frases y modismos de útil conocimiento para cuantos se dediquen a la tarea de interpretar bien este idioma. La obra comienza con las abreviaturas de expresiones técnicas y latinas utilizadas en los libros ingleses de Medicina.

Nuestra mayor satisfación será la de poder comprobar que este trabajo sirve para facilitar la labor de los demás.

EL AUTOR (1957).

Prefácio da Segunda Edição

La gran acogida que obtuvo la primera edición de este DICCIONARIO y las muchas sugerencias que los usuarios han ido haciéndonos, fueron causa suficiente para convencermos de la necesidad de llevar a cabo una revisión total, y también la ampliación necesaria, a fin de cubrir las lagunas existentes.

Confiemos em que, después de este trabajo, lá obra haya quedado en condiciones de atender dignamente las exigencias de quienes la consulten, objetivo que hemos tenido presente en todo momento.

Se nos permitirá una pequeña aclaración, relacionada con el manejo del DICCIONARIO. Si se buscara en la segunda parte de la obra, es decir, en la sección español-inglés, una enfermedad, síntoma, signo u objeto con el nombre de un autor, y no apareciese citada, búsquese, sin embargo, el nombre del autor en la primera parte (sección inglés-español) en la confianza de que en la mayoría de los casos quedará resuelto el problema.

EL AUTOR (1961).

Prefácio da Terceira Edição

Al lanzar la tercera edición de esta obra hemos procurado mejorarla en todos los aspectos, correspondiendo así al interés que nuestro DICCIONARIO dispierta entre los médicos.

Agradecemos mucho este interés, e insistimos en la necesidad de consultar la primera parte del DICCIONARIO cuando en la segunda parte (sección español-inglés) no se resuelva el problema planteado.

EL AUTOR (1965).

Prefácio da Quarta Edição

Esta cuarta edición del antes titulado DICCIONARIO INGLÉS-ESPAÑOL/ESPAÑOL-INGLÉS DE MEDICINA puede considerarse como un nuevo DICCIONARIO, no solamente por la revisión a que ha sido sometida la edición anterior, sino por la gran ampliación llevada a cabo. Esperamos que el gran interés demostrado por los usuarios se vea satisfecho al poder solucionar, mediante la consulta de este libro, los pequeños problemas que surjan en su trabajo.

EL AUTOR (1980).

ABREVIATURAS DE EXPRESSÕES TÉCNICAS E LATINAS EMPREGADAS EM TEXTOS MÉDICOS INGLESES

Abreviatura		Termo ou expressão

A

a	—	argônio, anterior, ânodo
aa	ana	de cada
abd. abdm.	—	abdômen
abs. feb.	absent febri	em ausência de febre
a.c.	ante cibum	antes de comer
A.C.E.	—	álcool, 1 parte
		clorofórmio, 2 partes preparado
		éter, 3 partes anestésico
ad	ad	até
add.	adde	adicione-se
ad. effect.	ad effectum	até produzir efeito
ad grat. acid.	ad gratam aciditatem	para uma acidez agradável
ad lib.	ad libitum	à vontade
adv.	adver	contra
agit.	agitatum	deve ser agitado
alt. die.	alternis diebus	dia sim, outro não
alt. hor.	alternis horis	cada duas horas
alt. noct.	alterna nocte	noite sim, outra não
amp.	—	ampère
ant.	—	anatomia
aq.	aqua	água
aq. bull.	aqua bulliens	água em ebulição
aq. cal.	aqua calida	água quente
aq. dest.	—	água destilada
aq. ferv.	aqua fervens	água muito quente
aq. frig.	aqua frigida	água fria
aq. ment. pip.	—	água mentolada
aq. pur.	—	água pura

B

b.	bowels	intestinos, boro
b.b.a.	born before arrival	nascido antes do tempo
b.d.	bis die	duas vezes ao dia
b.i.d.	bis in die	duas vezes ao dia
biol.	—	biologia
b.o.	bowels open	os intestinos abertos
B.P.	1. Blood-pressure	pressão sangüínea
	2. Boiling-point	ponto de ebulição
	3. British Pharmacopoeia	farmacopéia britânica
bull	bulliat	deixe-se ferver

C

c.	cum	com
cap.	capiat	deixe-se tomar
cat.	—	cataplasma
cib.	cibus	alimento, refeição
c.m.	cras mane	amanhã cedo
c.m.s.	cras mane sumendus	deve ser tomado pela manhã
c.n.	cras nocte	amanhã à noite
cochl.	cochleare	colherada
co., comp.	compostus	composto
cochl. parv.	cochleare parvum	colheradinha
cong.	congius	um galão (3,785 cm³)
contin.	continuentor	mantenha-se
crast.	crastinus	para amanhã
cuj.	cujus	cujo
cwt.	hundredweight	100-112 libras
cyath	cyathus	taça (1/72 do galão)

D

d.	—	dose
d.a.h.	disordely action of the heart	funcionamento irregular do coração
d.d.ind.	—	de dia a dia
decub.	—	decúbito
deg.	degree	degrau
destil.	—	destilado
det.	detur	administra-se
dieb. alt.	diebus alternis	em dias alternados
dieb tert.	diebus tertis	cada três dias
dil.	dimidius	médio
div.	—	divide-se
div. in. p. aeq.	divide in partes aequales	divida em partes iguais
don.	donec	até
d.p.	directione propia	direção apropriada
dr.	dram. (drachm)	1/8 de onça
dur. dolor	—	durante a dor

E

e.	1. eye	1. olho
	2. emmetropia	2. emetropia
e.m.f.	—	força eletromotora
emp.	emplastum	emplastro, gesso
en.	—	enema
ex.	—	extrato
exhib.	—	exiba-se
ext. liq.	—	extrato líquido

F

f. ou ft.	fiat	faça-se
f. h.	fiat haustus	faça-se uma poção
f. m.	fiat mixtura	faça-se uma mistura
f. pl.	fiat pilula	faça-se em uma pílula

G

garg.	—	gargarejo
gr.	—	grão
gtt.	guttatim	por gotas

H

h.n.	hac nocte	nesta noite
h. s.	hora somni	na hora de dormir
haust.	haustus	poção
hor. decub.	hora decubitus	na hora de deitar

I

in d.	in die	diariamente
inf.	—	infusão
inj.	injectio	injeção

L

l.	1. litre	1. litro
	2. left	2. esquerdo
lat. dol.	lateri dolenti	pelo lado doente
lb.	—	libra 373,241g
liq.	—	licor (líquido)

M

m.	—	1. metro
		2. misture-se
		3. mistura
		4. manhã
m. ft.	mixtura fiat	prepare-se a mistura
M. O.	Medical Officer	1. oficial médico
		2. funcionário médico
M. S.	—	manuscrito
man. pr.	mane primo	de manhã cedo
mt. ou mit.	mitte	envie-se

N

n.	nocte	à noite
ne repetat.	ne repetatur	não se repita
noct.	nocte	à noite

O

o.	pint	pinta
o. l.	oleum	azeite - óleo
o. m.	omni mane	toda manhã
o. n.	omni nocte	toda noite
omn. bih.	omni bi hora	de duas em duas horas
omn. hor.	omni hora	de hora em hora
oz.	—	onça (31,103g)

P

p.	—	pulso, Farmacopéia
p.c.	post cibos	após as refeições
p. m.	post mortem	depois da morte
pil.	—	pílula
pot.	—	potássio
p. p. h.	post partum haemorrhage	hemorragia pós-parto
p. r.	per rectum	via retal
p. r. n.	pro re nata	oportunamente
p. v.	per vaginam	via vaginal
pt.	—	pinta
pulv.	pulvis	pó

Q

q. d.	quattuor in die	quatro vezes ao dia
q. h.	quaque hora	de hora em hora
q. l.	quantum libit	quanto seja necessário
q. q. h.	quaque quarta hora	de quatro em quatro horas

| q. s. | quantum sufficit | quanto seja suficiente |
| q. v. | quod vide | que veja |

R

R.	—	1. Reaumur
		2. respiração
		3. direita
R.	recipe	receba-se, tome-se
r. d.	—	reação de degeneração
rect.	—	retificado
rep.	repatatur	repita-se

S

s. ou sig.	signetur	ponha-se rótulo
s. ss.	semis, semissis	meio
s. a.	secundum artem	segundo as regras da profissão (farmácia)
s. o. s.	si opus sit	se for necessário
sing.	singulorum	de cada
s. v.	spiritus vini	espírito de vinho
s. v. gall.	spiritus vini gallici	conhaque
s. v. r.	spiritus vini rectificatus	álcool retificado
sol.	—	solução
sp. gr.	specific gravity	gravidade específica
stat.	statim	imediatamente
sum.	sumendus	que deve ser tomado
syr.	syrup	xarope

T

T.	—	temperatura
t. d.	ter die	três vezes ao dia
t. i. d.	ter in die	três vezes ao dia
tab.	—	pastilha (retangular ou discóide)
tinct. tr.	tinctura	tintura
troch.	troche	trociscos (pastilhas discóides sem açúcar com medicamento de ação local)

U

u.	—	unidade
ung.	—	unguento, pomada
ur.	urine	urina

V

v.	—	volt
v. m.	—	voltímetro
vin.	—	vinho

A. Abreviatura de artéria.
α. Alfa. Primeira letra do alfabeto grego.
α-cell. Célula alfa. Célula das ilhotas de Langerhans do pâncreas.
a, an-. Prefixo que significa "sem" ou "não".
AA, aa. Termo usado nas prescrições que significa "de cada uma".
aaa. Abreviatura de "amálgama".
Aaron of Alexandria. Físico que viveu na primeira metade do século VII.
Aaron's sign. Sinal de Aaron, sensação de dor ou de angústia no epigástrio ou região precordial, por pressão do ponto de Mac Burney na apendicite.
aasmus. Asma.
ab, ab-. Preposição latina que significa "desde". Prefixo que significa "separação".
abacterial. Livre de bactérias, abacteriano.
abadie. Indução ao aborto.
Abadie's sign. Sinal de Abadie. Espasmo do elevador da pálpebra superior no bócio exoftálmico. // Insensibilidade do tendão de Aquiles à pressão na ataxia locomotora.
abaissement. Abaixamento.
abalienation. Transtorno mental. Insânia.
Abano (Pietro di). Físico e astrólogo (1250-1316), professor na Universidade de Pádua e conhecido como Petrus Aponus.
abaptiston, abaptistan. Trépano disposto para que não se faça penetração demasiada.
abaragnosis. Abaragnosia. Perda do sentido de percepção do peso.
abarthrosis. Diartrose.
abarticulation. Luxação, diartrose.
abasie (dysbasie). Abásia. Impossibilidade da marcha por defeito da coordenação.
abasin. Abasina. Acetilbromodietilacetilocarbamida; sedativo (dose: 0,25 a 0,5g).
abate. Diminuir.
abatement. Abatimento, adinamia, prostração.
abaxial. Abaxial. Parte ou órgão situado fora do eixo do corpo.

Abbé's condenser. Condensador ou iluminador de Abbé. Utensílio que se fixa ao microscópio, composto de um aparelho e uma série de lentes acromáticas, para tornar mais intensa a iluminação.
Abbé's operation. Anéis ou tratamento de Abbé. Anéis de categute para sustentar os extremos do intestino que devem ser suturados. // Anastomose lateral do intestino com anéis de categute. // Divisão de estenose esofágica pela fricção feita por um fio cuja extremidade proximal sai pela boca e a outra pela fístula gástrica.
Abbot's method. Método bacteriológico de Abbot. Coloração dos corpos bacterianos em vermelho e os esporos em azul. // Método ortopédico de Abbot. Tratamento da escoliose pela hipocorreção e colete de gesso aplicado a uma armação especial.
Abbot's paste. Pasta necrotizante para a polpa dentária de dente cariado.
abbreviate. Abreviar, reduzir, compendiar.
A.B.C., liniment. Linimento A.B.C. Composto de partes iguais de acônito, beladona e clorofórmio.
A.B.C., powder. Polvilho A.B.C. composto de partes iguais de ácido bórico, subnitrato de bismuto e calomelano.
A.B.D., capsules. Cápsulas A.B.D. Contêm vitaminas A, B_1, B_2 e D.
Abderhalden's reaction. Reação de Abderhalden. Sororreação fundamentada em que quando se introduz uma proteína estranha no sangue, o organismo reage elaborando um fermento protetor específico contra a proteína originária, que é desintegrada.
abdomen. Abdome, cavidade abdominal.
abdominal. Abdominal.
abdominalgia. Dor no abdômen.
abdominoanterior. Abdominal anterior.
abdominocentesis. Abdominocentese; paracentese abdominal.

abdominocystic. Abdominocístico. Pertencente ao abdome e à vesícula biliar.

abdominogenital. Abdominogenital. Pertencente ao abdômen e aos órgãos da reprodução.

abdominohysterectomy. Histerectomia abdominal.

abdominoposterior. Abdominal posterior.

abdominoscopy. Abdominoscopia.

abdominothoracic. Abdominotorácico.

abdominouterotomy. Histerotomia abdominal.

abdominovaginal. Abdominovaginal.

abdominovesical. Abdominovesical.

Abduce. Abduzir, separar.

Abducens. Abducente, músculo reto lateral do olho. Sexto par craniano. // **oris.** Elevador do ângulo da boca.

abducent. Abdutor.

abduct. Abduzir.

abduction. Abdução.

Abée's support. Suporte de Abée. Aparelho que se aplica à região torácica para tratar hiperfunção cardíaca.

Abegg's rule. Regra de Abegg. Todos os átomos têm os mesmos números de valências.

Abel's bacillus. Bacilo de Abel, *Klebsiella ozaenae.*

Abelin's reaction. Reação de Abelin. Teste para demonstrar a presença de Arsfenamina na urina.

abenteric. Abentérico.

abepithymia. Abepitimia. Paralisia do plexo solar. Perversão do desejo ou do apetite. V. Anepitimia.

Abercrombie's degeneration. Degeneração de Abercrombie, Degeneração amiloídea.

aberrans. Vaso aberrante do epidídimo.

aberrant. Aberrante.

aberration. Aberração.

aberrometer. Aberrômetro.

abevacuation. Abevacuação. sin. metástase.

abeyance. Expectação, espera. // *in.* - Em suspensão.

abiatrophy. Abiotrofia. Perda prematura e endógena de vitalidade.

Abies. *Abies,* gênero de coníferas.

abietic, acid. Ácido abiético.

ability. Habilidade, capacidade.

abiochemistry. Abioquímica. Química inorgânica.

abiogenesis. Abiogenesia ou abiogênese.

abiogenetic. Abiogenética.

abiological. Abiológico.

abiology. Abiologia.

abionarce. Letargia devido enfermidade (abionarcia).

abiophysiology. Abiofisiologia. Estudo dos processos inorgânicos no organismo vivo.

abiosis. Abiose, suspensão aparente da vida.

abiotic. Abiótico. Incapaz de viver.

abiotrophia. Abiotrofia.

abiotrophy. Abiotrofia.

abirritant. Abirritação. Diminuição da reação aos estímulos. Sin.: Atonia, astenia.

abiuret. Que não dá reação de biureto.

ablactation. Ablactação, desmame.

ablastemic. Ablastêmico. O que não germina.

ablastin. Ablastina. Antídoto que provém da multiplicação ou invasão dos microrganismos.

ablate. Extirpar, cortar.

ablatio, ablation. Ablação, amputação. // **retinae.** Descolamento de retina.

ablepharia. Ablefaria, abléfaro.

ablepsy. Ablepsia, cegueira.

abluent. Abluente. Sin.: abstergente, detersivo, diluente, lavador.

ablution. Ablução, locação ou lavado.

ablutomania. Ablutomania. Interesse anormal em lavar-se ou banhar-se.

abnerval. O que passa pelo músculo, provindo de um nervo.

abneural. Abneural. Distante do sistema nervoso central.

abnormality. Anormalidade, anomalia, malformação.

abocclusion. Obclusão. Maloclusão em que há falta de contacto entre os dentes superiores e inferiores.

aboiement. Som semelhante ao ladrido.

abomasitis. Abomasite. Inflamação do abomaso.

abomasum. Abomas. Sin.: coagulador.

aboral. Aboral. Fora da boca.

aboriginal. Aborígene, primitivo, originário.

abort. Aborto.

aborticide. Aborticida.

abortifacient. Abortivo.

abortin. Abortina. Extrato de glicerina de *Brucella abortus.*

abortion. Abortamento. // **accidental.** Abortamento acidental. // **artificial.** Abortamento artificial. // **contagious.** Abortamento contagioso. // **criminal.** Abortamento criminal. // **incomplete.** Abortamento incompleto. // **missed.** Abortamento inevitável. // **therapeutic.** Abortamento terapêutico.

abortive. Abortivo.

Abortus fever. Febre após abortamento.

about. A cerca de.

above. Antes mencionado. Por cima de.

abrachiocephalus. Abraquiocéfalo.

Abraham's sign. Sinal de Abrahams. Som amortecido à pressão sobre o acrônio nos primeiros períodos da tuberculose do ápice do pulmão.

Abrami's disease. Enfermidade de Abramis. Icterícia hemolítica.

Abram's reflex. Reflexo de Abrams. Contração reflexa do pulmão por estímulo da parede torácica. // Contração do miocárdio por irritação cutânea da região precordial.

abraquia. Abraquia. Falta de braços.

abrasio. Abrasão. // **corneae.** Abrasão corneal. // **dentium.** Desgaste dos dentes.

abrasive. Abrasivo.

abrasor. Abraso. Instrumento para abrasão.

abreaction. Abreação; liberação de uma emoção. // Sin.: Catarse.

Abrikossoff's tumour. Tumor de Abrikossoff. Mioblastoma benigno da língua, lábio, pescoço e outras partes.

abrin. Abrina. Toxialbumina muito venenosa das sementes de *Abrus precatorius* ou jequiriti.

abrism. Abrismo. Intoxicação pelo jequiriti.

abrosia. Abrosia, jejum.

abruptio placentae. Descolamento de placenta. // Sin.: *Ablatio placentae*.

abrus. Abrupção, desgarro, rotura.

abscess. Abscesso. // **alveolar.** Abscesso alveolar. // **amoebic.** Abscesso amebiano. // **anorectal.** Abscesso anorretal. // **apendicular.** Abscesso apendicular. // **Bartholinian.** Abscesso Bartoliniano. // **blind.** Abscesso cego. // **Brodie's.** Abscesso de Brodie (na epífise de um osso longo, por osteomielite). // **cerebral.** Abscesso cerebral. // **cholangitic.** Abscesso colangítico. // **cold.** Abscesso frio. // **collarstud.** Abscesso anular. // **dental.** Abscesso dentário. // **embolic.** Abscesso embólico. // **encysted.** Abscesso encistado. // **epidural.** Abscesso epidural. // **extradural.** Abscesso extradural. // **fixation.** Abscesso de fixação. // **intradural.** Abscesso intradural. // **ischiorectal.** Abscesso isquiorretal. // **lacrimal.** Abscesso lacrimal. // **lumbar.** Abscesso lombar. // **lung.** Abscesso pulmonar. // **mammary.** Abscesso mamário. // **mastoid.** Abscesso mastoídeo. // **mediastinal.** Abscesso mediastínico. // **metastatic.** Abscesso metastático. // **miliary.** Abscesso miliar. // **palmar.** Abscesso palmar. // **parametric.** Abscesso paramétrico. // **peritonsillar.** Abscesso peritonsilar. // **periurethral.** Abscesso periuretral. // **Pott's.** Abscesso de Pott. // **psoas.** Abscesso do Psoas. // **pulmonary.** Abscesso pulmonar. // **pulp.** Abscesso pulpar. // **pyaemic.** Abscesso piêmico. // **retrocaecal.** Abscesso retrocecal. // **retromammary.** Abscesso retromamário. // **retropharyngeal.** Abscesso retrofaríngeo. //

root. Abscesso radicular. // **spinal.** Abscesso espinal. // **esterile.** Abscesso estéril. // **stitch.** Abscesso de sutura. // **subdiaphragmatic.** Abscesso subdiafragmático. // **subdural.** Abscesso subdural. // **subperiosteal.** Abscesso subperiostal. // **subphrenic.** Abscesso subfrênico. // **tropical.** Abscesso tropical (abscesso solitário, amebiano do fígado, ocorre com disenteria).

abscisa. Abscissa.

abscission. Abscisão. Sin.: excisão.

absconsio. Cavidade normal (seio) ou patológica.

absent. Ausente.

absidia corymbifera. Absídia. Gênero de fungos ficomicetos.

absinthe. Absinto.

Absinthin. Absintina.

absinthism. Absintismo. Intoxicação por absinto.

absolute. Absoluto. // **alcohol.** Álcool absoluto. // **temperature.** Temperatura fundamental. // **value.** valor absoluto.

absorb. Absorver, empapar, sugar.

absorbefacient. Favorecedor da absorção.

absorbent. Absorvente.

Absorptiometer. Absorciômetro.

absorption. Absorção. // **band.** ou **line.** Fixa ou raias de absorção.

absorptive. Absorvente.

abstergent. Abstergente.

abstinence. Abstinência.

abstraction. Abstração.

abulia. Abulia. Perda ou diminuição da vontade de fazer algo; nos estados depressivos, neurastênicos, histéricos, demências, de estupor e paranóia.

abuse. Abuso.

abutment. Reforço, confim, remate.

a.c. Abreviatura de "*ante cibum*", antes das refeições.

a.c. A=C interval. intervalo entre as ondas auricular e carotídea, observado na curva do pulso jugular.

Ac. Símbolo químico do Actínio.

acacia. *Acacia catechu.* Acácia, goma arábica.

acalcerosis. Acalcerose.

acalculia. Acalculia. Impossibilidade de fazer simples cálculos aritméticos.

acalypha. Acalifa. Planta euforbiácea.

acampsia. Acampsia. Impossibilidade de curvar v. ankylosis.

acanthaesthesia. Acantestesia. Perversão da sensibilidade.

acanthoid. Espiniforme.

acanthokeratodermia. Acantoceratodermia. Hiperceratose das mãos e dos pés.

acanthoma. Acantoma. // — **adenoides cysticum.** acantoma adenóide cístico. // — **verrucosum seborrheicum.** Acantoma verrucoso seborréico. // Sin.: papiloma.

acanthosis. Acantose. Enfermidade da camada córnea da pele. // — **nigricans.** Acantose "nigricans". // Pigmentação geral e anormal da pele com tumores papilares. Sin.: ceratose ou papilomatose "nigricans" distrofia papilar e pigmentar.

acapnia. Acapnia. Diminuição do ácido carbônico no sangue.

acapsular. Acapsular, sem cápsula.

acardia. Acardia.

acardiacus. Acardíaco.

acardiohaemia. Acardiemia.

acardictrophia. Acardiotrofia.

acariasis. Acaríase, sarna.

acaricide. Acaricida.

acarina. Acarina. Classe de aracnídeos.

acarophobia. Acarofobia.

acarotoxic. Acaratóxico. Sin.: acaricida.

acarus. Acaro, acarídeo.

acaryote. Acário, sem núcleo.

acatatepsia. Acatatepsia. Falta de compreensão, deficiência mental. Dúvida ou incerteza.

acatamathesia. Acatamatesia. Transtorno nas faculdades perceptivas. Sin.: acatanase*.

acataphasia. Acatafasia. Sin.: Acatagrafia, agramatismo.

acataposis. Acatapose. Sin.: disfagia.

acatastasia. Acatastasia. Irregularidade no aviso de uma doença. Variação do normal.

acatharsia. Acatarsia. Ineficácia na purgação.

acathectic. Acatético. Falta de retenção normal das secreções.

acathexia. Acatexia. Incontinência das secreções.

acaudal, acaudate. Acaudado. Anomalia que consta na ausência congênita de cóccix.

acaulinosis. Acaulinose, infecção micótica caracterizada por eritema com derrame purulento e crostas.

A.C.C. Abreviatura da *anodal closure contraction* (contração no fechamento do ânodo).

Acc. Abreviatura de accomodation, *acomodação*.

accelerans. Acelerador. // **nerve.** Nervo acelerador.

acceleration. Aceleração.

---

* N. do T. — acatanoesis em espanhol.

accelerator. Acelerador. Músculo ou nervo que apressa o cumprimento de uma função. // — **urinae.** O bulbo cavernoso.

accentuation. Acentuação intensificação.

accentuator. Acentuador.

acceptor. Aceptor. Substância que absorve o oxigênio ativo formado nos processos de oxidação e redução dos tecidos.

acess. Acesso. Sin.: ataque, paroxismo.

accessory. Acessório. // - **food factors.** Fator alimentício, termo antiquado para vitaminas. // - **nerve.** Nervo acessório.

accident. Acidente.

accidental. Acidental. Sin.: causal, imprevisto, secundário.

accidentalism. Acidentalismo.

accipiter. Accipiter. Enfaixamento nasofacial.

A.C.Cl. Abreviatura de "*Anodal closure clonus'* clônus de fechamento do ânodo.

acclimatation. Aclimatação.

accommodation. Acomodação. // - **spasm.** Espasmo de acomodação.

accommodative. Acomodativo.

accordance. Consonância.

accouchée. Parida, parturiente.

accouchement. Parto.

accoucheur. Tocólogo.

accretion. Acrescência. Adição de camadas a um tecido. Aderência de partes naturalmente separadas. // Massa de matéria estranha acumulada em uma cavidade.

accumulator. Acumulador.

accurately. Com exatidão.

A.C.D. Absolute cardiac duliness. Abreviatura de *embotamento cardíaco absoluto*.

A.C.E. Abreviatura de "*adrenocortical extract*".

A.C.E. Misture. Mistura A.C.E. Mistura anestésica.

acedia. Acedia. Desordem mental caracterizada por apatia e melancolia. // Acidez.

acentric. Acêntrico, periférico.

acephalia. Acefalia.

acephalobrachia. Acefalobraquia. Ausência de cabeça e braços.

acephalocardia. Acefalocardia. Ausência de cabeça e coração.

acephalochiria. Acefaloquiria. Ausência de cabeça e mãos.

acephalocyst. Acefalocisto. Hidátide estéril, sem cabeça.

acephalogaster. Acefalogastria.

acephalopodia. Acefalopodia. Ausência de cabeça e pés.

acephalorachia. Acefalorraquia. Ausência de cabeça e raque.

acephalostomia. Acefalostomia.

acephalothoracia. Acefalotoracia.

acephalous. Acéfalo.

aceratosis. Aceratose.

acervulus. Acérvulo. Sin.: areia cerebral.

acescense. Acescência. Sin.: acidificação.

acestoma. Acestoma. Massa de granulação.

acetabular. Acetábulo. Sin.: cavidade cotiloídea.

acetamide. Acetamida.

acetamidine. Acetamidina. Amina do ácido acético.

acetanilide. Acetanilida. Sin.: Antifebrina

acetarsone. Acertasona.

acetate. Acetato. Sal de ácido acético.

acethaldehyde. Acetaldeído. Aldeído acético.

acetic. Acético.

acetify. Acetificar.

acetimeter. Acetímetro; acetômetro (melhor).

acetobacter. Acetobacter. Mãe do vinagre.

acetobromanilide. Acetobromanilida. Composto que possui propriedades hipnótica, antipirética e antineurálgica.

acetochloral. Cloral.

acetoform. Acetofórmio.

acetoin. Acetoína. Acetilmetilcarbinol.

acetolase. Acetólase. Enzima que catalisa a conversão de álcool em ácido acético.

acetolysis. Acetólise. Combinação de hidrólise e acetilação.

acetometer. Acetômetro. Instrumento para determinar a porcentagem de ácido acético em solução.

acetomorphine. Acetomorfina, heroína.

acetonaphtone. Acetonaftona.

acetonasthma. Acetonasma. Asma acompanhada de acetonúria e provavelmente devida a ela, e caracterizada por dor de cabeça, vômitos, cansaço e amaurose.

acetonation. Acetonação. Combinação com acetona.

acetone. Acetona. Sin.: álcool mesítico, metiloacetilo, metona, metilacetona, espírito piroacético.

acetonemic. Acetonêmico.

acetonglycosuria. Glicosúria acetônica.

acetonitrate. Acetonitrato, composto de ácido acético e nítrico.

acetonitrile. Acetonitrilo, metilcianida.

acetonumerator. Acetonumerador.

acetonuria. Acetonúria.

acetophenetidin. Acetofenetidina, fenacetina.

acetopyrine. Acetopirina. Composto de antipirina e ácido acetilsalicílico.

acetosal. Ácido acetilsalicílico.

acetosoluble. Acetossolúvel.

acetum. "Acetum", vinagre. // - **odoratum** "Acetum aromaticum. Sin.: Anglicum", "benzolinense", "benzoardicum", "cardicum", "pestilenziale", "prophylaticum", etc.

acetyl. Acetil. Radical monovalente do ácido acético. CH_3CO.

acetyl β-methylcholine. Acetil-beta-metilcolina.

acetylaminobenzene, sulfonate. Sulfonato de acetilaminobenzeno.

acetylarsan. Acetilarsinato, arsacetina.

acetylation. Acetificação.

acetylcholine. Acetilcolina.

acetylene. Acetileno.

ACh. Abreviatura de "acetilcolina".

ACH. Abreviatura de "hormônio adrenocortical".

achalasia. Acalasia. Impossibilidade de relaxação.

Achalme's bacillus. Bacilo de Achalme, "Clostridium perfringens".

Achard-Castaigne method. Prova de Achard Castaigne. Prova do Azul de metileno.

Achard-Thiers syndrome. Síndrome de Achard Thiers. Diabetes e hipertricose na mulher.

ache. Dor constante.

acheilia. Aquilia. Falta de lábios.

acheiria. Aquiria. Falta de mãos.

Achiles bursa, tendon. Tendão de Aquiles.

achilobursitis. Aquilobursite, aquilodinia.

achilodynia. Aquilodinia. Sin.: enfermidade de Albert.

achilorrhaphy. Aquilorrafia. Sutura do tendão de Aquiles.

achillotomy. Aquilotomia ou aquilotenotomia.

achlorhydria. Acloridria.

achloropsia. Acloropsia. Impossibilidade de distinguir a cor verde.

acholia. Acolia. Escassez ou ausência de secreção biliar.

acholuria. Acolúria. Falta de pigmento biliar na urina.

achondroplasia. Acondroplasia ou acondroplastia.

achor. A cores. Erupção de pápulas, crosta de leite.

achoresis. Acorese. Diminuição da capacidade de um órgão oco.

achorion. Achorion. Fungo parasita da pele, ou tricófito.

achroiocythemia. Acroiocitemia. Falta de hemoglobina no sangue.

achroacyte. Acroácito, linfócito.

achroglobin. Acroglobina. Pigmento respiratório que se encontra em certos invertebrados.

achroma, achromia. Acroma, acromia, albinismo.

achromachia. Acromasia ou acroma.

achromat. Acromato.

achromatic. Acromático, cego para as cores. // **lens.** lente acromática.

achromatin. Acromatina.

achromatism. Acromatismo.

Achromatium. Achromatium. Gênero de microrganismos da água.

achromatolysis. Acromatólise. Sin.: plasmólise.

achromatophil. Acromatófilo.

achromatopsia. Acromatopsia. Cegueira total para a cor.

achromatosis, achromia. Acromatose, acromia.

achromaturia. Acromatúria.

achromia. Acromia.

achromic. Acrômico, descolorido, incolor.

achromin. Acromatina.

achromobacter. Acromobactéria.

achromoderma. Acromodermia. Sin.: leucodermia.

achromotrichia. Acromotriquia.

Achucarro's method. Método de Achúcarro. Impregnação do tecido conjuntivo com um preparado de tanino e prata.

achylia. Aquilia. // **- gastrica.** Aquilia gástrica.

acicular. Acicular. Em forma de agulha.

acid, acidum. Ácido.

acidaemia. Acidemia.

acid-albumin. Acidalbumina.

acidaminuria. Acidaminúria.

acidemia. Acidemia. Queda do pH do sangue, trocas no bicarbonato sangüíneo.

acid-fast. Acidorresistente.

acid-forming. Diz-se dos alimentos que deixam um considerável resíduo ácido.

acidification. Acidificação.

acidify. Acidular.

acidimeter. Acidímetro.

acidism. Acidismo. Introdução no organismo de ácidos externos.

acidity. Acidez.

acidocytosis. Acidocitose. Presença no sangue de uma grande porção de eosinófilos.

acidophile. Acidófilo. Sin.: eosinófilo, oxífilo.

acido-resistant. Acidorresistente.

acidosis. Acidose.

acidulate. Acidulado, acídulo.

aciduria. Acidúria.

acies. Margem.

acinar. Pertencente ao ácino (acinário).

acinesia. Acinesia.

acinitis. Acinite. Inflamação dos ácinos glandulares.

acinous. Acinoso.

acinus. Ácino. Sin.: alvéolo.

ackee poisoning. Intoxicação por "ackee" fruto da árvore "Blighia sapida", comum na Jamaica.

aclastic. Aclástico. Que deixa passar os raios luminosos sem refratá-los.

acleistocardia. Aclistocardia. Oclusão e abertura imperfeitas do forâmen oval.

acme. Acme. Período de maior intensidade.

acne. Acne. Sin.: acne punctata, acne papulosa, acne eruptiva, acne varus, acne vulgaris.

acneform, acneiform. Acneiforme.

acnemia. Acnemia. Atrofia das panturrilhas ou falta das pernas.

acnitis. Acnite. Sin.: hidroadenite flegmonosa.

A.C.O. Abreviatura de *anodal closing odor* cheiro no fechamento do ânodo.

acognosy. Acognosia. Conhecimento dos remédios.

acology. Acologia, terapêutica.

acolous. Acolo, sem membros.

acomia. Acomia, calvície.

aconite. Acônito.

aconitine. Aconitina.

aconuresis. Aconurese. Micção involuntária.

acoprosis. Acoprose. Ausência de substância fecal no intestino.

acor. Acrimônia, acidez, azia.

acorea. Acoria. Ausência congênita de íris.

acoria. Acoria. Sin.: aplestia (fome canina).

acormus. Acormia. Monstro fetal com tronco rudimentar.

acosmia. Acosmia. Irregularidade no curso de uma enfermidade.

Acosta's disease. Enfermidade de Acosta — Mal das montanhas.

acouesthesia. Acuestesia*, sensibilidade acústica.

acoulalion. Aculálio. Aparelho para ensinar o surdomudo a falar.

acoumeter. Acúmetro.

acoumetry. Acumetria.

acouophonia. Acufonia. Ausculta combinada com a percussão.

acousma. Acusma. Alucinação acústica.

acousmatagnosis. Acusmatagnosia. Surdez mental.

acousmatamnesia. Acusmatamnésia. Falta de memória para reproduzir os sons.

acoustic. Acústico.

acoustics. Acústica. Ciência do som.

A.C.P. Abreviatura de "*anodal closing picture*".

---

* N. do T. — não averbado em língua portuguesa: a nosso ver melhor que acoustesia ou acustesia.

acral. Relativo às extremidades.

acrania. Acrania.

acrasia. Acrasia. Aberração orgânica.

acratia. Acrasia, debilidade, fraqueza, prostração.

acraturesis. Acraturese. Dificuldade da micção por atonia-vesical.

Acrel's ganglion. Pseudogânglio de nervo interósseo localizado na região do carpo.

Acremoniella. Acremoniella. Fungo semelhante ao "*Acremonium*".

acremoniosis. Acremoniose. Infecção pelo Fungo "*Acremonium*".

Acremonium. Fungo "*Acremonium potronii*".

acribometer. Acribômetro. Instrumento para medir objetos diminutos.

acrid. Picante, irritante, corrosivo.

acridine. Acridina.

acriflavine. Acriflavina.

acrimony. Acrimônia. Qualidade do acre.

acrisia. Acrisia. Insegurança na natureza ou caráter de uma enfermidade.

acritical. Acrítico. Sem crise.

acritochromacy. Acritocromacia. Sin.: acromatopsia. Cegueira para cor.

acroaesthesia. Acroestesia.

acroanaesthesia. Acroanestesia.

acroarthritis. Acroartrite. Artrite que afeta as extremidades.

acroasphyxia. Acroasfixia. Dedo morto, enfermidade de Raynaud.

acroataxia. Acroataxia. Ataxia que afeta os dedos das mãos e dos pés.

acroblast. Acroblasto.

acrobystiolith. Acrobistiólito. Cálculo prepucial.

acrobystitis. Acrobistite. Sin.: Acropostite, postite.

acrocephalia, acrocephaly. Sin.: Hipsocefalia, oxicefalia, pirgocefalia, turricefalia.

acrocephalosyndactilia, acrocephalosyndactyly. Acrocefalossindactilia. Sin.: acrosfenosindactilia.

acrochordon. Acrocordo. Sin.: "*Molluscum fibrosum*".

acrocinesis. Acrocinesia. Sin.: oxicinesia.

acrocontacture. Acrocontratura.

acrocyanosis. Acrocianose.

acrodermatitis. Acrodermatite. // **chronic-atrophic.** Acrodermatite crônica atrófica. // **- perstans.** Acrodermatite persistente.

acrodynia. Acrodinia. Sin.: eritema epidêmico, pedionalgia epidêmica, trofodermatoneurose, enfermidade de Selter-Swift-Feer.

acroedema. Acroedema.

acroesthesia. Acroestesia.

acrogeria. Acrogeria. Senilidade prematura da pele das mãos e dos pés.

acrognosis. Acrognosia. Cenestesia das extremidades.

acrohyperhidrosis. Acro-hiperidrose.

acrohypothermia. Acro-hipotermia.

acrohysterosalpingectomy. Acro-histerosalpingectomia.

acrokinesia. Acrocinesia. Liberdade anormal de movimentos.

acromacria. Aracnodactilia. Comprimento excessivo das extremidades.

acromania. Acromania. Mania caracterizada por grande atividade motora.

acromastitis. Acromastite. Sin.: telite. Inflamação do mamilo.

acromegalia. Acromegalia. Sin.: acropaquia, enfermidade de Mariè.

acromegalogigantism. Acromegalogigantismo.

acromegaloidism. Acromegaloidismo. Condição corporal semelhante à acromegalia, porém, que não é devida a transtorno pituitário.

acromelalgia. Acromelalgia, afecção caracterizada por acessos dolorosos e rubefação nos dedos das mãos e dos pés. Sin.: eritromelalgia.

acrometagenesis. Acrometagênese. Deformidade simétrica das extremidades por afecção da glândula pituitária.

acromial. Acromial.

acromicria. Acromicria. Pequenez anormal das mãos e dos pés.

acromioclavicular. Acromioclavicular.

acromiocoracoid. Acromiocoracoídeo.

acromiohumeral. Acrômio-umeral.

acromion. Acrômio.

acromioscapular. Acromiocapsular.

acromphalus. Acrônfalo. Hérnia umbilical.

acromycosis. Acromicose.

acromyotonia. Acromiotonia.

acronarcotic. Acronarcótico.

acroneurosis. Acroneurose.

acronyx. Acroníquia. Unha encravada.

acropachy. Acropaquia. Dedos em vaqueta de tambor.

acroparaesthesia. Acroparestesia.

acroparalysis. Acroparalisia.

acrophobia. Acrofobia.

acroposthitis. Acropostite.

acroscleroderma. Acroscleroderma.

acrosclerosis. Acrosclerose.

acrosome. Acrossoma, corpo apical.

across. Através de.

acroteric. Acrotérico. Relativo à periferia.

acrotic. Acrótico.

acrotism. Acrotismo. Ausência de pulsação.

acrotrophodynia. Acrotrofodinia.

acrotrophoneurosis. Acrotrofoneurose.

A.C.S. *Anodal closing sound.* Ruído anodal de fechamento.

act. Ato. Atuar.

ACTH. Hormônio adrenocorticotrópico.

actin. Actina. Proteína descoberta nos músculos.

actinic. Actínico.

actiniform. Actiniforme. Sin.: actinomorfo.

actinism. Actinismo.

actinium. Actínio.

actinobacillus. Actinobacilo.

actinocardiogram. Actinocardiograma. É produzido pela utilização das diferenças de densidade na chapa radiográfica.

Actinochemistry. Actinoquímica.

actinodermatitis. Actinodermatite. Sin.: actinocutite, radiodermite.

actinodiastase. Actinodiástase. Enzima que se encontra em celenterados e transforma a digestão intracelular característica destes animais.

actino-erythrin. Actinoeritrina. Éster de bioeritrina.

actinogen. Actinógeno. Substância que produz radiação.

actinogenesis. Actinogênese, radiogênese.

actinogram. Actinograma. Roentgenograma.

actinohematin. Actino-hematina. Pigmento respiratório vermelho observado em certas actínias.

actinokymography. Actinocimografia.

actinolite. Actinólito. Aparelho para a concentração de raios de luz elétrica ou para geração de raios ultravioleta.

actinometer. Actinômetro.

actinomycetaceae. Actinomicetaceos.

Actinomycetales. Actinomycetales.

actinomycetic. Actinomicético.

actinomycoma. Actinomicoma. Espécie de tumor actinomicético.

actinomycosis. Actinomicose. Sin.: discomicose, enfermidade de Rivolta.

Actinoneuritis. Actinoneurite.

actinophage. Actinófago. Vírus causador da lise de actinomicetos.

actinophor. Actinóforo. Mistura usada no diagnóstico radiológico.

actinophytosis. Estreptotricose.

actinotherapy. Actinoterapia.

actinotoxaemia. Actinotoxemia.

action. Ação, ato, demanda, processo.

action-tremor. Tremor rítmico dos lábios.

activate. Ativar.

active. Ativo, eficaz.

actor. Substância ativa. Substância capaz de participar das reações químicas primárias e secundárias.

ACTP. Abreviatura de "polipéptido adrenocorticotrópico".

actuation. Atuação, impulsão.

acu.- acu. Partícula que denota relação com uma agulha.

acuclosure. Acuclusão. Detenção de hemorragia por meio de uma agulha por compressão.

acuesthesia. Acuestesia.

acufilopressure. Acufilopressão. Combinação de acupressão e ligadura.

acuity. Acuidade. Agudeza.

acuminate. Acuminado, aguçado.

acupression, acupressure. Acupressão.

acupuncture. Acupunctura.

acusection. Acussecção.

acusticus. Acústico.

acute, sharp. Agudo.

acutenaculum. Acutenáculo, agulha oca.

acutorsion. Acutorção.

acyanoblepsia. Acianoblepsia. Incapacidade de distinguir a cor azul.

acyanopsia. Acianopsia.

acyclia. Aciclia.

acyesis. Aciesia. Esterilidade por incapacidade de desenvolver gravidez.

acyl. acil. Radical orgânico derivado de um ácido orgânico ao suprimir o grupo hidroxila.

acylation. Acilação. Introdução de um radical ácido em um composto.

acystia. Acistia. Falta de bexiga.

acystinervia. Acistinervia. Paralisia vesical.

A.D. Abreviatura de *"diphenylchlorarsine"* e de *"anodal duration"* (difenilclorarsina e duração anodal).

ad. Preposição latina que significa "a", "para", e denota proximidade.

ad def. an. Abreviatura de *"ad defectionem animi"*, para a síncope.

ad grat. acid. Abreviatura de *"ad gratam aciditatem"* (q.v.).

ad. lib. Abreviatura de *"ad libitum"* à vontade.

ad. mov. Abreviatura de *"ad moveatur"*, para que se aplique.

ad. nauseam. Até produzir náuseas.

adactylia. Adactilia ou adactalismo. Anormalidade caracterizada pela ausência de dedos nas mãos e nos pés.

Adair-Dighton syndrome. Síndrome de Adair-Dighton. Caracterizado por surdez, fragilidade óssea e escleróticas azuis.

adalin. Adalina. Sin.: Carbromal.

Adam's apple. Pomo de Adão ou proeminência laríngea.

adamantine. Adamantino.

adamantinocarcinoma. Adamantinoma maligno.

adamantinoma. Adamantinoma. Sin.: ameloblastoma.

adamantoblast. Adamantoblasto. Sin.: ameloblasto.

adamantoblastoma. Adamantinoma (ameloblastoma).

adamantoma. Adamantinoma (ameloblastoma).

Adami's theory. Teoria de Adami. Hipótese para aplicar a herança semelhante à das cadeias laterais de Ehrlich.

Adamkiewicz demilune cells. Reação semilunar de Adamkiewicz. Células semilunares debaixo do neurilema das fibras nervosas medulares.

Adams'operation. Operação de Adams. Divisão intracapsular do fêmur na ancilose do quadril. // Fasciotomia palmar subcutânea na contração de Dupuytren. // Excisão de uma cunha de pálpebra para cura do ectrópio. // Encurtamento dos ligamentos redondos. // Fratura do septo nasal desviado e colocação de uma férula.

Adams-Stokes' disease. Enfermidade de Adams-Stokes. Bradicardia permanente com ataques de síncope e epilepsia, atribuída a arteriosclerose das artérias vertebral e basilar.

adaptation. Adaptação.

adapter. Adaptante, ajustador, estirador.

adaptometer. Adaptômetro. Instrumento para medir o tempo que requer a adaptação da retina.

adaxial. Adaxial. Adaptado ao lado ou através do eixo.

add. Abreviatura de "adicionar" usada em receitas médicas.

adde. *"add"* ou *"adde"* (abreviatura *"addere"*. acrescentar).

addict. Dedicar, destinar, entregar-se a.

addiction. Inclinação, tendência, entrega. Soma.

addictology. Aditologia.

addisin. Adisina, Substância que se encontra no suco gástrico.

Addison's disease. Enfermidade de Addison. Pigmentação bronzeada da pele, prostração grave e anemia progressiva devida a hipofunção das glândulas supra-renais que termina geralmente com a morte. Sin.: melasma supra-renal.

additive. Aditivo.

Adducens. *"Adducens oculi"*. Adutor do olho (músculo reto medial).

adduct. Aduzido.

adduction. Adução.

adductor. Adutor.

Adelmann's maneuver or method, operation. Manobra ou método e operação de Adelmann. Flexão forçada de uma extremidade para coibir hemorragia arterial. // Desarticulação de um dedo da mão junto com a cabeça do metacarpiano correspondente.

adelomorphous. Adelomorfo, célula adelomorfa.

adelphia. Adelfia.

aden-. aden, adeno. Prefixo grego que significa "glândula" ou "linfonodo".

Aden fever. Febre de Aden, dengue, úlcera oriental.

adenalgia. Adenalgia. Sin.: adenodinia — dor glandular.

adenase. Adênase. Enzima que catalisa a conversão da adenina em hipoxantina e amônio.

adendritic. Adendrítico, adêndrico.

adenectomy. Adenectomia.

adenemphraxis. Adenonfraxia, obstrução de uma glândula.

adenia. Adenia.

adeniform. Adeniforme.

adenine. Adenina.

adenitis. Adenite.

adenization. Adenização ou degeneração adenoídea.

adenoacanthoma. Adenoacantoma, adenocancróide.

adenoangiosarcoma. Adenoangiossarcoma.

adenoblast. Adenoblasto.

adenocancroid. Adenocancróide.

adenocarcinoma. Adenocarcinoma.

adenocele. Adenocele.

adenocellulitis. Adenocelulite.

adenochondroma. Adenocondroma.

adenochondrosarcoma. Adenocondrossarcoma.

adenochrome. Adenocromo.

adenocyst. Adenocisto.

adenocystoma. Adenocistoma.

adenocyte. Adenócito. Célula secretora adulta de uma glândula.

adenodynia. Adenodinia.

adenoepithelioma. Adenepitelioma.

adenofibroma. Adenofibroma.

adenofibrosis. Adenofribrose.

adenohypersthenia. Adenóiperestenia.

adenohypophysis. Adenoipófise*.

adenoid. Adenóide.

adenoidectomy. Adenoidectomia.

---

* N. do T. — Grafia usada no Dicionário Médico de Rodolfo Paciornik — 1978 — Guanabara Koogan.

adenoidism. Adenoidismo.

adenolipoma. Adenolipoma.

adenolipomatosis. Adenolipomatose. Sin.: pescoço adiposo de Madelung.

adenology. Adenologia.

adenolymphocele. Adenolinfocele.

adenoma. Adenoma. // **basophile.** Adenoma basófilo. // **- sebaceum.** Adenoma sebáceo. // **- toxic.** Adenoma tóxico.

adenomalacia. Adenomalácia.

adenomatosis. Adenomatose.

adenomere. Adenômero.

adenomyofibroma. Adenomiofibroma.

adenomyoma. Adenomioma.

adenomyometritis. Adenomiometrite. Inflamação hiperplástica do útero.

adenomyosarcoma. Adenomiossarcoma.

adenomyositis. Adenomiosite.

adenomyxoma. Adenomixoma. Tumor de tecidos glandular e mucoso.

adenomixosarcoma. Adenomixossarcoma.

adenoncus. Adenoncose. Tumefação de um linfonodo.

adenoneural. Adenoneural.

adenopathy. Adenopatia. Enfermidade dos linfonodos.

adenopharyngitis. Adenofaringite.

adenophlegmon. Adenoflegmão.

adenophthalmia. Adenoftalmia. Inflamação da glândula intratarsal.

adenosarcoma. Adenossarcoma.

adenosarcorhabdomyoma. Adenorabdomioma.

adenosclerosis. Adenosclerose.

adenosinase. Adenosínase.

adenosine diphosphate and a. triphosphate. Difosfato e trifosfato de adenosina.

adenosis. Adenose.

adenosistis. Adenosite.

adenotome. Adenótomo.

adenotomy. Adenotomia.

adenotonsillectoly. Adenotonsilectomia.

adenotyphus. Adenotifo.

adenous. Adênico ou glanduloso ou lupadenoso.

adenyl. Adenil.

Adenyl-pyrophosphate. Pirofosfato de adenil, trifosfato de adenosina.

adenophagia. Adenofagia.

adeps. Gordura. // **- lanae.** Lanolina. // **- lanae hydrosus.** Lanolina hidratada.

adermia. Adermia.

adermin. Adermina.

adermogenesis. Adermogênese.

adermotrophia. Adermotrofia.

adex. Adex. Pastilha de vitaminas A e D.

A.D.G. Abreviatura de "axio distogengival".

Ad grat. acid. Abreviatura de *"ad gratam aciditatem"* (q.v.).

ADH. Abreviatura de *"antidiuretic hormone"*, hormônio antidiurético.

adhere. Aderir.

adhesion. Adesão.

adhesiotomy. Adesiotomia.

adhesive. Adesivo.

adhib. Abreviatura de *"adhibendus"*. Para ser administrado.

A.D.I. Abreviatura de "axiodistoincisal".

adiabatic. Adiabático. Que não transmite calor.

adiactinic. Adiactínico.

adiadochokinesis. Adiadococinesia. Falta ou diminuição da faculdade de praticar movimentos voluntários opostos sucessivos com rapidez.

adiaemorrhysis. Adiamorrise. Obstrução da circulação sangüínea.

adiantum. Adianto. Feto da família das polipodiáceas.

adiaphoresis. Adiaforese. Falta ou ausência de perspiração.

adistole. Adiástole.

adiathermic. Adiatérmico.

Adie's syndrome. Síndrome de Adie. Lentidão do reflexo pupilar, abolição de reflexos tendinosos sem transtornos motores e sensitivos.

adipectomy. Adipectomia.

adipocele. Adipocele.

adipocere. Adipocera. Sin.: gordura de cadáver.

adipochrome. Adipocromo.

adipogenesis. Adipogênese.

adipohepatic. Adipo-hepático.

adipoid. Adipóide, lipóideo.

adipolysis. Adipólise. Digestão ou hidrólise de gorduras.

adipolytic. Adipolítico.

adipoma. Adipoma, ou melhor, lipoma.

adipometer. Adipômetro. Instrumento para medir a espessura da pele.

adiponecrosis. Adiponecrose.

adipose, fat. Gordura.

adiposis. Adipose.

adipositas, adiposity, obesity, fatness. Adiposidade, adipositas.

adipositis. Adiposite.

adiposuria. Adiposúria.

adipsia. Adipsia. Sin.: aposia. Ausência de sede.

aditus. Adito, entrada, acesso.

adjunction. União, adição, adjunção.

adjustment. Ajuste.

adjuvant. Adjutor, adjuvante, coadjuvante.

Adler's test. Reação de Adler. Teste da benzidina para demonstrar a presença de sangue.

Adler's theory. Teoria de Adler. O desenvolvimento das neuroses obedece a uma inferioridade social ou física.

ad lib. Abreviatura de "*ad libitum*", à vontade.

admedial. Admedial ou admediano.

admission. Internação.

adnerval. Adneural.

adnexa. Anexos.

adnexectomy. Anexectomia.

adnexitis. Anexite.

adnexogenesis. Anexogênese.

adnexopexy. Anexopexia, operação que consiste em fixar a tuba de Falópio e o ovário à parede abdominal.

A.D.O. Abreviatura de "axiodistoclusal".

adolescence. Adolescência.

adonidin. Adonidina. Glicosido venenoso de "*Adonis vernalis*".

adonit. Adonitol. Álcool pentaídrico encontrado no "*Adonis vernalis*".

adoral. Adoral, próximo à boca.

adosculation. Adosculação. Impregnação por contato externo.

A.D.P. Abreviatura de *adenosinodifosfato*.

adpond. om. (adpondus omnium = to the weight of the whole). Abreviatura de "o peso total".

adrenal. ad-renal. Cápsula supra-renal.

adrenalectomize. Adrenalectomizar.

adrenalectomy. Adrenalectomia.

adrenaline. Adrenalina. Sin.: adrenamina, adrenina, adnefrina, epinefrina, paranefrina, supracapsulina, supra-renina, supra-renalina.

adrenalinoscope. Adrenalinoscópio. Aparelho para detectar a presença de epinefrina em um líquido.

adrenalinuria. Adrenalinúria.

adrenalism. Adrenalismo.

adrenalitis. Adrenalite.

adrenalone. Adrenalona. Cetona obtida pela oxidação da epinefrina. Vasoconstrictor.

adrenalopathy. Adrenalopatia. Adrenopatia.

adrenals. Glândulas adrenais (supra-renais).

adrenergic. Adrenérgico.

adrenic. Adrênico.

adrenin. Adrenina. Adrenalina.

adreninemia. Adrenalinemia.

adrenitis. Adrenite, adrenalite.

adrenochrome. Adrenocromo. Produto de oxidação da epinefrina.

adrenocortical. Adrenocortical. Pertencente ao córtex supra-renal ou a seus hormônios.

adrenocorticomimetic. Adrenocorticomimético.

adrenocorticotrophic. Adrenocorticotrófico.

adrenocorticotrophin. Adrenocorticotrofina.

adrenocorticotropic. Adrenocorticotrocópico.

adrenocorticotropin. Adrenocorticotropina. Princípio isolado da parte anterior da glândula pituitária.

adrenocortin. Adrenocortina. Extrato de córtex supra-renal.

adrenodontia. Adrenodontia.

adrenogram. Adrenograma.

adrenokinetic. Adrenocinético.

adrenolytic. Adrenolítico.

adrenomedullotropic. Adrenomedulotrópico. Estimulante da atividade hormonal da medula supra-renal.

adrenomegaly. Adrenomegalia.

adrenopathy. Adrenopatia.

adrenopause. Adrenopausa.

adrenoprival. Adrenopriva.

adrenosterone. Adrenosterona.

adrenotoxin. Adrenotoxina.

adrenotrope. Adrenótropo.

adrenotrophic. Adrenotrófico.

adrenotrophin. Adrenotrofina.

adrenotropism. Adrenotropismo. Tipo de constituição endócrina em que predomina a influência adrenal.

adrenoxidase. Adrenoxídase. Secreção adrenal oxigenada.

adrenoxin. Adrenoxina. Substância formada no pulmão mediante a combinação do oxigênio com a secreção interna glandular.

adromia. Adromia. Falta de condução nervosa dos músculos.

adrue. "*Cyperus articulatus*". Planta da Índia com propriedades tônica, antiemética, e anti-helmíntica.

ADS. Abreviatura de "*antidiuretic substance*".

adsorbent. Adsorvente.

adsorption. Adsorção.

adsternal. Adsternal. Próximo do esterno.

adstringentia. Adstringência.

A.D. Te. Abreviatura de "*anodal duration tetanus*". Duração anodal do tétano.

adterminal. Adterminal. Passagem para a extremidade de um músculo, falando de uma corrente elétrica.

adtevac. Processo adtevac. Dessecação do sangue congelado, na preparação de plasma ou soro concentrado para uso intravenoso.

adulteration. Adulteração. Sin.: sofisticação.

adumbrate. Esboçar, bosquejar, sombrear, delinear.

advance. Avanço, progresso, adiantamento.

advancement. Adiantamento, progresso, ascensão.

adventitia. Adventícia (túnica).

adventitial. Relativo à adventícia.

adventitious. Acidental, adquirido, fora do lugar normal.

advise. Consulta.

advitant. Vitamina.

adynamia. Adinamia. Sin.: astenia, prostração.

A.E. (antitoxin unit). Abreviatura alemã de "unidade antitoxina".

Aeby's plane. Plano de Aeby. Plano médio perpendicular que passa pelo násio e básio.

aedeology. Edeologia. Estudos dos genitais.

Aedes. "*Aedes*". Gênero de mosquito.

aedoeocephalus. Edeocéfalo. Monstro fetal sem boca, cavidade orbitária única e nariz semelhante a um pênis.

Aeg. Abreviatura de "*aeger*", o paciente.

aegagropilus. Egagrópilo. Massa endurecida contendo pêlos que se acha no estômago de ruminantes (bezoar) e mais raramente no homen.

aegilops. Egilope. Ulceração no ângulo medial do olho.

aegophony. Egofonia.

Aegyptianella pollorum. "*Aegyptianella pollorum*". Parasita encontrado no sangue de galináceos.

aeipathy. Aeismo. Enfermidade contínua do sistema nervoso.

aelurophobia. Ailurofobia, galeofobia, galofobia, temor exagerado aos gatos.

aeluropsis. Eluropse. Olhos oblíquos da raça mongólica.

aequator. Equador.

aequum. Equum. Termo de Pirquet para a quantidade de alimentos requeridos para a manutenção de peso em determinadas condições de atividade.

aer. Atmos.

aeraemia. Aeremia.

aerase. Aérase. Enzima respiratória hipotética da bactéria aeróbica.

aerasthenia. Aerastenia. Psicastenia, com perda da confiança em si mesmo e transtorno mental que se observa nos pilotos de aviação.

aeration. Aeração.

aeremia. Aeremia. Presença de ar nos vasos sangüíneos.

aerendocardia. Aerendocardia.

aerenterectasia. Aerenterectasia. Distensão intestinal por ar ou gás.

aerial. Aéreo.

aeroanaerobic. Aeroanaeróbica.

aeroasthemia. Aeroastemia, aeroneurose.

aerobacter. "*Aerobacter*". Gênero de esquizomicetos.

aerobe. Aeróbio.

aerobiology. Aerobiologia.

aerobioscope. Aerobioscópio.

aerobiosis. Aerobiose. Vida na presença de oxigênio.

aerobium. Aeróbio.

aerocele. Aerocele. Sin.: pneumocele, hérnia da traquéia.

aerocolia. Aerocolia.

aerocolpos. Aerocolpo. Distensão da vagina com gás.

aerocoly. Aerocolia. Distensão do cólon com gás.

aerocystography. Aerocistografia.

aerocystoscope. Aerocistoscópio, aerouretroscópio.

aerodermectasia. Aerodermectasia. Enfisema cirúrgico ou subcutâneo.

aerodynamics. Aerodinâmica.

aeroembolism. Aerembolismo. Produz-se nos aviadores que alcançam grandes altitudes devido à formação de borbulhas de nitrogênio no sangue.

aeroemphysema. Aerenfisema. Enfisema pulmonar e edema devido à coleção de borbulhas de nitrogênio nas arteríolas pulmonares.

aerogastria. Aerogastria.

aerogastrocolia. Aerogastrocolia.

aerohydrotherapy. Aeroidroterapia.

aeroionotherapy. Aeroionoterapia. Tratamento de condições respiratórias pela inalação de cargas elétricas.

aeromammography. Aeromamografia. Mamografia efetuada depois de injetar dióxido de carbono no espaço retromamário.

aeromedicine. Aeromedicina.

aerometer. Aerômetro.

aeromicrobe. Aeromicrobia. Microrganismo aeróbio.

aeroneurosis. Aeroneurose. Desordem nervosa observada nos aviadores, caracterizada por transtornos gástricos, irritabilidade nervosa, insônia, instabilidade emocional e aumento da atividade motora. É devida a uma prolongada anóxia e pela ansiedade emocional dos vôos.

aeroodontalgia. Aerodontalgia.

aeroodontodynia. Aerodontodinia, aerodontalgia.

aerootitis. Aerotite.

aeropathy. Aeropatia. Enfermidade devida às mudanças da pressão atmosférica.

aeropause. Aeropausa. Região situada entre a estratosfera e outro espaço onde não há atmosfera.

aeroperitonia. Aeroperitonia, pneumoperitonia, pneumoperitônio.

aerophagia, aerophagy. Aerofagia.

aerophil. Aerófilo.

aerophore. Aeróforo. Aparelho para a insuflação de ar nos pulmões do recém-nascido para combater a asfixia.

aeroplankton. Aeroplâncton. Organismos presentes no ar.

aeroplethysmograph. Aeropletismógrafo. Aparelho para registrar a quantidade de ar respirado.

aeropleura. Aeropleura, pneumotórax.

aeroporotomy. Aeroporotomia. Operação para fazer entrar o ar como na intubação.

aeroscope. Aeroscópio. Instrumento para exame microscópico do ar relacionado com sua pureza.

aerosialophagy. Sialoaerofagia.

aerosinusitis. Aerossinusite.

aerosis. Aerose. Produção de gás nos tecidos ou órgãos.

aerosol. Aerossol.

aerosolology. Aerossolologia. Estudo científico da temperatura pelo aerossol.

aerosome. Aerossoma. Um dos corpos hipotéticos que se encontram no ar dos climas tropicais e que afetam a aclimatação dos europeus.

aerosporin. Aerosporina.

aerostatic. Aerostático.

aerotaxis. Aerotaxes.

aerotherapy. Aeroterapia.

aerothorax. Pneumotórax.

aerotitis. Aerotite.

aerotonometer. Aerotonômetro. Instrumento para a medição da tensão dos gases sangüíneos.

aerotropism. Aerotropismo.

aerotympanal. Aerotimpânico.

aerourethroscope. Aerouretroscópio.

aertryckosis. Intoxicação alimentar pelo "Bacillus aerthyche". Aertricose.

aesculapian. Esculápio ou relativo à Esculápia.

Aesculapius. Esculápio.

aesculushippocastanum. "aesculus". Castanha da Índia, empregada como anti-reumático e antipalúdico.

aesthesia. Estesia, sensação, sensibilidade.

aesthesioblast. Estesioblasto.

aesthesiomania. Estesiomania.

aesthesiometer. Estesiômetro. Instrumento para medir a sensibilidade táctil.

aesthesioneure. Estesioneurônio.

aesthesioneurosis. Estesioneurose. Transtorno nos nervos sensitivos.

aesthesioscopy. Estesioscopia. Delimitação da pele nas áreas nas quais se percebe a dor.

aesthetic. Estético.

aestival. Estival.

aestivoautumnal. Estivo-outonal (febre).

aet. Abreviatura de "aetas", idade.

aetiology. Etiologia.

afebrile. Afebril, apirético.

affair. Assunto, problema.

affect. Afeta.

affection. Afecção, enfermidade.

affectivity. Afetividade.

affectomotor. Afeto-motor. Combinação emocional de transtornos com atividade muscular.

affectepilepsie. Afetepilepsia. Convulsão psicogênica que se observa na psicastenia e nos estados obsessivos.

affenspalte. "Sulcus Lunatus".

Afferent. Aferente.

affiliation. Afiliação, adoção, legitimação.

affinity. Afinidade. // - **chemical.** Afinidade química. Força que une os átomos nas moléculas. // - **elective.** Afinidade eletiva. Força com que uma substância seleciona para unir-se com outra preferida a outras. // - **residual.** Afinidade residual. Força que permite às moléculas combinar-se com outros agregados.

affirmation. Afirmação.

afflux, affluxion. Afluxo.

afford. Proporcionar, permitir-se.

affusion. Afusão.

afibrinogenemia. Afibrinogenemia. Deficiência de fibrinogênio no sangue.

afoot. Em atividade.

African coast fever. Febre de Rodésia.

African lethargy. Doença do sono. Tripanossomíase.

after. Depois.

afterbirth. Termo popular para indicar a expulsão das secundinas.

afterbrain. Metencéfalo, rombencéfalo.

aftercare. Convalescença.

aftercataract. Catarata secundária, opacidade da cápsula lenticular depois da facectomia.

aftercondensation. Condensação posterior.

aftercurrent. Corrente secundária. Produzida em um músculo e em um nervo depois de cessar uma corrente elétrica que passou por eles.

afterdamp. Gases tóxicos encontrados nas minas depois de uma explosão.

afterdischarge. Descarga secundária. Resposta ao estímulo em um nervo sensitivo que persiste mesmo depois que ele tenha cessado.

afterhearing. Audição secundária. Sensação de continuar ouvindo sons que já cessaram.

afterimage. Pós-imagem.

aftermovement. Movimento secundário, fenômeno de kohnstamn.

afterpains. Dores secundárias. Depois do parto, devido a contrações uterinas.

afterperception. Percepção secundária. Sensação depois de cessar o estímulo que a produz.

aftersensation. Sensação secundária.

afterstain. Coloração secundária. Efetuada para conseguir mais pormenores.

aftertaste. Gosto persistente depois de desaparecer o estímulo.

aftertreatment. Tratamento secundário de um convalescente.

aftervision. Visão secundária. Sensação visual persistente depois que a imagem deixou de ser visível.

aftosa. Aftosa (febre). Indica enfermidade dos genitais e da boca.

afunction. Afunção, falta de função.

A.G. Abreviatura de "*axiogengival*".

Ag. Símbolo químico de "*argentum*", prata.

again. Por outra parte.

against. Contra.

agalactia. Agalactia. Sin.: agalactose, agalorréia, alactia.

agalactosuria. Agalactosúria. Ausência de galactose na urina.

agal-agal. Ágar-ágar.

agalorrhea. Agalorréia. Ausência ou retenção de leite.

agamete, agamic. Agâmico, assexual.

Agamofilaria. "*Agamofilaria*". Gênero de nematóide parasita, imperfeitamente conhecido.

agamogenesis. Agamogênese, esquizogania.

agamogenetic. Agamogênico. De reprodução assexuada.

agamogony, esquizogonia. Reprodução sem contato sexual.

Agamomermis culicis. "*Agamomermis culicis*". Nematóide parasita no mosquito.

Agamonema. "*Agamonema*". Grupo imaturo e não identificado de nematóides encontrados na urina.

Agamonematodum migrans. "*Agamonematodum migrans*". Diminuta larva de nematóide.

agamont. Esquizonte.

agamous. Agâmico. Sem órgãos sexuais reconhecíveis.

agar. Ágar ou ágar-ágar. Sin.: ictiocola vegetal, gelose.

agaric. Agárico.

agaster. Agastria. Sem estômago.

agastric. Agástrico. Aplicado em casos de falta total ou parcial de estômago.

agastroneuria. Agastroneuria. Insuficiente tono nervoso no estômago.

agave. Agave. Gênero de plantas amantidáceas.

AgCl. Cloreto de prata.

AgCN. Cianeto de prata.

age. Idade, época, período.

aged. Ancião.

agenesia, agenesis. Agenesia. Desenvolvimento defeituoso ou falta das partes. // - **corticalis.** Falta congênita de desenvolvimento das células corticais, especialmente das pirâmides do cérebro, resultado da paralisia cerebral infantil e da idiotia. Esterilidade ou impotência.

agenitalism. Agenitalismo. Falta de secreção interna dos testículos ou dos ovários.

agenosomia. Agenossomia. Anormalidade 1 desenvolvimento mental caracteri- la por ausência ou desenvolvimento rudimentar dos genitais e eventração da parte inferior do abdômen.

agenosomus. Agenossomo.

agent. Agente.

agerasia. Agerasia. Aspecto de juventude na velhice.

ageusia, ageustia. Ageusia, ageustia. Falta de sentido do gosto.

agger. "Agger", eminência. // - **nasi.** Eminência nasal.

agglomerate. Aglomerado.

agglomerin. Aglomerina. Anticorpo hipotético no sangue que produz aglomeração de seus antígenos.

agglutination. Aglutinação.

agglutinator. Aglutinante.

agglutinin. Aglutinina.

agglutinogen. Aglutinogênio.

agglutinogenic. Aglutinogênico.

agglutinoid. Aglutinóide.

agglutinometer. Aglutinômetro.

agglutinophilic. Aglutinofílico.

agglutinophore. Aglutinóforo.

agglutinoscope. Aglutinoscópio. Aparelho para examinar nos tubos de ensaio a reação de aglutinação.

agglutinum. Aglutino. A parte aglutinável de um bacilo.

agglutometer. Aglutômetro. Aparelho para formar a prova de Gruber Widal sem o uso de um microscópio.

aggred feb. Abreviatura de *aggrediene febre*, febre que ataca.

aggregate. Agregado.

aggregation. Agregação, agregado, massa.

aggressin. Agressina. Substância que se crê elaborada nas bactérias e que ativa ou faz agressiva sua ação virulenta paralisando o mecanismo de defesa dos leucócitos.

AgI. Iodeto de prata.

agit. vas. Abreviatura de "*agitato vase*" agitado o frasco.

agitation. Agitação, sacudidura.

agitographia. Agitografia. Excessiva rapidez ao escrever, com omissão inconsciente de palavras ou parte de palavras. Geralmente ocorre associada à agitofasia.

agitolalia. Agitolalia, agitofasia.

aglaucopsi. Aglaucopsia. Cegueira para a cor verde.

aglobulia. Aglobulia. Sin.: oligocitemia.

aglomerular. Aglomerular. Sem glomérulos.

aglossia. Aglossia. Falta da língua.

aglossostomia. Aglossostomia.

aglutition. Aglutinação. Impossibilidade de deglutir.

aglycaemia. Aglicemia.

aglycosuric. Aglicosúria.

agmatology. Agmatologia. Conhecimento das fraturas.

agnate. Agnatício, agnado, ágnato.

agnathia. Agnatia. Falta congênita da mandíbula.

agnea. Agnóia. Condição na qual os objetos não são reconhecidos.

Agnew's splint. Férula de Agnew. Férula para uma fratura patelar ou do metacarpo.

AgNO$_3$. Nitrato de prata.

agnoea. Agnéia, agnosia.

Ag$_2$O. Óxido de prata.

agomphiasis. Agonfíase.

agonad. Indivíduo sem gônadas.

agonadal. Indivíduo sem gônadas.

agonal. Agonizante.

agony. Agonia, esterilidade, impotência.

agoraphobia. Agorafobia. Temor de achar-se só em um espaço extenso e livre.

Agostini's reaction test. Reação ou teste de Agostini. Prova de cloreto de ouro e óxido de potássio para determinar dextrose na urina.

Ag$_3$PO$_4$. Ortofosfato de prata.

agraemia. Agremia. Estado do sangue característico da gota.

agrammatica, agrammatism. Agramatismo, acatafasia. Impossibilidade de expressão ou escrever os pensamentos de um modo conexo.

agranulemia. Agranulocitose.

agranulocytosis. Agranulocitose. Sin.: aneutrofilia, angina agranulocítica, angina de Schultz, granulopenia, granulocitopenia, neutropenia maligna, mucosite necrótica agranulocítica, sepsia agranulocítica, reação linfática.

agranuloplastic. Agranuloplástico. Formatos de células não granulosas.

agraphia. Agrafia.

agremia. Agremia. Estado do sangue que caracteriza a gota.

agria. Agria. Erupção pustolosa.

agrimonia eupatoria. "*Agrimonia eupatoria*". Planta perene, da família das rosáceas.

agriothymia. Agriotimia, loucura ou mania furiosa.

agromania. Agromania. Desejo de solidão.

agrypnia. Agripnia. Sin.: insônia.

agrypnocoma. Agripnocoma. Insônia letárgica, coma vigil.

Ag$_2$S. Sulfeto de prata.

Ag$_2$SO$_4$ Sulfato de prata.

aguamiel. Aguamiel. Suco com o qual se faz o pulque.

ague. Calafrio, febre intermitente.

A.G.V. Abreviatura de "*anilin gencian violet*".

agyria. Agiria. Malformação em que não se desenvolve normalmente a circunvolução cerebral.

a.h. Abreviatura da "*alternis horis*", em horas alternadas.

ah. Símbolo para o "astigmatismo hipermetrópico".

Ahlfeld's sign. Sinal ou método de Ahlfeld. Espasmo irregular no colo uterino que se observa depois do terceiro mês de gravidez.

ahypnia. Insônia, agripnia.

A.I. Abreviatura de "axio-incisal".

aichmophobia. Ecmofobia (acmofobia). Temor aos objetos pontiagudos.

aid. Ajudar.

aidoiitis. Edeíte, vulvite, balamite.

aidoiomania. Edeomania. Desejo sexual anormal.

ailanthus. "*Ailanthus*". Gênero de árvores simarrubáceas.

ailment. Dolência, indisposição, dor, incômodo, tumor em animais de tração atribuídos ao trabalho.

ailurophobia. Elurofobia (ailurofobia). Temor morboso aos gatos.

ainhum. Ainhum. Sin.: dactilólise espontânea.

air. Ar. // - **conduction.** Condução de ar.

Airol. Marca registrada de óxido gálato de bismuto. Pó verde, antisséptico. *Airofórmio, airógeno.

airway. Luz, lúmen.

Aitken's pill. Pílulas de Aitken. Pílulas tônicas à base de ferro reduzido, sulfato de quinina, estricnina e arsênico. // - **operation.** Operação de Aitken. Pelvitomia dupla em pelves estreitas.

akatamah. Neurite periférica observada na África Ocidental.

akatamathesia. Acatamatesia. Inabilidade para compreender.

akatanoesis. Acatanese (acatanoese). Inabilidade para entender-se a si mesmo.

akathisia. Acatisia. Psicose caracterizada por um temor morboso a sentar-se; denomina-se também catisofobia.

akee. Arbusto da Índia oriental "*Blighia sapida*", cujos frutos são venenosos.

Akerlund deformity. Deformidade de Akerlund. Nas radiografias de úlceras duodenais, endentação, além do nicho duodenal.

akidoperiastic. Acidoperiástico. Prova caracterizada pela exploração por puncturas com agulhas.

akinesia, akinesis. Acinesia.

akinetic. Acinético.

aknephascopia. Acnefascopia, cegueira crepuscular, hemeralopia.

akoria. Acoria. Sin.: aplestia.

akromikrie. Acromicina. Enfermidade caracterizada pela delgadez das extremidades, crescimento anormal, queda do cabelo, sede, amenorréia e acrocianose.

A.L. Abreviatura de "axiolingual".

Al. Símbolo químico do "*aluminum*", alumínio.

ala. Ala. // **- cenerea.** Ala cinérea.

ala-azar. Calazar.

alabamine. Alabemia. Nome do elemento 85, conhecido agora como "astato".

alabamium. Astatina.

A.La.A. Abreviatura de "axiolabiolingual".

alalia. Alalia, dislalia, mogilalia por alalia.

alangine. Alangina. Alcalóide amorfo, amarelo, do "*Alangium lamarckii*".

alanine. Alanina. Sin.: ácido lactâmico.

Alanson's amputation. Amputação de Alanson. Amputação circular com coto em forma de cone oco.

alar. Alar, relativo à axila ou a uma ala (asa).

alastrim. Alastrim. Sin.: paravaríola, sarna de Cuba, das Filipinas, pseudovaríola, varíola branca cafre, de sanga.

alatus. Alado.

Alaymo (Marco Antonio). Físico e escritor médico da Sicília (1590-1662).

alba. Alba. Substância branca do cérebro.

Albarran's disease, gland, test. Enfermidade de Albarran. Colibacilúria. // **- test.** Prova de Albarran da insuficiência renal fundada em que quanto maior é a destruição do epitélio renal menos provável é que o órgão responda com um aumento de secreção, depois de ingerir muita água.

albedo. Albedo inguis, límula da unha. // **- retinae.** Edema da retina.

Albee's operation. Operação de Albee. Implantação de um fragmento de tíbia em uma seção longitudinal das apófises espinhosas das vértebras nas espondilites tuberculosas. // Refrescamento da superfície da cabeça do fêmur e da cavidade cotiloídea para obter a ancilose da articulação coxo-femoral.

Albers-Schönberg's disease. Enfermidade de Albers-Schönberg. Esclerose óssea progressiva com desaparecimento do conduto medular dos ossos longos: osteopetrose.

Albert's disease. Enfermidade de Albert. Anciloburside ou ancilodinia.

albicans. Albicans. Corpos básicos mamilares na base do cérebro.

albiduria. Albiduria, urina pálida.

albine. Albino.

Albini's nodules. Nódulos de Albini. Nódulos cinzentos, com tamanho de grãos de sagu, observados às vezes na margem livre das válvulas atrioventriculares, restos de tecidos fetais.

albinism. Albinismo.

Albinu's muscle. Músculo de Albino, músculo risório, escaleno médio.

Albrecht's bone. Osso de Albrecht. Osso delgado do feto, situado entre o esfenóide e o occipital.

Albright's disease, syndrome. Enfermidade e síndrome de Albright. Osteíte fibrosa cística. // Osteíte fibrosa cística, pigmentação melânica e puberdade precoce.

Albright's solution. Solução de Albright. Preparação que se aplica por via injetável para o tratamento das hemorróidas de primeiro grau.

albuginea. Albugínea do testículo, esclerótica, do ovário, do pênis.

albugineotomy. Albugineotomia.

albuginitis. Albuginite.

albugo. Albugo. Opacidade branca da córnea.

albukalin. Albucalina. Substância presente no sangue leucêmico.

albulactin. Albulactina. Forma solúvel do lactalbumina.

albumin. Albumina.

albuminate. Albuminato. // **- silver.** Albuminato de prata.

albuminaturia. Albuminatúria. Presença de excessiva quantidade de albuminatos na urina.

albuminemia. Albuminemia. Presença de uma quantidade anormal de albumina no sangue.

albuminiferous. Albuminífero. Produtor de albumina.

albuminimeter. Albuminímetro. Instrumento usado para determinar a proporção de albumina na urina.

albuminometer. Albuminímetro.

albuminone. Albuminona. Princípio de vários albuminóides, solúvel no álcool e que. não coagula com o calor.

albuminoptysis. Albuminoptise. Presença de albumina no escarro.

Albuminoreaction. Albuminorreação. Reação do escarro para a prova de albumina; a presença de albumina indica inflamação pulmonar.

albuminorrhea. Albuminorréia. Excessiva excreção de albumina.

albuminose. Albuminose. Albumose.

albuminosis. Albuminose. Crescimento anormal dos elementos albuminosos do sangue.

albuminous. Albuminoso.

albuminuria. Albuminúria. // - **lordotic.** Albuminúria lordótica. // - **orthostatic.** Albuminúria ortostática ou postural.

albuminuric. Albuminúrico.

albuminurophobia. Albuminorofobia. Temor exagerado de adquirir albuminúria.

albumosuria. Albumosúria. Presença de albumose na urina.

albutannin. Tanato de albumina.

A.L.C. Abreviatura de "axiolinguocervical".

alcaligenes. "Alcaligenes". Gênero de esquizomicetos que se encontra no canal intestinal dos vertebrados e nos desperdícios diários.

alcaptonuria. Alcaptonúria.

Alcock's canal. Conduto de Alcock. Bainha fascial da artéria pudenda interna.

alcohol. Álcool.

alcoholaemia. Alcoolemia. Presença de álcool no sangue.

alcoholase. Alcoólase. Fermento que converte o ácido lático em álcool.

alcoholic. Alcoólico.

alcoholism. Alcoolismo.

alcoholometer. Alcoolômetro (ou alcoômetro). Instrumento para encontrar a porcentagem de álcool em uma substância.

alcoholophilia. Alcoolofilia.

alcoholuria. Alcoolúria.

alcoholysis. Alcoólise. Processo análogo à hidrólise, porém no qual o álcool ocupa o lugar da água.

aldamine. Aldamina. Oxídases estáveis.

aldarsone. Aldarsona.

aldebaranium. Túlio, elemento metálico: símbolo Tm.

aldehydase. Aldeídase. Enzima do fígado que oxida certos aldeídos em seus componentes ácidos.

aldehyde. Aldeído.

aldin. Aldina. Aldeído base.

aldohexose. Aldoexose. Hexose derivada de um aldeído. Classe de açúcar que contém seis átomos de carbono e um grupo aldeído, como glicose ou manose.

aldol. Aldol. Aldeído oxibutírico beta.

aldolase. Aldólase. Enzima que se encontra no extrato muscular, que produz condensação do aldol entre a fosfoidroxiacetona e aldeídos para produzir ácido cetofosfórico.

aldopentose. Aldopentose. Classe de açúcar que contém cinco átomos de carbono e um grupo aldeído, como a arabinose.

aldose. Aldose.

aldotetrose. Aldotetrose. Açúcar aldeído que contém quatro átomos de carbono.

aldoxime. Aldoxima. Composto formado pela união de um aldeído com hidroxilamina.

Aldrich's mixture. Mistura de Aldrich. Solução aquosa a um por cento de violeta de genciana para o tratamento das feridas.

alecithal. Alécito. Ovo com pequena quantidade de vitelo, ou sem ele.

aletocyte. Aletócito. Célula errante.

Aletoribius talaje. "*Aletoribius talaje*". Percevejo comum no México e América Central. Aletris. Gênero de plantas hemodoráceas. Planta norte-americana de efeitos tônico, anti-helmíntico e diurético, usada contra a dismenorréia e a amenorréia.

Aleppo boild. Botão de Alepo. Furúnculo oriental.

alethia. Aletia. Dificuldade de esquecer.

aleucocytosis. Aleucocitose, aleucemia.

aleukemia. Aleucemia. Falta ou deficiência de leucócitos no sangue.

aleukia haemorrhagica. Aleucia hemorrágica. Sin.: mielose aleucêmica, linfadenose aleucêmica, pan-mieloftise trombocitopênica maligna.

Aleurisma. Aleurisma. Gênero de fungos que foram isolados de lesões superficiais da pele do homem.

Aleurites. "Aleurites". Gênero de árvore enforbiácea tropical.

aleurometer. Aleurômetro. Instrumento para determinar o valor da farinha para fazer o pão.

aleurone. Aleurona. Grãos de matérias protéicas que se encontram nos órgãos de reserva dos vegetais, e muito em especial nas sementes.

aleunorid. Aleuronato.

Alexander of Tralles, ALEXANDRE DE TRALES. Escritor grego, médico, natural da Lídia. Nasceu no ano 525 D.C. Praticou em Roma. Escreveu doze livros sobre patologia e terapêutica das enfermidades internas.

alexanderism. Alexandrismo. Sentir-se Alexandre Magno.

Alexander's crown. Coroa de Alexandre. Cobertura metálica para usar sobre coroa dentária com ponte.

Alexander's operation. Operação de Alexandre. Encurtamento dos ligamentos redondos do útero indicada nos deslocamentos uterinos.

Alexander-Adam's operation. Operação de Alexander-Adams. Ligadura das artérias vertebrais na epilepsia.

Alexeteric. Alexetérico. Defende das infecções e intoxicações.

alexia. Alexia. Cegueira verbal, forma de afasia na qual é impossível ler, devido à perda dos centros cerebrais de associação entre os sinais gráficos e os conceitos correspondentes. // **- motor.** Alexia motora. Alexia na qual o paciente compreende o que vê escrito ou impresso, porém não pode lê-lo em voz alta. // **- musical.** Alexia musical. Perda da faculdade de ler música. // **- optical.** Alexia óptica, aquela em que o paciente perdeu a faculdade de compreender o significado do que vê escrito ou impresso, denominada também "alexia sensorial" e "alexia visual". // **- subcortical.** Alexia subcortical. Forma devido à interrupção das conexões entre o centro óptico e a circunvolução angular.

alexin. Alexina. Sin.: Complemento.

alexipyretic. Alexipirético. Preventivo da febre, medicamento febrífugo.

alexocyte. Alexócito. Célula com alexina. Termo aplicado especialmente às células eosinófilas.

alexofixagen. Alexofixador. Antígeno que induz à produção de complementos fixadores de anticorpos.

aleydigism. Aleidigismo. Ausência de andrógenos secretados pelas células intersticiais de Leydig.

A.L.G. Abreviatura de "axiolinguogengival".

algae. Algas.

algal. Pertencente ou causado pelas algas.

alganesthesia. Analgesia. Anestesia dolorosa.

algenodic. Algenódico. Relacionado com pena e prazer.

algefacient. Algefaciente, refrescante.

algeoscopy. Algeoscopia. Exame físico por pressão para descobrir que pressão produz dor.

algesia. Algesia. Hiperestesia. Sensibilidade à dor.

algesichronometer. Algesicronômetro. Instrumento para registrar o tempo requerido para produzir uma impressão dolorosa.

algesimeter. Algesímetro. Instrumento usado na medição da sensibilidade à dor produzida puncionando a pele.

algesthesis. Algestesia. Percepção da dor, uma sensação dolorosa.

algicide. Algicida. Substância destrutiva de algas.

algid. Álgido. Por abuso se denomina assim ao período mais grave de uma enfermidade.

alginic acid. Ácido algínico.

alginate. Alginato.

alginuresis. Alginurese. Micção dolorosa.

algioglandular. Algioglandular. Pertencente a uma ação glandular resultante de um estímulo doloroso.

algiometabolic. Algiometabólico. Pertencente a trocas metabólicas resultante de estímulos dolorosos.

algiomotor. Algiomotor. Produtor de movimentos dolorosos, como espasmos ou diperistalses.

algiomuscular. Algiomuscular. Movimento muscular causador de dor.

algiovascular. Algiovascular. Pertencente a uma ação vascular resultante de um estímulo doloroso.

algogenesia. Algogenesia. Produção de dor.

algogenin. Algogenina. Substância obtida de um fermento animal que produz queda de temperatura quando injetada num animal.

algolagnia. Algolagnia. Perversão sexual que se inflige (algolagnia ativa ou sadismo) ou se sofre dor (algolagnia passiva ou masoquismo).

algomenorrhea. Algomenorréia. Menstruação dolorosa.

algometer. Algômetro, algesímetro. Instrumento para provar a sensibilidade ao estímulo doloroso.

algophily. Algofilia. Perversão sexual caracterizada por desejo de experimentar dor.

algophobia. Algofobia. Temor morboso à dor.

algoscopy. Algoscopia, crioscopia.

algosis. Algose. Presença de algas em uma parte do corpo.

algospasm. Algospasmo.

ALH. Abreviatura de "hormônio de lóbulo anterior da hipófise".

Alf Abbas. Célebre médico persa da última parte da década centúria. Escreveu o *"Livro Real"* (*"Ai-Maliki"*).

Alf ben iza. Oftalmólogo árabe da primeira metade do século XI. Escreveu o *"Book of Memoranda for Eyedoctors"*/Livro dos fatos memoráveis para os (doutores dos olhos). É conhecido com o nome de JESUS HALY.

Alí ben Rodhwan ou Rodoam. Médico árabe do Egito escreveu um comentário das obras de Hipócrates e Galeno.

Alibert's disease, keloid. Enfermidade, quelóide de Alibert. Aquilobursite ou aquilonia. // Quelóide de Alibert. Hipertrofia do tecido cicatricial, que forma verdadeiros tumores sésseis ou pediculados.

alible. Nutritivo, assimulável.

alices. Álices*. Manchas vermelhas precursoras das pústulas da varíola.

alicyclic. Alicíclico. Possui as propriedades das substâncias alifática e cíclica.

alienation. Alienação.

alienia. Alienia. Falta de baço.

alienism. Alienismo.

alienist. Alienista.

aliform. Aliforme, pterigóide.

alignment. Alineamento.

alima. Alimento. Substância alimentícia.

aliment. Alimento.

alimentary. Alimentar.

alimentation. Alimentação.

alimentology. Alimentologia.

alimentotherapy. Alimentoterapia.

alinasal. Alinasal. Pertencente à asa do nariz.

alinement. Alinhamento.

alinjection. Alinjeção. Injeção repetida de álcool para preservar peças anatômicas.

aliphatic. Alifático. Termo aplicado à série graxa dos hidrocarbonetos.

alipogenetic. Alipogenético. Não lipogenético, não formador de gordura.

alipoidic. Alipídico. Sem lípides.

alipotropic. Alipotrópico, sem influência nenhuma sobre o metabolismo das gorduras.

aliquot. Alíquota.

alisphenoid. Alisfenóide. (1) Pertencente à asa maior do esfenóide. (2) Cartilagem fetal que se encontra de cada lado do corpo do esfenóide, e da qual se desenvolvem as grandes asas.

alive. Vivo.

alizarin. Alizarina.

alkalemia. Alcalemia. Alcalinidade maior do sangue, diminuição da concentração hidrogeniônica do sangue.

alkalescence. Alcalescência.

alkali. Álcali.

alkaligenous. Alcalígeno.

alkalimeter. Alcalímetro. Instrumento para a medição de álcali contido em algumas misturas.

---

* Álices in "Dicionário de Medicina": J. Polisuk e S. Goldfield — Editora Científica, 1974.

alkaline. Alcalino.

alkalinity. Alcalinidade.

alkalinization. Alcalinização.

alkalinuria. Alcalinúria.

alkalipenia. Alcalipenia. Sin.: acidose relativa.

alkalitherapy. Alcaliterapia.

alkalize. Alcalinizar.

alkalizer. Alcalizador. Medicamento que produz alcalização sistemática.

alkalogenic. Alcaligênico. Que produz alcalinidade, especialmente na urina.

alkaloid. Alcalóide.

alkalometry. Alcalimetria. Administração dosimétrica de alcalóides.

alkalosis. Alcalose. Sin.: Alcalemia.

alkalotherapy. Alcaliterapia.

alkalotic. Alcalótico.

alkaluria. Alcarúria. Presença de álcali na urina.

alkamine. Alcamina. Álcool que contém um grupo amido.

alkane. Alcano. Hidrocarboneto de parafina.

alkanet. Orçaneta; vermelho de "*Anchusa Tinctoria*".

alkanin. Alcamina. Matéria corante resinosa, vermelho-escura, da "*Alcanna-tinctoria*". Emprega-se para colorir pomadas, ceratos etc. e para preparar papel de tornassol. Sin.: ancusina.

alkaptonuria. Alcaptonúria. Presença de alcaptona na urina. Revela-se pela coloração vermelho-escura que forma quando exposta à ação do ar ou por adição de um álcali.

alkyl. Alquil, alquilo, alcoílo. Radical que se obtém quando de um hidrocarboneto alifático se elimina um átomo de hidrogênio.

all or none laws. Princípio relativo às fibras nervosas e células musculares que reagem a um estímulo adequado ao máximo ou nada em absoluto. Leis do "tudo ou nada".

allachaesthesia. Aloquestesia, alaquestesia. Sensação de tacto em local diferente do focado.

allaitement mixte. Alimentação mista das crianças com leite materno e alimentação artificial.

allantiasis. Alantíase. Intoxicação por ingestão de enlatados contaminados por "*Clostridium botulinum*".

allantochorion. Alantocórion. Membrana formada pela fusão da alantóide com o córion.

allantogenesis. Alantogênese. Formação e desenvolvimento da alantóide.

allantoic. Alantóico.

allantoicase. Substância necessária à conversão da alantoínase da alantoína em ácido glioxílico.

allantoid. Allantoídeo. Alantóide. Saco ou vesícula que nasce na extremidade posterior do in-

testino do embrião, derivado do meso e hipoblasto. Forma a bexiga e o úraco; o córion e a
placenta.

allantoidean. Alantoidiano. Animal que no embrião possui alantóide.

allantoido-angiopagus. Onfalo-angiópago.

allantoin. Alantoína.

allantoinase. Alantoínase. Enzima que catalisa a
mudança de alcantoína em ácido glioxílico.

allantoinuria. Alantoinúria. Presença de alantoína na urina.

Alla's toma magnum. Anfístoma parasita no intestino das tartarugas.

allassotherapy. Alassoterapia. Tratamento das
enfermidades pela produção de mudanças ou
alterações biológicas do estado geral.

allaxis. Metamorfose, transformação.

allel. Alelia.

allele. Alelia.

allelic. Alélico.

allelism. Alelismo. Existência de alelia ou sua relação com outro.

allelocatalysis. Alelocatálise. Ativação do desenvolvimento de um cultivo bacteriano pela
adição de células do mesmo tipo.

allelocatalytic. Alelocatalítico.

allelomorph. Alelomorfo.

allelomorphic. Alelomórfico.

allelomorphism. Alelomorfismo. Sin.: alelia.

allelotaxy. Alelotaxia. Desenvolvimento de um
órgão de vários tecidos embrionários.

allelotrope. Alelotropo.

Allen's cement. Cimento de Allen. Cimento
para aderir dentes de porcelana.

Allen-Doisy test. Prova de Allen-Doisy. Para as
substâncias estrógenas nos animais de laboratório. A prova positiva consiste na presença de
células epiteliais cornificadas na secreção vaginal; no caso contrário, só existem leucócitos.

Allen's fossa. Fossa de Allen. Fossa no colo do
fêmur.

Allen's paradoxic law. Lei paradoxal de Allen.
Enquanto uma pessoa normal gasta tanto mais
açúcar quanto mais ingere, no diabético ocorre
exatamente o contrário.

Allen's root pliers. Pinça radicular de Allen.
Pinça para colher esquírolas das raízes dentárias
ou do processo alveolar nas extrações.

Allen's test. Reação de Allen. Se se aplica uma
solução de lugol a uma erupção suspeita, se esta
for causada por tinha, aparece uma cor escura
de acaju.

Allen's treatment. Tratamento de Allen. Tratamento do diabetes pela dieta de fome, seguida
de dieta restrita, associada à determinação cui-
dadosa da quantidade de alimento que o pa-

ciente pode consumir sem produzir nem glicosúria, nem glicemia.

allenthesis. Alêntese. Penetração de corpos estranhos no organismo.

allergen. Alérgeno. Sin.: Anafilatógeno, sensibi-
linógeno.

allergy. Alergia. VON PIRQUET designou assim
um estado de susceptibilidade alterada que produz uma infecção em relação à introdução de
um antígeno. Altera-se a reatividade, ou dimi-
nuindo a sensibilidade favoravelmente ou exal-
tando-a desfavoravelmente. // Susceptibilidade
específica exagerada de um indivíduo para uma
substância que é inócua, em igualdade de circunstâncias, para outros indivíduos. Inclui hoje todos os tipos de hipersensibilidade.

allesthesia. Alestesia.

alliaceous. Aliáceo.

allicin. Alicina. Antibiótico derivado do *"allium
sativum"*.

alligation. Aligação.

alligator forceps. Fórceps especial de boca de ja-
caré.

Allingham's operation (H). Operação de Allingham (H.) (cirurgião inglês, 1862-1904) Colotomia inguinal por uma incisão paralela ao ligamento de Poupart.

Allingham's operation (W). Operação de
Allingham (W.) (cirurgião inglês 1830-1908).
Ablação do reto por uma incisão na fossa is-
quiorretal estendida até o cóccix.

Allis's inhaler. Inalador de Allis. Para administração do éter na anestesia.

allium. Alho.

alloaesthesia. Alestesia.

allobarbital. Ácido 5.5-dietilbarbitúrico.

allobiosis. Alobiose. Estado de reatividade alterada que manifesta um organismo em condições
diferentes de ambiente. // Sobrevivência de
células ou tecidos privados de suas funções.

allobophora agricola. *"Allobophora agricola"*.
Verme parasita, encontra-se às vezes no intestino humano.

allocentric. Alocêntrico.

allocheiria. Aloquiria, alestesia.

allochezia. Aloquezia. Deposição de matérias fecais por um ânus anormal ou não fecais pelo
ânus.

allochiria. Aloquiria. Anomalia da sensibilidade
na tabes e no histerismo, principalmente, pela qual, se pinça uma extremidade, a sensação
é referida no lado oposto. Seria preferível "alestesia".

allochroic. Alocróico. Variável de cor.

allochromasia. Alocromasia. Troca de cor do
pêlo ou da pele.

allocinesia. Alocinesia. Condição em que o paciente executa um movimento na parte do corpo oposta à direção.

allocortex. Área mais primitiva do córtex.

allocrine. Alócrino, heterócrino.

allodromy. Alodromia. Ritmo cardíaco desigual.

alloeosis. Aleose. Mudança de caráter de uma enfermidade.

alloerotism. Aloerotismo.

allogamy. Alogamia. Fertilização cruzada.

allogotrophia. Alogotrofia. Alimentação de uma parte do corpo às expensas de outra.

allogromia. "*Allogromia*". Gênero de parasitas encontrados nos protozoários, como a "*Amoeba protens*".

alloisomerism. Aloisomerismo. Isomerismo que não deve aparecer na fórmula.

allokeratoplasty. Aloceratoplastia.

allokinesis. Alocinese. Movimento passivo, movimento reflexo.

allokinetic. Alocinético involuntário, passivo ou reflexo.

allolactose. Alolactose. Dissacárido isomérico com a lactose, que se encontra no leite.

allolalia. Alolalia. Linguagem incoerente.

allomerism. Alomerismo. Mudança de constituição química.

allometropia. Alometropia.

allomorphism. Alomorfismo, mudança de forma, conservando a constituição química.

allonal. Alonal. Produto com propriedades analgésicas, hipnóticas e sedativas.

allonomous. Alônomo. Regulado por estímulos diferentes.

allopath. Alopata.

allopathy. Alopatia. Doutrina fundada no aforismo hipocrático "*contraria, contrariis curantur*", isto é, remédios que no homem são produzem efeitos diversos dos sintomas da enfermidade que se quer combater.

allophasis. Alofasia, alolalia. Fala incoerente, delírio.

allophthalmia. Aloftalmia, heteroftalmia.

alloplasia. Aloplasia, aloplastia, heteroplastia.

alloplasmatic. Aloplasmático. Formado por diferenciação do protoplasma.

alloplast. Alóplasto. Órgão que contém mais de um tipo de tecido.

alloplasty. Aloplastia, heteroplastia. Substituição de uma falta de tecidos com material vivo.

alloploid. Aloplóide. Que possui um número de cromossomos derivado de diferentes espécies ancestrais.

allopsychic. Alopsíquico. Relação do espírito com o mundo exterior.

allopsychosis. Alopsicose.

allorhythmia. Alorritmia.

allose. Alose. Açúcar imorérico com glicose.

allosome. Alossomo. Sin.: heterocromossomo.

allotherm. Alotermo, pecilotermo.

allotoxin. Alotoxina. Substância formada pela alteração de tecidos dentro do corpo, que serve de defesa contra as toxinas pela neutralização de suas propriedades tóxicas.

allotriodontia. Alotriodontia. Distopia dentária.

allotriogeustia. Alotriogeusia. Condição pervertida do sentido do tacto.

allotriolith. Alotriólito. Cálculo em situação anormal ou um composto de materiais não usuais.

allotriophagy. Alotriofagia, pica, perversão do apetite.

allotriosmia. Heterosmia.

allotriuria. Alotriúria. Condição estranha na urina.

allotrope. Alótropo.

allotrophic. Alotrófico. Conversão não nutritiva no processo da digestão.

allotropia. Alotropia, distopia.

allotropic. Alotrópico.

allotropism. Alotropismo. Existência de um elemento em duas ou mais formas distintas, com distintas propriedades físicas.

allotropy. Alotropia.

allotrylic. Alotrílico. Produz-se em presença de um corpo ou princípio estranho.

alloxan. Aloxana, mesoxaliluréia.

alloxantin. Aloxantina. Derivado cristalino de aloxana e do ácido dialúrico.

alloxazine. Aloxazina. Principal constituinte do lipocromo.

alloxin. Aloxina. Grupo de substâncias básicas derivada da nucleína do núcleo celular e que por oxidação produz ácido úrico.

alloxuremia. Aloxuremia. Presença de bases úricas no sangue, produzindo uma forma de intoxicação.

alloxuria. Aloxúria. Presença de bases úricas na urina.

alloxuric. Aloxúrico. Formado de aloxana e resíduos de uréia.

alloxuric bodies. Corpos aloxúricos. Sin.: purínicos, xânticos.

allspice. "*Pimenta officinalis*".

allyl. Alilo.

allylamine. Alilamina. Líquido cáustico com cheiro amoniacal.

allyl-iso-thiocyanate. Isotiocianato de alilo.

allylthiocarbamide. Tiosinamina, tiocarbamida.

Almeida's disease. Enfermidade de Almeida: blastomicose

Almen's test. Reação de Almen. Para a albumina na urina.

almond. Amêndoa, amígdala.

almoner. Palavra utilizada em inglês para a pessoa que faz o serviço social em um hospital.

almost. Quase.

A.L.O. Abreviatura de "axiolinguoclusal".

Al₂O₃. Al_2O_3. Óxido de alumínio.

alochia. Aloquia. Falta de lóquios.

aloe. Aloés.

alogia. Alogia. Impossibilidade da fala por lesão dos centros cerebrais. Conduta irracional.

aloin. Aloína.

alopecia. Alopecia.

aloresinotannol. Alorresinotanol. Princípio derivado de várias espécies de aloés.

aloxanthine. Aloxantina. Princípio amarelo derivado do aloés do dicromato de potássio.

alpenstich. Pneumonia epidêmica nos Vales Alpinos.

alpha. Alfa. Primeira letra do alfabeto grego.

Alquie's operation. Operação de Alquie. Encurtamento extraperitoneal do ligamento redondo.

alt. dieb. Abreviatura de "*Alternis diebus*", em dias alternados.

altauna. Termo árabe para designar o carbúnculo.

alterative. Alterativo, alterante.

alteregoism. Alteregoísmo. Interesse e simpatia só pelas pessoas que se encontram na situação de si mesmo.

altern. hor. Abreviatura de "*alternis horis*".

alternans. Alternante. Pulso alternante.

Alternaria. Alternaria. Fungos hifomicetos.

alternating. Alternante. // **- current.** Corrente alternada. // **- paralysis.** Paralisia cruzada. // **- psychosis.** Psicose maníaco-depressiva.

Althausen test. Prova de Althausen. Prova para determinar a velocidade da absorção intestinal, fixando a intervalos a concentração da galactose no sangue depois da administração oral de açúcar.

alt. hor. Abreviatura de "*alternis horis*".

Altmann's fluid. Fluido de Altmann. Fluido fixador usado em histologia composto de partes iguais de uma solução de ácido ósmico a 2 por 100 e de dicromato de potássio a 5 por 1000. // **- granules.** Grânulos de Altmann. Pequenas massas redondas, coráveis pela fucsina ácida, existentes nas células glandulares dos vertebrados em relação com a atividade secretora. // **theory.** Teoria de Altmann. O protoplasma está formado por bioblastos agrupados em massas e incluídos em uma substância indiferente.

Altmann-Gersh method. Método de Altmann-Gersh. Preparação do tecido para estudo histológico mediante congelação a seco.

altofrequent. De alta freqüência.

altrose. Altrose. Açúcar isômero da glicose.

aludrine. Aludrina. Grupo da isopropilepinefrina, dilatador brônquico usada na Ásia.

alum. Alúmen.

alumina. Alumina.

aluminium. Alumínio.

aluminoid. Aluminóide. Hidróxido de alumínio coloidal em forma capsular para uso na úlcera gástrica e na hiperacidez.

aluminosis. Aluminose. Variedade de pneumoconiose determinada pelo pó do alúmen.

alurate. Alurato. Sedativo e hipnótico. Usa-se na insônia e nos estados de excitabilidade ou como sedativo nos casos de tosse persistente.

aluzyme. Pastilha de levedura de cerveja.

alv. adst. Abreviatura de "alvo adstricta" com o intestino preso (constipação intestinal).

alv. deject. Abreviatura de "*Alvi dejectiones*", dejectos intestinais, alvinos.

alvearium. Alveário. Conduto ou meato auditivo externo.

alveobronchiolitis. Alvéolo-bronquiolite. Inflamação dos brônquios e dos alvéolos pulmonares, broncopneumonia.

alveolalgia. Dor pós-operatória no alvéolo dentário.

alveolar. Alveolar.

alveolectomy. Alveolectomia.

alveolitis. Alveolite.

alveoloclasia. Alveoloclasia. Desintegração da parede do alvéolo dentário que produz frouxidão e desimplantação do dente (agonfose ou gonfíase).

alveolocondylean. Alveolocondíleo.

alveolodental. Alveolodentário.

alveololabial. Alveololabial. Relativo aos alvéolos e aos lábios. // Músculo bucinador.

alveololingual. Alveololingual.

alveolomerotomy. Alveolomerotomia. Excisão da parte do processo alveolar.

alveolonasal. Alveolonasal. Relativo ao ponto alveolar e ao nasio. Músculo mirtiforme.

alveolopalatal. Alveolopalatino. Pertencente a superfície palatina do processo alveolar.

alveolaplasty. Alveoloplastia.

alveolotomy. Alveolotomia. Incisão dentro do alvéolo dentário.

alveolus. Alvéolo.

alveolysis. Alvéolise. Enfermidade periodôntica.

alveus. Canal ou tubo, cavidade.

alvine. Alvino. Relativo ao ventre.

alvinolith. Alvinólito. Coprólito. Cíbala.

alvus. Alvo. O ventre com suas vísceras, especialmente o baixo ventre.

A.L.W. Abreviatura de *arch-loop. whorl*, ou sistema de classificação de Galton, de impressões digitais.

alymphia. Alinfia. Deficiência de linfa.

alymphocytosis. Alinfocitose. Ausência total ou quase total dos linfócitos sangüíneos.

alymphopotent. Alinfopotente. Incapaz de produção de linfócitos ou de células linfóides.

alypin. Alipina. Cloridrato de benzoiltetrametildiaminoetilpropanol, empregado como anestésico local, especialmente em oftalmologia.

Alzheimer's cells, sclerosis. Células de Alzheimer. Astrócito degenerado, célula gigante da neuróglia com núcleo espesso observada na pseudosclerose. // Degeneração hialina dos pequenos vasos cerebrais.

a.m. Abreviatura do latim *"ante-meridiem"*.

Am. Símbolo químico do *"Americium"*, amerício.

am. Símbolo de *"ametropia"*, *"meter angle"* ângulo dos eixos visuais quando os olhos fixam a um metro.

A.M.A. Abreviatura de *"American Medical Association"*.

ama. Aumento de volume de um conduto semicircular do ouvido interno.

amaas. Alastrim.

amacratic. Amastênico.

amacrinal. Amácrina (célula nervosa).

amacrine. Amácrina. Diz-se da célula nervosa desprovida de cilindraxe. // Células da retina, que se consideram como células nervosas modificadas. Espongioblasto.

AMAL. Abreviatura de *"Aero-Medical Acceleration Laboratory"*.

amalgam. Amálgama.

Amanita. *"Amanita"*. Gênero de fungos que compreendem algumas espécies muito venenosas, como a *A. Muscaria, A. Phalloides*, etc.

amanitine. Amanitina. Nome de alguns princípios tóxicos obtidos de fungos de gênero *"Amanita"*.

amara. Amargos.

amaril. Amaril. Veneno produzido pelo *"Bacillus icteroides"* que se acreditava ser o produtor da febre amarela.

amarine. Amarina. Base cristalizada da essência de amêndoas amargas.

amaroid. Amaróide. Princípio amargo; termo geral para os derivados dos vegetais que não são alcalóides nem glicosidos.

amarthritis. Amartrite. Inflamação simultânea de várias articulações.

amasesis. Amasese. Impossibilidade de mastigar ou ruminar os alimentos.

amasthenic. Amastênico. Sin.: amacrático. Que reúne os raios químicos da luz em um foco.

amastia. Amastia. Desenvolvimento anormal caracterizado pela falta de mamas.

amathophobia. Amatofobia.

amative. Amativo. Desejo sexual normal.

amato bodies. Corpos de Amato, encontrados nos leucócitos dos doentes de escarlatina.

amaurosis. Amaurose. Cegueira total ou parcial por enfermidade do nervo óptico, retina, medula ou cérebro. Gota serena.

amaurotic. Amaurótico.

amaxophobia. Amaxofobia. Temor mórbido de andar de carruagem.

amazia. Amazia. Amastia.

Ambard's constant or formula. Constante ou fórmula de Ambard. Assinala o índice de uréia nas enfermidades do Rim.

amber. Âmbar. Sin.: súcino.

Amberg's line. Linha de Amberg. Linha que indica a parte mais acessível do seio lateral nas intervenções no processo mastóideo, que divide em duas metades o ângulo que forma a margem anterior da mastóide e a linha temporal.

ambidexter. Ambidestro.

ambilaevous. Ambilevo. Inábil no uso de ambas as mãos.

ambilateral. Ambilateral, ambiláter.

ambilevous. Ambilevo. Inábil ao uso de ambas as mãos.

ambiopia. Ambiopia, diplopia.

ambisexual. Ambissexual ou bissexual.

ambisinister. Ambilevo.

ambivalence. Ambivalência. Termo para a tendência nos transtornos mentais, esquizofrenia especialmente, a dar igual expressão a impulsos opostos. Potência igual nos sentidos contrários, amor e ódio à mesma pessoa; bipolaridade.

ambiversion. Ambiversão. Tipo de personalidade intermediária entre intro e extroversão.

amblyacousia. Ambliacusia.

amblyaphia. Ambliafia. Falta de acuidade no sentido de tato.

amblychromasia. Amblicromasia. Coloração débil, imperfeita. // Escassez de cromatina.

amblygeustia. Ambligeustia. Imperfectibilidade do sentido do gosto.

amblykusis. Ambliacusia. Torpeza de ouvido.

Amblyomma. *"Amblyoma"*. Gênero de carrapatos que contém espécies transmissoras de infecções ao gado e ao homem.

amblyopia. Ambliopia. // - **alcoholica.** Ambliopia alcoólica. // - **ex anopsia.** Ambliopia ex anopsia. // - **tobacco.** Ambliopia nicotínica. // - **toxic.** Ambliopia tóxica.

amblyopiatrics. Ambliopiatria. Terapêutica ou tratamento da ambliopia.

amblyoscope. Amblioscópio. Instrumento para treinamento do amblíope para que possa ver normalmente.

Amblystoma. Amblístoma. Gênero de salamandra.

amboceptor. Amboceptor. Substância hipotética termostável no soro sangüíneo, que seria um dos elementos ativos na citólise sendo o outro elemento o complemento. Possui dois grupos haptóforos, o grupo citófilo, que tem afinidade pela célula e o grupo complementófilo, que tem afinidade pelo complemento. O que existe normalmente no soro é o amboceptor natural; o produzido pela inoculação de células estranhas se denomina "amboceptor imune".

amboceptorgen. Amboceptórgeno. Antígeno que dá origem a amboceptores.

ambomalleal. Ambomaleal. Pertencente à bigorna e ao martelo do ouvido.

ambon. Ambo. Anel fibrocartilaginoso das cavidades ósseas em que se alojam as cabeças dos ossos longos.

ambosexual. Bissexual.

ambrin. Ambreína. Substância gordurosa cristalina e branca semelhante ao colesterol, obtida do âmbar cinzento por digestão em álcool quente.

Ambrosia. Ambrósia. Gênero de plantas compostas. Empregaram-se como anti-helmínticas e febrífugas. O pólen das plantas produz a febre do feno.

ambulance. Ambulância.

ambulatory. Ambulatório, que pode caminhar (paciente).

ambustion. Ambustão. Combustão, cauterização, queimadura.

ambystoma. Ambístoma. Gênero de salamandra usada em experiências.

A.M.C. Abreviatura de "axiomesiocervical".

A.M.D. Abreviatura de "axiomesiodistal".

A.M.D.S. Abreviatura de "Association of Military Dental Surgeons".

ameba. Ameba. Organismo animal protozoário unicelular; é uma simples massa protoplasmática nucleada que varia constantemente sua forma pelo aparecimento em sua periferia, de prolongamentos denominados pseudópodos, por meio dos quais se move e engloba os alimentos. // - **artificial.** Ameba artificial. Substância que se conduz como uma ameba viva.

amebacide. Amebicida.

Amebadiastase. Amebadiástase. Enzima intracelular encontrado nas amebas.

amebaism. Amebismo.

amebiasis. Amebíase. Estado de infecção produzido por amebas, como o abscesso hepático e a desinteria amebiana.

amebic. Amébico.

amebicide. Amebicida. Destruidor de amebas.

amebiform. Amebiforme. Semelhante à ameba.

amebiosis. Amebiose. Infecção com amebas.

amebism. Amebismo. Movimento amebóide, invasão por amebas.

amebocyte. Amebócito. Sin.: Leucócito.

amebocytogenous. Amebocitogênico. Produzido por amebócitos.

amebodiastase. Amebodiástase. Enzima proteolítica extraída do corpo dos protozoários.

ameboid. Amebóide. Semelhante à ameba em sua forma ou em seus movimentos.

ameboididity. Poder de movimentos amebóides.

ameboidism. Ameboidismo. Condição observada em certas células somáticas que produzem movimentos amebóides.

ameboma. Ameboma. Tumor produzido por uma inflamação localizada devido à amebíase.

amebula. Amébula. Esporo de protozoários que tem pseudópodos como uma ameba; como a do parasita do impaludismo depois que penetrou na hemácia. Sin.: Pseudopodiospora.

ameburia. Amebúria. Presença de amebas na urina.

A.M.E.L. Abreviatura de "Aero-Medical Equipment Laboratory".

amelanotic. Amelanótico. Sem pigmento de melanina.

amelia. Amelia. Falta de membros.

amelification. Amelificação. Formação do esmalte pelas células procedentes do órgão embrionário do esmalte.

amelioration. Melhoramento, melhora, adiantamento, aperfeiçoamento.

ameloblast. Ameloblasto. Célula que dá origem ao esmalte. Sin.: Adamantoblasto, ganoblasto.

ameloblastoma. Adamantoma.

amelodentinal. Amelodentíneo. Pertencente ao esmalte e à dentina.

amelogenesis. Amelogênese. Formação do esmalte dentário.

amelus. Amelo ou amélio. Monstro sem membros.

amenia. Amenia. Falta de menstruação, amenorréia.

amenomania. Amenomania. Alienação com alucinações amenas ou agradáveis ou exagerada gentileza com todos.

amenorrhea. Amenorréia. Falta de menstruação. É primitiva ou secundária segundo não apareça em tempo oportuno ou haja cessado depois de haver aparecido. Amenia.

amensalism. Amensalismo. Simbiose na qual uma população (ou individual) está inibida e a outra não está afetada.

ament. Amente, idiota.

amentia. Amência. Sin.: demência aguda, curável, aponéia (aponóia).

amerisia. Amerisia. Termo para designar uma forma de afasia em que é impossível articular as palavras na linguagem ou na escrita.

amerism. Amerismo. Qualidade de não dividir-se em segmentos ou fragmentos.

ameristic. Amerístico. Que não se desfaz em fragmentos.

ametabolon. Ametábolo. Animal que não sofre metamorfose.

amethocaine hydrochloride. Cloridrato de Metocaína.

ametria. Ametria. Sem medidas; assimetria, imoderação.

ametrometer. Ametrômetro. Instrumento para medir o grau de ametropia.

ametropia. Ametropia. Anomalia de refração do olho, de modo que as imagens não se formam bem na retina, produzindo hipermetropia, miopia ou astigmatismo. // - **axil.** Ametropia axil. Ametropia devida ao alongamento do olho no sentido do eixo óptico.

A.M.G. Abreviatura de "axiomesogengival".

Amh. Abreviatura de *"mixed astigmatism with myopia predominating"*.

amianthinopsy. Amiantinopsia. Cegueira ao roxo (violeta).

amianthoid. Amiantóide. Certas fibras observadas em cartilagens degeneradas, com aspecto de amianto.

amianthosis. Amiantose. Variedade de pneumoconiose produzida por inalação de partículas de amianto; asbestose.

Amici's disk. Disco de Amici. Membrana de Krause.

amicina. Amicina. amicetina, antibiótico de intensa ação antituberculosa, porém muito tóxico.

amicrobic. Amicróbico.

amicron. Amícron. Partícula coloidal visível só com o ultramicroscópio. Sin.: amicroscópico.

amidase. Amídase, amínase. Enzima desaminizante.

amide. Amida. Composto derivado de amoníaco por substituição do hidrogênio por um radical ácido.

amidin. Amidina. Um dos constituintes dos grânulos de amido; a parte solúvel em água.

amido. Amido. Parte usada em nomes químicos, semelhante a amino, que indica que a substância representada pela última parte do nome se modificou pela substituição do hidrogênio pelo radical NH_2.

amidoacetal. Amidoacetal. Substância muito venenosa que atua paralisando o centro respiratório.

amidoazotoluene. Aminoazotolueno. Pó vermelho escuro, derivado do sal sódico do ácido dissulfônico ou vermelho-escarlate, empregado em pomada a 8 por 100 para estimular o crescimento do epitélio.

amidobenzene. Amidobenzol, anilina.

amidocephalin. Amidocefalina. Forma de cefalina encontrada na substância cerebral.

amidogen. Amidógeno. Chamado assim por ser o que dá origem a compostos amidados.

amidopyrine. Amidopirina. Piramido.

amidoxime. Amidoxima. Composto formado de amidinas pela substituição de um átomo de hidrogênio do grupo amido pela hidroxila.

amidulin. Amidulina. A granulosa do amido livre de sua envoltura celulosa pela ação do ácido clorídrico; amido solúvel.

amimia. Amimia ou assemia. Perda do poder de expressão pelo uso de sinais ou gestos.

aminase. Amínase. Enzima que, com liberação de nitrogênio, divide o grupo amino em seus componentes.

amine. Amina. Compostos químicos formados do amoníaco por substituição de um ou mais átomos de hidrogênio pelo radical NH_2. Denominam-se monoaminas, diaminas, triaminas, segundo sejam um, dois ou três dos átomos substituídos.

aminoacid. Aminoácido. Ácido orgânico que contém os grupos amino e carboxila. São os principais compostos das proteínas.

aminoacidemia. Aminoacidemia. Presença de aminoácidos no sangue.

aminoaciduria. Aminoacidúria. Presença de aminoácidos na urina.

aminoazotoluene. Aminoazotolueno. Substância cristalina vermelha ativamente carcinogênica e usada para estimular o crescimento epitelial.

aminobenzene. Aminobenzeno, anilina.

aminofluorene. Aminofluoreno. Composto carcinogênico.

aminoform. Aminofórmio, metenamina, urotropina.

aminoids. Aminóides. Preparação nutritiva que contém aminoácidos e dipeptídeos.

aminolipid. Aminolipina.

aminolysis. Aminólise.

aminomyelin. Aminomielina. Fosfatídeo da substância cerebral.

aminonitrogen. Aminonitrogênio.

aminopeptidase. Aminopeptídase. Enzima do tipo das que se encontram no intestino delgado.

aminopeptodrate. Aminopeptodrato. Proteína e aminoácido, formando uma preparação para suplemento de dieta.

aminopherase. Aminoférase. Enzima que se prende aos fenômenos de transaminação.

aminophylline. Aminofilina. Sal duplo de teofilina e etilenodiamina, diurético, antiasmático, estimulante cardíaco e sedativo nas afecções coronárias.

aminopolypeptidase. Aminopolipeptidase, amina que hidrolisa os polipeptídeos.

aminopterin. Aminopterina. Antagonista do ácido fólico empregado no tratamento das leucemias.

aminopurine. Aminopurina. Purina componente do ácido nucléico e dos nucleótides.

aminopyrine. Aminopirina.

aminoquin. Aminoquina, plasmotina.

aminosaccharide. Aminossacarídeo.

aminosis. Aminose. Produção de amina, ou aminoácidos no corpo.

aminuria. Aminúria. Presença de aminas na urina. Sin.: aminosúria.

amitosis. Amitose. Divisão celular direta; divisão celular por simples separação, sem cariocinese.

ammeter. Instrumento calibrado para ler em ampéres a força de uma corrente em um circuito.

ammo-aciduria. Amoacidúria. Presença de amônio e aminoácidos na urina.

ammon. Abreviatura de "amônio".

Ammon's fissure, operation. Fissura, operação de Ammon. Abertura na esclera na vida embrionária.

Ammon's horn. Corno de Ammon. Hipocampo maior.

ammonia. Amônia. Amoníaco, determinado assim de Júpiter (Ammon).

ammoniac. Amoníaco. Gás incolor de cheiro penetrante. // Solução deste gás em água ou amoníaco líquido. Suas diversas preparações se empregam como antiácidos e estimulantes da respiração por via interna, e exteriormente como rubefacientes.

ammoniated. Amoniato. Combinado com amônio.

ammoniated mercury. Mercúrio amoniacal.

ammonirrhea. Amoniorréia. Excreção de amônia pela urina ou suor.

ammonium. Amônio.

Ammonius. Amonio. Cirurgião de Alexandria no século III A.C.. Inventou um instrumento para romper os cálculos da bexiga, segundo descreve CELSO. É denominado "o litotomistà".

ammonolysis. Amonólise. Processo parecido com a hidrólise, porém o amônio substitui a água.

ammonotelic. Amonotélico. Contém amônio como o produto excretor importante do metabolismo nitrogenado.

ammotherapy. Amoterapia. Tratamento das enfermidades com banho de areia.

amnesia. Amnésia.

amnesic. Amnésico.

amniochorial. Amniocorial.

amniogenesis. Amniogênese.

amniography. Amniografia. Radiografia do útero grávido depois da injeção de um meio opaco no fluído amniótico.

amnioma. Amnioma.

amnion. Âmnio. A mais interna das membranas fetais, que forma o saco que contém o líquido amniótico e uma bainha para o cordão umbilical.

amnionitis. Amniotite. Inflamação do âmnio.

amniorrhea. Amniorréia. Saída de líquido amniótico.

amniorrhexis. Amniorrexia. Ruptura do âmnio.

Amniota. Amniota. Designação dos animais que possuem âmnio; mamíferos, aves e répteis.

amniotin. Amniotina. Preparação estrogênica derivada da urina de éguas prenhes. Usa-se de modo semelhante à estrona.

amniotome. Amniótomo. Instrumento para cortar as membranas fetais.

Amoeba. Ameba.

amoebiasis. Amebíase.

amoebic. Amébico.

amoebicide. Amebicida.

amoebobacter. Amebobactéria. Gênero de bactérias da água.

amoeboid. Amebóide.

amoeburia. Amebúria.

amoenomania. Amenomania.

amok, amuck. Amoque ("amok"). Sin.: androfomania. Palavra malaia que significa "impulso homicida".

Amomum. "Amomum". Gênero de plantas da família das zingiberáceas; que subministram o cardamomo e o gengibre.

amor. Amor. Conjunto de fenômenos afetivos e mentais que atraem um sexo ao outro.

amoralia. Amoral. Degenerado, sem moral.

amorpha. Amorfa. Enfermidade cutânea que não demonstra alterações patológicas definidas.

amorphia. Amorfia ou amorfismo. Fato ou qualidade de ser amorfo; deformidade orgânica.

amorphinism. Amorfinismo ou amorfia.

amorphism. Amorfia ou amorfismo.

amorphous. Amorfo. Sem forma definida. // Corpos que não estão cristalizados. // Monstro acardíaco, sem forma; holocárdio amorfo.

Amoss's sign. Sinal de Amoss. Na flexão dolorosa da raque, o paciente para sentar-se na cama, estando em posição supina, tem de apoiar-se com as mãos aplicadas sobre o plano da cama.

amotio retinae. Descolamento da retina.

amount. Quantidade.

amp. Abreviatura de "ampère".

ampelopsis. "Ampelopsis". Gênero de plantas vitáceas.

ampelotherapy. Ampeloterapia. Cura de uvas.

amperage. Amperagem.

ampere. Ampère.

amperemeter. Amperômetro. Instrumento para a medição da amperagem.

amphamphoterodiplopia. Anfanfoterodiplopia, anfodiplopia. Dupla visão.

ampheclexis. Anfeclexe. Seleção sexual por parte do macho e da fêmea.

amphemerous. Anfêmero, cotidiano.

amphetamina. Anfetamina, benzedrina.

amphi-. Anfi. Prefixo grego que significa ao redor, em ambos os sentidos, duplo.

amphiarkyochrome. Anfiarciocroma. Célula nervosa que em alguns pontos se tinge intensamente, e em outros fracamente.

amphiarthrosis. Anfiartrose. Articulação na qual as superfícies estão unidas por discos de fibrocartilagem como as vertebrais ou a sínfise púbica. Esta forma de articulação permite movimentos muito limitados.

amphiaster. Anfiáster. Figuras que formam as fibras de cromatina na cariocinese, que consiste em duas estrelas unidas por um fuso. Diáster.

Amphibia, amphibious. Anfíbio.

amphiblastula. Anfiblástula. Blástula de segmentos desiguais.

amphibolic. Anfibólico, incerto, vacilante, prognóstico duvidoso.

amphicarcinogenic. Anficarcinogênico. Tendente a aumentar e a diminuir a atividade carcinogênica.

amphicelous. Anficelo. Côncavo ou oco em ambos extremos ou lados. Bicôncavo.

amphicentric. Anficêntrico. Que começa e termina no mesmo vaso, com um ramo da "*rete mirabilis*".

amphichroic. Anficróico ou anficromatia. Que tem o poder de tornar azul o papel vermelho de tornassol e vermelho o papel azul.

amphicite. Anfícito. Sin.: célula capsular.

amphicranea. Anficrânia. Cefolalgia em ambos os lados da cabeça.

amphicreatine. Anficreatina. Leucomaina muscular.

amphicreatinine. Anficreatinina. Tóxico leucomainico muscular.

amphicroic. Anficróico, anficromático.

amphicyte. Anfícito. Célula que entra na formação da cápsula que rodeia a célula ganglionar cerebrospinal.

amphidiarthrosis. Anfidiartrose. Articulação que participa do caráter da anfiartrose e diartrose como a temporomandibular.

amphigastrula. Anfigástrula. Óvulo em um período avançado de gastrulação.

amphygony. Anfigonia. Geração sexual ou reprodução pelo concurso de dois seres vivos. Sin.: anfimixia, gamogênese.

amphikaryon. Anficário. Núcleo duplo.

Amphimerus. Anfímero. Gênero de trematódeos.

amphimicrobian. Anfimicrobiano. Com propriedades aeróbias e anaeróbias.

amphimixis. Anfimixia. União dos núcleos germinais na reprodução, reprodução sexuada.

amphimorula. Anfimórula. Mórula que resulta da segmentação desigual, sendo as células de ambos hemisférios de tamanho desigual.

amphinucleus. Anfinúcleo. Núcleo que consta de um corpo único de fibras em fuso e centrossomo, ao redor do qual se acumula a cromatina. Sin.: centronúcleo.

amphioxus. Anfioxo. Organismo marinho primitivo; o mais simples dos vertebrados.

amphipeptone. Anfipeptona. Mistura de anfipeptona com hemipeptona formada pela digestão de proteínas.

amphiporine. Anfiporina. Alcalóide do grupo da nicotina encontrado em certos vermes.

amphipyrenin. Anfipiremina. Substância da membrana nuclear de uma célula.

Amphistoma. Anfístoma. Gênero de parasitas de vermes trematódeos.

amphistomiasis. Anfistomíase. Estado de infestação com trematódeos do gênero "*Amphistoma*".

amphitene. Anfiteno. Período da mitose em que os cromossomos homólogos efetuam a sinapse; sinapteno, zigoteno.

amphitheater. Anfiteatro.

amphithymia. Anfitimia. Estado neutral em que há depressão e exaltação.

amphitrichate. Anfótrico. Que tem flagelos em cada extremo.

amphitrichous. Anfótrico.

amphitropic. Anfitrópico; anfítropo. Que passa dentro do abdômen ou de outra cavidade a partir de um lado.

amphitypy. Anfitipia. Condição ou estado de possuir dois tipos.

ampho-. Anfo — Prefixo grego com a mesma significação de Anfi.

ampho-albumose. Anfoalbumose. Albumose que se converte mediante a digestão em anfopeptona.

amphochromatophil. Anfocromatófilo, anfífilo.

amphocyte. Anfócito. Que pode corar-se com corantes ácidos e básicos.

amphodiplopia. Anfodiplopia. Visão dupla em ambos os olhos.

amphogenic. Anfogênico. Que produz descendência de ambos os gêneros.

ampholyte. Anfólito. Eletrólito anfotero.

amphopeptone. Anfopeptona.

amphophilic, amphophilous. Anfófilo que pode corar-se com corantes ácidos e básicos.

amphoric. Anfórico. Denominação de um som parecido ao que se produz ao soprar sobre a boca de uma garrafa, que se percebe auscultando o tórax em diversos estados mórbidos.

amphorophony. Anforofonia.

amphoteric, amphoterous. Anfotérico, anfótero.

amphoterism. Anfoterismo. Que possui ambas propriedades: básica e ácida.

amphotony. Anfotonia. Estado em que coexistem simpaticotonia e vagotonia.

amplexation. Ação de envolver com o braço um objeto para apreciar-lhe a forma e desenvolvimento. Aplicou-se ao exame do tórax, porém servindo-se das mãos espalmadas. // Ato sexual. // Fixação da clavícula fraturada mediante enfaixamento imobilizante do pescoço e do ombro.

amplification. Amplificação, aumento da área visual de um microscópio.

amplifier. Amplificador, ampliador.

amplitude. Amplitude, extensão, ampliação. // - **of accomodation.** amplitude de acomodação.

ampulla. Ampola. // - **of vas deferens.** Ampola do ducto deferente. // - **of Vater.** Ampola de Vater.

ampullitis. Ampulite. Inflamação de uma ampola, especialmente a ampola do ducto deferente.

ampullula. Ampola diminuta igual à que se encontram nos vasos linfáticos.

amputation. Amputação.

Amsler's marker. Marcador de Amsler tipo de calibrador ou compasso usado para marcar o ponto de aplicação do cautério na operação de Gonin.

amusia. Amusia. Impossibilidade de produzir ou de compreender os sons musicais.

Amussat's operation. Operação de Amussat. Colostomia lombar mediante incisão praticada através da margem lateral do quadrado lombar. // - **probe.** Sonda de Amussat, usada na litotrícia. // - **valves.** Válvulas de Amussat. Pregas da mucosa do ducto cístico e colo da vesícula biliar.

amyasthenia. Amiostenia (ou melhor miastenia).

amychophobia. Amicofobia. Temor mórbido de ser arranhado.

amyctic. Amíctico. Corrosivo, cauterizante.

amyelencephalia. Amielencefalia. Ausência congênita de cérebro e medula. Sin.: anencefalomielia.

amyelia. Amielia. Falta congênita da medula espinal.

amyelic. Amiélico. Que não tem medula espinal.

amyelineuria. Amieloneuria. Paralisia ou função defeituosa da medula espinal.

amyelinic. Amielínico. Sem mielina, que não tem bainha ou envólucro medular.

amyeloidemia. Amieloidemia. Falta de mielócitos no sangue.

amyelonic. Amielônico. Carente de medula óssea.

amyelotrophy. Amielotrofia. Atrofia da medula, principalmente da espinal.

amyelus. Amíelo. Feto monstruoso sem medula espinal.

amygdala. Amígdala.

amygdalase. Amidálase. Enzima que desdobra a amidalose.

amydalectomy. Amidalectomia.

amygdalin. Amidalina. Glicosídeo das amêndoas amargas e das folhas de louro cereja. É a origem do ácido cianídrico na essência de amêndoas amargas.

amygdalitis. Amigdalite.

amygdaloid. Amidalóide. Semelhante a uma tonsila ou amêndoa.

amygdalolith. Amigdalólito. Concreção ou cálculo em uma tonsila.

amygdalopathy. Amigdalopatia. Enfermidade da tonsila.

amygdalophenin. Amidalofenina.

amygdalose. Amidalose. Dissacárido da amidalina. Desdobra-se em duas moléculas de dextrose.

amygdalotome. Amigdalótomo. Instrumento para ablação das tonsilas.

Amygdalouvular. Amigdalo-uvular. Relativo à tonsila e à úvula.

amyl. Amilo. // **- nitrite.** Nitrito de amilo.

amylaceous. Amiláceo. Que contém amido ou é de sua natureza.

amylaemia. Amilemia. Presença de amido no sangue.

amylase. Amílase. Sin.: diástase, fermento amilolítico.

amylene hidrate. Hidrato de Amileno.

amylenization. Amilenização. Anestesia produzida pelo amileno.

amylin. Amilina. Amidina insolúvel.

amylism. Amilismo. Intoxicação com álcool amílico.

amylobacter. Amilobactéria. Esquizomiceto caracterizado por conter amido; é agente da fermentação butírica.

amylocaine hidrochloride. Cloridrato de amilocaína.

amylocellulose. Amilocelulose, amilose.

amyloclastic. Amiloclástico, amilolítico. Que produz a digestão do amido.

amylocoagulase. Amilocoagulase. Fermento nos cereais que coagula o amido solúvel.

amylodextrin. Amilodextrina. Composto corável em amarelo pelo iodo, que se forma durante a transformação do amido em açúcar.

amylodyspepsia. Amilodispepsia. Impossibilidade de digerir os alimentos amiláceos.

amylogenesis. Amilogênese. Formação de amido. Sin.: amiloplastia.

amylohemicellulose. Amilo-hemicelulose. Polissacarídeo encontrado nas células vegetais.

amylohydrolysis. Amilo-hidrólise. Hidrólise de amido; amilólise.

amyloid. Amilóide. // **- degeneration.** Degeneração amilóide.

amyloidemia. Amiloidemia. Presença de amilóide no sangue.

amyloidosis. Amiloidose. Sin.: amilose, amiloidismo, degeneração cérea ou lardácea, leucomatose, enfermidade em amilóide.

amylolysis. Amilólise. Digestão e desintegração do amido ou sua conversão em açúcar.

amylolytic. Amilolítico. Que produz a digestão do amido.

amylopectin. Amilopectina, constituinte dos grãos de amido. O iodo a cora em vermelho violáceo e com água quente forma uma pasta. Sin.: celulose do amido, amilose alfa.

amylophagia. Amilofagia. Alimentação com amido.

amyloplast. amiloplástico, amilogênico.

amylopsin. Amilopsina. Fermento pancreático que converte o amido em maltose. Diástase pancreática.

amylorrhexis. Amilorrexia. Hidrólise enzimática do amido.

amylorrhoea. Amilorréia. Presença de excesso de amido nas dejecções.

amylose. Amilose. Sin.: amilose beta, amilocelulose, gianulose.

amylosis. Amilose. Degeneração albuminóide.

amylosuria. Amilosória, amilúria. Presença de amilose na urina.

amylosynthease. Amilosintetase. Enzima do amido que converte a dextrina em amido.

amylosynthesis. Amilossíntese. Síntese do amido a partir do açúcar.

amylsynehidrochloride. Cloridrato de amilsina ou cloridrato de amilcaína. Usa-se na anestesia corneal.

amylum. Amilo, amido.

amyluria. Amilúria. Presença de amido na urina.

amynologic*. Imunológico.

amynology*. Imunologia.

amyoaesthesia. Amiestesia. Perda do sentido muscular.

amyocardia. Amiocardia.

amyostatic. Amiostático.

amyosthenia. Amiostenia. Sin.: miastenia.

amyotaxy. Amiotaxia. Ataxia muscular.

amyotonia. Amiotonia. Estado atônico da musculatura. Miatonia. // **- congenita.** Amiotonia congênita. Miatonia congênita; enfermidade de Oppenheim.

amyotrophia. Amiotrofia. Atrofia muscular. Miatrofia. // **- of Charcot-Marie.** Atrofia de Hoffmann. // **- of Werding-Hoffmann.** Atrofia de Werding-Hoffmann. Enfermidade infantil que começa pelos músculos das extremidades inferiores e se continua pelos dos canais vertebrais e tórax. A morte sobrevém aos três ou quatro anos, por paralisia e infecção.

amyous. Amioso. Sem músculos ou com músculos débeis.

amyrol. Amirol. Dois princípios isoméricos do óleo de madeira de sândalo.

amytal. Amital. Nome do ácido isoamiletilbarbitúrico.

amyxia. Amixia. Falta de secreção mucosa.

amyxorrhoea. Amixorréia. Deficiência na secreção do muco gástrico.

---

* Termos registados, sem etimologia, somente em Dorland. (Dorland's Illustrated Midical Dictionary. Saunders — 23.ª ed. 1960).

An. Abreviatura de "*anode*", "*anodal*" e "*anisometropia*".

A.N.A. Abreviatura de "American Nurses Association".

ana-ana. a.a. Em partes iguais.

anabacteria. Anabactéria. Autolisado tratado com formalina com uma suspensão aquosa de bactéria: usa-se como curativo ou como vacina profilática.

anabasine. "*Anabasina*". Alcalóide da planta "*Anabasis aphylla*", com efeitos muito semelhantes aos da nicotina.

anabatic. Anabático. Que aumenta ou que se faz mais intenso.

anabiosis. Anabiose. Sin.: revivescência.

anabiotic. Anabiótico. Sem vida aparente, porém ainda capaz de viver.

anabolergy. Anabolergia. Força gasta em anabolismo ou em processos anabólicos.

anabolic. Anabólico.

anabolism. Anabolismo. Processo construtivo pelo qual as substâncias simples se convertem em compostos mais complexos; primeira fase do metabolismo. Assimilação

anabrosis. Anabrose. Ulceração ou erosão superficial.

anacamptic. Anacâmptico. Relativo aos reflexos.

anacamptometer. Anacamptômetro. Instrumento para medir os reflexos.

Anacardium. Anacárdio. Gênero de árvore tropical.

anacatadidymus. Anacatadídimo. Monstros duplos, unidos pela cintura.

anacatharsis. Anacatarse. Expectoração; vômito grave.

anachlorhydria*. Anacloridria*, acloridria (melhor forma).

Anacholia. Acolia. Diminuição ou falta da secreção biliar.

anachoresis. Anacorese. Poder atrativo dos micróbios para um ponto.

anachromasis. Anacromasia.

anacid. Anácido.

anacidity. Anacidez.

anaclasimeter. Anaclasímetro. Instrumento para medir a refração. // Ação reflexa. // Flexão forçada de um membro; ruptura de uma ancilose.

anaclastic. Anaclástico.

anacobra. Anacobra. Veneno de cobra depois de um tratamento com formaldeído.

anacousia. Anacusia.

---

* Neologismo malformado. Condenado por toda dicionarística médica.

---

anacroasia. Anacroasia. Surdez verbal.

anacrotic. Anacrótico.

anacrotism. Anacrotismo. Existência de uma ou mais elevações na onda ascendente do traçado esfigmográfico.

anaculture. Cultivo bacteriano tratado com formalina e incubado para ser empregado como vacina.

anacusia, anacusis. Anacusia. Surdez total. // Reeducação auditiva.

anadenia. Anadenia. Sin.: aquilia.

anadicrotic. Anadicrótico. Dupla elevação na onda ascendente do traçado esfigmográfico.

anadicrotism. Anadicrotismo.

anadidymus. Anadídimo. Monstro duplo separado.

anadipsia. Anadipsia. Sede intensa.

anadrenalism, anadrenia. Anadrenia, anadrenalismo.

anaerase. Anaérase. Enzima das bactérias anaeróbicas.

anaerobe. Anaeróbio. Microrganismo que só pode viver fora do ar ou oxigênio livre. // - **facultativa.** Anaeróbio facultativo. Microrganismo que ordinariamente vive e se desenvolve fora do oxigênio livre.

anaerobiase. Anaerobiose ou anaerobismo. Vida sem oxigênio livre.

Anaeromyces bronchitica. "Anaeromyces bronchitica". Microrganismo encontrado nos casos de bronquite tropical.

anaerophyte. Anaerófito. Planta ou vegetal anaeróbio.

anaeroplasty. Anaeroplastia.

anaerosis. Anaerose. Interrupção da função respiratória.

anaesthesia. Anestesia. // - **basal.** Anestesia básica ou de base. // - **block.** Bloqueio anestésico. // - **caudal.** Anestesia caudal. // - **central.** Anestesia central. // - **conduction.** Anestesia de condução. // - **dissociated.** Anestesia dissociada. // - **dolorosa.** Anestesia dolorosa. // - **fieldblock.** Anestesia de bloqueio do campo operatório. // - **general.** Anestesia geral. // - **girdle.** Anestesia em círculo ou cinturão. // - **glove.** Anestesia em luva. // - **inhalation.** Anestesia por inalação. // - **intratracheal.** Anestesia intratraqueal. // - **intravenous.** Anestesia intravenosa. // - **local.** Anestesia local. // - **nerveblock.** Anestesia por bloqueio nervoso. // - **parasacral.** Anestesia parassacral. // - **paravertebral.** Anestesia paravertebral. // - **refrigeration.** Anestesia por refrigeração. // - **regional.** Anestesia regional. // - **segmental.** Anestesia segmentar. // - **spinal.** Anestesia espinhal. // **-** **splanchnic.** Anestesia esplancnica. // **-** **thermal.** Anestesia térmica.

anaesthesimeter. Anestesiômetro.

anaesthetic. Anestésico.

anagenesis. Anagênese. Regeneração dos tecidos destruídos.

anagnosasthenia. Anagnosastenia. Impossibilidade ou dificuldade de ler, pelo mal-estar experimentado ao tentá-lo.

anagocytic. Anagocítico. Que retarda o desenvolvimento celular.

anagoge. Anagogia. Sinônimo antigo de vômito e hemoptise. // Tendências elevadas e criadoras do inconsciente.

anagogic. Anagógico.

anagogy. Anagogia.

anagotoxis. Anagotóxico. Que se contrapõe à ação de um tóxico.

anakatadidymus. Anacatadídimo. Monstro duplo separado por cima e por baixo, porém unido pela cintura.

anakatesthesia. Anacatestesia. Sensação de suspensão.

anakhre. Gundu.

anakinetomeric. Anacitomérico. Rico de energia vital.

anakmesis. Anacmese. Detenção da maturação.

anakusis. Anacusia. Surdez total; reeducação auditiva.

anal. Anal. // **-** **erotism.** Erotismo anal. // **-** **fissure.** Fissura anal. // **-** **fistula.** Fístula anal.

analeptic. Analéptico. Medicamento restaurador. Sin.: cordial, excitante, estimulante.

analgesia. Analgesia.

analgesic. Analgésico.

analgesin. Antipirina.

analgia. Analgia, analgesia.

anallergic. Analérgico.

analogous. Análogo.

analogy. Analogia.

analyser. Analisador.

analysis. Análise. // **-** **colorimetric.** Análise colorimétrica. // **-** **diffusion.** Análise de difusão. // **-** **elementary.** Análise elementar. // **-** **gasometric.** Análise eudiométrica ou gasométrica. // **-** **gravimetric.** Análise gravimétrica. // **-** **qualitative.** Análise qualitativa. // **-** **quantitative.** Análise quantitativa. // **-** **spectral.** Análise espectral. // **volumetric.** Análise volumétrica.

analyst. Analista.

analytic. Analítico.

Anam boil. Úlcera de Anam. Furúnculo oriental.

anamnesis. Anamnese. Ato de fazer voltar à memória as idéias esquecidas. // Exame clínico parcial que reúne dados pessoais e familiares do paciente antes de sua enfermidade; oposto à catamnésia.

anamnestic. Anamnéstico.

Anamniota. Anamniota. Diz-se dos animais desprovidos de âmnio em seu desenvolvimento. Sin.: analantoide.

anamniotic. Anamniótico. Carente de âmnio.

anamorphosis. Anamorfose, amorfia*, mudança progressiva** ou regressiva de forma na evolução de um grupo de plantas ou animais. // Alteração de forma. // Sem forma, amórfia.

ananabasis. Ananabase. Impossibilidade de ascender a lugares elevados.

ananaphylaxis. Ananafilaxia, antianafilaxia.

ananastasia. Ananastasia. Impossibilidade de levantar-se estando sentado.

anancastic. Anancastia. Tipo obsessivo, compulsivo de personalidade.

anandria. Anandria. Perda dos caracteres masculinos.

anangioid. Anangióide.

anangioplasia. Anangioplasia. Diminuição congênita no calibre das artérias.

anapeiratic. Anapirático. Causado pelo uso excessivo.

anapepsia. Anapepsia. Ausência de pepsina na secreção gástrica.

anaphalantiasis. Anafalantíase. Perda de pêlo, especialmente dos cílios.

anaphase. Anáfase. Estado em que os cromossomos divididos se separam para os pólos do fuso para formar o diáster.

anaphasia. Anafasia.

anaphia. Anafia. Falta do sentido do tato.

anaphoresis. Anaforese. Diminuição da atividade das glândulas sudoríparas.

anaphoretic. Anaforético.

anaphrodisia. Anafrodisia. Sin.: Anestesia sexual, frigidez.

anaphrodisiac. Anafrodisíaco. Que diminui o desejo sexual.

anaphylactia. Anafilaxia.

anaphylactic. Anafilático.

anaphylactin. Anafilactina. Sin.: alergina, anafilaxina, sensibilisina.

anaphylactogen. Anafilactógeno. Produtor de anafilaxia. Sin.: alérgeno, sensitinógeno.

anaphylactogenesis. Anafilactogênese. Produção de anafilaxia.

anaphylactoid. Anafilactóide. Sin.: pseudo-anafilaxia.

---

* N. do T. — Sinonímia infundada.

**N. do T. — Com propriedade, apenas regressão de forma.

anaphylactoxin. Anafilotoxina. Substância tóxica da anafilaxia. Apotoxina.

anaphylaxis. Anafilaxia.

anaphyladiagnosis. Anafilodiagnóstico.

anaphylatoxin. Anafilotoxina. Sin.: apotoxina.

Anaplasma. Anaplasma. Esporozoário encontrado nas hemácias.

anaplasmosis. Anaplasmose. Estado infeccioso produzido pelo anaplasma.

anaplastia. Anaplastia. Cirurgia plástica reparadora.

anaplastic. Anaplástico.

anaplasty. Anaplastia. Anaplasia.

anaplerosis. Anaplerose. Reparação de uma ferida ou lesão em que houve perda de substância.

anapnograph. Anapnógrafo. Aparelho para medir a pressão do ar respirado.

anapnoic. Anapnóico. Calmante da dispnéia; béquico.

anapnometer. Anapnômetro, espirômetro.

anapnotherapy. Anapnoterapia. Tratamento pela inalação de ar ou gases.

anapophysis. Anapófise. Apófise vertebral acessória; especialmente em uma vértebra lombar.

anaptic. Anáptico. Relativo à anafia.

anaraxia. Anaraxia. Oclusão dental deficiente.

anaric. Arrínico. Sem nariz.

anarithmia. Anaritmia. Incapacidade para contar.

anarrhexis. Anarrexe. Refratura (cirúrgica).

anarthria. Anartria. Impossibilidade de articular os sons; afasia motora subcortical. // **- literal.** Anartria literal, tartamudez.

anasarca. Anasarca. Infiltração de sorisidade nos tecidos celulares, hidropisia geral. // **exantematic.** Anasarca exantemática. Devido à supressão de um exantema.

anaspadias. Epispádia.

anastalsis. Anastalse. Onda de contração na primeira porção do cólon durante a digestão, sem onda de inibição precedente e que acompanha a onda peristáltica; oposta à catastalsia. // Ação adstringente ou estíptica.

anastaltic. Anastáltico, restaurador.

anastigmatic. Anastigmático. Estigmático corrigido opticamente de astigmatismo.

anastole. Anástole. Retração; por exemplo, a que efetuam os lábios de uma ferida.

anastomat. Aparelho para assegurar a anastomose entre o extremo do sigmóide e o extremo inferior do reto.

anastomose. Anastomose.

anastomotic. Anastomótico.

Anastomotica magna. Anastomótica magna. Ramo da artéria femoral que irriga a articulação do joelho. // Ramo da artéria braquial que vai ao cotovelo.

anastral. Anastral. Usa-se referindo-se a uma figura mitótica.

anastrophy. Anastrofia. Inversão das vísceras. // Diz-se de algumas proteinases que podem ser: inativadas e depois reativadas.

anat. Abreviatura de "*anatomical*".

anatherapeusis. Anaterapêutica. Tratamento com doses progressivas.

anatomic. Anatômico.

anatomical, anatomic. Anatômico.

anatomist. Anatomista.

anatomist's snuff-box. Tabequeira anatômica.

anatomy. Anatomia. // **- artistic.** Anatomia artística. // **- comparative.** Anatomia comparada. // **general.** Anatomia geral. // **- pathological.** Anatomia patológica. // **- regional.** Anatomia regional. // **- special.** Anatomia especial. // **- surgical.** Anatomia cirúrgica. // **- topographic.** Anatomia topográfica.

anatopism. Anatopismo. Estado mental no qual o paciente não se adapta aos costumes da sociedade a que pertence; ectopismo.

anatoxin. Anatoxina. Sin.: toxóide.

anatricrotic. Anatricótico. Pulso caracterizado por três endentações na curva ascendente do esfigmograma.

anatricrotism. Anatricrotismo.

anatripsis. Anatripse. Fricção para cima.

anatrophic. Anatrófico. O que remedeia ou previne a atrofia.

anatropia. Anatropia. Anaforia*. Desvio do eixo ocular de um olho para cima, estando o outro fixo.

anaudia. Afemia. Afasia motora, mas especialmente a subcortical.

anaxon, anaxone. Eixo assimétrico.

anazotic. Anazótico. Sem nitrogênio.

anazoturia. Anazotúria.

anchone. Ancôneo. Relativo ao cotovelo cubital.

anchorage. Ancoragem. Em odontologia, pontos de fixação das pontes.

anchusa. Ancusa. Planta borraginácea chamada também orçaneta ou pé de pomba, de que se extraï matéria vermelha, chamada ancusina.

ancipital. Ancipital. Que tem duas cabeças. Bíceps, bicéfalo.

Ancistrodon. Serpente venenosa da família dos crotalídeos.

ancon. Ancôneo. Cotovelo. Sin.: cubital.

---

* N. do T. — Sinonímia imprópria.

anconagra. Anconagra. Gota no cotovelo.

anconeus. Músculo ancôneo.

anconitis. Anconite. Inflamação do cotovelo.

ancylostoma. Ancilóstomo. Gênero de parasitas nematóides.

ancylostomatic. Causado por ancilóstomo.

ancylostomiasis. Ancilostomíase. Presença de ancilóstomos no intestino delgado.

ancylostomo-anemia. Ancilostomíase.

ancyroid. Anciróide. Em forma de âncora.

Andernach's ossicles. Ossículos de Andernach. Ossos vormianos.

Anders'disease. Enfermidade de Anders. Adipose tuberosa simples.

Andersche's ganglion. Gânglio de Andersche. Gânglio do nervo glossofaríngeo na face inferior do rochedo, que subministra o nervo de Jakobson. // - nerve. Nervo de Anders, nervo timpânico.

Andersen's syndrome or triad. Síndrome de Andersen. Bronquiectasia, fibrose cística do pâncreas e deficiência de vitamina A.

Anderson's pill. Pílulas de Anderson. Pílulas laxantes de aloés e gomaguta.

Andira. Andira. Gênero de árvores leguminosas tropicais. Muitas espécies subministram venenos ativos e outras são anti-helmíntica.

Andral's decubitus. Decúbito do Andral. Decúbito sobre o lado são nos primeiros períodos do pleuris.

andranatomy. Andranatomia. Anatomia do homem (varão).

andreioma. Arrenoblastoma. Androma.

andreoblastoma. Arsenoblastoma.

Andrewes's operation. Operação de Andrewes. Método "em garrafa" para a cura da hidrocele, que consiste na eversão completa do revestimento endotelial do saco e sem necessidade de suturas.

Andrewes's test. Prova de Andrewes. Teste qualitativo para determinar a presença de uremia.

andriatics. Andriatria. Medicina do sexo masculino.

andrin. Andrina. Hormônio sexual masculino ou qualquer dos andrógenos testiculares.

andro-. Andro. Forma prefixa relacionada com "homem".

androcyte. Andrócito. Espermatídio.

androdedotoxin. Androdedotoxina. Princípio tóxico das folhas do Rododendro.

androgalactozemia. Androgalactosemia. Secreção de leite pela mama masculina.

androgen. Andrógeno, hormônio masculino.

androgenesis. Androgênese. Desenvolvimento de um ovo que contém só cromossomos e núcleos paternos.

androgenous. Androgênico que tende, em sua descendência a produzir antes seres masculinos que femininos.

androglossia. Androglossia. Timbre de voz masculino na mulher.

androgyne. Andrógino. Hermafrodita masculino.

androgyneity. Androginia.

androgynism. Androginismo, androginia.

androgynous. Hermafrodita.

androgynus. Fêmea geneticamente pura com características masculinas; fêmea pseudo-hermafrodita.

android. Andróide.

andrology. Andrologia. Estudo da constituição masculina e de suas enfermidades especialmente do aparelho genital.

androma. Arrenoblastoma.

Andromachus. ANDRÔMACO. Médico de Creta, inventor da "theriaca Andromachi".

andromania. Andromania. Ninfomania.

Andromeda. "Andromeda". Gênero de árvores e arbustos ericáceos. Algumas espécies produzem um princípio narcótico tóxico.

andromedotoxin. Andromedotoxina. Derivada da andrômeda, hipnótico que inibe os centros respiratórios.

andromimetic. Andromimético, arrenomimético.

andromorphous. Andromorfo. Com aparência masculina.

andropathy. Andropatia. Enfermidade do homem varão.

androphany. Androfania. Virilismo.

androphile. Andrófilo. Aplicado a mosquitos e insetos que preferem o sangue do homem*.

androphobia. Androfobia. Horror mórbido ao gênero masculino.

androphonomania. Androfonomania. Loucura homicida.

androstane. Androstano. Hidrocarboneto de que se derivam todas as substâncias androgênicas do organismo.

androstanediol, androstendiol. Androstanodiol, ou androstendiona. Esteróides andrógenos cristalizados.

Andropodon. "Andropodon". Gênero de gramíneas aromáticas.

androstene. Androsteno.

androstenediol, androstendiol. Androstenodiol, androstendiona.

---

* N. do T. — A forma correta é antropófilo.

androsterone. Androsterona. Hormônio sexual masculino isolado na urina.

androtin. Androteno. Termo geral para as substâncias androgênicas.

anectasin. Anectasina. Toxina bacteriana que determina vasoconstricção.

anedeous. Anedo. Monstro que carece de órgãos genitais.

Anel's operation. Operação de Anel. Ligadura arterial junto a um saco aneurismático do lado do coração. // Dilatação do conduto lacrimal por meio de uma sonda adequada.

anelectrode. Anelétrodo. Pólo positivo de uma bateria galvânica; ânodo.

anelectrotonous. Aneletrótono. Diminuição da irritabilidade de um nervo na região do ânodo durante a passagem de uma corrente elétrica.

anematosis. Anemia geral, anematopoiose.

anemia. Anemia.

anemic. Anêmico.

anenometer. Anemômetro. Instrumento para medicação da velocidade do vento.

anemone. Anêmona. Gênero de plantas ranunculáceas.

anemonism. Anemonismo. Intoxicação pelo anemonol ou a anemonina ou pelas plantas que os contêm.

anemonol. Anemonol. Essência muito tóxica de várias espécies de ranunculáceas.

anemopathy. Anemopatia. Tratamento por inalações.

anemophobia. Anemofobia. Medo mórbido do vento.

anemotrophy. Anemotrofia. Defeito da nutrição sangüínea.

anemotropism. Anemotropismo. Reação do organismo ante o vento.

anempeiria. Anempiria. Falta de experiência. // Termo para designar a incapacidade de aplicar os conhecimentos adquiridos.

anencephalia, anencephaly. Anencefalia. Falta de cérebro; acrania.

anencephalic. Anencefálico. Sem cérebro.

anenergia. Anergia, falta de energia.

anenteroneuria. Anenteroneuria. Atonia intestinal.

anenterous. Anentérico. Sem intestino.

aneosinophilia. Aneosinofilia. Sin.: eosinopenia.

anephrogenesis. Anefrogênese. Desenvolvimento anormal caracterizado pela ausência de tecido renal.

anepia. Anepia. Impossibilidade de falar. Mudez.

anepiploic. Anepiplóico. Sem epiplo.

anepithymia. Anepitimia. Perda dos desejos e apetites. Sin.: Abepitimia.

anerethisia. Aneretisia. Falta ou carência de irritabilidade.

aneretic. Anerético. Destrutivo do tecido animal.

anergasia. Anergasia. Falta de atividade funcional.

anergia. Anergia, astenia, inatividade.

anergic. Anérgico.

anergy. Anergia.

aneroid. Aneróide. Barômetro sem fluido.

anerythroblepsia. Aneritroblepsia, aneritropsia.

anerythrocyte. Aneritrócito. Sin.: Linferitrócito.

anerythroplasia. Aneritroplasia, aneritroplastia. Falta de formação de hemácias.

anerythropoiesis. Aneritropoese. Falta de formação de hemácias.

anerythropsia. Aneritropsia. Sin.: aneritroblepsia, protanopia.

Anesthecinesia. Anestecinesia. Perda de sensibilidade e de poder motor.

anethol. Anetol. Sin.: cânfora de anis.

Anethum. "*Anethum*". Gênero de plantas que compreende o funcho e o endro. Seu fruto é carminativo e estimulante.

anetic. Anético, calmante, anódino.

anetoderma o anetodermo. Anetodermia. Sin.: "Atrophia maculosa cutis".

anetus. Anetus. Febre intermitente.

aneuploid. Aneuplóide. Não euplóide; poliplóide desequilibrado.

aneuria. Aneura. Falta ou defeituosa energia nervosa. Sin.: paralisia.

aneuric. Anêurico.

aneurilemmic. Aneurilêmico. Ausência de neurilema.

aneurine. Aneurina. Vitamina B, tiamina.

aneurysm. Aneurisma. // **- arteriovenous.** Aneurisma arteriovenoso. // **- cardiac.** Aneurisma cardíaco. // **- cirsoid.** Aneurisma cirsóide. // **- dissecting.** Aneurisma dissecante. // **- false.** Aneurisma falso. // **- fusiform.** aneurisma fusiforme. // **mycotic.** Aneurisma micótico. // **- sacculated, ou saccular.** Aneurisma sacular. // **spurious.** Aneurisma espúrio. // **- true.** Aneurisma verdadeiro.

aneurysmal. Aneurismático.

aneurysmatic. Aneurismático.

aneurysmectomy. Aneurismectonia.

aneurysmoplasty. Aneurismoplastia. Endaneurismorrafia. Reconstrutiva.

aneurysmorrhaphy. Aneurismorrafia. Sutura de um aneurisma. Processo de Matas.

aneurysmotomy. Aneurismotomia. Incisão da bolsa de um aneurisma.

an. ex. Abreviatura de "*Anode excitation*". Excitação anódica.

anfractuosity. Anfractuosidade. Sulco ou depressão que separa as circunvoluções cerebrais.

anfractuous. Anfractuoso.

angeitis. Angiite. Inflamação de um vaso.

angel's wing. Asas de anjo, "Scapula alata".

Angelica. Angélica. Planta da família das umbelíferas, cujos frutos e raízes são aromáticos, estimulantes e emenagogos. Entram na composição da água de melissa.

angialgia. Angialgia. Sin.: vasalgia.

angiectasia. Angiectasia. Sin.: angioma.

angiectatic. Angiectásico. Vaso sangüíneo dilatado.

angiectomy. Angiectomia. Ressecção ou incisão de um vaso.

angiectopia. Antiectópia. Posição anormal de um vaso.

angiemphraxis. Angienfraxe. Obstrução de um vaso.

angiitis. Angiite. Inflamação de um vaso sangüíneo ou linfático. // **- visceral.** Angiite visceral. Periarterite nodosa; síndrome de Libman-Sacks.

angileucitis. Angioleucite.

angina. Angina. // **- abdominis.** Angina abdominal. // **- follicular.** Angina folicular. // **- Ludovici-.** Angina de Ludwig. // **- lacunaria.** Angina lacunar. // **- pectoris.** Angina de peito. // **- tonsillaris.** Angina tonsilar.

anginoid. Anginóide.

anginophobia. Anginofobia. Temor mórbido à angina de peito.

anginose. Anginose.

anginous. Anginoso.

angio-. angi-. angio- ou angi — Forma prefixa que indica "vaso".

angio-asthenia. Angioastenia.

angio-ataxia. Angioataxia. Tensão irregular dos vasos sangüíneos.

angioblast. Angioblasto. Tecido embrionário de que procedem os vasos.

angioblastoma. Angioblastoma, angioma. Meningioma angioblástico.

angiocardiogram. Angiocardiograma. Radiografia do coração e dos grandes vasos.

angiocardiopathy. Angiocardiopatia.

angiocarditis. Angiocardite.

angiocavernous. Angiocavernoso. Relativo ao angioma cavernoso.

angioceratoma. Angioceratoma.

angiocheiloscope. Angioquiloscópio. Instrumento para examinar a circulação sangüínea dos capilares da mucosa labial.

angiocholecystitis. Angiocolecistite. Inflamação da vesícula e condutos biliares.

angiocholitis. Angiocolite. Inflamação dos condutos biliares.

angioclast. Angioclasto. Instrumento semelhante a pinça, para esmagar um vaso.

Angiococcus. "*Angiococcus*". Gênero de microrganismos da família "*Mixococcaceae*" com duas espécies "*A. cellulosum*" e "*A. discoformis*".

angiocrine. Angiócrino. Transtorno vasomotor de origem endócrina.

angiodermatitis. Angiodermatite. Inflamação dos vasos da pele.

angiodiascopy. Angiodiascopia. Inspeção visual direta dos vasos sangüíneos através dos tecidos membranosos.

angiodynia. Angialgia.

angiodystrophia. Angiodistrofia. Nutrição defeituosa dos vasos sangüíneos.

angioectatic. Angiectásico.

angioedema. Edema angioneurótico.

angioelephantiasis. Angielefantíase. Estado angiomatoso extenso dos tecidos subcutâneos.

angioendothelioma. Angiendotelioma. Endotelioma rico em vasos sangüíneos.

angiofibroma. Angiofibroma. Angioma que cotém tecido fibroso. // Angiofibroma contagioso dos trópicos. Afecção cutânea do Brasil, que apresenta uma erupção de pápulas avermelhadas, que logo formam nódutos azulados.

angiogenic. Angiogênico, que participa de angiogênese.

angioglioma. Angioglioma. Glioma muito vascularizado.

angiogliosis. Angiogliose ou angiomatose. Desenvolvimento de gliomas vascularés múltiplos.

angiograph. Angiógrafo. Tipo de esfigmógrafo.

angiohyalinosis. Angio-hialinose. Degeneração hialina da túnica muscular dos vasos sangüíneos. // **- haemorrhagica.** Angio-hialinose hemorrágica. Variedade caracterizada por hemorragia congênita.

angiohypertonia. Angio-hipertonia. Angiespasmo, vasoconstricção.

angiohypotonia. Angio-hipotonia. Vasodilatação. // Angio-hipotonia constitucional. Hipotensão arterial crônica e permanente.

angioid. Angióide. Semelhante a um vaso.

angiokeratoma. Angioceratoma. Enfermidade cutânea caracterizada por diminutos tumores telangiectásicos verrucosos em grupos. Sin.: linfangiectasia de mãos e pés, telangiectasia verrucosa, verruga telangiectásica.

angiokinesis. Angiocinese. Atividade vascular.

angioleucitis. Angioleucite. Inflamação de vaso linfático.

angiolipoma. Angiolipoma. Angioma que cotém tecido adiposo.

angiolith. Angiólito; flebólito. Cálculo contido na parede de um vaso sangüíneo.

angiology. Angiologia.

angiolupoid. Angiolupóide. Lesão da pele em forma de placas vermelhas análogas aos Pupus vulgar.

angiolymphangioma. Angiolinfangioma, angiolinfoma. Angioma formado por vasos linfáticos e sangüíneos.

angiolysis. Angiólise. Destruição, regressão ou obstrução dos vasos, como se observa no desenvolvimento embrionário.

angioma. Angioma. Tumor formado por hiperplasia do tecido vascular sangüíneo; hemangioma ou linfático; linfangioma. // - **"arteriale racemosum".** Angioma arterial racemoso. Dilatação e entrecruzamento de muitos vasos de pequeno calibre. // - **cavernosum** Angioma cavernoso. Tumor erétil de tecido conjuntivo com amplos espaços cheios de sangue. // - **ceruleum.** Angioma cerúleo. Angioma de circulação local muito lenta em que o sangue arterial se converte em venoso. // - **cutis.** Angioma cutis. Espécie de nervo formado por uma rede de vasos dilatados. // **encephalic.** Angioma encefálico. Massa de artérias dilatadas no cérebro. // - **fissural.** Angioma fissural. Angioma nas fissuras branquiais da face e do pescoço. // - **hereditary hemorrhagic.** Angioma hereditário hemorrágico. Enfermidade de Osler-Goldstein. Telangiectasia múltipla hereditária. // - **hypertrophic.** Angioma hipertrófico. Angioma que contém materiais sólidos formados pela hiperplasia do endotélio. // - **infective.** Angioma serpiginoso. Lymphaticum. Linfangioma. // - **pigmentosum, atrophicum.** Xeroderma pigmentosum. // - **plexiform.** Angioma plexiforme. Angioma ordinário da pele formado por capilares dilatados e tortuosos. // - **serpiginosum.** Angioma serpiginoso. Pequenos pontos vasculares na derme, dispostos em anéis. // - **simple.** Angioma simples. Nevo. Tumor composto de uma rede de capilares dilatados unidos por tecido conjuntivo. // - **telangiectatic.** Angioma telangiectásico. Angioma formado por vasos sangüíneos dilatados. // - **tuberosum.** Angioma tuberoso. Angioma subcutâneo de aspecto lipomatoso que faz saliência na pele. // - **venosum racemosum.** Angioma venoso racemoso. Tumorações produzidas pelas grandes varizes das veias superficiais.

angiomalacia. Angiomalacia. Amolecimento das paredes vasculares .

angiomatosis. Angiomatose. Estado mórbido dos vasos sangüíneos ou linfáticos. // - **cerebral.** angioma cerebral. Presença de angiomas calcificados na face interna do crânio nas regiões temporal e occipital. // - **hemorrhagic familial.** Angiomatose heredo-familial ou hemorrágica. Enfermidade de Osler-Goldstein. // - **of retina.** Angiomatose retínica. Enfermidade de von Hippel Lindau.

angiomatous. Angiomatoso.

angiomegaly. Angiomegalia. Espessamento dos vasos sangüíneos.

angiometer. Angiômetro. Instrumento para medir o diâmetro e tensão dos vasos sangüíneos. Esfigmógrafo.

angiomyocardiac. Angiomiocardíaco. Relativo aos vasos e músculos cardíaco.

angiomyoma. Angiomioma.

angiomyoneuroma. Angiomioneuroma.

angiomyopathy. Angiomiopatia. Afecção da camada muscular dos vasos e do miocárdio.

angiomyosarcoma. Angiomiossarcoma. Tumor formado por elementos de angioma, mioma e sarcoma.

angiomyxoma. Angiomixoma. Tumor placentário composto de numerosos capilares.

angionecrosis. Angionecrose.

angioneoplasm. Angineoplasma.

angioneuralgia. Angioneuralgia.

angioneurectomy. Angioneurectomia. Operação de ressecar todos os elementos do cordão espermático, exceto o conduto deferente, proposta para a cura da hipertrofia prostática.

angioneuroedema. Angioneuredema. Edema angioneurótico; enfermidade de Quincke.

angioneurosis. Angioneurose.

angioneurotic edema. Edema angioneurótico.

angioneurotomy. Angioneurotomia.

angionoma. Angiônoma.

angiopancreatitis. Angiopancreatite. Inflamação dos vasos pancreáticos ou do sistema canalicular do pâncreas.

angioparalysis. Angioparalisia. Paralisia dos vasos sangüíneos por defeito vasomotor.

angioparesis. Angioparesia, angioparalisia.

angiopathology. Angiopatologia.

angiopathy. Angiopatia. Sin.: Angiosis.

angiophakomatosis. Angiofacomatose. Enfermidade de Landau.

angioplany. Angioplania. Anomalia na distribuição dos vasos sangüíneos.

angioplasty. Angioplastia.

angiopneumography. Angiopneumografia. Radiografia dos vasos pulmonares.

angiopoiesis. Angiopoese.

angiopressure. Angiotripsia. Hemóstase por pressão mediante o angiótribo ou uma pinça hemostática.

angiorrhagia. Angiorragia.

angiorrhaphy. Angiorrafia. Sutura de um vaso ou vasos.

angiorrhea. Angiorréia. Escorrimento de sangue por um vaso.

angiorrhexis. Angiorrexia. Ruptura de um vaso.

angiosarcoma. Angiossarcoma.

angiosclerosis. Angiosclerose. Sin.: arteriosclerose.

angioscope. Angioscópio. Aparelho para o exame dos vasos, especialmente dos retínicos, com o oftalmoscópio.

angioscotoma. Angioscotoma.

angioscotometry. Angioscotometria.

angiosialitis. Angiossialite. Inflamação dos condutos salivares.

angiospasm. Angiospasmo.

angiospastic. Angiospástico. Angiospasmódico.

angiosperm. Angiosperma.

angiostaxis. Angiostaxe. Diátese hemorrágica.

angiostenosis. Angiostenose.

angiosteosis. Angiosteose. Calcificação de um vaso.

angiosthenia. Angiostenia. Tensão vascular.

angiostomy. Angiostomia. Abertura de um vaso sangüíneo.

angiostrophy. Angiostrofia. Torção de um vaso para detenção de hemorragia.

angiosynizesis. Angiosinizese. Colapso das paredes vasculares.

angiotelectasia. Angiotelectasia. Telangiectasia.

angiotenic. Angiotênico. Causado pela distensão dos vasos sangüíneos.

angiotitis. Angiotite. Inflamação dos vasos do ouvido.

angiotomy. Angiotomia.

angiotonia. Angiotonia.

angiotribe. Angiótribo. Sin.: vasótribo.

angiotrophic. Angiotrófico. Que promove nutrição vascular.

angiotrophoneurosis. Angiotrofoneurose. Neurose dos vasos com transtornos tróficos.

angle. Ângulo. // - **of aperture.** Ângulo de abertura. // -**axial.** Ângulo axial. // - **costal.** Ângulo costal. // - **of deviation.** Ângulo de desvio. // of **incidence.** Ângulo de incidência. // **of jaw.** Ângulo mandibular. // - **optic.** Ângulo óptico. // **of polarization.** Ângulo de polarização. // **of reflection.** Ângulo de reflexão. // - **alpha.** Ângulo alfa. // - **gama.** Ângulo gama. // - **kappa.** Ângulo capa. // - **visual.** Ângulo visual.

Angle's classification of maloclusion. Classificação de Ângulo de maloclusão. Existem três classes: 1. Neutroclusão. 2. Distoclusão. 3. Mesioclusão. // - **splint.** Férula de Angle. Usada em fraturas da mandíbula.

Anglesey leg. Perna artificial de Anglesey.

anglicus sudor. Anglicus (sudor). Febre pestilencial mortal, que grassou na Inglaterra.

angophrasia. Angofrasia. Consiste em misturar nas frases vogais repetidas ou ditongos.

angor. Angor, angina. // - **pectoris.** Angina de peito.

angostura. Córtex de um arbusto rutáceo da América do Sul. É tônica, amarga e estimulante.

Angstrom. Ångström. Unidade de comprimento de onda de radiações eletromagnética e corpuscular. Igual a 10^{-7}mm.

Angström law, unit. Lei de Ångström. Os comprimentos de onda de luz absorvidos por uma substância são os mesmos que os compreendidos por esta quando é luminosa. // Unidade de Ångström. Décimo-milésima parte de 1 mícron.

Anguillula. "Anguílula". Gênero de parasitas nematóides.

Anguillulina putrefaciens. "*Anguillula intestinalis*".

anguillulosis. Anguilulíase. Sin.: estrongiloidíase.

angular. Angular.

angulation. Angulação. Formação de um ângulo obstrutivo no intestino ou outro conduto.

angulus. Ângulo.

anhedonia. Anedonia. Perda da sensação de prazer, especialmente nos atos sexuais.

anhelation. Anelação. Dispnéia com respirações curtas e freqüentes.

anhematopoiesis. Anematopoese. Falta de regeneração sangüínea por insuficiência funcional da medula óssea. Sin.: anematose.

anhematosis. Anematose, anematopoese.

anhemolytic. Anemolítico. Que não produz hemólise ou destruição de glóbulos sangüíneos.

anhemothigmic. Anemotígmico. Diz-se dos tecidos, que em contato com o sangue, não induzem à coagulação.

anhepatia. Anepatia. Insuficiência hepática.

anhidroses. Anidrose. Falta ou supressão do suor.

anhidrotic. Anidrótico.

anhidride. Anidrido.

anhydration. Anidração.

anhydremia. Anidremia. Falta de água ou sais no sangue.

anhydrochloric. Anidroclórico.

anhydromyelia. Anidromielia. Falta do líquido normal no canal vertebral.

anhydrous. Anidro.

anhypnia. Anipnia, insônia.

anianthinopsy. Aniantinopsia. Impossibilidade de distinguir a cor violeta.

anicteric. Anictérico. Sem icterícia.

anideus. Anídeo. Sin.: amorfo, acardíaco.

anile. Anosidade. Velhice na mulher.

anilide. Anilida.

anilismo. Anilismo. Intoxicação pela anilina.

anilinophile. Anilinófilo.

anima. Alma.

animal. Animal.

animation. Animação. Manifestação dos atos da vida animal. // - **suspended.** Animação suspensa. Morte aparente.

anincretinosis. Anincretinose. Falta de uma secreção interna.

anion. Aníon. Elemento que em eletrólise se dirige ao ânodo; íon com carga elétrica negativa.

aniridia. Aniridia. Falta congênita de íris.

anischuria. Aniscuria. Incontinência de urina. Enurese.

aniseikonia. Anisoisonia. Desigualdade entre a imagem de um e de outro olho.

anisergy. Anisergia. Variação da pressão sangüínea em diferentes partes do corpo.

aniso. Aniso — Prefixo grego que significa "desigual".

anisochromia. Anisocromia. Variação de cor das hemácias por desigual conteúdo de hemoglobina.

anisocoria. Anisocoria. Desigualdade do diâmetro das pupilas.

anisocytosis. Anisocitose. Desigualdade do tamanho das células, em particular, das hemácias.

anisodactylous. Anisodátilo. Com dedos desiguais.

anisodont. Anisodonte. Que tem dentes desiguais.

anisogamy. Anisogamia. Fusão de gametas desiguais.

anisognathous. Anisógnato. Que possui maxilares de tamanho desigual.

anisoleukocytosis. Anisoleucocitose. Proporção variável nas formas de leucócitos neutrófilos.

anisomastia. Anisomastia. Desigualdade das mamas.

anisomelia. Anisomelia. Desigualdade entre membros pares.

anisomeria. Anisomeria. Desigualdade de órgãos em séries sucessivas.

anisometropia. Anisometropia. Diferentes refrações em ambos os olhos.

anisonormocytosis. Anisonormocitose. Anisoleucocitose.

anisophoria. Anisoforia. Estado em que a foria é desigual de acordo com a direção do olhar.

anisopia. Anisopia. Diferença de visão nos olhos.

anisopieses. Anisopiese. Variação da pressão sangüínea em diferentes partes do corpo.

anisorhythmia. Anisorritmia. Desigualdade entre o ritmo atrial e ventricular.

anisosphygmia. Anisosfigmia. Pulso de amplitude desigual, porém, igualmente espaçado.

anisosporo. Anisósporo. Esporo sexual que unido a outro de sexo oposto forma um novo indivíduo.

anisostheny. Anisostenia. Força desigual em músculos pares.

anisotony. Anisotonia. Pressão osmótica desigual.

anisotropy. Anisotropia. Estrabismo (tropia) variável em diferentes direções do olhar. // Irritabilidade variável em diferentes partes do corpo.

anisuria. Anisúria. Emissão desigual de urina nas vinte e quatro horas de um dia a outro.

anitrogenous. Anitrogenado, sem nitrogênio.

Anitschkow's cell or myocyte. Miócito de Anitschkow. Célula normal cardíaca com peculiar estrutura nuclear.

ankle. Maléolo ou tornozelo. // - **clonus.** Clono do tornozelo. // - **jerk.** Contração do tornozelo (reflexo aquiliano). // - **tailor's.** tornozelo de alfaiate.

ankyla, ankyle. Ancil — ou ancilo. Prefixo que significa aderência, soldadeira.

ankyloblepharon. Ancilobléfaro. Aderência das margens ciliares das pálpebras.

ankylochilia. Anciloquilia. Aderência dos lábios.

ankylocolpos. Ancilocolpo. Atresia ou imperfuração da vagina.

ankylodactylia. Ancilodactilia. Aderência entre os dedos das mãos e dos pés. Sin.: sindactilia.

ankylodontia. Ancilodontia. Soldadura dos dentes.

ankyloglossia, ankyloglossum. Anciloglossia. Freio da língua curto.

ankylokolpos. Ancilocolpo.

ankylomele. Ancilomela. Sonda curva.

ankylomerism. Ancilomerismo. Aderência anormal em qualquer parte.

ankylophobia. Ancilofobia. Temor mórbido à ancilose em casos de fratura.

ankylopoietic. Ancilopoético. Produtos de ancilose ou caracterizado por isto.

ankyloproctia. Anciloproctia. Estenose do ânus.

ankylorrhinia. Ancilorrinia. Soldadura da asa nasal ao sub-septo.

ankylosed. Ancilosado.

ankylosis. Ancilose. // **- artificial.** Ancilose artificial. Fixação cirúrgica de uma ancilose. Devido à ridigez das partes circundantes à articulação. // **- intracapsular.** Ancilose intracapsular. Pelos tecidos formados dentro da articulação. // **- ligamentous.** Ancilose ligamentosa. Por ligamentos ou tecidos fibrosos. // **- ossea or verdadera.** Ancicóse óssea. União anormal dos ossos de uma articulação.

ankylostoma. Ancilóstomo. Parasita nematódeo do gênero. *"Ankylostoma"*.

ankylostomiasis. Ancilostomíase. Sin.: anemia de oleiros, mineiros dos túneis, ancilostomanemia, ancilostomasia, ancilostomose, caquexia aquosa, clorose do Egito, docmíase, enfermidade do túnel de S. Gotardo, hipemia intertropical, uncinaríase.

ankylotia. Ancilotia. Oclusão do meato auditivo externo.

ankylotic. Ancilótico.

ankylotome. Ancilótomo. Bisturi curvo para anciloglossia.

ankylurethria. Anciluretria. Estenose uretral.

ankyroid. Anciróide.

anlage. Área embrionária com os primeiros indícios de um órgão.

Annan ulcer. Úlcera de Annan. Úlcera de Bagdad, de Alepo, oriental. É inodora, granulosa, devido à *"Leishmania tropica"*.

Annandale's operation. Operação de Annandale. Ressecção dos cônduilos do fêmur no "genu valgum". // Fixação por sutura das cartilagens deslocadas do joelho.

annuens. *"Annuens"*. Saudação com a cabeça. Músculo reto menor anterior da cabeça.

annular. Anular.

annulorrhaphy. Anulorrafia. Oclusão por sutura do anel herniário.

annulus. Anel.

AnOC. Abreviatura de "Anodal opening contraction".

anochlesia. Anoclesia, tranqüilidade. // Catalepsia.

anoci-association. Anoci-associação. Método anestésico para diminuir o choque operatório, que consiste em associar anestesia geral e troncular.

anococcygeal. Anococcígeo.

anode. Ânodo. Elétron positivo.

anodinia. Anodinia. Falta de dor, especialmente no parto.

anodmia. Anodmia, anosmia.

anodontia. Anodontia. Falta congênita de dentes.

anodyne. Anódino, sedante.

anoestrum. Anestro.

anoia. Anóia, idiotice, demência, estupor agudo.

anol. Anol. Corpo que se polimeriza formando substâncias carcinógenas e estrogênicas ativas. // Hormônio sexual autêntico estimulante da glândula mamária.

anomalo. Anômalo, irregular.

anomalopia. Anomalopia, anomalopias. Defeito na visão das cores.

anomaloscope. Anomaloscópio. Instrumento para o exame da cegueira para as cores.

anomaly. Anomalia, irregularidade.

anomia. Anomia. Impossibilidade de nomear os objetos.

anonychia. Anoniquia. Falta congênita de unhas.

anopsia. Anopsia. Estrabismo para cima.

anoperineal. Anoperineal.

Anopheles. Anófeles. Mosquito pertencente ao gênero *"Anopheles"*.

anophelism. Anofelismo.

anophoria. Anoforia.

anophthalmia, anophthalmos. Anoftalmia.

anopia. Anopia. Defeito visual. Sin.: ablepsia, ambliopsia.

anoplasty. Anoplastia. Plastia ou reparação do ânus.

Anoplura. Anopluro. Ordem da classe dos insetos a que pertencem os piolhos, subgênero dos hemípteros.

anorchism. Anorquismo. Falta congênita de testículos. Sin.: criptorquia.

anorectal. Anorretal.

anorectic, anorectous. Anorético. Relativo à anorexia.

anorgasmy. Anorgasmia. Falta de orgasmo no ato sexual.

anorthography. Anortografia. Agrafia motora, perda da capacidade de escrever corretamente.

anorthopia. Anortopia, estrabismo.

anorthoscope. Anortoscópio. Instrumento para combinar os desenhos inconexos de uma imagem visual perfeita.

anorthosis. Anortose. Falta de erectibilidade.

anoscope. Anuscópio. Espéculo para exame da porção inferior do reto.

anosmia. Anosmia. Falta de olfato. Sin.: anosfrasia, anosfresia, anestesia olfatória.

anosodiaphoria. Anosodiaforia. Indiferença para com a enfermidade.

anosognosia. Anosognosia. Ignorância de uma enfermidade ou de um membro paralítico.

anosphrasia. Anosfrasia ou anosfresia, anosmia.

anospinal. Anospinal.

anosteoplasia. Anosteoplastia, anostose. Atrofia senil dos ossos.

anostosis. Anostose. Desenvolvimento defeituoso dos ossos.

anotia. Anotia. Falta congênita de orelha.

anotropia. Anotropia. Quando o eixo visual tende a elevar-se por cima do objeto observado. Sin.: anopia, anoforia.

anotus. Anoto, sem orelha.

anovaria. Anovaria, anovarismo. Falta ou aplasia dos ovários.

anovarism. Anovarismo. Ausência dos ovários.

anovesical. Anovesical.

anovulation, anovulia. Anovulação. Suspensão da ovulação.

anovulomenorrhea. Anovulorréia. Menstruação anovular.

anoxemia. Anoxemia. Diminuição do oxigênio do sangue. Sin.: anoxia.

anoxia. Anoxia. Termo para os estados de oxigenação insuficiente.

anoxybiontic. Anoxibiôntico, anaeróbio.

anocybiosis. Anoxibiose, anaerobiose.

ansa. Alça. // - **hypoglossi.** Alça do hipoglosso. // - **peduncularis.** Alça peduncular.

Anschütz's sign. Sinal de Anchütz. Meteorismo anormal do ceco em caso de obstrução muito baixa do intestino grosso.

anserine. Anserino, enfermidade anserina.

ansiform. Ansiforme, em forma de asa.

Anstie's rule. Regra de Anstie. Normas que seguem algumas companhias de seguro de vida quanto à qualidade de álcool que um adulto pode tomar sem inconveniente. // - **test.** Reação de Anstie, serve para determinar a quantidade de álcool que contém a urina.

answer. Contestar, responder.

antacid. Antiácido.

antagonism. Antagonismo.

antagonist. Antagonista. Sin.: antérgico, antistático.

antalkaline. Antialcalino.

antaphrodisiac. Antiafrodisíaco.

ante, anti. Ante, anti. Prefixos latinos que significam diante.

ante cibum. "*Ante cibum*", antes das refeições.

ante mortem. "*Ante mortem*", antes da morte.

ante partum. "*Ante partum*", antes do parto.

antecubital. Antes do cotovelo.

antefebrile. Antes do acesso febril.

anteflect. Anterefletir.

antehypophysis. Hipófise anterior. Sin.: paquihipófise.

antenatal. Antenatal, pré-natal.

antenna. Antena.

anteprandial. Anteprandial, pré-prandial.

anterior. Anterior.

antero-. Ântero. Prefixo latino que significa diante.

anterodorsal. Ântero-dorsal. Face ventral do dorso.

anteroexternal. Ântero-externo.

anterograde. Anterógrado. Que se estende por diante.

anteroinferior. Ântero-inferior.

anterolateral. Ântero-lateral.

anteromedian. Anteromediano.

anteroposterior. Ântero-posterior.

anterosuperior. Ântero-superior.

anterotation. Ante-rotação. Rotação para frente.

anteversion. Anteversão. Flexão de um órgão para a frente.

anthelix; antelic. Anti-hélix. Eminência curvilínea do pavilhão da orelha.

anthelmintic. Anti-helmíntico. Sin.: antiscólico, vermífugo, vermicida.

anthema. Exantema.

Anthemis, "*Anthemis***".** Gênero de plantas a que pertence a camomila.

anthiomaline. Antiomalina. Estibiotiomalato de lítio. Anti-helmíntico. Ativo também contra linfogranuloma venéreo.

anthophobia. Antofobia. Temor mórbido às flores.

anthorisma. Antorisma. Tumefação difusa, ilimitada.

anthracene. Antraceno.

anthracia. Antrácia. Estado caracterizado pela formação de antrazes.

anthracoid. Antracóide. Antraz pequeno.

anthracometer. Antracômetro. Instrumento para medir a quantidade de anidrido carbônico que existe no ar.

anthracosilicosis. Antracossilicose. Asma dos mineiros.

anthracosis. Antracose. Pneumoconiose produzida pela inalação do pó de carvão. // Úlcera maligna.

anthracotic. Antracótico.

anthraquinone. Antraquinona. Produto de oxidação do antraceno.

anthrax. Antraz. Inflamação circunscrita, dura e dolorosa do tecido subcutâneo. Sin.: abscesso gangrenoso, acacántrax, antraz contagioso, apoplexia esplênica, carbúnculo, enfermidade dos cortadores de lã, dos trapeiros, febre esplênica, mal de Chabert, plaga ignis, pústula maligna.

anthropobiology. Antropobiologia. Biologia do homem.

anthropogenesis. Antropogenia. Evolução e desenvolvimento do homem.

anthropoid. Antropóide. De forma humana. Sin.: antropomorfo.

anthropology. Antropologia. História natural do homem.

anthropometry. Antropometria. Estudo das proporções do corpo humano por medição.

anthropomorphy. Antropomorfologia. Estudo a forma das diferentes partes do corpo humano.

anthropopathy. Antropopatia. Atribuição de paixões e sentimentos humanos a outros seres não humanos.

anthropophagy. Antropofagia. Canibalismo.

anthropophobia. Antropofobia. Temor mórbido à sociedade humana. Sin.:* apantropia, misantropia.

anthroposophy. Antroposofia. Conhecimento da natureza humana.

anthropotomy. Antropotomia. Anatomia humana.

anti-. anti — Prefixo grego que significa "contra".

antiagglutinin. Antiaglutinina.

antiaggressin. Antiagressina.

antialbumide. Antralbuminato.

antiamboceptor. Antiamboceptor. Sin.: corpo antiimune.

antianaphylaxis. Antianafilaxia. Sin.: energia, dessensibilização.

antiantidote. Antiantídoto.

antibacterial. Antibacteriano.

antibiosis. Antibiose.

antibiotic. Antibiótico. Destruidor da vida.

antibody. Anticorpo.

antibrachium. Antebraço.

antibromic. Antibrômico, desodorizante.

antibubonic. Antibubônico.

anticachectic. Anticaquético.

anticarcinogenic. Anticarcinogênico. Preventivo contra o desenvolvimento do carcinoma.

anticardium. Anticárdio.

anticatalyzer. Anticatalisador.

anticatarrhal. Anticatarral.

anticipate. Antecipar.

anticoagulant. Anticoagulante.

anticomplement. Anticomplemento. Sin.: anticítase.

anticritical. Anticrítico.

anticus. Anterior.

antidote. Antídoto. Sin.: antifármaco, contraveneno. // - **chemical.** Antídoto químico. // - **mechanical.** antídoto mecânico. // - **physiological.** Antídoto fisiológico.

antidromic. Antidrômico. Que conduz os impulsos numa direção oposta à normal.

antidynamic. Antidinâmico.

antidyscratic. Antidiscrásico.

antidysenteric. Antidisentérico.

antiedemic. Antiedêmico.

antiemetic. Antiemético.

antiemulsin. Antiemulsina.

antiendotoxic. Antiendotóxico.

antienzyme. Antienzima. Agente que neutraliza um enzima.

antiepileptic. Antiepiléptico.

antiepithelial. Antiepitelial.

antierotic. Anafrodisíaco.

antiesterase. Antiesterase. Agente que inibe a atividade das enzimas esterolíticas.

antifebrile. Antifebril. Sin.: antitérmico, antipirético.

antifebrin. Antifebrina, acetanilida.

antiferment. Antifermento.

antiformin. Antiformia. Mistura de um hipoclorito e um hidrato alcalinos.

antigalactic. Antigalactogogo, antigaláctico.

antigen. Antígeno. Substância que, introduzida no organismo, provoca a formação de anticorpos.

antigenotherapy. Antigenoterapia, como vacinoterapia, bacterioterapia, proteinoterapia, etc.

antiglobulin test (Coombs, Race). Prova de antiglobulina. Há duas provas: a direta e a indireta. A primeira serve para comprovar os anticorpos incompletos que estão ligados aos eritrócitos do recém-nascido na enfermidade hemolítica, e a segunda para a demonstração de anticorpos incompletos que se apresentam no soro ao imunizar contra um fator de grupos sangüíneos.

antihaemolysin. Anti-hemolisina. Sin.: anti-hemotoxina.

antihaemorrhagic. Anti-hemorrágico.

antihidrotic. Anti-hidrótico.

antihistamine. Anti-histamínico.

antihormone. Anti-hormônio. Sin.: calona.

antihydrophobic. Anti-hidrofóbico.

antihygienic. Anti-higiênico.

antihypertensive. Anti-hipertensivo.

antihysteric. Anti-histérico.

antiimmune. Antiimune.

antiinfectious. Antiinfeccioso.

antiinflammatory. Antiinflamatório.

antiinsulinic. Antiinsulínico.

---

* N. do T. — não endosso tal sinonímia. Medo não tem muito a ver com ódio, não havendo como confundi-los.

antiinvasin. Antiinvasina. Enzima do plasma sangüíneo normal do homem e animais. Inibe a ação da hialuronídase das bactérias patogênicas.

antiisolysin. Antiisolisina.

antikataphylactic. Anticatafilático.

antiketogenesis. Anticetogênese, impedimento do desenvolvimento de corpos cetônicos.

antiketogenic. Anticetogênico.

antiketoplastic. Anticetoplástico.

antikinase. Anticínase.

antilactase. Antiláctase.

antilactoserum. Antilactossoro. Soro que inibe a ação do lactossoro.

antilemic. Antilêmico. Eficaz contra a peste. Antipestoso.

antileptic. Antiléptico, revulsivo.

antilethargic. Antiletárgico.

antileukotoxin. Antileucotoxina, antileucocidina.

antilewisite. BAL. Dimercaptopropanol. Inibe a toxicidade dos arsenicais.

antilipase. Antilípase.

antilithic. Antilítico.

antilobium. Antilóbio. Trago da orelha.

antilogia. Antilogia. Combinação de sintomas contrários que fazem duvidoso um diagnóstico.

antiluetic. Antiluético, antissifilítico.

antilysin. Antilisina. Anticorpo produzido por lisina.

antimalarial. Antimalárico, antipalúdico.

antimere. Antímero. Parte simétrica de um organismo bilateral homótipo.

antimetropia. Antimetropia. Hipermetropia num olho e miopia no outro.

antimicrobic. Antimicrobiano. Sin.: antibacteriano, antimicrofítico.

antimony. Antimônio.

antimycotic. Antimicótico, fungicida, antibacteriano.

antimydriatic. Antimidriático. Oposto aos dilatadores pupilares. Miótico.

antinarcotic. Antinarcótico.

antinephritic. Antinefrítico.

antineuralgic. Antineurálgico.

antinion. Antínio. Pólo frontal da cabeça; ponto médio-frontal mais distanciado do ínio.

antioncotic. Antioncótico. Antitumoral.

antiophidica. Antiofídico, agente contra o veneno de cobras, antipeçonhento.

antiophthalmic. Antioftálmico.

antiopsonin. Antiopsonina. Sin.: antitropina.

antiotomy. Antiotomia, amigdalotomia.

antioxidase. Antioxídase.

antiparalytic. Antiparalítico.

antiparasitic. Antiparasitário.

antipathy. Antipatia, alopatia.

antipellagra factor. Fator antipelagroso.

antiperistalsis. Antiperistalse, peristaltismo invertido.

antiphagin. Antifagina. Componente das bactérias virulentas, que as faz resistentes à fagocitose.

antiphlogistic. Antiflogístico.

antiphlogistine. Antiflogistina.

antiphthisic. Antiftísico.

antiplasmin. Antiplasmina. Substância que inibe a plasmina no plasma sangüíneo.

antiplastic. Antiplástico. Agente que diminui a plasticidade sangüínea ou que evita os exsudatos plásticos.

antipneumococcical. Antipneumocócico.

antiprecipitin. Antipreciptina.

antiprotease. Antiprotease. Substância bacteriana que inibe a ação proteolítica.

antiprothrombin. Antiprotrombina.

antiprotozoal. Antiprotozoário.

antipruritic. Antipruriginoso.

antipyic. Antipiico. Antipiogênico. Que impede a supuração.

antipyogenic. Antipiogênico.

antipyresis. Antipirese. Terapêutica por antipiréticos.

antipyretic. Antipirético. Sin.: antifebril, antitérmico, febrífugo.

antipyrotic. Antipirótico. Agente eficaz contra as queimaduras.

antirachitic. Anti-raquítico.

anti Rh. Anti Rh (fator Rh).

antirrheumatic. Anti-reumático.

antirrhihum. *"Antirrhinum"*. Planta usada como purgante e diurético.

antiscarlatinal. Antiscarlatinoso.

antiscorbutic. Antiscorbútico.

antisepsis. Anti-sepse, antissepsia. Sin.: desinfecção.

antiseptic. Antisséptico.

antinarcotic. Antinarcótico.

antiserum. Anti-soro. Sin.: soro precipitante.

antisialic. Anti-siálico, contra a secreção salivar.

antisocial. Anti-social.

antispasmodic. Antiespasmódico.

antispastic. antiespástico.

antispermotoxin. Antiespermotoxina.

antispirochetic. Antiespiroquético.

antisplenetic. Antiesplênico. Efetivo nas enfermidades do baço.

antistalsis. Antiestalse. Antiestaltismo.

antistaphylococcic. Antiestafilocócico.

antisterility. Antiesterilidade.

antistine. Antistina. Nome de um composto anti-histamínico sintético.

antistreptococcic. Antiestreptocócico.

antistreptococcin. Antistreptococina.

antistreptokinase. Antistreptocinase.

antistreptolysin. Antistreptolisina, antistreptococina.

antistrumous. Antistrumoso. Remédio contra a escrófula ou o bócio.

antisubstance. Anti-substância, anticorpo.

antisudoral, antisudorific. Anti-sudoral, antisudorífico. Que previne contra o suor excessivo.

antisyphilitic. Anti-sifilítico.

antitabetic. Antitabético.

antitetanic. Antitetânico.

antithenar. Antitenar. Situado em frente da palma da mão. Sin.: hipotenar.

antithermic. Antitermia.

antithrombin. Antitrombina. Substância que impede ou retarda a coagulação sangüínea.

antithyroid. Antitireóideo.

antitonic. Antitônico.

antitoxic. Antitóxico.

antitoxigen. Antitoxígeno.

antitoxin. Antitoxina.

antitragus. Antítrago. Proeminência na orelha em frente ao trago.

antitrismus. Antitrismo.

antitrope. Antítropo, anticorpo.

antitrypsia. Antitripsia.

antituberculin. Antituberculina.

antityphoid. Antitifóideo.

antivaccination. Antivacinação.

antivenene, antivenin. Anti-veneno, antídoto, contra veneno.

antiviral. Antiviral.

antivivisection. Antivivissecção.

antixerophthalmy. Antixeroftalmia.

antizymotic. Antizimótico.

Anton's sympton. Sintoma de Anton. Incapacidade de reconhecer a própria cegueira.

antral. Antral. Pertencente a um antro.

antrectomy. Antrectomia. Exenteração de um antro.

antritis. Antrite.

antroatticotomy. Antroáticotomia, abertura do antro e ático.

antrocele. Antrocele.

antrodynia. Antrodinia.

antronasal. Antronasal.

antroscope. Antroscópio. Instrumento para exame dos antros.

antrostomy. Antrostomia.

antrotome. Antrótomo.

antrotomy. Antrotomia. Fenestração de um antro.

antrotonia. Antrotonia. Tensão no antro pilórico.

antrotympanic. Antrotimpânico.

antrum. Antro.

anuclear. Anuclear.

anuresis. Anurese.

anuretic. Anurético.

anuria. Anúria, anurese.

anurous. Anuro. Animal sem cauda.

anus. Ânus. // **-- artificial.** Ânus artificial. // **-- imperforate.** Ânus imperfurado (atrésico).

anusitis. Anusite. Proctite.

anvil. Bigorna.

anxiety. Ansiedade. Sin.: angústia, disforia.

anxiety neurotic. Ansiedade paroxística.

anypnia. Anipnia. Insônia.

aorta. Aorta.

aortalgia. Aortalgia.

aortactia. Aortarctia, aortostenose.

aortic. Aórtico. // **-- murmur.** Murmúrio aórtico. // **-- plexus.** Plexo aórtico. // **-- regurgitation insufficiency.** Insuficiência aórtica. // **-- sounds.** Ruídos aórticos. // **-- stenosis.** Estenose aórtica.

aortitis. Aortite.

aortoclasia. Aortoclasia. Ruptura da aorta.

aortolith. Aortólito.

aortosclerosis. Aortosclerose.

aortostenosis. Aortostenose.

aortotomy. Artotomia.

AOS. Abreviatura de *"anodal opening sound"*. Som de abertura anodal.

aosmic. Sem cheiro.

A.P. Abreviatura de *"artificial pneumothorax"*.

APA. Abreviatura de *"antipernicious anemia factor"* fator contra anemia perniciosa.

apaconitine. Apaconitina. Base tóxica derivada da aconitina.

apallesthesia. Palanestesia.

apancrea. Ausência de pâncreas.

apandria. Apandria. Aversão ao sexo masculino.

apanthropy. Apantropia. Misantropia. Aversão à espécie humana.

apareunia. Apareunia. Coito impossível.

aparient. Laxante.

apathetic. Apático.

ape hand. Mão de macaco.

apellous. Sem pele.

apepsia. Apepsia, aquilia.

aperistalsis. Aperistaltismo.

aperitive. Aperitivo, estimulante.

apertometer. Apertômetro. Aparelho para medir o ângulo de abertura dos objetos microscópicos.

Apert's syndrome. Síndrome de Apert. Acrosfenossindactilia. Malformação em que a cabeça é cônica (acrocefalia)* e sindractilia, que pode ser até nas quatro extremidades.

apertura. Abertura. Orifício.

apex. Ápice, vértice.

aphagia. Afagia. Sin.: aglutição.

aphakia. Afacia. Falta de cristalino.

aphalangia. Afalangia.

aphanozoa. "*Aphanozoa*". Microrganismo microscópico.

aphasia. Afasia. // - **amnesic.** Afasia amnésica. // - **central.** Afasia central. // - **conduction.** Afasia de condução. // - **cortical motor.** Afasia cortical motora. // - **cortical sensory.** Afasia cortical sensorial. // - **expressive.** Afasia expressiva. // **jargon.** Afasia grafomotora. // - **musical.** Afasia musical. // - **receptive.** Afasia receptiva. // **semantic.** Afasia semântica. // **subcortical motor.** Afasia subcortical motora. // **subcortical sensory.** Afasia subcortical sensorial. // - **sintactical.** Afasia sintática. // - **transcortical motor.** Afasia transcortical motora. // - **verbal.** Afasia verbal.

aphemia. Afemia. Afasia motora.

aphephobia. Afefobia. Temor de ser tocado.

Aphiochaeta ferruginea. *Aphiochaeta ferruginea.* Gênero de mosca da Índia, causadora de miíase cutânea.

aphonia. Afonia.

aphonic. Afônico.

aphonogelia. Afonogelia. Impossibilidade de rir ruidosamente.

aphoresis. Aforese. Incapacidade de resistência para a dor.

aphrodisia. Afrodisia. Sin.: ninfomania, satiríase.

aphrodisiac. Afrodisíaco, erótico.

aphrodisiomania. Afrodisiomania, eretomania.

aphronesia. Afronesia, demência, loucura.

aphronia. Afronia. Falta de discernimento. Sin.: apoplexia.

aphtha. Afta. Ulceração esbranquiçada na mucosa bucal. Sin.: angina aftosa.

aphthongia. Aftongia. Sin.: reflexafasia. Transtorno espasmódico da linguagem.

aphthous. Aftoso.

apical. Apical. Relativo à ponta ou vértice. // -**murmur.** Murmúrio apical.

apicectomy. Apicectomia.

apicolysis. Apicólise. Sin.: pneumólise extrapleural, operação de Tuffler.

apilocator. Instrumento para captar o ápice dentário.

apiol. Apiol. Essência derivada da salsa. Sin.: Cânfora de salsa.

apiphobia. Apifobia. Medo mórbido de abelha.

Apis mellifica. "*Apis Mellifica*", abelha.

apium. "Apium". Gênero de plantas umbelíferas que compreende o apio e a salsa.

aplacental. Aplacentário.

aplanasia. Aplanesia. Sem aberração de esfericidade.

aplasia. Aplasia. Desenvolvimento incompleto.

aplastic. Aplástico. Tendência a desenvolver um novo tecido ou sangue sem faculdade de coagulação.

Aplectana. "Aplectana". Gênero de parasitos nematódios.

apleuria. Apleuria. Falta de pleura ou de costelas.

aplotomy. Aplotomia. Incisão simples.

aplutin. Aplutina. Preparação luteinizante da pituitária anterior.

aplysiopurpurin. Aplisiopurpurina. Pintura de um vermelho púrpura, que se encontra nas glândulas da Aplysia, gastrópode marinho.

apnea. Apnéia. Suspensão transitória da respiração. Sin.: apneustia. // Asfixia. // Apnéia da deglutição: suspensão temporal da atividade dos centros nervosos respiratórios durante a deglutição. // - **infantum.** "Apnea infantum". Espasto de glote.

apneumatosis. Apneumatose. Sin.: atelectasia.

apneumatic. Apneumático. Livre de ar.

apneumia. Apneumia. Falta congênita de pulmões.

apneusis. Apneuse. Estado consecutivo à excisão da porção superior da ponte no qual a inspiração é muito longa e espasmódica.

apneustic. Apnêustico.

apo-, ap-. apo, ap. Forma prefixa com múltiplos significados: origem ou derivação, separação, declinação ou remissão, conclusão.

apoaconitine. Apaconitina.

apoatropine. Apatropina.

apobiosis. Apobiose. Morte fisiológica.

apobiotic. Apobiótico. Quando diminui a energia vital de algum tecido.

apocain. Tutocaína.

apocamnosis. Apocamnose. Fatigabilidade excessiva.

---

* N. do T. — Mais conhecida como acrocefalia.

apocarteresis. Apocarterese. Suicídio por recusar alimentos.

apocatastasis. Apocatástase. Retorno a um estado anterior, como regressão de um tumor.

apocenosis. Apocenose. Fluxo aumentado de sangue ou outros humores.

apochromatic. Apocromático. Sem cor.

apocope. Apócope. Ferida com perda de substância, amputação.

apocrine. Apócrina (glândula).

apocynein. Apocineína ou apocinina. Princípios ativos do *"Apocynum cannabinum"*; atuam como a digital.

apodactylic. Apodátilo ou apodactílico sem concurso direto dos dedos.

apodal. Ápodo. Sem pés.

apodemialgia. Apodemialgia. Desejo mórbido de abandonar a pátria, oposto à nostalgia.

apodia. Apodia. Falta de pés.

apoenzime. Apoenzima. Parte protéica de uma enzima, que juntamente com a coenzima, forma uma enzima completa.

apoferment. Apoenzima.

apoferritin. Apoferritina. Constituinte protéico da ferritina.

apogamia. Partenogênese.

apogee. Apogeu.

apolar. Apolar.

apolegamic. Apolegamia. Seleção na reprodução, especialmente sexual.

apolepsis. Apolepse. Supressão de um ato natural.

Apollinaris water. Água mineral Apollinaris.

Apollonia. Santa Apolônia. Patrona dos odontólogos.

apollysin. Apolisina. Composto monoparafenetidincitrico, analgésico e antipirético.

apomixia. Apomixia, partenogênese.

apomorphine. Apomorfina.

apomyelin. Apomielina. Princípio derivado da substância cerebral.

apomyttosis. Apomitose. Enfermidade caracterizada por estertor.

aponea. Aponéia. Idiotia.

aponeurectomy. Apóneurectomia. Excisão da aponeurose de um músculo.

aponeurology. Aponeurologia. Conhecimentos relativos à aponeurose.

aponeurorrhaphy. Aponeurorrafia. Sutura de uma aponeurose.

aponeurosis. Aponeurose. Membrana que envolve os músculos.

aponeurositis. Aponeurosite. Inflamação da aponeurose.

aponeurotic. Aponeurótico.

aponeurotome. Aponeurótomo. Bisturi para seccionar aponeurose.

aponeurotomy. Aponeurotomia.

aponia. Aponia, analgesia.

aponic. Apônico, analgésico, anodino.

apopathetic. Apopatético. Termo aplicado à conduta individual de adaptar suas ações à presença de outras pessoas.

apophlegmatic. Apoflegmático. Sin.: béquico, expectorante.

apophylaxis. Apofilaxia. Diminuição do poder filático do sangue.

apophyseal. Apofisário.

apophyseopathy. Apofiseopatia. Enfermidade de uma hipófise.

apophysial. Apofisário.

apophysis. Apófise.

apophysitis. Apofisite. Inflamação de uma apófise. // Apofisite fibial dos adolescentes. Enfermidade de Schlatter.

apoplectic. Apoplético.

apoplectiform. Apopletiforme. Sin.: apoplectóide.

apoplexy. Apoplexia.

apoquinamina. Apoquinamina.

aposia. Aposia. Sin.: anorexia.

apostasis. Apóstase. Formação de um abscesso. Crise de uma enfermidade.

aptema. Apostema, abscesso.

Apostoli's treatment. Tratamento de Apostoli. Tratamento elétrico das enfermidades uterinas por introdução do pólo positivo dentro do útero e aplicação externa do pólo negativo.

apothanasia. Apotanásia. Retardo na morte.

apothecary. Apotecário, boticário, farmacêutico.

apothesis. Apotese. Redução de uma fratura. // Reposição do cordão umbilical prolapsado.

apotripsis. Apotrípse. Abrasão.

apparatus. Aparelho. // - auditory. Aparelho auditivo. // - lacrimalis. Aparelho lacrimal.

appearance. Aparência, aparição.

appendage. Apêndice, anexo.

appendectomy. Apendicectomia.

appendicitis. Apendicite.

appendicostomy. Apendicostomia. Operação de Weir.

appendicular. Apendicular.

appendix. Apêndice. // - epiploicae. Apêndice epiplóico.

appendotome. Instrumento para a ablação do apêndice.

apperception. Apercepção.

appetite. Apetite.

45

applanation, flattening. Achatamento. Processo instrumental para medida da pressão (tensão) intra-ocular; por aplanamento da córnea.

applanometer. Aplanômetro.

applicator. Aplicador. // **- radium.** Aplicador de rádio.

apposition. Aposição.

approach. Acesso, aproximação, aproximar.

approval. Aprovação.

apractic. Apráxico.

apraxia. Apraxia. // **- ideational.** Apraxia ideatória. // **- ideokinetic.** Apraxia ideocinética.

aproctia. Aproctia. Falta de ânus.

aprokta. "Aprocta". Gênero de filária.

apron. Avental.

aprophoria. Aproforia. Inabilidade para expressar palavras articuladas ao falar ou escrever.

aprosexia. Aprosexia. Incapacidade de fixar a atenção.

aprosody. Aprosódia.

aprosopia. Aprosopia. Falta de face.

aprosopus. Aprosopus. Feto malformado no qual falta parte ou toda a face.

apselaphesia. Apselafesia. Falta ou perda do sentido do tacto superficial, conservando as sensações tácteis profundas.

apsithyria. Apsitiria. Afonia histérica.

apsychia. Apsiquia, desmaio, desfalecimento.

apsychosis. Apsicose, apsiquia.

A.P.T. Abreviatura de "alum precipitated toxoid", precipitado de alúmen tóxico.

apterous. Áptero. Sem asas.

aptitude. Atitude.

aptyalia, aptyalism. Aptilia, aptialismo. Sin.: xerostomia.

apulmonism. Apulmonismo. Ausência parcial ou total de pulmões.

apus. Feto sem pés.

apyetous. Sem pus.

apyknomorphous. Apicnomorfo. Célula nervosa que carece de elementos cromatófilos agrupados de um modo compacto.

apyogenous. Apiogênico. Não produtor de pus.

apyonin. Apionina. Pioctonina amarela.

apyous. Apiogênico, não purulento.

apyrene. Apirenia. Sem núcleo ou material nuclear.

apyretic. Apirético, afebril.

apyrexia. Apirexia, ausência de febre.

apyrexial. Apirético.

apyrogenetic. Apirogênico.

apyrogenic. Apirogênico, apirético.

A.Q. Abreviatura de "achievement quotient".

aq. aq. Abreviatura de "aqua", água.

aq. astric. "Agua astricta". Agua gelada, resfriada.

aq. bull. "Aqua bulliens". Água fervente, em ebulição.

aq. cal. "Aqua callida". Água quente.

aq. dest. "Aqua destillata", Água destilada.

aq. pur. Água pura. Água pura.

aq. tep. "Aqua tepida". Água morna.

aqua, water. Água.

aquapuncture. Aquapunctura.

aqueduct, aquaeductus. Aqueduto. // **- Silvii.** Aqueduto de Sílvio.

aqueosus. Aquoso, áqueo.

aquula externa. Perilinfa.

aquula interna. Endolinfa.

AR. Abreviatura de "alarm reaction", reação de alarme.

arabin. Arabina. Hidrato de carbono amorfo, componente da goma arábica.

arabinose. Arabinose. Açúcar de goma.

arabinosis. Arabinose. Intoxicação pós-arabinose, que pode produzir uma nefrose.

arabinosuria. Arabinosúria.

Arachis, peanut. Amendoim.

arachnephobia. Aracnofobia. Medo mórbido de aranha.

arachnida. Aracnídeos.

arachnitis. Aracnite. Sin.: aracnoidite, leptomeningite externa, meningite serosa.

arachno. Aracno. Prefixo* relacionado com a membrana aracnóide ou com aranha.

arachnodactyly. Aracnotactilia. Sin.: dolicostenomelia, síndrome de Marfan.

arachnogastria. Aracnogastria. Ventre de aranha; protuberância do abdome, especialmente a ascite em pessoas fracas.

arachnoid. Aracnóide.

arachnoidal. Aracnoídeo.

arachnoiditis. Aracnoidite.

arachnopia. Aracnopia. piaracnóide.

arack, arrack. Araque. Licor alcoólico destilado de tâmaras, arroz, etc. de uso na Índia.

araeometer. Areômetro, hidrômetro.

araiocardia. Bradicardia.

aralia. Arália. Gênero de plantas araliáceas aromáticas e diaforéticas; algumas espécies se empregam em forma semelhante à salsaparrilha.

Aran-Duchenne's disease. Enfermidade de Aran-Duchenne. Atrofia muscular progressiva miclogênica que começa nos membros superiores.

Aran's green cancer. Câncer de Aran ou câncer verde. Cloroma; linfoma maligno da órbita, com leucemia grave e tendência às metástases

---

* N. do T. — A rigor não é um prefixo, é antes um elemento de origem grega.

linfáticas. // - **law.** Lei de Aran. As fraturas da base do crânio devidas a traumatismos na abóbada se estendem por irradiação, seguindo a linha do círculo mais curto.

arbor. Árvore.

arbor vitae. Árvore da vida.

arborescent. Arborescente.

arborization. Arborização.

arbutin. Arbutina. Glicósido do "*Arbutus*".

Arbutus. "*Arbutus*". Árvores e arbustos ericáceos, como o medronho e a "*Uva ursi*".

arc. Arco. // - **of the aorta.** Croça da aorta. // - **deep femoral.** arco plantar. // **superficial palmar.** Arco plamar superficial. // - **suprapubic.** Arco suprapúbico.

arcade. Arcada. Estrutura anatômica formada por série de arcos.

arcaine. Arcaína. Base tóxica isolada do molusco lamelibrânquio "*Arca noae*".

arcanum. Arcano. Remédio secreto.

arcate. Arqueado, encurvado.

arcatura. Arcatura. Curvatura para fora das pernas dos cavalos.

Arcella. "*Arcella*". Gênero de ameba.

arch. Arco.

archaic. Arcaico.

archebiosis. Arquebiose, abiogênese.

archecentric. Arquecêntrico. Tipo primitivo de estrutura do qual se derivam os outros tipos nos membros do grupo.

archegenesis. Arquegênese, ou arquegônia, abiogênese.

archegonium. Arquegônio. Órgão feminino de uma planta criptogâmica que participa da formação de esporos sexuais.

archegony. Arquegonia, geração espontânea.

archencephalon. Arquencéfalo. Cérebro primitivo.

archenteron. Arquêntero. Sin.: celêntero. Intestino primitivo.

archeocinetic. Arqueocinético.

archeocyte. Arqueócito. Célula amebiana emigrante.

archepyon. Arquépio. Pus caseoso espesso.

archesperm. Arquesperma. Conteúdo fertilizado do arquegônio.

archesporium. Arquespório. Quantidade de células produtoras das células-mães.

archetype. Arquetipo. Sin.: arquecentro, protótipo.

archi-, arch-, arche-. Arqui. arc., arque — prefixos que denotam "primeiro", "começo" ou "origem".

archiblast. Arquiblasto. Material formativo ou protoplasma de um ovo. Termo para a parte fundamental das camadas blastodérmicas, para distinguí-la da porção conjuntiva.

archiblastoma. Arquiblastoma, mioma, neuroma, epitelioma, etc.

archicarp. Arcogônio.

archicenter. Arquicentro, arquétipo.

archicentric. Arquicêntrico.

archicerebellum. Arquicerebelo. Primeira porção desenvolvida do cerebelo, relativamente sem maior importância no homem.

archicortex. Arquipálio. Porção olfatória do rinencéfalo.

archicyte. Arquícito. Óvulo fertilizado antes da segmentação.

archicytula. Arquicítula.

archigaster. Arquigaster. Conduto digestivo primitivo do embrião.

archigonocyte. Arquigonócito. Primitiva célula gérmen, formada na segmentação do óvulo fecundado.

archikaryon. Arquicário. Núcleo de um ovo fertilizado.

Archil or Archil. Urzela. Corante amarelo deste e de outros líquenes.

archimorula. Arquimórula. Massa de células originada da divisão do arquícito, que precede a arquiblástula e a arquigástrula.

archinephron. Arquinéfron. Corpo de Wolff.

archineuron. Arquineurônio. Neurônio motor central.

archipallium. Arquipálio. Porção olfatória do rinencéfalo.

archisplasm. Arquiplasma. Sin.: arquissomo, idiossomo, arcoplasma.

archisome. Arcoplasma.

archispore. Arquísporo.

archistome. Arquístoma. Flatósporo.

archistriatum. Arquistriado. Estriado primitivo representado no homem pelo núcleo amigdalino.

architectonic. Arquitetônico.

architis. Arquite, proctite.

archo. Arco — Prefixo que denota relação com o reto ou o ânus.

archocele. Arcocele. Hérnia ou prolapso do reto.

archoplasm. Arcoplasma.

archoptoma. Arcoptose. Prolapso do reto.

archorrhagia. Arcorragia. Hemorragia retal.

archos. Reto.

archostegnosis. Arcostegnose. Arcostenose.

arciform. Arciforme.

arctation. Arctação. Estreitamento de um conduto.

Arctium. "*Arctium*". Gênero de plantas da classe da bardana.

arcuate. Arqueado.

arcus. Arco. // **- of the aorta.** Croça da aorta. // **-dental.** Arco dental. // **- juvenalis.** Arco juvenil. // **- parietoccipitalis.** Arco parieto-occipital. // **- senilis.** Arco senil. // **- tendinous.** Arco tendinoso. // **- volaris.** Arco volar. // **- zygomaticus.** Arco zigomático.

area. Área. // **- audito-psychis.** Área psico-auditiva. // **- auricular.** Área auricular. // **- of Broca.** Área de Broca. // **- postrema.** Área postrema. // **- premotor.** Área psicossensorial. // **- visuopsychis.** Área psicovisual.

Areca. "Areca". Gênero de palmeiras Asiáticas.

arecaline. Arecalina. Alcalóide líquido, miótico e anti-helmíntico da área. É muito venenosa.

areflexia. Arreflexia. Ausência de reflexos.

arenation. Arenação. Amoterapia.

arenobufagin. Arenobufagina. Princípio tóxico cardíaco das glândulas cutâneas do sapo "*Bufo arenarum*".

arenoid. Arenóide. Semelhante à areia.

areocardia. Bradicardia.

areola. Aréola.

areolar. Areolar. // **- tissue.** Tecido areolar.

areolitis. Areolite. Inflamação da aréola mamária.

areometer. Areômetro, hidrômetro.

areometric. Areométrico. Pertencente à hidrometria.

areometry. Hidrometria.

Aretaeus. Areteu. Médico grego, escreveu uma obra sobre enfermidades agudas e crônicas.

arevareva. Arevareva. Enfermidade grave da pele, com perda geral das forças e manifestações oculares. Acredita-se devida ao abuso da "Kava" (no Taiti).

arg. Abreviatura de "*argentum*", prata.

Argas. "Argas". Gênero de carrapatos da família dos ixódidas.

argema. Argema. Úlcera de córnea.

argentaffine carcinoma. Argentafinoma.

argentation. Argentação, argiria.

argentum. Prata.

argillaceous. Argiláceo, argiloso.

arginase. Argínase. Fermento hepático.

arginine. Arginina. Ácido produzido na digestão das proteínas.

argon. Argônio. O elemento mais inerte conhecido.

Argyll-Robertson pupil. Pupila ou sinal de Argyll-Robertson. Sinal importante da tabes e paralisia geral que consiste na perda do reflexo pupilar à luz e conservação do reflexo de acomodação.

argyremia. Argiremia. Presença de prata ou de sais da prata no sangue.

argyria. Argiria ou argiríase. Coloração acinzentada da pele e das mucosas devido ao uso interno das preparações de prata.

argyric. Argírico.

argyrism. Argirismo, argiria.

argyrol. Argirol. Peptonato, caseinato ou vitelinato de prata.

argyrophil. Argirófilo.

argyrosis. Argirose, argiria.

arheol. Arreol. Nome próprio do Santalol.

arhigosis. Arrigose. Falta de aptidão para perceber o frio.

arhinencephalia. Arrinencefalia. Ausência congênita de rinencéfalo.

arhinia. Arrinia. Ausência de nariz.

arhytmia. Arritmia.

ariboflavinosis. Arriboflavinose. Deficiência de riboflavina na dieta.

aricine. Aricina. Alcalóide do córtex da quina.

aril.- o arilo. Aril.- ou arilo. Prefixo que designa um radical orgânico da série aromática.

aristin. Aristina. Princípio cristalino de várias espécies de "*Aristolochia*".

aristocardia. Aristocardia. Desvio do coração para a esquerda.

aristogenesis. Aristogênese ou aristogenia.

aristogenic. Aristogênico, engênico.

aristolochia. "Aristolochia". Gênero de plantas dicotiledôneas.

aristolochine. Aristoloquina. Princípio tóxico amargo obtido da "*Aristolochia serpentaria*".

Aristotle's anomaly. Anomalia de Aristóteles. Pondo uma bolinha entre os dedos cruzados de uma das mãos de modo que estabeleça contacto simultâneo com a face radial de um e a face cubital do outro, o indivíduo, com os olhos fechados perceberá a sensação dos dois objetos.

arithmomania. Aritmomania.

arkyochrome. Arquiocromo.

Arlt's operation, sinus, trachoma. Operação de Arlt. Nome de várias operações de blefaroplastia, entrópio, enucleação do olho, tarsorrafia. // **- sinus.** Seio de Arlt. Pequena fosseta acidental observada na parte inferior do saco lacrimal. // **- trachoma.** Tracoma de Arlt. Conjuntivite granulosa.

arm. Braço.

armamentarium. Armamentário.

Armanni-Ebstein cells. Células de Armanni-Ebstein. Células epiteliais com depósitos de glicogênio na porção terminal do primeiro tubo tortuoso renal; lesão característica do diabetes.

armature. Armadura ou induzido.

Armenian bole. Bolo armênico.

Armigeres obturbans. Armigeres obturbans. Dengue transmitido por um mosquito.

Armoracia. Armoracia, cocleária.

armpit. Axila.

Armstrong's disease. Doença de Armstrong. Coriomeningite.

Arndt's law. Lei de Arndt-Schultz. Os estímulos débeis aumentam a atividade e os fortes a inibem ou suprimem.

Arneth's formula. Fórmula ou índice de Arneth. Mostra a classificação dos leucócitos polimorfonucleares em cinco grupos: *a)* 1-5 por 100; *b)* 15 por 100; *c)* 41 por 100; *d)* 17 por 100, e *e)* 2 por 100.

Arnica. Árnica.

Arnold's bodies. Corpos de Arnold. Eritrócitos segmentados vistos no sangue.

Arnold's canal. Conduto de Arnold. Encontra-se no rochedo e está ocupado pelo ramo auricular do pneumogástrico. // - **ganglion.** Gânglio de Arnold ou gânglio ótico. Está situado debaixo do buraco oval do esfenóide, por dentro do nervo maxilar inferior. // - **operculum.** Opérculo de Arnold. Opérculo da ilha de Reil.

Arnold's test. Reação de Arnold. Muitos alcalóides, triturados com ácido sulfúrico concentrado, dão reações corantes características, acrescentando-se 30 a 40 por 100 de solução alcoólica ou aquosa de potassa.

Arnott's bed. Colchão de Arnott. Colchão de água.

Arnoux's sign. Sinal de Arnoux. Ritmo peculiar do coração fetal na gestação gemelar, semelhante ao trote de cavalos.

aroma. Aroma.

aromatic. Aromático.

Aronson's serum. Soro de Aronson. Soro antiestreptocócico.

arrange. Colocar.

arrector pill. Arrector. pili. Fibras musculares cuja contração eriça o pêlo.

arrest. Detenção, parada.

arrhenoblastoma. Arrenoblastoma, arrenoma.

arrhenogenic. Arrenogênico.

arrhinencephaly. Arrinencefalia.

arrhinia. Arrinia.

arrhythmia. Arritmia.

arrosion. Erosão.

arrowroot. Araruta.

Arsacetin. Arsacetina. Sin.: acetil atoxil.

arsamin. Arsamina. Atoxil.

arsenic trioxide. Trióxido de arsênico.

arsenical. Arsenical.

arsenicophagy. Arsenicofagia.

arsenide. Arsenido.

arsenism. Arsenismo.

arsenite. Arsenito.

arsenization. Arsenização.

arseno. Arseno, prefixo.

arsenobillon. Salvarsan.

arsenoblast. Arsenoblasto. Elemento masculino de uma célula sexual. Arrenoplasma.

arsenoceptor. Arsenoceptor. Quimioceptor para as preparações arsenicais.

arsenophagy. Arsenofagia.

arsenorelapsin. Recaída depois de uma aparente cura por tratamento arsenical.

arsenoresistant. Arsenorresistente.

arsenotherapy. Arsenoterapia.

arsenous. Arsenioso.

arsenum. Arsênico.

arsphenamine. Arsfenamina. Salvarsan nos Estados Unidos.

artarine. Artarine. Alcalóide estimulante cardíaco.

artefact. Artefato, estrutura, construção.

Artemisia. Artemisia. Gênero de plantas compostas com várias espécies medicinais.

arterectomy. Arteriectomia.

arteria. Artéria.

arteriagra. Arteriagra. Afecção gotosa de uma artéria.

arterial. Arterial.

arterialization. Arterialização.

arteriarctia. Arteriarctia. Contração de uma artéria.

arteriasis. Arteríase.

arteriectasia. Arteriectasia. Dilatação de uma artéria.

arteriectomy. Arteriectetomia.

arteriectopia. Arteriectopia.

arteriitis. Arterite.

arterin. Arterina, oxi-hemoglobina.

arterioatomy. Artério-atomia.

arteriocapillary. Arteriocapilar.

arteriochalasis. Arteriocálase.

arteriodilating. Dilatação arterial.

arteriofibrosis. Arteriofibrose.

arteriogenesis. Arteriogênese.

arteriogram. Arteriograma.

arteriograph. Arteriografia.

arteriography. Arteriografia.

arteriolar. Arteriolar.

arteriole. Arteríola.

arteriolith. Arteríólito.

arteriology. Arteriologia.

arteriolonecroses. Arteriolonecrose.

arteriolosclerotic. Arteriolosclerótico.

arteriomalacia. Arteriomalácia.

arteriometer. Arteriômetro. Aparelho usado para medir as alterações no calibre de uma artéria pulsante.

arteriomotor. Arteriomotor.

arteriomyomatosis. Arteriomiomatose. Crescimento irregular das fibras musculares da parede arterial.

arterionecrosis. Arterionecrose.

arteriopathy. Arteriopatia.

arterioperissia. Desenvolvimento arterial exagerado.

arteriophlebotomy. Arterioflebotomia.

arterioplania. Arterioplania. Condição em que uma artéria toma um curso anormal.

arterioplasty. Arterioplastia.

arterioplegmus. Perplicação.

arterioploce. Perplicação.

arteriopressor. Arteriopressor.

arteriorenal. Artério-renal.

arteriorrhagia. Arteriorragia.

arteriorrhaphy. Arteriorrafia.

arteriorrhexis. Arteriorrexia. Ruptura de artéria.

arteriosclerosis. Arteriosclerose.

arteriosclerotic. Arteriosclerótico.

arteriospasm. Arteriospasmo.

arteriostenosis. Arteriostenose.

arteriosteogenesis. Arteriosteogênese. Calcificação de artéria.

arteriostosis. Arteriosteose. Ossificação de uma artéria.

arteriosympathectomy. Arteriossimpatectomia. Simpatectomia peri-arterial.

arteriotome. Arteriótomo. Instrumento para praticar a arteriotomia.

arteriotomy. Arteriotomia.

arteriotony. Arteriotonia. Tensão sangüínea intra-arterial.

arterious. Arterial.

arteriovenous. Arteriovenoso. // **- anastomosis.** Anastomose arteriovenosa. // **aneurysm.** Aneurisma arteriovenoso.

arterioversion. Arterioversão.

arteritis. Arterite. // **Endarteritis, periarteritis, thromboangeitis.** Endarterite, periarterite, trombangeíte.

artery. Artéria. // **aorth abdominal.** Artéria aorta abdominal. // **aberrant renal.** Artéria aberrante renal. // **Acessory meningeal.** Artéria meníngea acessória. // **Acessory renal.** Artéria acessória renal. // **acromiothoracic.** Artéria acromiotorácica. // **alar thoracic.** Artéria alar torácica. // **anterior carpal.** Artéria carpal anterior. // **anterior cerebral.** Artéria cerebral anterior. **anterior choroidal.** Artéria coróidea anterior. // **anterior communicating.** Artéria comunicante anterior. // **anterior**

ethmoidal. Artéria etmoidal anterior. // **anterior inferior cerebellar.** Artéria cerebelar inferior.// **anterior interosseous.** Artéria interóssea anterior. // **anterior spinal.** Artéria espinal anterior. // **anterior tibial.** Artéria tibial anterior. // **anterior tympanic.** Artéria timpânica anterior. // **anterior ulnar recurrent.** Artéria cubital recorrente anterior. // **appendicular.** Artéria apendicular. // **arcuate.** Artéria arqueada. // **ascending aorta.** Artéria aorta ascendente. // **ascending cervical.** Artéria cervical ascendente // **ascending palatine.** Artéria palatina ascendente. // **ascending pharyngeal.** Artéria faríngea ascendente. // **axillary.** Artéria axilar. // **azigos vaginal.** Artéria ázigos vaginal. // **basilar.** Artéria basilar. // **brachial.** Artéria braquial. // **buccal.** Artéria bucal. //**carótico tympanic.** Artéria carótico-timpânica. // **central of retina.** Artéria central da retina ou de Zinn. // **Charcot's.** Artéria de Charcot (artéria lenticulestriada). // **circumflex fibular.** Artéria circunflexa peronéia (fibular). // **circumflex scapular.** Artéria circunflexa escapular. // **cochlear.** Artéria coclear. // **coelliac.** Artéria celíaca. // **colic.** Artéria cólica. // **common carotid.** Artéria carótida primitiva ou comum. // **coronary.** Artéria coronária. // **cremasteric.** Artéria cremastérica. // **cricothyroid.** Artéria cricotiroídea. // **cystic.** Artéria cística. // **deep auricular.** Artéria auricular profunda. // **deep cervical.** Artéria cervical profunda. // **deep circumflex iliac.** Artéria circunflexa ilíaca profunda. // **deep external pudendal.** Artéria pudenda externa profunda. // **deep femoral.** Artéria femoral profunda. // **deep of penis.** Artéria profunda do pênis. // **deep plantar.** Artéria plantar profunda. // **deep temporal.** Artéria temporal profunda. // **descending aorta.** Artéria aorta descendente. // **descending genicular.** Artéria genicular descendente. // **descending thoracic aorta.** Artéria aorta torácica descendente. // **dorsal nasal.** Artéria dorsal do nariz. // **dorsal of penis.** Artéria dorsal do pênis. // **dorsalis indicis.** Artéria dorsal do índice. // **dorsalis linguae.** Artéria dorsal da língua. // **dorsalis pedis.** Artéria dorsal do pé. // **dorsalis pollicis.** Artéria dorsal do polegar. // **dorsalis scapulae.** Artéria dorsal do escápula. // **duodenal.** Artéria duodenal. // **external carotid.** Artéria carótida externa. // **external mammary.** Artéria mamária externa. // **facial.** Artéria facial. //**femoral.** Artéria femoral. // **frenulum linguae.** Artéria do freio lingual. // **frontal.** Artéria frontal. // **gastroduo-**

denal. Artéria gastroduodenal. // **greater palatine.** Artéria palatina maior. // **hepatic.** artéria hepática. // **humeral circumflex anterior and posterior.** Artéria circunflexa umeral anterior e posterior. // **hyaloid.** Artéria hialoídea. // **hypogastric.** Artéria hipogástrica. // **ileocolic.** Artéria ileocólica. // **ileolumbar.** Artéria ileolombar. // **inferior dental.** Artéria dentária inferior. // **inferior epigastric.** Artéria epigástrica inferior. // **inferior gluteal.** Artéria glútea inferior. // **inferior haemorrhoidal.** Artéria hemorroidária inferior. // **inferior laringeal.** Artéria laríngea inferior. // **inferior mesenteric.** Artéria mesentérica inferior. // **inferior pancreaticoduodenal.** Artéria pancreaticoduodenal inferior. // **ulnar collateral.** Artéria cubital colateral. // **inferior rectal.** Artéria hemorroidária inferior ou externa. // **inferior thyroid.** Artéria tiroídea inferior. //**inferior tympanic.** Artéria timpânica inferior. // **inferior ulnar collateral.** Artéria cubital colateral inferior. // **inferior vesical.** Artéria vesical inferior. // **infrahyoid.** Artéria infra-hioídea. // **infraorbital.** Artéria infra-orbitária. // **infundibular.** Artéria infundibular. // **innominate.** Artéria inominada. // **internal auditory.** Artéria auditiva interna. // **internal carotid.** Artéria carótida interna. // **internal iliac.** Artéria ilíaca interna. // **internal mammary.** Artéria mamária interna. // **internal maxillary.** Artéria maxilar interna. // **internal pudendal.** Artéria pudenda interna // **interventricular.** artéria interventricular. // **jejunal.** Artéria jejunal. // **lacrimal.** Artéria lacrimal. // **lateral anterior malleolar.** Artéria maleolar anterior externa e interna. //**lateral calcaneal.** Artéria calcânea externa e interna. // **lateral femoral circumflex.** Artéria circunflexa femoral interna e externa. // **lateral plantar.** Artéria plantar externa ou interna. // **lateral sacral.** Artéria sacral lateral. // **lateral thoracic.** Artéria torácica externa. // **left gastric.** Artéria gástrica esquerda ou coronária estomática. // **left gastroepiploic.** Artéria gastroepiplóica esquerda. // **lenticulostriate.** Artéria lenticulostriada. // **lenticula thalamic.** Artéria lentículo-talâmica. // **lingual.** Artéria lingual. // **lumbar.** Artéria lombar. // **malleolar.** Artéria maleolar. // **marginal.** Artéria marginal. // **masseteric.** artéria massetérica. // **mastoid.** Artéria mastoídea. // **maxillary.** Artéria maxilar. // **medial anterior malleolar.** Artéria maleolar anterior média. // **medial calcanea.** Artéria calcânea média. // **medial femoral circumflex.** Artéria circunflexa femoral média. // **medial plantar.** Artéria plantar média. // **median.** Artéria mediana. // **medial sacral.** Artéria sacral média. // **mental.** Artéria mental. // **metatarsal.** Artéria metatarsal. // **middle cerebral.** Artéria média ou de Sílvio. // **middle colic.** Artéria cólica média. // **middle haemorrhoidal.** Artéria hemorroidária média (retal média). // **middle meningeal.** Artéria meníngea média ou maior. // **middle rectal.** Artéria retal média. // **middle temporal.** Artéria temporal média. // **middle vesical.** Artéria vesical média. // **musculophrenic.** Artéria musculofrênica. // **mylohyoid.** Artéria milohioídea. // **nasopalatine.** Artéria nasopalatina. // **obturator.** Artéria obturadora. // **obturator abnormal.** Artéria obturadora anormal. // **of bulb.** Artéria do bulbo. // **of cerebral haemorrhage.** Artéria da hemorragia cerebral. // **of vas deferens.** Artéria de vasos deferentes. // **ophthalmic.** Artéria oftálmica. // **ovarian.** Artéria ovárica ou uterovárica. // **pancreatica magna.** Artéria pancreática maior. // **perforating peroneal.** Artéria perfurante ou comunicante posterior. // **pericardiacophrenic.** Artéria pericardiofrênica. // **peroneal.** Artéria fibular. // **phrenic.** Artéria frênica. // **popliteal.** Artéria poplítea. // **posterior auricular.** Artéria auricular posterior. // **posterior caecal.** Artéria cecal posterior. // **posterior carpal.** Artéria carpal posterior. // **posterior cerebral.** Artéria cerebral posterior. // **posterior choroidal.** Artéria coroídea posterior. // **posterior communicating.** Artéria comunicante posterior. // **posterior ethmoidal.** Artéria etmoidal posterior. // **posterior inferior cerebellar.** Artéria cerebelar inferior posterior. // **posterior interosseous.** Artéria interóssea posterior. // **posterior interosseous recurrent.** Artéria recurrente interóssea posterior. // **posterior meningeal.** Artéria meníngea posterior. // **posterior scapular.** Artéria escapular posterior. // **posterior septal.** Artéria septal posterior. // **posterior superior dental.** Artéria alveolar superior posterior. // **posterior tibial.** Artéria tibial posterior. // **posterior tibial recurrent.** Artéria recorrente tibial posterior. // **posterior ulnar recurrent.** Artéria recorrente cubital posterior. // **princeps pollicis.** Artéria principal. // **profunda femoris.** Artéria femoral profunda. // **profunda linguae.** Artéria lingual profunda. // **profunda superior.** Artéria umeral profunda. // **prostatic.** Artéria prostática. // **pterygopalatine.** Artéria pterigopalatina. // **pubic.** Artéria púbica. // **pulmonary.** Artéria pulmonar. // **pyloric.** Artéria pilórica. // **radial.** Artéria radial // **radial recurrent.** Artéria recorrente radial. // **radialis indicis.** Artéria radial do índex (indicador). // **ranine.** Artéria ranina ou lingual profunda. // **renal.** artéria renal. // **right colic.** Artéria cólica direita. // **right gastric.** Artéria gástrica direita. // **right gastroepiploid.** Artéria gastroepiplóica direita. // **sciatic.** Artéria glútea inferior. // **short gastric.** Artérias gástricas curtas. // **small meningeal.** Artéria meníngea menor. // **spermatic.** Artéria espermática. // **sphenopalatine.** Artéria esfenopalatina. // **splenic.** Artéria esplênica. // **sterno mastoid.** Artéria esternomastoídea. // **stilomastoid.** Artéria estilomastoídea. // **subclavian.** Artéria subclávia. // **subcostal.** Artéria subcostal. // **sublingual.** Artéria sublingual. // **submental.** Artéria submental., // **subescapular.** Artéria subescapular. // **cervical.** Artéria cervical superficial. // **superior circumflex iliac.** Artéria circunflexa ilíaca superior. // **superficial epigastric.** Artéria epigástrica superficial. // **superficial external pudendal.** Artéria pudenda externa superficial. // **superficial perineal.** Artéria perineal superficial. // **superficial temporal.** Artéria temporal superficial // **superior cerebellar.** Artéria cerebelar superior. // **superior epigastric.** Artéria epigástrica superior. // **superior gluteal.** Artéria glútea superior. // **superior haemorrhoidal.** Artéria hemorroidária superior. // **superior intercostal.** Artéria intercostal superior. // **superior labial.** Artéria labial superior. // **superior laryngeal.** Artéria laríngea superior. // **superior mesenteric.** Artéria mesentérica superior. // **superior pancreaticoduodenal.** artéria pancreaticoduodenal superior. // **superior rectal.** Artéria retal superior. // **superior thoracic.** Artéria torácica superior ou suprema. // **superior thyroid.** Artéria tireoídea superior. // **superior vesical.** Artéria vesical superior. // **suprahyoid.** Artéria supra-hioídea. // **supraorbital.** Artéria supra orbitária. // **suprarrenal.** Artéria supra-renal. // **suprascapular.** Artéria supra-escapular. // **supraesternal.** Artéria supra-esternal. // **supratrochlear.** Artéria supratroclear. // **sural cutaneous.** Artéria sural cutânea. // **tarsal.** Artéria tarsal. // **testicular.** Artéria testicular. // **thyrocervical.** Artéria tireocervical (tronco) // **thyroidea ima.** Artéria tireóidea ima ou média. // **tonsillar.** Artéria tonsilar. // **transverse cervical.** Artéria cervical transversa. // **transverse facial.** Artéria facial transversa. // **transverse perineal.** Artéria perineal transversa. // **tympanic.** Artéria timpânica. // **ulnar.** Artéria ulnar ou cubital. // **ulnar colla-** teral. Artéria cubital colateral. // **umbilical.** artéria umbilical. // **uterine.** Artéria uterina. // **vaginal.** Artéria vaginal // **vertebral.** Artéria vertebral. // **vesiculodeferential.** Artéria vesical inferior. // **vestibular.** Artéria vestibular. // **vidian.** Artéria vidiana. // **zygomatic.** Artéria zigomática.

arthralgia. Artralgia. Sin.: artroneuralgia, artrodinia, neuralgia articular.

arthralgic. Artrálgico.

arthrectomy. Artrectomia. Sin.: sinovectomia.

arthrempyesis. Artrempiese. Supuração em uma articulação artrite supurativa. Piartrose.

arthresthesia. Artrestesia. Sensibilidade articular.

arthrifuge. Artrífugo. Que é eficaz contra a gota.

arthritic. Artrítico.

arthritide. Artrítide. Manifestação cutânea dependente do artritismo.

arthritis. Artrite. // **deformans.** Artrite deformante. // **fungosa.** Artrite fungosa. // **rheumatoid.** Artrite reumatóide.

arthritism. Artritismo. Sin.: diátese artrítica, braditrofia.

arthro-. arthr-. Artro- artr. Elemento de origem grega que se relaciona com articulação.

arthrobacterium. Artrobactéria. Bactéria que se reproduz por separação em articulações.

arthrocele. Artrocele. Tumefação em uma articulação.

arthrocentesis. Artrocentese. Punção de uma articulação.

arthrochondritis. Artrocondrite. Inflamação das cartilagens de uma articulação.

arthroclasia. Artroclasia. Ruptura de uma ancilose para assegurar o movimento livre de uma articulação.

arthroclisis. Artróclise. Ancilose ou produção desta.

arthrodesis. Artródese. Sin.: artróclise, operação de Albert.

arthrodia. Artrodia. Articulação de superfícies articulares planas.

arthrodynia. Artrodinia. Dor em uma articulação.

arthrodysplasia. Artrodisplasia. Condição hereditária que se caracteriza pela formação de várias articulações.

arthroedema. Artredema.

arthroempyesis. Artrempiese, artropiose.

arthroendoscopy. Artrendoscopia.

arthroereisis. Artrerrise. Limitação cirúrgica do movimento de uma articulação, anormalmente móvel por paralisia.

arthrogenous. Artrogênico. Formado numa articulação.

arthrogram. Artrograma.

Arthrographis langeromi. "*Arthrographis langeromi*". Fungo que produz uma onicomicose no homem e um começo de dermatomicose nos animais.

arthrography. Artrografia.

arthrogryposis. Artrogripose. Contratura permanente de uma articulação.

arthrokatadysis. Artrocatádise. Afundamento do acetábulo, com protrusão da cabeça do fêmur na pelve.

arthrokleisis. Artróclise. Ancilose, artródese.

arthrolith. Artrólito. Sin.: artrófito, cálculo* articular, tofo artrítico.

arthrolithiasis. Artrolitíase, gota.

arthrology. Artrologia.

arthrolysis. Artrólise. Secção da cápsula e ligamentos de uma articulação ancilosada.

arthromeningitis. Artromeningite. Sin.: sinovite.

arthrometer. Artrômetro. Instrumento para medir a extensão de movimentos de uma articulação.

arthrometry. Artrometria.

arthromitus. "Artromitus". Bactéria que se encontra na parede intestinal dos insetos e crustáceos.

arthroncus. Artronco. Tumefação de uma articulação.

arthroneuralgia. Artroneuralgia.

arthronosos. Artronose. Enfermidade das articulações que as deforma.

arthro-onychodysplasia. Artrodisplasia onicodisplásia.

arthropathia. Artropatia.

arthropathy. Artropatia. // **of Charcot.** Artropatia neurogênica.

arthropathology. Artropatologia.

arthrophyma. Artrofima. Tumefação de uma articulação.

arthrophyte. Artrófito. Corpo estranho articular.

arthroplastic. Artroplástico.

arthroplasty. Artroplastia.

arthropneumography. Artropneumografia.

arthropod. Artrópodo. Tem órgãos de locomoção articulados.

arthropyosis. Artropiose. Formação de pus na cavidade articular.

arthrorheumatism. Reumatismo articular.

arthrorisis. Artrerise.

arthrosclerosis. Artrosclerose.

---

* N do T. — Tradução livre do termo popular: "raton", como pedrinha.

arthroscope. Artroscópio. Endoscópio para examinar o interior de uma articulação.

arthroscopy. Artroscopia.

arthrosis. Artrose.

arthrospore. Artrósporo. Esporo bacteriano formado por fissão.

arthrosteitis. Artrosteíte. Inflamação da estrutura óssea de uma articulação.

arthrosteopedic. Artrosteopédico. Pertencente às extremidades e esqueleto.

arthrostomy. Artrostomia.

arthrosynovitis. Artrossinovite.

arthrotome. Artrótomo. Bisturi para operar articulação.

arthrotomy. Artrotomia.

arthrotropic. Artrotrópico. Que tem afinidade pelas articulações.

arthrotyphoid. Artrotifóide. Febre em cujo começo se apresentam sintomas semelhantes aos da febre reumática.

arthroxerosis. Artroxerose. Osteoartrite crônica.

arthroxesis. Artroxese. Raspado da superfície articular.

Arthus's phenomenon. Fenômeno de Arthus. Anafilaxia local manifestada por edema e gangrena do tecido subcutâneo do coelho sensibilizado pela infecção do antígeno específico.

article. Artículo.

articular. Articular.

articulated. Articulado.

articulatio. Articulação.

articulator. Articulador.

articulo mortis. "*Articulo mortis*". No momento da morte.

artificial. Artificial. // **anus.** ânus artificial. // **eye.** olho artificial. // **feeding.** Alimentação artificial. // **lung.** Pulmão artificial. // **respiration.** Respiração artificial.

arum. "Arum", gênero de arácea. // **maculatum.** Planta da família arácea que subministra a fécula chamada "sagu".

aryepiglotic. Ariepiglótico, aritenoepiglótico.

aryl. Aril, arilo. Prefixo de um radical orgânico da série aromática.

arytenectomy. Aritenectomia.

arytenoepiglottic. Aritenoepiglótico.

arytenoid. Aritenóide.

arytenoidectomy. Arinoidectomia.

arytenoiditis. Aritenoidite.

arytenoidopexy. Aritenoidopexia. Fixação cirúrgica da cartilagem aritenóide.

arythmia. Arritmia.

Arzberger's pear. Pera de Arzberger. Usa-se para introdução no reto.

As. As. Símbolo químico do "*arsenum*", arsênico. Abreviatura de "astigmatismo hipermetrópico".

as. M. as. M. Abreviatura de "astigmatismo mió-
pico".

A.S. Abreviatura de "*auris sinistra*".

asacria. Assacria. Falta congênita do sacro.

asafoetida. Assa-fétida.

asaphia. Asafia. Pronúncia indistinta das palavras.

asarum. "Asarum". Gênero de plantas aristolo-
quiáceas.

asbestiform. Asbestiforme. Degeneração asbestiforme.

asbestos. Asbesto, amianto.

asbestosis. Asbestose, amiantose.

ascariasis. Ascaríase, ascaridíase.

ascaricide. Ascaricida.

ascaridae. "Ascaris", ascáride.

ascaridiasis. Ascaridíase, ascaridiose ou ascarido-
se.

ascaridole. Ascaridol. Terpenóide do óleo de
quenopódio.

Ascaris. "Ascaris", ascáride. // **lumbricoides.**
Lombriga.

ascending. Ascendente.

ascertain. Reconhecer, averiguar.

Ascherson's vesicles. Vesículas de Ascherson.
Pequenas vesículas que se formam agitando
uma mistura de óleo ou de um líquido albuminoso, composto de gotinhas de óleo envoltas
em uma camada de albumina.

Aschheim-Zondek test. Prova de Aschheim-
Zondek à injeção subcutânea de urina de mulher grávida em ratas jovens, segue-se congestão, tumefação e hemorragias dos ovários com
maturação precoce dos folículos ováricos destes animais.

Aschoff bodies. Corpos ou nódulos de Aschoff.
Nódulos reumáticos no miocárdio.

ascites. Ascite.

ascitic. Ascítico.

Ascletias. "Ascletias". Gênero de plantas ascle-
piadáceas.

Ascoli's reaction. Reação de Ascoli. Reação da
miostigmina, para confirmar tumores malignos,
enfermidades infecciosas, etc.

Ascomycetes. Ascomicetos.

ascorbic acid. Ácido ascórbico.

ascospores. Ascósporo. Esporo contido em um
saco especial ou asco.

ascus. Ascus. Estrutura do saco onde se forma o
ascósporo.

-ase. -ase. Sufixo que indica um fermento, como
a lípase.

asecretory. Assecretório, acrínico.

Aselli's glands or pancreas. Pâncreas de Aselli.
Massas ovóides formadas de linfonodos aglome-
rados, na raiz do mesentério.

asepsis. Assepsia.

aseptic. Asséptico.

asexual. Assexual.

ash. Cinza.

asialia. Assialia. Sin.: aptialismo, xerostomia.

-asis. -ase. Sufixo abstrato que indica "estado ou
condição"*

asitia. Assitia. Sin.: anorexia.

askelia. Asquelia. Ausência de membros inferiores.

asoma. Assomo. Monstro onfalosítico com tronco rudimentar.

aspartic acid. Ácido aspártico, ou aspargínico.

aspastic. Aspástico. Não espasmódico.

aspecific. Aspecífico, não específico.

aspect. Aspecto, aparência, face ou superfície.

aspergillar. Aspergilar.

aspergillosis. Aspergilose. // **pulmonary.** Aspergilose pulmonar. *Aspergillus.* // **fumigatus
nidulans.** "*Aspergillus fumigatus, nidulans*".
// **niger, flavescens,** "*Aspergillus niger, flavus*".

aspermatic. Aspermático.

aspermia, aspermatism. Aspermia, aspermatis-
mo.

asphyxia. Asfixia. // **neonatorum.** Asfixia do
recém-nascido. // **local.** Asfixia local. // **livi-
da.** Asfixia lívida. // **pallida.** Asfixia pálida.

asphyxiant. Asfixiante.

asphyxiate. Asfixiado.

asphyxiation. Sufocação.

aspiration. Aspiração.

aspirator. Aspirador.

asplenia. Asplenia. Falta de baço.

Asplenium. "*Asplenium*". Gênero de fetos, alguns medicinais.

asporogenic. Asporogênico. Não reproduzido
por esporos.

asporous. Sem esporos.

assault. Assalto. // **incident.** Incidente, casualidade, acontecimento.

assay. Ensaio. // **biological.** Ensaio biológico.

assess. Avaliar, fixar.

Assézat's triangle. Triângulo de Assézat. Triângulo limitado pelas linhas que unem os pontos alveolar, basal e násio.

assimilable. Assimilável.

assimilation. Assimilação.

assistance. Ajuda.

associated. Associado. // **movements.** Movimentos associados.

---

* N. do T. — Propriamente o sufixo é -sis, grego, dinâmico,
de ação, de processo.

association. Associação. // **centres.** Centros de associação. // **fibres or tracts.** Fibras ou feixes de associação.

astasia. Astasia. Inabilidade de ficar em pé.

astatic. Astático.

asteatosis. Asteatose. Ausência de secreção sebácea.

aster. Aster. Forma estrelada que rodeia o centrossomo na cariocinese.

astereognosis. Asteriognosia. Impossibilidade de reconhecer objetos pelo tato.

asterion. Asterion. Ponto de convergência, na superfície cranial, do occipital, parietal e porção mastoídea do temporal.

asternal. Asternal. Não articulado com o esterno.

asternia. Asternia. Falta congênita do esterno.

asteroid. Asteróide.

asthenia. Astenia.

asthenic. Astênico.

asthenopia. Astenopia. Cansaço visual.

asthma. Asma // **bronchial.** Asma brônquica. // **cardiac.** Asma cardíaca. // **uraemic.** Asma urêmica. // **crystals.** Asma dos cristais. Sin.: cristais de Charcot-Leyden. // **hay.** Asma do feno.

asthmatic. Asmática.

astigmatic. Astigmático.

astigmatism. Astigmatismo.

astigmatometer. Astigmatômetro. Astigmatoscópio.

astragalectomy. Astragalectomia.

astragalus. Astrágalo. Sin.: talus.

astringent. Adstringente. Sin.: estíptico.

astroblast. Astroblasto. Célula que dá origem ao astrócito.

astroblastoma. Astroblastoma.

astrocyte. Astrócito.

astrocytoma. Astrocitoma.

astroglia. Astróglia. Sin.: macróglia.

astrosphere. Astrosfera.

asylum. Asilo.

asymmetry. Assimetria.

asymptomatic. Assintomático.

asynchronism. Assincronismo.

asynclitism. Assinclitismo.

asynechia. Solução de continuidade.

asynergia. Assinergia. Sin.: ataxia.

asynesia. Assinesia, estupidez.

asynodia. Assinodia. Impotência sexual.

asynovia. Assinovia. Falta de secreção sinovial.

asystematic. Assistemático, difuso.

asystole, asystolia. Assistolia.

asystolic. Assistólico.

At. Símbolo químico do "*Astatum*", astato.

atactic. Atáxico.

atactilia. Atactilia. Perda da sensibilidade táctil.

atavism. Atavismo.

atavistic. Atávico.

taxia, ataxy. Ataxia. // **Friedreich's.** Ataxia de Friedreich. // **hereditary cerebellar.** Ataxia cerebelar hereditária. // **locomotor.** Ataxia locomotora progressiva.

ataxiamnesic. Ataxiamnésico.

ataxiaphasia. Ataxiafasia.

ataxic. Atáxico.

Atebrin. Atebrina.

atelectasis. Atelectasia. Falta de expansão. Sin.: enfermidade de Lorain.

atelencephalia. Atelencefalia. Desenvolvimento insuficiente do cérebro.

athalposis. Atalpose. Impossibilidade de perceber o calor.

athelia. Atelia. Ausência de mamilo.

athermic. Atérmico.

atheroma. Ateroma, ateromatose.

atheromatous. Afetado de ou da natureza do ateroma.

athetoid. Atetóide. Semelhante à atetose.

athetosis. Atetose. Sin.: coréia, pós-hemiplégica.

athrepsy, athrepsia. Atrepsia. Atrofia infantil dos primeiros meses de vida. Sin.: algidez progressiva dos recém-nascidos.

athreptic. Quem tem atrepsia.

athrocytosis. Atrocitose. Reabsorção pelas células dos tubos contornados do rim, de substâncias dialisadas pelo glomérulo e reintroduzidas no sangue.

athrombia. Atrombia, atrombasia. Coagulação deficiente do sangue.

athrophagocytosis. Atrofagocitose. Fagocitose não nutritiva.

athymia. Atimia. Perda da consciência, demência, atimismo.

athyrea. Atireose ou atiria. Falta de glândula tireóide; mixedema consecutivo a esta falta.

athyroidemia. Atiroidemia. Estado anormal do sangue, devido ao atiroidismo.

athyroidism. Atiroidismo, atireose.

atite. Atito. Substância do leite que reduz o nitrato em nitrito.

atlantal. Atlântico. Relativo ao atlas.

atloaxoid. Atlanto-axial, relativo a primeira e segunda vértebras cervicais.

atlodymous. Atlódimo. Atlodídimo. Monstro com duas cabeças.

atmiatrics. Atmiatria ou atmidiatria. Tratamento pelos vapores medicamentosos. Sin.: pneumoterapia.

atmo-. Atmo. Elemento de origem grega relacionado com "vapor".

atmocausis. Atmocause. Tratamento por aplicação direta de vapor quente. Vaporização.

atmocautery. Atmocautério. Instrumento para a prática da atmocause.

atmograph. Atmógrafo. Instrumento para registar os movimentos respiratórios.

atmolysis. Atmólise. Separação de gases de uma mistura, através de uma lâmina porosa.

atmometer. Atmômetro. Instrumento para medir os vapores exalados para apreciar a umidade da atmosfera.

atmosphere. Atmosfera.

atmospheric. Atmosférico.

atmotherapy. Atmoterapia. Tratamento pela educação metódica da respiração.

atocia. Atocia. Esterilidade feminina.

atom. Átomo.

atomic. Atômico. // **number.** Número atômico. // **weight.** Peso atômico.

atomicity. Atomicidade. Valência química.

atomizer. Atomizador.

atonic. Atônico.

atonicity, atonia. Atonicidade, atonia.

atopen. Atópeno. Antígeno que determina o estado de atopia.

atopic. Atópico, deslocado.

atopy. Atopia, deslocamento, ectopia.

atoxic. Atóxico.

atoxil. Atoxil. Arsanilato de sódio.

atractoid. Atractóide. Fusiforme.

atremia. Atremia. // Falta de tremor. Sin.: abasia, astasia.

atresia. Atresia. // **ani, iridis.** Atresia do ânus, da pupila.

atresic, atretic. Atrésico.

atretocephalus. Atretocéfalo. Monstro sem aberturas nasais e bucal.

atrial. Atrial.

atrichia, baldness. Atricose, atriquia.

atrio-. Atria. Prefixo relacionado com o ártrio cardíaco.

atrioventricular. Atrioventricular.

atriplicism. Atriplicismo. Intoxicação pela ingestão de uma espécie de espinafre do gênero "*Atriplex*" muito semelhante à enfermidade de Raynaud e a eritromelalgia.

atrium. Átrio, vestíbulo.

Atropa. "Atropa", beladona.

atrophia. Atrofia.

atrophic. Atrófico.

atrophy. Atrofia. // **acute yellow atrophy of the liver.** Atrofia amarela aguda do fígado. // **brown.** Atrofia parda. // **infantile.** Atrofia infantil. // **optic.** Atrofia óptica de Leber. // **peroneal muscular.** Atrofia peroneal progressiva, ou de Charcot-Marie-Tooth. // **pig-**

mented. Atrofia pigmentar. // **progressiva muscular.** Atrofia muscular progressiva. // **senile.** atrofia senil.

atropine. Atropina.

atropinism, atropism. Atropinismo, atropismo.

attach. Ligar, unir.

attack. Ataque.

attar. Atar, essência persa.

attempt. Tentativa, intento.

attend. Acompanhar.

attendant. Assistente.

attention. Atenção.

attenuated. Atenuado.

attenuation. Atenuação.

attic. Ático.

atticotomy. Aticotomia.

attitude. Atitude, postura.

attraction. Atração.

attrahens. Atraente.

attrition. Atrição.

At. wt. p. at. Abreviatura de "*Atomic weight*", peso atômico.

atylosis. Atilose. Tuberculose atípica.

atypia. Atipia. Irregularidade.

atypical. Atípico.

A. u. u. A. Abreviatura de "unidade Ångström".

Au. Au. Símbolo químico do ouro "*aurum*".

Aubert's phenomenon. Fenômeno de Aubert. Por uma ilusão de óptica parece, quando a cabeça gira para um lado, que uma linha vertical se inclina para o outro lado.

audiclave. Audiclave. Instrumento que ajuda a ouvir.

audiogram. Audiograma.

audiometer. Audiômetro. Sin.: acúmetro, sonômetro.

audiometry. Audiometria.

audio-visual. Audio-visual. Estimulação simultânea dos sentidos da audição e da visão.

audiphone. Audiofone.

audition. Audição.

auditive. Auditivo.

auditognosis. Auditognose. Sentido com que se entendem e se interpretam os sons.

auditory. Auditivo.

auditus. Ouvido.

Auenbrugger's sign. Sinal de Auenbrugger. Tumoração no epigástrio devido à extensão de um derrame pericárdico.

Auerbach's ganglion. Gânglio, plexo de Auerbach. Cada um dos gânglios do plexo de Auerbach, constituído por fibras nervosas simpáticas entre as túnicas do intestino.

Aufrecht's sign. Sinal de Aufrecht. Som respiratório débil percebido na fossa jugular, sinal de estenose traqueal.

augment. Aumentar.

augnathus. Áugnato.

Aujeszky's disease. Doença de Aujeszky. Pseudo-hidrofobia bulbar infecciosa dos animais, na Hungria e Brasil.

aula. Aula, parte anterior do terceiro ventrículo cerebral.

aulatela. Aulatela, membrana que cobre a aula.

aulic. Áulico.

auliplexus. Auliplexo. Parte do plexo coroídeo dentro da aula.

aulix. Aulix. Fissura ou sulco de Monro. Sulco hipotalâmico.

aura. Aura.

aural. Aural. Auditivo.

auramina. Auramina. Pioctanina amarela.

aurantia. Aurância: substância corante alaranjada derivada da anilina, sal e amônio de hexanitrodifenilamina.

aurantiamarin. Glicosido da laranja.

aurantiasis. Aurantíase. Coloração amarela ouro da pel⁴ produzida pela ingestão de grandes quantidades de laranja, cenoura, etc. // Sin.: Pigmentação carotenóide.

aurantium. Laranja, laranjeira. // **amarum cortex.** Casca de laranja amarga.

aureomycin. Aureomicina.

auriasis. Crisíase.

auric. Áurico.

auricle. Orelha — Átrio.

auricular. Auricular (atrial). // **extrasystole.** Extra-sístole auricular. // **fibrillation.** Fibrilação auricular. // **node.** Nó ou nódulo auricular.

auriculocraneal. Auriculocranial.

auriculoventricular. Auriculoventricular.

auriculotemporal. Auriculotemporal.

auride. Áuride — Nome das lesões cutâneas observadas no curso da crisoterapia.

auriform. Auriforme.

auris, ear. Orelha e ouvido.

auriscalpium. Auriscalpo — Instrumento para a extração do cerume e corpo estranho do conduto auditivo externo.

auriscope. Auriscópio — tipo de otoscópio.

aurist. Aurista. Sin.: otiatra, otólogo.

aurochromoderma. Aurocromodermia. Coloração da pele pela injeção de preparações de ouro.

aurococcus. Aurococo. Estafilococo dourado.

aurometer. Aurômetro. Aparelho para medir a unidade auditiva.

aurosol. Aurossol. Ouro coloidal.

aurotherapy. Auroterapia, crisoterapia.

aurum, gold. *Aurum*, ouro.

auscult, auscultate. Auscultar.

auscultation. Ausculta, auscultação.

auscultatory. Auscultatório.

Australian X disease. Doença Australiana X.

autacoid. Autacóide. Termo que compreende todos os produtos de secreção interna.

autarcesis. Autarcese. Imunidade ativa.

autism. Autismo. Tendência a ensimesmar-se.

auto-, aut. Auto, aut. Prefixo que significa relação consigo mesmo.

autoactivation. Auto-ativação. Ativação de uma glândula por sua própria secreção.

autoagglutination. Auto-aglutinação.

autoanalysis. Auto-análise. Análise e interpretação por parte de um psicopata de seu estado mental devido ao seu transtorno, empregado como tratamento.

autoanamnesis. Auto-anamnese. História obtida pelo próprio paciente.

autoanaphylaxis. Auto-anafilaxia. Reação anafilática produzida pela injeção do próprio soro.

autoantibody. Auto-anticorpo. Anticorpo capaz de atuar sobre as células sangüíneas.

autoanticomplement. Auto-anticomplemento. Anticomplemento formado no corpo, capaz de neutralizar seus próprios complementos.

autoantisepsis. Auto-antissepsia. Antissepsia fisiológica.

autoantitoxin. Auto-antitoxina.

autoblast. Autoblasto. Bioblasto independente e solitário; microrganismo.

autoblood. Auto-sangue. Sangue do próprio corpo do paciente.

autocatalysis. Autocatálise. Produção pelas enzimas de substâncias que aumentam sua própria atividade.

autocatalytic. Autocatalítico.

autocatharsis. Autocatarse. Catarse realizada pelo próprio paciente.

autocatheterism. Autocateterismo.

autocerebrospinal. Autocerebrospinal.

autocholecystectomy. Autocolecistectomia. Invaginação de vesícula biliar no intestino, com segregação e expulsão final daquele órgão.

autochthonous. Autóctone.

autocinesis. Autocinese. Movimento voluntário.

autoclasis. Autoclasia. Destruição de uma parte por causas desenvolvidas dentro dela mesmo.

autoclave. Autoclave.

autocondensation. Autocondensação.

autoconduction. Autocondução. Método de aplicar correntes de alta freqüência colocando o paciente dentro de um solenóide sem conexão com o circuito externo.

autocystoplasty. Autocistoplastia.

autocytolysin. Autolisina.

autocytolysis. Autocitólise. Autólise.

autocytotoxin. Autocitotoxina. Citotoxina pertencente às células do corpo em que se formou.

autodermic. Autodérmico. Aplica-se aos enxertos feitos com a pele do próprio paciente.

autodesensitization. Autodessensibilização com o sangue do próprio paciente.

autodestruction. Autodestruição.

autodiagnosis. Autodiagnóstico.

autodigestion. Autodigestão; autólise. Digestão das paredes do estômago pelo próprio suco gástrico.

autodiploid. Autodiplóide.

autodrainage. Autodrenagem — drenagem de uma cavidade por um pertuito praticado nos tecidos do paciente.

autodyne. Composto branco e cristalino do éster monofenílico da glicerina.

autoecholalia. Auto-ecolalia — repetição das palavras proscritas pelo mesmo indivíduo.

autoeczematization. Auto-eczematização.

autoepilation. Auto-epilação. Sin.: tricotilomania.

autoerastic. Auto-erasia ou auto-erotismo. Instinto sexual pervertido. Sin.: automonossexualismo, narcisismo, masturbação.

autoeroticism. Auto-erotismo.

autoerythrophagocytosis. Auto-eritrofagocitose. Fagocitose dos glóbulos vermelhos pelos leucócitos do mesmo organismo.

autofundoscope. Autofundoscópio. Instrumento para inspeção da imagem dos vasos da retina do próprio olho que observa.

autogamous, autogamy. Autogâmico, autogamia. Autofertilização. Sin.: automixia.

autogenesis. Autogênese.

autogenetic. Autogenético, autogênico.

Autognosis. Autognose. Conhecimento adquirido pela observação de si mesmo.

autograft. Auto-enxertiva, auto-enxerto, autoplastia.

autogram. Autograma, sinal formado na pele pela pressão de um corpo obtuso.

autographism. Autografismo. Sin.: dermografismo.

autohemoaglutination. Auto-hemoaglutinação.

autohemolysin. Auto-hemolisina.

autohemolysis. Auto-hemólise, hemólise dos corpúsculos sangüíneos de uma pessoa pelo seu próprio soro.

autohemopsonin. Auto-hemopsonina.

autohemotherapy. Auto-hemoterapia.

autohemotransfusion. Auto-hemotransfusão.

autohistoradiograph. Auto-historradiógrafo, rádio-autógrafo.

autohormonoclasis. Auto-hormonioclasia. Inativação de hormônio de uma determinada glândula em presença da atividade da glândula.

autohydrolysis. Auto-hidrólise.

autohipnotism. Auto-hipnotismo.

autoimmunization. Auto-imunização.

autoinfection. Auto-infecção.

autoinfusion. Auto-infusão. Ação de forçar o sangue para o coração por enfaixamento compressivo dos membros, compressão da aorta, etc.

autoinoculable. Auto-inoculável.

autoinoculation. Auto-inoculação.

autointoxication. Auto-intoxicação.

autokeratoplasty. Autoceratoplastia.

autokinesis. Autocinesia ou autocinese.

autokinetic. Autocinético.

autolavage. Autolavagem.

autolesion. Autolesão.

autoleukocytotherapy. Autolencocitoterapia, tratamento pela administração de leucócitos do próprio paciente.

autolysate. Autolisado.

autolysin. Autolisina.

autolysis. Autólise.

autolytic. Autolítico.

automatism. Automatismo.

automatogen. Automatógeno.

automatograph. Automatógrafo. Instrumento para registrar movimentos involuntários.

automixis. Automixia, autogamia.

automonosexualism. Automonossexualismo. Sin.: auto-erotismo.

automors. Desinfetante que consiste em uma mistura de cresol com ácido sulfúrico livre.

automysophobia. Automisofobia. Temor mórbido à sujeira pessoal.

autonarcosis. Autonarcose. Insensibilidade devida à auto-sugestão.

autonephrectomy. Autonefrectomia. Estenose do ureter que fecha por completo sua luz de modo que não chega urina à bexiga.

autonephrotoxin. Autonefrotoxina.

autonomic, autonomous. Autonômico, autônomo // **nervous system.** Sistema nervoso autônomo.

autonomotropic. Autonomotrópico. Que tem afinidade pelo sistema nervoso autônomo.

autonomous. Autonômico, autônomo.

autonomy. Autonomia.

autoophthalmoscope. Auto-oftalmoscopia. Oftalmoscópio próprio para o exame do olho da própria pessoa que o usa.

autooxidation. Auto-oxidação. Oxidação espontânea.

autopathic. Autopático. Que se origina sem causa exterior aparente.

autopathography. Autopatografia. Descrição escrita de uma enfermidade própria de si mesmo.

autopathy. Autopatia. Enfermidade idiopática sem causa exterior aparente.

autopepsia. Autopepsia. Sin.: autodigestão, autólise.

autophagia, autophagy. Autofagia. Nutrição do organismo pelo consumo das substâncias orgânicas de seus próprios tecidos no jejum.

autopharmacology. Autofarmacologia.

autophil. Autofilia, egoísmo. Opinião extremamente favorável de si mesmo, por defeito da autocrítica.

autophobia. Autofobia. Temor mórbido da solidão.

autophonometry. Autofonometria.

autophony. Autofonia. Ressonância da própria voz do paciente nas enfermidades do ouvido médio e das fossas nasais.

autophthalmoscope. Auto-oftalmoscópio, oftalmoscópio próprio para o exame do fundo do olho da própria pessoa que o usa.

autophyte. Autófito. Planta que não se alimenta de material organizado, mas que o deriva diretamente de matérias inorgânicas.

autoplasmotherapy. Autoplasmoterapia. Tratamento das enfermidades por injeção do próprio plasma sangüíneo.

autoplast. Autoplasto. Sin.: auto-enxerto.

autoplasty. Autoplastia, auto-enxerto.

autoploid. Autoplóide.

autoprecipitin. Autoprecipitina. Precipitina que atua sobre o soro do animal no qual se desenvolveu.

autoprotection. Autoproteção. Proteção de si mesmo.

autoproteolysis. Autoproteólise. Sin.: autólise.

autopsy. Autópsia, necrópsia.

autopsychosis. Autopsicose. Afecção mental na qual se altera a representação do próprio eu.

autorrhaphy. Autorrafia.

autoscope. Autoscópio. Instrumento para observação dos órgãos da própria pessoa que examinna.

autoserum. Auto-soro.

autosexualism. Auto-sexualismo, narcisismo.

autositose. Autósito. Monstro capaz de vida independente.

autosome. Autossomo. Cromossomo ordinário.

autosuggestion. Auto-sugestão.

autotherapy. Autoterapia.

autotomy. Autotomia, fissão, fendilhamento.

autotoxin. Autotoxina.

autotransfusion. Autotransfusão, auto-infusão, auto-hemotransfusão.

autotransplantation. Autotransplantação.

autotrophic. Autotrófico.

autotuberculin. Autotuberculina. Tuberculina obtida do escarro do próprio paciente em que se emprega.

autovaccination. Autovacinação.

auxanology. Auxanologia. Ciência do desenvolvimento.

auxanometer. Auxanômetro. Aparelho para determinar o poder magnificador das lentes. Dinamômetro, auxômetro, auxiômetro.

auxesis. Auxese.

auxiliary. Auxiliar.

auxoaction. Auxo-ação, ação estimulante de uma substância.

auxocardia. Auxocardia, diástole.

auxochrome, auxochromic. Auxocromo. Que aumenta a cor.

auxocyte. Auxócito. Espermatócito de primeira ordem.

auxology. Auxologia, auxanologia.

auxometer. Auxômetro. Aparelho para medir o poder amplificador de uma lente. // Auxanômetro, auxiômetro.

auxotherapy. Auxoterapia. Terapêutica coadjuvante.

auxotonic. Auxotônico. Que se contrai ante uma resistência crescente.

A-V interval. Intervalo A-V. Intervalo entre o começo das sístoles auriculares e ventriculares.

available. Disponível.

avalvular. Avalvular.

avascularization. Avascularização.

Avellis's sympton, complex. Síndrome de Avellis. Paralisia unilateral do véu do paladar associada à paralisia do recorrente ipsilateral.

avena, oat. Aveia.

average deviation. Desvio médio.

Avertin. Avertina.

aviator's disease. Doença ou mal dos aviadores.

avidity. Avidez.

avirulent. Avirulento.

avitaminosis. Avitaminose.

Avogadro's law. Lei de Avogadro. Volumes iguais, de gases da mesma pressão osmótica e temperatura. Contêm igual número de moléculas.

avoid. Evitar.

avoirdupois. (Fr.) Sistema de pesos em que 16

onças fazem uma libra, equivalente esta última a 453,6 g.

avulsion. Avulsão. Arrancamento de uma parte ou órgão.

axanthopsis. Axantopsia. Cegueira para a cor amarela.

axial, axile. Axial, áxis. Pertencente ao eixo.

axifugal. Axífugo, cêntrico.

axilemma. Axilema. Bainha de um cilindro-eixo.

axilla. Axila.

axillary. Axilar.

axio. Axio. Prefixo que significa relação com um eixo.

axion. Axion. Eixo encéfalo-medular.

axipetal. Centrípeto.

axis. Áxis. Sin.: epistrofeu.

axolemma. Axolema, axilena.

axolotl. Axolotle.

axon, axone. Axônio, cilindro-eixo do corpo.

axonal. Axonial.

axonometer. Axonômetro. Aparelho para determinar o eixo de uma lente cilíndrica ou para localizar o eixo de astigmatismo.

axoplasm. Axoplasma. Sin.: neuroplasma.

axospongium. Axospôngia. Estrutura reticular que forma o cilindro-eixo de uma célula nervosa.

Ayerza's disease. Enfermidade de Ayerza. Forma de eritremia caracterizada por cianose crônica, dispnéia, hipertrofia do fígado e do baço, hiperplasia da medula óssea e esclerose da artéria pulmonar.

azocompound. Composto orgânico com a fórmula R-N.

azoic. Azóico. Destituído de organismos vivos.

azoitch. Prurido azóico. Que sofrem as pessoas que trabalham com certo grupo de tintas.

azoospermia. Azoospermia.

azotaemia. Azotemia.

azotaemic. Azotérmico.

azote. Nitrogênio.

azotobacter. Azobactéria.

azotometer. Azotômetro.

azoturia. Azotúria.

aztec type. Tipo de asteca.

azurophil. Azurófilo.

azurophilia. Azurofila.

Azygos. Ázigos.

azymic. Azímico. Sem elevadura ou sem fermentação.

Azymous. Ázimo, asmo.

FRASES E EXPRESSÕES

a beating heart. Um coração palpitante.

a short cut. Um atalho.

a coated tongue. Língua saburral.

according to. De acordo com, segundo.

apply bandage to. Aplique-se um curativo.

apply ointment. Aplique-se pomada.

Are you constipated? Você está constipado?

Are your hands swelled? Você tem as mãos inchadas?

Are your legs swelled? Você tem as pernas inchadas?

Are you subject to fainting? Você sofre de desmaios?

as a whole. Em seu conjunto.

as regards. No que se refere a.

as well as. Assim como.

at bed-time. Ao deitar-se.

at best. No melhor dos casos.

B

β. beta. Segunda letra do alfabeto grego.

b. Símbolo químico do boro. // Abreviatura de "bacilo" e "bactéria", de *bowels*, intestinos.

Ba. Símbolo químico de "*barium*", bário.

babble. Balbuciar, tagarelar.

Babbitt metal. Liga de estanho, cobre e antimônio, de emprego odontológico.

Babcock's operation. Operação de Babcock. Extirpação de uma veia varicosa (safena) pela introdução nela, de uma sonda olivar.

Babes's treatment, tubercle. Tratamento, tubérculo de Babes. Tratamento da raiva pela injeção de suspensões de cordão espinhal atenuadas pelo calor. // Tubérculo de B. Agregados celulares ao redor de neurônios degenerados na *medula oblongata* e gânglios espinais, nos casos de raiva e em outros tipos de encefalite.

Babes-Ernst bodies. Corpos de Babes-Ernst. Grânulos metacromáticos que se encontram no interior de certas bactérias.

Babesia. "*Babesia*". Gênero de protozoários, semelhantes ao piroplasma, parasitos das hemácias de vários animais.

Babesiasis. Babesíase (piroplasmose).

Babinski's phenomenon or reflex. Reflexo de Babinski. Extensão do hálux com flexão de outros dedos do pé ao excitar a planta. Observa-se em caso de lesão da via piramidal da hemiplegia orgânica, porém não na histérica. // **sign.** Sinal de Babinski. Diminuição ou perda do reflexo do tendão de Aquiles que se observa em caso de ciática autêntica, porém não na histérica.

baby. Criança, de peito, de colo, bebê.

babyhood. Primeira infância.

Baccelli's sign. Sinal de Baccelli. Pectorilóquia áfona, sinal de derrame pleural.

Bacillaceae. Baciláceas. Fórmula sistemática de esquizomicetos, que compreende as formas em bastonete, produtoras de esporos e os gêneros "*Bacillus*" e "*Clostridium*".

bacillaemia. Bacilemia.

bacillary. Bacilar.

bacilliform. Baciliforme.

bacilliparous. Bacilíparo.

bacillophobia. Bacilofobia.

bacilluria. Bacilúria.

bacillus. Bacilo. // **anthracis.** "*Bacillus anthracis*". // **coli.** "*Bacillus coli*". // **pyocyaneus.** "*Bacillus pyocyaneus*". // **typhosus.** "*Bacillus typhosus*" ou de Eberth.

bacitracin. Bacitrina, antibiótico.

back. Costas (dorso), atrás, detrás.

backalgia. Dor traumática nas costas (dorso).

backbone. Coluna vertebral.

backnee. "*Genu Recurvatum*".

back-up. Distância através da qual uma corrente de alta voltagem passará à atmosfera.

backwardness. Atraso mental devido à enfermidade ou a outras causas de inibição.

BaCl, barium chloride. Cloreto de bário.

Bacon's anoscope. Anuscópio de Bacon. Aparelho provido de visualização e iluminação para o exame e tratamento da área.

Bact. Abreviatura de "bactéria".

bacteraemia. Bacteriemia.

bacteria. Bactéria.

Bacteriaceae. Bacteriáceas.

bacterial. Bactérico, bacteriano.*

bactericholia. Bactericolia. Presença de bactérias nos condutos biliares.

bactericidal, bacteride. Bactericida.

bacteriform. Bacteriforme.

bacterin. Bacterina. Vacina bactérica.

bacterioid. Bacterióide.

bacteriologist. Bacteriólogo.

---

* N. do T. — O adjetivo correto seria bacteríaco.

bacteriology. Bacteriologia.
bacteriolysin. Bacteriolisina.
bacteriolysis. Bactériolise.
bacteriolytic. Bacteriolítico.
bacteriopathology. Bacteriopatologia.
bacteriophage. Bacteriófago.
bacteriophobia. Bacteriofobia.
bacterioscopy. Bacterioscopia. Baciloscopia.
bacteriosis. Bacteriose.
bacteriosolvent. Bacteriossolvente. Dissolvente bactérico. Agente capaz de produzir a dissolução das bactérias.
bacteriostasis. Bacteriostática. Detenção de desenvolvimento bactérico.
bacteriostatic. Bacteriostático.
bacteriotherapy. Bacterioterapia.
bacteriotoxaemia. Bacteriotoxemia.
bacteriotrope. Bacteriótropo.
bacteriotropic. Bacteriotrópico, opsônico que modifica ou troca as bactérias.
bacteriotropin. Bacteriotropina. Opsonina, substância que habilita as bactérias para serem destruídas pelos fagócitos.
bacterium. Bacilo, bactéria. // **coli.** *Bacillus coli.*
bacteriuria. Bacteriúria.
Bacteróides. Bacteróides. Bactérias anaeróbias que se encontram no intestino, algumas das quais não são patogênicas.
baculiform. Baculiforme, em forma de báculo ou bastão.
Badal's operation. Operação de Badal. Dilaceração do nervo infratroclear para acalmar a dor no glaucoma.
Baelz's disease. Enfermidade de Baelz. Mixadenite labial.
Baer's vesicle. Vesícula de Baer: o óvulo.
Baer's method. Método de Baer. Ruptura de aderências numa articulação ancilosada seguida de injeção de óleo esterilizado para prevenir a formação de novas aderências.
Baerensprung's erythrasma. Eritrasma de Baerensprung. Eczema marginada das coxas.
Baeyer's test. Reação de Baeyer. Ferve-se o líquido que contém glicose com ácido ortonitrofenilpropiônico e carbonato de sódio: forma-se índigo.
bag. Saco, bolsa de alguns animais, úbere.
bag of waters. Bolsa das águas.
bagassosis. Bagaçose. Pneumoconiose pela inalação do pó de bagaço da cana de açúcar.
Bagdad sore. Úlcera de Bagdá, furúnculo oriental.
Baillarger's outer and internal band or line. Faixa externa, linha ou camada de Baillarger. Faixa do córtex cerebral formada de fibras curtas, finas e paralelas à superfície; as externas podem observar-se a olho nu ao redor da cissura calcarina.

bain-Marie. Banho-maria.
bake. Cozer, dessecar, endurecer, calcinar.
Baker's cyst. Cisto de Baker. Hérnia da membrana sinovial de uma articulação através de uma abertura da cúpula articular.
baker's itch. Prurido dos padeiros. Dermatite por fermentos.
baker's leg. Perna de padeiro.
baker's stigmata. Estigmas de padeiro.
B.A.L. Bal (*British Anti-Lewisite*). Dimercaptopropanol.
balance. Balanço, equilíbrio.
balanic. Balânico.
balanitis. Balanite.
balanoblennorrhea. Balanoblenorréia.
balanoplasty. Balanoplastia.
balanoposthitis. Balanopostite. Inflamação da glande e do prepúcio.
balanoposthomycosis. Balanopostomicose.
balanopreputial. Balanoprepucial.
Balantidium. "*Balantidium*". Gênero de protozoários ciliados.
balanus. Glande.
Balbiani's body. Corpo de Balbiani. Núcleo da gema do ovo.
baldness. Calvície.
Baldy's operation. Operação de Baldy. Plicatura dos ligamentos redondos sobre si mesmo e sua fixação na face posterior do útero, na retroflexão uterina.
Balfour's disease. Doença de Balfour. Cloroma.
balk, baulk. Frustrar, impedir.
Balkan splint. Aparelho para tratamento, por suspensão, das fraturas do fêmur.
ball and socket joint. Cabeça e cavidade articular.
ball thrombus. Trombo obliterante.
Ball's operation. Operação de Ball. Ânus artificial por incisão na linha semilunar esquerda. // Secção dos troncos nervosos sensitivos que inervam o ânus no prurido anal. // Tratamento da hérnia inguinal por obliteração, torção do saco e fixação do mesmo no anel inguinal.
Ballance's sign. Sinal de Ballance. Ressonância do lado direito do decúbito lateral esquerdo, sinal de ruptura esplênica.
Ballet's disease. Enfermidade* de Ballet. Oftalmoplegia externa. // **sign.** Sinal de Ballet. Perda de todos os movimentos voluntários do bulbo ocular subsistindo os movimentos autônomos.

---

* N. do T. — Na verdade é o mesmo sinal e não enfermidade.

Ballingal's disease. Enfermidade de Ballingal. Micetoma.

ballistocardiogram. Balistocardiograma.

ballooning. Insuflação. Distensão de uma cavidade com água ou ar.

balm. Bálsamo, ungüento. Embalsamar.

Balme's cough. Tosse de Balme. Tosse na posição deitada ou dorsal, observada na obstrução nasofaríngea.

balneology. Balneologia.

balneotherapy. Balneoterapia.

balneum. Banho.

balsam. Bálsamo.

balsamic. Balsâmico.

Balser's fat-necrosis. Necrose gordurosa de Balser; pancreatite grangrenosa.

Bamberger's bulbar pulse. Pulso bulbar de Bamberger. Pulsação na veia jugular interna em caso de insuficiência tricuspídea. É síncrona com a sístole.

Bamberger's haematogenic albuminuria. Albuminúria hematogênica de Bamberger em caso de anemia gravíssima.

Bamberger-Marie's disease. Enfermidade de Bamberger-Marie. Osteoartropatia pulmonar hipertrófica.

bamboo. Bambu. Nome vulgar de muitas gramíneas tropicais, uma das quais a "*Bambusa arundinacea*" é alterante, anti-helmíntica e depurativa.

banbach. Febre da Cochinchina que se apresenta em caso de catarro pulmonar, com fina erupção vesicular.

Bancroft's filariasis. Filaríase de Bancroft. Estado mórbido devido à infestação por "*Wuchereria bancrofti*". "Filaria san juinis hominis".

band. Faixa.

bandage. Enfaixamento.

bandicoot. Pequeno marsupial insetívoro próprio da Austrália, do gênero "*Parameles*", considerado ·como reservatório de riquétsia.

bandi-keratitis. Ceratite em faixa.

Bandl's ring. Anel de Bandl. Espessamento anular do útero no parto, sobre o orifício interno.

bady legs. Pernas tortas, genu valgum.

bane. Ruína, praga.

banian. Figueira da Índia.

banisterine. Banisterina. Alcalóide da "*Banisteria caapi*". Usou-se na encefalite letárgica.

Bannister's disease. Enfermidade de Bannister. Edema angioneurótico.

Banti's disease. Doença de Banti. Esplenomegalia primitiva com anemia e cirrose hepática.

Banting treatment. Tratamento ou cura de Banting para a obesidade (tratamento dietético).

Baptisin. Baptisina. Glicosido da "*Baptisia tinctoria*". Leguminosa da América do Norte.

Bar's incision. Incisão de Bar. Incisão para a operação cesárea na linha média do abdome, por cima do umbigo.

Barach's index. Índice de Barach. Índice de operabilidade de um paciente fundado na função cardíaca; sua fórmula é (SP × PR) + (DP × PR), em que SP e DP representam a pressão sistólica e diastólica, respectivamente, e PR, o número de pulsações. O limite de operabilidade se encontra entre 13.000 e 20.000.

baraesthesiometer. Barestesiômetro.

baragnosis. Baragnosia. Falta de reconhecimento dos pesos.

Bárány's sign. Sinal de Bárány, nos transtornos do equilíbrio do aparelho vestibular, a·direção da queda é influenciada pela mudança de posição da cabeça. // Se se irriga o ouvido normal com água quente, produz-se um nistagmo rotatório para o lado irrigado, e, inversamente se é usada água fria. Não há nistagmo se o labirinto está lesado.

Barbados leg. Elefantíase.

barbaralalia. Forma de dislalia observada melhor quando se fala um idioma estranho.

barbed-wire disease. Enfermidade dos campos de concentração.

barber's dermatitis. Dermatite dos barbeiros, sarna, tinha, sicose dos barbeiros.

barbiers. Beribéri (forma especial).

barbitone. Barbital, veronal.

barbiturate. Barbiturato.

barbituric acid. Ácido barbitúrico.

Barcoo rot. Enfermidade caracterizada por náuseas e vômitos e, às vezes, umã grande erupção que alcança até os tecidos subcutâneos.

Barcroft's apparatus. Aparelho de Barcroft. Manômetro diferencial para o estudo de pequenas amostras de sangue ou de outros tecidos.

Bard's sign. Sinal de Bard. No nistagmo orgânico as oscilações do olho aumentam quando o paciente segue com a vista um dedo que se move de um lado a outro; no nistagmo congênito porém desaparecem as oscilações nestas condições.

Bard-Pic's syndrome. Síndrome de Bard-Pick. Icterícia crônica, dilatação da vesícula biliar e enfraquecimento progressivo, observados no câncer do pâncreas.

Bardach's test. Reação de Bardach. Baseia-se no fato de que, em presença de proteína, acetona, iodeto de mercúrio e álcali reagem formando agulhas de um amarelo canário em lugar de usuais cristais hexagonais de iodofórmio.

Bardeleben's bandage. Enfaixamento de Barde-

63

leben, usada em queimaduras, à base bismuto e amido.

Bardenheuer's extension. Extensão de Bardenheuer. Extensão para membros fraturados mediante trações longitudinais transversas e rotatórias, que produzem extensão em todas as direções em que atuam os músculos que produzem o deslocamento dos fragmentos.

Bardet-Bield syndrome. Síndrome de Bardet-Bield. Síndrome composta de obesidade, hipogenitalismo, retinite pigmentar, insuficiência mental, defeitos cranianos e sindactilia.

Bardinet's ligaments. Ligamentos de Bardinet. Fascículo posterior em leque, do ligamento lateral interno da articulação do cotovelo.

bare. Desnudo, descobrir.

baresthesia. Barestesia. Sensibilidade ao peso e à pressão.

Barety's method. Método de Barety. Método de extensão no tratamento das afecções dos quadris e fraturas do fêmur.

Bargen's treatment. Tratamento de Bargen. Tratamento da colite ulcerativa com o soro de seu nome.

Bargen's serum. Soro de Bargen. Soro preparado com cultura, na colite ulcerativa.

baritosis. Baritose. Pneumoconiose devido à inalação de pó de bário.

Barium. Bário. // **- enema.** Enema baritado. // **- meal.** Bário em pó.

Barkow's ligament. Ligamento de Barkow. Ligamento anterior e posterior da articulação do cotovelo.

Barlow's disease. Enfermidade de Barlow. Escorbuto infantil.

barm. Levedura de cerveja.

Barne's bag or dilator. Dilatador de Barnes. Utiliza-se para dilatar o colo uterino. // **- cervical zone.** Zona cervical de Barnes. Porção mais inferior da superfície interna do útero. // **- curve.** Curva de Barnes. Segmento de circunferência cujo centro é o promontório do sacro.

baro. Baro. Prefixo grego que indica "peso" ou "pressão".

barognosis. Barognose. Reconhecimento ou avaliação do peso ou pressão dos objetos.

barograph. Barógrafo. Forma de barômetro registrador.

baromacrometer. Baromacrômetro. Instrumento para a medida e peso dos recém-nascidos.

barometer. Barômetro.

barometrograph. Barometrógrafo. Barômetro de registro automático.

barophilic. Barófilo. Que se desenvolve melhor em alta pressão atmosférica.

baroscope. Baroscópio. Delicado instrumento para a determinação quantitativa da uréia.

Barosma. Barosma. Planta africana pertencente às rutáceas.

barospirator. Barospirador. Máquina para produzir respiração artificial por meio de variações da pressão do ar de uma câmara fechada.

barotaxis. Barotaxia. Influência da gravidade ou das mudanças de pressão no desenvolvimento dos organismos.

barotrauma. Barotrauma. Lesão produzida pela pressão atmosférica: especialmente a dos tímpanos dos aviadores.

barotropism. Barotropismo; barotaxia.

Barraquer's disease. Enfermidade de Barraquer. Lipodistrofia progressiva.

Barraquer's operation. Operação de Barraquer. Facoerese.

Barré-Guillain syndrome. Síndrome de Barré-Guillain. Descrito na encefalite a vírus, com falta de febre, dores musculares, debilidade motora, abolição de reflexos tendinosos, grande aumento de proteína no líquido cefalorraqueano sem o aumento correspondente nas células. Chama-se radiculoneurite.

barren. Estéril, infrutoso, infrutífero.

barrier. Barreira, obstáculo.

Barrier's vacuoles. Vacúolos de Barrier. Abscesso peribrônquico.

Barry's retinacula. Retináculo de Barry. Série de filamentos nas vesículas de De Graaf.

Barth's hernia. Hérnia de Barth. Hérnia de uma alça intestinal entre a serosa da parede abdominal e a do conduto onfalomesentérico persistente.

Barthélemy's disease. Enfermidade de Barthélemy. Acne agminata. Tuberculose papulonecrótica.

Bartholin's anus. Ânus de Bartholin. "*Aditus ad aquaeductum cerebri*".

Bartholin's duct. Conduto de Bartholin. Conduto das glândulas de Bartholin. Conduto maior e mais longo das glândulas sublinguais. // **- foramen.** Forame de Bartholin. Forame obturado. // **- glands.** Glândulas de Bartholin ou glândulas vulvovaginais.

bartholinitis. Bartolinite.

Barton's bandage. Enfaixamento ou bandagem de Barton, utilizado nas fraturas de mandíbula. // **- fracture.** Fratura de Barton. Fratura da superfície articular do extremo inferior do rádio.

bartonelliasis. Bartonelíase.

Bartonella baciliformis. "*Bartonella baciliformis*" Denomina-se também "corpos de Bartonia" e "corpos X". Encontram-se nos glóbulos vermelhos dos enfermos com febre de Oroya,

bartonellosis. Bartonelose.

Baruch's sign. Sinal de Baruch. Persistência da temperatura retal de um enfermo submetido durante quinze minutos a um banho de 24°C; sinal de febre tifóide.

baruria. Barúria. Emissão de urina mais densa que a normal.

baryencephalia. Bariencefalia, obnubilação.

baryesthesia. Bariestesia.

baryglossia. Bariglossia.

barylalia. Barilalia.

baryphonia. Barifonia.

baryta. Barita, óxido de bário, BaO.

barythymia. Baritimia, melancolia.

barytic. Barítico. Que tem barita.

barytosis. Baritose.

barytron. Báritron. Partícula elétrica mais leve que um próton, porém mais pesada de que um eléctron e com cargas positiva e negativa.

basal. Basal. Sin.: basilar, fundamental.

base. Base.

base-born. Bastardo.

basedoid. Basedóide. Estado semelhante à enfermidade de Basedow, porém, sem tireotoxicose.

Basedow's disease. Enfermidade de Basedow. Bócio exoftálmico.

basedowian. Basedowiano.

bashful. Vergonhoso, tímido.

basi-, basio-. Basi-, básio-. Prefixos latinos que indicam relação com uma base.

basial. Basial, pertencente ao básio.

basialveolar. Basialveolar. Que se estende desde o básio até o ponto alveolar.

basiarachnitis, basiarachnoiditis. Basiaracnite, basiaracnoidite.

basic. Básico, fundamental.

basichromatin. Basicromatina. Porção basófila da cromatina de uma célula.

basicranial. Basicranial.

basidium. Basídio. Órgão produtor de espóros dos fungos basidiomicetos.

basifacial. Basifacial.

basigenous. Basígeno. Capaz de formar uma base química.

basihyal, basihyoid. Basi-hial. Corpo do osso hióide.

basilar. Basal. // - **impression.** Impressão basal. // - **membrane.** Membrana basal.

basilemma. Basilema, neuróglia.

basilic, prominent. Basílico, veia basílica.

basilicon ointment. Basilicão. Qualificativo de alguns remédios de virtudes maravilhosas.

basiloma. Basiloma. Carcinoma basocelular.

basilysis. Basílise, basiotripsia.

basin. Terceiro ventrículo cerebral.

basioccipital. Basioccipital.

basioglossus. Basioglosso. Porção do músculo hioglosso.

basion. Básio. Centro da margem anterior do buraco occipital.

basiotribe. Basiótribo.

basiotripsy. Basiotripsia.

basiphobia. Basofobia. Terror mórbido de cair ao andar. Sin.: estasiobasofobia.

basirrhinal. Basirrinal, basirrínico.

basis. Base. // - **cerebri.** Base do crânio. // - **cordis.** Base do coração.

basisphenoid. Basisfenóide. Osso embrionário que chega a ser a porção posterior do corpo do esfenóide.

basitemporal. Basitemporal.

basivertebral. Basivertebral.

basket cell. Célula em cesta.

Basle nomenclatura. Nomenclatura de Basiléia.

basocyte. Basócito. Célula basófila.

basocytopenia. Basocitopenia, leucocitopenia basófila.

basocytosis. Basocitose.

baso-erythrocyte. Basoeritrócito. Eritrócito com grânulos basófilos.

baso-erythrocytosis. Basoeritrose.

basograph. Basógrafo. Instrumento para assinalar anomalias da marcha.

basophyl, basophyle. Basófilo.

basophylia. Basofilia. Sin.: degeneração básica granular, de Grawitz.

basophilic. Basofílico.

basophilous. Basofílico.

basophilism. Basofilismo.

basophobia. Basofobia. Sin.: astasiobasofobia. Temor mórbido de cair ao andar.

Bassini's operation. Operação de Bassini. Operação radial da hérnia inguinal.

Bassler's sign. Sinal de Bassler. Na apendicite crônica provoca-se dor aguda comprimindo o apêndice entre o polegar e o músculo íliaco.

bassorin. Bassorina. Princípio vegetal da goma de tragacanto e outras.

bastard. Bastardo.

Bastedo's sign. Sinal de Bastedo. Produção de dor na fossa ilíaca direita pela insuflação do cólon com ar, por meio de uma sonda retal. Sinal de apendicite crônica ou latente.

Bastian-Bruns law. Lei de Bastian-Bruns. Se existe uma lesão transversal completa e a medula espinal no espessamento lombar, ficam abolidos os reflexos tendinosos das extremidades inferiores e a paralisia é flácida.

Bastianelli's method. Método de Bastianelli. Esterilização da pele antes da operação com uma solução de iodo com benzina e depois tintura de iodo.

bastinade. Golpe de bastão.

Bateman's disease. Enfermidade de Bateman. *"Molluscum contagiosum"*.

bath. Banho.

bathesthesia. Batiestesia. Sensibilidade profunda, por debaixo da pele.

bathmism. Batmismo. Força que atua nos processos de nutrição e crescimento.

bathofobia. Batofobia. Sin.: acrofobia. Temor mórbido a lugares altos.

bathy-, batho-. Bati-, bato-. Prefixos que significam "profundidade".

bathyanaesthesia. Batianestesia. Falta de sensibilidade profunda.

bathycardia. Baticardia. Posição baixa do coração devido a condições anatômicas e não a alguma enfermidade.

bathycentesis. Baticentese. Punção cirúrgica profunda.

bathyesthesia. Batiestesia. Sensibilização profunda.

bathygastria. Batigastria, gastroptose.

bathyhyperesthesia. Bati-hiperestesia. Aumento da sensibilidade das estruturas profundas do corpo.

bathyhyspesthesia. Bati-hipestesia. Diminuição da sensibilidade das estruturas profundas do corpo.

bathypnea. Batipnéia. Respiração profunda.

batonoma. Tumor devido a organismos vegetais.

batophobia. Batofobia. Temor mórbido de passar perto de objetos altos, como edifícios, montanhas, torres, etc...

batrachoplasty. Batracoplastia. Operação plástica em caso de rânula.

battarism. Batarismo, tartamudez.

Battey's operation. Operação de Battey. Castração, ovariotomia.

Battle's incision. Incisão de Batlle, para a laparotomia.

battledore placenta. Placenta circunvalada.

Bauhin's valve. Válvula de Bauhin ou ileocecal.

Bauman's diet. Dieta de Bauman. Dieta para obesidade, que consiste em 70 g de proteína, 60 g de gordura e 100 g de carboidratos: 1220 calorias.

Baume's scale. Escala de Baumé. Hidrômetro para determinar o peso específico dos líquidos.

Baumés'law. Lei de Baumès ou de Colles. A mãe de uma criança afetada de sífilis congênita herdada do pai não se infecta no aleitamento, com as lesões da criança, ainda que não haja apresentado sintomas de sífilis.

Baumè's sign. Sinal de Baumès. Dor retrosternal na angina do peito.

baunscheidtism. Baunscheidtismo. Tratamento do reumatismo e nevralgias crônicas pela acupuntura com o revulsor, instrumento provido de muitas agulhas finas, que se submergem em um líquido irritante, como essência de mostarda.

bay, lacrimal. Depressão lacrimal. Encontra-se na margem do olho, onde está situado o canalículo lacrimal. Lago lacrimal.

baycuru. Baicuru. Raiz de "*Statice brasiliensis*", planta da América tropical, adstringente poderoso, com a qual se prepara um extrato fluido.

Bayer 205. Germanina. Complexo químico muito eficaz contra tripanossomíase. Denomina-se também "Suramina".

Bayle's disease. Doença de Bayle. Paralisia geral progressiva dos alienados.

Bayle's granulations. Granulados de Bayle. Tubérculos cinzentos que experimentaram a degeneração fibróide.

Baynton's bandage. Curativo ou enfaixamento de Baynton. Método de tratamento das úlceras atônicas pela aplicação de faixa de esparadrapo que cobrem totalmente a úlcera.

bayogo. Planta mimosácea das Ilhas Filipinas, "Mimosa". A madeira é usada como purgante, e cozida, nas enfermidades da pele.

Bazin's disease. Enfermidade de Bazin. Psoríase bucal; acne varioliforme. Tuberculose indicativa.

b.b.a. Abreviatura de *born before arrival*. Nascido antes do tempo.

B.B.B. Abreviatura de "*blood-brain barrier*". Barreira sangüíneo-cerebral.

B.C.G. Becegite. Bacilo de Calmette-Guérin.

B.D. Abreviatura de "*buccodistal*". Bucodistal.

b.d. Abreviatura de "*bis die*".

bdella, leech. Sanguessuga, ventosa.

bdelygmia. Náusea.

Be. Símbolo químico do "*berilium*", berílio.

bead. Conta, esférula, glóbulo.

beak. Bico, focinho, porção mandibular do fórceps, extremo inferior do "calamus scriptorius".

beaker. Vaso para análise.

Beale's cells. Células de Beale. Célula ganglionar bipolar com um prolongamento envolvendo a outra.

beamtherapy. Cromoterapia.

bear. Suportar.

Beard's disease. Doença de Beard. Neurastenia.

Beard-Valleix's points. Pontos de Beard-Valleix (V. *Valleix's points douloureux*).

bearing. Paciência, coxim, sustentação.

beat. Golpear, bater, moer.

Beatty-Wright's friction sound. Ruído de Beatty-Wright. É produzido pela inflamação pleural.

Beau's disease. Enfermidade de Beau. Assistolia, insuficiência cardíaca.

Beaumês's sign. Sinal de Beaumês. Dor retrosternal na angina do peito.

Beauvais's disease. Enfermidade de Beauvais. Reumatismo articular.

Beauperthuys's treatment. Tratamento de Beausperthuys. Tratamento da lepra com o bicloreto de mercúrio.

bebeerine. Bebeerina ou beberina. Alcalóide do córtex do bebeeru ("*Nectandre rodioei*"). Pó amarelo escuro, solúvel no álcool e éter e com propriedades tônicas e febrífugas.

bebeeru. Bebeeru. Árvore da América tropical. Sua casca é amarga e adstringente e a usam como tônico na malária.

Beccari's sign. Sinal de Beccari. Sensação dolorosa de pulsação no occiput, na gravidez.

Bechterew's accesory lemniscus or tract. Lemnisco de Bechterew. Porção central do tegumento situada entre a parte mesial do corpo da oliva superior. // **disease.** Enfermidade de Bechterew. Ancilose da coluna vertebral, geralmente associada à atrofia muscular e a sintomas sensoriais. / **-layer.** Camada de Bechterew. Camada de fibras paralelas e situadas entre as fibras tangenciais e a camada de Baillanger no córtex cerebral. // **nucleus.** Núcleo de Bechterew. Núcleo da porção vestibular do nervo acústico.// **sign.** Sinal de Bechterew. Anestesia do espaço poplíteo na tabes dorsal.

Beck's gastrostomy. Gastrostomia de Beck. Fístula gástrica através de um tubo constituído pela curvatura maior do estômago. // **paste and method.** Pasta que se emprega no tratamento das cavidades e fístulas tuberculosas, composta de uma parte de subnitrato de bismuto e duas de vaselina esterilizada.

Becker's sign. Sinal de Becker. Pulsação das artérias da retina no bócio exoftálmico.

Béclard's hernia. Hérnia de Béclard. Hérnia crural, através da abertura safena. // **nucleus.** Núcleo de Béclard. Núcleo ósseo que aparece na epífise do fêmur no final do nono mês da vida fetal.

Becquerel's rays. Raios de Becquerel. Raios emitidos pelo urânio, os primeiros descobertos e origem do descobrimento de outras radiações radiativas. Possuem as propriedades penetrantes dos Raios X, porém podendo ser polarizados, refletidos e refratados.

bed. Cama.

bedbug. Percevejo.

bedding. Roupa de cama.

Bedlam. Célebre manicômio de Londres.

Bednar's aphthae. Aftas de Bednar. Pequenas manchas brancas da abóbada palatina dos lados da rafe mediana nos lactentes. Talvez devido à pressão da língua na sucção.

bedridden, bedfast. Incapaz de abandonar o leito.

Beer's collyrium, knife, operation. Colírio, faca e operação de Beer. // O colírio de Beer é um extrato de Saturno, água de rosas e espírito de rosmarinho. // A faca de Beer é de folha triangular, empregada em operação de catarata e para incisar o estafiloma corneal.

bee. Abelha.

Beeswax. Cera de abelha.

befitting. Conveniente.

Beevor's sign. Anel de Beevor. Sinal de paralisia funcional, que consiste na impossibilidade para o paciente de impedir a ação dos músculos antagonistas. // Ascenção do umbigo na paralisia da porção inferior dos músculos abdominais.

before. Antes (que).

Begbie's disease. Enfermidade de Begbie. Bócio exoftálmico, enfermidade de Graves. Coréia rítmica localizada.

beget. Engendrar, procriar.

Beggiatoa. "*Beggiatoa*". Esquizomicetos que crescem nas águas pantanosas e contaminadas.

behave. Comportar-se.

behaviorism. Behaviorismo. Doutrina psicológica baseada na observação e análise objetiva da conduta não relacionada com a consciência.

behaviour. Conduta, comportamento.

behead. Decapitar.

Béhier-Hardy's sympton. Sintoma de Béhier-Hardy. Afonia; sintoma precoce da gangrena pulmonar.

Behla's, Plimmers's bodies. Corpos de Behla ou de Plimmer. Pequenos corpos redondos encapsulados encontrados no câncer que fizeram crer ao descobridor que havia encontrado a causa deste.

behold. Contemplar, observar.

Behring's law. Lei de Behring. O sangue e o soro de um indivíduo imunizado transferidos a outro indivíduo o tornam imune.

Beigel's disease. Enfermidade de Beigel. Coréia histérica. Tricorrexe nodosa.

bel, decibel. Unidade usada em medida de sensação auditiva.

Belascaris mystax. "*Belascaris mystax*". Ascáride comum no cão, que se encontrou algumas vezes no intestino de crianças.

belch. Eructar.

belemnoid. Belemnóide. Em forma de dardo: aplica-se à apófise estilóide do cúbito ou do osso temporal.

Belfield's operation. Operação de Belfield. Vasotomia.

bell. Sino.

Bell's mania. Mania de Bell. Periencefalite aguda.

Bell's muscle. Músculo de Bell. Fibras lisas circulares do ureter.

Bell's paralysis. Paralisia de Bell. Paralisia facial periférica.

Bell's phenomenon. Fenômeno de Bell. Movimento do bulbo ocular para fora e para cima ao tentar fechar o olho; observa-se no lado afetado de paralisia do nervo facial.

belladona. Beladona.

Bellini's ducts. Ductos de Bellini. Tubos excretores do rim. // **- ligament.** Ligamento de Bellini. Feixe de fibras ligamentares da cápsula coxofemoral ao trocânter maior. // **- tubes.** Tubos uriníferos de Bellini. Cada um dos pequeníssimos ductos revestidos de epitélio que formam parte do conduto das vesículas seminais.

Bellocq's cannula or sound. Sonda ou cânula Bellocq. Utilizada para o tamponamento posterior das fossas nasais.

bellow, bellowing. Rugir, bramido.

belly. Abdome; abdômen.

belonephobia. Belonefobia. Medo de agulhas e alfinetes.

belonoid. Estilóide.

belt. Cinta, faixa.

benadryl. Benadrilo.

Bence-Jone's bodies. Corpos de Bence-Jone. Corpos de albumose que se encontra na urina em casos de afecções da medula óssea. // **- cylinders.** Cilindros de Bence-Jone. Corpos gelatinosos cilíndricos que formam parte do conduto das vesículas seminais.

bendable. Flexível, pregueável.

Benedict's test for glucose in urine. Reação de Benedict para determinar glicose na urina.

Benedikt's syndrome. Síndrome de Benedikt. Paralisia das partes inervadas pelo motor ocular comum de um lado, com paresia e tremor da extremidade superior do outro lado.

benefit. Benefício.

Benerva. Benerva.

Benger's food. Alimento de Benger. Alimento com tripsina e amilopsina.

benign, benignant. Benigno.

Béniqué's sound. Sonda uretral de Béniqué.

Bennet's corpuscles. Corpúsculos de Bennet. Células epiteliais grandes com detritos de gordura em alguns cistos de ovário.

Bennett's disease. Enfermidade de Bennet. Leucemia.

Bennett's fracture. Fratura de Bennet. Fratura longitudinal do primeiro metacarpiano, complicada com luxação.

Benoist's scale. Escala de Benoist. Escala na medida da dureza dos raiox X, em sua passagem por folhas de alumínio.

Benson's disease. Enfermidade de Benson. Hialite asteróide.

bent. Curvatura, inclinação.

bentonite. Bentonita. Silicato de alumínio hidratado coloidal.

benzaldehyde. Benzaldeído.

benzamide. Benzamida.

benzamine. Benzamina.

benzedrine. Benzedrina.

benzene. Benzeno.

benzidine. Benzidina.

benzidine test. Teste ou reação de Adler, para pigmentos sangüíneos.

benzin, benzine. Benzina.

benzoate. Benzoato.

benzocaine. Benzocaína. Sin.: anestesina, etilaminobenzoato.

benzoid acid. Ácido benzóico.

benzoin. Benzoína. Resina balsâmica obtida da árvore asiática: "Styrax benzoin".

benzolism. Benzolismo. Intoxicação pelo benzol.

benzopyrin. Benzopirina.

benzotherapy. Benzoterapia.

benzyl benzoate. Benzilbenzoato ou benzoato de benzila.

benzylpenicillin. Benzilpenicilina.

Béraneck's tuberculin. Tuberculina de Béraneck. Tuberculina feita com filtrado de bacilos tuberculosos.

Bérard's aneurysm. Aneurisma de Bérard. Aneurisma varicoso nos tecidos ao redor de uma veia.

Béraud's ligament. Ligamento de Béraud. Ligamento suspensório do pericárdio que se estende a terceira e quarta vértebras dorsais. // **valve.** Válvula de Béraud. Prega do fundo do saco lacrimal, em cima do ducto, nasolacrimal.

Berberis. Berberis. Gênero de arbustos barberidáceos.

bergamot. Bergamota.

Berger's paraesthesia. Parestesia de Berger. Sensações anormais nas extremidades inferiores dos adolescentes, associada com debilidade das extremidades, sem sinais objetivos. // **- sign.** Sinal de Berger. Pupila irregular nos primeiros períodos de tabes dorsal, demência paralítica e outras paralisias.

Bergeron's disease. Enfermidade de Bergeron. Coréia histérica.

Bergmann's fibres or Bergmann-Deiter's fibres. Fibras de Bergmann ou de Bergmann-Deiter. Prolongamentos que irradiam de células neuróglicas do cerebelo e penetram na pía-máter.

beriberi. Beribéri.

Berlin's disease. Enfermidade de Berlin. Comoção retínica, edema traumático da retina.

Bernard's canal. Ducto de Bernard. Ducto pancreático suplementar.

Bernhardt's paraesthesia. Parestesia de Bernhardt. Meralgia parestésica.

Bernhardt-Roth's symptomcomplex. Síndrome de Bernhardt-Roth. Enfermidade de Bernhardt. Meralgia parestésica da perna.

Bernheimer's fibres. Fibras de Bernheimer. Fibras nervosas do cérebro da via óptica ao corpo de Luys.

berry. Baga. Grão.

Berry's ligaments. Ligamento de Berry. Ligamentos laterais da tireóide.

berth. Beliche, cama, leito.

Berthollet's fluid, law. Líquido, lei de Berthollet. Mistura de soluções de cloreto de sódio e hipoclorito de sódio. // Se dois sais em solução, por dupla decomposição podem produzir um sal menos solúvel que um e outro, se produzirá este sal.

bertillonage. Bertilonagem. Aplicação de antropometria à identificação e classificação de pessoas, particularmente de criminosos.

Bertin's bone. Osso de Bertin. Concha esfenoidal.

Bertin's columns. Colunas de Bertin. Prolongamento da substância cortical do rim entre duas pirâmides de Malpighi. // - **ligament.** Ligamento de Bertin. Ligamento ílio-femoral.

Bertrand's test. Prova de Bertrand. Solução de Fehling para a determinação de dextrose.

berylium. Berílio. Sin.: glicínio.

Berzelius's test. Reação de Berzelius. Prova de ácido metafosfórico para a determinação de albumina.

Besnier's rheumatism. Reumatismo de Bésnier. Astrossinovite crônica.

Best's operation. Operação de Best. Sutura subcutânea do anel abdominal externo da hérnia inguinal.

bestiality. Bestialidade.

bestower. Doador.

Bestucheff's tincture or mixture. Tintura de Bestucheff. Tintura etérea de percloreto de ferro para a erisipela.

beta. Beta. Segunda letra do alfabeto grego.

beta haemolytic streptococci. Estreptococo beta-hemolítico.

beta hydroxybutyric acid. Ácido beta-hidroxibutírico.

betabrocaine. Beta-brocaína.

betacism. Betacismo. Um excessivo do "be" na linguagem falada.

betaeucaina. Beta-eucaína ou eucaína beta.

betaine hycrochloride. Cloridrato de betaína. Acidol.

betanin. Betanina.

betaoxidation theory. Teoria da beta-oxidação.

betweenbrain. Diencéfalo.

Betz giant cells or giant pyramids. Células ou pirâmides gigantes de Betz. Células ganglionares grandes que contribuem para formar uma das camadas da área motora da substância cinzenta do cérebro; é chamada também gigantopiramidal.

Beurmann's disease. Enfermidade de Beurmann. Esporotricose gomosa disseminada.

Bevans's incision. Incisão de Bevans. Incisão vertical ao longo da margem lateral do músculo reto abdominal direito para expor a vesícula biliar.

beverage. Beberagem.

bexia. Varíola do Brasil (bexiga).

bezoar. Bezoar. Concreção que se acha no aparelho digestivo dos ruminantes.

Bezold's ganglion. Gânglio de Bezold. Células ganglionares no septo interauricular.

Bezold's mastoiditis. Mastoidite de Bezold. Abscesso devido à mastoidite com perfuração da parede mastoída, estendendo-se à fossa digástrica e aos tecidos da face lateral do pescoço. // - **symptom.** Sintoma de Bezold. Tumefação inflamatória sob o processo mastoídeo, indicador de supuração.

Bi. Bi. Símbolo químico do "bismuth", bismuto.

bi-. Bi-. Prefixo latino que significa duas vezes.

Bial's test. Reação de Bial. Para a pentose urinária.

Bianchi's nodule. Nódulo de Bianchi, ou corpos de Arancia.

Bianchi's syndrome. Síndrome de Bianchi. Afasia sensorial.

bibasic. Bibásico.

bibliomania. Bibliomania.

bibolous. Bíbolo, secante.

bicapsular. Bicapsular.

bicarbonate. Bicarbonato.

bicellular. Bicelular.

bicephalus. Bicéfalo.

biceps. Bíceps.

Bichat's canal. Canal de Bichat. Canal que segundo Bichat, existiria entre o espaço subaracnoídeo e o terceiro ventrículo. // - **fissure.** Fissura de Bichat. É de forma curva e transversal e passa por baixo do esplênio, correspondendo suas extremidades ao começo de cissura de Sílvio.

bicipital. Bicipital.

biconcave. Bicôncavo.

biconvex. Biconvexo.

bicornuate. Bicórneo.

bicorporal, bicorporate. Bicorporal.

bicoudé, bent twice. Duas vezes acotovelado.

bicrescentic. Bicrescente.

bicuspid. Bicúspide. // **- valve.** Válvula mitral.

B.i.d. twice daily. Abreviatura de "*bis in die*", duas vezes ao dia.

Bidder's ganglion. Gânglio de Bidder. Grupo de células nervosas na implantação da válvula aurículo-ventricular esquerda.

bidental. Bidentada.

bidermoma. Bidermoma. Tumor ceratóide que contém duas camadas germinativas.

bidet. Bidê.

biduous, for two days. Que dura dois dias.

Bier's hyperaemia. Hiperemia de Bier. Congestão venosa artificial usada no tratamento de inflamações crônicas. // **- local anaesthesia.** Anestesia de Bier ou venosa. Anestesia local produzida pela injeção de novocaína nas veias de um membro exangue por elevação ou dupla constrição elástica.

Biermer's anemia. Anemia de Biermer. Anemia perniciosa.

Biernacki's sign. Sinal de Biernacki, analgesia do nervo cubital na demência paralítica e na tabes dorsal.

Biesiadecki's fossa. Fossa de Biesiadecki. Oco peritoneal na zona do músculo psoas.

Biett's collar. Colar de Biett. Anel esbranquiçado que forma a descamação epidérmica na periferia de uma pápula sifilítica.

bifid. Bífido.

bifocal. Bifocal.

biforate. Que tem duas aberturas ou poros.

bifurcation. Bifurcação.

bigaster. Digástrico.

Bigelovia. "*Bigelovia*". Gênero de plantas compostas. A "*Bigelovia veneta*", norte-americana é uma das que subministram a "damiana".

Bigelow's ligament. Ligamento de Bigelow ou de Bertin. Ligamento iliofemural. // **- septum.** Septo de Bigelow. Camada de tecido ósseo compacto no colo do fêmur.

bigemina, bigeminal. Bigeminado.

bigeminy. Bigeminismo.

bigoted. Intolerante.

bilabe. Bilábio. Instrumento para extrair corpos estranhos da bexiga.

bilaminar. Bilaminar.

bilammellar. Bilamelar.

bilateral. Bilateral.

bilateralism. Bilateralismo. Simetria bilateral.

bile. Bile.

Bilharzia. "*Bilharzia*". Gênero de trematódeo.

bilharziasis, brilhaziosis. Bilharziose.

bilhazioma. "*Bilharzioma*". Tumor da pele e mucosa produzido pela *bilharzia*.

bili-. Bili. Prefixo latino relacionado com a bile.

biliary. Biliar. // **- cirrhosis.** Cirrose biliar.

biligenesis. Biligênese, biligenia.

bilious. Bilioso.

biliousness. Biliosidade.

bilirubin. Bilirrubina.

bilirubinaemia. Bilirrubinemia.

bilirubinate. Bilirrubinato.

bilirubinuria. Bilirrubinúria

biliverdin. Biliverdina.

biliverdinate. Biliverdinato.

bilixanthine. Bilixantina.

Billroth's disease. Enfermidade de Billroth. Meningocele falsa ou espúria.

bilobed. Bilobular ou bilobulado.

bilocular. Bilocular.

biltong. "Biltong". Carne cortada em pedaços e seca ao sol.

bimaculate. Bimaculado.

bimanous. Bímano.

bimanual. Bimanual.

bimastoid. Bimastoídeo.

bimaxillary. Bimaxilar.

bimolecular. Bimolecular.

binary. Binário.

binaural. Binaural.

binauricular. Binauricular.

binder. Enfaixamento abdominal.

bindweb. Tecido conjuntivo.

Binet's test, Binet-Simon scale. Teste de Binet ou de Binet-Simon. Método para precisar a capacidade mental das crianças.

Bing's entotic test. Prova entótica de Bing. Se o paciente não ouve com uma trompa acústica, mas, ouve se ela é aplicada a uma sonda introduzida na tuba de Eustáquio, é possível que esteja lesada a bigorna ou o martelo.

Binn's bacterium. Bactéria de Binn. Organismo do grupo dos tifóideos. Paratifóideos.

binocular. Binocular.

binovular. Binovular.

binoxide. Dióxido.

Binswanger dementia. Demência de Binswanger. Demência pré-senil caracterizada por perda de memória e entorpecimento mental.

binuclear, binucleate. Binuclear, binucleado.

Binz's text. Reação de Binz. Para demonstrar quinina na urina.

bio-. Bio. Prefixo grego que significa "vida".

$(BiO_2) CO_3 + H_2O$. Fórmula aproximada de carbonato básico de bismuto.

bioblast. Bioblasto. Um dos elementos hipotéticos das atividades celulares.

biochemistry. Bioquímica.

biocoenosis. Biocenose. Comunidade de vida.

biodynamics. Biodinâmica.

bioenergetics. Bioenergética.

biogenesis. Biogênese, biogenia.

biogenetic. Biogenético. // - **law.** Lei biogenética.

biokinetics. Biocinética.

Biol. Abreviatura de "Biologia".

biological. Biológico. // - **assay.** Ensaio biológico.

biologist. Biólogo.

biology. Biologia.

biolysis. Biólise.

biolytic. Biolítico.

biometry. Biometria.

biomicroscopy. Biomicroscopia.

bionomics. Bionômica.

bionomy. Bionomia. Estudo das leis da vida orgânica.

biophagism. Biofagismo. Ingestão ou absorção de matéria viva.

biophore. Bióforo, portador de vida.

biophysics. Biofísica.

bioplasm. Bioplasma, protoplasma.

bioplast. Bioplasto, bióforo, micela.

biopsia, biopsy. Biopsia.

bioscopy. Bioscopia.

biosis, vitality. Vitalidade.

biostatics. Biostática.

biostatistics. Bioestatística, estatística vital.

Biot's respiration. Respiração de Biot. Respiração meningítica.

biotaxis, biotaxy. Biotaxia. Sin.: taxonomia.

biotherapy. Bioterapia.

biotic. Biótico. Relativo à matéria viva.

biotomy. Biotomia.

biotoxin. Biotoxina.

biotype. Biótipo.

Bip. Pasta de BIP ou de Morison.

bipara. Bípara.

biparasitic. Biparasito, parasito sobre outro parasito.

biparietal. Biparietal. // - **diameter.** Diâmetro biparietal.

biparous. Bípara.

bipartite. Bipartida.

biped. Bípede.

biperforate. Biperfurado.

bipolar. Bipolar.

birch. Birch. Árvore do gênero "Betula", álamo branco.

Bird's formula. Fórmula de Bird. As duas últimas cifras do peso específico da urina, representam quase o peso em gramas dos sólidos por cada onça de urina.

Bird's sign. Sinal de Bird. Área definida de maciez sem som respiratório nenhum nos cistos hidáticos do pulmão.

birefractive, birefringent. Birrefringente.

birhinia. Birrinia.

Birkett's hernia. Hérnia de Birkett. Hérnia inguinal intraperitoneal.

birth. Nascimento.

bische. "Bische". Forma disentérica de Trinidad.

Bischoff's operation. Operação de Bischoff. Histerectomia do útero grávido.

Bischoff's test. Reação de Bischoff. Para a determinação dos ácidos biliares.

bisection. Bissecção.

bisexual. Bissexual.

bisexuality. Bissexualidade.

Bishop's sphygmoscope. Esfigmoscópio de Bishop. Para medir a pressão sangüínea.

Biskra boil, biskra button. Furúnculo oriental.

Bismarck brown. Pardo de Bismarck.

bismarsen. Bismarsen. Preparado de bismuto.

Bismosan. Bismosan.

bismuth. Bismuto.

bismuthosis. Bismutose.

bistoury. Bisturi.

bisulphide. Bissulfeto.

bite. Mordida, mordedura.

bitemporal. Bitemporal. // - **hemianopsia.** Hemianopsia bitemporal.

Bitot's spots — Manchas de Bitot. Ocorrem em xerose conjuntival.

bitter. Amargo.

bituminosis. Betuminose.

biuret. Biureto. Substância obtida da uréia.

biuret test. Prova do biureto. Para proteínas. Juntando à solução de um albuminóide uma albumose ou uma peptona, um pouco de solução de potassa cáustica e umas gotas de solução de sulfato de cobre, aparece uma cor violeta.

bivalence. Bivalência.

bivalent. Bivalente.

bivalve. Bivalvo.

biventer. Biventral.

Bizzozero's blood-platelets. Plaquetas de Bizzozero. Corpúsculos elípticos ou redondos que se encontram no sangue dos mamíferos, inclusive no homem. // - **corpuscles.** Corpúsculos de Bizzozero (V. *Neumann's corpuscles*). // - **crystals.** Cristais de Bizzozero. (V. *Charcot's crystals*).

71

Bk. Símbolo químico do "*Berkelium*", berquélio.

blackhead. Comedão. Uma forma de entero-hepatite.

blackout. Nublar-se a visão.

Blackwater fever. Febre de Blackwater. Sin.: febre hemoglobinúrica, febre biliosa hematúrica, febre biliosa remitente.

bladder. Bexiga. // - **irritable.** Bexiga irritável, nervosa. // - **trabeculated.** Bexiga trabeculada, fasciculada.

blade. Folha.

blain. Pústula, chaga, ampola.

Blainville's ears. Orelhas de Blainville. Assimetria das orelhas.

Blancard's pills. Pílulas de Blancard. Pílulas de iodeto de ferro.

blanch. Branquear, empalidecer.

bland. Suave.

Blandin's ganglion. Gânglio ou linfonodo de Blandin ou sublingual. // - **gland.** Glândula de Blandin. Glândula sublingual.

blanket. Manta.

Blasius's duct. Conduto de Blasius. Conduto parotídeo.

blast. Explosão, influxo maligno.

blastema. Blastema. Protoplasma indiferenciado.

blastid. Blastóide.

blastocele. Blastocele.

blastochycle. Blastoquilo. Líquido da blastocele.

blastocyst. Blastocisto, blástula.

Blastocystis hominis. Protozoário do intestino humano.

blastodendrion. Blastodendrioma, fungo.

blastoderm. Blastoderma ou membrana germinativa.

blastogenesis. Blastogênese, blastogenia.

blastolysis. Blastólise.

blastoma. Blastoma, blastocitoma.

blastomere. Blastômero. Qualquer das células formadas pela segmentação do óvulo fecundado, que constituem a mórula.

blastomerotomy. Blastomerotomia.

Blastomyces. Blastomiceto. Gênero de leveduras morfologicamente semelhantes aos sacaramicetos.

blastomycetic, blastomycotic. Blastomicótico (blastomicético).

blastomicosys. Blastomicose.

blastophore. Blastóforo. Porção de espermatoblasto que não se converte em espermatozóide.

blastophthoria. Blastoftoria. Degeneração ou alteração das células germinativas.

blastopore. Blastóporo. Sin.: protóstoma. Abertura que comunica com o exterior o arquêntero da gástrula.

blastosphere. Blastosfera, blástula.

blastula. Blástula. Sin.: blastocisto, blastosfera, vesícula germinativa ou blastodérmica, mórula vesicular.

blastulation. Blastulação.

Blaud's pill. Pílula de Blaud. Partes iguais de sulfato de ferro e carbonato de potássio.

bleaching powder. Pó de branqueamento.

bleareye. Remelento. Lipitudinoso.

bleb. Ampola, vesícula.

bleed. Sangrar.

bleeder. Sangrador, hemofílico.

bleeding time. Tempo de sangria.

blennadenitis. Blenadenite. Inflamação das glândulas mucosas.

blennemesis. Blenemese. Vômito mucoso.

blennoid. Blenóide. Sin.: mucóide, mixóide muciforme.

blennophthalmia. Blenoftalmia. Conjuntivite catarral.

blennorrhagia. Blenorragia.

blennorrhea. Blenorréia.

blennostatic. Blenostático. Agente que suprime a secreção mucosa.

blenuria. Blenúria. Presença de muco na urina.

blepharadenitis. Blefaradenite. Inflamação das glândulas intra-tarsais (de Meibômio).

blepharal. Palpebral.

blepharectomy. Blefarectomia.

blepharelosis. Blefarelose, entrópio.

blepharism. Blefarismo. Espasmo das pálpebras.

blepharitis. Blefarite. Inflamação das pálpebras.

blepharoadenoma. Blefaroadenoma.

blepharoatheroma. Blefaroateroma.

blepharocarcinoma. Blefarocarcinoma.

blepharochalasis. Blefarocálase. Dermatocálase (Dermocálase) palpebral.

blepharoclonus. Blefaroclônus. Espasmo crônico do músculo orbicular das pálpebras.

blepharodiastasis. Blefarodiástase. Separação exagerada das pálpebras.

blepharon. Elemento de origem grega: pálpebra.

blepharophimosis. Blefarofimose. Estreitamento da rima palpebral.

blepharophthalmia. Blefaroftalmia.

blepharoplast. Blefaroplasto. Formação parecida a um núcleo que origina um flagelo.

blepharoplasty. Blefaroplastia.

blepharoplegia. Blefaroplegia.

blepharoptosis. Blefaroptose.

blepharorrhaphy. Blefarorrafia.

blepharospasm. Blefarospasmo.

blepharostenosis. Blefarostenose.

blepharosynechia. Blefarossinéquia, aderência das pálpebras.

blepharotomy. Blefarotomia.

Blessig's groove. Canal, cisto de Blessig. Fóssula do olho embrionário.

blind. Cego.

blindness. Cegueira.

blink. Pestanejar.

blister. Bexiga.

blistering. Vesicatório, epispástico.

bloat. Inchar, intumescer.

block. Bloquear.

blockage. Bloqueio.

Blocq's disease. Enfermidade de Blocq. Astasia, abasia.

blood. Sangue. // - **corpuscles.** Corpúsculo do sangue. // - **count.** Contagem sangüínea. // - **pigment.** Pigmento sangüíneo. // - **plasma.** Plasma sangüíneo. // - **platelet.** Plaquetas. // - **poisonning.** Intoxicação do sangue. // - **pressure.** Pressão sangüínea. // - **serum.** Soro sangüíneo. // - **sugar.** Glicemia. // - **urea.** Uremia. // - **chlorides.** Cloremia (cloretemia). // - **tiping.** Determinação do grupo sangüíneo. // - **vessel.** vaso sangüíneo.

bloodless. Exangue, incruento, anêmico.

bloodletting. Sangria.

blow. Soprar. Sopro. Golpe, paulada.

blue eyes. Olhos azuis.

blue pill. Pílula azul.

blue sclerotics. Escleróticas azuis.

blue yellow blindness. Cegueira azul-amarela.

Blumenbach's clivus. Declive de Blumenbach. Inclinação da lâmina quadrilátera do esfenóide, entre a sela túrcica e a apófise basilar do occipital. // - **process.** Apófise (processo) de Bluembach ou unciforme.

Blumenthal's disease. Enfermidade de Blumenthal. Eritroleucemia.

blunt. Rombo.

blush. Ruborizar-se

B.M.R. Abreviatura de *"Basal Metabolism rate"*: avaliação do metabolismo basal.

B-N.A. Abreviatura de *"Basle Nomina Anatomica"*. Nomenclatura anatômica de Basiléia.

Boas-oppler bacillus. Bacilo de Boas-Oppler ou lactobacilo.

Bochdalek's canal. Ducto de Bochdalek. Tênue conduto que passa através da membrana do tímpano. // - **ganglion.** Gânglio de Bochdalek. Espessamento na união dos nervos dentais superior e médio.

Bock's pharyngeal nerve. Nervo de Bock. Ramo eferente posterior do gânglio esfeno-palatino.

Bockhart's impetigo. Impetigo de Bockhart. Impetigo simples por estafilococos.

Bodo. Bodo. Gênero de protozoários flagelados endoparasitos.

Bodonidae. *"Bodonidae"*. Família de flagelados que se encontram em ocasiões nas fezes humanas.

body. Corpo.

Boeck's disease. Enfermidade de Boeck. Sarcoidose.

Boedeker's test. Reação de Boedeker para determinar a albumina.

Boerhaave's glands. Glândulas de Boerhaave. Glândulas sudoríparas.

Boettcher's cells. Células de Boettcher. Células da cóclea em camada simples na membrana basilar. // - **crystals.** Cristais de Boettcher. São cristais microscópicos que se formam ao adicionar uma gota de solução de fosfato de amônio a uma gota de líquido prostático.

Bogro's space. Espaço de Bogros. Espaço em que se costuma encontrar a porção inferior da artéria ilíaca externa sem incisar o peritônio.

Bogrow's fibres. Fibras de Bogrow. Fibras nervosas cerebrais que vão desde a via óptica ao tálamo.

Böhler's splint. Férula de Böhler, para a axila.

Böhme's indol test. Reação do indol de Böhme (V. *Ehrlich's Reagent*).

Bohun upas. *"Antiaris toxicaria"*, árvore de Java.

boil. Ferver, ebulição, furúnculo.

Bolognini's sign. Sinal de Bolognini. Sensação de fricção observada pela pressão alternada dos dedos de ambas as mãos nos lados direito e esquerdo do abdome, no sarampo.

bolometer. Bolômetro. Instrumento para medir a força do batimento cardíaco e para medir pequenas diferenças de calor radiante.

bolus. Bolo.

bone. Osso. // - **basi-occipital.** Osso basiooccipital. // - **Bertin's.** Osso de Bertin. // - **bregmatic.** Osso bregmático. // **calcaneum.** Osso calcâneo. // - **cancellous.** Osso esponjoso. // - **capitate.** Grande osso do corpo. // - **conduction.** Condução óssea. // - **cuboid.** Osso cubóide. // - **cuneiform.** Osso cuneiforme. // - **epiteric.** Epitérico. // **ethmoid.** Osso etmóide. // - **femur.** Fêmur. // - **fibula.** Fíbula. // - **flat.** Osso plano. // - **frontal.** Osso frontal. // **hamate.** Unciforme. // **hip.** Osso coxal ou ilíaco. / **humerus.** Úmero. // - **hyoid.** Hióide. // **innominate.** Osso ilíaco (ílio, ísquio, e púbis). // **intermaxillary.** Osso intermaxilar. // - **interparietal.** Osso interparietal. // - **ischium.** Ísquio. // **lacrimal.** Osso lacrimal, únguis. // **long.** Osso longo. // **lunate.** Osso Semilunar. // - **malar.** Osso malar ou pômulo (zigomático). // - **mandible.** Mandíbula. // - **maxilar.** Osso maxilar. // - **nasal.** Osso nasal. // **navicular pedis.** Osso navicular (escafóide) do tarso. // - **occipital.** Osso occipital. // - **palatine.** Osso palatino. // - **parietal.** Osso parietal. // **pisiform.** Osso pisiforme. // **pubic.** Púbis. // **radius.** Rádio. // **scaphoid.** Escafóide. // **sphenoid.** Osso esfenóide. // - **talus.** Astrágalo. // **temporal.** Osso temporal. // - **tibia.** Tíbia. // **trapezium.** Trapézio. // **trapezoide.** Osso trapezóide. // **triquetral.** Osso piramidal. // **tympanic.** Osso timpânico. // **ulna.** Ulna. // **Unciform.** Osso uniciforme. // **vomer.** Vômer. // - **wormian.** Osso vormiano. // **zygomatic.** Osso zigomático.

bone calibrator. Calibrador de ossos.

bonelet. Ossículo.

bonesetter. Curandeiro.

Bonfils's disease. Enfermidade de Bonfils. (V. *Hodgkin's disease*).

Bonnet's capsule. Cápsula de Bonnet ou cápsula de Tenon.

Bonnier's syndrome. Síndrome de Bonnier. Lesão do núcleo de Deiters do conduto vestibular, que produz vertigem e transtornos oculares.

boopia. Boopia, ou boopsia. Olhar lânguido dos histéricos.

B.P. Abreviatura de *blood pressure,* pressão sangüínea; *boiling point,* ponto de ebulição e *British Pharmacopea,* Farmacopéia britânica.

borage. Planta chamada "*Borago officinalis*", diaforética.

borate. Borato.

borax. Bórax.

borborygmus. Borborigmo.

Bordet-Gengou's phenomenon. Fenômeno de Bordet-Gengou. Fixação de complemento.

Bordier-Fraenkel's sign. Sinal de Bordier-Fraenkel. Fenômeno de Bell.

boric acid. Ácido bórico.

Bornholm disease. Enfermidade de Bornholm. Pleurodinia epidêmica.

boron. Boro.

Borrelia. Borrélia. Família de espiroquetas.

Borsieri's line. Linha de Borsieri. Linha esbranquiçada que aparece na pele raspada pela unha, no começo da escarlatina.

Borthen's operation. Operação de Borthen. Iridotaxe.

Bose's hooks. Ganchos de Bose usados na traqueotomia.

boss. Protuberância.

bosselated. Intumescido.

Botallo's or Botal's duct. Conduto de Botal ou Botallo ou conduto arterial ou arterioso. Encontra-se no feto, da artéria pulmonar à aorta. // - **foramen.** Orifício de Botal. Buraco oval que comunica as duas aurículas no coração fetal.

botany. Botânica.

Botelho's test. Prova de Botelho. Prova do câncer com ácido nítrico e iodina.

bothriocephalus. Botriocéfalo.

botryoid. Botrióide.

Botryomyces. "*Botryomyces*". Gênero de esquizomicetos.

botryomycosis. Botriomicose.

Botrytis. "*Botrytis*". Gênero de fungos hifomicetos.

bottle. Garrafa, vidro, frasco.

botulism. Botulismo. Sin.: alantíase.

boubas yaws. "*Boubas yaws*". Erupção cutânea, tropical contagiosa.

Bouchard's disease. Enfermidade de Bouchard. Dilatação do estômago devido a uma delgada camada muscular. // - **nodosities.** Nodosidade de Bouchard. Tumefações das segundas articulações dos dedos observadas em alguns casos de gastrostasia.

Bouchardat's treatment. Regime de Bouchardat. Tratamento do diabete melito por exclusão dos hidrocarbonados da dieta.

Bouchut's tube. Tubo de Bouchut, para intubação laríngea.

Boudin's law. Lei de Boudin. Antagonismo da malária e a tuberculose.

Bougard's paste. Pasta de Bougard. Pasta cáustica.

bougie. Vela para dilatar a uretra.

Bouillaud's disease. Enfermidade de Bouillaud. Endocardite reumática.

bouillon. Caldo.

Boulton's solution. Solução de Boulton. Para aspersões na rinite.

Bourget's test. Reação de Bourget. Para determinar os iodetos na saliva e na urina.

Bourneville's disease. Enfermidade de Bourneville. Esclerose tuberosa.

boutonniere. Botoeira.

Bouveret's disease. Enfermidade de Bouveret. Taquicardia paroxística.

Bouveret's sign in intestinal obstruction. Sinal de Bouveret, na obstrução intestinal. Grande distensão do ceco e acentuada elevação na fossa ilíaca direita.

Boveri's test. Prova de Boveri. Teste de permanganato de potássio para comprovar o excesso de globulina no líquido espinal.

bovine. Bovino.

bowels. Intestinos.

bowknot. Nó corrediço.

bowleg. "*Genu varum*".

Bowman's capsule. Cápsula de Bowman ou corpúsculo de Malpighi. Dilatação globular que forma o começo do tubo urinífero dentro do rim. // - **discs.** Discos de Bowman. Produto da ruptura de fibras musculares em direção das artérias transversais. // - **glands.** Glândulas de Bowman. Tubos idênticos em sua estrutura às glândulas serosas encontradas nas membranas mucosas. // - **membrane.** Membrana de Bowman. Lâmina elástica anterior da córnea. // - **muscle.** Músculo de Bowman ou ciliar. // - **probe.** Sonda de Bowman para dilatação do conduto lacrimal. // - **sarcous elements.** Elementos de Bowman. Casquetes musculares. Prismas pequenos alongados de substância contrátil que fazem que apareçam as estrias escuras nos músculos voluntários. // - **tubes.** Tubos de Bowman. Tubos artificiais formados entre as lâminas da córnea ao injetar ar ou um líquido corante.

Bowman-Müller's capsule. Cápsula de Bowman-Müller. (V. *Bowman's capsule*).

box. Caixa.

boy. Criança.

Boyer's bursa. Bolsa de Boyer. Bolsa sub-hioídea. // - **cyst.** Cisto da bolsa sub-hioídea.

Bozeman's catheter. Cateter de Bozeman. Cateter de dupla corrente.

Bozzi's foramen. Orifício de Bozzi. Mácula lútea da retina.

Bozzolo's sign. Sinal de Bozzolo. Pulso visível das artérias nos vestíbulos das fossas nasais no aneurisma da aorta torácica.

Br. Símbolo químico do bromo.

brace. Braçadeira.

Brach Romberg's sign. Sinal de Brash-Romberg (V. *"Romberg's sign"*).

Brachet's mesolateral fold. Prega mesolateral de Brachet: lâmina direita do mesentério primitivo que apresenta o aspecto do lóbulo direito do fígado.

brachia. Plural de *"brachium"*.

brachial. Braquial.

brachialgia. Braquialgia.

brachialis. Músculo braquial.

brachiocephalic. Braquiocefálico.

brachiocrural. Braquiocrural.

brachiocubital. Braquiocubital.

brachiofacial. Braquiofacial.

brachioradialis. Braquiorradial.

brachiotomy. Braquiotomia.

brachium. *"Brachium"*. Braço ou órgão semelhante ao braço. // - **conjunctivum pontis.** *"Brachium cerebelli"* ou *"conjunctivum cerebelli"*, *"pontis"*.

Bracht-Wächter's bodies. Corpos de Bracht-Wächter. Zonas necróticas do miocárdio com exsudato seroso de leucócitos polimorfonucleares, na endocardite infecciosa.

brachycephalic. Braquicefálico.

brachycephaly. Braquicefalia.

brachdactyly. Braquidactilia.

brachygnathism. Braquignatismo.

brachygnathous. Braquignato, com mandíbula anormalmente curta.

bradawl. Instrumento perfurante reto.

bradyaesthesia. Bradiestasia. Lentidão em perceber as sensações.

bradyarthria. Bradiartria, bradilalia.

bradycardia. Bradicardia.

bradyecoia. Bradiecia, bradiacusia.

bradylalia. Bradilalia.

bradyphasia. Bradifasia.

bradyphrasia. Bradifasia ou bradrifrasia.

bradypnoea. Bradipnéia.

bradyuria. Bradiúria.

Braile. Sistema de impressão utilizado pelos cegos.

Brailsford-Morquio's disease. Enfermidade de Brailsford-Morquio. Condrosteodistrofia.

brain. Cérebro.

brainsand. Acérvulo. Sin.: areia cerebral.

brake. Freio.

branch. Ramo.

branchia. Brânquia.

branchial. Branquial.

branching. Ramificado.

branchiogenous. Branquiógeno.

branchioma. Branquioma.

branchiomere. Branquiômero.

Brand's method. Banho de Brand. Para o tratamento da febre tifóide.

Brande's test. Reação de Brande. Para a quinina.

Brant's method. Método de Brant. Tratamento das afecções das tubas de Falópio, pela pressão de seu conteúdo mediante massagem.

brash. Pirose.

brass. Bronze.

Brassica. *"Brassica"*. Gênero de crucíferas.

Braun's canal. Conduto de Braun. Canal neurentérico.

Braun's hook. Gancho de Braun. Basiótribo.

Braun's test. Reação de Braun. Para a dextrose na urina.

Braune's canal. Canal de Braune. Cavidade uterina e vaginal conjuntamente depois da total dilatação do colo uterino, durante o parto. // - **muscle.** Músculo de Braune. Músculo puborretal. // - **valvule.** Válvula de Braune. Prega que marca o esfíncter cardíaco entre o esôfago e o estômago.

Bravais-Jackson's epilepsy. Epilepsia de Bravais-Jackson ou epilepsia jacksoniana.

Braxton-Hicks's sign. Sinal de Braxten-Hicks. Contração intermitente do útero depois do terceiro mês de gravidez; pode no entanto ser produzida por tumor uterino.

breakbone fever. Dengue.

breakdow. Desintegração. Colapso.

breast. Peito, teta, mama.

breath. Hálito, respiração, dispnéia, aspiração.

Brecht's cartilages. Cartilagens de Brecht. Ossos supra-esternais; dois nódulos pequenos cartilaginosos ou ósseos próximos a cada uma das articulações esterno-claviculares, por baixo do esterno; são considerados como rudimento do osso episternal, bem desenvolvido em alguns animais.

Breda's disease. Enfermidade de Breda. (V. "*yaws*").

breech, buttocks. Nádegas. // **- presentation.** apresentação de nádegas.

bregma. Bregma. Sin.: Sinciput.

Brehmer's method. Reação de Brehmer. Tratamento físico e dietético da tuberculose.

Brenner's formula. Fórmula de Brenner. Colocado o cátodo no meato auditivo externo ouve-se um som alto ao fechar o circuito, a intensidade diminui durante o fechamento, cessando o som quando se interrompe o circuito. Com o ânodo no meato não se ouve som algum ao fechar o circuito; ouve-se um leve som ao interrompê-lo.

Breschet's canal or veins. Condutos ou veias de Breschet; canais ou veias da díploe. // **- bones.** Ossos de Breschet, ossos supra-esternais. // **- helicotrema.** Helicotrema de Breschet. // **sinus.** Seio de Breschet; seio esfenoparietal.

Bretonneau's diphtheria. Difteria de Bretonneau. Difeteria faríngea. // **- method.** Método de Bretonneau. Administração de quinina em dose única elevada depois do paroxismo na malária.

breviductor. Músculo adutor breve.

breviflexor. Breviflexor. Músculo flexor breve.

brevissimus oculi. Músculo oblíquo inferior do olho.

brickdust deposit. Sedimentos de uratos na urina.

bricklayer's itch. Dermatite dos pedreiros.

bridge. Ponte. // **- corpuscle.** Desmossomo, ascarina.

briebrich scarlet red. Vermelho escarlate Briebrich.

bright. Claro, brilhante.

Bright's blindness. Cegueira ou mal de Bright. Cegueira parcial ou completa em caso de uremia. // **- disease.** Enfermidade de Bright. Termo usado para indicar uma nefrite aguda ou crônica.

bring (about). Produzir, provocar.

Brinton's disease. Enfermidade de Brinton. Linite plástica. Escorbuto infantil.

Briquet's ataxia. Ataxia de Briquet. Ataxia histérica, ataxia, abasia.

Brissaud's bundle. Feixe de Brissaud. Feixe "psíquico ou intelectual" no pedúnculo cerebelar inferior. // **- convolution.** Circunvolução de Brissaud. Circunvolução parietal transversa.

Brissaud-Marie's syndrome. Síndrome de Brissaud-Marie. Espasmo histérico unilateral da língua e dos lábios.

Britannia metal. Metal britânia. Liga de zinco, antimônio, cobre e bismuto.

British-Anti-Levisite. Dimercaprol.

brittle. Quebradiço, friável.

Broadbent's sign. Sinal de Broadbent. Em caso de aderência do pericárdio existe uma visível retração no lado esquerdo da undécima e da duodécima costelas.

Broca's aphasia. Afasia de Broca. Afasia em que o enfermo sabe o que deseja dizer, porém não pode falar, devido a uma lesão de centro correspondente. Sin.: afasia motora. // **- area.** Área de Broca. Circunvolução pequena na face interna do hemisfério cerebral por diante da subcalosa; circunvolução olfatória de Retzius. // **- centre.** Centro de Broca ou da linguagem. // **- convulation.** Circunvolução de Broca. Terceira frontal ou interior. // **- olfactory area.** Área olfatória de Broca ou trígono olfatório. // **- point.** Ponto de Broca. Centro do meato acústico externo. // **- pouch.** Saco ou bolsa de Broca, em forma de pera situado nos tecidos dos grandes lábios. Sua estrutura é análoga à do darto, porém não tem fibras musculares.

Brodie's abscess. Abscesso de Brodie. Abscesso piogênico crônico do osso, situado comumente na cabeça da tíbia. // **- disease.** Enfermidade de Brodie. Sinovite crônica, especialmente na rótula, com degeneração pultácea das partes afetadas. // **-** Pseudofratura histérica da coluna vertebral. // **- joint.** Articulação de Brodie. Artroneuralgia, histérica. // **- pain.** Dor de Brodie. Dor que se origina ao produzir uma prega cutânea na proximidade de uma articulação em caso de neuralgia articular.

Brodmann's areas. Áreas de Brodmann. Campos do córtex cerebral com a mesma estratificação celular.

Broesike's fossa. Fossa de Broesike. Fossa parajejunal.

Brokaw's ring. Anel de Brokaw. Anel de borracha para as anastomoses intestinais.

broken. Quebrado.

bromhidrosiphobia. Bromidrosifobia. Temor mórbido ao mau cheiro corporal.

bromhidrosis. Bromidrose. Sudação fétida.

bromide. Brômide. Bromodermia. Acidente cutâneo produzido pelo bromo.

bromine. Bromina, bromo.

bromism. Bromismo.

bromoderma. Bromoderma.

bromoiodism. Bromoiodismo.

bronchadenitis. Broncoadenite.

bronchi. Brônquios.

bronchia. Bronquíolos.

bronchial. Brônquico.

bronchiectasis. Bronquiectasia.

bronchiectatic. Bronquiectásico.

bronchiloquy. Bronquiloquia, broncofonia.

bronchiocele. Broncocele.

bronchiogenic. Broncogênico.

bronchiole. Bronquíolo.

bronchiolectasis. Bronquiolectasia.

bronchiolith. Broncólito.

bronchiolitis. Bronquiolite. // **- fibrosa obliterans.** Fibrosa obliterante.

bronchiospasmus. Broncospasmo.

bronchiostenosis. Broncostenose.

bronchitic. Bronquítico.

bronchitis. Bronquite. // **- capillary.** Bronquite capilar. // **- croupous.** Bronquite crupal, fibrinosa ou plástica.

bronchoaegophony. Broncoegofonia, egobroncofonia.

bronchoaesophagoscopy. Broncoesofagoscopia.

bronchocele. Broncocele, bócio.

bronchoconstrictor. Broncoconstrictor.

bronchodilator. Broncodilatador.

broncholith. Broncólito.

broncholithiasis. Broncolitíase.

bronchomycosis. Broncomicose.

bronchopathy. Broncopatia.

bronchophony. Broncofonia. Sin: sopro.

bronchoplasty. Broncoplastia.

bronchopneumony. Broncopneumonia. Sin.: broncopneumonite, broncoalveolite, bronquite capilar, pneumonia lobular, pneumonia catarral, microbronquite.

bronchopulmonary. Broncopulmonar.

bronchorrhagia. Broncorragia.

bronchorrhea. Broncorréia.

bronchoscope. Broncoscópio.

bronchoscopy. Broncoscopia.

Bronchospirochetosis. Broncospiroquetose. Sin.: bronquite hemorrágica, espiroquetose broncopulmonar.

bronchostenosis. Broncostenose.

bronchotome. Broncótomo. Espécie de trocarte usado em broncotomia.

bronchotomy. Broncotomia.

bronchotracheal. Broncotraqueal.

bronchovesicular. Broncovesicular.

bronchus. Brônquio.

bronze. Bronze.

Brooke's disease. Enfermidade de Brooke. Ceratose vesicular.

Brossard's type of progressive muscular atrophy. Tipo de atrofia muscular progressiva de Brossard (V. *"Eichhorst's type"*).

broth. Caldo.

brother. Irmão.

brow. Testa, fronte.

brown induration. Enduração negra. Endurecimento e pigmentação do tecido pulmonar na pneumonia.

Brown's phenomenon. Fenômeno de Brown. Pedese.

Brown-Séquard's paralysis. Paralisia de Brown-Séquard, enfermidade ou sinal. Paralisia e hiperestesia de um lado e anestesia do outro lado do corpo.

Browne's symptom. Sintoma de Browne. Tremor do ângulo da boca e o palpebral externo na paralisia geral incipiente.

Bruce and Muir (septomarginal tract of). Porção septomarginal de Bruce e Muir. Porção póstero-medial descendente da espinha dorsal.

Bruce's septicaemia. Septicemia de Bruce. Febre de Malta.

Brucella. Brucela. Gênero de bactéria em forma de bastonetes curtos ovais e imóveis, de reação alcalina no leite como o bacilo de gang, *"abortus"*, *"Alcaligenes melitensis, cularensis"*, etc.

brucellar. Brucelar.

brucellosis. Brucelose ou bruceliáse.

Bruch's glands. Glândulas de Bruch. Folículos linfáticos da conjuntiva da pálpebra inferior.

brucine. Brucina. Alcalóide tóxico amargo e branco da noz-vómica, com as propriedades da estricnina.

Bruck's disease. Enfermidade de Bruck. Deformidade óssea, fraturas múltiplas, ancilose articular e atrofia muscular.

Bruecke's lines. Linhas de Bruecke. Faixas largas que se alternam com as membranas de Krause nas fibrilas dos músculos estriados. // **- muscle.** Músculo de Bruecke. Porção longitudinal do músculo ciliar. // **- tunica nervea.** Túnica nervosa de Bruecke. Extratos retinianos.

Bruggiser's hernia. Hérnia de Bruggiser. (V. *"Krönlein's hernia"*).

bruit. Ruído. // **- de diable.** Ruído de pião ou piorra. // **- de galop.** Ruído de galope. // **de pot felé.** Ruído ou som de panela rachada.

Brunn's cell-nest or epithelial nests. Membrana de Brunn. Camada epitelial da região olfativa da pituitária. // **- glands.** Glândulas acinosas da mucosa duodenal de função não bem determinada.

Brunner's glands. Glândulas de Brunner. (V. *"Brunn's glands"*).

Brunonian theory. Teoria brauniana, braunismo, brownismo ou brunonianismo. Teoria obsoleta pela qual todas as enfermidades se deveriam à falta ou excesso do estímulo próprio.

brush. Escova.

Bryant's ampulla. Ampola de Bryant. Distensão aparente de uma artéria em cima de uma ligadura. // **- iliofemoral triangle.** Triângulo de Bryant. Triângulo iliofemoral, formado pela linha de Nelaton, outra horizontal que passa pela espinha ilíaca anterior superior e outra vertical desta ao trocânter maior. // **- line.** Linha de Bryant. Lado vertical do triângulo iliofemoral.

Bryobia praeticosa. *"Bryobia praeticosa"*. Pequena aranha vermelha de picada irritante.

Bryonia. *"Bryonia"*. Gênero de plantas cucurbitáceas.

Bryson's sign. Sinal de Bryson. Espessura torácica diminuída, observada, às vezes, no bócio exoftálmico.

bubble. Borbulhar, borbulha, ampola.

bubo. Bubão.

bubon d'emblée. Bubão primário. De origem venérea, sem qualquer lesão visível nos órgãos genitais externos.

bubonic. Bubônico.

bubonocele. Bubonocele. Hérnia contida no canal vaginal.

bucca. Bochecha em latim. Boca.

buccal. Relativo à bochecha (genal). Oral.

buccodistal. Bucodistal.

buccolabial. Bucolabial.

buccolingual. Bucolingual.

buccopharingeal. Bucofaríngeo.

Buchner's albuminoid bodies. Corpos albuminóides de Buchner. Proteínas de defesa.

Buchwald's atrophy. Atrofia de Buchwald. Atrofia difusa idiopática progressiva da pele.

Buck's extension. Extensão de Buck. Aparelho de extensão contínua usado em fraturas de perna com peso, polia e elevação dos pés anteriores da cama. // **- fascia.** Fáscia de Buck. Continuação sobre o pênis, continuação da Fáscia de Colles.

bucket. Cúpula.

bud. Broto, botão ou gema.

Budd's cirrhosis. Cirrose de Budd. Hipertrofia crônica hepática devido à intoxicação intestinal. // **- jaundice.** Icterícia de Budd. Hepatite parenquimatosa aguda.

budding. Brotamento, forma de reprodução amitótica. Gemiparidade.

Budge's centres. Centros de Budge. Centro ciliospinal na medula cervical. Centro genitoespinal. na medula lombar.

Budin's obstetrical joint. Articulação de Budin. Articulação situada entre os ossos extra-occipital e supra-occipital no crânio fetal e no crânio infantil.

Buehlmann's fibres. Fibra de Buehlmann. Estrias existentes nos dentes cariados.

Buengner's bands. Faixas de Buengner. Faixas de sincício formadas pela reunião das células da bainha na regeneração dos nervos periféricos.

Buerger's disease. Enfermidade de Buerger. Tromboangeíte obliterante.

Buetschli's nuclear spindle. Núcleo araneiforme de Buetschli. Figura em forma de fuso observada durante o fenômeno da cariocinese.

buffer. *"Buffer"*. Tampão. // **- solution.** Solução-tampão.

bufonin. Bufonina. Princípio tóxico da secreção glandular da pele do sapo.

bufotherapy. Bufoterapia. Emprego terapêutico das toxinas derivadas do sapo.

bug. Escaravelho, percevejo. Inseto pertencente à família dos hemípteros.

buggery. Sodomia.

Buhl's desquamative pneumonia. Pneumonia descamativa de Buhl. // **- disease.** Enfermidade de Buhl. // Degeneração adiposa aguda do fígado dos recém-nascidos associada à icterícia e hemorragias intestinais. Denomina-se também "sepse (sepsis) hemorrágica aguda".

bulb. Bulbo, bolbo.

bulbar. Bulbar. // **- paralysis.** Paralisia bulbar.

bulboid. Bulbóide.

bulbonuclear. Bulbonuclear.

bulbopontine. Bulbopontino.

bulbourethral. Bulbouretral.

bulbous. Bulboso.

bulbus. Bulbo.

bulimia. Bulimia. Sin.: hiperorexia, cinorexia, polifagia.

bull. Abreviatura de *"Bulliat"*, deixar ferver.

bulla. Bula, bolha, ampola, empola. // **- ethmoidalis.** Bula ou ampola etmoidal.

Buller's shield. Escudo de Buller. Espécie de vidro de relógio que se adapta ao olho para protegê-lo da blenorragia.

bullous. Empolado, bolhoso, com bolhas ou ampolas.

bundle. Feixe, coleção ou grupo de fibras — fascículo.

Bunge's amputation. Amputação aperiosteral, amputação de Bunge. .

buninoid. Buninóide. Tumefação em forma de montículo.

bunion. Joanete. Intumescimento da bolsa da base do hálux, com espessamento da pele que o cobre e desvio lateral do mesmo.

Bunsen burner. Bico de Bunsen.

buphthalmia, buphthalmos. Buftalmia, hidroftalmia de grau elevado, buftalmo. Glaucoma congênita.

Burckhardt's corpuscles. Corpúsculos de Burckhardt! Corpúsculos amarelos encontrados na secreção conjuntival, em casos de tracoma.

Burdach's column. Coluna de Burdach. Cordão póstero-externo ou póstero-lateral da medula espinal. // **- fissure.** Fissura de Burdach. Diminuta fissura situada entre a ínsula de Reil e o opérculo. // **- nucleous.** Núcleo de Burdach. Continuação no bulbo do fascículo de Burdach ou cuneiforme. // **- operaculum.** Opérculo de Burdach. (V. *"Arnold's operaculum"*).

burden. Peso, carga. .

burette, buret. Bureta.

burn. Queimadura, queimar.

Burn's amaurosis. Amaurose de Burns. Ambliopia por excesso sexual.

Burn's ligament. Ligamento de Burns. Prolongamento falciforme da fáscia lata. // **- space.** Espaço de Burns. Espaço compreendido entre as camadas da aponeurose cervical profunda, que algumas vezes contém um linfonodo.

Burnett's desinfecting fluid. Solução de Burnett, ou desinfetante de Burnett. Forte solução de cloreto de zinco com mínima quantidade de cloreto de ferro.

Burow vein. Veia de Burow. Veia ou tronco venoso formado pelas veias epigástricas inferiores e outra procedente da bexiga, que se une à veia aorta.

burr. Buril, pedra de pólex, disco, arandela. Instrumento odontológico.

bursa. Bursa, bolsa mucosa. Cavidade saciforme cheia de muco, interposta entre partes móveis.

bursal. Pertencente à bolsa ou saco bursal.

Bursata. *"Bursata"*. Grupo de nematóides.

bursectomy. Bursectomia.

bursitis. Bursite.

bursolith. Bursólito.

burst. Rebentar, explodir, brotar, explosão, estouro.

bursula. Búrsula, escroto.

Burton's line. Linha ou aréola de Burton. Linha característica da intoxicação pelo chumbo, encontrada nas gengivas; salivinismo.

Busk's fluke. *"Fasciolopsis buskii"*. Verme trematódio, encontrado na vesícula biliar e no duodeno dos habitantes da Ásia. Produz dispepsia e diarréia.

butacaine sulphate. Sulfato de butacaína.

butter. Manteiga. Gordura vegetal, de consistência da manteiga.

buttermilk. Soro de manteiga. Líquido que fica após extraída a manteiga do creme de leite.

buttocks. Nádega, anca ou quadril.

button. Botão.

button anastomosis. Anastomose intestinal mediante um botão de Murphy.

buttonhole incision. Pequena incisão linear.

butychloral hydrate. Hidrato de butil-cloral.

butyl. Butilo. C_4H_9. Radical orgânico univalente.

butyraceous. Butiráceo. De consistência e cheiro de manteiga.

butyrate. Butirato.

butyric acid. Ácido butírico.

butyrometer. Butirômetro. Aparelho para medir a proporção de manteiga do leite.

byssinosis. Bissinose. Forma de pneumoconiose devido a inalação de partículas de algodão.

byssophthisis. Bissoftisia. Pneumonia resultante de bissinose, devido inalação de pó ou filamento de linho ou algodão.

byssus. Algodão ou linho.

bythus. Base do abdome.

FRASES E MODISMOS

bathe with alcohol. Lave-se com álcool.

bathe with cold water. Banhe-se com água fria.

bathe with warm water. Banhe-se com água quente.

(to) be afflicted with. Sofrer de...

(to) be agreed. Estar de acordo em...

(to) be apt to. Possuir tendência a...

(to) be lacking. Fazer falta.

(to) be meant. Idear-se.

(to) be over. Acabar, passar.

(to) be responsible for. Ser causa de...

(to) be supposed to. Supor-se que...

(to) be well (to do something). Convir, fazer algo.

(to) be worth while. Vale a pena.

beef-tea. Caldo de carne.

before meals. Antes das refeições.

by reason of. Em razão de...

by the time. Para quando.

C

C.C. Símbolo químico do carbono. Abreviatura de "centígrado".

c. c. Abreviatura de *"contact"*, contacto.

Ca. Ca. Símbolo químico de cálcio.

cabin. Cabana, camarote, cabina.

Cabot's ring bodies. Anéis ou corpos anulares de Cabot. Corpos que se observam nas hemácias, dispostos em forma de anel.

Cabot's splint. Férula de Cabot. Aparelho composto de dois arames grossos paralelos angulados na parte inferior, que se aplica à parte posterior do membro inferior.

cacaesthesia. Cacestesia. Transtorno da sensibilidade. (V. *"cacesthesia"*).

cacanthrax. Antraz contagioso. Carbúnculo.

cacao. Cacau.

cacation. Defecação.

cacatory. Diarréia grave.

cacergasia. Função escassa ou má, orgânica ou mental.

cacesthesia. Cacestesia. Sensação mórbida ou transtorno da sensibilidade.

cachectic. Caquético.

cachet. Cápsula lisa lenticular, para introduzir uma droga de sabor desagradável.

cachexia. Caquexia. // - **pituitary.** Caquexia pituitária. // - **strumopriva.** Caquexia estrumipriva. // - **thyreopriva.** Caquexia tireopriva. // **urinary.** Caquexia urinária. // - **verminous.** Caquexia verminótica.

cachinnation. Cachinação. Riso excessivo, desordenado, histérico. Gargalhada motejadora.

cacidrosis. Caquidrose, bromidose. Perspiração ofensiva.

cacochylia. Cacoquilia. Estado de alteração dos sucos digestivos.

cacodylic acid. Ácido cacodílico.

cacoethic malignants. Caquético.

cacogenesis. Cacogênese ou cacogenia.

cacogeusia. Cacogeusia. Mau sabor.

Cacomena. Cacomena. Gênero de neumatóides semelhantes ao gênero *Heterodera*.

cacotrophy. Cacotrofia. Desnutrição.

cactus. Cactus, gênero de plantas cactáceas.

cacumen. Cacúmen. Ponta, apêndice ou vértice dos órgãos. Ápice do vermis superior do cérebro.

cad. Pessoa de maus modos. Chofer de ônibus.

cadaver. A dead body. Cadáver.

cadaveric. Cadavérico.

cadaverine. Cadaverina. Base nitrogenada: penta-metileno diamina.

cadaverous. Cadavérico. Semelhante ou pertinente ao cadáver.

cadence, cadency. Cadência.

Cadet's fuming liquid. Líquido fumegante de "Cadet". Alcarsina, óxido de cacodilo, líquido oleoso, inflamável, venenoso, que se produz esquentando uma mistura de ácido arsenioso e de acetato alcalino.

cadmium. Cádmio.

caduceus. Caduceu: vara delgada e lisa, terminada em duas asas e rodeada por duas serpentes. Símbolo e emblema da profissão médica.

caecal. Cecal.

caecostomy. Cecostomia.

caecum. Ceco.

Caesarean section. Cesárea. Sin.: laparo-histerotomia, histerotocotomia, cesareotomia.

caffeine. Cafeína.

caisson disease. Mal dos caixões, enfermidade ou paralisia dos mergulhadores ou escafandristas.

Cajal's cells. Células de Cajal. Estão situadas na superfície do córtex cerebral e apresentam dois ou mais prolongamentos cilindro-axiais.

cake. Pastel, bolo. Formar crosta.

calamine. Calamina.

calamus scriptorius. *"Calamus scriptorius"*. Sulco no pavimento do quarto ventrículo.

cacaneal. Calcaneano, relativo ao calcâneo.

81

calcaneo-apophysitis. Calcâneo-apofisite. Dor no ponto de inserção do tendão de Aquiles no calcâneo.

calcaneo-astragaloid. Calcâneo-astragalino.

calcaneocavus. Calcâneo cavo. Combinação de pé calcâneo e cavo.

calcaneum, calcaneus, os calcis. Calcâneo.

calcar. Espora, esporão. // **- avis.** Hipocampo. // **- pedis.** Calcanhar.

calcarea. Cal, óxido ou hidróxido de cálcio.

calcareous. Calcáreo.

calcarine. Calcarina.

calcariuria. Calcariuria.

calciferol. Calciferol.

calcification. Calcificação. Sin.: degeneração calcárea.

calcimeter. Calcímetro. Instrumento para avaliar a quantidade de cálcio em um líquido; por exemplo: o sangue.

calcination. Calcinação.

calcinosis. Calcinose. Depósito de cálcio nos tecidos.

calciorrhachia. Calciorraquia. Presença de cálcio no líquido cefalorraqueano.

calcipenia. Calciopenia.

calcium. "*Calcium*", cálcio. // **- carbonate.** Carbonato de cálcio. // **- phosphate.** Fosfato de cálcio. // **- permanganate.** Permanganato de cálcio.

calculous. Calculoso.

calculus. Cálculo; concreção.

Caldani's ligament. Ligamento de Caldani. Ligamento deltoídeo.

calefacient. Calefaciente.

calf. Panturrilha, novilha.

calibrate. Calibrar, medir o diâmetro de um tubo. Calibração.

caligo. Caligem. Cegueira, obscurecimento da visão.

calipers. Compasso de braços curvos.

call. Chamada, chamar.

call (for). Requerer.

Callaway's test. Prova de Callaway. Procedimento para averiguar a luxação da cabeça do úmero, baseando-se no fato de que a circunferência do ombro lesado, medida sobre o acrômio e passando pela axila é maior do que no lado são.

Calleja's olfactory islets. Ilhota ou ilha de Calleja. Acúmulo de células estreladas e piramidais no córtex da circunvolução do hipocampo.

Calliphora. "*Calliphora*". Moscas que depositam seus ovos nas feridas ou em aberturas do corpo.

calliper. Compasso calibrador.

callomania. Calomania. Crença ilusória sobre a própria beleza pessoal.

callosal. Caloso. Relativo ao corpo caloso.

callosity. Calosidade.

callosomarginal. Calosomarginal.

callosum. Caloso, duro, endurecido.

callus. Calo.

calm. Quieto, calma.

calomel. Calomel, calomelano.

Calori's bursa. Bolsa de Calori. Bolsa situada entre a traquéia e o arco da aorta.

caloric. Calórico, calor.

calorie. Caloria.

calorifacient. Calorifaciente.

calorific. Calorífico.

calorimeter. Calorímetro.

calorimetry. Calorimetria.

calvaria, calvarium, skullcap. Abóbada craniana. Epicrânio: porção alta do crânio, acima do plano das cristas orbitais.

calvish. Tonto, abobalhado.

calvities, baldness. Calvície. Sin.: acomia, alopecia, atriquia.

calx. Calcanhar, cinzas, gesso, cal, óxido de cálcio.

calyciform. Caliciforme, ciatiforme.

calyx. Cálice.

Campbell's area. Área de Campbell. Área pré-central do córtex cerebral.

Campbell's ligament. Ligamento de Campbell. Ligamento suspensor da axila.

Camper's angle. Ângulo de Camper. Ângulo facial. // **- chiasma.** Quiasma de Camper. Cruzamento de fibras dos tendões do flexor comum superficial dos dedos. // **- fascia.** Aponeurose de Camper. Camada superior da aponeurose superficial na porção inferior do abdômen. // **- ligament.** Ligamento de Camper. Aponeurose perineal profunda. // **- line.** Linha de Camper. Linha que passa desde o meato auditivo externo até exatamente por debaixo da espinha nasal.

camphor. Cânfora.

camphorism. Intoxicação pela cânfora.

campimeter. Campímetro. Instrumento para medir o campo visual.

campimetry. Campimetria.

camptodactylia. Camptodactilia. Flexão permanente de um ou mais dedos.

campylorrhinus. Campilorrino. Nariz torto (laterorrinia).

can. Lata, vasilha. // **canned goods.** Conservas.

canal. Canal. // **-alimentary.** Tubo digestivo. // **auditory.** Canal auditivo. // **- biliary.** Canal biliar. // **- blastophoric.** Canal blastofórico. // **- craniopharyngeal.** Canal crânio-faríngeo. // **- neural.** Canal neural. // **- neurenteric.**

Canal neurentérico. // - **semicircular.** Canal semicircular.

canalicular. Canalicular.

canaliculus. Canalículo.

canalization. Canalização.

cancellat, cancellated, cancellous. De estrutura reticular ou gradeada.

cancer. Câncer carcinoma. // **à deux.** Câncer conjugal. // **en cuirasse.** Câncer em couraça. // - **adenoid.** Câncer adenoídeo. // - **colloid.** Câncer coloídeo, coloma. // - **contact.** Câncer por contato. // - **juice.** Câncer suculento.

cancerocidal. Cancericida.

cancerogenic. Cancerígeno*

canceromyces. "*Canceromyces*".

cancerophobia. Cancerofobia.

cancerous. Canceroso.

cancriform. Cancriforme. Canceriforme.

cancroid. Cancróide.

cancrum. Cancro, úlcera de evolução rápida. Câncer.

candy. Bala (doce).

cane sugar. Açúcar de cana. Sacarose.

canescent. Esbranquiçado.

canine. Canino, dente canino.

caninus muscle. Músculo canino.

canities. Canície.

canker. Ulceração, gangrena.

cannabinol. Canabinol. Componente do óleo de *Cannabis*.

Cannabis Hemp. "*Cannabis*". Gênero de plantas urticáceas.

cannibal. Canibal.

cannula. Cânula.

canopy. Abóbada, dossel, pálio.

Canquoin's paste. Pasta de Canquoin. Mistura de cloreto de zinco, farinha e água.

canthal. Relativo ao canto ou "canthus", ou melhor, ângulo do olho.

canthariasis. Cantaríase.

Cantharides. Cantáridas.

cantharidism. Cantaridismo. Enfermidade produzida pelo mau uso da cantárida.

canthectomy. Cantectomia.

canthitis. Cantite. Inflamação do ângulo do olho.

cantho. Elemento grego relacionado com ângulo, que entra em composição.

cantholysis. Cantólise.

canthoplasty. Cantiplastia.

canthorrhaphy. Cantorrafia.

canthotomy. Cantotomia.

---

* N. do T. — carcinogênico, melhor forma.

canthus. Canto ou melhor ângulo ocular (medial e lateral).

Cantlie's foot tetter. Epidemofitose de Cantlie, dos dedos do pé.

cantus galli. Laringismo estriduloso.

canula. Cânula.

canvas. Lona, tela, vela de navio.

CaO. Óxido de cálcio.

Ca(OH)₂. Hidróxido de cálcio.

caoutchouc. Cautcho, caucho.

capable. Capaz.

capacitance. Capacidade elétrica.

capacity. Capacidade. // **thermal.** Capacidade térmica. // - **vital.** Capacidade vital.

caparison. Equipamento.

capillarectasia. Capilarectasia. Ectasia capilar (telangiectasia).

capillaritis. Capilarite.

capillarity. Capilaridade.

capillary. Capilar. // - **attraction.** Atração capilar. // - **bronchitis.** Bronquite capilar. // - **pulse.** Pulso capilar.

capillus. Cabelo.

capistration. Fimose.

capital. Capital.

capitate. Em forma de diminuta cabeça, de capítulo.

capitation fee. Direito de capitação (imposto por cabeça).

capitatum. "Os capitatum", grande osso do carpo.

capitellum. Bulbo de um pêlo. Eminência inferior do úmero, que se articula com o ·rádio.

capitular. Capitular.

capitulum. Capítulo.

Capp's reflex or sign. Reflexo ou sinal de Capps. Colapso, suor, palidez, queda da pressão sangüínea devido à inflamação pleural.

caprate. Caprato. Sal do ácido cáprico.

capric acid. Ácido cáprico.

caprice. Capricho, antolho.

caproate. Caproato. Sal do ácido capróico.

caproic acid. Ácido capróico.

capsicism. Capsicismo.

Capsicum. "*Capsicum*". Gênero de plantas solanáceas.

capsitis. Capsite, capsulite.

capsule. Cápsula. // - **cell.** Célula capsular. // - **external.** Cápsula externa. // - **internal.** Cápsula interna.

capsulectomy. Capsulectomia.

capsulitis. Capsulite.

capsulolenticular. Cápsulo-lenticular (cápsulolental).

capsuloma. Capsuloma.

capsuloplasty. Capsuloplastia.

capsulorrhaphy. Capsulorrafia.

capsulotome. Capsulotoma. Instrumento usado para incisar as cápsulas.

capsulotomy. Capsulotomia.

captation. Captação. Primeiro período do hipnotismo.

captious. Capcioso.

captivity. Cativeiro.

Capuron's cardinal points. Pontos cardinais de Capuron. Quatro pontos fixos do estreito superior da pelve.

caput. Cabeça. // - **medusae.** Cabeça de Medusa. // - **quadratum.** Caput. Tumoração por acúmulo sero-sangüíneo na parte fetal que se apresenta.

Carabelli's tubercle. Tubérculo de Carabelli. Quinto tubérculo que se observa às vezes na superfície lingual de um molar.

Carassini's spoon. Cureta de Carassini. Curetinha cortante de alumínio utilizada na anastomose intestinal.

cart. Quilate.

caraway. Alcaravia. Gênero de plantas da família das cimbelíferas.

carbachol. Carbacol.

carbamate. Carbamato. Éster do ácido carbâmico.

carbamide. Carbamida: amidos do ácido carbônico: uréia.

carbarsone. Carbarsona.

carbasus. Gaze.

carbhaemoglobin. Carboemoglobina.

carbinol. Carbinol.

carbo. Carvão. // - **animalis.** Carvão animal. // Linhita.

carbogaseous. Carbogasoso.

carbohemia. Carboemia.

carbohaemoglobin. Carbo-hemoglobina.

carbohydrase. Carboídrase.

carbolate. Carbolato (fenol).

carbolfuchsin. Carbolfucsina.

carbolic. Carbólico.

carbolic acid. Ácido carbólico.

carbolice. Carbolizar.

carbolism. Carbolismo.

carboluria. Carbolúria. Presença de fenol na urina.

carbometer. Carbômetro. Aparelho para medir a quantidade de anidrido carbônico inalado ou existente na atmosfera de um local.

carbometry. Carbometria.

carbomicin. Carbomicina.

carbon. Carbono.

carbon dioxide, CO₂. Dióxido de carbono.

carbon monoxide, CO. Monóxico de carbono.

carbonate. Carbonato.

carbonated. Carbonatado.

carbonic acid. Ácido carbônico.

carbonize. Carbonizar.

carbonuria. Carbonúria.

carbonyl. Carbonito.

carbophilic. Carbofílico.

carborundum. Carborundo. Composto de carbono, com dureza semelhante à do diamante.

carbostyril. Oxiquinolina.

carbowax. Nome de uma série de glicotietilenos.

carboxydomonas. Carboxidomonas. Bactérias capazes de nascimento em ausência de substância orgânica.

carboxyhemoglobin. Carboxi-hemoglobina.

carboxyhemoglobinemia. Carboxi-hemoglobinemia.

carboxil. Carboxilo.

carboxylase. Carboxílase.

carbromal. Carbromal.

carbuncle. Carbúnculo, fístula maligna, antraz.

carbuncular. Carbuncular.

carbunculosis. Carbunculose.

carbylamine. Carbilamina.

carcass or carcasse. Carcaça, esqueleto.

Carcassone's ligament. Ligamento de Carcassone. Aponeurose média do períneo.

carcholin. Carcolina. Substância do grupo do carbacol, usada para reduzir a pressão intraocular no glaucoma simples.

carcinectomy. Carcinectomia. Excisão de um carcinoma.

carcinelcosis. Carcinelcose.

carcinemia. Carcinemia.

carcinogen. Carcinógeno.

carcinogenesis. Carcinogênese.

carcinogenic. Carcinogênico.

carcinogenicity. Carcinogenicidade.

carcinoid. Carcinóide.

carcinology. Carcinologia.

carcinolysin. Carcinolisina.

carcinolysis. Carcinólise.

carcinolytic. Carcinolítico. Destruidor de células cancerosas.

carcinoma. Carcinoma. // - **adeno-carcinoma.** Adenocarcinoma. // - **basal-cell.** Carcinoma basocelular. // - **chimney sweep.** Carcinoma (escrotal) dos limpadores de chaminé. // - **colloid.** Carcinoma colóide. // **cylindrical.** Carcinoma cilíndrico. // **fibrous.** Carcinoma fibroso. // - **encephaloid.** Carcinoma encefalóide. // - **scirrhous.** Carcinoma cirroso. // - **simple .** Carcinoma simples. // **squamous.** Carcinoma escamoso.

carcinomatophobia. Carcinomatofobia.

carcinomatosis. Carcinomatose.

carcinomatous. Carcinomatoso.

carcinomectomy. Carcinomectomia, carcinectomia.

carcinomelcosis. Carcinomelcose. Úlcera maligna ou cancerosa.

carcinosis. Carcinose.

carcinostatic. Carcinostático.

carcinous. Canceroso.

carcoma. Carcoma.

cardamon. Cardamomo. Planta da Ásia tropical; aromática e carminativa.

Cardarelli's symptom. Sinal ou sintoma de Cardarelli. Pulsação transmitida à laringe e traquéia por aneurisma da aorta.

Carden's amputation. Amputação de Carden. Amputação com um só retalho da coxa, imediatamente por cima da rótula.

cardia. Cardia. Elemento de origem grega que indica relação com o coração.

cardiac. Cardíaco. // - **asthma.** Asma cardíaca. // - **cycle.** Ciclo cardíaco. / - **of compensation.** Descompensação cardíaca. // - **failure.** Insuficiência cardíaca. // - **index.** Índice cardíaco.

cardiagra. Cardiagra. Dor gotosa no coração.

cardialgia. Cardialgia. Dor precordial. Sin.: epigastralgia.

cardiameter. Cardiâmetro. Instrumento para determinar a posição da cárdia pela medida da distância entre esta e os dentes incisivos.

cardiamorphia. Cardiamorfia. Deformidade cardíaca.

cardianaesthesia. Cardianestesia.

cardianeuria. Deficiência do fono cardíaco.

cardiant. Cardiotônico.

cardiasthenia. Cardiastenia. Debilidade neurastênica do coração.

cardiasthma. Asma cardíaca.

cardiataxia. Cardiataxia. Incoordenação nos movimentos cardíacos.

cardiazol. Cardiazol.

cardicentesis. Cardiocentese.

cardiectasis. Cardiectasia.

cardiectomized. Cardiectomizado.

cardiectomy. Cardiectomia.

cardiette. Eletrocardiógrafo portátil.

cardinal. Cardinal, cardeal: ponto ou veia.

cardio-. Prefixo (Elemento) que significa relacionado com o coração.

cardioaccelerator. Cardiacelerador.

cardioactive. Cardiativo.

cardioangiography. Cardiangiografia.

cardioangiology. Cardiangiologia.

cardioaortic. Cardiaórtico.

cardioarterial. Cardiarterial.

cardiocairograph. Cardiocairógrafo. Aparelho para sincronizar as exposições com os movimentos cardíacos na radiografia torácica.

cardiocele. Cardiocentese. Incisão cirúrgica no coração.

cardiocinetic. Cardiocinético.

cardiocirrhosis. Cardiocirrose. Cirrose hepática associada com afecção cardíaca.

cardioclasis. Cardioclasia. Ruptura cardíaca.

cardiodilator. Cardiodilatador.

cardiodiosis. Cardiodiose. Operação para dilatar a cardia.

cardiodynamics. Cardiodinâmica.

cardiodynia. Cardiodinia, cardialgia.

cardiogenesis. Cardiogênese.

cardiogenic. Cardiogenia.

cardiogram. Cardiograma.

cardiograph. Cardiógrafo.

cardiographic. Cardiográfico.

cardiography. Cardiografia.

cardiohepatic. Cardioepático.

cardiohepatomegaly. Cardiepatomegalia.

cardioid. Cardióide, cardiforme.

cardioinhibitory. Cardioinibitório.

cardiokinetic. Cardiocinético.

cardiolith. Cardiólito.

cardiologist. Cardiólogo, cardiologista.

cardiology. Cardiologia.

cardiolysin. Cardiolisina.

cardiolysis. Cardiólise. Operação para liberar o pericárdio de suas aderências.

cardiomalacia. Cardiomalácia. Amolecimento das fibras musculares do coração.

cardiomegaly. Cardiomegalia. Hipertrofia cardíaca.

cardiomelanosis. Cardiomelanose.

cardiometer. Cardiômetro. Instrumento usado para estimar o poder da ação cardíaca.

cardiomotility. Cardiomotilidade.

cardiomyoliposis. Cardiomiolipose.

cardiomyopexy. Cardiomiopexia. Operação que consiste em fixar um retalho do músculo peitoral sobre o pericárdio, para melhorar a vascularização cardíaca em caso de insuficiência coronária.

cardiomyotomy. Cardiomiotomia.

cardionecrosis. Cardionecrose.

cardionephric. Cardionéfrico, cardiorrenal.

cardioneurosis. Cardioneurose.

cardioomentopexy. Cardiomentopexia.

cardiopalmus. Cardiopalmo. Palpitação do coração.

cardiopaludism. Cardiopaludismo.

cardiopath. Cardiopata.

cardiopathic. Cardiopático.

cardiopathy. Cardiopatia.

cardiopericardiopexy. Cardiopericardiopexia.
cardiopericarditis. Cardiopericardite.
cardiophobia. Cardiofobia.
cardiophone. Cardiofone.
cardiophrenia. Cardiofrenia.
cardioplasty. Cardioplastia.
cardioplegia. Cardioplegia.
cardiopneumatic. Cardiopneumático.
cardiopneumograph. Cardiopneumógrafo.
cardiopneumonopexy. Cardiopneumopexia.
cardioptosia. Cardioptose.
cardiopulmonary, cardiopulmonic. Cardiopulmonar.
cardiopuncture. Cardiopunctura; cardiocentese.
cardiopyloric. Cardiopilórico.
cardiorenal. Cardiorrenal.
cardiorrhaphy. Cardiorrafia.
Cardiorrhexis. Cardiorrexia.
cardioschisis. Cardiósquise.
cardiosclerosis. Cardiosclerose.
cardioscope. Cardioscópio, cardiofone.
cardiospasm. Cardiospasmo. Sin.: acalasia do esôfago.
cardiosphygmograph. Cardiosfigmógrafo.
cardiosurgery. Cardiocirurgia.
cardiosymphysis. Cardiossínfise.
cardiotachometer. Cardiotacômetro, ou cardiotaquímetro.
cardiotherapy. Cardioterapia.
cardiothyrotoxicosis. Cardiotireotoxicose.
cardiotomy. Cardiotomia.
cardiotomic. Cardiotômico.
cardiotonic. Cardiotônico.
carditoxic. Cardiotóxico.
cardiovascular. Cardiovascular.
carditis. Cardite. Sin.: miocardite, pancardite.
cardivalvulitis. Cardiovalvulite.
cardol. Cardol. Líquido oleoso vesicante da cáscara do anacárdio.
cardophyllin. Cardiofilina.
care. Cuidado.
careful. Cuidadoso.
caries. Cáries.
carina. Carina, quilha (carena).
carinate. Carenado.
carious. Cariado. Pertinente à cárie.
carking. Acerbo.
carminative. Carminativo. Agente que previne a formação de gases intestinais.
carmine. Carmin.
carminophil. Carminófilo.
carnation. Cor de carne.
carneous, fleshy. Carnoso.
carniferrin. Composto complexo isolado do leite.

carnification. Carnificação: modificação tecidual que confere ao tecido, semelhança e/ou consistência da carne.
carnine. Carnina. Leucomaína tóxica, inoxina, derivada do extrato de carne e das leveduras.
carnitine. Carnitina. Vitamina T ou trimetilbetaína do ácido B-hidroxialfaminobutírico, agente de processos de transmetilação do organismo.
carnivorous. Carnívoro.
Carnochan's operation. Operação de Carnochan. Ligadura de um tronco arterial na elefantíase. // Extirpação do gânglio de Meckel e grande parte do quinto par na nevralgia do trigêmeo.
carnophobia. Carnofobia.
carnosine. Carnosina. Base alanil-histidina contida no tecido muscular. Sin.: ignotina.
carnosity. Carnosidade.
Carnot's solution. Solução de Carnot. Solução de gelatina ou soro fisiológico a 5 ou 10% para hemostasia local.
Caronia's organism. Organismo ou vacina de Caronia. Microrganismo isolado em crianças na fase eruptiva do sarampo.
carotenase. Carotênase. Enzima capaz de converter a carotina em vitamina A.
carotene. Carotina. Sin.: carotinóide.
carotenemia. Carotinemia. Presença de carotina no sangue.
carotenodermia. Carotinodermia. Pele de coloração amarelada devido à carotina no sangue.
carotenoid. Carotinóide.
carotinosis. Carotinose, aurantíase.
carotic. Carótico. Relativo ao estupor ou de sua natureza. // Relativo à artéria carótida.
caroticotympanic. Carótico-timpânico.
carotid. Carótida, carotídeo, carótico. // - **bodey or gland.** Corpo ou glândula carótica ou carotídea. // - **sinus.** Seio carótico (ou carotídeo).
carotidynia. Caroticodinia.
carotin. Carotina.
carotinase. Carotínase.
carotinemia. Carotinemia. Presença de carotina no sangue.
carotinosis. Carotinose.
carotodynia. Caroticodinia ou carotodinia. Dor produzida pela compressão da carótida primitiva que se reflete ao redor dos olhos e da nuca.
carpaine. Carpaína. Sin.: papaína.
carpal. Carpália. Ossos do carpo.
carpectomy. Carpectomia. Excisão dos ossos do carpo.
carphology. Carfologia. Movimento involuntário das mãos. Sin.: crocidismo.

carpogliphus passularum. *"Carpogliphus passularum"*. Encontra-se às vezes em frutas secas e pode ser causa de transtornos cutâneos.

carpometacarpal. Carpometacarpal.

carpopedalspasm. Espasmo carpopedal.

carpophalangeal. Carpofalângico.

carpus. Carpo.

Carr-Price test. Reação de Carr-Price. Reação cromática quantitativa para a investigação de vitamina A em óleos.

carrefour sensitif. Atalho sensitivo. Terço posterior do segmento posterior da cápsula interna: passagem das fibras sensitivas ao córtex.

Carrel's method, mixture, treatment. Método, mistura e tratamento de Carrel. Método ou tratamento de Carrel. Tratamento das feridas regido pelos seguintes princípios: desbridamento amplo e cuidadoso, ablução geral da ferida, irrigação da mesma por meio de tubos elásticos distribuídos por todas as anfractuosidades e conectados a um tubo principal, com o líquido de Dakin. Desde o início do tratamento se contam as bactérias nos exsudatos da ferida, e quando está praticamente estéril, se sutura. // - Mistura: Preparação para fixar os enxertos sobre superfície ulcerada composta de 18 partes de parafina fundida a 52.º, 6 de parafina fundido a 20º, 2 de cera de abelha e 1 de óleo de rícino.

Carrel-Dakin fluid. Líquido de Carrel-Dakin. (v. *Dakin's solution*).

carrier. Portador.

carrion. Carniça.

Carrion's disease. Doença de Carrion. Febre de Oroya e verruga peruana.

carry. Transportar.

carryout. Executor.

Carswell's grapes. Granulações de Carswell. Infiltração tuberculosa em forma de pequenos cachos ao redor dos pequenos brônquios.

Carter's fever. Febre de Carter. Febre recorrente asiática.

Carter's operation. Operação de Carter. Formação de um dorso artificial para o nariz por transplante de fragmento de costela. // - Formação de pupila artificial através de uma pequena abertura na córnea.

Carthamus. *"Carthamus"*, gênero de sinanteráceas. Açafrão bastardo.

cartilage. Cartilagem. // - **intermediary.** Cartilagem intermediária. // - **reticular.** Cartilagem reticular. // - **temporary.** Cartilagem temporal.

cartilaginification. Cartilaginificação.

cartilaginiform. Cartilaginiforme.

cartilaginoid. Cartilaginóide.

cartilaginous. Cartilaginoso (cartilagíneo).

cartilago. Cartilagem.

cartilagotropic. Cartilagotrópico.

cartose. Cartose. Mistura de hidrocarbonato líquido como suplemento do leite na alimentação dos lactentes.

carum. Gênero de plantas umbelíferas, com semente aromática estimulante e carminativa, que serve como condimento, *"C. carvi"*: é a alcaravia.

caruncle. Carúncula.

Caru's curve. Curva de Carus. Eixo normal do conduto uterovaginal.

carvacrol. Carvacrol. Metilisopropilfenol, essência estimulante obtida da cânfora, do óleo de alcaravia, etc., de caracteres análogos aos do creosoto.

carvene. Carveno. Cetona terpênica.

caryn. Princípio cristalizável obtido do córtex da árvore. *"Carya tomentosa"*.

caryococcus. Cariococo. Gênero de bactérias parasitas do núcleo de certos protozoários.

caryokinesis. Cariocinese, mitose.

caryophil. Cariófilo.

caryophyllene. Cariofilina. Resina de cânfora.

caryophyllus. Cariófilo. Cravo (especiaria).

caryotin. Cariotina, cromatina.

Carysomya bezziana. *"Carysomya bezziana"*. Mosca da Índia e da África, cujas larvas não podem desenvolver-se a não ser em tecidos vivos.

Casal's necklace. Colar de Casal. Erupção pelagrosa em forma de arco, no pescoço.

cascara. Cáscara, córtex ou cortiça.

cascarilla. Cascarilha. Casa do *"Croton eluteria"*; arbusto da América tropical da família das euforbiáceas; tônica e estomáquica aromática; usa-se em forma de pó ou tintura e em infusão.

case. Caso, funda, cobertura.

casease. Casease.

caseation. Caseificação.

caseification. Caseificação.

casein. Caseína. // - **hydrolysate.** Caseína hidrolisada.

caseinic. Caseínico, caseinógeno.

caseinogen. Caseinogênio.

caseinogenate. Caseinogenado. Sal do caseinógeno.

caseogenous. Caseogênico.

caseose. Caseose (proteose produzida durante a digestão da caseína).

caseoserum. Anti-soro produzido pela imunização com caseína.

caseous. Caseoso. // - **degeneration.** Degeneração caseosa.

caseworm. Equinococo.

cashew nut. Castanha de caju. *"Anacardium occidentale"*.

cask. Tonel, frasco, vasilhame.

CaSO₄. Sulfato de cálcio.

Casoni's reaction. Reação de Casoni. A injeção intradérmica de líquido hidatídico produz uma pápula branca que nos casos positivos persiste e aumenta.

cassaine. Alcalóide cardíaco do *"Erythrophloeum guineese"*.

cassava. Mandioca cassabe. As plantas *"Manihot utilissima"* e *"M. aipi"*.

Casselberry's position. Posição de Casselberry. Posição prona que se emprega em um enfermo depois da intubação, para que possa deglutir sem perigo de penetrar o líquido no tubo.

Casserio's fontanelle. Fontanela de Cassério. Fontanela formada pelos ossos temporal, occipital e parietal. // - **muscle.** Músculo de Cassério. Ligamento anterior do martelo; "laxator tympani minor". // - **perforating nerve.** Nervo musculocutâneo do braço.

Cassia. *"Cassia"*. Gênero de plantas leguminosas.

Cassius Felix. Cássio Félix. Escritor médico latino que no ano 447 publicou uma obra sobre patologia especializada e terapêutica.

cast. Molde, forma. // - **urinary.** Cilindro urinário.

caste. Casta.

Castellanella. *"Castellanella"*. Gênero de tripanossomas.

Castellani's bronchitis, mixture, text. Bronquite, mistura, reação de Castellani. Broncospiroquetose. // - Mistura de Castellani: Porção para o tratamento da framboesia constituída por 0,65g de tártaro cinético, 0,65g de salicilato de sódio, 4g de iodeto de potássio, 1 g de bicarbonato de sódio e 30 g de água. De uma vez diluída em 120 g de água; três vezes ao dia. // - Reação de Castellani: o fenol líquido produz um anel branco na superfície de contacto com a uréia que contém albumina. // - Reação de aglutinação para investigar a existência de uma infecção mista com espécies bacterianas afins.

Castellani-Low's symptom. Sintoma de Castellani-Low: tremor fino na língua na doença do sono.

Castle's factors. Fatores de Castle. É o fator intrínseco, que se encontra no suco gástrico normal e atua sobre o fator extrínseco que se acha nos alimentos, para produzir um terceiro fator, o antianêmico, armazenado no fígado e levado pelo sangue à medula óssea, onde estimula a maturação dos eritrócitos.

castor oil. Óleo de castor.

castration. Castração. // - **cells.** Células de castração. // - **complex.** Complexo de castração.

casuality. Acidente, desastre, casualidade.

casuistics. Casuística.

casydrol. Casidrol.

catabasial. Que tem o básio mais baixo que o opístio (crânio).

catabasis. Catábase. Período de declínio de uma enfermidade.

catabolic. Catabólico, retrógrado.

catabolism. Catabolismo, metabolismo destrutivo. Sin.: desassimilação, desintegração.

catabolite. Catabólito.

catacausis. Catacause. Combustão espontânea.

catacrotic. Catacrótico ou catácroto. Pulso com elevação da linha descendente do esfigmograma.

catacrotism. Catacrotismo. Irregularidade do pulso por interrupção da onda descendente do traçado esfigmográfico por uma ou mais elevações.

catadicrotic. Catadicrótico.

catadicrotism. Catadicrotismo.

catadidymus. Catadídimo. Monstro duplo, soldado pela parte superior.

catadioptric. Catadióptrico. Catóptrico e dióptrico ao mesmo tempo.

catagenesis. Catagênese. Sin.: involução. Evolução regressiva.

catagenetic. Categenético.

catagmatic. Catagmático. Agente que favorece a consolidação de uma fratura.

catalase. Catálase. Enzima oxidante.

catalepsy. Catalepsia.

cataleptic. Cataléptico.

cataleptiform. Cataleptiforme, cataleptóide.

cataleptoid. Cataleptóide, cataleptiforme.

catalogue. Catálogo, catalogar.

catalysis. Catálise. Alteração da velocidade de uma reação química produzida pela simples presença de uma substância que não entra na reação.

catalyst. Catalisador.

catalytic. Catalítico, produzido por catálise, da natureza da catálise.

catalyzer. Catalisador.

catamenia. Catamênio, menstruação.

catamenial. Catamenial, menstrual.

cataphasis. Catafasia. Repetição contínua da mesma resposta (palavra) a uma pergunta.

cataphora. Catáfora. Letargia com intervalos de vigília imperfeita.

cataphoresis. Cataforese. Movimento de partículas em suspensão sob influência de corrente elétrica. Difusão de drogas carregadas de eletricidade através da pele ou das mucosas.

cataphoretic. Cataforético.

cataphoria. Cataforia. Tipo de heteroforia em altura.

cataplasia. Cataplasia. Forma de atrofia em que os tecidos voltam à forma embrionária.

cataplasm. Cataplasma.

cataract. Catarata. // **- aridosiliquose.** catarata aridossilicosa. // **- black.** Catarata negra. // **- bluedot.** Catarata azul ou cerúlea. // **- brunecens.** Catarata negra. // **- cachectic.** Catarata em estados de caquexia. // **- calcarea.** Catarata calcárea. // **- capsular.** Catarata capsular. // **- capsulolenticular.** Catarata capsulolenticular. // **- cerulean.** Catarata cerúlea. // **- chalky.** Catarata aridossilicosa. // **choroidal.** Catarata coroidea. // **- complicated.** Catarata complicada. // **- concussion.** Catarata traumática. // **- coronary.** Catarata coraliforme ou coronária. // **- cortical.** Catarata cortical. // **- cuneiform.** Catarata cuneiforme. // **- dermatogenous.** Catarata dermatogênica. // **- diabetic.** Catarata diabética. // **- dilacerated.** Catarata dilacerada. // **- dust-like.** Catarata perinuclear puntiforme. // **- endocrine.** Catarata endócrina. // **- fusiform.** Catarata fusiforme. // **- gypseous.** Catarata silicosa. // **- hard.** Catarata dura. // **- heterochromic.** Catarata heterocrômica. // **- hypermature.** Catarata supermadura. // **- immature.** Catarata imatura. // **- intumescens.** Catarata intumescente. // **- lactea.** Catarata láctea. // **- lamellar.** Catarata lamelar ou laminar. // **- mature.** Catarata madura. // **- morgagnian.** Catarata morgagniana (líquida, de núcleo duro). // **- nigra.** Catarata negra. // **- nuclear.** Catarata nuclear // **- ossea.** Catarata óssea. // **- perinuclear.** Catarata perinuclear "punctata", pontuada ou pontilhada. // **- polaris.** Catarata polar. // **- posterior saucershaped.** Catarata cupuliforme. // **- punctiform.** Catarata puntiforme // **- pyramidal.** Catarata piramidal. // **radiational.** Catarata radiada. // **- secondary.** Catarata secundária. // **- senil.** Catarata senil. // **- snow-flake.** Catarata flocular. // **- soft.** Catarata mole. // **- subcapsular.** Catarata subcapsular. // **- total.** Catarata total, madeira. // **- zonular.** Catarata zonular (lamelar).

cataract-extraction. Extração de catarata.

cataractous. Cataratoso.

catarrh. Catarro.

catarrhal. Catarral.

catatonia, catatony. Catatonia. Disposição à contração tônica de certos músculos, resultando atitudes persistentes. Vai associada às vezes com a demência precoce. // - Forma esquizofrênica na qual o enfermo passa da melancolia à mania, desta ao estupor, e deste à decadência.

catatonic. Catatônico.

catechu. Extrato adstringente de ação antidiarréica obtido de plantas como: "Ouruparia gambir" ou do gênero "Areca".

catelectrotonus. Cateletrótono, cateletrotonia. Aumento da irritabilidade de um nervo ou músculo estando próximo do cátodo; oposto à aneletrotonia.

catenating. Concatenado. Disposto em cadeia.

catgut. Categute.

catharmos. Catarma. Imprecação para prevenir ou curar enfermidades.

catharsis. Catarse. Purgação, purificação emocional. Sin.: psicotarse, abreação.

cathartic. Catártico: purgante.

catheter. Cateter, sonda.

catheterism. Cateterismo.

catheterization. Cateterização.

cathexis. Energia mental ou afetiva aplicada a uma idéia ou objeto.

cathodal. Catódico.

cathode. Cátodo.

cathodic. Catódico.

catholyte. Católito.

cation. Catíon. Elemento eletropositivo oposto ao aníon.

catling. Escalpelo.

catoptrics. Catóptrica. Ramo da física que estuda a reflexão luminosa (espelhos).

catoptrophobia. Catoptrofobia. Medo dos espelhos.

caudal. Caudal.

caudate. "Caudatum", caudado. // **- lobe.** Lóbulo caudado. // **- nucleus.** Núcleo caudado, do corpo estriado.

caudex, stalk. Tronco, pedúnculo.

caulobacter, vibrioides. Caulobactéria. Organismo da água.

caulobacteriales. Esquizomicetos aquáticos.

causal. Causal.

causalgia. Causalgia. Sin.: termalgia, caumestesia.

cause. Causa, causar.

caustic. Cáustico.

cauterization. Cauterização.

Cauterize. Cauterizar.

cautery. Cautério. // **- actual.** Cautério atual. // **galvanic.** Cautério elétrico ou galvânico.

caution. Cautela, advertência, aviso.

cava. Cava, veia cava.

caval. Oco, parte de uma cavidade.

cavascope. Cavascópio. Instrumento para iluminar e examinar uma cavidade.

cavern. Caverna.

cavernitis. Cavernite. Inflamação dos corpos cavernosos do pênis.

cavernoma. Cavernoma, angioma cavernoso.

cavil. Cavilar, sutilizar.

cavilla. Esfenóide.

cavitary. Cavitário.

cavitas glenoidalis. Cavidade glenóidea.

cavitation. Cavitação. Formação da cavidade.

cavitis. Cavite. Inflamação de uma veia cava.

cavity, hollow. Cavidade.

Cavovalgus. Cavovalgo.

cavum. Cavidade.

cavus. Cavo, pé cavo.

Cayenne pepper. (V. *Capsicum*).

Cazenade's disease. Doença de Cazenade. Lúpus eritematoso. // - **vitiligo.** (V. *Celso's area*).

cc. Abreviatura de centímetro cúbico.

CCl₄, carbon tetrachloride. Tetracloreto de carbono.

CCl₃CHO, Chloral. Cloral.

CCl₃CH(OH)₂, chloral hydrate. Hidrato de cloral.

Cd. Símbolo químico do cádmio.

cease. Cessar, parar.

ceasmic. Ceásmico (fissurado). Persistência de fissuras embrionárias depois do nascimento.

cebocephalia. Cebocefalia. Cebocéfalo é monstro com nariz e palato rudimentares.

cede. Ceder.

Cel. Abreviatura de "Celsius".

cel. Unidade de velocidade de 1 cm por segundo.

celectome. Celéctomo. Instrumento para realizar a exérese de um fragmento de tumor.

celery. Apio.

cell. Célula. // - **alpha.** Célula alfa. // - **basket.** Célula em cesta, em corbella. // - **beta.** Célula beta. // - **castration.** Célula de castração. // - **caudate.** Célula caudal. // - **cones.** Célula em cone, cones. // - **daughter.** Célula filha. // **foam.** Célula espumosa. // - **giant.** Célula gigante. // - **heart failure.** Célula da insuficiência cardíaca (encontrada no escarro em cor pulmonale). // - **motor.** Célula motora. // - **pavement.** Célula pavimentosa. // - **plate.** Placa celular. // - **sap.** Hialoplasma, enquilema. // - **spindle.** Célula araneiforme. // - **squamous.** Célula escamosa. // - **stab or staff.** Labrócito, célula cevada, "vastzelle".

cella. Compartimento, cavidade.

celliform. Celuliforme, cavitário.

cellobiase. Celobíase.

cellophane. Celofane.

cellular. Celular.

cellulase. Celulase.

cellule. Célula.

cellulicidal. Celulicida.

cellulifugal. Celulífugo.

cellulipetal. Celulípeto.

cellulitis. Celulite.

celluloid. Celulóide.

cellulose. Celulose.

Celluloma. Celuloma. Tumor de células.

celoscope. Celoscópio. Instrumento para examinar uma cavidade.

celosomia. Celossomia. Defeito congênito da parede abdominal ou torácica com protrusão de víscera.

celosomus. Celossomo.

Celsu's area. Área de Celso ou alopecia areata. // - **chancre.** Cancro de Celso, cancro mole, ou cancróide. // - **Kerion.** Quérion de Celso: placas de tricofícia eqüina no couro cabeludo. // - **papulae.** Pápulas de Celso. "*Lichen agrius*". Forma aguda do eczema papular.

cement. Cemento.

cementitis. Cementite.

cementoblast. Cementoblasto. Célula básica no desenvolvimento do cemento dentário.

cementoclasia. Cementoclasia. Desintegração do cemento dentário.

cementogenesis. Cementogênese.

cementoma. Cementoma.

cenadelphus. Cenadelfo. Monstro duplo com ambas as partes igualmente desenvolvidas e comumente com órgãos necessários para a vida.

cenobite. Cenobita.

censor. Censor.

censorial. Censório.

centesimal. Centésimo.

centesis. Centese.

centigrade. Centígrado.

centigrame. Centigrama.

centilitre. Centilitro.

centimetre. Centímetro.

centinormal. Centinormal.

centipede. Centípede.

centrad. Para o centro, em direção ao centro.

central. Central. // - **bodies.** Corpos centrados. // - **spindle.** Fascículo central.

centre. Centro.

centric. Cêntrico, central.

centriciput. Centriciput.

centrifugal. Centrífugo.

centrifugalization. Centrifugação.

centrifugue. Centrífugo.

centriole. Centríolo, centrossomo.

centripetal. Centrípeto.

centrocinesia. Centrocinesia. Movimento originado por estículo central vasomotor.

centrodesmus. Centrodesmo. Matéria que une os centrossomos de uma célula e forma o começo do fuso central.

centrolecithal. Centrolécito. Ovo com gema central, rodeada por um protoplasma ovular.

centromere. Centrômero. Parte do esperma que contém os corpos centrais.

centrophorium. Centrofório. Aparelho semelhante ao de Golgi na membrana de Descemet, com a forma de uma esfera oca.

centroplasm. Centroplasma. Substância do centrossomo.

centrosome. Centrossomo. Sin.: centríolo, corpúsculo central, centrosfera, microcentro, esfera de atração.

centrosphere. Centrosfera.

centrum. Centro. // ~ **ovale.** Centro oval.

cephalagra. Cefalagra. Cefalalgia artrítica.

cephalalgia, headache. Cefalalgia, cefaléia.

cephalhaematocele. Cefalematocele.

cephalhaematoma. Cefalematoma.

cephalhydrocele. Cefalidrocele.

cephalic. Cefálico.

cephalin. Cefalina.

cephalization. Cefalização. Concentração de partes no cérebro.

cephalocele. Cefalocele. Hérnia cefálica.

cephalocentesis. Cefalocentese.

cephaloedema. Cefaledema.

cephalogaster. Cefalogaster. Parte anterior do canal entérico do embrião.

cephaloid. Cefalóide.

cephaloma. Cefaloma.

cephalomelus. Cefalômelo. Monstro fetal com membro acessório na cabeça.

cephalomeningitis. Cefalomeningite.

cephalometer. Cefalômetro.

cephalometry. Cefalometria.

cephalone. Cefalonia. Sin.: Megalocefalia.

cephalopagus. Cefalópago; craniopago. Monstro duplo com as cabeças unidas pelo vértice.

cephaloplegia. Cefaloplegia.

cephalorrhachidian. Cefalorraquídeo. Sin.: cerebrospinal.

cephalothoracic. Cefalotorácico.

cephalothoracopagus. Cefalotoracópago. Duplo monstro unido pelo tórax e pescoço.

cephalotome. Cefalótomo.

cephalotomy. Cefalotomia.

cephalotribe. Cefalótribo.

cephalotripsy. Cefalotripsia. Sin.: cranioclasia, craniotripsia.

cera, beeswax. Cera.

ceraceous. Ceráceo, céreo.

cerate. Cerato.

cercaria. Cercária. Forma larvária caudada de certos vermes trematódeos.

Cercomonas. Cercômonas, cercomônadas. Gênero de protozoários flagelados.

cerebellar. Cerebelar.

cerebellitis. Cerebelite.

cerebellopontine. Cerebelopontino.

cerebellospinal. Cerebelospinal.

cerebellum. Cerebelo.

cerebral. Cerebral.

cerebration. Cerebração.

cerebrifugal. Cerebrífugo.

cerebripetal. Cerebrípeto.

cerebritis. Cerebrite. Sin.: encefalite.

cerebrocardiac. Cerebrocardíaco.

cerebrol. Cerebrol. Substância oleosa obtida do cérebro.

cerebrology. Cerebrologia.

cerebron. Frenosina.

cerebropathy. Cerebropatia.

cerebropontile. Cerebropontino, ponto-cerebral.

cerebroretinal syndrome. Síndrome cerebrorretínica.

cerebroside. Cerebrosido. Sin.: glicolipina.

cerebrospinal. Cerebrospinal.

cerebrum. Cérebro, encéfalo.

cereous. Céreo.

cerevisiae fermentum, brewers's yeast. Levedura de cerveja.

cerium. Cério.

cerolipoid. Cerolipóide.

ceroma. Ceroma. Tecido tumoral que sofreu degeneração cérea.

certifiable. Certificável.

cerumen. Cerúmen.

ceruminal. Ceruminoso.

ceruminosis. Ceruminose. Secreção excessiva de cerúmem.

ceruse. Cerusa, alvaiada, carbonato de chumbo.

cervical. Cervical.

cervicalis. Cervical.

cervicectomy. Cervicectomia.*

cervicitis. Cervicite.

cervicoaxillary. Cervicoaxilar.

cervicobrachial. Cervicobraquial.

cervicodorsal. Cervicodorsal.

cervicofacial. Cervicofacial.

cervicohumeral. Cérvico-umeral.

cervicoocipital. Cérvico-occipital.

cervicoplasty. Cervicoplastia.

---

* N. do T. — Traquelectomia. Termo mais adequado.

cervicoscapular. Cervicoscapular.

cervicothoracic. Cervicotorácico.

cervicovaginal. Cervicovaginal.

cervimeter. Cervímetro. Aparelho para medir o colo uterino.

cervix. Cérvix, colo, pescoço. // - **uteri.** Colo uterino.

cessation. Cessação.

Cestoda. Cestódios. Ordem de platielmintes.

cestoid. Cestóide. Semelhante a uma tênia. Indivíduo do grupo dos cestódios.

cetinide. Cetinida.

cetylpyridinium chloride. Cloreto de cetil-piridínio.

Ceyron moss. Musgo de Ceilão.

CG, phosgene. Abreviatura de fosgênio.

C$_H$. Símbolo de concentração iônica do hidrogênio.

(CH$_2$)$_2$, ehylene. Etilênio.

C$_2$H$_2$, acetylene. Acetileno.

C$_2$H$_4$, benzene. Benzeno.

Chabert's disease. Doença de Chabert. Antraz ou carbúnculo sintomático.

Chagas's disease. Doença de Chagas. Tripanossomíase brasileira, causada pelo *Trypanosoma cruzi.*

Chagasia. *"Chagasia".* Gênero de anofelinos da América do Sul.

chagrin. Desgosto.

chain. Cadeia.

chalazion. Calázio. Sin.: porose palpebral.

chalcitis. Calcite. Inflamação dos olhos, esfregados por mãos que tenham trabalhado com latão.

chalcosis. Calcose. Depósito metálico (cobre) nos tecidos.

chalicosis. Calicose. Sin.: mal de São Roque, pneumoconiose por inalação de pó de pedra, em pedreiro.

chalk. Giz, greda, carbonato de cálcio, tofo gotoso (urato de sódio com ou sem sais de cálcio).

chamaecephalic. Camecefálico: diz-se do que apresenta índice cefálico abaixo de 70º.

chamaeprosopic. Cameprosópico: diz-se do que apresenta índice facial abaixo de 51º.

chamber. Câmara. / - **anterior.** Câmara anterior. // - **posterior.** Câmara posterior.

chance. Oportunidade, possibilidade.

chancre. Cancro.

chancroid. Cancróide, cancro mole.

chancroidal, chancrous. Cancroso.

change. Mudança.

change of life. Mudança de vida: menopausa.

channel. Canal, estria.

chant. Cantar.

Chaoul's therapy. Terapêutica de Chaoul: radioterapia de baixa voltagem. // - **tube.** Tubo de Chaoul. Variedade de ampola para a radioterapia a curta distância e com baixa voltagem.

chap. Fenda, fissura. Mandíbula.

chappa. Enfermidade da África Ocidental.

character. Caráter.

charbon. Antraz.

charcoal. Carvão de lenha.

Charcot's artery. Artéria de Charcot, lentículo estriada, cuja ruptura produz hemorragia cerebral. // - **cirrhosis.** Cirrose de Charcot. Cirrose hipertrófica do fígado. // - **crystals.** Cristais de Charcot-Leyden. Cristais octaédricos diminutos, possivelmente de fosfatos orgânicos, que se encontram no escarro em casos de asma e bronquite. // - **disease.** Enfermidade de Charcot. Esclerose cerebrospinal múltipla associada a inflamações articulares múltiplas e fragilidade dos ossos, atrofia das extremidades e luxações. // - **fever.** Febre de Charcot. Febre séptica resultante do encravamento de cálculos biliares com icterícia consecutiva. // - **gait.** Marcha de Charcot, própria da ataxia de Freidreich. // - **joints.** Articulações alongadas de Charcot, que se encontram na enfermidade de Charcot, geralmente associada à tabes dorsal. // - **pain.** Dor de Charcot: dor histérica na região ovárica. // - **posterior root-zone.** Zona de Charcot. (v. *Burdach's column).* // - **sensory crossway.** Entrecruzamento sensitivo de Charcot, no terço posterior da margem posterior da cápsula interna. // - **sign.** Sinal de Charcot. Elevação do supercílio na paralisia facial periférica e abaixada na contratura facial. // - **syndrom.** Síndrome de Charcot. Claudicação intermitente, ligada à arteriosclerose das extremidades inferiores. // - **triad.** Tríade de Charcot. Nistagmo, tremor intencional e fala escandida, sinal precoce de esclerose disseminada. // - **zones.** Zona de Charcot — zonas histerógenas.

Charcot-Guinon's disease. Enfermidade de Charcot-Guinon. Demência complicada com atrofia muscular progressiva.

Charcot-Marie's sympton. Sintoma de Charcot-Marie. O mesmo que *Marie's symptom* // - **type of progressive muscular atrophy.** Tipo de Charcot-Marie. Atrofia muscular progressiva que invade sucessivamente os pés, pernas e mãos, etc. acompanhada de tremor e reação de degeneração. // - **tooth's type of P.M.A.** Atrofia muscular progressiva do tipo Charcot-Marie-Tooth, antes mencionado.

Charcot Neumann's crystals. Cristais de Charcot Neumann. O mesmo que *Charcot's crystals.*

Charcot-Vigouroux's sign. Sinal de Charcot-Vigouroux. O mesmo que *Vigouroux's sign.*

charlatan, quack. Charlatão.

charta. Papel medicinal impregnado com substância medicinal.

chary. Cuidadoso, econômico.

Chassaignac's muscle. Músculo de Chassaignac. Músculo inconstante que se estende na axila. Da margem inferior do grande dorsal até o peitoral menor ou até a fáscia braquial. // - **tubercle.** Tubérculo de Chassaignac. Nódulo no ramo anterior da apófise transversa da sexta cervical, ponto de referência da carótida primitiva.

chatter. Ranger dos dentes.

chattering. Rangido dos dentes.

chaudepisse. Esquentamento. Ardor ao urinar.

chaulmoogric acid. Ácido de chaulmogra (árvore bixácea da Ásia Meridional).

Chaussier's areola. Aréola de Chaussier. Aréola de enduração de uma pústula maligna. // **-line.** Linha de Chaussier. Rafe mediana do corpo caloso.

chaw. Mascar.

C₂H₅Br, ethyl bromide. Brometo de etila.

CHCl₃, chloroform. Clorofórmio.

C₂H₅Cl, ethyl chloride. Cloreto de etila.

CH₃COOH, acetic acid. Ácido acético.

Cheadle's disease. Enfermidade de Cheadle (ou Cheadle-Barlow). Escorbuto infantil.

check. Refrear, controlar.

cheek. Bochecha.

cheek bone. Osso zigomático.

cheerful. Alegre, jovial.

cheesy. Caseoso.

cheilectomy. Quilectomia.

cheilectropion. Quilectrópio.

cheilitis. Quilete. // - **exfoliative glandularis.** Quilite exfoliativa, glandular.

cheilocarcinoma. Quilocarcinoma.

cheilognathopalatoschisis. Chilognatopalatósquise.

cheilognathus. hace-lipe. Quilógnato. Lábio leporino.

cheiloncus. Quilonco. Tumor dos lábios.

cheiloplasty. Quiloplastia.

cheilorrhaphy. Quilorrafia.

cheiloschisis. Quilósquise. Lábio leporino.

cheilosis. Quilose. Lesão labial por avitaminose devido à insuficiência de riboflavina.

cheilostomatoplasty. Quilostomatoplastia. Cirurgia plástica dos lábios e da boca.

cheilotomy. Quilotomia.

cheiragre. Quiragra. Artrite da mão.

cheiromegaly. Quiromegalia.

cheiropompholyx. Enfermidade caracterizada por erupção aguda de múltiplas vesículas na palma das mãos e sola dos pés.

cheirospasm. Quirospasmo. Espasmo dos escrivães.

cheloid. Quelóide (v. *Keloid*).

chelonian. Quelônio.

chemic, chemical. Químico.

chemicocautery. Quimiocautério. Cautério-químico.

chemiluminescence. Quimioluminescência.

cheminosis. Quiminose.

chemiotaxis. Quimiotaxia.

chemism. Quimismo.

chemistry. Química. // - **inorganic physical, physiological.** Química inorgânica, física, fisiológica.

chemoreceptor. Quimiorreceptor.

chemoreflex. Quimiorreflexo.

chemosis. Quemose. Edema inflamatório da conjutiva ocular.

chemotactic. Quimiotáctico.

chemotaxis. Quimiotaxia.

chemotherapy. Quimioterapia.

chemotic. Quemótico. Afetado de quemose.

chemotropism. Quimiotropismo.

Chenopodium. Quenopódio.

Cherchevsky's disease. Enfermidade de Cherchevsky. Íleo paralítico nervoso que simula obstrução intestinal.

cheromania. Queromania. Alegria exagerada.

cherophobia. Querofobia. Fobia pela alegria dos outros.

cherup. Piar.

Chervin's treatment. Tratamento de Chervin. Tratamento proposto para a gagueira.

chest. Tórax, cofre.

chew. Mascar, mastigar.

Cheyne's nystagmus. Nistagmo de Cheyne. Nistagmo com variação de ritmo.

Cheyne-Stokes asthma. Asma de Cheyne Stokes. Dispnéia ocasionada por congestão pulmonar, em caso de miocardite avançada. // - **respiration.** Respiração de Cheyne-Stockes. Respiração de tipo rítmico periódico que se apresenta em certas condições graves do sistema nervoso central, coração, pulmões e nas intoxicações.

CHI₃, iodoform. Iodofórmio.

C₂H₅I, ethyl iodide. Iodeto de étilo.

Chiari's disease. Enfermidade de Chiari. Endoflebite obliterante hepática.

chiasm. Quiasma, cruzamento. // - **optic.** Quiasma óptico.

chiasmic. Quiasmático.

chichism. Enfermidade semelhante à pelagra. Ocorre na América Central.

chickenpox. Varicela.

chief. Principal.

chigger, chigoe. *"Tunga penetrans"*. Bicho de pé

chilblain. Geladura, quemadura pelo frio.

child. Criança.

child-bearing. Parto.

childbed. Termo popular para o puerpério, sobre parto.

childbirth. Parto.

childhood. Infância.

childshness. Puerilidade.

Chilomastix mesnili. *"Chilomastix mesnili"*. Flagelado que pode ser transmitido ao homem.

chilomastixiasis. Infecção pelo "Chilomastix mesnili".

chill. Frio, calafrio.

chin. Mento.

chinacrin. Quinacrina, atebrina.

chinchocaine. Cincaína.

chinchonism. Cinchonismo.

chine. Espinhaço, espinha dorsal.

Chiniofon. Quiniofon, pó iodado usado contra amebíase.

chip. Estilhaçar, estilhaço, cavaco, fragmento.

chiragra. Quiragra. Dor gotosa na mão.

chiroplasty. Quiroplastia. Plástica na mão.

chiropodist. Quiropodista. Técnico que cuida de unhas e calos nas mãos e pés (manicuro, pedicuro).

chirospasm. Quirospasmo. Cãibra dos escrivães.

chirp. Gorjear, gorjeio, chilro, trico.

chirurgia. Cirurgia.

chirurgical. Cirúrgico.

chitin. Quitina.

chlamydozoa. Clamidozoário.

chloasma. Cloasma.

chloral. Cloral.

chloralism. Cloralismo.

chloralose. Cloralose.

chloramphenicol. Cloranfenicol.

chlorate. Clorato.

chlorbutol. Clorobutanol, cloretona.

chloride. Cloreto.

chloriduria. Cloretúria.

chlorination. Cloração.

chlorine. Cloro.

chloroanaemia. Cloranemia.

chloroazidin. Composto amarelo contendo cloro ativo, usado como bactericida.

chlorodyne. Preparado analgésico, com clorofórmio, éter, morfina, "Cannabis indica", ácido cianídrico e cápsico.

chloroform. Clorofórmio.

chloroformism. Cloroformismo.

chloroma. Cloroma. Sin.: câncer verde de Aran., clorossarcoma, cloroleucemia, clorolinfossarcoma enfermidade de Balfour.

chloromycetin. Cloromicetina.

chloropenic. Cloropênico.

chloropercha. Solução de guta-percha em clorofórmio empregada em odontologia.

chlorophenylisopropylbiguanmide. Paludrina.

chlorophyll. Clorofila.

chloropia, chloropsia. Cloropsia.*

chloroplast, chloroplastic. Cloroplasto, cloroplástico.

chloroquine. Cloroquina.

chlorosis. Clorose.

chlorotic. Clorótico.

chloroxylenol. Cloroxilenol, cloroxipenol.

chloruraemia. Cloretemia ou cloremia (Presença de cloretos urinários no sangue segundo Dorland).

choana. Coana**.

chock. Escora, cunha, calçar.

C_2H_5OH, ethyl alcohol. Álcool etílico.

choice. Eleição, preferência.

choke. Afogar, sufocar, estrangular.

choked disk. Papiledema.

choking. Obstrução, sufocamento.

choky. Sufocante.

cholaemia. Colemia.

cholaemic. Colêmico.

cholagogue. Colagogo.

cholangiectasia. Colangiectasia.

cholangioma. Colangioma.

cholangitis. Colangiite.

cholascos. Coleperitônio.

cholate. Colato.

cholecyst. Coleciste, vesícula biliar.

cholecystectasia. Colecistectasia.

cholecystectomy. Colecistectomia.

cholecystenterostomy. Colecistenterostomia.

cholecystitis. Colecistite.

cholecystocolostomy. Colecistocolostomia.

cholecystocolotomy. Colecistocolotomia.

cholecystoduodenostomy. Colecistoduodenostomia.

cholecystogram. Colecistograma.

cholecystography. Colecistografia.

cholecystolithiasis. Colecistolitíase.

cholecystolithotripsy. Colecistolitotripsia.

cholecystopathy. Colecistopatia.

cholecystopepsy. Colecistopepsia.

---

* N. do T. — Cloropsia é forma melhor que cloropia para este distúrbio visual.

** N. do T. — Coano é a forma preconizada pelo Vocabulário Ortográfico de 1943, ora vigente.

cholecystostomy. Colecistotomia.

cholecystotomy. Colecistotomia.

choledochectomy. Coldedoquectomia.

choledochitis. Coledoquite.

choledochoduodenostomy. Coledocoduodenostomomia.

choledochoenterostomy. Coledoquentorostomia.

choledocholith. Coledocólito.

choledocholithotomy. Coledocolitotomia.

choledocholithotripsy. Coledocolitotripsia.

choledochostomy. Coledocostomia.

choledochotomy. Coledocotomia.

choleic. Coléico, cólico*.

cholelith. Colélito.

cholelithiasis. Colelitíase.

cholelithic. Colelítico.

cholelithotripsy. Colelitotripsia.

cholemesis. Colêmese. Vômito bilioso.

cholera. Cólera.

choleraic. Colérico; relativo à cólera.

choleresis. Colerese.

choleretic. Colerético.

choleric. Colérico.

choleriform. Coleriforme.

cholerine. Colerina.

cholerophobia. Colerofobia.

cholestasis. Colestase. Retenção biliar.

cholesteatoma. Colesteatoma.

cholestenone. Colestenona. Cetona formada por oxidação de colesterol.

cholesterol. Colesterol. // - **blood.** Colesterol no sangue (colesterolemia).

cholesterolosis. Colesterolose.

choleuria. Colúria.

cholic. Cólico. // - **acid.** Ácido cólico ou coláico.

cholinergic. Colinérgico.

cholinesterase. Colinesterase.

cholithotomy. Colelitotomia.

cholochrome. Colocromo, pigmento biliar.

chologenetic. Cologenético**.

chololith.. Colólito.

cholorrhea. Colorréia.

choluria. Colúria.

chondral. Condral, cartilagíneo, cartilaginoso.

chondralgia. Condralgia.

chondrectomy. Condrectomia.

chondric. Condral, cartilagíneo, cartilaginoso.

chondrification. Condrificação. Condrogênese.

chondrin. Condrina.

---

* N. do T. — O t. cólico, adjetivo é oficializado; não há que confundir com o adjetivo de cólon; colônico.

** N. do T. — Em espanhol a tradução é cologênico, mas para evitar antibiologia parece-nos melhor cologenético, "producing bilis", como está em Dorland.

---

chondriocont. Condrioconto.

chondriomere. Condriômero, plastômero.

chondriomite. Condriomito, mitocôndrio.

chondriosome. Condriossomo, condriosoma.

chondriosphere. Condriosfera.

chondritis. Condrite.

chondroadenoma. Condradenoma.

chondroalbumin. Condralbumina.

chondroblast. Condroblasto. Célula embrionária do tecido cartilaginoso.

chondroclast. Condroclasto. Célula que absorve cartilagem.

chondrocostal. Condrocostal.

chondrocranium. Condrocrânio. Crânio embrionário.

chondrocyte. Condrócito. Célula cartilaginosa.

chondrodystrophia. Condrodistrofia. Sin.: discondoplasia.

chondrofibroma. Condrofibroma.

chondrogenesis. Condrogênese.

chondroglossus. Condroglosso. Músculo lingual inconstante.

chondroid. Condróide, semelhante a cartilagem.

chondroitic acid. Ácido controitinsulfúrico.

chondroitin. Condroitina. Substância que se forma por decomposição do ácido condroitinsulfúrico.

chondrolipoma. Condrolipoma.

chondrology. Condrologia.

chondrolysis. Condrólise.

chondroma. Condroma.

chondromalacia. Condromalácia. Amolecimento das cartilagens.

chondromatous. Condromatoso.

chondromucoid. Condromucóide, condromicina.

chondromyces. Condromiceto. Gênero de bactérias.

chondromyoma. Condromioma.

chondromyxoma. Condromixoma.

chondroosteodistropy. Condrosteodistrofia.

chondropathy. Condropatia.

chondroplasty. Condroplastia.

chondroporosis. Condroporose. Formação de espaços na cartilagem.

chondrosamine. Condrosamina. Galactosamina derivada da condrosina.

chondrosarcoma. Condrossarcoma.

chondrosin. Condrosina.

chondrosis. Condrose.

chondrotome. Condrótomo. Instrumento para cortar cartilagens.

chondrotomy. Condrotomia.

chondroxiphoid. Condroxifóideo.

Chondrus. "Chondrus". Gênero de erva marinha com propriedades úteis para o tratamento de afecções brônquicas e renais.

Chopart's joint. Articulação de Chopart.

chorda. Corda, tendão, filamento.

chordae tendinae, tympani, Willis. Cordas: tendinosa do tímpano e de Willis (Cordões de Willis).

chordal. Cordal. Relacionado com o notocórdio.

chordectomy. Cordectomia.

chordee. Inflamação periuretral. Ereção dolorosa para baixo, no pênis, na blenorragia.

chorditis. Cordite.

chordoma. Cordoma. Sin.: encondrose fisaliforme.

chordoskeleton. Cordo-esqueleto.

chordotomy. Cordotomia.

Chorea. Coréia. Dança de São Guido. // **- electric hereditary, mollys.** Coréia elétrica, hereditária, mole.

choreal, choreic. Coréico.

choreiform. Coreiforme.

choreoathetosis. Coreoatetose.

choreoid. Coreiforme.

chorioadenoma. Corioadenoma. Sin.: mola maligna.

chorioblastosis. Corioblastose. Neoformação no córion. // Nome de algumas afecções polimorfas da pele (lepra, lúpus etc.)

choriocapillaris. Coriocapilar.

choriocele. Coriocele.

chorioepithelioma. Coriepitelioma.

chorioid. Coróide.

chorioidal. Coroídeo.

chorioiditis. Coroidite.

chorioiritis. Iridocoroidite.

choriomeningitis. Coriomeningite. // **- lymphocytic.** Coriomeningite linfocítica.

chorion. Córion. // **- frondosum, laeve, primitivum.** Córion frondoso, leve, primitivo.

chorionepithelioma. Coriepitelioma.

chorionic. Corial, coriônico.

chorionitis. Corionite.

chorioretinitis. Coriorretinite.

choroid. Coróide.

choroidal. Coroídeo.

choroideremia. Coroideremia. Falta de coróide.

choroiditis. Coroidite. // **Doyne.** Coroidite de Doyne. Coroidite degenerativa hereditária com formação de placas esbranquiçadas na proximidade do disco óptico.

choroidoiritis. Coroidoirite.

choroidoretinitis. Coroidorretinite.

christopathy. Cristopatia. A chamada "ciência cristã".

chromaesthesia. Cromestesia. Combinação de sensações imaginadas de cor com sensações reais do ouvido, gosto ou olfato.

chromaffine. Cromafínico.

chromate. Cromato. Sal do ácido crômico.

chromatelopsia. Cromatelopsia. Visão imperfeita das cores.

chromatic. Cromático.

chromatid. Cromatídeo.

Chromatieae. "Chromatieae". Gênero de rodobactérias.

chromatin. Cromatina.

Chromatium. "Chormatium". Gênero de bactérias aquáticas.

chromatoaesthesia. Cromestésia.

chromatoblast. Cromatoblasto.

chromatogenous. Cromatógeno.

chromatolysis. Cromatólise.

chromatometer. Cromatômetro, cromômetro, colorímetro.

chromatophane. Cromatófano.

chromatophile. Cromatófilo, cromófilo.

chromatophobia. Cromatofobia, cromofobia.

chromatophore. Cromatóforo.

chromatopsia. Cromatopsia. Visão colorida. Ex.: xantopsia.

chromatoptometer. Cromatoptômetro. Instrumento para medir a faculdade de percepção das cores.

chromatoscope. Cromatoscópio.

chromatosis. Cromatose.

chromidium. Cromídio. Grânulo de cromatina extranuclear.

chromidrosis. Cromidrose.

chromiole. Cromíolo, cromômero.

chromium. Cromo. // **- trioxide.** Trióxido de cromo.

chromobacteriae. Cromobactérias.

chromoblast. Cromoblasto.

chromoblastomycosis. Cromoblastomicose. Dermatite verrucosa.

chromogen. Cromógeno.

chromogenic. Cromogênico.

chromomere. Cromômero.

chromometer. Cromômetro, cromocitômetro, colorímetro.

chromomycosis. Cromomicose, cromoblastomicose.

chromonema. Cromonema. Axonema.

chromophane. Cromofano.

chromophile. Cromófilo.

chromophobe. Cromófobo.

chromophore. Cromóforo, cromatóforo. Portador de pigmentos. Células de pigmento, que produz ou armazena pigmento.

chromoplasm. Cromoplasma, cromatoplasma.

chromoplast. Cromoplasto, cromatoplasto.

chromoprotein. Cromoproteína.

chromopsia. Cromopsia, cromatopsia.

chromoscope. Cromoscópio. Instrumento para exame de percepção das cores.

chromosome. Cromossomo. // **accessory daughter sex. — X.Y.** Cromossomo acessório, filha, heterotípico, XY.

chronaxy. Cronaxia. Duração mínima que necessita uma corrente para produzir excitação do músculo ou do nervo, tendo a corrente o dobro da intensidade da reóbase.

chronic. Crônico.

chronograph. Cronógrafo.

chronotropic. Cronotrópica, cronotropo. Em cardiologia se aplica à função, ação ou agente que afeta a regularidade da contração no tempo.

chrysarobin. Crisarobina. Pó de goa, da Bahia, que se emprega em algumas dermatoses em forma de pomada a 5 por cento.

Chrysomy. *"Chrysomyi"*. Gênero de moscas da Austrália e Índia.

chrysotherapy. Crisoterapia, auroterapia.

Chvostek's symptom. Sinal de Chvostek. Espasmo súbito na face quando se golpeia ligeiramente a bochecha, observado na tetania pós-operatória.

chyle. Chilo.

chylifaction. Quilificação.

chyliferous. Quilífero.

chylification. Quilificação.

chylocele. Quilocele.

chylopericardium. Quilopericárdio.

chyloperitoneum. Quiloperitônio.

chylopoiesis. Quilopoese.

chylopoietic. Quilopoético.

chylorrhea. Quilorréia.

chylothorax. Quilotórax.

chylous. Quiloso.

chyluria. Quilúria.

chyme. Quimo.

chymification. Quimificação.

chymotrichy. Quimiotriquia. // **- wavy hair.** Ondulação do pêlo.

C.I. Abreviatura de *"colour index"*: índice de cor.

Ciaccio's glands. Glândulas conjuntivais de Ciaccio.

Ciaglinski's tract. Feixe de Ciaglinski. Fibras sensoriais na comissura cinzenta entre a margem anterior dos cordões posteriores e o conduto central.

cicatricial. Cicatricial.

cicatrictomy. Ulotomia.

cicatrix, scar. Cicatriz.

cicatrization. Cicatrização.

cicatrize. Cicatrizar.

cilia. Cílio, pestana.

ciliary. Ciliar.

Ciliata. *"Ciliata"*. Subclasse de infusórios caracterizados por possuir cílios nos indivíduos jovens e nos adultos.

ciliated. Ciliado.

ciliospinal reflex. Reflexo ciliospinal. Dilatação pupilar por estímulo ipsilateral na pele do pescoço.

cilium. Cílio, pestana.

cillosis. Cilose: tremor espasmódico da pálpebra.

cimbia. Feixe peduncular transverso na face interna dos pedúnculos cerebrais.

Cimex lectalarius. Percevejo doméstico, comum.

Cinchona. Cinchona. Gênero de árvores ao qual pertencem as quinas.

cinchophen. Cinchofeno, atofan, antiúrico.

cinerea. Cinérea. Substância cinzenta do sistema nervoso.

cingulum. Cíngulo, cintura, herpes zoster.

cinnabar. Cinábrio, vermelha.

cinnamic acid. Ácido cinâmico $C_9H_8O_2$.

cion. Úvula.

cionectomy. Cionectomia. Ablação cirúrgica da úvula.

cionitis. Cionite.

circinate, ring-shaped. Circinado. Em forma de anel.

circle. Círculo. // **- of diffusion.** Círculo de difusão. Imagem retínica confusa, desfocada na retina.

circuit. Circuito.

circular. Circular.

circulation. Circulação. // **- foetal, portal, pulmonary, systemic.** Circulação fetal, pulmonar, portal, sistêmica.

circulatory. Circulatório.

circumcision. Circuncisão. Sin.: peritonia postectomia, posteotomia.

circumduction. Circundução. Sin.: helicopodia. Movimento circular ou semicircular de uma estrutura ao redor do eixo do corpo.

circumflex. Circunflexo.

circumgemmal. Circungemal.

circumpolarization. Circumpolarização. Rotação de um raio de luz polarizada.

circumscribed. Circunscrito.

circumspect. Circunspecto.

circumvallate. Circunvalado.

circus. C. movement. Circunvolução.

cirrhosis. Cirrose. // **- of the liver.** Cirrose hepática. // **- alcoholic.** Cirrose alcoólica. // **- atrophic.** Cirrose atrófica. // **- biliary.** Cirrose biliar. // **cardiac.** Cirrose cardíaca. // **Hanot's.** Cirrose de Hanot. // **- hypertrophic.** Cirrose hipertrófica. // **- multilobular.** Cirrose multilobular. // **- pigmentary.** Cirrose pigmentar.

// **portal.** Cirrose porta. // **Laennec's.** Cirrose de Laennec ou unilobular.

cirrhotic. Cirrótico.

cirsoid. Cirsóide, variciforme.

cistern. Cisteria.

citrate. Citrato.

citrated. Citratado.

citric acid. Ácido cítrico.

citrus. "*Citrus*". Gênero de árvores da família das auranciáceas, que compreende as do limão, cidra, laranja, bergamota, etc.

Civinini's spine. Espinha de Civinini. Pequena eminência na margem lateral da asa externa do processo pterigoídeo, em que se insere o ligamento pterigospinoso.

Cl, chlorine. Símbolo do cloro.

Clado's ligament. Ligamento de Clado. Ligamento apendiculovárico. // - **anastomosis.** Anastomose ou ponto de Clado. Ponto de sensibilidade da apendicite, situado na intersecção da linha semilunar direita e a linha que une ambas espinhas ilíacas anteriores e superiores na margem lateral do músculo reto do abdome.

cladothrix. "*Cladothrix*". Gênero de clamidobactérias em forma de longos filamentos.

claim. Pretender, sustentar.

clamp. Pinça para hemostasia.

clapotage, clapotement. Ruído de movimentos de ondas ouvido na sucussão. Vascolejo.

clapping. Palmas, aplausos, adejo.

Clapton's line. Linha de Clapton. Linha verde que aparece nas gengivas no envenenamento pelo cobre.

clarification, clearing. Clarificação.

clarity. Clarificar.

Clark's sign. Sinal de Clark. Desaparecimento da macicez hepática pela distensão timpânica do abdômen.

Clarke's column. Coluna de Clarke. Grupo de células nervosas que ocupam o ângulo interno do corno posterior da substância cinzenta da medula, da expansão cervical à lombar. // - **cells.** Células de Clarke. Células nervosas da coluna vesicular de Clarke.

Clarke's corroding ulcer. Úlcera de Clarke. Úlcera corrosiva progressiva do colo uterino. // - **tongue.** Língua de Clarke. Língua afetada de inflamação esclerose sifilítica.

clasmatocyte. Clasmatócito ou clasmócito. Células grandes do tecido conjuntivo que lançam parte de seus prolongamentos como secreção. Conhecem-se com os termos "endotelócitos e macrófagos".

classify. Classificar.

claudication. Claudicação, ato de coxear.

Claudius's cells. Células de Claudius. Células grandes nucleadas de cada lado dos arcos de Golgi. // - **fossa.** Fossa de Claudius. Espaço triangular em que está alojado o ovário, limitado pela veia ilíaca externa por cima, o ureter, por baixo e o ligamento redondo pela frente.

claustrophobia. Claustrofobia. Horror a permanecer em espaços fechados.

claustrum. Claustro.

clava. Clava.

clavate. Claviforme.

Claviceps. "*Claviceps*". Gênero de fungos parasitos que infectam sementes de várias plantas.

clavicle. Clavícula.

clavicular. Clavicular.

claviculus. Fibra de Charpey.

clavus. A. corn. Cravo, especiaria (*Eugenia caryophyllata*) Calo.

claw-foot. Pé em garra (com atrofia e contratura em flexão dos dedos).

claw-hand. Mão em garra. (Com atrofia e contratura dos dedos em flexão).

clear. Clarificar, aclarar, dissipar.

cleavage. Fendilhamento, segmentação divisão. // **lines.** Linha de divisão. // - **nucleus.** Segmentação nuclear.

cleft, fissure, crevice. Fenda, fissura, divisão. // - **hand.** Mão fendida. // - **palate.** Palato fissurado.

cleidarthritis. Clidartrite. Inflamação da articulação da clavícula.

cleidocostal. Clidocostal ou costoclavicular.

cleidocranial. Cleidocranial ou cranioclavicular.

cleidotomy. Clidotomia.

cleithrophobia. Cleitrofobia, claustrofobia.

Cleland's cutaneous ligament. Ligamento cutâneo de Cleland.

cleoid. Instrumento usado em odontocirurgia, para escavar.

cleptomania. Cleptomania.

Clevenger's fissure. Fissura de Clevenger. Fissura occipital inferior, sulco temporal inferior.

clever. Hábil, inteligente.

climateric. Climatérico, climatério.

climatic. Climático.

climatology. Climatologia.

climatotherapy. Climatoterapia.

climax. Climatérico. Acme ou período de maior intensidade no curso de uma enfermidade. Orgasmo sexual.

clinic. Clínica.

clinical. Clínico.

clinician. Médico que examina e trata pacientes acamados.

clinocephalism. Clinocefalismo, clinocefalia. Cabeça em sela de montar.

clinodactyly. Clinodactilia. Curvatura lateral ou medial dos dedos.

clinoid. Clinóide. Processo clinóide.

clip. Cortar. Prender papéis.

clitoridectomy. Clitoridectomia.

clitoriditis. Clitoridite.

clitoris. Clitóris. Sin.: "tessis" "virga", "*mentula muliebris*".

clivus. Declive.

cloaca. Cloaca.

cloacal. Cloacal.

clonic. Clônico.

clonorchiosis. Clonorquiose.

Clonorchis. Clonórquis.

clonus. Clono.

Clopton-Havers's glands. Glândulas de Clopton-Havers.

Cloquet's canal. Conduto de Cloquete. Conduto hialoideo no corpo vítreo do feto. // **- fascia.** Fáscia de Cloquet. Septo crural. // **- ganglion.** Gânglio de Cloquet. Espessamento do nervo nasopalatino no conduto palatino anterior. // **- hernia.** Hérnia de Cloquet. Hérnia femoral.

close. Íntimo, próximo.

Clostridium. "*Clostridium*". Baciláceas anaeróbias.

clot. Coágulo.

cloudy swelling. Inflamação parenquimatosa inicial. Sin.: degeneração albuminosa.

clownismo. Clownismo. Contorsões no ataque histérico.

clubbed fingers. Dedo em baqueta de tambor (terminação nodosa).

clubfoot. "Talipes", Talipe, pé torto. Pé zambo ou deformidade geral, especialmente o pé calcâneo.

clubhand. Deformidade em que há contração em adução ou flexão da mão.

clumping. Talipômano, mão pêndula.

clumping. Aglutinação.

clunis. Nádega.

cm. cm. Abreviatura de centímetro.

cnemial. Crista da tíbia. Relacionado com a aresta anterior da tíbia.

cnemis. Tíbia.

CNS. Abreviatura de *central nervous system*. Sistema nervoso central.

CO. Monóxido de carbono.

CO$_2$. Dióxido de carbono.

coagulant. Coagulante.

coagulate. Coagular.

coagulation. Coagulação. // **- necrosis.** Coagulação com necrose. // **- time.** Tempo de coagulação.

coagulum. Coágulo.

coal. Carvão de pedra.

coarctation. Coarctação, estenose. // **- of the, aorta.** Coarctação da aorta.

C.O.C. Abreviatura de "*Cathodal opening contraction*". Contração catódica de abertura.

cocainism. Cocainismo.

cocarboxylase. Cocarboxilase.

Coccaceae. Cocos. Uma das espécies bacterianas mais baixas, de forma esférica no momento de seu completo desenvolvimento.

coccal. Cocal, relacionado com cocos.

cocci. Cocos.

Coccidia. "*Coccidia*". Gênero de parasitas protozoários.

coccidioidal, granuloma, coccidios. Coccidiose.

Coccidiomorpha. Coccidiomorfo. Subclasse de esporozoários.

Coccidium. "*Coccidium*". Gênero de parasitas protozoários intracelulares.

coccix. Cóccix.

Cocobacillus. Cocobacilo.

cocobacteria. Cocobactéria.

coccus, cocci. Coco, cocos.

coccygeal. Coccígeo.

coccygectomy. Coccigectomia.

coccygeus. Coccígeo.

coccygodynia. Coccigodinia.

cochineal. Cochonilha (coccinella).

cochlea. Cóclea.

cochlear. Coclear.

cochleitis. Cocleíte.

Cock's peculiar tumour. Tumor de Cock. Extensa ulceração séptica no couro cabeludo, semelhante a um epitelioma e desenvolvido a partir de um cisto sebáceo abandonado.

codeine. Codeína.

C.O.Cl. Abreviatura de "*Cathodal opening clonus*". Como catódico de abertura.

Codex Medicamentarius. Farmacopéia Francesa.

codger. Homem grosseiro, excêntrico.

coefficient. Coeficiente. // **- of correlation.** Coeficiente de correlação. // **- of variation.** Coeficiente de variação.

coelenteron. Arquentério. Canal alimentar embrionário primário.

coeliac. Celíaco. // **- disease.** Doença celíaca.

coeliadelphus. Celiadelfo. Monstro duplo unido pelo ventre.

coelom. Coeloma. Celoma.

coelosoma. Celossoma. Monstro com eventração, fissura ou falta de esterno e protrusão maior ou menor dos órgãos torácicos ou abdominais.

Coenocyte. Cenócito. Corpo sincicial nas plantas.

coenogamete. Cenogameta. Gameta multinuclear.

Coenurus cerebralis. Escólex ou larva da *"Taenia coenurus* ou *multiceps"*.

coenzyme. Coenzima.

coerce. Coercer.

coeur, heart. Coração.

coferment. Cofermento.

coffee ground vomit. Vômito como borra de café.

coffinlid crystals. Cristais urinários de fosfato de amônio e magnésio.

cogwheel breathing. Ruído respiratório nos casos de respiração neurótica.

cohabitation. Coabitação.

cohere. Coerir.

cohesion. Coesão.

cohesive. Coesivo, coerente.

Cohnheim's areas. Áreas de Cohnheim. Áreas escuras de circunferência brilhante, observadas na secção transversal de uma fibra muscular. // - **end-arteries.** Artérias de Cohnheim. As artérias curtas que abastecem os gânglios basais do cérebro. // - **frog.** Rã que se deixa exangue e se substitui seu sangue com uma solução salina. // - **theory.** Teoria de Cohnheim. Teoria segundo a qual a emigração dos leucócitos é o caráter essencial da inflamação. // - **tumour germs.** Germes tumorais de Cohnheim. Massas pequenas aberrantes ou heterotópicas de tecido embrionário das quais podem originar-se novos crescimentos.

coitus. Coito. // - **interruptus reservatus.** Coito interrompido ou reservado.

colation. Filtração.

colchicine. Colchicina.

colchicum. Cólquico.

cold. Coriza ou catarro (popular).

colectomy. Colectomia.

Coley's mixture. Líquido ou toxina de Coley. Combinação de toxina de estreptococos da erisipela e de "Bacillus prodigiosus".

coli. Do colo. // Bacterium. Colibacilos.

colic. Cólica. // **biliary.** Cólica biliar. // **lead.** Cólica saturnina. // - **renal.** Cólica renal.

coliform. Coliforme.

colitis. Colite. // - **mucous.** Colite mucosa. // - **ulcerative.** Colite ulcerativa.

collagen. Colágeno.

collaginous. Colagenoso.

collapse. Colapso. // - **of the lung.** Colapso pulmonar.

collar. Colar.

collarette. Colarete. Linha de conjunção entre as zonas da íris ciliar periférica e a papila do centro.

collateral. Colateral. Paraxônio. // - **circulation.** Circulação colateral.

Colles's fascia. Fáscia de Colles. Camada profunda da fáscia superficial do períneo. // - **fracture.** Fratura de Colles. Fratura da extremidade inferior do rádio. // - **ligament.** Ligamento de Colles ou fáscia triangular.

colliculus. Pequena eminência.

collide. Chocar, contradizer.

Collier's pontospinal tract. Feixe pontospinal de Collier. Porção tegumentar do fascículo longitudinal médio.

colliquation. Coliquação.

coliquative. Coliquativo.

collodion. Colódio.

colloid. Colóide. // - **degeneration.** Degeneração colóide. // - **millium.** Colóide miliar.

colloidal. Coloidal.

colloma. Coloma. Câncer colóide.

collotion. Loção*.

collum. Pescoço, colo.

collunarium. Ablução nasal.

collutorium. Colutório.

collyrium. Colírio.

coloboma. Coloboma. Fissura congênita em alguma parte do olho.

colocolostomy. Colocolostomia. Anastomose cirúrgica entre duas porções do cólon.

colocynth. Colocíntida. Glicosido amargo da "citrulus colocynthis". Sin.: citrulina.

colofixation. Colofixação.

colohepatopexy. Coloepatopexia.

colon. Cólon.

colonic. Colônico.

colonometer. Colonômetro.

colony. Colônia.

colopexia, colopexy. Colopexia.

colopexotomy. Colopexotomia.

colophony. Colofônia.

coloptosis. Coloptose.

colorature. Cadências.

colorimeter. Colorímetro.

colorimetry. Colorimetria.

colostomy. Colostomia.

colostrum. Colostro.

colotomy. Colotomia. Sin.: colostomia.

colour. Cor. // - **basic.** Cor básica. // - **blindness.** Cegueira para as cores. // - **complemen-**

---

* N. do T. — Não encontramos o t. "collotion" nem em Dorland, Stedman, Gould. Talvez cacografia de collution, que aparece em Dunglison (1876) significa loção.

tary. Cor complementar. // **- impure.** Cor impura. // **- index.** Índice de cor. // **primary.** Cor primitiva. // **- pure.** Cor pura.

colpeurinter. Colpeurinter. Saco dilatável para dilatar a vagina.

colpeurysis. Colpeurise. Dilatação cirúrgica da vagina.

colpitis. Colpite.

colpocele. Colpocele.

colpocystocele. Colposistocele.

colpocystotomy. Colpocistotomia.

colpocystoureterocystotomy. Colpocistoureterocistotomia.

colpodesmorrhaphy. Colpodesmorrafia.

colpoedema. Colpedema.

colpohyperplasia. Colpoiperplasia.

colpohysterectomy. Colpoisterectomia.

colpohysteropexy. Colpoisteropexia.

colpohysterorrhaphy. Colpoisterorrafia.

colpohysterotomy. Colpoisterotomia.

colpomyomectomy. Colpomiomectomia.

colpopathy. Colpopatia.

colpoperineoplasty. Colpoperineoplastia. Sin.: perineoauxese.

colpoperineorrhaphy. Colpoperineorrafia.

colpopexy. Colpopexia.

colpoplasty. Colpoplastia.

colpoptosis. Colpoptose.

colporrhagia. Colporragia.

colporrhaphy. Colporrafia.

colporrhexis. Colporrexe. Ruptura da vagina.

colposcope. Colposcópio.

colpospasm. Colpospasmo.

colpostenosis. Colpostenose.

colpotomy. Colpotomia.

colpoureterocystotomy. Colpoureterocistotomia.

colpoureterotomy. Colpoureterotomia.

colpoxerosis. Colpoxerose. Seqüela de patologia vaginal.

columella. Columela, coluna pequena; eixo do caracol.

column. Coluna.

columnar. Colunar. Em forma de coluna.

coma. Coma // **- diabetic.** Coma diabético.

comatose. Comatoso. Pertinente ao coma.

comb. Pente.

combined degeneration of cord. Degeneração combinada do cordão espinal.

combustion. Combustão.

comedo, comedones. Comedão. Sin.: *blackhead*

comes. Comes. Artéria ou veia que acompanha um tronco nervoso.

comma bacillus. Comabacilo. Vibrião da cólera asiática.

comma tract. Feixe virguliforme.

commencement. Começo.

commensal. Comensal.

commensalism. Comensalismo.

comminuted. Cominuto. Fratura cominutíva.

comminution. Ação de cominuir, fragmentação.

commissural. Comissural.

commissure. Comissura. // **- anterior.** Comissura anterior. // **hippocampal.** Comissura do hipocampo. // **inferior.** Comissura inferior. // **optic.** Comissura óptica. // **posterior.** Comissura posterior. // **superior.** Comissura superior. Sin.: comissura de Meynert.

commissurotomy. Comissurotomia.

common. Comum.

commotio, commotion. Comoção.

communicable, transmissible. Comunicável, contagioso.

communicans, connecting. Comunicante, conectante.

communis; common. Comum.

commutator. Comutador.

company. Companhia.

comparison. Comparação.

compatibility. Compatibilidade.

compensation. Compensação.

compensatory. Compensador, compensatório. // **- hypertrophy.** Hipertrofia compensadora. // **- pause.** Pausa compensadora.

competition. Competição.

complain. Queixar-se.

complement. Complemento. // **deviation of.** Desvio de complemento. // **- fixation of.** Fixação de complemento. Sin.: fenômeno de Bordet-Gengou.

complemental, complementary. Complementar.

complementoid. Complementóide.

complex. Complexo. // **auricular.** Complexo auricular. // **ventricular.** Complexo ventricular, as ondas QRST. // **Oedipus.** Complexo de Édipo.

complexion. Pele, compleição, constituição.

complexus. Músculo complexo.

complication. Complicação.

component. Componente.

compos mentis. De mente sã, equilibrada.

compose. Compor.

compound. Composto.

comprehension. Compreensão.

compress. Compressa, deprimir.

compression. Compressão.

compressor. Compressor.

Concato's disease. Doença de Concato. Tuberculose sucessiva de várias serosas, terminando, por último no pulmão.

concave. Côncavo, cavo.

concavity. Concavidade.

concavoconcave. Bicôncavo.
concavoconvex. Côncavo-convexo.
concentration. Concentração.
concentric. Concêntrico.
conception. Concepção, concepto.
concerned. Concernente.
concha. Concha.
conchitis. Conquite*.
conchoscope. Concoscópio*.
conchotome. Concótomo*. Instrumento para a incisão das conchas.
conchotomy. Concotomia*.
conclude. Concluir.
concoction. Cóncocção.
concomitant. Concomitante, comitante, acessório.
concrescence. Concrescência.
concrete. Concreto.
concretion. Concreção, cálculo.
concubitus. Concúbito**, coito.
concussion. Concussão. Abalo violento.
concussor. Concussor. Instrumento para massagem.
condensation. Condensação.
condenser. Condensador.
condiment. Condimento.
conditioned reflex. Reflexo condicionado.
condom. Condom. Camisa-de-Vênus.
conductance. Condutividade.
conduction. Condução.
conductivity. Condutividade.
conductor. Condutor.
conduplicate. Dobrar, angular no sentido do comprimento, do grande eixo.
conduplication corporis. Apresentação transversa.
Condy's fluid. Líquido de Condy. Solução antisséptica de permanganato de sódio ou potássio.
condylar. Côndilo.
condylectomy. Condilectomia.
condyloid. Condilóide.
condyloma. Condiloma. // - **acuminatum.** Condiloma acuminado. // - **latum.** Condiloma largo e achatado: placa mucosa.
condylotomy. Condilotomia.
condylus. Côndilo.

---

*N. do T. — Ainda que o Voc. Ortográfico não registre estas formas, com c gutural, por ilação com as formas por ele sancionadas: concóide, concologia e concometria, julgamo-las melhores e em absoluta coerência gráfica.

**N. do T. — Em inglês latinismo por eufemia comum na linguagem sexológica.

cone. Cone. // - **retinal.** Cone retínico.
confabulation. Confabulação.
confection. Confeito (forma farmacêutica).
confident. Seguro, confiado, resoluto.
confinement. Confinamento, recolhimento, internação. Parto.
confirmatory. Confirmativo.
conflict. Conflito.
confluens sinuum. Lagar de Herófilo.
confluent. Confluente.
confusion. Confusão.
congelation, freezing. Congelação.
congenital. Congênito.
congested. Congestionado.
congestion. Congestão.
conglobation. Conglobação.
conglomerate. Conglomerado.
conglutinated, cemented. Conglutinado.
conglutination. Conglutinação.
Congo red. Vermelho Congo.
CO(NH$_2$)$_2$, Urea. Uréia.
coni vasculosi. Massas cônicas de túbulos que constituem o "globus maior" do epidídimo.
conic, conical. Cônico.
conidium. Conídio. Conidiáspora.
Conium. "Conium". Gênero de umbelíferas, como a cicuta.
conjugal. Conjugal, matrimonial.
conjugata spuria. "Conjugata" falsa. // - **vera.** "conjugata vera anatômica". Diâmetro Sacropúbico. // - **vera obstetrica.** Diâmetro promonto-púbico útil.
conjugated, coupled. Conjugado, emparelhado. // - **deviation.** Desvio conjugado dos olhos na mesma direção. // - **diameter.** Diâmetro promonto-suprapúbico. // - **external.** Diâmetro conjugado externo. Linha que une a depressão acima do processo espinhoso da primeira vértebra sacro com a sínfise púbica. // - **proteins.** Proteínas conjugadas. Contém um grupo protésico. // - **true.** Diâmetro conjugado verdadeiro. Distância entre a parte superior e a borda posterior da sínfise púbica e o promontório.
conjugation. Conjugação.
conjunctiva. Conjuntiva.
conjunctival. Conjuntival. // - **folliculosis.** Foliculite conjuntival. // - **reflex.** Reflexo conjuntival.
conjunctivitis. Conjuntivite. // - **follicular.** Conjuntivite folicular. // - **phlyctenularis.** Conjuntivite flictenular.
connate. Conato, congênito, inato*.

---

*N. do T. — Citamos os três adjetivos, em ordem de validade: o primeiro é o de melhor situação.

connection. Conexão.

connective, binding. Conectivo. // - **tissue.** Tecido conectivo.

conoid, conoidal, conical. Conóide, coniforme.

Conolly's system. Sistema de Conolly. Tratamento dos alienados sem maiores restritivos.

Conradi's line. Linha de Conradi. Estende-se da base do apêndice xifóide à região do choque da ponta que constitui o limite superior da macicez do lobo esquerdo do fígado.

consanguineous. Consangüíneo.

consanguinity. Consangüinidade.

conscious. Cônscio, consciente.

consensual. Consensual.

conservation. Conservação.

conservative. Conservador.

consistence, consistency. Consistência.

consolidating. Consolidante.

consolidation. Consolidação.

constant. Constante, dado imutável.

constipation. Constipação.

constitution. Constituição.

constriction. Constricção.

constrictor. Constrictor.

consultant. Consultante.

consultation. Consulta.

consumption. Consunção.

consumptive. Consuntivo.

contact. Contato.

contagion. Contágio.

contagium. Contágio.

contain. Conter.

content. Conteúdo.

contiguity. Contigüidade, proximidade.

continence, selfrestraint. Continência.

continued. Continuado.

continuity. Continuidade.

contortion, twisting. Contorção.

contour. Contornar.

contraaperture, counter-opening. Contra-abertura.

contraception. Contracepção.

contraceptive. Contraceptivo.

contract, to shrink. Contrair, adquirir por contágio.

contracted pelvis. Pelve estreita.

contractile. Contráctil.

contractility. Contractilidade.

contractio praevia. Contração prévia. Estreitamento do segmento uterino inferior.

contraction. Contração. // - **anodal closing.** contração anódica de fechamento. // - **anodal opening.** Contração anódica de abertura. // - **cathodal closing and opening.** Contração catódica de fechamento e abertura. // -

Dupuytren's. Contratura de Dupuytren. // - **hour-glass.** Contração em ampulheta.

contracture. Contratura.

contraindication. Contra-indicação.

contralateral. Contralateral.

contrast. Contraste.

contravolitional. Contravolicional, involuntário.

contrecoup. Contragolpe.

control. Controle, direção, restrição, governo.

contuse, to bruise. Contuso.

contusion. Contusão.

conus. Cone.

convalescence. Convalescença.

convalescent. Convalescente.

convection. Convecção.

convergence, meeting. Convergência.

convergent. Convergente.

conversion. Conversão.

convex. Convexo.

convexoconvex. Biconvexo.

convey. Transmitir.

convoluted, coiled. Pregueado.

convolution. Circunvolução, giro.

Convolvulus. "*Convolvulus*". Gênero de convolvulaceas, como a jalapa "C. purga" ou "C. jalapa".

convulsant. Convulsivante.

convulsion. Convulsão.

convulsive. Convulsivo.

cook. Cozinheiro.

Cooper's fascia. Fáscia de Cooper. Fáscia transversal. Lâmina fibrocelular entre o músculo transverso e o peritônio. // **hernia.** Hérnia de Cooper. Hérnia encistada da túnica vaginal. // - **irritable breast.** Seio (peito ou mama) irritável de Cooper. Mastodinia nelvrálgica. Nevralgia das mamas. // **irritable testicle.** Testículo de Cooper. Nevralgia testicular. // - **ligament.** Ligamento de Cooper. Ligamento pectíneo. // **suspensory ligament.** Ligamento suspensor de Cooper. Expansões fibrosas que vão da glândula mamária à pele.

coordination. Coordenação.

copper. Cobre.

coprolalia. Coprolalia.

coprolith. Coprólito.

coprophagy. Coprofagia.

coprophilia. Coprofilia.

coprophobia. Coprofobia.

coproporphyrin. Coproporfirina.

coproporhyrinuria. Coproporfinúria.

coprostasis. Copróstase, coprostasia.

coprosterol. Coprosterol.

copula. Cópula, amboceptor, zigoto, tecido conectivo.

copulation. Coito.

Coq. Abreviatura de *"coquator"*, usada nas receitas para significar: "coza-se".

cort, heart. Coração.

coracoacromial. Coraco-acromial.

coracobrachialis. Coracobraquial.

coracoid. Coracóide.

Coramina. Coramina.

cord. Tendão, cordão. // **prolapse of the.** Apresentação funicular. // **subacute combined degeneration of the.** Degeneração combinada subaguda do cordão espinal.

cordate. Cordiforme.

cordectomy. Cordectomia.

cordial. Estimulante cardíaco.

core. *"Core"*. Termo e prefixo gregos. Significa "pupila".

corectopia. Corectopia. Deslocamento da pupila.

coremium. *"Coremium"*. Forma especial de micélio.

coreometer. Coreômetro.

coreplasty. Coreoplastia. Cirurgia para remodelar a pupila.

coretomy. Coretomia, iridotomia.*

coriander. Coriandro, coentro.

corium. Corión.

cork. Cortiça.

corn. Semente em geral, grão.

cornea. Córnea. // **- guttata.** Distrofia endotelial da córnea.

corneal. Corneal. // **- dystrophy familiar.** Distrofia corneal familiar. // **- reflex.** Reflexo corneal.

corneoiritis. Corneoirite ou corneoiridite.

corneous. Córneo.

corneum. "Corneum". Estrato ou camada córnea da pele.

cornflour. Farinha de milho.

cornification. Cornificação, ceratinização.

cornu. Corno. // **- ammonis.** Corno de Amón. // **- cutaneum.** Corno cutâneo.

cornual. Córneo.

cornucopia. Cornucópia. Extensão do plexo coróideo em cada fosseta lateral do quarto ventricular.

corona crown. Coroa. // **- dentis, mortis, radiant, veneris.** Coroa dentária "mortis", radiante de venus "Veneris".

coronal. Coronária. // **- suture.** Ponto na estrutura coronária.

coronaria ventriculi. Artéria na curvatura menor do estômago.

coronary. Coronária. // **- occlusion, sclerosis, thrombosis.** Oclusão, esclerose, trombose coronária.

coroner. Equivalente na Espanha a médico forense.*

coronoid. Coronóide.

corpora. Plural de corpus. Formações arredondadas. // **- amylacea.** Formações encontradas no tecido nervoso após a morte. // **- arantii.** Corpos de Arâncio. // **- arenacea.** Corpos arenáceos. // **- bigemina.** Corpos bigemina. // **- geniculate.** Corpos geniculados. // **- libera.** Corpos livres. // **- mamillaria.** Corpos mamilares. // **- quadrigemina.** Tubérculos quadrigêmeos.

corpse. Cadáver.

corpulence, corpulency. Corpulência, obesidade.

corpulent. Corpulento.

corpus. Corpo. // **- albicans.** Corpo albicans (tubérculo mamilar). // **- callosum.** Corpo caloso. // **- candicans.** Corpo "candicans". // **- haemorrhagicum.** Corpo hemorrágico // **- luteum.** Corpo lúteo. // **- highmorianum.** Corpo de Highmoro. // **- luysii.** Corpo de Luys. // **- restiform.** Corpo restiforme. // **- striatum.** Corpo estriado .

corpuscle. Corpúsculo. // **- lamellar.** Corpúsculo de Vater. // **- renal.** Corpúsculo de Malpighi. // **- thymic.** Corpúsculo de Hassal.

corpuscular. Corpuscular.

correctant, corrective. Corretivo.

correlation. Correlação. // **- coefficient.** Coeficiente de correlação.

Corrigan's cautery. Cautério de Corrigan. Cautério com cabo de madeira e terminação de ferro em forma de botão. // **- line.** Linha de Corrigan. Linha de cor vermelho escuro púrpura que se apresenta nas gengivas em caso de intoxicação pelo cobre. // **- pulse.** Pulso. Pulso de Corrigan. Caracteriza-se por uma expansão plana em cada pulsação, seguida de colapso súbito. // **- respiration.** Respiração de Corrigan ou cerebral. É superficial, freqüente, soprosa. // **- sign.** Sinal de Corrigan. Pulsação expansiva perceptível nos casos de aneurisma da aorta abdominal.

corrode. Corroer.

corrosion. Corrosão.

---

* N. do T. — Usa-se mais iridotomia. Termos com o elemento inicial "core", tanto em inglês como em nossa codificação ortográfica, ora apresentam o infixo — o —, ora não, parece-me, segundo o uso abandonado em linguagem escrita.

---

* N. do T. — Também oficial de justiça.

corrosive. Corrosivo.

corrugator. Corrugador.

corset. Espartilho.

cortex. Córtex.

Corti's arch. Arco de Corti. Forma-se no órgão de Corti por duas fileiras de fibras. // **- canal.** Conduto de Corti. Espaço entre os bastões internos e externos de Corti. // **- cells.** Células de Corti. Células filamentosas na superfície externa do órgão de Corti. // **- fibres.** Fibras de Corti. Bastonetes de Corti. // **- ganglion.** Gânglio de Corti. Gânglio entre as folhas da lâmina espinal que envia filamentos ao órgão de Corti. // **- membrane.** Membrana de Corti. Membrana tectória. // **- organ.** Órgãos de Corti. Aparelho espiral. // **- teeth.** Dentes de Corti. Os dentes de Corti são uma série de pontos na lâmina espiral do caracol.

cortical. Cortical. // **- cataract, epilepsy, necrosis of the kidney.** Cataratas epilepsia, necrose renal, corticais.

corticipetal. Corticípeto.

corticoafferent. Córtico aferente. Corticípeto.

corticospinal. Corticospinal.

corticosterone. Corticosterona.

cortifugal. Corticífugo.

cortisone. Cortisona.

Corvisart's disease. Doença de Corvisart. Miocardite hipertrófica crônica. // **- facies.** Facies de Corvisart. Aspecto da face na insuficiência cardíaca.

Corynebacteria. Corinebactéria.

coryza. Coriza. Sin.: rinite. Estado catarral agudo da mucosa nasal.

cosmetic. Cosmético.

costa. Costela. // **- decima fluctuans, spuria, vera.** Costela flutuante décima, falsa, verdadeira.

costal. Costal. // **- breathing.** Respiração costal.

costive, constipated. Constipado.

costiveness. Constipação.

costochondral. Costocondral.

costoclavicular. Costoclavicular.

costocoracoid. Costocoracóide.

costotome. Costótomo.

costotomy. Costotomia.

costotransverse. Costotransverso.

costotransversectomy. Costotransversectomia.

costovertebral. Costovertebral.

Cotard's syndrome. Síndrome de Cotard. Paranóia com delírio de negação, tendência ao suicídio e transtornos sensoriais.

cotton. Algodão.

Cotunnius's canal. Canal de Cotugno. Aqueduto do vestíbulo. // **- disease.** Doença de Cotugno. Ciática "malum Cotugni". // **liquor.** Líquido de Cotugno. Perilinfa do labirinto ósseo do ouvido. // **- nerve.** Nervo de Cotugno, nervo nasopalatino. // **- space.** Espaço de Cotugno. Saco endolinfático do ouvido interno.

cotyledon. Cotilédone.

cotyloid. Cotilóide.

cough. Tosse.

coughing. Tosse.

coulomb. Coulomb. Unidade de carga elétrica.

count. Conta, cálculo, soma.

counterextension. Contra-extensão.

counterirritant. Contra-irritante.

counterirritation. Contra-irritação.

counteropening. Contra-abertura.

counterpoison. Contraveneno, antídoto.

counterpuncture. Contrapunção.

counterstain. Contracoloração.

countertransference. Contratransferência.

course. Meses, menstruação. Série, curso.

couveuse. Incubadora.

cover. Coverta, cobrir.

coverglass, coverslip. Cobre-objeto.

Cowper's glands. Glândulas de Cowper. Cada uma das glândulas acinosas situadas paralelamente na porção membranosa da uretra, diante da próstata, cujo ducto excretor se abre na uretra, diante do verumontanum. // **- ligament.** Ligamento de Cowper. Porção da fáscia lata que se insere na crista do púbis. // **- cyst.** Cisto de Cowper, formado pela dilatação de uma glândula de Cowper.

cowperitis. Cowperite. Inflamação das glândulas de Cowper.

cow-pox. Vacina. Doença pustulosa das vacas.

coxa. Quadril, cadeiras. // **- plana.** Coxa plana. // **- valga.** Coxa valga. // **- vara.** Coxa vara.

coxalgia. Coxalgia.

coxitis. Coxite.

Cr. chromium. Símbolo do cromo.

crab-louse. Piolho, *Pediculus pubis*.

cracked pot sound. Som de panela rachada.

cradle. Goteira. Dispositivo para manter roupa de cama ajustada.

cramp. Cãibra.

Crampton's muscle. Músculo de Crampton. Músculo ciliar.

cranial. Cranial. // **- nerve.** Nervo craniano.

craniocele. Craniocele.

craniocerebral. Crânio cerebral.

cranioclast. Cranioclasto.

cranioclasty. Cranioclastia.

craniocleidal. Cranioclavicular (clidocranial).

craniofacial. Craniofacial.

craniology. Craniologia.

craniometer. Craniômetro. Aparelho para medir as dimensões do crânio.

craniometry. Craniometria.

craniopagus. Craniópago. Monstro gemelar, unido pela cabeça. Sin.: cefalópago.

craniophaty. Craniopatia.

craniopharyngioma. Craniofaringioma.

cranioplasty. Cranioplastia.

craniorrhachischisis. Craniorraquísquise.

craniochisis. Craniósquise.

craniostenosis. Craniostene.

craniostosis. Craniostose. Ossificação prematura das fissuras.

craniotabes. Craniotabes.

craniotome. Craniotomo.

craniotomy. Craniotomia.

cranium. Crânio.

crasis. Crase. Qualidade do sangue.

craw-craw. *Craw-craw*. Forma tenaz de eczema pruriginoso papulopustuloso na África Ocidental, atribuído a microfilárias.

crease. Prega, dobra.

create. Criar.

creatine. Creatina.

creatinine. Creatinina.

creatinuria. Creatinúria.

creatorrhoea. Creatorréia.

Credé's method. Método de Credé. Instilação de uma gota de solução de nitrato de prata a 2 por cento nos olhos dos recém-nascidos para prevenir a oftalmia blenorrágica. // Método de espremedura para desprender a placenta depois do parto.

creeping disease, creeping eruption. Miíase linear. *Larva migrans.*

cremaster muscle. Músculo cremáster.

cremasteric. Cremastérico. // **- reflex.** Reflexo cremastérico.

cremation. Cremação.

cremor. "Cremor", creme em latim.

crena. Crena, fenda ou sulco.

crenate, crenated. Crenulado, recortado, entalhado.

crenation. Crenação. Aparência anormal dentilhada, como as margens das hemácias.

crenocyte. Crenócito. Eritrócito crenado.

crenotherapy. Crenoterapia. Tratamento das enfermidades pelas águas minerais.

crenothrix. *Crenothrix.* Gênero de clamidobactérias.

creosote. Creosoto.

crepitant. Crepitante.

crepitatio, crepitation. *"Crepitus".* Crepitação.

crescent. Crescente.

crescentic. Crescente.

cresol. Cresol.

crest. Crista.

creta, chalk. Creta, carbonato de cálcio natural.

cretin. Cretino, afetado de cretinismo.

cretinism. Cretinismo.

cretinoid. Cretinóide.

cretinous. Cretino.

cribiform. Cribiforme.

Crichton-Browne's sign. Sinal de Crichton-Browne. Tremor das comissuras labial e palpebral no período precoce da demência paralítica.

cricoarytenoid. Cricoaritenoídeo.

cricoid. Cricóide.

cricoidectomy. Cricoidectomia.

cricothyroid. Cricotireoídeo.

cricotracheotomy. Cricotraqueotomia.

crime. Crime.

criminology. Criminologia.

crinis. Crina

crisis. Crise.

crista Crista.

Crithidia. *Crithidia.* Gênero de protozoários semelhantes ao tripanossomo.

critical. Crítico.

criticize. Criticar.

Crohn's disease. Enfermidade de Crohn. Ileíte regional.

Crooke's tube. Tubo de Crookes. Ampola de vidro com grande vácuo e dois elétrodos.

cross. Cruz, cruzar, atravessar.

crossed. Cruzado.

crossing over. Cruzamento.

Crotalidae. Crotalídeo. Família de serpentes venenosas entre as quais se encontram as do gênero *Crotalus* — a cascavel.

crotchet. Bifurcação, cruz.

crotin. Crotina.

croup. Crupe.

croupous. Cruposo, crupal.

Crouzon's disease. Enfermidade, moléstia de Crouzon. Disostose craniofacial.

crown. Coroa.

crowning. Coroação, coroamento.

crucial. Crucial, grave, decisivo.

cruciform. Cruciforme.

crude. Cru.

cruor. Crúor.

crura. Crura. Plural de "crus".

crural. Crural.

crureus. Músculo da coxa.

crus, leg. Perna.

crush. Colisão, choque. Colidir.

crust, crusta. Crosta.

crutch. Muleta.

Cruveilhier's atrophy. Atrofia de Cruveilhier. Atrofia muscular progressiva. // **- fascia.** Fáscia de Cruveilhier. Plexo da região cervical posterior, derivado do nervo occipital maior e do primeiro e segundo nervos cervicais. // Plexo de veias varicosas numa das variedades de angioma. // **- ulcer.** Úlcera de Cruveilhier. Úlcera gástrica.

cry. Grito, choro.

cryoscopy. Crioscopia.

crypt. Cripta.

cryptic. Críptico, escondido, secreto.

cryptocephalus. Criptocéfalo.

cryptococcus. Criptococo.

cryptodidymus. Criptodídimo.

cryptogam. Criptógamo.

cryptogenetic, criptogenic. Criptogênico.

cryptophthalmous, cryptophthalmus. Criptoftalmo. União congênita das pálpebras.*

cryptorchis. Portador de criptorquia.

cryptorrhetic. Criptorréico. Relativo a secreção interna.

crystal. Cristal. // **- Charcot-Leyden's, Teichmann's.** Cristal de Charcot-Leyden, Teichmann.

crystal violet. Cristal violeta.

crystallin. Cristalino.

crystallitis. Cristalite. Sin.: facite.

crystallization. Cristalização.

crystallize. Cristalizar.

crystalloid. Cristalóide.

crystalluria. Cristalúria.

C.S.F. Abreviatura de *"cerebrospinal fluid"*. Líquido cefalorraquídeo, cefalorraquiano.

C.S.M. Abreviatura de *"cerebrospinal meningalis"*. Meningite cerebrospinal.

CTAB. Preparação de brometo de cetiltrimetilamônio.

Ctenocephalides. Gênero de pulgas de que algumas espécies são parasitos do cão e do gato.

Cu. Símbolo químico do cobre.

cubeba. Planta piperácea de Java.

cubebic acid. Ácido cubébico.

cubital. Cubital.

cubitus. Cúbito, antebraço.

cuboid. Cubóide. // **- bone.** Osso cubóide.

cuirass. Couraça.

cul de sac. Fórnice, betesga.

Culex. *Culex*. Gênero de mosquitos.

Culicidae. *Culicidae*. Família de insetos dípteros.

culicide. *Culicina*. Subfamília de "Culicida".

cull. Colher, escolher, eleger.

culmen. "Cúlmen". Ponto mais alto.

cultural. Cultural, de cultivo.

culture. Cultura, cultivo. // **- medium.** Meio de cultura. // **plate.** Placa de cultura. // **pure.**

Cultura pura. // **slant.** Cultura inclinada. // **stab.** Cultura por picada.

cu.mm. Abreviatura de "milímetro cúbico.

cumulative, increasing. Cumulativo.

cuneate. Em cunha, cuneiforme.

cuneiform. Cuneiforme.

cuneocuboid. Cuneocubóide.

cuneus. Cúneo.

cuniculus. Cunículo. Sulco ou galeria formada pelos ácaros parasitos de pele humana.

cunnilingus. Pervertido sexual que lambe a vulva.

cunnus. *"Cunnus"*. Vulva.

cupola. Cúpula.

cupping. Escarificação. // **- glass.** Ventosa.

cupraemia. Cupremia, cuprismo.

cupressin. Cupressina. Óleo de ciprestes.

cupric citrate. Citrato de cobre.

cupric sulphate. Sulfato de cobre.

cuprum, cooper. Cobre.

curare. Curare.

curative. Curativo.

curcumin. Curcumina. Princípio colorante vegetal.

curd. Coalhada, requeijão.

cure. Cura, tratamento.

curettage. Curetagem.

curette, curet. Cureta.

curettement. Curetado, material obtido de curetagem.

curie. Curie. Unidade tipo para medir as emanações de rádio em equilíbrio com um grama de elemento rádio.

Curling's ulcer. Úlcera de Curling. Úlcera duodenal devida a uma extensa queimadura da pele.

current. Corrente. // **alternating.** Corrente alternada. // **- direct.** Corrente contínua. // **high frequency.** Corrente de alta freqüência.

Curschmann's spirais. Espirais de Curschmann. Fibrilas de mucina enroladas que se encontram às vezes nos escarros em caso de asma brônquica.

curtail. Interromper, abreviar.

curtain. Cortina.

curvature. Curvatura.

curve. Curva.

Cusco's speculum. Espéculo de Cusco. Espéculo vaginal.

Cushing's law. Lei de Cushing. O aumento da pressão intracranial produz aumento da pressão sangüínea até um ponto ligeiramente superior à pressão exercida contra o bulbo. // **reaction.** Reação de Cushing. Injeção subcutânea de 1 cm^3 de extrato de lóbulo anterior de hipófise de boi; se a temperatura aumenta mais de 1°C é

---

* N. do T. — Mais conhecido como anciloblefaro.

indício de hipopituitarismo. // **suture.** Sutura de Cushing. Forma de sutura de Lembert, contínua. // **- syndrome.** Síndrome de Cushing. Distrofia adiposogenital.

cushion. Coxim, suporte.

cusp. Cúspide.

cuspid, cuspidate. Cuspidado. Sin.: dente canino.

cut. Cortar.

cut off. Separar, segregar.

cutaneous. Cutâneo. // **- reflex.** Reflexo cutâneo.

cuticle. Cutícula.

cuticular. Cuticular.

cutis. Cútis. // **- anserina.** Carne de galinha. // **- laxa.** Cútis laxa. // **- verticis gyrata.** Cútis pêndula.

cutting. Corte.

Cuvier's canal. Conduto de Cuvier. Nome dos troncos venosos curtos, no feto que se abrem no átrio; o tronco direito forma a cava superior.

cwt. Abreviatura de *hundredweight*, quintal.

Cy. Abreviatura de "*Cyanogen*", cianogênio.

cyanhydrosis. Cianidrose.

cyanogen. Cianogênio.

cyanopia. Cianopia.

cyanose tardif. Cianose tardia.

cyanosed. Cianótico.

cyanosis. Cianose. Sin.: disematose, enfermidade ou doença azul, *morbus coeruleus.* Cianopatia, cianodermia, icterícia violeta.

cyanotic. Cianótico.

cyathus. Cíato, vaso.

cycle. Ciclo. Sucessão de sintomas.

cyclencephalus. Ciclencéfalo.

cyclic. Cíclico.

cyclitis. Ciclite.

cyclobarbitone. Ciclobarbitona.

cyclocephalus. Ciclocéfalo.

cyclodialysis. Ciclodiálise.

cyclopean. Cíclope.

cyclophoria. Cicloforia. Circulação dos líquidos no corpo. // Foria com rotação bulbiocular.

cycloplegia. Ciclopegia. Paralisia da acomodação.

cyclopropane. Ciclopropano.

cyclop. Cíclope.

cyclothymia. Ciclotimia. Psicose com fases periódicas de depressão.

cyclotome. Ciclótomo. Instrumento cortante empregado nas operações do olho.*

cyclotomy. Ciclotomia. Secção cirúrgica do músculo ciliar.

_____
* N. do T. — Hoje obsoleto.

cyclotron. Ciclotron. Aparelho radioscilador usado para bombardear os núcleos de átomos com nêutrons e produzir transmutações e radiatividade artificial, como isótopos radiativos de elementos químicos.

cyematocardia. Ciemocardia, embriocardia.

cyemology. Ciemologia, embriologia.

cyesis. Ciese. Gravidez, prenhez.

cyetic. Ciético, gestacional, gravídico.

cylinder. Cilindro.

cylindrical. Cilíndrico.

cylindroid. Cilindróide.

cylindroma. Cilindroma. Sin.: sifonoma, mixossarcoma, epitelioma de corpos.oriformes.

cylindrosarcoma. Cilindrossarcoma.

cylindruria. Cilindrúria.

cyllosis. Cilose, pé torto. Espasmo da pálpebra. // Deformidade do pé ou perna.

cyst. Cisto. // **- allantoic.** Cisto alantóico. // **- atheromatous.** Cisto ateromatoso. // **- branchial.** Cisto branquial. // **daughter.** Cisto filha. // **dentigerous.** Cisto dentígero. // **dermoid.** Cisto dermóide. // **epidermoid.** Cisto epidermóide. // **implantation.** Cisto por implantação, por inclusão // **mother.** Cisto mãe. // **multilocular.** Cisto multilocular. // **proliferation, proliferous.** Cisto prolífero ou proliferante. // **retention.** Cisto de retenção. // **sebaceous.** Cisto sebáceo. // **- secondary.** Cisto secundário. // **sequestration.** cisto por seqüestração. // **thyroglossal.** Cisto tiroglosso. // **unilocular.** Cisto unilocular.

cystadenocarcinoma. Cistadenocarcinoma.

cystadenoma. Cistadenoma.

cystalgia. Cistalgia.

cystauchenotomy. Cistauquenotomia. Cirurgia do colo da bexiga.

cystectasia. Cistectasia.

cystectomy. Cistectomia.

cysteine. Cisteína.

cystencephalus. Cistencéfalo. Monstro fetal com cérebro em forma de saco membranoso.

cystendesis. Cistendese. Sutura na vesícula biliar.

cysticercosis. Cisticercose.

Cystecercus. Cistecerco. Forma larval de tênia, em que o escólex está incluído em um cisto.

cysticotomy. Cisticotomia.

cystid. Cístico. // **- degeneration.** Degeneração cística.

cystidotrachelotomy. Cistidotraquelotomia. (V. *cystauchenotomy*).

cystinaemia. Cistinemia.

cystine. Cistina. Aminoácido, produzido pela digestão das proteínas.

cystinuria. Cistinúria.

Cystistaxis. Cististaxe. Gotejo de sangue na bexiga.

cystitis. Cistite.

cystitome. Cistotomo.

cystitomy. Cistotomia.

cystobubonocele. Cistobubonocele. Hérnia da bexiga pelo conduto inguinal.

cystocele. Cistocele. Hérnia de um segmento da bexiga urinária.

cystocolostomy. Cistocolostomia.

cystoenterocele. Cistenterocele.

cystoepithelioma. Cistepitelioma.

cystofibroma. Cistofibroma.

cystoid. Cistóide.

cystolithectomy. Cistolitectomia.

cystolithiasis. Cistolitíase.

cystolutein. Cistoluteína.

cystoma. Cistoma.

cystomerocele. Cistomerocele.

cystomyxoma. Cistomixoma.

cystoparalysis. Cistoparalisia, cistoplegia.

cystopexia. Cistopexia.

cystophthisis. Cistoftisia.

cystoplasty. Citoplastia.

cystopyelitis. Cistopielite.

cystorectostomy. Cistorretostomia.

cystorrhagia. Cistorragia.

cystorrhaphy. Cistorrafia.

cystoschisis. Cistosquise.

cystoscirrhus. Cistocirro.

cystoscope. Cistoscópio.

cystoscopy. Cistoscopia.

cystospasm. Cistospasmo.

cystopermitis. Cistopermite.

cystostomy. Cistostomia.

cystotome. Cistótomo.

cystotomy. Cistotomia.

cystoptosis. Cistoptose.

cystourethroscope. Cistouretroscópio.

cytaster. Citáster, áster ou estrela.

cytoblast. Citoblasto, bioblasto.

cytochemistry. Citoquímica, química celular.

cytochromatin. Citocromatina.

cytochrome. Citocromo.

cytochylema. Citoquilema. Hialoplasma.

cytocide. Celulicida, destruidor de células.

cytode. Citódio. Célula sem núcleo.

cytodendrite. Citodendrito.

cytodesma. Citodesma.

cytodiagnosis. Citodiagnóstico.

cytogenesis. Citogênese.

cytogenous. Citogênico.

cytoid. Citóide. // **bodies.** Corpos citóides.

cytokinesis. Citocinese.

cytology. Citologia, citodiagnóstico.

cytolymph. Citolinfa, hialoplasma, enquilema.

cytolysin. Citolisina.

cytoma. Citoma.

cytomere. Citômero.

cytometer. Citômetro. Cromocitômetro.

cytomicrosome. Citomicrossoma.

cytomitoma. Citomitoma.

cytomorphosis. Citomorfose.

cyton. Citônio. Corpo celular de um neurônio.

citophil. Citófilo.

cytophylaxis. Citofilaxia.

cytoplasm. Citoplasma.

cytopoiesis. Citopoese, citogênese.

cytoscopy. Citoscopia, citodiagnóstico.

cytosome. Citossoma. Boca celular.

cytotaxis. Citotaxia.

cytotoxin. Citotoxina.

cytotrophoblast. Citotrofoblasto. Camada de Langhans.

cytozyme. Citozima. Sin.: trombocínase.

Czermak's spaces. Espaços de Czermak. Espaços ocos irregulares na substância interglobular da dentina.

FRASES E MODISMOS

(to) call for. Requerer.

(to) carry out. Levar a cabo.

coated tongue. Língua saburral.

(to) come in (to). Entrar em.

(to) conjure up. Evocar.

cotton wool. Algodão em rama.

cut off. Separado, segregado.

D

Δ, δ. Delta. Quarta letra do alfabeto grego.

D. Abreviaturas de *"detur"*, dê-se, *"dexter"* ou direito, ou de densidade, dioptria e dose.

D. to N. ratio. Abreviatura de *"dextrosen nitrogen ratio"*.

dab. golpear, tocar, coçar ligeiramente.

Dabney's grip. Gripe de Dabney. Pleurodinia epidêmica.

Daboia Russelli. Víbora de Russelli.

dacnomania. Dacnomania. Loucura que impele a morder ou morder-se e inclusive a matar.

DaCosta's disease. Enfermidade de DaCosta. Gota retropulsora. // **syndrome.** Astenia circulatória.

dacrocystitis. Dacriocistite. Inflamação do saco lacrimal.

dacry-. Dacrio ou dacri. Forma prefixa que significa lágrima.

dacryadenalgia. Dacriadenalgia. Dor na glândula lacrimal.

dacryadenitis. Dacriadenite.

dacryadenoscirrhus. Dacriadenocirro.

dacryagogatresia. Dacriagogatresia, atresia do conduto lacrimal.

dacryagogue. Dacriagogo. Que provoca o fluxo de lágrimas.

dacrycystalgia. Dacriocistalgia. Dor no saco lacrimal.

dacrycystitis. Dacriocistite. Inflamação do saco lacrimal com tumefação dolorosa e coleção de conteúdo purulento.

dacryelcosis. Dacrielcose. Ulceração no aparelho lacrimal.

dacryo-. Dacrio. Forma prefixa que significa "lágrima".

dacryoadenectomy. Dacriadenectomia. Excisão da glândula lacrimal.

dacryoadenitis. Dacriadenite.

dacryoblennorrhea. Dacrioblenorréia. Derrame mucoso dos dutos lacrimais na dacriocistite crônica.

dacryocanaliculitis. Dacriocanalicutite.

dacryocele. Dacriocele. Protrusão herniária do saco lacrimal.

dacryocyst. Dacriocisto. Saco lacrimal.

dacryocystalgia. Dacriocistalgia.

dacryocystectasia. Dacriocistectasia. Dilatação do saco lacrimal.

dacryocystectomy. Dacriocistectomia. Excisão do saco lacrimal.

dacryocystitis. Dacriocistite.

dacryocystoblennorrhea. Dacriocistoblenorréia.

dacryocystocele. Dacriocistocele.

dacryocystoptosis. Dacriocistoptose. Prolapso ou deslocamento do saco lacrimal.

dacryocystorhinostenosis. Dacriocistorrinostenose. Estenose do conduto nasolacrimal.

dacryocystorhinostomy. Dacriocistorrinostomia.

dacryocystosyringotomy. Dacriocistossiringotomia. Incisão do saco e ducto lacrimais.

dacryocystotome. Dacriocistótomo. Instrumento para incisar o saco lacrimal.

dacryocystotomy. Dacriocistotomia.

dacryogenic. Dacriogênico. Estimulante da secreção lacrimal.

dacryohelcosis. Dacrioelcose ou dacrielcose.* Úlcera do saco ou do conduto lacrimal.

dacryohemorrhea. Dacrioemorréia ou dacriemorréia.*

dacryolyth. Dacriólito. Cálculo lacrimal.

dacryon. Dácrio. Ponto lacrimal.

dacryops. Dacriops. Cisto de retenção de um conduto excretor da glândula lacrimal, no ângulo lateral da pálpebra superior.

dacryorrhea. Dacriorréia.

dacryosolen. Ducto lacrimal.

---

* N. do T. — Formas mais recomendáveis ainda que ausentes do Voc. Ortográfico.

dacryosolenitis. Inflamação do conduto lacrimal.

dacryuria. Dacriúria. Emissão de urina acompanhada de pranto.

dactyl. Dedo.

dactylar, dactylic. Dactilar, dactílico.

dactylate. Dactilino ou dactilóide. Semelhante a dedo, digitiforme.

dacthylitis. Dactilite.

dactylo. Dactilo. Forma prefixa que significa "dedo".

dactylogram. Dactilograma. Impressão digital para identificação.

dactylography. Dactilografia. Estudo das impressões digitais.

dactylogryposis. Dactilogripose. Flexão permanente dos dedos.

dactyloid. Dactylóide.

dactylology. Dactilologia. Expressão com sinais feitos pelos dedos.

dactylolysis. Dactilólise. Perda dos dedos.

dactylomegaly. Dactilomegalia. Tamanho excessivo dos dedos.

dactylospasm. Dactilospasmo.

dactylosymphysis. Dactilossínfise. Sindactilia.

dactylus. Dedo.

Daffy's elixir. Elixir de Daffy. Tintura de sene composta.

daft. Bobo.

dagga. Planta africana do gênero. *Leonotis.*

D.A.H. Abreviatura de *"Disordered action of the heart".*

dainty. Delicado, saboroso.

Dakin's solution. Solução de Dakin. Solução aquosa de hipoclorito de sódio.

dakryon. Dácrio. Ponto lacrimal.

Dale reaction. Reação de Dale. Produção de uma contração específica de uma alça intestinal ou de um corno uterino de uma cobaia anafilática, quando estes tecidos se expõem à ação de antígenos adequados.

Dalrymple's disease. Enfermidade de Dalrymple. Ciloceratite.

dalton. Dalton. Unidade de medida.

Dalton's law. Lei de Dalton. Ainda que o volume de um gás absorvido por um líquido seja constante, o peso do mesmo varia com a pressão.

Dalton-Henry law. Lei de Dalton-Henry. Se um líquido absorve uma mistura de gases, absorverá tanto de cada gás quanto absorveria de cada um em separado.

daltonism. Daltonismo. Cegueira para certas cores, especialmente para o vermelho.

damage. Dano.

damascenine. Damascenina. Alcalóide em prismas, incolor, procedente da *Nigella damascena.*

damiana. Damiana. Extrato de plantas mexicanas da espécie *Turnera aphrodisiaca.* Tônico, diurético, analéptico e afrodisíaco.

Damman's bacillus. Bacilo de Damman. Actinomiceto necróforo.

dammar. Resina transparente, amarelada da *Dammara orientalis.*

Dammerschlaf (alemão). Sono crepuscular.

damn. Maldizer, renegar, condenar.

Damoiseau's curve. Curva de Damoiseau (v. *"Ellis's line").*

damp. Úmido.

Dana's operation. Operação de Dana. Ressecção das raízes posteriores do nervo espinal.

Dance's sign. Sinal de Dance. Depressão na região ilíaca direita, na invaginação.

dandruff, dandriff. Caspa.

dandy fever. Dengue.

danger. Perigo.

Daniell's cell. Célula de Daniell. Uma forma de célula dos fluídos para a bateria galvânica: a placa coletora é de cobre, e os líquidos estão separados por um diafragma poroso.

Danielsen's disease. Enfermidade de Danielsen. Lepra anestésica.

Danlos's disease or syndrome. Enfermidade ou síndrome de Danlos. Sistema quádruplo que consiste em uma hiperexcitabilidade articular, hiperelasticidade cutânea, fragilidade da pele e pseudotumores consecutivos a um trauma.

Danysz's phenomenon. Fenômeno de Danysz. Diminuição da influência neutralizante de uma antitoxina quando se junta à toxina em porções fracionadas e não de uma só vez.

DAP. Abreviatura de *"Dihydroxy acetone phosphate"* fosfato de di-hidroxiacetona.

Daphne. *"Daphne". Gênero de árvores e arbustos dafnáceos.* São estimulantes, vesicantes e purgantes.

daphnetin. Dafnetina.

Daphnia. Dafnia. Gênero de crustáceos de água fresca. Sua espécie mais conhecida é usada em investigações biológicas.

daphnin. Dafnina. Glicosido de propriedades vesicantes.

daphnism. Dafnismo. Intoxicação por espécies do gênero *"Daphne".*

Daranyi's test. Prova de Daranyi (para a tuberculose pulmonar).

Dar-es-Salaam bacterium. Bactéria de Dar-es-Salaam. Forma de *Escherichia coli* de casos de intoxicação alimentar.

Darier's disease. Enfermidade da Darier. Ceratose folicular.

dark. Escuro.

darkfield or darkground illumination. Iluminação lateral ou oblíquo.

Darkshevich fibres. Fibras de Darkshevich. Feixe de fibras nervosas que passam do canal óptico ao gânglio habenular. // **- nucleus.** Núcleo ou gânglio de Darkshevich. Núcleo de células nervosas em cada lado da parte superior do aqueduto de Sílvio.

Darling's disease. Enfermidade de Darling. Histoplasmose.

darmous. Intoxicação pelo flúor no norte da África.

d'Arsonvalism, d'Arsonvalization. Arsonvalização. Uso terapêutico de correntes, de alta freqüência.

dartoic, dartoid. Dartóico, dartóide.

dartos. Darto. Tecido contráctil que forma uma túnica no testículo, por dentro da pele do escroto.

dartre. Dartro. Termo genérico de muitas enfermidades da pele, especialmente eczema, herpes e psoríase.

dartrous. Dartroso.

darsivul. Darsivul. Nome de um composto sulfamídico.

Darwin's ear. Orelha de Darwin. Orelha com uma eminência na margem superior da hélice. // **- tubercle.** Tubérculo de Darwin. Eminência que se encontra às vezes na margem da hélice considerada como atávica, do ancestral simiesco.

darwinism. Teoria da evolução segundo a qual os organismos mais elevados procedem de outros inferiores.

dasetherapy. Dasoterapia. Tratamento das enfermidades pela permanência em regiões de bosques.

Dastre-Morat's law. Lei de Dastre-Morat. A dilatação dos vasos esplâncnicos se associa à constricção dos vasos periféricos e o contrário.

dasymeter. Dasímetro.

Dasypus. "*Dasypus*". Gênero de tatus em cujas espécies existem reservatórios do *Trypanossoma cruzi*.

data. Informação disponível.

Datura. "*Datura*". Gênero de solanáceas.

daturine. Daturina. Alcalóide tóxico das folhas e sementes do estramônio, idêntico à hiosciamina.

daturism. Daturismo. Intoxicação pela hiperdosificação do estramônio.

Daubenton's angle and line. Ângulo e linha de Daubenton. Ângulo e linha occipitais: índices antropométricos do crânio. // **- plane.** Plano de Daubenton. Plano transversal que passa pela margem inferior das órbitas.

dauby. Viscoso.

Dauernarkose (alemão). Narcose prolongada.

Dauerschlaf (alemão). Sono prolongado.

daughter. Filha.

Davainea. Bacilo de Davaine. Bacilo "*Anthracis*".

David's disease. Enfermidade de David. Mal de Pott. // Afecção hemorrágica das mucosas e gengivas, de origem disendocrínica.

Davidoff's cells. Células de Davidoff. Células da Paneth na mucosa do intestino delgado.

Davidsohn's sign. Sinal de Davidsohn. Diminuição da iluminação da pupila por transiluminação no tumor ou exsudato do antro maxilar.

Daviel's operation, spoon. Operação e cureta de extração do cristalino. // Extração da catarata através de incisão corneal sem secção da íris.

Davis' graft. Enxerto de Davis.

Davy's test. Reação de Davy. A 1 ou 2 gotas da solução em questão se juntam 3 a 4 gotas de uma solução a 1 por 10 ou 15 de ácido molíbdico em ácido sulfúrico concentrado. A presença de fenol se indica pela produção de uma cor pardo-amarelada que muda em vermelho escuro e logo em púrpura.

daw. Começo, gralha.

Dawbarn's sign. Sinal de Dawbarn. Na bursite subacromial aguda, estando pendentes os braços, a palpação sobre a bolsa produz dor, que desaparece quando os braços estão em abdução.

Day's test. Reação de Day, "para o sangue". A substância suspeita se trata com tintura de guaiaco recente e logo com água oxigenada. A existência do sangue se indica pela produção de uma tinta azul.

dayblindness. Cegueira diurna. Estado visual anormal em que o paciente vê melhor na penumbra ou à noite que à luz do dia. As opacificações centrais do cristalino (catarata incipiente) apresentam este sintoma sugestivo.

daze. Ofuscar, deslumbrar.

D.B. Abreviatura de "*Distobucal*".

Db. Símbolo químico do "*dubhium*", itérbio.

DBA. Dibenzantraceno.

DBE. Estrógeno sintético.

D.B.P. Abreviatura de *distobucopulpar*.

DC. Abreviatura de "*dyphenylarsine cyanide*".

D.C. Abreviatura de "*direct current*". Corrente contínua.

DCA. Abreviatura de "*desoxycorticosterone acetate*".

D.Dc. Abreviatura de "*double concave*". Duplamente côncava.

DCF. Abreviatura de "*direct centrifugal flotation*"

D.C.H. Abreviatura de "*Diploma in Child Health*".

D.C.O.G. Abreviatura de *"Diploma of the College of Obstetricians and Gynaecologists"*.

D.Cx. Abreviatura de *"double convexe"*: Duplamente convexa.

D.D.S. Abreviatura de *"Doctor of Dental Surgery"*

D D T. Inseticida DDT.

de- de. Prefixo latino que significa "dentro" ou "desde".

deacetylation. Desacetilação.

deacidification. Desacidificação ou neutralização

deactivation. Desativação.

dead. Morto.

dead hand. Mão morta.

deadlock. Ponto morto.

deaf. Surdo. // **- Deaf-mutism.** Surdo-mudez.

deafness. Surdez. / **- cortical.** Surdez cortical. // **- mind-deafnes.** Agnosia.

deal (with). Tratar.

dealcoholization. Desalcoolização.

deallergization. Desalergização.

deamidase. Deamidase. Enzima que desdobra adenina e guanina.

deamidation. Desamidação. Remoção do grupo amina.

deaminase. Deaminase.

deamination. Deaminação.

dearterialization. Desarterialização.

dearth. Carestia, fome.

dearticulation. Desarticulação.

death. Morte, falecimento.

Deaver's windows. Incisão de Deaver. Incisão para apendicectomia praticada através da bainha do músculo reto abdominal direito.

debar. Excluir, privar.

debaromyces neoformans, D. hominis. Criptococo *neoformans*.

debilitant. Debilitante.

debility. Debilidade.

Débové's membrane or layer. Membrana ou camada de Débové. Membrana basal da mucosa traqueal, bronquial e intestinal.

débridement. Desbridamento.

debris, rubbish. Detrito, resto, despojo.

deca. Deca. Prefixo que significa "dez".

decagram. Decagrama.

decalcification. Descalcificação.

decalcified. Descalcificado.

decalvant. Depilante, que destrói os cabelos.

decameter. Decâmetro.

decamethonium bromide. d. iodide. Brometo e iodeto de decametônio. Substâncias de efeitos semelhantes ao do curare.

decannulation. Descanulação.

decantation. Decantação.

decapitation. Decapitação. Sin.: degola, derotomia, embriotomia.

decapitator. Decapitador. Instrumento para suprimir a cabeça na embriotomia.

decapryn. Decaprina. Anti-histamínico e antialérgico.

decapsulation. Decapsulação.

decarbonization. Decarbonização.

decarboxylation. Descarboxilação.

decay. Decair, declinar, degenerar.

decerebrate. Descerebrado.

decerebration. Descerebração.

dechloruration. Descloretação.

decibel. Decibel. Décima parte do bel.

decidua. Decídua, caduca.

decidual. Decidual.

deciduitis. Deciduíte.

deciduoma. Deciduoma. Sin.: corioepitelioma, sarcoma decíduo-celular, sincicioma maligno.

deciduosarcoma. Deciduossarcoma.

deciduous. Decíduo.

decigram. Decigrama.

deciliter. Decilitro.

decimeter. Decímetro.

decinormal. Decinormal.

decipara. Decípara.

decision. Decisão.

decimation. Dizimação, grande mortandade.

declination. Declinação.

declinator. Declinador, separador.

decline. Declinar, baixar, decair.

declivis cerebelli. *"Declivis cerebellis"*. Porção posterior inclinada do montículo cuja parte anterior é o cúlmen.

decoagulant. Descoagulante.

decoction. Decocção.

decollation. Decapitação, decolação.

decollator. Decolador. Aparelho para decapitar o feto.

decoloration. Descoloração.

decompensation. Descompensação.

decomposition. Decomposição.

decompression. Descompressão. // **- operation.** Descompressão cerebral.

decortication. Descorticação.*

decrease. Diminuir.

decrement. Decremento, declinação, diminuição, defervescência.

decrepit. Decrépito.

decrepitate. Decrepitar, explodir com ruído.

decrepitation. Decrepitação. Ruído semelhante a uma série de pequenas explosões produzido por certos sais, ao perder a água de interposição, quando atirados ao fogo.

---

* N. do T. — Voc. Ortográfico oficial sanciona as duas *formas: de e descorticação*.

decrepitude. Decrepitude. Último grau de velhice.

decrudescence. Decrudescência. Diminuição da intensidade de sintomas.

decrustation. Desprendimento de crostas.

Decub. Decub. Abreviatura de "decubitus".

decubation. Decubação. Período, no curso de uma enfermidade infecciosa, do desaparecimento dos sintomas ao final da recuperação completa.

decubital. Decubital. Relativo ao decúbito ou à úlcera de decúbito.

decubitus. Decúbito.

decurrent. Decorrente.

decursus fibrarum cerebralium. Decurso das fibras cerebrais.

decussate. Decussar, intersectar, cruzando em forma de X.

decussation. Decussação. Cruzamento em X; quiasma, especialmente de fibras ou fascículos nervosos e mais particularmente das pirâmides. // **-of Forel.** Decussação de Forel. Decussação das fibras nervosas do córtex dos corpos quadrigêmeos anteriores. // **- motora, sensitive.** Decussação motora, sensitiva. Cruzamento de fibras nervosas motoras ou sensitivas nas pirâmides. // **- optica.** Decussação óptica. Quiasma óptico. // **- of the pyramids.** Decussação das pirâmides. Cruzamento de fibras nervosas de uma a outra pirâmide, na face anterior do bulbo.

decussorium. Decussório. Afastador para deprimir a dura-máter na trepanação.

dedentition. Dedentição. Queda ou perda de dentes.

dedifferentiation. Desdiferenciação. O reverso da diferenciação tecidual, que retorna a forma mais primitiva.

de d. in d. Abreviatura de "*de die in diem*", de dia em dia, dia por dia.

dedolation. Dedolação. Sensação parestésica de esmagamento. Excisão de pele por incisão oblíqua.

deelectronation. Deeletronação. Renovação de um elétron ou elétrons, de um elemento. Termo proposto como substituto de oxidação.

deemanate. Desemanado. Privação ou perda da propriedade de emitir emanações radiativas.

Deen's test. Reação de Deen. Para investigar sangue no suco gástrico por meio da tintura de guáiaco e ácido acético glacial.

deep. Profundo, fundo.

deep X-ray therapy. Terapêutica profunda, por raios-X.

Deetjen's bodies. Corpos de Deetjen. Plaquetas sangüíneas.

defaecation. Defecação.

defalcate. Desfalcar, descontar.

defatigation. Cansaço, fadiga.

defatted. Desengordurado.

defaunate. Desfaunado. Destruição de uma população animal, como as bactérias do trato gastrintestinal.

defecate. Defecar.

defect. Defeito, falta, ausência, carência.

defemination. Defeminação. Perversão dos instintos da mulher, cujos impulsos sexuais parecem os do homem.

deferent. Deferente.

deferentectomy. Deferentectomia. Sin.: vasectomia.

deferentitis. Deferentite. Inflamação dos vasos deferentes.

deferred, delayed. Adiado, dilatado.

deferring. Adiamento.

defervescence. Defervescência.

defibrillation. Desfibrilação.

defibrillator. Desfibrilador. Aparelho usado para a fibrilação por aplicação de impulsos elétricos no coração.

defibrination. Desfibrinação, privação de fibrina.

deficiency disease. Enfermidade por deficiência ou insuficiência.

deflagration. Deflagração.

defleck. Desviar.

deflection. Deflexão, desvio.

defloration. Defloramento.

deflorescence. Desflorecimento.

defluvium capillorum. "*Defluvium capillorum*". Perda súbita dos cabelos.

defluxion. Defluxão. Descarga copiosa.

deformation. Deformação.

deforming, desfiguring. Deformante, desfigurante.

deformity. Deformidade.

defundation. Excisão do fundo do útero.

defurfuration. Descamação.

deg. Abreviatura de "*degeneration*" e "*degree*". Degeneração e grau, respectivamente.

deganglionate. Retirar gânglios.

degassing. Desintoxicação por gases. Recuperação das pessoas intoxicadas por gás.

degeneration. Degeneração. // **albuminous.** Degeneração albuminóidea ou albuminosa. // **amyloid.** Degeneração amilóidea. // **ascending.** Degeneração ascendente. // **calcareous.** Degeneração calcária. // **caseous.** Degeneração caseosa. // **colloid.** Degeneração colóidea ou colóide. // **cystic.** Degeneração cística. // **descending.** Degeneração descendente. // **fatty.** Degeneração adiposa. //

fibrous. Degeneração fibrosa. // **grey.** Degeneração parda. // **hyaline.** Degeneração hialina. // **hydropic.** Degeneração hidrópica. // **lardaceous.** Degeneração lardácea. // **lipoidal.** Degeneração lipoídea ou lipóide. // **mucoid.** Degeneração mucóide. // **Nissl'.** Degeneração de Nissl. // **parenchymatous.** Degeneração parenquimatosa. // **pigmentary.** Degeneração pigmentar. // **primary neuronal.** Degeneração neuronal primária. // **secondary neuronal.** Degeneração neuronal secundária. // **senile.** Degeneração senil. // **wallerian.** Degeneração walleriana. // **Zenker's.** Degeneração de Zenker.

Degenerescence. Degenerescência. Degeneração incipiente.

deglut. Deglut. Abreviatura de *"deglutiatur"*. Degluta-se.

deglutible. Deglutível. Capaz de ser deglutido.

deglutition. Deglutição.

degradation. Degradação.

degranulation. Desgranulação.

degrease. Desengordurar, desengordar.

degree. Grau (em todas suas acepções).

degrowth. Decrescimento.

degustation. Degustação.

dehab. Enfermidade de alguns animais domésticos caracterizada por febre, petéquias nas mucosas, edema, anemia progressiva e morte.

dehematize. Privar de sangue.

dehepatized. Desepatizado.

Dehio's test. Prova de Dehio. Se a bradicardia se corrige por injeções de atropina, é produzida por irritação do vago; no caso contrário, é produzida por afecção do miocárdio.

dehiscence, bursting. Deiscência.

dehumatization. Desumanização.

dehydration. Desidratação.

dehydroandrosterone. Deidroandrosterona.

dehydrobilirubin. Deidrobilirrubina.

dehydrocholaneresis. Deidrocolanerese.

dehydrocholate. Deidrocolato. Sal de ácido hidrocólico.

dehydrocholesterol. Deidrocolesterol.

dehydrocholic acid. Ácido deidrocólico.

dehydrogenase. Deidrogenase.

dehydrogenation. Deidrogenação.

dehydromorphine. Deidromorfina.

dehydropeptidase. Deidropeptidase.

dehypnotize. Desipnotizar.

deinsectization. Desinsentização.

deionization. Desionização.

Deiter's cells. Células de Deiters. Astrócito ou células de neuróglia. // **formation.** Formação de Deiters. Formação reticular. // **nucleus.** Núcleo de Deiters. Grande núcleo situado no bulbo entre a porção interna dos pedúnculos cerebrais e corpo restiforme. // **- phalanges.** Falanges de Deiters. Processos falangíticos das células de Deiters, no órgão de Corti. // **- process.** Prolongamento de Deiters. As prolongações cilindro-axiais das células nervosas; o neuroeixo.

déjà vu. Já visto.

dejecta. Excrementos, fezes.

dejection. Dejeção, evacuação intestinal.

Déjerine's disease. Doença de Déjerine. Neurite intersticial da infância. // **- sign.** Sinal de Déjerine. Agravamento dos sintomas de radiculite pela tosse, espirros e esforços de defecação. // **syndrome.** Síndrome de Déjerine. Conjunto sintomático semelhante a tabes dorsal, com diminuição da sensibilidade profunda e sentido do tato normal.

Déjerine-Klumpke paralysis. Paralisia de Déjerine-Klumpke. Associação de uma paralisia radicular inferior do plexo braquial com transtornos oculares e miose, produzida por lesão no primeiro par raquídeo dorsal.

Déjerine-Landouzy type. Tipo de Déjerine-Landouzy. Forma de neurite atrófica familiar caracterizada pelos sinais de Romberg e de Argyll-Robertson, dores fulgurantes, ataxia e atrofia muscular generalizada.

Déjerine-Lichtheim phenomenon. Fenômeno de Déjerine-Lichtheim. Na afasia motora subcortical, o paciente não pode falar, porém pode indicar com os dedos o número de sílabas de uma palavra.

Déjerine-Roussy syndrome. Síndrome de Déjerine-Roussy. Síndrome talâmica.

Déjerine-Sottas disease. Doença de Déjerine-Sottas ou tipo Déjerine-Sottas da atrofia muscular progressiva. Neurite intersticial hipertrófica da infância, caracterizada, entre outros sintomas, por cifoscoliose e atrofia muscular generalizada.

delacrimation. Fluxo excessivo e anormal de lágrimas.

delactation. Desmame, ablactação.

Delafield's hematoxylin. Hematoxilina de Delafield. Hematoxilina. 4 cc em solução forte, álcool a 90º, 25cc, solução cloretada de alúmen 400cc, filtre-se e juntam-se 100cc de glicerina e 100cc de álcool a 95º.

delamination. Delaminação.

delay. Demorar.

Delbet's sign. Sinal de Delbet. No aneurisma da artéria principal de um membro, se a nutrição da extremidade se conserva a circulação colateral é eficaz, ainda que haja desaparecido o pulso.

Delbet's solution. Solução de Delbet. Solução de 12,1 g de cloreto anidro de magnésio em 1000 partes de água, antisséptico cirúrgico.

deleterious. Deletério.

Delhi boil. Furúnculo de ·Delhi.

delicate. Delicado, escrofuloso.

deligation. Aplicação de uma ligadura ou bandagem.

delimitation. Delimitação, determinação.

delineation. Delineação.

delinquency. Delinqüência.

deliquescence. Deliquescência.

deliquescent. Deliquescente.

deliquium. Delíquio, desmaio ou síncope. // Declinação das faculdades mentais.

deliriant. Delirante.

delirious. Delirante.

delirium. Delírio. // **tremens.** Delirium tremens.

delitescence. Delitescência. Súbito desaparecimento dos sintomas objetivos de uma enfermidade. // Período de latência de um veneno.

delivery. Liberação, delivramento, entrega expulsão ou extração do feto no parto.

dell. Depressão ligeira ou covilha, fóssula submental.

delle. Área clara, deprimida, no centro de um eritrócito corado.

delling. Depressão ligeira.

delomorphic, delomorphous. Delomórfico, delomorfo.

Delore's method. Método de Delore. Correção manual do *genu valgum*.

Délorme's ·operation. Operação de Delorme. Pleurectomia ou operação de Fowler.

Delpech's abscess, operation. Abscesso e operação de Delpech . Abscesso de rapidíssimo desenvolvimento, com grande prostração, porém escassa febre. // Ligadura da artéria axilar entre o peitoral maior e o deltóide.

delphinine. Delfinina. Alcalóide tóxico do *Delphinium straphisagria*: usa-se geralmente no exterior, no tratamento de nevralgias, reumatismos e paralisias.

Delphinium. *Delphinium*. Gênero de plantas ranunculáceas.

delta. Delta.

deltoid. Deltóide.

deltoideus. Deltóide (músculo).

deltoiditis. Deltoidite.

delusion. Delusão, ilusão, delírio, erro.

delusional. Delusório.

delve. Cavar, sondar, afundar.

demagnetize. Desimantar.

demarcation. Demarcação, limitação.

Demarquay's symptom. Sintoma de Demarquay. Imobilidade da laringe durante a deglutição e a fonação; indica enduração sifilítica da traquéia.

Dematium. *Dematium*. Gênero de fungos de que algumas variedades se encontram em lesões humanas.

d'embléé. Por assalto, ao primeiro golpe.

demean. Rebaixar-se, diminuir-se.

demedication. Remoção de droga ou drogas de um sistema.

dement. Demente, insano, louco.

demented. Demente.

dementia. Demência. // **- paralytic.** Demência paralítica. // **paranoides.** Demência paranóide. // **praecox.** Demência precoce. // **senile.** Demência senil. // **traumatic.** Demência traumática.

demerol. Meperidina.

demi-. Demi. Prefixo que significa meio.

demibain, sitzbath. Banho de assento, semicúpio.

demifacet. Metade de uma superfície articular adaptada para articular-se com dois ossos.

demigauntlet. Bandagem especial para mão e dedos.

demilune. Meia-lua.

demimonstrosity. Deformidade congênita de uma parte que não inibe o exercício de sua função.

demineralization. Desmineralização.

Demodex. *Demodex*. Gênero de ácaros. // **- folliculorum.** Demodex folicular.

demography. Demografia. Estudo das coletividades humanas.

demolish. Demolir.

demonology. Demonologia. A primeira aproximação ao problema da desordem mental.

demonomania. Demonomania.

demonophobia. Demonofobia. Medo mórbido ao demônio.

demonstrator. Demonstrador.

De Morgan's spots. Manchas de De Morgan. Manchas avermelhadas semelhantes a nevos que se observam às vezes na pele dos cancerosos.

Demours's membrane. Membrana de Demours. Lâmina basal posterior da córnea.

demucosation. Remoção da membrana mucosa.

demulcent. Demulcente, emoliente.

demur. Vacilar, dúvida, escrúpulo.

De Mussey's point or symptom. Ponto ou sintoma de De Mussey. Ponto muito doloroso à pressão no pleuris diafragmático, na linha da margem esquerda do esterno ao nível da extremidade da décima costela, devido à excitação do nervo frênico.

demyelinated. Desmielinizado. Fibras nervosas desprovidas de sua camada de mielina.

demyelination. Desmielinação.

den. Caverna.

denature. Desnaturar.

denaturize. Desnaturar, desnaturalizar.

dendraxon. Dendraxônio. Célula nervosa cujo cilindraxe se divide em filamentos terminais, imediatamente depois de abandonar a célula. Sin.: inaxônio.

dendric. Dendrítico.

dendriceptor. Dendriceptor. Ponto sensitivo dos extremos de um dendrito, que recebe os estímulos motores de outra célula nervosa.

dendriform. Dendriforme.

dendrite. Dendrito. Prolongamento protoplasmático arborizado de uma célula nervosa.

dendritic. Dendrítico.

dendroid. Dendróide.

dendron. Dendrito.

dendrophagocytosis. Dendrofagocitose. Absorção pelas células de micróglia de porções de astrócitos degenerados.

dendrophilia. Dendrofilia. Obsessão sexual por árvores.

denebium. Túlio. Elemento metálico muito raro.

Deneke's pirillum. Espirilo de Deneke *Vibrio tyrogenus.*

denervated. Desnervado.

denervation. Desnervação.

dengue. Dengue. Sin.: "Fiebre dandy". "Fiebre kompehuesos", "fiebre solar", "fiebre roja".*

denidation. Desnidação.

Denigès's test. Reação de Denigès: para o ácido úrico.

Denis's plasmin. Plasmina de Denis. Enzima proteolítica encontrada no plasma.

denitrification. Desnitrificação.

denitrogenation. Desnitrogenação.

Denman's evolution or version. Versão de Denman. Forma de versão utilizada em apresentação de ombro.

Denonvillier's fascia. Fáscia de Denonvilliers. Fáscia retrovesical situada entre a próstata e o reto.

dens. Dente. // - **lacteus.** Dente de leite. // - **serotinus, sapiens.** Dente do siso, terceiro molar.

densimeter. Densímetro. Sin.: areômetro.

densitometer. Densitômetro. Densímetro usado para medir a ação dos **antissépticos** ou bacterió-

fagos sobre o crescimento das bactérias.

density. Densidade. // **absolute and relative.** Densidade relativa e absoluta.

densography. Densigrafia. Determinação exata do contraste de densidades no negativo de uma radiografia por meio de uma célula fotoelétrica.

dent. Saliência.

dentagra. Dentagra. Boticão.

dental. Dental.

dentate. Dentado.

dentation. Denteação. Projeção em forma de dente.

dentatum. Núcleo dentado.

dentia praecox. Dentição precoce.

dentiaskiascope. Esquiascópio dentário. Instrumento para exame radiológico dos dentes.

dentibuccal. Dentibucal.

denticle. Dentículo.

dentification. Dentificação.

dentiform. Dentiforme.

dentigerous. Dentígero.

dentilabial. Dentilabial.

dentilingual. Dentilingual

dentilinimentum. Linimento dentário.

dentimeter. Dentímetro. Instrumento para medição dos dentes.

dentinal. Dentinário.

dentinalgia. Dentinalgia. Dor na dentina.

dentinification. Dentinificação.

dentinitis. Dentinite.

dentinoblast. Dentinoblasto. Célula formadora da dentina.

dentinogenesis. Dentinogênese.

dentinoid. Dentinóide.

dentinoma. Dentinoma.

dentist. Dentista.

dentistry. Odontologia.

dentition. Dentição.

dentoid. Odontóide, dentiforme.

dentoidin. Dentoidina.

dentoliva. Núcleo olivar.

dentology. Odontologia.

dentoma. Dentoma. Odontoma composto de dentina.

dentomechanical. Dentomecânica.

dentonomy. Odontonomia. Classificação dos dentes.

dentosurgical. Relativo à cirurgia dentária.

denture. Dentadura.

Denucé's ligament. Ligamento de Denucé. Lâmina fibrosa, quadrilátera, que se estende do cúbito ao rádio na articulação superior.

denucleated. Desnucleado.

denudation. Denudação ou desnudação.

denutrition. Desnutrição.

Deny's tuberculin. Tuberculina de Denys.

---

* N. do T. — Expressões espanholas sem tradução literal ao português; aliás o nome "dengue" é de origem espanhola.

deodar. *Cedrus deodara*

deodorant. Desodorante.

deodorizer. Desodorante ou desodorizante.

deolepsy. Deolepsia. Pensar que se está possuído por um Deus.

deontology. Deontologia. Ciência dos deveres profissionais.

deoppilant. Desopilante, desobstruente.

deoppilation. Desobstrução.

deorsum. *Deorsum*. Para baixo. // **vergens.** Dirigido para baixo.

deorsumduction. Deorsunducção. Condução para baixo, especialmente dos olhos.

deorsumvergence. Deorsunversão. Versão para baixo.

deossification. Desossificação.

deoxidation. Deoxidação. Desoxidação.

deoxidize. Desoxidar.

deoxycorticosterone. Desoxicorticosterona.

deoxygenate. Desoxigenar.

deoxygenation. Desoxigenação.

depancreatize. Despancreatização.

depart. Ir-se, partir.

dependence. Dependência.

dependency. Dependência.

depepsinized. Despepsinizado. Privado de pepsina.

depersonalization. Despersonalização.

dephlogisticate. Desflogisticar.

depigmentation. Despigmentação.

depilate. Depilar.

depilation. Depilação.

depilatory. Depilatório.

depilous. Depilado.

depletion. Depleção.

deplumation. Queda dos cílios.

depolarization. Despolarização.

depolarize. Despolarizar.

depolarizer. Despolarizador.

depolymerization. Despolimerização.

depolymerize. Despolimerizar.

deposit, sediment. Depósito, abscesso, sedimento.

depositive. Depositar.

depravation. Depravação.

depraved, perverted. Depravado, pervertido.

deprementia. Depressão mental.

depressan. Substância de composição desconhecida, obtida da urina humana que faz baixar a pressão arterial de coelho.

depressant. Depressivo.

depressed. Deprimido.

depression. Depressão.

depressomotor. Depressomotor.

depressor. Depressor.

deprimens oculi. Músculo reto inferior do olho.

deprivation. Perda.

deproteinization. Desproteinização.

depside. Classe de compostos que têm produtos da condensação de duas ou mais moléculas dos oxiácidos do benzeno, por ex.: ácido digálico.

depth. Profundidade.

depurant. Depurador, depurativo.

depurated. Depurado.

depuration. Depuração.

depurative. Depurativo.

depurator. Depurador.

De R. Símbolo de "*Reação de degeneração*".

der. der. Elemento léxico de origem grega que significa pescoço.

deracil. Deracil. Pertencente ao tiouracil.

deradelphus. Deradelfo. Monstro duplo formado por dois gêmeos fundidos pelo umbigo, com uma só cabeça.

deradenitis. Deradenite. Inflamação dos linfonodos cervicais.

deradenoncus. Deradenonco. Tumefação dos linfonodos cervicais.

deranencephalia. Deranencefalia. Monstruosidade caracterizada por defeito do cérebro e parte superior da espinha dorsal.

derangement. Transtorno, especialmente mental.

Dercum's disease. Enfermidade de Dercum. Adipose dolorosa.

dereism. Dereismo. Estado mental de fantasia, sem sujeição à lógica e experiência dos fatos reais, autismo.

dereistic. Dereístico.

dereliction. Desamparo, abandono.

derencephalocele. Derencefalocele. Monstruosidade caracterizada pela protrusão de substância encefálica através de uma fissura de uma ou mais vértebras cervicais.

derencephalus. Derencéfalo.

deric. Externo (contrário de entérico). Pertencente à pele.

dericin. Dericina. Óleo ligeiramente colorido, derivado do óleo de castor.

deriphyllin. Preparado de teofilina e oxiamina empregada para a dilatação das artérias coronárias na angina do peito.

derism. Derismo, dereísmo.

derivant. Derivante, derivativo.

derivate. Derivativo.

derivation. Derivação.

derm, derma. Derma. Prefixo* grego que significa pele.

---

* N. do T. — É antes um elemento que um prefixo.

Dermacentor. *Dermacentor.* Gênero de carrapatos. // **- Andersonii.** Dermacentor de Anderson. // **- variabilis.** Dermacentor variável.

dermadrome. Nome de alguma manifestação cutânea devida a transtorno interno; parte cutânea de uma síndrome.

dermagen. Dermatógeno. Anticorpo sangüíneo, causa de reações específicas da pele.

dermagraph. Dermatógrafo.

dermagraphy. Dermografia.

dermal. Dérmico.

dermalaxia. Dermalaxia. Lassidão anormal da pele.

dermalgia. Dermalgia.

dermamyiasis. Dermamiíase. Dermatose produzida pela presença e migração de larvas de moscas na pele ou debaixo delas; miíase cutânea.

dermanaplasty. Dermanaplastia. Transplante de pele.

Dermanyssus avium et gallinae. Piolho das aves domésticas. Ácaro parasito da galinha; observado no homem, onde determina uma erupção papulosa e pruriginosa nas mãos e braços.

dermapostasis. Enfermidade da pele com formação de abscessos.

dermaskeleton. Exosqueleto. Porção dura desenvolvida no exterior do corpo. Nos vertebrados se aplica isto aos órgãos produzidos pela epiderme: pêlos, unhas, casco e dentes.

dermatalgia. Dermatalgia.

dermataneuria. Transtorno nervoso da pele.

dermatatrophia. Dermatrofia*.

dermatauxe. Hipertrofia da pele.

dermatergosis. Dermatose profissional.

dermathemia. Hiperemia da pele.

dermatherm. Termômetro elétrico portátil para determinar a temperatura da pele.

dermatic. Dermático.

dermatitis. Dermatite. // **- artefacta.** Dermatite artificial ou factícia. // **- autophytica.** Dermatite autofítica. // **exfoliativa infantum.** Dermatite exfoliativa infantil. // **- factitia.** Dermatite factícia ou artificial. // **- herpetiformis, Duhring.** Dermatite herpetiforme ou enfermidade de Duhring. // **- papillaris capillitii.** Foliculite esclerótica da nuca. // **- seborrheica.** Dermatite seborréica. // **seborrhoides.** Dermatite seborróide. // **- venenata.** Dermatite de contato.

dermatoautoplasty. Dermatoplastia.

Dermatobia. Dermatóbia. Gênero de moscas da América Tropical, família dos estrídios.

dermatobiasis. Dermatobíase. Presença de dermastóbias no corpo.

dermatocele. Dermatocele.

dermatocellulitis. Dermatocelulite.

dermatochalasis. Dermatocálase. Relaxamento anormal da pele.

dermatococcus. Dermatococo. Diplococo encontrado às vezes na elefantíase.

dermatoconiosis. Dermatoconiose. Afecção cutânea produzida pelo pó.

dermatoconjunctivitis. Dermatoconjuntivite.

dermatocyst. Dermatocisto.

dermatodynia. Dermaltagia, dermatodinia.

dermatofibroma. Dermatofibroma.

dermatofibrosarcoma. Dermatofibrossarcoma.

dermatofibrosis lenticularis disseminata. Dermatofibrose lenticular disseminada.

dermatogen. Dermatógeno. Antígeno de algumas afecções cutâneas.

dermatogenic. Dermatogênico.

dermatogenous. Dermatógeno.

dermatoglyphics. Dermatoglifia. Estudo das eminências superficiais da pele dos pés e mãos, para fins de identificação.

dermatograph. Dermatógrafo. Instrumento para marcar limites na pele do corpo. Sin.: dermógrafo.

dermatography, dermographism. Dermografia, dermografismo.

dermohaemia. Dermatemia.

dermoid. Dermóide. // **- cyst.** Cisto dermóide. // **- process.** Processo dermóide.

dermoidectomy. Dermoidectomia.

dermolipoma. Dermolipoma.

dermolysin. Dermolisina. Substância circulante no sangue, capaz de dissolver a pele.

dermolysis. Dermólise. Dissolução da pele.

dermometer. Dermômetro. Instrumento usado em dermometria.

dermometry. Dermometria. Medida de áreas cutâneas resistentes à passagem da corrente elétrica.

dermomycosis. Dermatomicose.

dermomyotome. Dermomiótomo.

dermonecrotic. Dermonecrótico.

dermoneuresis. Dermoneurose. Neurose cutânea.

dermonosology. Dermonosologia. Classificação das afecções cutâneas.

dermopath. Dermatólogo.

dermopathic. Dermopático.

dermopathy. Dermopatia.

dermophlebitis. Dermoflebite.

dermophobe. Dermófobo.

dermophylaxis. Dermofilaxia, dermatofilaxia.

---

* N. do T. — Em português prevalece a forma haplológica, sem repetir a sílaba (ta).

dermophyte. Dermatófito.

dermoplasty. Dermatoplastia.

dermoreaction. Dermorreação, cutirreação.

dermoskeleton. Exosqueleto.

dermostenosis. Dermostenose. Contraçãc da pele.

dermostosis. Dermostose. Ossificação da pele.

dermosynovitis. Dermossinovite. Inflamação da pele e de uma bolsa serosa subjacente.

dermosyphilography. Dermatossifilografia.

dermosyphilopathy. Dermatossifilopatia.

dermotactile. Dermotáctil.

dermotoxin. Dermotoxina.

dermotropic. Dermotropia.

dermovaccine. Dermovacina.

dermovascular. Dermovascular.

dermovirus. Dermovírus. Vírus cutâneo.

derodidymus. Derodídimo, deródimo. Monstro com duas cabeças e espinhas e um só tronco.

derrengadera. Variedade de tripanossomíase que ataca os cavalos.

Derrien's test. Reação de Derrien. Pára-alfadinitrofenol na urina.

derriengue. Enfermidade fatal para o gado vacum no México, causada por morcegos hematófagos.

derris. Derris. Planta asiática.

desalination. Dessalinização.

desalivation. Dessalivação.

desamidase. Desamidase.

desamidization. Desamidação. Separação do amoníaco de uma amida.

desaminase, desamination. Desaminase, desaminação. Separação do grupo NH_2 de uma amina/composta.

desanimania. Amência. Demência aguda incurável.

Desault's apparatus or bandage. Aparelho ou bandagem de Desault para fraturas de clavícula. // - **splint.** Tala de Desault, usada em fratura de fêmur.

descant. Discorrer.

Descarter's body. Corpo de Descarte. Corpo da glândula pineal.

Descemet's membrane. Membrana de Descemet. Lâmina elástica posterior da córnea.

descemetitis. Descemetite.

descemetocele. Descemetocele. Sin.: ceratocele. ceratocele.

descendens. Descendente.

descending. Descendente.

descensus. Descenso, ptose.

Deschamp's needle. Agulha de Deschamp. Agulha longa para suturas profundas.

describe. Descrever.

desensin. Hormônio hipotético do corpo lúteo.

desensitization. Dessensibilização.

desensitize. Dessensibilizar.

desert sore. Úlcera do deserto.

desexualize. Castração. Privar do caráter sexual.

deshydremia. Anidremia. Falta de água no sangue.

desiccant. Dessecante, dessecativo.

desiccate. Dessecado.

desiccation. Dessecação.

desiccative. Dessecativo, dessecante.

desiccator. Dessecante.

design. Propósito.

desire. Desejo.

desivac. Liofilização.

Desjardin's point. Ponto de Dujardin. Ponto a 5 ou 7 cm do umbigo, uma linha dirigida deste à axila direita, que corresponde à cabeça do pâncreas.

desmalgia. Desmalgia. Dor em um ligamento.

Desmarres's dacryolith. Dacriólito de Desmarres. Massas do microrganismo: *Nocardia foersten* no conduto lacrimal.

desmectasia. Desmectasia. Distensão de um ligamento.

desmepithelium. Desmepitélio. Epitélio dérmico ou endotélio dos vasos e membranas serosas.

desmiognathus. Desmiognato. Monstro com uma cabeça supranumerária e imperfeita, unida à mandíbula por um pedículo.

desmitis. Desmite. Inflamação de um ligamento.

desmo. desmo-. Prefixo grego que significa ligamento.

desmobactéria. Desmobactéria, tricobactéria.

desmocyte. Desmócito, fibrócito.

desmocytoma. Desmocitoma. Sarcoma, tumor de desmócito.

desmodynia. Desmodinia. Dor em um ligamento.

desmo-enzyme. Enzima restrita ao protoplasma de células secretoras.

desmogenous. Desmógeno. De origem ligamentar.

desmography. Desmografia. Descrição dos ligamentos.

desmohemoblast. Mesênquima.

desmoid. Desmóide. // - **tumour.** Tumor desmóide.

desmology. Desmologia. Anatomia dos ligamentos.

desmoma. Desmoma. Fibroma ou tumor de tecido conjuntivo.

desmon. Amboceptor, imunecorpo.

desmoneoplasm. Desmoma, fibroma.

desmopathy. Desmopatia.

desmopexia. Desmopexia. Fixação dos ligamentos redondos à parede abdominal ou vaginal, para a correção de deslocamento uterino.

desmoplasia. Desmoplasia. Desenvolvimento do tecido fibroso.

desmoplastic. Desmoplástico.

desmopyknosis. Desmopicnose. Encurtamento dos ligamentos redondos.

desmorrhexis. Desmorrexia. Ruptura de ligamentos.

desmosis. Desmose, desmopatia.

desmosome. Desmossoma. Espessamento no centro de uma ponte intercelular.

desmotomy. Desmotomia.

desmotropism. Desmotropismo.

desmotrypsin. Desmotripsina.

Desnos's disease. Enfermidade de Desnos. Esplenopneumonia.

desnocodeine. Dehidrodesoxicodeína.

desoleolecithin. Desoleolecitina. Um dos componentes da lecitina quanto a suas propriedades antidotais.

desomorphine. Deidroxidesoximorfina.

desoxy-. Desoxi-. Elemento léxico usado em nomes de compostos químicos, significando desoxidado, ou produto de redução.

desoxycholaneresis. Desoxicolanérese. Aumento do ácido desoxicólico na bile.

desoxycorticosterone. Desoxicorticosterona. Composto sintético com a ação do hormônio adrenocortical.

desoxycortone. Desoxicorticosterona. // **- acetate.** Acetato de desoxicorticosterona.

desoxyephedrine. Desoxiefedrina. Fenilisopropilmetilamina. Substância derivada da anfetamina e efedrina. Estimulante cerebral e vasoconstrictor.

desoxymorphine. Desoximorfina.

desoxyn. Desoxina. Ramo do cloridrato de d-desoxiefedrina.

desoxyribonuclease. Desoxirribonuclease. Enzima que catalisa a despolimerização do ácido desoxirribunucleico.

desoxyribose. Desoxirribose. Encontrada no ácido nucleico do timo.

desoxy-sugar. Desoxiaçúcar. Açúcar que contém um átomo de oxigênio menos, que seu igual monossacarídeo.

despeciation. Desvio do tipo da espécie.

d'Espine's sign. Sinal de d'Espine. Nas pessoas normais, auscultando sobre os processos espinhosos, observa-se que a pectoriloquia cessa ao nível da bifurcação da traquéia, e, nas crianças, na sétima vértebra cervical. Esta percepção a um nível mais baixo indica hipertrofia dos linfonodos brônquicos.

despite. Apesar de.

despumation. Despumação. Retirada da espuma da superfície de um líquido.

despyrin. Éster do ácido tartárico do ácido salicílico. Usa-se tal como este último.

desquamation, shedding. Descamação.

desternalization. Desternalização.

desthiobiotin. Biotina em que o enxofre foi substituído por dois átomos de hidrogênio.

Desvoidea obturbans *Desvoidea obturbans.* Mosquito que transmite o dengue.

detail. Detalhe, pormenor.

detect. Descobrir.

detector. Detector.

detelectasis. Colapso.

detergent. Detergente.

deterioration. Deterioração.

determination. Determinação.

determiner. Determinante.

dethyroidism. Sintomas devidos à extirpação da tireóide.

detonation. Detonação.

detorsion. Correção de uma curvatura.

detoxication. Desintoxicação.

Detre's reaction. Reação de Detre. Reação diferencial entre as infecções tuberculosas bovina e humana pela inoculação subcutânea de filtrados de tuberculose bovina e humana.

detrition. Detrição. Desgaste por atrito.

detritus. Detrito.

detrusion, displacement, ejection. Expulsão, deslocamento, ejecção.

detrusor. Ejector. // **- urinae.** Músculo ejector que atua na expulsão da urina.

Dettol. Desinfetante.

detubation. Extubação.

detumescence. Detumescência.

deutencephalon. Dentecéfalo, talamencéfalo.

deuteranomalopia. Deuteranopia. Cegueira para o verde.

deuteranopia. Deuteranopia. Cegueira para o verde.

deuterium. Deutério. Hidrogênio pesado.

deuteroalbumose. Deuteralbumose.

deuteroconidium. Deuteroconídio.

deuteroelastose. Produto de digestão da elastina.

deuterofat. Gordura contendo deutério.

deuterofibrinose. Proteólito formado por digestão da fibrina sangüínea.

deuteroglobulose. Um dos proteólitos formados da digestão da paraglobulina.

deuterohemin. Derivado da hemina.

Deuteromyces. *Deuteromyces.* Fungos imperfeitos.

deuteromyosinose. Proteólito derivado da digestão da miosina.

deuteron. Dêuteron. Núcleo do deutério ou hidrogênio pesado.

deuteropathy. Deuteropatia. Enfermidade secundária desenvolvida sob a influência de outra.

deuteropine. Alcalóide do ópio. Deuteropina.

deuteroplasm. Deuteroplasma, dentoplasma. Material nutritivo existente no óvulo.

deuteroporphyrin. Deuteroporfirina. Derivado da hemoporfirina.

deuteroproteose. Deuteralbumose.

deuterotocia, deuterotoky. Reprodução assexuada em que a fêmea produz prole de ambos os sexos.

deuterotoxin. Deuterotoxina. Seguido dos três grupos em que se dividem as toxinas, segundo sua afinidade pela antitoxina.

deuthyalosome. Deutialossoma. Núcleo maduro do óvulo.

deutiodide. Iodeto que contém o dobro da proporção normal de iodo.

deutipara. Secundípara.

deutobromide. Brometo que contém dobrada proporção de bromo.

deutochloride. Cloreto que contém dobrada proporção de cloro.

deutohydrogen. Deutério.

deutomerite. Porção posterior de certas gregarinas.

deuton. Deutério.

deutonephron. Deutonefron, mesonefron ou corpo de Wolff.

deutoplasm. Deutoplasma. Material nutritivo de reserva no óvulo.

deutoplasmolysis. Deutoplasmólise. Desintegração do deutoplasma.

deutoscolex. Escolex secundário: forma hidatídica da tênia.

Deutschländer's disease. Enfermidade de Deutschländer. Fratura ignorada do terceiro metacarpo, que só se descobre quando forma o calo.

devasation. Destruição dos vasos de um órgão.

devascularization. Interrupção do fluxo sangüíneo de um órgão.

development. Desenvolvimento.

developmental. Evolucional, do desenvolvimento.

Deventer's diameter. Diâmetro de Deventer. Diâmetro oblíquo da pelve. // - **pelvis.** Pelve de Deventer. Pelve curta no sentido ânteroposterior.

Devergie's attitude de combat. Atitude de Devergie. Posição cadavérica caracterizada pela flexão dos cotovelos e joelhos, fechamento das mãos e extensão dos pés.

deviation. Desvio. // **primary, secondary, standard, conjugée, of complement.** Desvio primário, secundário, padrão, conjugado, de complemento.

deviometer. Desviômetro. Instrumento para medir o grau de desvio no estrabismo.

devisceration. Evisceração.

devitalization. Desvitalização.

devolution. Involução, catabolismo, degeneração.

devorative. Devorativo.

De Vries' theory. Teoria de De Vries. Teoria das mutações.

dewatered. Desaguado.

Dewee's carminative, sign. Tintura de Dewees. Preparação de guáiaco, carbonato de cálcio, carbonato de magnésio e álcool. // **sinal de.** Expectoração de mucosidade espessa e esbranquiçada em mulheres grávidas.

deworming. Erradicar vermes em indivíduo infectado.

dewpoint. Temperatura em que se forma o orvalho.

dexedrine sulfate. Sulfato de dexedrina.

dexiocardia. Dexiocardia, dextrocardia.

dexiotropic. Dexiotrópico. Disposto em espiral da direita para a esquerda.

dexter. Dextro. Prefixo latino que significa "direita".

destrad. Para a direita.

dextral. Da direita.

dextran. Dextran. Polissacarídeo de elevado peso molecular que dá dextrose por hidrólise.

dextrase. Dêxtrase. Enzima que transforma a dextrose em ácido lático.

dextraural. Dextraural. Diz-se do indivíduo que ouve melhor com o ouvido direito.

dextrin. Dextrina.

dextrinase. Dextrínase. Enzima que catalisa a conversão do amido em isomaltose.

dextrinuria. Dextrinúria.

dextrocardia. Dextrocardia.

dextrocardiogram. Dextrocardiograma.

dextrocerebral. Dextrocerebral.

dextroclination. Dextroinclinação.

dextrococaine. Isococaína.

dextrocompound. Dextrocomposto. Composto que gira à direita.

dextrocular. Dextrocular.

dextrocycloduction. Dextrociclodução.

dextroduction. Retrodução. Movimento de cada um dos olhos para a direita.

dextrogastria. Destrogastria. Deslocamento do estômago para a direita.

dextroglucose. Dextrose.

dextrogram. Dextrograma.

dextrogyral. Destrorrotatório.

dextrogyration. Dextrorrotação.

dextromanual. Dextromanual.

dextropedal. Dextropedal.

dextrophobia. Dextrofobia. Temor mórbido aos objetos situados à direita do corpo.

dextroposition. Dextroposição.

dextrorotatory. Dextrorrotatório, dextrógiro.

dextrosaccharin. Dextrossacarina. Composto de sacarina e dextrose.

dextrosamine. Dextrosamina, glicosamina.

dextrose. Dextrose. Sin.: açúcar de uva, dextroglicose.

dextrosinistral. Dextrossinistro.

dextrosuria. Dextrosúria.

dextrotorsion. Dextrotorção.

dextrotropic. Dextrotópico, dextrógiro. Destroversão. Dextroversão.

dg. Abreviatura de "decigrama".

d'Herelle phenomenon. Fenômeno de D'Herelle. Fenômeno da lise bacteriana transmissível. Atribui-se a um parasito microscópico de bactérias cl mado "bacteriófago ou a uma enzima autolítica produzida pelas bactérias".

dhobie itch. *Tinea cruris.*

di-. di. Prefixo latino que significa "duplicação".

diabetes. Diabetes. // **bronzed, experimental, innocent, insipidus, mellitus, renal.** Diabetes, bronzeado, experimental, infantil, insípido, "mellitus", melito, renal.

diabetic. Diabético.

diabetogenic. Diabetogênico.

diabetograph. Diabetógrafo. Aparelho usado na análise da urina. Possui escala graduada, que indica a proporção de glicose que contém.

diabetometer. Diabetômetro. Polariscópio, que se usa para conhecer a proporção de açúcar na urina.

diabetophobia. Diabetofobia. Temor anormal ao diabetes.

diabetotherapy. Diabetoterapia.

diabolepsy. Diabolepsia. Possessão pelo demônio.

diabolical. Diabólico.

diabrosis. Diabrose. Perfuração por corrosão.

diabrotic. Diabrótico, ulcerativo, cáustico.

diacele. Diacele ou diacelia, terceiro ventrículo.

diacetanilid. Diacetanilida.

diacetate. Diacetato.

diacetemia. Diacetemia.

diacetonuria. Diacetonúria.

diacetyl. Diacetil.

diacetylamidoazotoluene. Diacetil amido azotolueno. Pelidol.

diacetylmorphine. Diacetilmorfina.

diachesis. Estado de confusão.

diachoresis. Diacorese. Defecação.

diachylon. Diaquilão.

diacid. Diácido. Que contém dois grupos de ácidos.

diaclasis. Diáclase ou diaclasia.

diaclast. Diaclasto. Instrumento cirúrgico para perfuração do crânio fetal na craniectomia.

diacoele, diacoelia. Diacelia. Terceiro ventrículo.

diacrinous. Diácrino. Que expulsa diretamente a secreção como um filtro. // Assim são certas células glandulares do rim.

diacrisis. Diácreise. Diagnose. // Evacuação crítica.

diacritic. Diacrítico, diagnóstico.

diactinic. Diactínico. Poder de transmitir raios química e fisicamente ativos.

diactinism. Diactinismo. Faculdade de transmitir raios química e fisicamente ativos.

diad. Bivalente.

diaderm, diadermic. Diadérmico. Que passa através da pele.

diadochokinesia, diadochokinetic. Diadococinesia. Faculdade de realizar voluntariamente uma série de movimentos rápidos e sucessivos e antagônicos. Relativo a diadococinesia.

diaeresis. Diérese. Divisão de partes normalmente unidas; solução de continuidade. // Secção acidental ou cirúrgica.

diagnose. Diagnosticar.

diagnosis. Diagnóstico.

diagnostic. Diagnóstico.

diagonal. Diagonal.

diagram. Diagrama.

diagrammatic. Diagramático, esquemático.

diagraph. Diágrafo. Instrumento para traçar contornos ou perfis empregados em craniometria, etc.

diakinesis. Diacinesia. Estádio na maturação de célula sexuada em que o filamento duplo, do cromossoma, se funde para formar o número haplóide.

dial. Dial, contador, quadrante.

dialectrolysis. Ionização.

dialurate. Dialurato.

dialuric acid. Ácido dialúrico.

dialysis. Diálise.

dialyzer. Dialisador.

diamagnetic. Diamagnético.

Diamanus montanus. *Diamanus montanus.* Mosca do oeste dos Estados Unidos a que se atribui a transmissão da praga selvática.

diameter. Diâmetro.

diamide. Diamida.

diamidine. Diamidina.

diamido-. Diamido. Prefixo que significa: dos grupos amido.

diamine. Diamina.

diamino acid. Ácido dianúrico.

diaminuria. Diaminúria.

diamonds. *"Diamonds"*. Forma urticariforme de erisipela caracterizada por manchas quadrangulares e rômbicas na pele.

diamorphine hydrochloride. Cloridrato de diamorfina.

diamorphosis. Diamorfose. Desenvolvimento em forma normal.

diamylene. Dipentem.

diamylose. Diamilose, bisamilose.

dianoetic. Dianoético. Relativo às funções intelectuais.

diantebrachia. Diantebraquia. Anomalia de desenvolvimento caracterizada pela duplicação de um antebraço.

diapason. Diapasão.

diapedesis. Diapedese.

diaphane. Diáfano, transparente.

diaphanometer. Diafanômetro. Aparelho para medir a transparência de um líquido.

diaphanoscope. Diafanoscópio, diafanômetro.

diaphanoscopy. Diafanoscopia.

diaphanous. Diáfano.

diaphax. Filme de raios X muito sensível (marca registada).

diaphemetry. Diafemetria. Medida da sensibilidade táctil.

diaphorase. Diafórase. Flavoproteína que catalisa a oxidação da coenzima I.

diaphoresis. Diaforese, sudação, perspiração.

diaphoretic. Diaforético.

diaphragm. Diafragma.

diaphragm sellae. Prega meníngea da dura-máter na sela túrcica.

diaphragmalgia. Diafragmalgia.

diaphragmatic. Diafragmático.

diaphragmatitis, diaphragmitis. Diafragmite.

diaphragmatocele. Diafragmatocele. Hérnia diafragmática.

diaphragmodynia. Diafragmatodinia, diafragmalgia.

diaphysary. Diafisário.

diaphysectomy. Diafisectomia.

diaphysis. Diáfise.

diaphysitis. Diafisite.

diapiresis. Diapirese, diapedese.

diaplacental. Diaplacentário. Através da placenta.

diaplasis. Diaplasia.

diaplex, diaplexus. Plexo coroídeo do terceiro ventrículo.

diapophysis. Diapófise. Porção superior da apófise transversa de uma vértebra.

diapyesis. Diapiese, supuração.

diarrhea. Diarréia. // **summer.** Diarréia estival.

diarrheic. Diarréico.

diarrhemia. Diarremia. Ascite hemorrágica parasitária de carneiros.

diarthosis. Diartrose. Articulação que se move livremente. Compreende várias formas, artrodia, anartrose, etc.

diaschisis. Diásquise. Interrupção de continuidade funcional entre neurônios ou centros nervosos.

diaschistic. Diasquístico.

diascope. Diascópio. Lâmina de cristal com que se comprime a pele para observar certas alterações ocultas pela congestão.

diascopy. Diascopia. Exame com o diascópio. Transiluminação.

Diasone. Diasona. Composto usado contra a tuberculose humana.

diasostic. Higiênico.

diaspironecrobiosis. Necrobiose disseminada.

diaspironecrosis. Necrose disseminada.

diastasis. Onda de contração (dita diastáltica) intestinal, precedida de outra de inibição.

diastase. Diástase. // - **test.** Prova de diástase.

diastasemia. Diastasemia. Dissociação dos elementos do sangue.

diastasic. Diastático.

diastasimetry. Diastasimetria. Medida do poder diastásico de uma substância.

diastasis. Diástase.

diastasuria. Diastasúria. Presença de diástase da urina.

diastem, diastema. Diastema. Espaço, fissura ou fenda.

diastematocrania. Diastematocrania. Fissura longitudinal congênita do crânio.

diastematomyelia. Diastematomielia. Separação congênita das metades laterais da medula espinal.

diastematopyelia. Diastematopielia. Fissura congênita da pelve.

diaster. Diáster. Sin.: anfiáster.

diastole. Diástole.

diastolic. Diastólico.

diastomyelia. Diastomielia, diastematomielia.

diataxia. Diataxia. Ataxia bilateral.

diatela, diatele. Abóbada membranosa do terceiro ventrículo cerebral.

diaterma. Parte do pavimento do terceiro ventrículo.

diathermal, diathermic, diathermous. Diatérmico.

diathermocoagulation. Diatermocoagulação. Diatermia cirúrgica.

diathermy. Diatermia.

diathesis. Diátese. Significa, principalmente predisposição individual congênita a um grupo determinado de doenças.

diathetic. Diatésico.

diatomea. Diatomácea. Algas unicelulares microscópicas bacilariófilas, com esqueleto silíceo que vivem no fundo limoso de algumas águas.

diatomic. Diatômico.

diatoric. Diatórico. Dente com uma cavidade em sua base.

diauchenos. Monstro bicéfalo, com dois pescoços.

diaxon. Diaxônico. Célula nervosa com dois cilindraxes.

diazine. Diazina. Composto que contém um anel de quatro carbonos e dois átomos de nitrogênio.

diazo-. Diazo-. Prefixo que indica posse do grupo — N_2 —.

diazo compounds. Compostos diazóicos.

diazoma. Diafragma.

diazotization. Diazotização.

dibasic. Dibásico. Que contém dois átomos de H substituíveis por bases ou dois átomos de um elemento monobásico.

dibenzanthracene. Dibenzantraceno. Hidrocarboneto policíclico que produz câncer experimental de animais.

dibiosis. Dibiose. Certos organismos unicelulares têm a propriedade de ser aeróbios ou anaeróbios segundo o meio em que se encontram.

diblastula, gastrula. Diblástula, gástrula.

Dibothriocephalus latus. Botriocéfalo.

dibromide. Bibrometo ou dibrometo.

dibutyl phthalae. Ftalato de dibutil.

dicarboxylic. Dicarboxílico.

dicephalus. Dicéfalo (monstro).

dichloride. Bicloreto.

dichotomy. Dicotomia. Processo de divisão em duas partes.

dichroic. Dicróico. Substâncias que oferecem cor diferente segundo se olhem por reflexão ou refração.

dichroism. Dicroísmo.

dichromate. Dicromato.

dichromatic. Dicromático.

dichromatism. Dicromatismo.

dichromatopsia. Dicromatopsia.

Dick test. Prova de Dick. Eritema cutâneo local consecutivo à injeção subcutânea de 0,1 cm³ / de filtrado diluído de estreptococo hemolítico da escarlatina, que indica susceptibilidade do indivíduo à referida enfermidade. // - **toxin.** Toxina de Dick. Isolada de culturas de estreptococos da escarlatina.

Dickey's fibres or suspensory ligament. Fibras ou ligamento suspensor de Dickey. Fibras que partem do tendão do escaleno anterior e chegam até a pleura cervical.

decliditis. Diclidite. Inflamação de uma válvula.

diclidostosis. Ossificação de válvula venosa.

diclidotomy. Diclidotomia. Incisão de uma válvula.

dicoria. Dicoria. Sin.: diplocoria, pupila dupla.

dicoumarol. Dicumarol.

Dicrocoelium. *Dicrocoelium.* Gênero de trematódeos.

dicrotic. Dicrótico.

dicrotism. Dicrotismo. Pulso duplo em cada batimento arterial.

dictate. Ditar.

dictyocyte. Dictiócito. Célula do mesênquima poligonal.

dictyoma. Dictioma. Tumor da retina.

dictyosome. Dictiossomo. Fragmento em que se rompe o idiossomo de um espermatócito na mitose.

didactylism. Didactilismo. Existência congênita de somente dois dedos nas mãos ou pés.

didelphic. Didelfo. Com útero duplo.

didymitis. Didimite, orquite.

didymus; didymous. Dídimo, testículo, gêmeo.

Dieb. alt. Abreviatura de *diebus alternis* . Em dias alternados.

diechoscope. Diecoscópio. Instrumento para a percepção simultânea de dois sons diferentes na ausculta.

diecious. Diécio. Sexualmente distinto; que tem os dois sexos em indivíduos separados: dióico*.

Dieffenbach's operation. Operação de Dieffenbach. Operação prévia para a amputação da articulação do quadril.

dielectric constant. Dielétrica, constante dielétrica.

dielectrolysis. Dieletrólise.

diembryony. Produção de dois embriões em um só ovo.

diencephalic. Diencefálico.

diencephalohypophysal. Diencéfalo hipofisário.

diencephalon. Diencéfalo. Sin.: talamencéfalo, cérebro intermédio.

dienestrol. Dienestrol.

Dienst's test. Prova de Dienst. Prova da gravidez, fundada no aumento de antitrombina no soro sangüíneo e urina da mulher grávida.

Dientamoeba fragilis. *Dientamoeba fragilis* Ameba intestinal caracterizada por um sistema nuclear duplicado, encontrada no homem e em macacos.

dieresis. Diérese. Divisão de partes normalmente unidas. // Secção cirúrgica.

---

* N. do T. Dióico ou dieco; preposição hoje obsoletizada.

Dierk's layer or zone. Camada de Dierk. Zona de cornificação do epitélio vaginal no período de maior espessura durante o ciclo menstrual.

diesophagus. Esôfago duplo.

diestrum. Diestro.

diet. Dieta.

dietary. Dietético.

dietetic. Dietético.

dietetics. Dietética.

diethylamine. Dietilamina.

diethylcarbamazine citrate. Citrato de dietilcarbamazina.

diethylene diamine. Dietilenodiamina.

diethyl ketone. Dietilcetona.

diethylmalonylurea. Dietilmaloniluréia.

diethyloxyacetylurea. Dietiloxiacetiluréia.

dietist, dietician, dietitian. Dietista.

Dietl's crisis. Crise de Dietl. Afecção aguda possivelmente por torção parcial do rim sobre seu pedículo, que produz dor intensa gástrica ou renal, calafrios, febre, náuseas e colapso geral.

dietotherapy. Dietoterapia.

dietotoxic. Dietotóxico.

dietotoxicity. Dietotoxicidade.

Dieudonné's medium. Meio de Dieudonné. Meio de cultura. Caldo com ágar a 30 por 100, 7 partes, e mistura de sangue de boi e hidróxido de sódio, 3 partes.

Dieulafoy's aspirator. Aspirador de Dieulafoy. Aparelho formado por um corpo de bomba de cristal e êmbolo com duas aberturas; uma para a cânula e trocanter e outra para o tubo de saída. // - **triad.** Tríade de Dieulafoy. Hipersensibilidade da pele, contração muscular reflexa ou defesa muscular e dor à pressão no ponto de Mac Burney.

differ. Diferir.

difference of potential. Diferença de potencial.

differential. Diferencial.

differentiation. Diferenciação.

diffluence. Difluência. Fluir expandindo-se.

diffluent. Difluente.

diffraction. Difração.

diffuse, scattered. Difuso. // - **sclerosis.** Esclerose difusa.

diffusible. Difusível.

diffusiometer. Difusiômetro. Aparelho para medir a velocidade de difusão, dialisador.

diffusion. Difusão, diálise.

Dig. Abreviatura de "*digeratur*". Deixar ser digerido: que seja digerido.

digalen. Digaleno.

digametic. Digamético.

digastric. Digástrico.

digastricus. Digástrico.

Digenea. Subclasse de endoparasitos trematódeos.

digenesis. Digênese. Geração alternante.

digenetic. Digenético.

digerent, digestant. Digestivo.

digest. Digerir.

digestant. Digestivo.

digestion. Digestão.

digestive. Digestivo. // - **tract.** Aparelho digestivo.

digifolin. Digifolina.

digifortis. Tintura de digital.

digiglusin. Preparação de glicosidos de digital.

digilanid. Digilanide.

diginutin. Solução de glicosidos de digital.

digit, finger. Dedo da mão ou pé.

digital. Digital.

Digitalein. Digitaleína.

digitaligen. Digitalígeno.

digitalin. Digitalina.

Digitalis. Digitalis, digital. // **-tincture of.** Tintura de digital.

digitalism. Digitalismo.

digitalization. Digitalização.

digitaloid. Digitalóide.

digitate. Digitado. Ramificado segundo disposição dos dedos da mão.

digitation. Digitação. Prolongamento digitoforme.

digitus, finger or toe. Dedo da mão ou pé.

diglossia. Diglossia. Língua bífida.

diglyceride. Diglicérida. Glicérida (éster) com duas moléculas de ácido graxo.

dignathus. Dígnato. Monstro fetal com duas mandíbulas.

digoxin. Digoxina. Glicosido muito tóxico das folhas da *Digitalis lanata*.

diheterozygote. Dieterozigoto. Heterozigoto com um par de genes.

dihexose. Diexose. Sin.: dissacarídeo, sacarose, hexobiose.

dihybrid. Díbrido. Descendente de pais que diferem em seus caracteres.

dihydrate. Diidrato.

dihydromorphinone. Diidromorfinona.

dihydrotachysterol. Diidrotaquisterol.

dihysteria. Útero duplo, dimetria, didelfia.

diiodide. Biiodeto.

diktyoma. Dictioma. Tumor da retina.

dil. Dil. Abreviatura de "*diluator*", diluir, que seja diluído.

dilaceration. Dilaceração, desgarro, divisão violenta, discissão.

dilapidation. Dilapidação, ruína.

dilatation, enlargement. Dilatação.

dilate, to enlarge. Dilatar.

dilation. Dilação, demora, dilatação.

dilator. Dilatador.

dilaudid hydrochloride. Cloridrato de diiodromorfinona.

dilaudidomania. Desejo mórbido de fazer uso do cloridrato de diidromorfinona.

dilecanus. Monstro dípigo, com duas pelves.

dilipoxanthine. Dilipoxantina.

dilut. *"Dilut"*. Abreviatura latina de *"dilue"*, diluir*.

diluent, diluting. Diluente.

dilute. Diluir.

dilution. Diluição.

dim. Abreviatura de *"dimidius"*, metade, meia parte.

dimargarin. Dimargarina. Glicérido com duas moléculas de ácido margárico combinado a uma molécula de glicerina.

Dimastigamoeba. *Dimastigamoeba.* Gênero de ameba coprozóica que em seu desenvolvimento é amebóide e flagelada.

dimazon. Pó de diacetilaminoazotolueno. Estimula o crescimento epitelial em feridas e úlceras.

dimelia. Dimelia. Anomalia de desenvolvimento caracterizada pela duplicação de um membro.

dimerous. Dímero. Formado de duas partes.

dimercaprol. Dimercaprol. Bal.

dimetallic. Dimetálico. Que contém dois átomos ou equivalentes de um elemento metálico na molécula.

dimethylacetal. Dimetilacetal. Líquido anestésico, volátil, incolor; pode usar-se em inalação como o clorofórmio.

dimethylamine. Dimetilamina. Ptomaína líquida e gasosa da gelatina alterada, pescado apodrecido, leveduras decompostas.

dimetria. Dimetria, didelfia. Útero duplo.

diminish. Diminuir.

diminution. Diminuição.

Dimmer's keratitis. Ceratite de Dimmer, ceratite numular.

dimorphic. Dimorfo. Com duas formas.

dimorphism. Dimorfismo.

dimorphous. Dimorfo, que existe em duas formas.

dimple. Pequena depressão.

dineuric. Que tem dois cilindraxes.

dinical. Dínico. Pertinente à vertigem ou eficaz em seu tratamento (medicamento).

dinitrate. Dinitrato. Composto à base de duas moléculas de ácido nítrico.

---

*. N. do T. — Diluir (sentido imperativo).

dinitrobenzene. Dinitrobenzeno.

dinitrocellulose. Dinitrocelulose.

dinitrocresol. Dinitrocresol.

dinitrophenol. Dinitrofenol.

dinitroresorcin. Dinitrorresorcina.

dinomania. Dinomania. Coréia epidêmica. Sin.: coreomania.

dinophobia. Dinofobia. Temor mórbido à vertigem.

dinormocytosis. Dinormocitose. Sin.: isonormocitose.

D. in p. aeq. Abreviatura de *"divide in partes aequales"*, divida-se em partes iguais.

dinucleotide. Dinucleótide. Reunião de dois mononucleótides.

Diocles Carystius. Diocles de Caristo. Médico grego do século IV aC. Só restam fragmentos de suas obras.

diocoele. Diocele. Cavidade do diencéfalo ou terceiro ventrículo.

Dioctophyma. *Dioctophyma.* Gênero de nematóides. // - **renale.** Dioctofina renal. Este verme renal é o maior nematóide conhecido. Encontra-se em muitos animais domésticos porém raramente no homem.

diodon. Peixe plectógnato tropical. Algumas de suas espécies são venenosas.

diodoquin. Produto empregado contra a disenteria amebiana e infecções por trichomonas.

dioestrum, dioestrus. Diestro. Pequeno intervalo entre dois períodos de estro.

diogenism. Diogenismo. Tendência a uma vida natural diferente da artificial atual.

diopsimeter. Diopsímetro. Aparelho para medir a extensão do campo visual.

diopter. Dioptria. Unidade de potência refringente dada por uma lente que tem a distância focal de 1 metro.

dioptrometer. Dioptômetro. Aparelho para determinar a refração ocular.

dioptrometry. Dioptrometria.

dioptroscopy. Dioptroscopia.

dioptry, diopter. Dioptria.

Dioscorea. Dioscorea. Planta chamada *Dioscorea villosa* ou *D. hirsuta* (inhame silvestre) cuja raiz é diaforética e emética.

dioscorine. Dioscoreína. Alcalóide esverdeado obtido da dioscorea.

diose. Diose. $C_2H_4O_2$.

diosphenol. Diosfenol. Cânfora com cheiro de menta que se separa da essência de plantas do gênero Barosma ao esfriar-se.

diovulatory. Descarga ordinária de dois óvulos em um ciclo ovárico.

dioxide. Dióxido.

dioxyacetone. Dioxiacetona.

dioxyanthranol. Dioxiantranol.

dioxydiaminoarsenobenzol. Dioxidiaminoarsenobenzol.

dioxyfluoran. Fluoresceína.

dioxynaphthalene. Dioxinaftalem.

dioxy-naphthyl-metano. Dioxinaftilmetano.

dioxytoluene. Dioxitolueno.

dipeptide. Dipeptídeo. Proteína que resulta da união de dois aminoácidos.

Dipetalonema perstans. *Dipetalonema perstans.* *Acantocheilonema perstans.*

diphalia. Difalia. Duplicidade de pênis.

diphallus, diphallia. Difalia.

diphasic. Difásico.

diphenan. Anti-helmíntico.

diphenyl. Difenilo. Composto incolor encontrado no carvão mineral.

diphenylamine. Difenilamina. Composto de fenilanilina. Empregado como reativo do ácido nítrico e do cloro.

diphenylchlorarsine. Gás tóxico utilizado na guerra. Sin.: Clark I e AD.

diphenylhidantoin. Difenilidantoína. Pó branco solúvel, antiepilético, útil contra o grande mal, não produz letargo. Sin.: dilantina sódica.

diphenylmethane. Difenilmetânio. Analgésico cristalino e antipirético.

diphonia. Difonia, voz bitonal.

diphtheria. Difteria.

diphtheric. Diftérico.

diphtheroid. Difteróide.

diphtherotoxin. Difterotoxina.

diphthongia. Diftongia, difonia.

Diphyllobothrium latum. *Diphyllobothrium latum.*

Diplacanthus nanus. *Diplacanthus nanus.* *Hymenolepsis.*

diphyodont. Difiodonte. Animal que troca os dentes no curso de sua vida.

diplacusis. Diplacusia. // **binauralis dysharmonica.** Diplasia biaural disarmônica. // **b. echotica.** Diplacusia ecóica ou em eco. // **monauralis dysharmonica.** Displacusia uniaural disarmônica. Sin.: paracusia dupla.

diplasmatic. Diplasmático. Que contém outras substâncias além do protoplasma.

diplegia. Diplegia. // **- cerebral.** Diplegia cerebral.

diplo-. Diplo-. Prefixo grego que significa "duplo".

diploalbuminuria. Diploalbuminúria. Existência de albuminúria fisiológica e patológica.

diplobacillus. Diplobacilo, bacilo emparelhado.

diplobacterium. Diplobactéria. Forma bacteriana constituída por duas células unidas.

diploblastic. Diploblástica. Formado por duas camadas germinativas.

diplocardia. Diplocardia. Estado em que o coração direito está separado do esquerdo por uma fissura.

diplocephalus. Diplocéfalo. Sin.: bicéfalo, dicéfalo.

diplocephaly. Diplocefalia. Monstruosidade caracterizada por cabeça dupla.

diplococcal. Diplocócico.

diplococcemia. Diplococemia. Presença de diplococos no sangue.

diplococcin. Substância antibiótica obtida de estreptococos.

diplococcoid. Diplococóide. Semelhante a um diplococo.

diplococcus. Diplococo.

diplocoria. Diplocoria. Pupila dupla.

Diplodia. *Diplodia.* Gênero de fungos parasitos de diversas plantas cultivadas.

Diplodinium. Diplodinium. Espécie de protozoários ciliados parasitos do estômago do gado vacum.

diploe. Díploe. Tecido ósseo esponjoso entre as lâminas compactas dos ossos do crânio.

diplogaster. *Diplogaster.* Gênero de vermes nematóides que vivem livremente nas fezes, confundido às vezes com o ancilóstomo e o estrôngilo.

diplogen. Deutério.

diplogenesis. Diplogênese. Termo para indicar as monstruosidades duplas.

diploic. Diplóico.

diploid. Diplóide.

diplokaryon. Diplocárion. Núcleo com o duplo número diplóide de cromossomos.

diploma. Diploma.

diplomellituria. Diplomelitúria. Aparecimento alternado ou simultâneo de glicosúria diabética e não diabética no mesmo indivíduo.

diplomycin. Antibiótico derivado de diplococo e que parece efetivo contra o *Mycobacterium tuberculosis.*

diplomyelia. Diplomielia. Fissura longitudinal que dá aparência de duplicidade à medula espinal; diastematomielia.

diplonema. Diplonema. Período da miose (meiose).

diploneural. Diploneural. Com dupla enervação.

diplopagus. Diplópago. Monstro duplo de gêmeos igualmente desenvolvidos ou que têm um ou mais órgãos vitais em comum.

diplophase. Diplófase. Fase da vida de certos organismos em que o núcleo era diplóide.

diplophonia. Diplofonia, doftongia.

diplopia. Diplopia. Visão dupla dos objetos.

diplopiometer. Diplopiômetro. Instrumento para medir o grau de diplopia.

diploscope. Diploscópio. Aparelho para o estudo da visão binocular.

diplosome. Diplossomo. Centrossomo ou centríolo duplo.

diplotene. Deploteno. Período da miose (meiose).

Dippel's animal oil. Óleo animal de Dippel. É um óleo produzido pela destilação de ossos, chifre e outras substâncias animais.

dippoldism. Flagelação.

diprosopus. Diprósopo. Feto monstruoso com duas faces.

dipsesis. Dipsese, dipsose. Sede, especialmente sede mórbida.

dipsomania. Dipsomania. Sin.: alcoolofilia paroxística.

dipsopathy. Dipsopatia.

Diptera. Dípteros. Insetos entre os quais se encontram as moscas e os mosquitos.

Dipterocarpus. Dipterocarpus. "Gênero de árvores do Sul da Asia e Índias Orientais, que subministram sucos resinosos e balsâmicos, como o "gurjun balsam".

dipterous. Díptero.

dipygus. Dípigo. Feto monstruoso com dupla pelve.

Dipylidium. *Dipylidium* . Gênero de vermes encontrados nos gatos e outros animais de pequeno porte.

dipylidiasis. Dipilidíase. Infestação por vermes do gênero *Dipylidium* .

direct. Direto, reto, imediato.

direction. Direção.

director. Diretor. Instrumento guia em forma de canal para dirigir um bisturi.

directoscope. Directoscópio. Instrumento para o exame direto da laringe.

dirigation. Faculdade de fixar a atenção em alguma parte do corpo e causar nela alteração das funções geralmente involuntárias.

dirigomotor. Que preside à atividade muscular.

Dirofilaria. Dirofilária. Gênero de filárias de corpo mais longo e cutícula estriada.

Dir. prop. Abreviatura de *"directione propria"*, com direção própria.

dis-. dis. Prefixo latino que significa "inversão", ou "separação".

disaccharide. Dissacarídeo.

disacidify. Desacidificação.

disadvantage. Desvantagem.

disaggregation. Desagregação.

disallergization. Desalergização.

disamidize. Desamidizar.

disarticulation. Desarticulação.

disassimilation. Desassimilação. Sin.: catabolismo, metamorfose regressiva.

disazo. Diazo.

disc. Disco. // - **accessory, intercalated, intermediate, intervertebral, terminal and transverse.** Disco acessório, intercalado, intermediário, intervertebral, terminal e transverso.

discharge. Secreção. Descarga elétrica. Evacuação.

dischromatopsy. Discromatopsia. Cegueira incompleta para as cores.

dischronation. Discronismo. Alteração na relação de tempo.

disciform. Disciforme. Em forma de disco.

discission. Discissão, incisão ou divisão, separação.

discitis. Discite. Inflamação de um disco.

disclination. Disclinação. Extorção involutária de ambos os olhos.

discoblastic. Discoblástico.

discoblastula. Discoblástula. Blástula segmentada em forma de disco sobre o vitelo nutritivo.

discogenic, discogenetic. Discogênico.

discoid, discoidal. Discóide.

Discomyces. *Discomyces* . Gênero de fungos encontrados no micetoma, de micélio não septado, às vezes sinônimo de *Actinomyces* e *Neocardia*.

discomycosis. Discomicose.

discopathy. Discopatia.

discophorus. Discóforo.

discoplacenta. Discoplacenta, placenta discóide.

discoplasm. Discoplasma. Estroma dos corpúsculos vermelhos do sangue.

discord. Dois ou mais sons desarmônicos.

discoria. Discoria. Deformidade da pupila.

discrete. Separado, isolado. // Moderado.

discus. Disco.

discutient. Dispersivo. Sin.: resolutivo.

disdiaclast. Disdiaclasto. Disco elementar da fibra muscular primitiva.

disease. Enfermidade, doença.

disengagement. Emergência da cabeça fetal no canal do parto ou de um tumor em sua extração.

disequilibrium. Desequilíbrio.

disesthesia. Disestesia. Transtorno da sensibilidade em geral. // Transtorno do tato.

disgerminoma. Disgerminoma. Câncer de ovário ou testículo.

disgust. Forte aversão, ódio.

dish. Prato. Cúpula de cultura.

disharmonious. Desarmônico.

disimmune. Desimunizado.

desimmunity. Desimunidade.

desimmunize. Desimunizar.

desinfect. Desinfetar.

desinfectant. Desinfetante.
disinfectation. Desinfecção.
disinfection. Desinfecção.
disinhibition. Desinibição.
disinomenine. Alcalóide formado pela oxidação da sinomenina.
disinsected. Desinsectizado.
disinsection. Desinsetização.
disinsertion. Desinserção.
disintegration. Desintegração.
disintoxication. Desintoxicação.
disinvagination. Desinvaginação.
disjoint. Desarticulação.
disjugate. Disjungir. Dividido.
disk. Disco.
diskitis. Discite.
dislocation. Deslocação, luxação.
dismemberment. Desmembramento. Destroncamento.
dismiss. Descartar.
dismutation. Desmutação.
disodic. Dissódico. Com dois átomos de sódio em cada molécula.
disome. Díssomo. Monstro duplo.
disorder. Moléstia, desordem, perturbação.
disordered action of heart. Síndrome de esforço. Sin.: astenia neurocirculatória, síndrome de Da Costa.
disorganization. Desorganização.
disorientation. Desorientação.
disoxidation. Desoxidação.
dispar. Díspar, desigual.
disparate. Discorde, desigual. Não correspondente.
disparity. Disparidade.
dispensary. Ambulatório, dispensário.
dispensing. Dispensa.
dispermine. Dispermina, piperazina.
dispermy. Dispermia. Entrada de dois espermatozóides em um óvulo.
disperse. Dispersar.
dispersidology. Química dos colóides.
dispersion. Dispersão.
dispersity. Dispersão.
dispersoid. Dispersóide, colóide.
dispersonalization. Despersonalização.
dispira. Dispirema.
dispirem, dispireme. Dispirema. Período de divisão celular que sucede ao diáster.
displacement. Deslocamento.
disporous. Com dois esporos.
disposal. Disposição.
disposition. Disposição.
disproportion. Desproporção.
disruptive. Explosivo, dilacerado, rasgado.
Disse's spaces. Espaços de Disse. Pequenos espaços que separam as sinuosidades do fígado, de

suas células e que conduzem a linfa deste órgão.
dissect. Dissecar.
dissecting. Dissecante.
dissection. Dissecção.
disseminated. Disseminado.
dissemination. Disseminação.
dissimilate. Desassimilar.
dissimilation. Desassimilação. Sin.: catabolismo, metamorfose regressiva.
dissociation. Dissociação.
dissogeny. Dissogenia. Amadurecimento sexual em dois períodos — larval e adulto.
dissolution. Dissolução.
dissolve. Dissolver.
dissolvent. Dissolvente.
dissonance. Dissonância.
distad. Em direção distal, ou da face distal.
distal. Distal, contrário de proximal.
distance. Distância.
distensibility. Distensibilidade.
distention. Distensão.
distichia. Distiquíase.
distichiasis. Distiquíase.
distillate. Destilado.
distillation. Destilação.
distinguish. Distinguir.
distinctometer. Aparelho para a exploração do abdômen.
distobuccal. Distobucal.
distobucco-oclusal. Distobucoclusal.
distobuccopulpar. Distobucopulpar.
distoceptor. Distoceptor. Receptor a distância.
distocervical. Distocervical.
distoclusal. Distoclusal.
distoclusion. Distoclusão. Relação defeituosa do arcos dentais maxilar e mandibular, em que o segundo está em posição posterior ao primeiro: posteroclusão.
distolabial. Distolabial.
distolingual. Distolingual.
Distoma. Distoma. Nome primitivo de um gênero de vermes entozoários trematódeos, porém na atualidade compreende vários gêneros de trematódeos.
distomatosis. Distomatose.
distomiasis. Distomíase.
distomus. Dístomo. Monstro fetal com duas bocas mais ou menos marcadas.
distoplacement. Deslocamento distal de um dente.
distortion. Distorção.
distoversion. Distoversão.
distraction. Distração. Perturbação, confusão, loucura, separação.
distribution. Distribuição.

districhiasis. v. "Distichiasis".

disturb. Perturbar, disturbar, alterar.

distrix. Distriquia. Divisão dos cabelos em seus extremos.

disubstituted. Substituição de dois átomos por outros átomos ou radicais em cada molécula.

disvolution. Transtorno regressivo ou degenerativo. Retrogradação.

ditaine. Ditaína. Alcalóide tóxico semelhante ao curare.

dithio. Ditio. Designação de um grupo químico S_2.

dithranol. Ditranol.

ditocia. Parto duplo.

Dittel's falciform fold. Prega falciforme de Dittel. Espessamento da fáscia superficial do pescoço que circunda o orifício através do qual a veia jugular externa penetra na fáscia atrás do músculo esternocleidomastóideo // **operation.** Operação de Dittel. Enucleação dos lóbulos laterais da próstata hipertrofiada, por incisão externa.

Dittrich's plugs. Tampões de Dittrich. Massas esbranquiçadas, pardacentas ou amareladas no escarro nas bronquites sépticas e na gangrena pulmonar. // **- stenosis.** Estenose de Dittrich. Estenose do cone arterioso.

diurate. Biurato.

diuresis. Diurese.

diuretic. Diurético.

diuria. Diuria. Diurese noturna.

diurnal. Diurno.

diuturnal. Diuturno, constante (mictemérico).

divagation. Divagação.

divalent. Bivalente.

divarication. Separação, divergência. // Divaricação das pálpebras: ectópio.

divergence. Divergência.

divergent. Divergente.

divers's paresis. Paresia dos mergulhadores.

divert. Desviar.

diverticular. Diverticular.

diverticulation. Diverticulação.

diverticulectomy. Diverticulectomia.

diverticulitis. Diverticulite.

diverticulosis. Diverticulose.

diverticulum. Divertículo. // **pulsion —, traction.** Divertículo de propulsão, de tração.

division. Divisão.

divulsion. Divulsão, separação, dilatação violenta, rombo.

dizygotic. Dizigótico. Derivado dos zigotos separados.

dizziness, giddiness. Vertigem.

D$_2$O, deuterium oxide. Óxido de deutério.

Dobell's solution. Solução de Dobell. Para aspersões no nariz e na garganta.

Dobie's globules. Glóbulos de Dobie. Corpúsculos coráveis no meio do disco de uma fibrila muscular. // **- layer or line.** Linha de Dobie.

DOCA. Doca. Sin.: acetato de desoxicorticosterona.

Dochez's antitoxin or serum. Antitoxina ou soro de Dochez. Soro antitóxico de cavalos imunizados com toxinas do estreptococos da escarlatina.

dochmiasis, dochmiosis. Docmíase, ancilostomíase.

docimasia. Docimásia. Ensaio ou exame; prova oficial.

doctor. Doutor, médico.

dodecadactylits. Dodecadactilite. Duodenite.

dodecadactylon. Duodeno.

Döderlein's bacillus. Bacilo de Döderlein. Bacilo normal na secreção vaginal.

Doehle's inclusion bodies. Corpos de Doehle. Encontram-se nos leucócitos em caso de escarlatina.

Dogiel's end-bulbs, nerve-ending. Corpúsculos de Dogiel. Terminações dos nervos sensitivos na mucosa dos genitais externos.

doisynolic acid. Ácido doisinólico.

Dolantin. Dolantina.

dolichocephalia. Dolicocefalia.

dolichocephalic. Dolicocefálico.

dolichofacial. Dolicoprosópico.

dolichomorphic. Dolicomórfico. Com linhas delgadas e longas.

dolichoprosopic. Com face alongada.

Döllinger's tendinous ring. Anel de Döllinger. Anel elástico ao redor da córnea, formado por espessamento da membrana de Descemet.

dolor, pain. Dor.

dolorific. Dolorífico.

dolorous, painful. Doloroso.

domatophobia. Domatofobia. Claustrofobia.

dominant, prevailing. Dominante, prevalente.

Dominici's tube. Tubo de Dominici. Tubo de prata empregado em radioterapia, que só permite o uso dos raios beta e gama.

Donath-Landsteiner test. Prova de Donath-Landsteiner. Na hemoglobinúria paroxística, resfriando a 0° uma mistura de hemácias e soro do doente, e aquecendo depois a 37° obtém-se manifesta hemólise.

donator. Doador.

donaxine. Donaxina. Alcalóide de *Arundodonas*, gramínea.

Donder's glaucoma, law. Glaucoma de Donders. Glaucoma simples (atrófico). // Lei de Donders: a rotação do olho ao redor da linha de visão não é voluntária; quando se fixa um objeto remoto, o grau de rotação se determina pela distância angular do objeto ao plano mediano e ao horizonte. // **rings**. Anéis de Donders. Anéis irisados observados nos pacientes com glaucoma e nos olhos normais e com catarata, se a pupila está dilatada; supõe-se que seja devido à difração da luz pelo córtex do cristalino.

Donné's corpuscles, test. Corpúsculos de Donné. Se se junta lixívia de potássio à urina que contenha pus, forma-se um depósito branco e gelatinoso.

donor. Doador.

Donovan bodies. Corpos de Donovan. *Donovania granulomatis* e corpos Leishman-Donovan.

Donovan's solution. Solução de Donovan. Solução de iodeto de arsénico e iodeto de mercúrio e potássio em água destilada.

dopa. Dopa. Dioxifenilalanina.

Doppler's operation. Operação de Doppler. Simpaticodiaftérese; injeção de fenol nos tecidos que circundam o simpático que vai às gônadas, ou bissecção deste para aumentar a produção de hormônios com fins de rejuvenescimento.

Doppler's phenomenon. Fenômeno de Doppler. O tom de um apito (silvo) em um corpo, que se move rapidamente como uma locomotiva, eleva-se quando o corpo se aproxima do ouvinte.

doraphobia. Dorafobia. Temor mórbido à pele de animais.

Dorendorf's sign. Sinal de Dorendorf. Avultamento na fossa supraclavicular de um lado, no aneurisma de arco aórtico.

dormancy. Suspensão. Repouso, descanso.

dormant. Inativo, quiescente, latente.

dormoron. Pessoa com estúpida disposição mental, semelhante ao estado de transe.

Dorn-Sugarman test. Prova de Dorn-Sugarman. É para o diagnóstico do sexo do feto durante a gravidez.

dorna. Abreviatura de *"desoxyribose nucleic acid"*. Ácido desoxirribonucléico.

Dorno rays. Raios de Dorno. Raios ultravioleta biologìcamente ativos.

doromania. Doromania. Afeição mórbida em dar presentes.

dorsad. Em direção ao dorso.

dorsal. Dorsal.

dorsalgia. Dorsalgia.

dorsalis. Dorsal.

dorsi. dorsi-dorso. Elemento léxico que significa dorso, parte posterior de um órgão ou do corpo.

dorsicolumn. Coluna dorsal.

dorsicommissure. Comissura dorsal.

dorsicornu. Corno dorsal do cordão espinal.

dorsiduct. Que se move em direção ao dorso.

dorsiflexion. Dorsiflexão. Flexão em direção ao dorso.

dorsimesial. Em direção à linha média-dorsal do corpo.

dorsimeson. Linha dorsal mediana do corpo.

dorsispinal. Dorsospinal.

dorso, dorsi. Elemento léxico com sentido de dorsal, parte posterior de um órgão ou do corpo.

dorsoanterior. Tendo a parte posterior dirigida para diante.

dorsocephalad. Em direção à parte posterior da cabeça.

dorsodynia. Dor na região dorsal.

dorso-intercostal. Situado no dorso e entre as costelas.

dorsolateral. Pertencente ao dorso e à face lateral.

dorsolumbar. Pertencente ao dorso e à região lombar.

dorsomedial, dorsomesial. Pertencente à linha mediana dorsal.

dorsonasal. Pertencente ou relativo à face anterior ou ventral do nariz.

dorsonuchal. Pertencente ao dorso e à nuca.

dorso-occipital. Pertencente à região posterior da cabeça e do corpo.

dorsoposterior. Tendo o dorso dirigido para trás.

dorsoradial. Pertencente ao lado externo ou lateral do dorso do braço ou da mão.

dorsoscapular. Pertencente à superfície posterior da escápula.

dorsoventral. Em direção ou disposição de trás para a frente.

dorsum, back. Dorso (costas).

Doryl. Produto derivado do carbacol usado em terapêutica.

dosage. Dosagem.

dose. Dose.

dosimeter. Dosímetro. Instrumento empregado para a medida de raios X. Quantímetro.

dosimetric. Dosimétrico.

dosimetry. Dosimetria.

dossier. Dossiê. Carteira ou pasta contendo a história clínica de pacientes.

dot. Mancha, mácula, ponto, região.

dotage, senility. Senilidade, decrepitude.

Double, twofold. Duplo, duplicado, geminado. // **- hearing**. Diplacusia. // **- refraction**. Dupla refração. // **- refraction, negative**. Dupla refração negativa. // **- refraction, positive**. Dupla refração positiva.

douche. Ducha.

Douglas's crescentic fold. Prega de Douglas. Prega peritoneal entre o útero e o reto, resultante da elevação do peritônio pelo ligamento uterossacro. // **- cul de sac or pouch of Douglas.** Betesga, bolsa ou fundo de saco de Douglas; formada pela prega retouterina do peritônio. // **- line.** Linha de Douglas. Margem curva inferior da camada interna da aponeurose do músculo oblíquo interno abdominal. // **- septum.** Septo de Douglas. No feto é o septo formado pela união da prega de Rathke, transformando o reto em um perfeito canal.

douglascele. Hérnia vaginal posterior.

douglasitis. Inflamação do saco de Douglas.

Dourahina. Douraína. Droga vegetal do Brasil, diaforética, diurética.

dourina. Mal do coito, doença venérea dos cavalos.

Dover's powder. Pó de Dover. Pó de ópio e ipeca.

Dowell's test. Teste de Dowell. Na mulher grávida a injeção intradérmica na face anterior do braço de extrato de hipófise anterior produz um eritema no ponto da injeção.

doxogenic. Dosógeno. Produzido por concepção ou representação mental.

doxylamine succinate. Sucinato de doxilamina.

Doyen's clamp, operation. Pinça, operação de Doyen. Pinça para a apreender os tecidos nas intervenções gástricas. // Operação de Doyen: Eversão da túnica vaginal na cura da hidrocele. // Exposição do coração por incisão "U" nas cartilagens-costais. // Paracentese pericárdica através de incisão mediana com trepanação do esterno. // Panisterectomia por via abdominal.

Doyere's hillock or eminence. Eminência ou cone de Doyere. Papila por onde um filamento nervoso penetra na fibra muscular.

Doyne's choroiditis. Coroidite de Doyne. Coroidite degenerativa hereditária, com formação de placas esbranquiçadas na proximidade do disco óptico.

dr. dr. Abreviatura de *drachm*, dracma.

drachm. Dracma (3,888g).

dracontiasis. Dracontíase, dracunculose. Doença parasitária produzida por vermes do gênero *Dracunculus.*

Dracunculus medinensis. *Dracunculus medinensis* . Gênero de parasitos nematóides.

draft. Poção. Quantidade de medicamento para ser tomada de uma vez.

dragée. Drágea.

Dragendorffis test. Reação de Dragendorf. Para pigmentos biliares.

dragon's blood. Sangue de drago ou dragão. Resina adstringente obtida de palmeiras tropicais.

drain. Dreno.

drainage. Drenagem.

dram, drachm. Dracma.

dramamina. Dramamina.

dramatism. Dramatismo.

drapetomania. Drapetomania. Afeição mórbida, desejo mórbido de andar a esmo. Dromomania.

Drasch's cells. Células de Drash. Células cuneiformes da mucosa traqueal.

drastic. Drástico.

draught. Bebida, poção, beberagem.

draw. Tirar, extrair, arrancar, sugar, aspirar, estirar, desenhar, traçar.

drawer. Caixão, gaveta.

dream. Sonho, fantasia, sonhar, imaginar, fantasiar.

Drechsel's test for bile acids. Reação de Drechsel, para ácidos biliares.

drepanocyte. Drepanócito.

drepanocytemia. Drepanocitemia.

drepatocytic. Drepanocítico.

Drebach's anemia or syndrome. Anemia de Dresbach. Doença hereditária confinada aos negros, em que as hemácias adquirem "*in vitro*" forma de foice ou semilunar.

dresser. Estudante de medicina cujo principal mister é de vendar ferimentos.

dressing. Curativo, aparelho, atadura.

Dressler's disease. Doença de Dressler. Hemoglobinúria paroxística.

Dreyer formula. Fórmula de Dreyer. Exprime a capacidade vital dos pulmões como função da superfície do corpo.

drill. Trépano, broca, verruma.

drink. Bebida, beber.

Drinker's apparatus. Aparelho de Drinker para respiração artificial.

drip intravenous. Gota a gota intravaso.

drivel, drivelling. Baba, saliva, babar.

dromo. dromo-. Prefixo ou elemento léxico que significa conduzir, correr.

dromograph. Dromógrafo. Hemodromômetro registador.

dromomania. Dromomania. Inclinação mórbida à vida errante, drapetomania.

dromophobia. Dromofobia. Medo mórbido de correr.

dromotropic. Dromotrópico, dromótropo.

dromotropism. Dromotropismo. Influência na condutividade de uma fibra muscular ou nervosa. Pode ser positivo ou negativo.

drop. Gota. // **- enema.** Enema gota a gota. // **- infusion.** Infusão gota a gota.

dropacism. Dropacismo. Arrancamento de pêlos com emplastro. Sin.: "picacismo" (em espanhol).

droplet. Gotícula, perdigoto. Gota (de Plügge).

dropper. Conta-gotas.

dropsical, drosied. Hidrópico.

dropsy. Hidropisia.

Drosera. *Drosera.* Gênero de plantas insetívoras da família dos droseráceas. Uma delas é antiespasmódica.

Drosophila. *Drosophila:* Gênero de mosca. A *Drosophila melanogaster* serviu para estudos genéticos experimentais.

Drouot's plaster. Emplastro de Drouot. Mistura de cantáridas, resina da casca de plantas do gênero "Daphne" (D. Mezereum).

drug. Droga.

drum. Membrana do tímpano.

Drummond's sign. Sopro ou sinal de Drummond. Leve sopro percebido no aneurisma da aorta quando se escuta próximo da boca aberta do doente quando respira.

Drummond-Morison's operation. Operação de Drummond-Morison. Abertura do abdômen, fricção do peritônio hepático e esplênico e sutura do epíploon à parede abdominal, no tratamento da ascite.

Drüsen, glands. Glândulas.

dry. Seco.

Drysdale's corpuscles. Corpúsculos de Drysdale. Células transparentes no líquido dos cistos de ovário.

dualism. Dualismo. Termo que se aplica às teorias que admitem a coexistência, antagonismo e independência dos princípios, origens ou fenômenos.

dualist. Dualista, partidário do dualismo.

Duane's syndrome, test. Síndrome e teste de Duane. Estreitamento da abertura palpebral do lado do reto lateral paralisado se o paciente olha para o lado oposto. // Exame de grau de heterofobia ocular por meio de prismas e luz de vela.

dubhium. Itérbio.

Dubini's disease. Doença de Dubini. Coréia elétrica.

Dublin's method. Método de Dublin para a expulsão da placenta.

Dubois's abscess, disease. Abscesso e doença de Dubois. Abscesso do timo na sífilis congênita. // Desenvolvimento de tal abscesso.

DuBois's diet. Dieta de DuBois. Consiste em várias quantidades de leite. Não se define nem limitação do espaço de tempo nem a passagem a uma dieta ligeira.

Duboisia. Duboisia. Gênero de plantas solanáceas.

DuBois-Reymmond's key, law. Chave e lei de DuBois-Reymmond. Aplicação de correntes elétricas enviadas através de ambos os eletrodos ou de um curto-circuito. // É a variação da intensidade da corrente e não o valor absoluto desta intensidade num momento dado, que atua estimulando um músculo ou nervo motor.

Dubos enzyme, lysin, medium. Enzima ou lisina de Dubos. Tirotricina.

Duboscq colorimeter. Colorímetro de Duboscq.

Duchenne's attitude. Posição de Duchenne. Na paralisia do trapézio: ombros caídos. // ‑ **disease.** Doença de Duchenne. Tabes dorsal. Paralisia bulbar. // ‑ **paralysis.** Paralisia de Duchenne. Distrofia muscular progressiva com pseudohipertrofia. // ‑ **sign.** Sinal de Duchenne. Depressão na região epigástrica na inspiração em caso de paralisia diafragmática ou de hidropericárdio. // ‑ **syndrome.** Síndrome de Duchenne. Paralisia espinal anterior subaguda ou crônica com neurite múltipla.

Duchenne-Aran's disease. Doença de Aran-Duchenne. Atrofia muscular progressiva miélogena que começa pelos membros superiores.

Duchenne-Erb's paralysis. Paralisia de Erb-Duchenne. Paralisia obstétrica do braço.

Duchenne-Landouzy's type. Tipo de atrofia muscular progressiva, de Duchenne-Landouzy.

Duckworth's syndrome. Síndrome de Duckworth. Detenção da respiração antes da parada cardíaca em certas afecções cerebrais.

Ducrey's bacillus. Bacilo de Ducrey. Produtor do cancro mole, incluído atualmente no gênero *Haemophilus.*

duct, ductus. Conduto. // ‑ **deferens.** Ducto excretor do testículo.

Duddell's membrane. Membrana de Duddell. Membrana de Descemet ou de Demours.

Dudley's operation. Operação de Dudley. Desmopicnose: (encurtamento do ligamento) sutura do útero em retroversão com os ligamentos redondos através de incisão abdominal. // Incisão sagital posterior do colo do útero na dismenorréia e esterilidade.

Dugas' test. Prova ou sinal de Dugas. Impossibilidade de colocar a mão no ombro do outro lado com o cotovelo aplicado ao peito na luxação do ombro.

Duhot's line. Linha de Duhot: vai da espinha ilíaca póstero-superior ao vértice do sacro.

Duhring's disease. Doença de Duhring. Dermatite herpetiforme. // ‑ **pruritus.** Prurido de Duhring. Prurido do inverno.

Dührssen's operation tampon. Operação, tamponamento de Dührssen. Fixação do útero na vagina. // Tamponamento da vagina com gaze iodoformada na hemorragia uterina.

Duke's test. Prova de Duke. Para o tempo de sangramento.

Dukes's disease. Doença de Dukes. Quarta moléstia, semelhante à escarlatina e ao sarampo.

dulcamara. Dulcamara. Ramos jovens de *Solanum dulcamara* que possuem propriedades narcóticas, diuréticas e diaforéticas.

dulcite, dulcitol, dulcose. Dulcose. Álcool poliídrico, que existe em várias plantas.

dull. Obtuso, estúpido, fosco, embaciado, triste.

dullness, dulness. Embotamento, torpeza.

dumb. Mudo.

dumbness. Mudez, mutismo, afasia.

Dum-dum. Febre, kala-azar.

Dumontpallier's test. Reação de Dumontpallier. Para pigmentos biliares. Vertam-se cuidadosamente sobre a urina gotas de tintura de iodo. Se existem pigmentos, forma-se um anel verde entre ambos os líquidos.

dumping syndrome. Síndrome de "*dumping*" (do esvaziamento). Transtornos gástricos, palpitações e suores frios, observados às vezes, depois de gastrectomia.

Duncan's folds, position, ventricle. Pregas, posição e ventrículo de Duncan. Pregas frouxas do peritônio que cobrem o útero imediatamente após o parto. // Posição de Duncan da placenta, com a margem no orifício uterino. // Ventrículo de Duncan. Quinto ventrículo de Sílvio. Espaço estreito entre as camadas do "*septum lucidum*".

Duncan's method. Método de Duncan. Autoterapia ou tratamento das enfermidades com certos produtos do organismo do paciente.

Dunfermline scale. Escala de Dunfermline. Esquema para classificar as crianças segundo seu grau de nutrição.

Dungern's test. Reação de Dungern. Aplicação da fixação de complemento ao diagnóstico das enfermidades malignas.

Dunham's solution. Solução de Dunham. Solução de peptona a 1 por cento e cloreto de sódio a 0,50 por cento na reação do Indol.

duodenal. Duodenal.

duodenectomy. Duodenectomia.

duodenin. Duodenina. Suposta substância no extrato de duodeno que produz estímulo à produção de insulina. Sin.: incretina.

duodenitis. Duodenite.

duodenocholecytostomy. Duodenocolecistostomia. Duodenocistostomia.

duodenocholedochotomy. Duodenocoledocotomia.

duodenocolic. Duodenocólico.

duodenocystostomy. Duodenocistostomia.

duodenoenterostomy. Duodenenterostomia.

duodenogram. Duodenograma.

duodenohepatic. Duodenepático.

duodenoileostomy. Duodeno-ileostomia.

duodenojejunostomy. Duodenojejunostomia.

duodenolysis. Duodenólise.

duodenopancreatectomy. Duodenopancreatectomia.

duodenorrhaphy. Duodenorrafia.

duodenoscopy. Duodenoscopia.

duodenostomy. Duodenostomia.

duodenotomy. Duodenotomia.

duodenum. Duodeno.

Duplay's bursitis. Bursite de Duplay. Bursite subdeltoídea. // **- operation.** Operação de Duplay, para epipádias.

duplicitas. Duplicidade.

duplitized. Duplicado.

Dupré's bursitis. Bursite de Dupré. Inflamação da bolsa por fora da cápsula da articulação do ombro

Dupré's muscle. Músculo de Dupré. Fascículo profundo do músculo crural.

Dupuytren's contraction. Contração de Dupuytren. Contração da fáscia palmar. // **- eggshell symptom.** Sintoma de Dupuytren. Sensação de crepitação (de casca de ovo) que se observa à mais ligeira pressão em certos casos de sarcoma dos ossos longos. // **- finger.** Dedo de Dupuytren (v. contraction). // **- fracture.** Fratura de Dupuytren ou de Pott. Fratura da extremidade distal do perônio com deslocamento do pé para fora e para trás. // **- hydrocele.** Hidrocele de Dupuytren. Hidrocele bilocular da túnica vaginal do testículo.

dura, dura mater. Dura, dura-máter.

dural. Relativo à dura-máter.

duralumin. Duralumínio.

Duran-Reynals factor. Fator de Duran-Reynals. Substância que aumenta a permeabilidade dos tecidos, produzida por certas raças de estafilococos e estreptococos.

Durand's disease. Enfermidade de Durand. Virose caracterizada por cefaléia e sintomas ligados ao aparelho respiratório.

Durand-Nicolas-Favre disease. Enfermidade de Durand-Nicolas-Favre. Linfogranuloma venéreo.

Durande's remedy. Remédio de Durande. Preparação para o tratamento da litíase biliar, composto de terebintina, 10 partes, e éter sulfúrico, 15 partes.

Durante's treatment. Tratamento de Durante. Injeção de iodo nas lesões tuberculosas cirúrgicas.

duraplasty. Operação plástica na dura-máter.

Durck's nodes. Nódulos de Durck. Infiltrações perivasculares granulomatosas no córtex cerebral, na tripanossomíase.

durematoma. Hematoma da dura-máter.

Duret's nuclear arteries. Artérias nucleares de Duret. Artérias dos núcleos dos nervos cranianos. // **- rivers.** Canais de Duret subaracnoídeos.

Durham's tube. Tubo de Durham. Variedade de cânula articulada para traqueotomia.

duritis. Durite. Inflamação da dura-máter. Paquimeningite.

duro-arachnitis. Duraracnoidite. Inflamação da dura-máter e aracnóide.

durosarcoma. Meningeoma.

Duroziez's disease. Doença de Duroziez. Estenose mitral congênita. // **- murmur.** Sopro de Duroziez. Duplo sopro ouvido por cima da artéria femoral com o estetoscópio em caso de insuficiência aórtica, de estenose mitral, intoxicação pelo chumbo ou caso de contração renal.

Dutton's disease. Enfermidade de Dutton. Tripanossomíase.

Duttonella. *Duttonella.* Gênero de tripanossomos.

Duval's bacillus. Bacilo de Duval. *Shigella sonnei.*

Duval's nucleus. Núcleo de Duval. Massa de células ganglionares multipolares situada na parte ântero-lateral do núcleo de origem do hipoglosso no bulbo.

Duverney's foramen. Forame de Duverney (v. *Winslow's foramen*). // **- gland.** Glândula de Duverney (v. *Bartholin's glands*).

dwarf. Anão.

dwarfism. Nanismo, nanossomia, infantilismo, microssomia*.

dyad. Bivalente.

dyaster. Diáster. Sin.: anfiáster.

dye. Tinta, cor, matiz. // **- acid, basic.** Cor ácida básica.

dynamic. Dinâmico, funcional.

dynamization. Dinamização. Aumento hipotético da eficiência dos medicamentos por diluição e trituração.

dynamo-. Dínamo. Elemento de origem grega que significa força.

dynamo. Dínamo. Máquina para converter a força mecânica diretamente em corrente elétrica.

dynamogen. Dinamógeno.

dynamogenesis. Dinamogênese, dinamogenia.

dynamogenic. Dinamógeno, dinamogenia.

dynamogeny. Dinamogenia. Desenvolvimento de energia ou força.

dynamograph. Dinamógrafo.

dynamometer. Dinamômetro.

dynamoneure. Dinamoneurônio. Neurônio espinal em conexão com os músculos.

dynamopathic. Dinamopático.

dynamophore. Dinamóforo. Que subministra energia.

dynamoscope. Dinamoscópio.

dynamoscopy. Dinamoscopia. Exame da função de um órgão.

dyne. Dina. Unidade de força.

dys-. dis-. Prefixo grego que significa dificuldade, desordem, imperfeição, mau estado.

dysacousia, dysacusis. Disacusia.

dysadrenia. Disadrenia. Desordem na função adrenal.

dysalbumose. Disalbumose. Albumose caracterizada pela insolubilidade na água e no ácido clorídrico.

dysallilognathia. Disalelognatia. Falta de concordância entre os maxilares.

dysanagnosia. Disanagnosia. Forma de dislexia em que se lêem outras palavras diferentes das escritas.

dysantigraphia. Disantigrafia. Variedade de antigrafia em que é impossível a cópia de escritos, devido à lesão nas vias de associação.

dysaphia. Disafia. Alteração do sentido do tato.

dysarteriotony. Disarteriotonia. Anormalidade da pressão arterial.

dysarthria. Disartria, dislalia.

dysarthrosis. Disartrose, disartria.

dysbasia. Disbasia. Dificuldade na marcha.

dysbulia. Disbulia. Debilidade anormal na vontade nos psicopatas.

dyschesia. Discinesia. Defecação difícil ou dolorosa.

dyschiria. Disquiria. Alteração na função coordenada das mãos.

dyscholia. Discolia. Estado alterado da bile.

dyschondroplasia. Discondroplasia. Condrodisplasia. Enfermidade de Ollier.

dyschondrosteosis. Discondrosteose. Forma de condrodisplasia acompanhada de micromelia acentuada.

dyschromatopsia, dischromasia. Discromatopsia. Cegueira incompleta para as cores.

dyscinesia. Discinesia. Dificuldade nos movimentos voluntários.

dyscoria. Discoria. Desigualdade na reação pupilar.

dyscrasia. Discrasia. Alteração na composição dos humores, principalmente do sangue.

dyscrinism. Discrinismo. Distúrbio endrócino.

---

* N. do T. — O conceito atual de microssomia é diferente.

dysdiadochokinesia. Disdiadococinesia. Transtorno na função da diadococinesia.

dysenteric. Disentérico.

dysentery. Disenteria. // **- amoebic, bacillare.** Disenteria amebiana, bacilar.

dysequilibrium. Desequilíbrio. Vacilação, oscilação, desordem no arranjo ponderal.

dyserethesia. Transtorno na sensibilidade aos estímulos.

dysergasia. Disergasia, disergia. Transtorno psíquico por cerebração deficiente.

dysesthesia. Disestesia. Transtorno da sensibilidade, especialmente do tato.

dysfunction. Disfunção.

dysgalactia. Disgalactia.

dysgenesis, dysgenesia. Disgenesia.

dysgenic. Disgênico.

dysgenitalism. Disgenitalismo, eunuquismo.

dysgenopathy. Disgenopatia. Desordem no desenvolvimento corporal.

dysgerminoma. Disgerminoma. Câncer ovárico ou testicular originado do epitélio germinativo.

dysgeusia. Disgeusia. Perversão do gosto.

dysglandular. Disglandular. Relativo à função glandular alterada.

dysglycemia. Disglicemia. Desordem no metabolismo do açúcar.

dysgnosia. Disgnosia. Transtorno da função intelectual.

dysgonic. Disgônico. Diz-se das culturas bacterianas de difícil desenvolvimento.

dysgrammatism. Disgramatismo. Agramatismo de grau moderado.

dysgraphia. Disgrafia. Cãibra dos escreventes.

dyshaematopoiesis. Disematopoese.

dyshepatia. Disepatia.

dyshidrosis, dysidrosis. Disidrose.

dyshormonal. Disormonal.

dyshormonism. Disormonismo. Transtorno na secreção hormonal.

dyshypophysia. Disipofísia. Dispituitarismo.

dysimmunity. Disimunidade.

dyskeratosis. Disceratose, enfermidade de Darier.

dyskinesia. Discinesia.

dyskoimesis. Dificuldade de dormir.

dyslalia. Dislalia. Distúrbio da linguagem.

dyslexia. Dislexia. Alexia moderada.

dyslogia. Dislogia. Sin.: disfasia, logoneurose.

dismasesis. Dismasese. Mastigação difícil ou dolorosa.

dysmenorrhea. Dismenorréia.

dysmetria. Dismetria.

dysmimia. Dismimia, Incapacidade de imitação.

dysopia, dysopsia. Visão defeituosa, disopia, disopsia.

dysorexia. Disorexia. Alteração da perversão do apetite.

dysosmia. Disosmia. Alteração do olfato.

dysostosis. Disostose. // **cleidocranial or craniocleidal, craniofacial.** Disostose clidocranial, crânio-clavicular ou crânio-facial.

dyspareunia. Dispareunia. Coito doloroso.

dyspepsia. Dispepsia, indigestão.

dyspeptic. Dispéptico.

dysphagia. Disfagia.

dysphasia. Disfasia.

dysphonia. Disfonia.

dysphoria. Disforia, inquietude, mal-estar.

dysphrasia. Disfrasia, dislalia.

dyspituitarism. Dispituitarismo, disipofisismo.

dysplasia. Displasia. Anomalia do desenvolvimento da formação.

dysplastic. Displásico.

dyspnoea. Dispnéia. // **cardiac, renal, Traube's.** Dispnéia cardíaca, renal, de Traube.

dyspnoeic. Dispnéico.

dyspragia. Dispragia, dispraxia. Transtorno dos movimentos.

dysrhaphia. Disrafia, anomalia na oclusão do tubo neural primitivo. Sin.: *Status dysraphicus*.

dysrhythmia. Disritmia.

dysteliology. Disteleologia. Estudo dos órgãos rudimentares ou imperfeitos.

dysthymia. Distimia, distimismo.

dysthyroidism. Distireoidismo.

dystithia. Distitia. Amamentação difícil ou dolorosa.

dystocia. Distocia.

dystonia. Distonia. // **muscular.** Distonia muscular.

dystopia. Distopia, ectopia, deslocamento.

dystosis. Disostose.

dystrophia. Distrofia. // **- adiposa corneae.** Distrofia adiposa da córnea. // **- adiposogenitalis.** Distrofia adiposogenital. // **calcarea corneae.** Distrofia calcária da córnea. // **myotonic.** Distrofia miotônica. // **urica corneae.** Distrofia úrica da córnea.

dystrophic. Distrófico.

dystrophy. Distrofia. // **progressive muscular.** Distrofia muscular progressiva.

dysuria. Disúria.

FRASES E EXPRESSÕES

(to) deal with. Tratar.

(to) deceive into. Levar a pensar erroneamente.

(to) decide on. Eleger, determinar.

demand for. Exigência de.

(to) depend on. Depender de.

(to) draw a distinction. Estabelecer uma diferença.

(to) draw attention. Chamar a atenção.

Does it still pain you? Dói-lhe ainda?

Do you still feel very weak? Sente-se muito fraco ainda? **Don't be afraid.** Não tenha medo.

Do you pass any blood? Você elimina sangue?

Do you feel giddy? Você sente vertigens?

Did you ever have piles? Padeceu de hemorróidas?

Drop into one eye. Instile no olho.

Do you have a discharge? Você tem algum fluxo?

E

e. e. Abreviatura de elétron.

e-. e. Partícula ou prefixo latino que significa "fora, para fora".

ead. Abreviatura de *"eadem"*. O mesmo.

eager. Ávido, impaciente.

ear. Orelha, ouvido.

ear drum. Membrana timpânica.

ear wax. Cerúmen.

early. Precoce.

ease. Mitigar, aliviar.

Easton's syrup. Xarope de Easton. Composto de fosfato de quinina, ferro e estricnina.

eat. Comer.

ebb. Minguante, refluxo, decadência.

Eberstaller's sulcus. Sulco de Eberstaller. Sulco intermédio, o segundo do córtex parietal.

Eberth's bacillus. Bacilo de Eberth, do tipo abdominal. // **- lines.** Linhas de Eberth. Linhas escalariformes na união das fibras musculares cardíacas.

Eberthella. *Eberthella.* Gênero de bacteriáceas do conduto intestinal. // **typhosa.** Bacilo de Eberth.

eberthemia. Presença do bacilo de Eberth no sangue.

Ebner's germ reticulum. Retículo de Ebner. Rede celular nos tubos seminíferos.

ebranlement. Extirpação, perturbação, alteração.

ebrietas, drunkenness. Embriaguez.

Ebstein's disease, lesion, treatment. Enfermidade, lesão e tratamento de Ebstein. // Enfermidade de Ebstein. Degeneração hialina e necrose das células epiteliais dos tubos renais observadas no diabetes. // Lesão de Ebstein. Lesão de Armanni Ehrlich. // Tratamento de Ebstein da obesidade com um regime albumino-gorduroso moderado, com redução dos hidrocarbonados, que não devem exceder de 80 a 100 g.

ebullition. Ebulição.

eburnation. Eburnação. Condensação de um osso. Ossificação de cartilagens. Incrustação de um tumor por fosfatos e carbonato de cálcio.

eburneous. Ebúrneo. Semelhante ao marfim.

E-C-mixture. Mistura E.C. de éter e clorofórmio.

ecaudate. Sem cauda.

Ecballium. *Ecballium*. Gênero de plantas cucurbitáceas.

ecbolic. Ecbólico. Sin.: abortivo.

eccentric. Excêntrico.

eccentroosteochondrodysplasia. Excentroosteocondrodisplasia. Enfermidade de Mórquio.

eccentropiesis. Excentropiese. Pressão de dentro.

ecchondroma. Econdroma, condroma. Tumor cartilaginoso.

ecchondrosis. Econdrose: o mesmo que econdroma.

ecchondrotome. Econdrótomo.

ecchordosis. Cordoma. Econdrose fisaliforme.

ecchymosis. Equimose. Extravasamento de sangue.

ecchymotic. Equimótico.

eccrine. Écrina. Tipo de glândulas sudoríparas.

eccrisis. Écrise. Expulsão de matérias excrementícias.

eccyesis. Ecciese. Prenhez extra-uterina.

ecderon. Epiderme ou epitélio.

ecg, ECG. Abreviatura de "Electrocardiograma".

echidnin. Equidnina. Princípios venenosos de serpentes.

echinococcus. Equinococo. Tênia do cão.

echokinesia, echokinesis. Ecocinesia. Imitação involuntária de movimentos.

echolalia. Ecolalia. Repetição por um alienado, das palavras que ouve.

echopraxy. Ecopraxia, ecocinesia.

Eck's fistula. Fístula de Eck. Anastomose cirúrgica entre a veia porta e a veia cava inferior.

Ecker's gyrus. Circunvolução de Ecker. A des-

139

cendente, a mais posterior das circunvoluções occipitais. // **- sulcus.** Sulco de Ecker, occipital anterior ou transverso.

eclabium. Eclábio. Eversão do lábio.

eclampsia. Eclâmpsia.

eclamptic. Eclâmptico, pertinente à eclâmpsia.

eclecticism. Ecletismo. Eleição do melhor de cada. escola.

ecmnesia. Ecmnésia. Esquecimento do presente e recordação do passado remoto.

ecochleation. Ecocleação. Extirpação da cóclea. Enucleação.

ecology. Ecologia. Método de viver dos animais e plantas e suas relações ambientais.

Economo's disease. Enfermidade de Econômo. Encefalite letárgica.

ecostate. Sem costelas.

écouvillon. Escovinha de limpeza.

écraseur. Instrumento para comprimir ou achatar.

ectad, outside. Para fora.

ectal, outer. Externo.

ectasia, ectasis. Ectasia.

ectatis, distended. Ectásico, distendido, dilatado.

ecthyma. Éctima. // **- terebrans.** Éctima terebrante infantil.

ectoblast. Ectoblasto, ectoderma ou epiblasto.

ectocardia. Ectocardia. Posição anormal do coração.

ectochoroidea. Ectocoróide.

ectodactylism. Ectodactilismo. Falta de um ou mais dedos.

ectoderm. Ectoderma, Sin.: ectoblasto, epiblasto.

ectodermal. Ectodérmico.

ectoentad. De fora para dentro.

ectogenous. Ectógeno, exógeno.

ectogluteus. Ectoglúteo. Músculo glúteo maior.

ectogony. Ectogonia. Influência exercida sobre a mãe, pelo embrião em desenvolvimento.

ectokelostomy. Ectocelostomia. Deslocamento de um saco herniário através da parede abdominal mantendo-o aberto e drenado antes da cura radical.

ectomere. Ectômero. Célula do óvulo que participa na formação do ectoderma.

ectonuclear. Ectonuclear.

ectopagus. Ectópago. Monstro gêmeo, unido pelo tórax.

ectoparasite. Ectoparasito.

ectopectoralis. Ectopeitoral. Músculo peitoral maior.

ectoperitonitis. Ectoperitonite.

ectophyte. Ectófito, epífito.

ectopia. Ectopia. // **pupillae.** Corectopia.

ectopic. Ectópico. // **- pregnancy.** Gravidez ectópica.

ectoplasm. Ectoplasma. Sin.: ectoplasto, ectossarco, exoplasma.

ectopotomy. Ectopotomia. Embriotomia na gravidez ectópica.

ectopterygoid. Ectopterigoídeo. Músculo pterigoídeo externo.

ectoretina. Ectorretina. Camada externa da retina.

ectorhinal. Ectorrínico.

ectosarc. Ectossarco, ectoplasma.

ectoscopy. Ectoscopia. Determinação dos limites dos pulmões por inspeção.

ectosome. Ectossoma.

ectosphenoid. Ectosfenóide. Osso cuneiforme externo.

ectostosis. Extostose. Ossificação do pericôndrio, de fora para dentro.

ectothrix. Ectótrix. Espécie de tricófito.

Ectotrichophyton. Ectotrichophyton. Espécie de fungo que invade o couro cabeludo.

ectrimma. Escoriações.

ectrogeny. Ectrogenia. Ausência congênita de um órgão.

ectromelia. Ectromelia. Monstruosidade por ausência ou subdesenvolvimento de membro ou membros.

ectromelus. Ectrômelo. Monstro caracterizado pela falta de desenvolvimento de um ou vários membros.

ectropic, everted. Ectrópico, evertido.

ectropion, ectropium. Ectrópio. Eversão (pálpebra, lábio, colo de útero, etc).

eczematoid. Eczematóide.

eczematous. Eczematoso.

eczema. Eczema. // **- erythematous, fissum, herpetoid, madidans, marginatum, nummular, sclerosum, seborrheicum.** Eczema eritematoso, fendilhado, herpetiforme, úmido, marginado, numular, escleroso, seborréico.

Edebohl's posture. Atitude de Edebohl. (v. *Simon's posture*).

edentate, edentulous. Edêntulo, desdentado.

edestin. Edestina. Proteína pura cristalizada.

edge. Margem, orla.

edible. Comestível.

Edinger's nucleus. Núcleo de Edinger. Pequena massa cinzenta abaixo do aqueduto de Sílvio, origem de algumas fibras do nervo troclear.

Edinger-Westphal's nucleus. Núcleo de Edinger-Westphal. Núcleo bulbar acessório do terceiro par craniano na região do corpo quadrigêmeo anterior.

education. Educação.

educe. Eduzir, extrair.

effect. Efeito.

effector. Efector.

effeminate. Afeminado.

efferent. Eferente. Sin.: centrífugo, éxótico.

effervesce. Efervescer.

effervescent. Efervescente.

efficacious. Eficaz.

effleurage. Forma de massagem suave, superficial na direção da corrente venosa.

efflorescence. Eflorescência.

effluvium. Eflúvio, vapor.

effluxion. Efluxão. Expulsão indolor do ovo no início da gravidez.

effort. Esforço.

effort syndrome. Síndrome de esforço.

effusion. Efusão, derrame.

efuniculate. Sem cordão umbilical.

egagropilus. Egagrópilo. Concreção gástrica e intestinal formada de pêlos ingeridos.

egersis, wakefulness. Desvelo intenso.

egesta. Egesta, excrementos.

egg. Ovo.

egilops. Egilope. Úlcera do ângulo medial do olho.

ego. Eu.

egocentric. Egocêntrico.

egoism. Egoísmo.

Ehrenritter's ganglion. Gânglio de Ehrenritter. Gânglio jugular.

Ehret's disease. Enfermidade de Ehret. Paralisia dos músculos peroneais, com contração dos antagonistas.

Ehrlich's anaemia. Anemia de Ehrlich. Anemia aplástica. // **biochemical theory.** Teoria bioquímica de Ehrlich. Existe uma afinidade química específica entre as células vivas específicas e as substâncias químicas específicas. // **diazo reagent.** Diazorreagente de Ehrlich. Uma solução de ácido sulfanílico e nitrito de sódio usada na prova da função hepática de van den Bergh para determinar a bilirrubina. // - **reagent.** Reagente de Ehrlich. Solução de p-metilaminobenzaldeído em ácido acético, ácido clorídrico. // - **side-chain theory.** Teoria das cadeias laterais de Ehrlich. Hipótese baseada nos fenômenos de imunidade. // - **solution.** Solução de Erhlich. Solução à base de anilina básica em óleo de anilina e água.

Ehrlich-Hata preparation. Preparação de Ehrlich-Hata "606" Salvarsan.

Eichhorst's corpuscles. Corpúsculos de Eichhorst. Variedade especial de micrócitos que se encontram no sangue dos enfermos de anemia perniciosa. // - **neuritis.** Neurite de Eichhorst. Neurite em que as lesões das bainhas nervosas afetam também o tecido intersticial dos músculos enervados dos nervos afetados. // - **type of progressive muscular atrophy.** Tipo de atrofia muscular progressiva de Eichhorst. O tipo femorotibial, com contração dos dedos do pé.

Eichstedt's disease. Doença de Eichstedt. Pitiríase versicolor.

eidetic. Relativo ou pertinente ao ideísmo (eideismo). Faculdade de evocar a imagem visual de um objeto.

eighth nerve. Nervo auditivo.

Eijkman's test. Reação de Eijkman, para determinar o fenol.

Eimer's organ, body. Órgão, corpo de Eimer. Órgão terminal sensitivo observado primeiramente na pele do focinho da topeira.

Eimeria. Gênero de esporozoários.

Einthoven's string galvanometer. Galvanômetro de Einthoven. Para medir correntes elétricas por seus efeitos magnéticos.

Eitelberg's test. Prova de Eitelberg com diapasão, na surdez.

ejaculate. Ejacular.

e.j. Abreviatura de "*elbow jerk*", flexão reflexa do cotovelo à percussão do bíceps.

ejaculation. Ejaculação.

ejaculatory. Ejaculador.

ejecta, excretions. Ejecta, dejecções, excreções.

ejection. Ejecção, excreção.

elaborate. Elaborar.

elapse. Decorrer, passar.

elastic. Elástico.

elasticity. Elasticidade.

elastin. Elastina.

elastosis. Elastose. Degeneração do tecido elástico.

elaterium. Elatério, drástico violento.

Elaut's triangle. Triângulo de Elaut. Entre as artérias ilíacas comuns e o promontório do sacro.

elbow. Cotovelo.

elder. Sabugueiro. De maior idade.

elder flowers. Flores do sabugueiro.

eldest. Primogênito.

elect. Abreviatura de "electricity". Eletricidade.

elec., Eleger.

electosomes. Mitocôndrios. Sin.: condriossomo, condriocouto, condriomito, plastocôndrio, plastossomo, grânulos de Altmann.

electrencephalogram. Eletrencefalograma.

eletric. Elétrico. // - **bath.** Banho elétrico. // - **conduction.** Condução elétrica. // - **current.** Corrente elétrica. // - **density.** Densidade elétrica. // **field.** Campo elétrico. // **intensity.**

Intensidade elétrica. // **potential.** Potencial elétrico.

electrical. Elétrico.

electricity. Eletricidade.

electrization. Eletrização.

electrobiology. Eletrobiologia.

electrocardiograph. Eletrocardiógrafo.

electrocardiography. Eletrocardiografia.

electrocautery. Eletrocautério.

electrochemistry. Electroquímica.

electrocoagulation. Electrocoagulação.

electrode. Elétrodo.

electrodiagnosis. Eletrodiagnóstico.

electrodiaphane. Diafanoscópio.

electrodynamics. Eletrodinâmica.

electrodynamometer. Eletrodinamômetro. Para medir a intensidade das correntes elétricas.

electroencephalogram. Eletrencefalograma.

electroencephalography. Eletrencefalografia.

electrolysis. Eletrólise.

electrolyzer. Instrumento para aplicação de eletrólise em estenose uretral.

electromagnet. Eletromagnete.

electromagnetism. Eletromagnetismo.

electromassage. Eletromassagem.

electrometer. Eletrômetro. Para medir diferenças de potencial elétrico.

electromotive. Corrente elétrica propagada por um condutor. // **- force.** Força eletromotriz.

electromyogram. Eletromiograma.

electron. Eléctron. Unidade, átomo ou menor partícula de eletricidade negativa, cuja massa equivale a 1:1,845 da de um átomo de hidrogênio ou $9,035 \times 10^{-28}$ g.

electronarcosis. Electronarcose.

electronegative. Eletronegativo.

electronic. Eletrônico.

electrosmosis. Electrosmose. Eletroforese.

electropathology. Electropatologia.

electrophoresis. Electroforese.

electropneumograph. Electropneumógrafo.

electropositive. Electropositivo.

electropuncture. Electropunctura.

electropyrexia. Electropirexia.

electroretinogram. Electrorretinograma.

electroscope. Electroscópio. Para determinar a existência de eletricidade estática.

electrosol. Electrossol.

electrosome. Electrossomo.

electrostatic. Electrostático.

electrostatics. Electrostática.

electrosurgery. Electrocirurgia.

electrosynthesis. Electrossíntese.

electrotherapy. Electroterapia.

electrotherm. Aplicação de eletricidade para fins de aquecer, em terapêutica de dor.

electrotome. Eletrótomo. Elétrodo para a secção diatérmica dos tecidos.

electrotonus. Electrótono. Estado de um nervo motor submetido a uma corrente constante que produz uma modificação de ação eletromotora do nervo e uma alteração da excitabilidade e condutibilidade do mesmo, a excitabilidade é menor no ânodo e maior do cátodo.

electrotrephine. Electrotrépano.

electrovagogram. Electrovagograma.

electuary. Eletuário. Medicamento que tem como base mel ou xarope.

eleidin. Eleidina. Sin.: proceratógeno, ceratohialina.

element. Elemento.

elementary. Elementar.

eleometer. Eleômetro. Para determinar o peso específico dos óleos.

eleosaccharum. Mistura de açúcar e óleos voláteis.

elephant. Elefante.

elephantiasis. Elefantíase. Sin.: dalfil. Enfermidade das ilhas Barbadas, paquidermia, mal de Caiena, perna de Barbados, de Cochinchina, de Surinam, *"morbus herculeus"*. // **- nervosum.** Elefantíase neuromatosa.

elevated. Elevado.

elevator. Elevador.

elimination. Eliminação.

elixir. Elixir.

Elliot's operation. Operação de Elliot. Trepanação corneoscleral no glaucoma crônico.

Elliot-Smith, area paraterminalis of. Área paraterminal de Elliot-Smith. Espaço na face mesial do hemisfério cerebral embrionário. // **Fasciculus praecommissuralis of.** Fascículo procomissural de Elliot-Smith. Pedúnculo do corpo caloso no embrião.

ellipsoid. Elipsóide.

Elli's ligament. Ligamento de Ellis. Porção da fáscia retovesical dos lados do reto. // **- line.** Linha de Ellis. Parábola no tórax da coluna vertebral à parede lateral, que indica o limite mais elevado nos derrames pleurais. // **- sign.** Sinal de Ellis. É a mesma linha de Ellis.

Ellis's muscle. Músculo de Ellis. Esfíncter externo subcutâneo ou *"corrugator cutis ani"*. Músculo anular situado debaixo da pele, nas margens do ânus.

Ellis-Damoiseau's curve. Curva de Ellis-Damoiseau (v. *Ellis's line*).

elongate. Alongar, prolongar.

Elsberg's solution. Solução de Elsberg. Solução de iodo com 20 por cento em álcool e éter.

Elsner's asthma. Asma de Elsner. Angina de peito.

Elsner's medium. Meio de cultura de Elsner especial, constituída por batata e gelatina.

elucidate. Elucidar, esclarecer.

elude. Iludir, enganar, lograr.

elute. Levigar, lavar.

elution. Levigação.

elutriation. Elutriação. Decantação.

elytritis. Elitrite, vaginite, colpite.

elytrocele. Elitrocele, colpocele. Hérnia vaginal.

elytroclasia. Elitroclasia. Ruptura vaginal.

elytrocleisis. Elitroclesia. Oclusão da vagina.

elytroplasty. Elitroplastia.

elytroptosis. Elitroptose. Prolapso vaginal.

elytrorrhaphy. Elitrorrafia, colporrafia.

elytrotomy. Elitrotomia, colpotomia.

Em. Abreviatura de *emanation*, emanação.

emaculation. Emaculação. Tirar sardas e manchas da face.

Embadomonas intestinalis. Protozoário flagelado.

embalm. Embalsamamento.

embarras. Embaraçar, estorvar.

embedding. Fixação, inclusão, incrustação.

embellish. Embelecer.

embolectomy. Embolectomia.

embolic. Embólico.

embolism. Embolismo, embolia.

embolalia. Embolalia. Interpolação na linguagem de palavras sem nenhum significado.

embolus. Êmbolo. // **infective.** Êmbolo infeccioso.

emboly. Embolia.

embowel. Destripar.

embrocation. Embrocação. Aplicação de medicamentos externos por fricção.

embryo. Embrião.

embryocardia. Embriocardia.

embryogenesis, embryogeny. Embriogênese.

embryology. Embriologia.

embryoma. Embrioma.

embryomatous. Embriomatoso. // **cyst.** Cisto embriomatoso.

embryonal, embryonis. Embrionário.

embryotocia. Embriotocia, aborto.

embryotome. Embriótomo. Nome dado a diversos instrumentos para a prática da embriotomia.

embryotomy. Embriotomia.

embryotoxon. Embriotoxo: *arcus juvenilis.*

embryotrophy. Embriotrofia.

embryulcia. Embliulcia, embriotomia.

emedullate. Extração de medula.

emend. Emendar, corrigir.

emergency. Emergência, urgência.

emesis. Êmese. Vômito da gravidez.

emetatrophia. Emetatrofia. Atrofia por persistência de vômitos.

emetic. Emético.

emetina. Emetina.

EMF. Abreviatura de *"electromotive force"*. Força eletromotriz.

emictory. Diurético.

emigration. Emigração.

eminence. Eminência.

emissarium, outlet. Emissário.

emissary. Emissária (veia).

emission. Emissão.

emmenanogue. Emenagogo. Que estimula o fluxo menstrual.

emmenia. Mênstruo, menstruação.

emmenic. Emênico, menstrual.

emmeniopathy. Emenopatia, desordem menstrual.

Emmerich's bacillus. Bacilo de Emmerich. *Bacillus neapolitanus* . Bacilo "coli" comum.

Emmet's operation. Operação de Emmet. Traquelorrafia.

emmetrope. Emetrope (pessoa de olho emétrico)

emmetropia. Emetropia.

emmetropic. Emetrópico.

emol. Pó de talco, silicato e outras substâncias.

emollient. Emoliente.

emolument. Emolumento.

emotion. Emoção.

emotional. Emocional.

emphasize. Enfatizar, realçar, ressaltar.

emphysema. Enfisema. // **compensatory, interstitial, pulmonary, surgical.** Enfisema compensador ou suplementar, intersticial, pulmonar, traumático.

emphysematous. Enfisematoso.

Empir's granulie. Granulia de Empir. Tuberculose miliar aguda do pulmão.

empiric, empirical. Empírico. Charlatão, curandeiro.

empiricism. Empirismo, curandeirismo.

emplastic. Emplástico.

emplastrum. Emplastro.

employ. Empregar, usar.

emprosthotonos, emprosthotonus. Emprostótono. (em espanhol, denomína-se também "tétanos em bola").

empty. Vazio, esvaziar.

emptysis. Emptise, esputação, hemoptise.

empyema. Empiema. Derrame de pus em cavidade natural.

empyocele. Empiocele. Tumor escrotal purulento.

emulation. Emulação.

emulsification. Emulsificação.
emulsify. Emulsificar.
emulsin. Emulsina. Sin.: sináptase.
emulsion. Emulsão.
emulsoid. Emulsóide.
emulsum. Emulsão.
enamel. Esmalte. Sin.: substância adamantina.
enanthema. Enantema.
enanthrope. Enantrópico, endógeno.
enantiobiosis. Enantrobiose. Oposto a simbiose.
enantiomorphous. Enantiomorfo. De forma semelhante, porém antagônico.
Enantiothamnus. Gênero de fungos.
enarkiochrome. Enarciocroma. Célula nervosa com substância cromática disposta em forma de rede.
enarthrodial. Enartrodial.
enarthrosis. Enartrose.
enbissac. Método de reduzir hérnia estrangulada.
en bloc. Em bloco.
encanthis. Encântide. Excrescência avermelhada na prega semilunar e carúncula lacrimal.
encapsulation. Encapsulação, capsulação.
encapsulated. Encapsulado.
enceinte. Grávida, prenhe.
encephalic. Encefálico.
encephalitis. Encefalite. // **epidemic, haemorrhagic.** Encefalite epidêmica, hemorrágica. // **japanese.** Encefalite japonesa. // **periaxialis diffusa.** Encefalite periaxial difusa. // **post-vaccinal.** Encefalite pós-infecciosa ou pós-vacina. // **St. Louis.** Encefalite de São Luiz.
encephalocele. Encefalocele.
encephalodialysis. Encefalodiálise, encefalomalácia.
encephalography. Encefalografia.
encephaloid. Encefalóide.
encephalology. Encefalologia.
encephaloma. Encefaloma.
encephalomalacia. Encefalomalácia.
encephalomeningitis. Encefalomeningite.
encephalomeningocele. Encefalomeningocele.
encephalomere. Encefalômero. Segmento constitutivo do encéfalo embrionário.
encephalomyelitis. Encefalomielite. // **acute disseminated equine.** Encefalomielite aguda disseminada eqüina.
encephalomyelopathy. Encefalomielopatia.
encephalon. Encéfalo. Porção do sistema nervoso central contido no crânio.
encephalopathia saturnia. Encefalopatia saturnina.
encephalopathic. Encefalopático.
encephalopathy. Encefalopatia. // **hypertensive, lead.** Encefalopatia hipertensiva, desmielinizante.

encephalorrhagia. Encefalorragia.
encephalosclerosis. Encefalosclerose.
encephalothlipsis. Encefalotlipse. Compressão do encéfalo.
encephalotomy. Encefalotomia.
encheiresis. Enquirese, manobra, procedimento.
enchondral. Encondral.
enchondroma. Encondroma.
enchondrosis. Encondrose.
enchylema. Enquilema. Sin.: hialoplasma, citolinfa.
encounter. Encontrar.
encysted. Encistado.
Endamoeba. Gênero de amebas que compreende espécies parasitas do homem. A mais importante é a *"histolytica"*.
endangiitis. Endangiite.
endangium. Túnica interna de um vaso sangüíneo.
endaortitis. Endaortite.
endarteritis. Endarterite. // **obliterans.** Endarterite obliterante.
endartery. Endartéria.
endbulb of Krause. Corpúsculo de Krause. Corpúsculo bulbóide que forma as terminações nervosas no tecido submucoso da boca, nariz, olhos e genitais, formado por uma cápsula conjuntiva que contém uma substância homogênea na qual termina uma fibra nervosa sensitiva.
endeavour. Esforço.
endemic. Endêmico.
endemiology. Endemiologia.
endermatic, endermic. Endérmico.
enderon, enderonic. Parte profunda da derme.
endfibril. Fibra terminal de um neurônio sem o citoplasma de outra célula nervosa.
endgut. Porção distal do intestino delgado e do reto.
endlobe. Lóbulo occipital.
Endo's medium. Meio de Endo. Meio de cultura consistente em ágar lactose com hidróxido de sódio, fenolftaleno, fucsina sulfato de sódio.
endoabdominal. Endabdominal.
endoaneurysmorrhaphy. Endaneurismorrafia.
endobiotic. Endoparasita que vive dentro do hospedeiro.
endoblast. Endoblasto.
endocardial. Endocárdico ou Endocardíaco.
endocarditis. Endocardite. // **bacterial, infective, malignant, rheumatic, subacute bacterial, ulcerative, verrucous.** Endocardite bacteriana, infecciosa, maligna, reumática, bacteriana subaguda, ulcerativa vegetante ou verrucosa.
endocardium. Endocárdio.

endocellular. Endocelular.

endocervical. Endocervical.

endocervicitis. Endocervicite.

endochondral. Endocondral.

endochorion. Endocórion.

endocolitis. Endocolite.

endocolpitis. Endocolpite.

endocorpuscular. Endocorpuscular, intracorpuscular.

endocranial. Endocraniano, intracraniano.

endocranitis. Endocranite.

endocranium. Endocrânio, dura-máter encefálica.

endocrine. Endócrino. // **gland.** Glândula endócrina.

endocrinology. Endocrinologia.

endocrinopathy. Endocrinopatia.

endocrinosis. Endocrinose.

endocrinotherapy. Endocrinoterapia.

endocrinous. Endrócrino.

endocystitis. Endocistite.

endocyte. Endócito. Inclusão celular.

endoderm. Endoderma, entoblasto, entoderma.

Endodermophyton. Gênero de fungos parasitos muito semelhantes ao *Trycophyton.*

endodiascopy. Endodiascopia.

endodontitis. Endodontite. Pulpite.

endoectothrix. Fungo parasito que produz esporos no interior e exterior do embrião da galinha.

endoenteritis. Endoenterite.

endoenzyme. Endoenzima.

endogamy. Endogamia. Fecundação por células unidas da mesma origem, pedogamia. // Matrimônio entre pessoas de uma mesma comunidade.

endogastric. Endogástrico.

endogastritis. Endogastrite.

endogenous. Endógeno.

endoglobular. Endoglobular.

endognathion. Endognático. Segmento interno do osso incisivo.

endointoxication. Intoxicação endógena.

endolabyrinthitis. Endolabirintite.

endolaryngeal. Endolaríngeo.

Endolimax nana. *Endolimax nana.* Comensal comum no intestino humano.

endolymph. Endolinfa.

endolysin. Endolisina.

endometrectomy. Endometrectomia, curetagem uterina.

endometrial. Endometrial.

endometrioma. Endometrioma.

endometriosis. Endometriose.

endometritis. Endometrite.

endometrium. Endométrio.

endomixis. Endomixia. Desintegração e reorganização do núcleo nos protozoários, que as vezes supre a conjugação.

Endomyces. Gênero não válido de ascomicetos de micélio segmentado.

endomycosis. Endomicose. Sin.: oidiomicose, sapinho.

endomysium. Endomísio.

endonasal. Endonasal.

endoneural. Endoneural.

endoneuritis. Endoneurite.

endoneurium. Endoneuro.

endoparasite. Endoparasito.

endopelvic. Endopélvico.

endopericardial. Endopericárdico.

endopericarditis. Endopericardite.

endophlebitis. Endoflebite. // **obliterans hepatica.** Endoflebite obliterante hepática.

endoplasm. Endoplasma.

endoplast. Endoplasto.

endorgan. Órgão terminal. // **of Golgi.** Órgão de Golgi. // **neuromuscular.** Órgão neuromuscular.

endorhachis. Endorraque. Dura-máter medular.

endosarc. Endossarco, endoplasma.

endoscope. Endoscópio.

endoscopic. Endoscópico.

endoscopy. Endoscopia.

endosecretory. Endossecretório, endócrino.

endosepsis. Endossepsia. Septicemia endógena.

endoskeleton. Endosqueleto.

endosmometer. Endosmômetro. Instrumento para determinar o grau e extensão da endosmose e principalmente os fenômenos de osmose.

endosmosis. Endosmose. Corrente que vai de fora para dentro.

endosmotic. Endosmótico.

endosoma. Endossoma. Substância que enche o corpo de uma hemácia.

endospore. Endósporo. Sin.: gonídio.

endosteal. Endosteal.

endosteitis. Endosteíte.

endosteoma. Endosteoma. Tumor na cavidade medular de um osso.

endosteum. Endósteo.

endostitis. Endosteíte.

endothelial. Endotelial.

endothellitis. Endotelite.

endothelioma. Endotelioma.

endothelium. Endotélio.

endothermic. Endotérmico.

endothermy. Endotermia.

Endothrix. Endótrix. Forma de tricófito que invade o interior do talo do pêlo.

endotoxicosis. Endotoxicose. Intoxicação produzida por uma endotoxina.

145

endotoxin. Endotoxina. Toxina retida no corpo vivo das bactérias que não se separa a não ser por desagregação das mesmas. Bacterioproteína.

endow. Dotar.

end-plate. Placa terminal. Terminação intramuscular de um axônio motor.

enelectrolysis. Eneletrólise. Método para extirpar cabelos supérfluos mediante a aplicação de uma agulha elétrica na cavidade.

enema. Enema.

energetics. Energética.

energometer. Energômetro. Aparelho para exame do pulso. Mede a pressão suficiente para deter a onda pulsátil e a energia gasta em oposição à dita pressão.

energy. Energia. // **conservation of.** Conservação da energia. // **free.** Energia disponível. // **kinetic.** Energia cinética. // **potential.** Energia potencial.

enervation. Astenia, lassidão.

enforce. Forçar, compulsar.

engagement. Empenho, ajuste, contrato.

engastrius. Monstro duplo em que um feto está incluído no abdome do outro.

Engelmann's intermediate disc. Disco de Engelmann. Zona estreita de uma substância homogênea e transparente situada de cada lado da membrana de Krause.

engender. Engendrar.

English's sinus. Seio de English. Seio venoso petroccipital.

englobing. Englobamento.

Engman's disease. Doença de Engman. Dermatite infecciosa eczematosa.

engorge. Engolir.

engorgement. Congestão, estase.

engram. Engrama. Sin.: mnema.

engulf. Abarcar. Deglutir, englobar.

enlargement. Dilatação.

enophthalmos. Enoftalmo. Afundamento anormal do olho na órbita.

enormity. Enormidade.

enostosis. Enosteose. Formação óssea ou osteoma que se desenvolve dentro da cavidade de um osso ou do crânio.

enrage. Enfurecer, encolerizar.

ensiform. Ensiforme. Sin.: xifóide.

ensisternum. *"Ensisternum"*. Processo xifoídeo do esterno.

ensomphalus. Ensônfalo, xifópago. Monstro duplo com dois corpos unidos.

enstrophe. Enstrofia, inversão.

E.N.T. Abreviatura de *ear, nose, and throat*. Ouvido, nariz e garganta.

entad. De fora para dentro.

Entamoeba. Endomeba.

entasia. Êntase, espasmo tônico.

entelechy. Enteléquia.

entepicondyle. Entepicôndilo. Epicôndilo medial do úmero.

enteradenitis. Enteradenite. Inflamação dos linfonodos intestinais.

enteral. Entérico.

enteralgia. Enteralgia. Sin.: enterodinia, cólica intestinal.

enterangiemphraxis. Enterangienfraxia. Obstrução dos vasos sangüíneos intestinais.

enterauxe. Enterauxia. Hipertrofia da parede intestinal.

enterectasis. Enterectasia. Dilatação intestinal.

enterectomy. Enterectomia.

enteric. Entérico.

enteritis. Enterite.

enteroanastomosis. Enteranastomose.

Enterobacteriaceae. Enterobacteriáceas.

enterocele. Enterocele.

enterocholecystosmosis*. Anastomose cirúrgica da vesícula biliar ao intestino.

enterochromaffin cell. Célula enterocromafínica no intestino delgado.

enterococcus. Enterococo. Sin.: estreptococo fecal.

enterocoele. Enterocelia. Cavidade formada pelas bolsas externas do intestino primitivo.

enterocolitis. Enterocolite.

enterocolostomy. Enterocolostomia.

enterocyst. Enterocisto, enterocistoma.

enterocystocele. Enterocistocele.

enterocystoma. Enterocistoma.

enterodynia. Enterodinia, enteralgia.

enteroenterostomy. Enterenterostomia.

enteroepiplocele. Enterepiplocele.

enterogastrone. Enterogastrona. Hormônio da mucosa intestinal superior que inibe a motilidade e secreção gástricas.

enterogastritis. Enterogastrite.

enterogastrocele. Enterogastrocele.

enterogenous. Enterógeno.

enterograph. Enterógrafo.

enterohepatitis. Enterepatite.

enterohydrocele. Enteridrocele.

enterokinase. Enterocínase.

enterolith. Enterólito.

enterolithiasis. Enterolitíase.

enterologist. Enterólogo.

enterology. Enterologia.

enterolysis. Enterólise.

enteromegaly. Enteromegalia.

---

* N. do T. — Possivelmente forma haplológica de enterocholecystanastomosis.

enteromere. Enterômero. Segmento do tubo digestivo embrionário.

enteromerocele. Enteromerocele. Hérnia crural contendo alça intestinal.

enteromycosis. Enteromicose.

enteromyiasis. Enteromiíase. Afecção intestinal produzida por larvas de mosca.

enteron. Intestino.

enteroneuritis. Enteroneurite.

enteropathy. Enteropatia.

enteropexy. Enteropexia.

enteroplasty. Enteroplastia.

enteroplegia. Enteroplegia.

enteroplex. Enteropléxio. Instrumento para unir as margens do intestino seccionado.

enteroplexy. Enteroplexia.

enteroptosis. Enteroptose.

enterorrhagia. Enterorragia.

enterorrhaphy. Enterorrafia.

enterorrhexis. Enterorrexia. Ruptura do intestino.

enteroscope. Enteroscópio.

enterosepsis. Enterossepsia.

enterospasm. Enterospasmo.

enterostasis. Enterostase.

enterostaxis. Enterostaxe. Hemorragia lenta pela mucosa intestinal.

enterostenosis. Enterostenose.

enterostomy. Enterostomia.

enterotome. Enterótomo.

enterotomy. Enterotomia.

enterozoon. Enterozoário.

enthelminth. Entelminto. Verme parasito intestinal.

entheomania. Enteomania. Mania religiosa.

entire. Inteiro.

entity. Entidade.

entoderm. Endoderma.

entodermal. Entodérmico.

entoectad. De dentro para fora.

entomb. Enterrar, sepultar.

entomere. Entômero. Blastômero que forma o entoderma.

entomion. Entômio. Ponto craniométrico no vértice do ângulo mastóideo do osso parietal.

entomology. Entomologia.

entophyte. Entófito. Organismo vegetal parasito que vive dentro do corpo animal.

entopic. Entópico. Que ocorre em seu lugar.

entoplasm. Entoplasma.

entoptic. Entóptico. Relativo ao interior do olho.

entoptoscopy. Entoptoscopia.

entoretina. Entorretina. Sin.: camada nervosa de Henle, lâmina vasculosa.

Entorula. Gênero de fungos semelhantes a leveduras.

entorsarc. Endoplasma.

entosthoblast. Entostoblasto. Núcleo do nucléolo.

entotic. Entótico. Dentro do ouvido.

entotympanic. Endotimpânica.

entozzon. Entozoário.

entreat. Suplicar, implorar.

entripsis. Fricção.

entropion. Entrópio.

entropy. Entropia. Versão para dentro.

entrust. Confiar.

enucleation. Enucleação.

enumerate. Enumerar.

enuresis. Enurese.

envelop. Envolver.

envenom. Envenena.

environment. Meio ambiente.

enzymatic. Enzimático.

enzyme. Enzima.

enzymic. Enzimático.

enzymology. Enzimologia.

enzymosis. Enzimose.

enzymuria. Enzimuria.

eonism. Eonismo, transvestismo. Perversão sexual caracterizada pelo desejo de adotar a indumentária do sexo contrário.

eosin. Eosina.

eosinopenia. Eosinopenia.

eosinophil, eosinophile. Eosinófilo.

eosinophilia. Eosinofilia.

epactal. Epactal, supranumerário.

Epanutin. Epanutina.

ependyma. Epêndima. Membrana que atapeta os ventrículos cerebrais e o conduto central da medula espinal.

ependymal. Ependimário.

ependymitis. Ependimite.

ependymoblastoma. Ependimoblastoma.

ependymoma. Ependimoma.

ephebic. Efébico. Relativo à puberdade.

ephemeral. Efêmero.

ephialtes. Pesadelo.

ephidrosis. Efidrose. Suor excessivo, hiperidrose.

ephippium. Sela túrcica.

epiblast. Epiblasto.

epiblastic. Epiblástico.

epiblepharon. Epibléfaro. Prega congênita de pele ao longo da margem.

epibole, epiboly. Epibolia. Inclusão de uma série de células em segmentação dentro de outra série, devido à divisão mais rápida desta última.

epicanthus. Epicanto.

epicardia. Epicárdia. Porção do esôfago que se estende da cárdia ao hiato esofágico. // Situação anormalmente alta do coração.

epicardial. Epicárdico.

147

epicardiectomy. Epicardiectomia.

epicardium. Epicárdio. Folha visceral do pericárdio.

epicentral. Epicentral.

epicoele, epicoelia. Epicele. Quarto ventrículo.

epicome. Epícomo. Monstro fetal com gêmeo parasito reduzido a uma cabeça acessória unida ao vértice de seu crânio.

epicondyle, epicondylus. Epicôndilo.

epicoracoid. Epicoracoídeo.

epicostal. Epicostal.

epicranium. Epicrânio.

epicrisis. Epícrise.

epicritic. Epicrítico (sensibilidade epicrítica).

epicrusis*. Epicrose. Termo geral para as pigmentações cutâneas.

epicure. Epicurista, sibarista.

epicystitis. Epicistite.

epicystotomy. Epicistotomia.

epidemic. Epidêmico.

epidemiology. Epidemiologia.

epidermal. Epidérmico.

epidermatoplasty. Epidermatoplastia.

epidermic. Epidérmico.

epidermis. Epiderme.

epidermization. Epidermização.

epidermoid. Epidermóide. // - **carcinoma.** Carcinoma epidermóide.

epidermolysis. Epidermólise. // - **bullosa hereditária, bullosa dystrophica.** Epidermólise ampolar ou vesicular hereditária distrófica. Sin.: acantólise, pênfigo hereditário.

epidermoma. Epidermoma, verruga.

epidermomycosis. Epidermomicose.

epidermophyte, Epidermophyton. Gênero de fungos semelhante ao "*Trichophyton*".

epidermophytosis. Epidermofitose.

epidiascope. Epidiascópio. Combinação de episcópio e diascópio.

epididymal. Epididimal.

epididymectomy. Epididimectomia.

epididymitis. Epididimite.

epididymoorchitis. Epididimorquite.

epidural. Epidural.

epigamous. Epigâmico. Que ocorre depois da concepção.

epigaster. Formação embrionária de que se origina o cólon.

epigastralgia. Epigastralgia.

epigastric. Epigástrico.

epigastrium. Epigástrio. Sin.: "boca do estômago".

epigastrius. Monstro duplo em que o parasito é pequeno e forma um tumor no epigástrio do autosito.

epigastrocele. Epigastrocele.

epigenesis. Epigênese. Sintoma acessório.

epiglottic. Epiglótico.

epiglottiditis. Epiglotite.

epiglottis. Epiglote.

epiglottohyoidean. Epiglotoioídeo.

epignathous. Relativo, de natureza do epígnato.

epignathus. Epígnato. Monstro em que o feto parasito ou parte do mesmo está inserida na mandíbula do autosito.

epiguanin. Epiguanina.

epihyal bone. Denominação do ligamento estiloioídeo quando ossificado.

epihyoid. Epiioídeo.

epilamellar. Epilamelar.

epilate. Depilar.

epilation. Epilação, depilação.

epilatory. Epilatório, depilatório.

epilemma. Epilema. Bainha de uma fibrila nervosa terminal.

epilemmal. Epilemal.

epilepsy. Epilepsia. Sin.: mal comicial, mal caduco, mal de São João, mal de São Paulo, mal intelectual, "*morbus caducus*", "*morbus divinus*", "*morbus sacer*", enfermidade de São Valentino, enfermidade lunática. // **jacksonian.** Epilepsia jacksoniana. // **minor.** Epilepsia menor. // **myoclonic.** Epilepsia mioclônica. // **reflex.** Epilepsia reflexa.

epileptic. Epilético.

epileptogenic, epileptogenous. Epileptogênico.

epileptiform. Epileptiforme.

epileptoid. Epileptóide.

epilobium. Epilóbio. Planta onagrariácea, erva de Santo Antônio.

epiloia. Epilóia. Síndrome congênita caracterizada pela deficiência mental, ataques epilépticos, adenoma sebáceo, esclerose do córtex cerebral e tumores no rim e outros órgãos; esclerose tuberosa.

epilose. Epilose, calvície.

epimenorrhagia. Epimenorragia.

epimenorrhoea. Epimenorréia.

epimere. Epímero. Parte dorsal do mesoderma. // Porção dorsal de um miótomo.

epimysium. Epimísio. Bainha fibrosa de um músculo.

epinephrectomy. Epinefrectomia, adrenalectomia.

epinephrin. Epinefrina, adrenalina.

epinephritis. Epinefrite. Inflamação de uma glândula supra-renal ou da cápsula adiposa do rim.

epinephros. Glândulas supra-renais.

---

* N. do T. — Em Eurico Fernandes registra-se a forma **epichrosis.**

epineural. Epineural.
epineurium. Epinêurio.
epinosic. Incurável.
epiotic. Epiótico. Acima da orelha.
epipharyngitis. Epifaringite.
epipharynx. Epifaringe.
epiphora. Epífora. Sin.: dacriorréia.
epiphrenal. Epifrênico.
epiphylaxis. Epifilaxia. Aumento de filaxia normal.
epiphyseal. Epifisário.
epiphysiolysis. Epifiseólise. Desprendimento de uma epífise.
epiphysis. Epífise. Glândula pineal ou conário.
epiphysitis. Epifisite.
epiphyte. Epífita. Planta parasita de outra. // Parasito vegetal de um animal.
epiplasm. Epiplasma.
epipleural. Epipleural.
epiplocele. Epiplocele.
epiploectomy. Epiplectomia. Ressecção do epíploo.
epiploic. Epiplóico.
epiploischiocele. Epiplo-isquiocele.
epiploitis. Epiploíte.
epiplomerocele. Epiplomerocele.
epiplomphalocele. Epiplonfalocele.
epiploon. Epíploo.
epiplopexy. Epiplopexia. Sin.: omentopexia.
epiplorrhaphy. Epiplorrafia, epiplopexia.
epiploscheocele. Epiplosqueocele.
episclera. Episclera; esclerótica.
episcleral. Episcleral.
episcleritis. Episclerite.
episio-. Episio-. Significa região de pube, vulva.
episiocele. Episiocele. Protrusão vulvar.
episioclisia. Episioclisia. Fechamento cirúrgico da vulva.
episioelytrorrhaphy. Episielitrorrafia. Operação para estreitamento da vulva e vagina para sustentação do útero prolapsado.
episiohaematoma. Episiematoma. Hematoma do grande lábio.
episioplasty. Episioplastia.
episiorrhagia. Episiorragia.
episiorrhaphy. Episiorrafia. Sutura reparadora do períneo desgarrado. // Sutura dos grandes lábios.
episiostenosis. Episiostenose. Estreitamento da fenda vulvar.
episiotomy. Episiotomia. Incisão cirúrgica lateral do orifício vulvar durante o desprendimento da parte fetal, para evitar grande desgarro do períneo.
epispadias. Epispádia. Deformidade congênita em que a uretra se abre no dorso do pênis a

maior ou menor distância do arco do pube; fissura uretral superior.
epispastic. Epistástico. Sin.: vesicatório, vesicante.
epispinal. Epispinal. Sobre a coluna vertebral.
episplenitis. Episplenite. Inflamação da cápsula esplênica.
epistasis. Epístase. Detenção de um fluxo ou derrame.
epistatic. Epistático, sobreposto, dominante.
epistaxis. Epistaxe.
episternal. Episternal.
episternum. Episterno.
episthotonos. Epistótono.
epistropheus. Epistrofen ou áxis.
epitendineum. Bainha fibrosa que cobre o tendão.
epithalamic. Epitalâmico.
epithalamus. Epitálamo. Parte de talamencéfalo composta pela comissura posterior e o corpo pineal com seu pedúnculo.
epithelial. Epitelial.
epithelioblastoma. Epitelioblastoma.
epitheliogenetic, epitheliogenic. Epiteliogênico.
epithelioid. Epitelióide.
epitheliolysin. Epiteliolisina.
epithelioma. Epitelioma. // **adenoides cysticum.** Epitelioma adenoideocístico. Sin.: tumor de Brooke, acantoma adenoídeo cístico.
epithelium. Epitélio.
epithelization. Epitelização.
epithesis. Epítese, férula.
epitonic. Epitônico, hipertônico.
epitrichium. Epitríquio. Camada superficial da epiderme fetal.
epitrochlea. Epitróclea.
epituberculosis. Epituberculose.
epitympanic. Epitimpânico.
epitympanitis. Epitimpanite.
epitympanum. Epitímpano, ático.
epityphlon. Apêndice cecal.
epizoic. Epizóico.
epizoon. Epizoário.
epluchage. Excisão do tecido contaminado de uma ferida.
eponymic. Eponímico.
epoophorectomy. Epooforectomia. Ablação do paraovário.
epoophoron. Epoóforo. Paraovário ou corpo de Rosenmüller.
Epson salt. Sal de Epson, sulfato de magnésio.
Epstein's nephrose. Nefrose de Epstein. Nefrose tubular crônica devida a transtornos do metabolismo, unida às vezes, a alterações endócrinas.

Epstein's pearls. Pérolas de Epstein. Pequenas massas de coloração branco-amareladas que se observam no palato dos recém-nascidos.

epulis. Epúlide.

epulofibroma. Epulofibroma, epúlide fibromatosa (do maxilar).

epuloid. Epulóide.

equal. Igual.

equation. Equação.

equator. Equador.

equatorial. Equatorial.

Equidae. Gênero de mamífero que compreende o cavalo.

equilibration. Equilíbrio.

equilibrium. Equilíbrio.

equimolar. Equimolar, equimolecularidade.

equimolecular. Equimolecular.

equinia. Mormo.

equinocavus. Eqüinocavo.

equinopotential. Eqüinopotencial.

equinovarus. Eqüinovárus.

Equisetum. Equisseto. Planta que produz envenenamento nos cavalos que a comem.

equivalence. Equivalência.

equivalent. Equivalente.

Er. Símbolo químico do érbio.

eradicate. Erradicar.

erasion. Erasão, abrasão por raspagem.

Erb's disease. Doença de Erb. Miastenia grave pseudoparalítica; paralisia bulbar astênica. // **juvenile form of progressive muscular atrophy.** Atrofia de Erb.: forma escapulo-umeral. // **paralysis.** Paralisia de Erb. Paralisia dos músculos do braço devido à lesão da 5ª e 6ª raízes nervosas cervicais. // **point.** Ponto ou sinal de Erb. Está situado 2 ou 3 cm acima da clavícula e por fora do esternoclidomastoídeo, na altura da apófise transversa da sétima vértebra cervical; estimulado, contraem-se os músculos do braço. // **symptom.** Sintoma de Erb. Aumento da irritabilidade elétrica dos nervos motores em caso de tétano. // Macicez à percussão sobre o manúbrio na acromegalia. // **waves.** Ondas de Erb. Ondulações que se observam, às vezes, nos músculos com miotonia congênita, se são estimulados por uma corrente de intensidade moderada.

Erb-Charcot's disease. Enfermidade de Erb-Charcot. Paralisia espinal espasmódica; tabe dorsal espasmódica.

Erb-Goldflam's symptom-complex. Enfermidade de Erb-Goldflam. (v. *Erb's disease*).

Erb-Westphal's sympton. Sinal de Erb-Westphal (v. *Westphal's sign*).

Erben's phenomenon. Fenômeno de Erben. Lentidão do pulso temporal ao repousar, próprio de alguns casos de neurastenia.

erbium. Érbio. Metal raro.

Erdmann's reagent. Reativo de Erdmann. Mistura de ácido nítrico e sulfúrico para a prova dos alcalóides.

erect. Erecto. Erguer, levantar.

erectile. Erétil.

erection. Ereção.

erector. Eretor.

eromophobia. Eremofobia.

erepsin. Erepsina.

ereptic. Eréptico. Relacionado com a erepsina.

erethic. Eretísmico, relacionado com o eretismo.

erethism. Eretismo. // **mercurialis.** Eretismo mercurial.

erethrophobia, ereutophobia. Ereutofobia, eritrofobia. Temor mórbido a ruborizar-se, acompanhado de rubor real.

erg. Erg. Unidade de trabalho ou energia, trabalho efetuado ao mover um corpo 1 cm contra uma força de um dínio.

ergasia. Ergasia. Totalidade de funções ou reações de um indivíduo.

ergasiophobia. Ergasiofobia. Medo de operações ou ao trabalho.

ergastic. Ergástico. Que possui energia potencial.

ergogram. Ergograma.

ergograph. Ergógrafo. Instrumento para registrar o trabalho efetuado com o exercício muscular.

ergometer. Ergômetro, dinamômetro.

ergometrine. Ergometrina, ergonovina.

ergophobia. Ergofobia.

ergosterol. Ergosterol.

ergot. Excrescência, esporão, pegada.

ergotamine. Ergotamina.

ergotism. Ergotismo. Intoxicação pelo esporão do centeio.

ergotoxine. Ergotoxina.

Erichsen's disease. Doença de Erichsen. Fenômenos patológicos medulares de etiologia obscura, consecutivos a acidentes ferroviários, neurose traumática ou reivindicatória. // **ligature.** Ligadura de Erichsen. Consiste em uma dupla fibra, metade branca, metade preta; usou-se em ligadura de nervos. // **sign.** Sinal de Erichsen, para diagnóstico diferencial entre coxalgia e afecções sacroilíacas, que doem à compressão do ilíaco e a outra não.

erigens. Eretor.

Erigeron. Gênero de plantas compostas.

erode. Desgastar por erosão, por abrasão.

erodent. Cáustico.

erogenic, erogenous. Erógeno.

erosion. Erosão.

erosive. Erosivo.

erotic. Erótico.

eroticism, erotism. Erotismo.

erotogenic. Erógeno.

erotopath. Erotópata.

erotophobia. Erotofobia. Repugnância, temor mórbido ao ato sexual.

erratic. Errático.

errhine. Errino, esternutatório.

error. Erro.

erubescence. Enrubescimento.

eructation. Eructação.

eruption. Erupção.

eruptive. Eruptivo.

Erysimum. Saramago (crucífera esculenta).

erysipelas. Erisipela. // **perstans faciei.** Erisipela

erysipelatous. Erisipelatoso.

erysipeloid. Erisipelatóide.

erythema. Eritema. // **abigne.** Eritema caloricum. // **exsud ativum multiforme.** Eritema exsudativo multiforme. // **fugax.** Eritema fugaz. // **induratum.** Eritema endurado. // **infectiosum.** Eritema infeccioso. // **iris.** Eritema íris. // **marginatum.** Eritema marginado. // **migrans.** Eritema errante. // **nodosum.** Eritema nodoso ou tuberculoso. // **of the ninth day.** Eritema do nono dia. // **serpens.** Eritema serpiginoso. // **solare.** Eritema solar. // **venenata.** Eritema tóxico ou irritativo.

erythematous. Eritematoso.

erythraemia. Eritremia. Sin.: eritemia, eritrocitemia, eritrocitose megalosplênica, policitemia, policitemia esplenomegálica, policitemia mielopática, policitemia rubra verdadeira, poliglobulia idiopática, doença de Osler, doença de Vaquez-Osler.

erythraemoid. Eritremóide, eritrematóide.

erythrasma. Eritrasma. Dermatomicose da virilha, escroto ou axila. // Eritrasma de Baerensprung. Eczema marginado das coxas.

erythrism. Eritrismo. Coloração avermelhada do cabelo e barba em indivíduos de face escura.

erythritol tetranitrate. Tetranitrato de eritritol.

erythroblast. Eritroblasto.

erythroblastemia. Eritroblastemia.

erythroblastic. Eritroblástico, eritropoiético.

erythroblastoma. Eritroblastoma.

erythroblastosis. Eritroblastose. // **foetalis.** Eritroblastose fetal.

erythrochloropia. Eritrocloropia, eritrocloropsia. Faculdade para distinguir as cores: vermelha e verde, porém não o azul ou o amarelo.

erythroclasis. Eritroclase, eritrocitorrexia. (v. *erythronoclasis*).

erythroclastic. Eritroclástico.

erythroconte. Eritroconte. Corpúsculo bastonado encontrado nas hemácias na anemia perniciosa.

erythrocyanosis. Eritrocianose. Sin.: asfixia simétrica, edema estrumoso, eritrocianose cutânea simétrica, eritrocianose frígida "*crurum puellarum*".

erythrocyte. Eritrócito.

erythrocytolysis. Eritrocitólise.

erythrocytometer. Eritrocitômetro.

erythrocytosis. Eritrocitose.

erythroderma. Eritrodermia. // **desquamativa.** Eritrodermia descamativa ou exfoliativa. // **echthyosiformis congenita.** Eritrodermia ictiosiforme congênita.

erythroedema. Eritredema. Sin.: enfermidade de Swift, enfermidade de Selter-Feer, acrodinia, eritema epidêmico, dermatopolineurite, paralisia infantil do sistema vegetativo, trofodermatoneurose, enfermidade rosada.

erythrogenic. Eritrogênico, eritrogenia, eritrogênese.

erythroid. Eritróide.

erythrokont. Eritroconto.

erythroleucaemia. Eritroleucemia.

erythromania. Eritromania, eritrofobia.

erythromelalgia. Eritromelalgia. Sin.: acromegalia, de Weir-Mitchell, doença de Gerhardt.

erythron. Eritron. Tecido formado pelos eritrócitos circulantes e as células de que eles se originam.

erythroneocytosis. Eritroneocitose.

erythronoclasis. Eritronoclasia. Fragmentação das hemácias.

erythronoclastic. Eritronoclástico.

erythronopoiesis. Eritronopoese.

erythronopoietic. Eritronopoético.

erythroparasite. Eritroparasito. Parasito das hemácias.

erythropathy. Eritropatia.

erythropenia. Eritropenia.

erythrophagia. Eritrofagia.

erythrophil. Eritrófilo.

erythrophobia. Eritrofobia.

erythropia, erythropsia. Eritropsia.

erythroplasia. Eritroplasia.

erythropoiesis. Eritropoese.

erythropsia. Eritropsia. Visão avermelhada dos objetos.

erythropsin. Eritropsina. Púrpura visual.

erythrosedimentation. Eritrossedimentação.

Esbach's reagent. Reativo de Esbach. Solução de ácido pícrico e cítrico em água para prova da albumina urinária.

Esch. Abreviatura de *Escherichia*.

eschar. Escara, crosta.

escharotic. Cáustico, escarótico. Que produz escara ou crosta.

Escherich's bacillus. Bacilo de Escherich. *Escherichia coli*.

Escherichia. *Escherichia*. Gênero de bactérias que

se encontram normalmente no tubo digestivo dos animais e do homem.

eschew. Fugir de, evitar.

Eschscholtzia. Gênero de plantas.

esculent. Comestível.

eseptate. Não septado.

eseridine. Eseridina. Alcalóide da fava de Calabar, em cristais incolores.

eserine. Eserina, fisostigmina.

Esmarch's bandage. Faixa de Esmarch.

esodic. Esódico, aferente ou centrípeto.

esoethmoiditis. Esetmoidite.

esogastritis. Esogastrite.

esophoria. Esoforia.

esophoric. Esofórico.

esoteric. Esotérico, oculto, reservado.

esotropia. Esotropia.

espundia. Leishmaniose americana. Úlcera maligna dos eqüinos.

essence. Essência.

essential. Essencial. // **oil.** Óleo volátil. // **hypertension.** Hipertensão essencial.

establish. Estabelecer.

ester. Éster.

esterase. Estérase. Enzima que desdobra os ésteres.

esterification. Esterificação.

esthiomene. Estiômeno. Nome antigo do lúpus. // Úlcera da vulva de diferentes naturezas com hipertrofia.

estimate. Calcular, apreciar.

Estlander's operation. Operação de Estlander. Ressecção subperiostal de porções de uma ou mais costelas, no tratamento do empiema.

Et. Abreviatura de *ethyl.* etilo.

état. Estado. // **criblé.** Estado em que as placas de Peyer se acham multiperfuradas. // **marbré.** Estado marmóreo. // **vermoulu.** Com aparência de córtex cerebral.

Eternod's sinus. Seio de Eternod. Conglomerado de vasos que serve de conexão entre os do córion e a porção inferior do saco vitelino.

ethane. Etano.

etheogenesis. Eteogênese. Reprodução assexual em gametas masculinos de protozoários.

ether. Éter.

ethereal. Etéreo.

etherize. Eterizar.

etheromania. Eteromania.

etherometer. Eterômetro.

ethics. Ética.

ethisterone. Etisterona. Sin.: pregneninolona, etiniltestosterona.

ethmocarditis. Etmocardite.

ethmocephalus. Etmocéfalo.

ethmofrontal. Etmofrontal.

ethmoid. Etmóide, cribriforme.

ethmoidal. Etmoídeo, etmoidal.

ethmoidectomy. Etmoidectomia.

ethnic. Étnico.

ethnography. Etnografia.

etnology. Etnologia.

ethocaine, hydrochloride. Cloridrato de etocaína.

ethyl. Etilo.

ethyl bromide, C_2H_5Br. Brometo de etilo.

ethyl iodide, C_2H_5I. Iodeto de etilo.

ethylamine. Etilamina.

ethylate. Etilato.

ethylene. Etileno.

ethylic. Etílico.

etiolation. Estiolação. Palidez devida à exclusão de luz.

etiology. Etiologia.

etrotomy. Etrotomia. Termo genérico utilizado nas intervenções cirúrgicas do hipogástrio ou da pelve.

euaesthesia. Euestesia. Sensação de bem-estar.

Eubacteriales. Ordem de esquizomicetos que compreende as verdadeiras bactérias.

Eucalyptus. Eucalipto.

Eucatropine hydrochloride. Cloridrato de eucatropina.

euchromatopsia. Eucromatopsia. Visão normal das cores.

euchromosome. Eucromossomo, autossomo.

eudiometer. Eudiômetro. Aparelho para analisar a pureza do ar.

euflavine. Euflavina, acriflavina.

eugenics. Eugenia.

Eugenol. Eugenol.

euglobulin. Euglobulina.

eukinesia. Eucinesia. Faculdade normal de movimento.

Eulenburg's disease. Doença de Eulenburg. Paramiotonia congênita.

Eumycetes. Eumicetos. Talófitas, entre as quais se encontram os fungos verdadeiros.

eunoia. Eunóia, eufrenia.

eunuch. Eunuco.

eunuchoidism. Eunucoidismo.

eupareunia. Euparenia. Compatibilidade sexual.

eupepsia. Eupepsia. Digestão normal.

eupeptic. Eupéptico.

euphoria. Euforia.

euphoric. Eufórico.

euplastic. Euplástico.

eupnoea. Eupnéia. Respiração normal.

eupraxia. Eupraxia. Fácil execução de movimentos coordenados.

eupyrene. Com núcleo normal. Diz-se do espermatozóide.

euryon. Êurio. Ponte craniométrica em cada extremo do diâmetro transverso maior do crânio.

euryprosopic. Que tem a face larga.

eurythermic. Euritérmico, euritermo.

eusol. Solução de Dankin.

Eustachian artery. Artéria de Eustáquio. // **catheter, muscle, tube, valve.** Cateter, músculo, tuba de válvula de Eustáquio.

Eustachium. Tuba de Eustáquio.

eusystole. Eussistolia. Sístole normal.

eutectic. Eutético, estável.

euthanasia. Eutanásia. Morte piedosa.

eutocia. Eutocia. Parto normal.

eutrichosis. Eutricose. Desenvolvimento normal do pêlo.

eutrophic. Eutrófico. Estado normal de nutrição.

eutrophy, eutrophia. Eutrofia.

evacuant. Evacuante, catártico, emético, diurético.

evacuation. Evacuação.

evagination. Evaginação.

evanescent. Evanescente, imperceptível.

evaporation. Evaporação.

Eve's method. Método de Eve de respiração artificial.

event. Evento, fato.

eventratio, diaphragmatica. Eventração diafragmática.

eventration. Eventração.

eversion. Eversão.

evidement. Esvaziamento (do conteúdo de uma cavidade natural ou acidental).

evideur. Instrumento para realizar o esvaziamento.

eviration. Eviração, castração.

evisceration. Evisceração. Sin.: exenteração, eventração.

evocation. Evocação.

evocator. Evocador.

evolution. Evolução.

evolve. Evolver, desenvolver.

evulsio nervi optici. Evulsão, avulsão ou arrancamento do nervo óptico.

evulsion. Evulsão, extração, arrancamento.

Ewald's test meal. Refeição de prova de Ewald.

Ewart's sign. Sinal de Ewart. Proeminência anormal da margem superior da primeira costela em determinados casos de derrame pericárdico. // Sopro tubário e macicez à percussão no ângulo inferior da escápula esquerda no derrame pericárdico.

Ewing's tumour. Sarcoma de Ewing. Mieloma endotelial.

exacerbation. Exacerbação.

exacrinous. Exócrino. Relacionado com secreção externa.

exaemia. Exemia. Sangue estancado em algum local do sistema circulatório.

exalgin. Exalgina.

exaltation. Exaltação.

examination. Exame, investigação, inspeção.

example. Exemplo.

exanthema. Exantema. // **subitum.** Exantema súbito ou crítico.

exanthematic, exanthematous. Exantemático.

exanthrope. Exantrópico.

exarteritis. Exarterite. Inflamação da túnica externa das artérias.

exarticulation. Exarticulação.

excavation. Excavação.

excavator. Excavador.

excentric. Excêntrico.

excerebration. Excerebração.

exchange. Troca.

excipient. Excipiente.

excise. Excisar, cortar.

excision. Excisão.

excitability. Excitabilidade.

excitable. Excitável.

excitant. Excitante.

excitation. Excitação.

excitatory. Excitatório.

excite. Excitar, estimular.

excitement. Excitação, emoção.

exciting. Estimulante, emocionante.

excitometabolic, exitometabolic. Excitometabólico.

excitomotor. Excitomotor.

Excitor. Excitador. Nervo que, estimulado, produz atividade na parte do corpo que enerva.

exclave. Parte destacada de um órgão.

exclude. Excluir.

exclusion. Exclusão.

excochleation. Excocleação. Sin.: curetagem, raspagem.

excoriation. Excoriação.

excortication. Excorticação.

excrement. Excremento.

excremental, excrementitious. Excrementício.

excrescence. Excrescência.

excreta. Excreta.

excrete. Excretar.

excretion. Excreção.

excretory. Excretório.

excurvation. Excurvação. Cifose.

exencephalus. Exencéfalo.

exenterate. Exenterar.

exenteration. Exenteração.

exenteritis. Exenterite.

exercise. Exercício.

exeresis. Exérese.

exert. Esforçar, exercer.

exertion. Esforço.

existence. Existência.

exflagellation. Exflagelação.

exfoetation. Exfetação. Gestação extra-uterina.

exfoliation. Exfoliação.

exfoliative. Exfoliativo.

exhalant. Exalante.

exhalation. Exalação.

exhausted. Exausto, esgotado, consumido.

exhibit. Administrar (um medicamento).

exhibitionism. Exibicionismo.

exhibicionist. Exibicionista.

exhilarant. Que estimula, dá alegria.

exhumation. Exumação.

exitus. Saída, morte.

Exner's plexus. Plexo de Exner. Camada de fibras nervosas próximo da superfície do córtex cerebral.

exocardia. Exocardia. Deslocamento do coração.

exocardial. Exocardíaco. // **murmurs.** Murmúrios extracardíacos.

exodontia. Exodontia. Extração dos dentes.

exogamy. Exogamia.

exogastric. Exogástrico.

exogastritis. Exogastrite.

exogenetic, exogenous. Exógeno.

exometritis. Exometrite.

exomphalos. Exonfalia, exonfalocele. Hérnia umbilical.

exopathy. Exopatia.

exophthalmy. Exoftalmia.

exophthalmos, exophthalmus. Exoftalmo,

exoplasm. Exoplasma.

exorbitism. Exorbitismo.

exorcise. Exorcizar.

exormia. Exormia. Afecção papulosa da pele.

exosepsis. Exossepsia.

exoserosis. Exosserose.

exoskeleton. Exoesqueleto.

exosmose, exosmosis. Exosmose.

exosplenopexis. Exosplenopexia. Sutura do baço à superfície do corpo ou a uma ferida cirúrgica.

exostosectomy. Exostosectomia. Ablação de uma exostose.

exostosis. Exostose.

exoteric. Exotérico. Fora do organismo.

exothermal, exothermic. Exotérmico.

exothyropexia. Exotireopexia.

exotic. Exótico.

exotoxin. Exotoxina.

exotropia. Exotropia. Estrabismo divergente.

expand. Estender, expandir.

expansion. Expansão.

expect. Esperar.

expectancy, expectation. Expectação. // **of life.** Possibilidade de vida.

expectant. Expectante. // **mother.** Mãe expectante. // **treatment.** Tratamento expectante.

expectorant. Expectorante.

expectorate. Expectorar.

expectoration. Expectoração.

experience. Experiência.

experiment. Experimento, experiência.

expert. Perito.

expiration. Expiração, morte.

expiratory. Expiratório.

expire. Expirar, morrer.

explantation. É o transplante do vivo para um meio artificial.

exploration. Exploração.

exploratory. Exploratório.

expose. Expor, descobrir.

expression. Expressão.

expulsion. Expulsão.

expulsive. Expulsivo.

exsanguinate. Sangrar.

exsanguination. Sangramento (ato de sangrar).

exanguine, exsanguineous. Exangue, sangrado, anêmico, isquêmico.

exsiccant. Excicante.

exsiccate. Exsicar.

exsiccation. Excicação.

exsiccative. Exsicativo.

exstrophy. Extrofia* // **of bladder.** Extrofia da bexiga.

extend. Estender.

extension. Extensão.

extensor. Extensor. Músculo extensor.

extent. Grau.

exterior. Exterior.

external. Externo.

exteroceptive. Exteroceptivo. Superfície externa do campo de distribuição dos órgãos receptores.

exteroceptor. Exteroceptor.

extima. Oposto de íntima.

extinguish. Extinguir.

extinction. Extinção.

extirpate. Extirpar.

extirpation. Extirpação.

extorsion. Extorsão.

extra. Extra. Prefixo latino que significa "fora", mais além.

extraarticular. Extra-articular.

extrabronchial. Extrabronquial.

---

* N. do T. — A grafia correta proposta por Ramiz Galvão (1909) não prevaleceu: ecstrofia.

extrabuccal. Extrabucal.
extracapsular. Extracapsular.
extracardial. Extracardíaco.
extracellular. Extracelular.
extracorporeal. Extracorporal, extracorpóreo.
extracranial. Extracranial.
extract. Extrato.
extraction. Extração.
extractor. Extrator.
extradural. Extradural.
extraepiphyseal. Extra-epifisário.
extragenital. Extragenital.
extrahepatic. Extra-hepático.
extramalleolus. Extramaléolo.
extramarginal. Extramarginal.
extramedullary. Extramedular.
extramural. Extramural.
extraneous. Estranho.
extranuclear. Extranuclear.
extraocular. Extra-ocular.
extraparenchymal. Extraparenquimatoso.
extrapericardial. Extrapericárdico.
extraplacental. Extraplacentário.
extrapleural. Extrapleural.
extrapolar. Extrapolar.
extrapulmonary. Extrapulmonar.
extrapyramidal. Extrapiramidal.
extrarenal. Extra-renal.
extrasomatic. Extra-somático.
extrasystole. Extra-sístole.
extratracheal. Extratraqueal.
extratympanic. Extratimpânico.

extrauterine. Extra-uterino.
extravaginal. Extravaginal.
extravasate. Extravasar.
extravasation. Extravasamento.
extravascular. Extravascular.
extraventricular. Extraventricular.
extremity. Extremidade.
extrinsic. Extrínsico.// **factor.** Fator extrínsico.
extrophia. Extrofia (v. Exstrophy).
extroversion. Extroversão.
extrovert. Extrovertido.
extrude. Empurrar, expelir.
extrusion. Extrusão.
extubation. Extubação.
exuberant. Exuberante.
exudate. Exsudar.
exudation. Exsudação.
exudative. Exsudativo.
exumbilication. Exumbilicação. Hérnia umbilical.
exuviae. Exuviação. Queda da epiderme ou de parte dela.
eye. Olho. // **artificial.** Olho artificial. // **black.** Hematoma periorbital devido a traumatismo.
eye tooth. Canino (dente).
eyeball. Bulbo ocular.
eyebrow. Supercílio.
eyelash. Cílio.
eyelid. Pálpebra.
eyestrain. Fadiga ocular. Astenopia.
Eysson's bone. Osso de Eysson. Osso sinfisário.

FRASES E EXPRESSÕES

early in the morning. De manhã cedo.
every hour. Cada hora.

every four hours. Cada quatro horas.

F

F. Abreviatura de "Fahrentheit", *fiat, folia, fusiformis*. // Símbolo químico de flúor.

F_1, F_2. Primeira e segunda geração de filhos.

FA. Abreviatura de *"fatty acid"*, ácido graxo.

F.A. Abreviatura de *"field ambulance"*, ambulância de campanha.

F. and R. Abreviatura de *"force and rhythm"*, força e ritmo das pulsações.

fabella. Fabela. Fibrocartilagem sesamóide.

Faber's anemia. Anemia de Faber. Anemia hipocrômica ou aquilanemia.

fabism. Fabismo, latirismo. Intoxicação crônica produzida pela ingestão de alimentos que contêm farinha de tremoço. Forma de paraplegia espástica com tremor.

Fabricius's ship. Barco de Fabrício. Contorno imaginário do occipital, esfenóide e frontal.

face. De *"facies"*, face.

facet. Faceta.

facetectomy. Facetectomia. Ressecção de faceta articular.

facial. Facial.

facies. Face. // **hipocratica.** Facis hipocrática.

facilitation. Facilitação.

facilitory. Que facilita.

faciobrachial. Faciobraquial.

faciocephalalgia. Faciocefalalgia. Dor nevrálgica na face e nuca atribuída a transtornos do sistema nervoso vegetativo.

faciocervical. Faciocervical.

faciolingual. Faciolingual.

facioplasty. Facioplastia (Prosopoplastia).

facioplegia. Facioplegia. Paralisia facial. Prosopoplegia.

facioscapulohumeral. Facioscapulumeral.

fact. Fato, dado.

factitial. Factício, não natural, artificial.

factor. Fator. Elemento que contribui para produção de algo. // **filtrate.** Componente de vitaminas B_2 que produz o crescimento de ratas. // **extrinsic.** Fator extrínseco.

facultative. Facultativo.

faculty. Faculdade.

fade. Murchar, debilitar-se, empalidecer.

fadenreaction. Reação de Mandelbaum para o descobrimento dos portadores de bacilos tíficos e diferenciação dos casos antigos e recentes.

faecal. Fecal.

faeces. Excrementos, fezes.

faecolith. Coprólito.

faeculent. Feculento.

Faget's sign. Sinal de Faget. Menor número de pulsações enquanto a febre se mantém elevada ou aumenta.

fagin. Fagina. Princípio narcótico da noz do fruto da faia.

fagopyrism. Fagopirismo. Hipersensibilidade para determinados alimentos que produzem sintomas de intoxicação.

Fahr. Abreviatura de "Fahrenheit".

Fahraeus's sedimentation test. Prova de Fahraeus, para diagnóstico da gravidez mediante a sedimentação das hemácias.

Fahrenheit's thermometer. Termômetro de Fahrenheit.

fail. Deixar de, falhar.

failure. Insuficiência.

faint. Síncopes, desmaio, desfalecimento.

fair. Moderada.

falcate. Falciforme.

falcial. Pertencente à foice. // Águas bicarbonatadas ferruginosas em Toscana.

falciform. Falciforme, em forma de foice.

falcula. Fálcula, a foice do cerebelo.

fall. Queda, cair, descer.

fallectomy. Excisão parcial ou total da tuba de Falópio.

falling. Debilidade.

Fallopian aqueduct or canal. Aqueduto de Falópio. Ducto para o nervo facial no rochedo. // **hiatus.** Hiato de Falópio ou canal do nervo facial. // **ligament.** Ligamento de Falópio.

Ligamento inguinal ou de Poupart. // **muscle.** Músculo de Falópio. Músculo piramidal. // **tube.** Tuba de Falópio, oviducto. // **valve.** Válvula de Falópio, ileocecal ou válvula de Bauhin.

fallostomy. Salpingostomia.

Fallot's tetralogy. Tetralogia de Fallot. Quatro defeitos congênitos associados: 1. Dextroposição da aorta. 2. Hipertrofia do ventrículo direito. 3. Defeito do septo interventricular e 4. Estenose da artéria pulmonar.

Fall's test. Prova de Falls. No antebraço do paciente se injeta por via intradérmica uma suspensão diluída de colostro. Se existe gravidez aparece uma vesícula semelhante a uma pérola sem nenhuma aréola rosada.

Falret's type of mania of persecution. Mania persecutória do tipo Falret. Forma de paranóia dos degenerados (perseguido-perseguidor).

false. Falso. Sin.: espúrio, pseudo.

Falta's triad, treatment. Tratamento e tríade de Falta. Tratamento de Falta: alternação periódica de um regime rígido sem hidratos de carbono com outro escasso de proteínas e abundante em hidratos de carbono no diabetes. // Tríade de Falta: Pâncreas, fígado e glândula tireóide, os três órgãos que cooperam na formação do diabetes sacarino.

falter. Balbuciar, tartamudear, gaguejar.

falx. Foice. // **cerebelli, cerebri.** Foice do cerebelo e do cérebro.

fames, hunger. Fome.

familial. Familiar.

family. Família.

famish. Matar a fome.

fan. Leque, ventilador.

Fanapapea intestinalis. *Chulomastix mesnili.*

fanatic. Fanático.

fang. Raiz dentária.

fango. Lama das fontes termais de Battaglio, na Itália, empregada nas artrites.

Fannia. Gênero de moscas. // **canicularis.** A mosca doméstica.

fantasy. Fantasia.

far point. Ponto mais longínquo em que um objeto pode ser visto nitidamente a olho desarmado.

Farabeuf's triangle. Triângulo de Farabeuf. Espaço na parte superior do pescoço entre a veia jugular interna, o tronco tireolinguofacial e o nervo hipoglosso.

farad. Farad. Unidade de capacidade elétrica.

Faraday's law of electrolysis. Leis de Faraday. Na eletrólise a quantidade de um íon liberada em um dado tempo é proporcional à força da corrente.

faradic. Farádico.

faradimeter. Faradímetro. Instrumento para medir a eletricidade farádica.

faradism. Faradismo, faradização.

faradization. Faradização.

faradocontractility. Contratilidade farádica, em resposta ao estímulo farádico.

faradomuscular. Aplicação da eletricidade farádica a um músculo.

faradonervous. Aplicação da eletricidade farádica a um nervo.

faradopalpation. Método de testar nervos sensitivos e motores da pele pela aplicação de elétrodo acuminado no ânodo à parte testada e o cátodo sobre outro local do corpo.

faradotherapy. Tratamento pelo uso do faradismo.

farcy. Mormo.

farina. Farinha.

farinaceous. Farináceo.

farinometer. Farinômetro. Aparelho para determinar a porção de glúten de uma farinha.

Farr's law. Lei de Farr. A remissão é uma propriedade de todas moléstias infecciosas: a curva epidêmica ascende primeiro rapidamente e logo, mais lentamente, até chegar ao máximo com descida mais rápida que a subida.

Farre's tubercles. Tubérculos de Farre. Nódulos cancerosos na superfície do fígado.

Farre's white line. Linha branca de Farre. Limite da inserção do mesovário no hilo ovárico.

Farre-Waldeyer's line. Linha de Farre-Waldeyer (v. *Farre's white line*).

farsightedness. Hipermetropia.

fascia. Fáscia. // **Albernethy's.** Fáscia de Albernethy. // **anal.** Fáscia anal. // **axilary.** Fáscia axilar. // **buccopharyngeal.** Fáscia bucofaríngea. // **bulbi.** Fáscia bulbar ou fáscia de Tenon. // **Camper's.** Fáscia pélvica. // **clavipectoral.** Fáscia claviculopeitoral. // **Colle's.** Camada profunda da fáscia superficial do períneo. // **Cooper's.** *Fáscia abdominal (entre o transverso abdominal e o peritônio) e escrotal (abaixo do darto)* // **cremasteric.** Fáscia cremastérica. //**cribriform.** Fáscia cribriforme. // **deep cervical.** Fáscia cervical profunda. // **dentate.** Fáscia dentada. // **endothoracic.** Fáscia endotorácica. // **external spermatic.** Fáscia espermática externa. // **forearm.** Fáscia do antebraço. // **Gerota's or renal.** Fáscia de Geróta ou renal. // **iliac.** Fáscia ilíaca. // **infundibuliform.** Fáscia infundibuliforme. // **internal spermatic.** Fáscia espermática interna // **interosseus.** Fáscia interóssea. // **lumbar.** Fáscia lombar. // **lunate.** Fáscia semilunar. // **masseteric.** Fáscia massetérica. // **obturator.**

Fáscia do obturador. // **orbital.** Fáscia orbital. // **parotid.** Fáscia parotídea. // **pectoral.** Fáscia do peitoral. // **pelvic.** Fáscia pélvica. // **pharyngobasilar.** Fáscia faringobasilar. // **pretracheal.** Fáscia pré-traqueal. // **prevertebral.** Fáscia pré-vertebral. // **própria.** Fáscia própria. // **psoas.** Fáscias do psoas. // **renal.** Fáscia renal ou de Gerota. // **Scarpa's.** Fáscia de Scarpa. // **Sibson's.** Membrana suprapleural. // **tegmental.** Parte da fáscia semilunar. // **temporal.** Fáscia temporal. // **Toldt's.** Fáscia de Toldt. // **transversalis.** Fáscia transversal. // **triangular.** Fáscia triangular. // **Zuckerkandl's.** Fáscia de Zuckerkandl.

fasciagram. Fasciograma. Radiografia de uma fáscia.

fasciagraphy. Fasciografia.

fascial. Fascial.

fasciaplasty. Fascioplastia.

fascicle. Fascículo.

fascicular, fasciculate, fasciculated. Fascicular.

fasciculation. Fasciculação.

fasciculus. Fascículo. // **cutaneus, gracilis, interfascicularis, posterolateral, retroflexus.** Fascículo cutâneo, gracilis, interfascicular, póstero-lateral, retroflexo.

fasciectomy. Fasciectomia.

fascinating. Absorvente.

fascination. Fascinação.

fasciodesis. Fasciodese.

Fasciola. Fascíola. Gênero de trematódeos. // **hepatica.** Fascíola hepática; comum nos ductos biliares.

fasciola. Fascíola ou *fascia dentata*. Fascíola cinérea; prolongamento da "dentata" até o corpo caloso.

fasciolar. Fasciolar.

Fascioletta iliocana. *Echinostoma iliocanum.*

fascioliasis. Fasciolíase. Infestação por Fascíola.

Fasciolidae. Família de trematódeos digenéticos do subgrupo dos dístomos.

Fasciolopsis buski. Verme trematódeo encontrado na vesícula biliar e no duodeno dos habitantes da Ásia.

fascioplasty. Fascioplastia.

fasciorrhaphy. Fasciorrafia.

fasciotomy. Fasciotomia.

fascitis. Fascite*.

fast. Jejum, abstinência, fixo, constante, veloz, rápido, dissoluto.

fasten. Afirmar, atar.

---

* N. do T. — Usa-se mais fasciite.

fastidium. Repugnância pelos alimentos.

fastigatum. Núcleo tegmental, vermelho de Stilling.

fastigium. Fastígio, acme. Ângulo na união do "mervis com o véu medular anterior".

fastness. Resistência bacteriana.

fat. Obeso, grosso. // **embolism, necrosis, neutral phanerosis, soluble vitamins, split, unsplit.** Embolismo gorduroso (adiposo), necrose adiposa, gordura neutra, fanerose da gordura, vitaminas lipossolúveis, gordura hidrolisada e não hidrolisada (desintegrada e não desintegrada).

fatal. Fatal.

fate. Destino, sorte.

father. Pai.

fathomable. Sondável.

fatigability. Fatigabilidade.

fatigue. Fadiga.

fatty. Gorduroso. // **acids.** Ácidos graxos. // **degeneration.** Degeneração gordurosa. // **heart.** Coração com degeneração adiposa, coração adiposo. // **infiltration.** Infiltração da gordura. // **liver.** Fígado adiposo.

fauces. Fauces.

Fauchard's disease. Doença de Fauchard. Periostiteíte alvéolo-dentária.

faucial. Faucial, relativo à fauce.

faucitis. Faucite.

faultless. Correto, perfeito.

fauna. Fauna.

Fauvel's granules. Grânulos de Fauvel. Diminutos abscessos peribrônquicos.

favourable. Favorável.

favus. Favo. Sin.: tinha ficosa, lupinosa, maligna, verdadeira, porrigem favosa, larval, lupinosa, "sentalata", dermatomicose favosa, tricomicose favosa.

F.D. Abreviatura de *focal distance e fatal dose.* Distância focal e dose fatal.

F.D. Abreviatura de *fronto-dextra.*

Fe. Símbolo do ferro.

fear. Medo.

febricant. Febrífico. Que produz febre.

febricide. Febricida, antitérmico, febrífugo.

febricity. Febricidade.

febrifacient. Febrifaciente, febrífico.

febriferous. Febrífico.

febrifugal. Febrífugo.

febrile. Febril.

febris. Febre.

fecal. Fecal.

fecalith. Coprólito.

fecaloid. Fecalóide.

fecaloma. Fecaloma. Estercoroma.

fecaluria. Fecalúria.

feceometer. Instrumento para determinar a quantidade e qualidade de. fezes.

feces. Fezes.

Fechner's law. Lei de Fechner. A intensidade de uma sensação é proporcional ao logaritmo do estímulo.

FeCl$_2$. Cloreto de ferro.

FeCl$_3$. Cloreto férrico.

FeCo$_3$. Carbonato ferroso.

fecula. Fécula.

feculence. Feculência.

feculent. Feculento.

fecundate. Fecundar, fertilizar.

fecundation. Fecundação.

fecundity. Fecundidade.

Fede's disease. Doença de Fede. Úlcera papilomatosa do frênulo lingual.

Federici's sign. Sinal de Federici. Nos casos de perfuração intestinal com gases na cavidade peritoneal é possível, auscultando o abdome, perceber os ruídos cardíacos.

fee. Honorários, direitos.

feeble. Débil, fraco.

feeblemindedness. Deficiência mental congênita, sem chegar à imbecilidade.

feeding. Alimentação. // **artificial.** Alimentação artificial.

Feer's disease. Doença de Feer. Estado mórbido caracterizado por cianose das extremidades, suores, tremor, debilidade muscular, taquicardia e insônia.

fefe. Elefantíase.

Fehleisen's streptococcus. Estreptococo de Fehleisen. Estreptococo de erisipela.

Fehling's solution. Licor de Fehling. Agente oxidante antigo e teste para a redução do açúcar.

feint. Ficção, dissimulação.

fel, bile. Bile.

Feleki's instrument. Instrumento de Feleki, para praticar massagem na próstata.

fell. Pele.

fellatio. Felação, felatorismo, coito *"per os"*, irrumação.

fellatorism. Felatorismo, coito *"per os"*, irrumação.

fellow. Associação.

felodese. Suicida.

felon. Traidor, panarício.

Felsen's treatment. Tratamento de Felsen, da disenteria da colite ulcerativa mediante insuflação de oxigênio por via retal.

Felton's serum, unit. Soro e unidade de Felton. Soro preparado com uma variedade concentrada de soro antipneumocócico eqüino. // Unidade de Falton: unidade de soro antipneumocócico.

feltwork. Substância molecular; intrincada rede de fibras nervosas sem mielina, difundida por todo o sistema nervoso central.

Felty's syndrome. Síndrome de Felty. Combinação de artrite crônica deformante, esplenomegalia, linfadenopatia, leucopenia e pigmentação cutânea; possível associação de artrite e doença de Banti.

female. Fêmea, feminino.

femininity. Feminilidade.

feminism. Feminismo.

feminization. Feminização.

feminonucleus. Feminonúcleo. Pronúcleo feminino.

femoral. Femoral.

femoralis muscle. Músculo femoral.

femoracele. Femoracele. Hérnia femoral.

femoroiliac. Fêmoro-ilíaco ou iliofemoral.

femorotibial. Femorotibial.

femur. Fêmur.

fend. Defender-se.

fenestra. Fenestra, janela. // **ovalis, rotunda.** Janela oval, redonda.

fenestrated. Fenestrado.

fenestration. Fenestração.

fennel. *Foeniculum vulgare*, funcho.

fenugreek. Greno grego. Planta leguminosa cujas sementes oleosas se utilizam em cataplasmas e veterinária.

Fenwick's disease. Doença de Fenwick. Atrofia primária do estômago.

Fe$_2$O$_3$ ferric oxide. Óxido férrico.

Fe(OH)$_3$ ferric hydroxide. Hidróxido férrico.

feral. Selvagem, mortífero.

Fereol-Graux's type of ocular palsy. Tipo de paralisia ocular de Fereol-Graux. Paralisia associada de origem nuclear, do músculo reto medial de um lado e reto lateral do outro.

Féréol's nodes. Nódulos de Féréol. Endurações subcutâneas, no reumatismo agudo.

Fergusson's operation. Operação de Fergusson. Excisão do maxilar. // **speculum.** Espéculo de Fergusson. Espéculo vaginal tubular.

ferment. Fermento. Sin.: enzima.

fermentation. Fermentação.

fermentdiagnosticum. Fermento-diagnóstico. Solução de gliciltriptofano para determinar a presença de um fermento proteolítico.

fermentemia. Presença de fermentos no sangue.

fermentogen. Substância que pode converter-se em fermento.

fermentoid. Fermentóide.

fermentum. Fermento.

fern. Feto (filicínea).

159

ferralia. Preparado de ferro medicinal. Calibeado.

Ferrata's cell. Célula de Ferrata. Hemo-histioblasto.

ferrated. Carregado com ferro.

Ferrein's cords, foramen, ligament, pyramid, tubes. Cordas de Ferrein: as inferiores ou verdadeiras cordas vocais. // Forame de Ferrein: Hiato de Falópio, forame inominado na face ântero-superior do rochedo. // ligamento de Ferrein: a parte externa da cápsula da articulação temporomandibular. //· Pirâmide de Ferrein: um dos prolongamentos intracorticais das pirâmides renais. // Tubos de Ferrein: os tubos tortuosos do rim.

ferri. Do ferro. Elemento de composição.

ferri-albuminic. Composto com albumina e ferro.

ferric. Férrico.

ferricyanide. Ferricianeto. Sal do ácido hidroferrociânico.

ferrometer. Ferrômetro. Instrumento para medir o conteúdo de ferro no sangue.

ferropectic. Ferropéctico. Fixador de ferro.

ferropexy. Ferropexia. Fixação do ferro.

ferroprotein. Ferroproteína.

ferrotherapy. Ferroterapia.

ferrous. Ferroso. Contém ferro em sua menor valência.

ferruginous. Ferruginoso.

ferrum. Ferro.

fertile. Fértil.

fertilization. Fertilização.

fertilizin. Agente hipotético presente no córtex do óvulo, que acumula e aglutina ôs espermatozóides e que procura a fertilização por meio de duas cadeias laterais, uma das quais reage com o óvulo e a outra com o esperma.

Ferula. Gênero de plantas umbelíferas.

fervescence. Efervescência.

fervor. Calor de febre.

fester. Úlcera superficial; supurar artificialmente.

festinant. Acelerante.

festination. Aceleração (da marcha).

fetal. Fetal.

fetalism. Fetalismo. Persistência de certos caracteres fetais na vida extra-uterina.

fetalometry. Fetometria. Mensuração do feto. Em particular dos diâmetros da cabeça ou a realizada mediante radiografia.

fetation. Fetação. Desenvolvimento do feto, gestação.

feticide. Feticida.

feticulture. Feticultura. Higiene da gravidez.

fetid. Fétido.

fetish. Fetiche: objeto de adoração.

fetishism. Fetichismo.

fetishist. Fetichista.

fetography. Fetografia (ciemografia).

fetoplacental. Fetoplacentário.

fetor. Fedor, mau cheiro.

fetterine. Feterina. Alcalóide derivado do leite esterilizado.

fetus. Feto.

Feulgen reaction or test. Teste de Feulgen. Prova microquímica para o tipo específico de ácido nucléico encontrado na cromatina.

fever. Febre. // **African tick.** Febre recorrente Africana. // **blackwater.** Malária. // **catheter.** Febre devido à injeção por sondagem. // **cerebrospinal.** Febre cerebrospinal. // **childbed.** Febre puerperal. // **continued.** Febre contínua. // **enteric.** Febre entérica. // **glandular.** Febre glandular. // **Haverhill.** Febre de Haverhill. // **hay.** Febre do feno. // **hospital.** Febre dos hospitais. // **intermittent.** Febre intermitente. // **Malta.** Febre de Malta. // **Mediterranean.** Febre do Mediterrâneo. // **neurogenic.** Febre neurogênica. // **paratyphoid.** Febre paratifóide. // **phlebotomus.** Febre flebótoma. // **puerperal.** Febre puerperal. // **ratbite.** Febre por mordida de rato. // **relapsing.** Febre intermitente. // **remittent.** Febre remitente. // **rheumatic.** Febre reumática. // **Rocky Mountain.** Febre das Montanhas Rochosas. // **sandfly.** Febre por flebótomo. // **scarlet.** Febre escarlatinosa. // **spotted.** Febre maculosa. // **three day.** Febre por *Phlebotomus papatasi*. // **trench.** Febre das trincheiras. // **typhoid.** Febre tifóide. // **typhus.** Tifo. // **undulant.** Febre ondulante. // **yellow.** Febre amarela.

fiat, fiant, "Fiat". Faça-se, fazer (em receitas).

fib. Embuste, mentir.

fibra. Fibra.

fibralbumin. Fibralbumina, globulina.

fibre, fiber. Fibra.

fibremia. Fibremia, fibrinemia.

fibril. Fibrila.

fibrillar, fibrillary. Fibrilar.

fibrillated. Fibrilado.

fibrillation. Fibrilação.

fibrillogenesis. Fibrologenia.

fibrillolysis. Fibrilólise.

fibrillolytic. Fibrilolítico.

fibriloceptor. Fibriloceptor. Terminal nervoso de um neurônio sensorial periférico que recebe os estímulos.

fibrin. Fibrina.

fibrination. Fibrinação.

fibrinogen. Fibrinogênio.

fibrinolysis. Fibrinólise.

fibrinosis. Fibrinose.

fibrinous. Fibrinoso.

fibrinuria. Fibrinúria.

fibroadenia. Fibradenia. Degeneração fibrosa de uma glândula.

fibroadenoma. Fibradenoma. // **of breast.** Fibroadenoma de mama.

fibroblast. Fibroblasto. Sin.: fibrócito, desmócito.

fibroblastoma. Fibroblastoma, meningioma.

fibrocarcinoma. Fibrocarcinoma.

fibrocartilage. Fibrocartilagem.

fibrochondritis. Fibrocondrite.

fibrochondroma. Fibrocondroma.

fibrocystic. Fibrocístico. // **disease of pancreas.** Doença fibrocística do pâncreas. // **disease of bone.** Doença fibrocística óssea.

fibroenchondroma. Fibrencondroma.

fibroglia. Fibróglia.

fibroglioma. Fibroglioma.

fibroid. Fibróide.

fibroidectomy. Fibroidectomia.

fibrolipoma. Fibrolipoma.

fibroma. Fibroma // **molluscum, perineural.** Fibroma molusco, perineural.

fibromatosis. Fibromatose.

fibromectomy. Fibromectomia.

fibromembranous. Fibromembranoso.

fibromuscular. Fibromuscular.

fibromyectomy. Fibromiectomia.

fibromyitis. Fibromiite ou fibromiosite. Inflamação e degeneração fibrosa de um músculo.

fibromyoma. Fibromioma. Mioma com elementos fibrosos.

fibromyomectomy. Fibromiomectomia.

fibromyositis. Fibromiosite.

fibromyotomy. Fibromiotomia.

fibromyxoma. Fibromixoma.

fibromyxosarcoma. Fibromiossarcoma.

fibroneuroma. Fibroneuroma.

fibronuclear. Fibronuclear.

fibrooesteoma. Fibrosteoma.

fibropapilloma. Fibropapiloma.

fibropericarditis. Fibropericardite.

fibroplasia. Fibroplasia. Formação de tecido fibroso na cura de uma ferida.

fibroplastic. Fibroplástico.

fibroplastin. Fibroplastina, paraglobulina.

fibroplate. Disco interarticular de fibrocartilagem.

fibropolypus. Fibropólipo.

fibropsammoma. Fibropsamoma.

fibropurulent. Fibropurulento, fibrinopurulento.

fibroreticulate. Fibrorreticular.

fibrosarcoma. Fibrossarcoma.

fibroserous. Fibrosseroso.

fibrosis. Fibrose.

fibrositis. Fibrosite. Sin.: miosite, miofasciite, mialgia, reumatismo muscular, paniculite, fibrofasciite, neuromiosite, lumbago, periartrite, perineurite, tendinite.

fibrothorax. Fibrotórax. Método de tratamento da física mediante a produção de fibrose artificial no pulmão pela injeção de certa substância irritante.

fibrotic. Fibrótico.

fibrotuberculosis. Fibrotuberculose.

fibrous. Fibroso.

fibroxanthoma. Fibroxantoma.

fibula. Fíbula, perônio.

fibular. Fibular, peroneal.

fibulocalcaneal. Fibulocalcâneo.

ficin. Ficina. Extrato da seiva da figueira. Usada como anti-helmíntico ativo.

Fick's bacillus. Bacilo de Fick. *Proteus vulgaris.*

Ficker's diagnosticum. Diagnóstico de Ficker. Emulsão de bacilos tíficos mortos.

ficosis. Ficose, sicose.

fiction. Ficção.

Ficus. Figo.

fidicinales. Fidicinais. Músculos lumbricais do metacarpo.

Fiedler's disease. Enfermidade de Fiedler. Icterícia infecciosa aguda.

field. Campo. // **electrical - of vision.** Campo elétrico visual.

Fielding's membrane. Membrana de Fielding. *Tapetum lucidum* da retina.

fievre boutonneuse. Febre Botonosa. Doença de Olmer ou febre exantemática do Mediterrâneo.

fifth disease. Quinta enfermidade. Enfermidade infecciosa leve da infância, caracterizada por uma erupção macular ou maculopapular. Sin.: eritema infeccioso. // **cranial nerve.** Quinto nervo craniano ou trigêmeo. // Quinto ventrículo.

fifth nerve. Nervo trigêmeo.

Figueira's syndrome. Síndrome de Figueira.

figuratus. Figurado.

figure. Cifra, figura.

filament. Filamento.

filamentous. Filamentoso.

Filaria. *Filaria.* Gênero de nematóides endoparasitos do homem e animais.

filarial. Filárico.

filariasis. Filariose.

Filariidae. Família de nematódeos a que se filiam as filárias.

Filariina. Subfamília de nematódeos.

Filarioidea. Superfamília de nematódeos.

Filatov's disease. Doença de Filatov. Adenite cervical febril aguda das crianças.

file. Lima.

filiform. Filiforme.

filioma. Fibroma da esclera.

Filipovitch or Filipowicz's sign. Sinal de Filipovitch. Descoloração amarela das partes proeminentes das palmas das mãos e das plantas dos pés, na febre tifóide, no reumatismo articular e na tuberculose.

filipuncture. Introdução de um fio de aço em um aneurisma para produzir coagulação.

filix max. Feto macho.

fill. Encher.

fillet. Feixe, lemnisco.

filoma. Fibroma da esclera.

fillopodium. Filopódio.

filopressure. Filopressão. Compressão de um vaso sangüíneo por um fio.

filter. Filtro. // **Berkefeld, Chamberland, Pasteur, Seltz, Wood.** Filtro de Berkefeld, de Chamberland, de Pasteur, de Seltz, de Wood.

filterpassing. Filtrável.

filth. Sujeira.

filtrable. Filtrável. // **virus.** Vírus filtrável.

filtrate. Filtrado.

filtration. Filtração.

filtrum ventriculi. Filtro de Meckel.

filum. Fio, filamento. // **terminale.** Extremidade distal delgada da medula.

fimbria. Fímbria, franja, orla. // **hippocampi.** Fímbria do hipocampo.

fimbriated, fringed. Franjado, fimbriado.

fimbriatum. Corpo franjado: margem lateral delgado do hipocampo.

fimbriocele. Hérnia que contém o pavilhão da tuba.

find. Achar, encontrar.

finding. Achado, descobrimento.

finger. Dedo.

finger agnosia. Agnosia táctil.

fingerprint. Impressão digital.

Finkler-Prior spirillum. Espírilo de Finkler-Prior, *Vibrio proteus.*

Finney's operation. Operação de Finney. Forma de gastroduodenostomia.

Finochietto's stirrup. Estribo de Finochietto's. Dispositivo para aplicar tração contínua nas fraturas do membro inferior. Consiste em uma alça cujos extremos se cravam no calcáreo e em cujo centro se aplica a tração.

Finsen light treatment. Tratamento de Finsen: pela luz. Luz formada principalmente por raios violeta e ultravioleta e utilizada no tratamento de lúpus e afecções semelhantes.

fire. Fogo.

fireman's cramp. Cãibra dos bombeiros.

first aid. Primeiros socorros.

first cranial nerve. Nervo olfatório.

first intention. Primeira intenção.

Fischer's brain murmur. Sopro de Fischer. Sopro sistólico, percebido na fontanela anterior ou na região temporal no raquitismo. // **sign.** Sinal de Fischer. Auscultando no manúbrio se percebe sopro pré-sistólico em casos de aderência do pericárdio sem afecção valvular.

Fischer's test. Reação de Fischer. Ferve-se a urina com fenilidrazina e acetato de sódio. Se há glicose, formam-se cristais amarelos de fenilglicosazona.

Fischer's tufts. Ramalhete de Fischer. Expansões terminais de fibras nervosas entre os órgãos tácteis terminais.

Fischer's bed. Cama de Fischer. Cama para suspensão espinal no tratamento das afecções vertebrais.

Fiske-Bryson's symptom. Sintoma de Fiske-Bryson (v. *Bryson's sign*).

fission. Fissão, segmentação, cissiparidade. // **atomic.** Fissão atômica ou nuclear.

fissiparous. Fissíparo, cissíparo. Que se reproduz por cissiparidade.

fissure. Fissura. // **palpebral.** Rima palpebral.

fist. Punho.

fistula. Fístula.

fistulatome. Fistulótomo, siringótomo.

fistulization. Fistulização.

fistuloenterostomy. Fistulenterostomia.

fistulotomy. Fistulotomia.

fistulous. Fistuloso.

fit. Acesso, paroxismo, ataque.

Fitz's syndrome. Síndrome de Fitz. Em caso de pancreatite aguda, intensa dor no epigástrio, vômitos e timpanismo.

fix. Fixar, assegurar, assentar.

fixateur. Fixador, amboceptor.

fixation. Fixação.

fixative. Fixador, amboceptor.

fixed. Fixa. // **idea.** Idéia fixa.

fl. dr. Abreviatura de *fluid drachm* (3,888 g).

fl. oz. Abreviatura de *fluid ounce* (29,571).

flabby. Frouxo, flácido.

flabellum. Flabelo. Fibras radiadas no corpo estriado.

flaccid. Flácido, débil, laxo, brando.

Flack's node. Nódulo de Flack. Nódulo sino-atrial.

Flagellate. Flagelados. Grupo de mastigóforos da ordem dos protozoários.

flagellation. Flagelação.

flagellum. Flagelo. Prolongamento celular filiforme móvel.

Flajani's disease. Doença de Flajani. Bócio exoftálmico.

flake. Escama.

flank. Franco.

flap. Retalho.

flarimeter. Flarímetro. Instrumento para detectar afecções cardíacas em seu início mediante medida da duração das respirações.

flash point. Ponto de mira.

flask. Frasco.

flat. Plano chato. // **foot.** Pé plano, pé chato.

Flatau's law. Lei de Flatau. Quanto maior é a longitude das fibras da medula espinal, mais próximas se acham da periferia.

flatulence. Flatulência.

flatulent. Flatulento.

flatus. Flato.

flatworm. Platielminte.

flaveoprotein. Flavoproteína.

flavescent. Flavescente, amarelado.

flavine. Flavina.

Flavobacterium. Gênero de bactérias saprófitas que produzem pigmento amarelo.

flavone. Flavona.

flavour. Sabor, gosto.

flavus. Amarelo, flavo.

flea. Pulga.

fleam. Lanceta para flebotomia.

Flechsig's areas. Áreas de Fechsig. Três áreas: a anterior, a lateral e a posterior, em cada metade do bulbo, assinaladas pelas fibras dos nervos vago e hipoglosso. // **tract.** Fascículo de Flechsig. Fascículo cerebeloso direto. // **association centres.** Centros de Flechsig. Centros do córtex cerebral.

flection. Flexão.

fleece of Stilling. Rafe de Stilling. Fibras que unem as pirâmides da face anterior do bulbo ao nível do quarto ventrículo.

Fleischl's hemometer. Hemômetro de Fleischl. Hemoglobinômetro especial.

Fleischmann's bursa. Bolsa de Fleischmann. Duas bolsas serosas inconstantes debaixo da língua, dos lados do frênulo.

Fleitmann's test. Reação de Fleitmann. Em um tubo com hidrogênio líquido, fechada sua boca com papel de filtro umedecido em solução de nitrato de prata, ao aquecê-lo, se existir um composto de arsênico, o papel de filtro se tingirá de negro.

Fleming's solution. Solução de Fleming. Para fixar os tecidos.

Fleming tincture of aconite. Tinture de Fleming. Tintura concentrada de acônito.

flesh. Carne.

flex. Encurvar, dobrar.

flexibilitas cerea. Estado cataléptico em que as pernas se mantêm onde são colocadas.

flexibility. Flexibilidade.

flexion. Flexão.

Flexner's bacillus. Bacilo de Flexner da disenteria. // **serum.** Soro de Flexner. Sono antimeningocócico.

flexor. Flexor.

flexure. Flexura.

flight. Vôo, fuga.

Flindt's spots. Manchas de Flindt ou de Koplik.

Flint's arcade. Arco de Flint. Arco arteriovenoso na base das pirâmides renais. // **murmur.** Sopro de Flint. Sopro intenso, pré-sistólico, na ponta do coração, em caso de insuficiência das válvulas aórticas.

floating. Flutuante. // **rib.** Costela flutuante.

floccilation. Carfologia.

floccular. Flocular.

flocculation. Floculação.

flocculent. Floculente.

flocculus. Flóculo.

Flood's ligament. Ligamento de Flood. Ligamento glenumeral superior da articulação do ombro.

floor of the pelvis. Pavimento da pelve. Massa de tecidos não ósseos, que forma o limite inferior da bacia.

flooding. Hemorragia uterina.

Flor. Abreviatura de "flores" (*flowers*).

flora. Flora.

floram. Bifluoreto de amônio.

Florence's reaction. Reação de Florence. Para o líquido seminal.

Florey unit. Unidade de Florey ou de Oxford. Quantidade de Penicilina que dissolvida em 50cc de caldo de extrato de carne inibe imediatamente e por completo a reação de uma cepa de estafilococos áureos.

flour. Farinha.

Florschütz's formula. Fórmula de Florschütz L: (2 B-L), onde L é longitude do corpo e B é circunferência do abdome; um índice de 5 é normal e o inferior a 5 indica o grau de peso excessivo.

Flourens's doctrine. Doutrina de Flourens. Teoria em que se expõe que todo o cérebro participa em todo e qualquer processo psíquico.

flow. Fluxo.

flower. Flor.

Flower's angle. Ângulo de Flower. Ângulo nasozigomático. // **bone.** Osso de Flower. Osso epitérico, osso vórmio no ptério dos mamíferos.

flucticuli. Ondas pequenas. // Marcas semelhantes a pequenas ondas na parede lateral do terceiro ventrículo, atrás da comissura anterior.

fluctuation. Flutuação.

Fluhmann's test. Prova de Fluhmann. Modificação da prova de Allen-Doisy; para as substâncias estrogênicas, na qual se empregam ratos; a

163

prova positiva é a mucinificação da mucosa vaginal.

Fluhrer's probe. Prova de Fluhrer. Prova em que se usa o alumínio nos ferimentos de bala no cérebro.

fluid. Fluido.

fluid-acet-extract. Extrato fluido acético. Extrato fluido feito com fluxo menstrual de ácido acético.

fluid ounce. Onça para peso de líquido.

fluid drachm. Dracma para peso de líquido.

fluid extract. Extrato fluido. Solução concentrada do princípio ativo de uma droga vegetal especialmente com tal concentração que 1 cc do extrato contenha 1 g da droga.

fluidism. Fluidismo, humorismo.

fluke. Verme trematódeo.

flumen. Corrente ou linha. // **Flumina pillorum.** Linhas ou correntes segundo as quais estão dispostos os pêlos nas diferentes partes do corpo.

fluor. Flúor. // **albus.** Leucorréia.

fluorane. Substância mãe de que se deriva a fluoresceína: $C_6H_4CH_2$ C_6H_4.

fluoresce. Fluorescer.

fluorescein. Fluoresceína.

fluorescence. Fluorescência.

fluorescent. Fluorescente.

fluoride. Fluoreto. Composto binário com flúor e outro elemento.

fluorine. Flúor.

fluoroscope. Fluoroscópio.

fluoroscopy. Fluoroscopia.

fluorosis. Intoxicação com flúor.

flush. Rubor, vermelhidão.

flutter. Adejamento, vibração "Flutter" auricular.

fluvanil. Substância derivada da gutapercha.

flux. Fluxo, fusão, disenteria.

fluxion. Congestão, hiperemia.

fly. Mosca.

foam. Espuma.

foamy liver. Fígado bolhoso, espumoso, cheio de borbulhas, produzido por microrganismos anaeróbios.

focal. Focal. // **depth, infection, length, lesion, nephritis, plane, reaction.** Profundidade, infecção, longitude, lesão, nefrite, plano e reação focal.

Fochier's abscess. Abscesso de Fochier. Abscesso de fixação.

Focil. Nome antigo dos ossos do antebraço e da perna.

focimeter. Instrumento para pesquisa e medida do foco de uma lente. Leucômetro.

focus. Foco. // **principal, real.** Foco principal, real.

Fodéré sign. Sinal de Fodéré. Edema das **pálpebras** inferiores na retenção cloretada (rim escleroso).

foetal. Fetal.

foetation. Fetação, gestação.

foeticide. Feticida.

foetid. Fétido.

foetor. Fedor.

foetus. Feto.

foggy. Brumoso.

fold. Prega. Ruga.

folestrin. Produto contendo estrona.

foliaceous. Foliáceo.

folic acid. Ácido fólico.

folie. Insânia, loucura.

Folin's test. Reações de Folin. Teste para uréia, ácido úrico, açúcar e aminoácidos.

folium. Folha lâmina delgada.

Folius's process. Processo de Folius (malear anterior do martelo).

follicle. Folículo.

folliclis. Folicles.

follicular. Folicular. // **tonsillitis.** Amigdalite folicular.

folliculitis. Foliculite.

folliculosis. Foliculose.

folliculus. Folículo.

Follin's grains. Grânulos de Follin. Corpúsculos formados por porções isoladas dos túbulos de Wolff no paraovário.

Foltz's valve. Válvula de Foltz. Prega da mucosa do conduto lacrimal.

folvite. Produto contendo ácido fólico.

fomentation. Fomentação.

fomes. Substância não alimentícia que transmite germes de doença contagiosa.

fomites. Plural de "Fomes".

fontactoscope. Fontactoscópio ou Fontactômetro. Instrumento para medir a radioatividade das águas minerais.

Fontana's spaces. Espaços de Fontana. Espaços diminutos no ângulo irido-corneal, que comunicam a câmara anterior e o canal de Schlemm.

fontanel, fontanelle. Fontanela.

fonticulus. Fontículo, exutório, fontanela.

food. Alimento.

foot. Pé.

foot and mouth disease. Febre aftosa, estomatite epidêmica ou epizótica, etc.

foot drop. Pé em extensão, por paresia dos músculos extensores da perna.

foot of madura. Pé de madura. Micose do pé.

forage. Forragem.

foramen. Forâmen. // **anterior condylar.** Forâmen anterior do côndilo. // **caroticoclinoid.** Forâmen caroticoclinoídeo. // **centrale.**

Forâmen central. // **entepicondilar.** Forâmen entepicondíleo. // **ethmoidal.** Forâmen etmoidal. // **hypoglossal.** Forâmen do hipoglosso. // **incisive.** Forâmen incisivo. // **infraorbital.** Forâmen infra-orbital. // **internal orbital.** Forâmen orbital interno. // **interventricular.** Forâmen interventricular. // **jugular.** Forâmen jugular. // **lacerum.** Forâmen dilacerado. // **magnum.** Forâmen occipital. // **mandibular.** Forâmen mandibular. // **mastoid.** Forâmen mastoídeo. // **mental.** Forâmen mental. // **obturador.** Forâmen obturador. // **of Hüschke.** Forâmen do Hüschke, junto ao osso timpânico. // **of Magendie.** Forâmen de Magendie. // **of Munro.** Forâmen de Monro: comunicação entre os ventrículos laterais e o terceiro ventrículo. // **of Winslow.** Forâmen de Winslow. // **optic.** Forâmen óptico. // **ovale.** Forâmen oval. // **posterior condylar.** Forâmen condíleo-posterior. // **pterygospinous.** Forâmen pterigospinoso. // **rotundum.** Forâmen redondo maior. // **sciatic greater and lesser.** Forâmen ciático maior e menor. // **singulare.** Forâmen singular. // **sphenopalatine.** Forâmen esfenopalatino. // **stylomastoid.** Forâmen estilomastoídeo. // **supraorbital.** Forâmen supra-orbital. // **supratrochlear.** Forâmen supratroclear. // **tyroid.** Forâmen tireóide. // **transversarium.** Forâmen transverso. / **tympanohyal.** Forâmen timpanoial. // **Vesalii.** Forâmen de Vesálio. // **zygomaticofacial.** Forâmen zigomático facial.

foramina. Forâmina. // **ethmoidal.** Forâmina etmoidal. // **incisiva.** Forâmina incisiva. // **intervertebral.** Forâmina intervertebral. // **nutrient.** Forâmina nutrícia. // **palatina.** Forâmina palatina. // **Scarpa's.** Forâmina de Scarpa. // **Stenson's.** Forâmina de Stenson. // **Thebesius's.** Forâmina de Thebesius.

foraminiferous. Foraminífero.

foraminulum. Forâmen diminuto.

foration. Trepanação.

force. Força.

forced. Forçado.

forceps. Fórceps, pinça.

Forchheimer's sign. Sinal de Forchheimer. Erupção vermelho-rosácea no palato mole e na úvula, observada em caso de rubéola.

Forcipomyia. Gênero de *Chironomidae*. Dípteros que possuem a propriedade de transmitir enfermidades pela picada.

forcipressure. Forcipressão.

Fordyce's disease. Doença de Fordyce. Afecção dos lábios e mucosa da boca, onde se formam corpos amarelados semelhantes a milho.

forearm. Antebraço.

forebrain. Prosencéfalo.

forefinger. Dedo índice.

forefoot. Pata dianteira.

foregut. Extremo cefálico do tubo embrionário, de que se desenvolve o tubo digestivo.

forehead. Face.

foreign. Alheio, estranho, estrangeiro.

forekidney. Prônefro.

Forel's decussation. Decussação tegumental ventral ou decussação de Forel.

foremilk. Colostro.

forensic. Forense. Legal (medicina).

fore-pleasure. Orgasmo precoce.

foreseeable. Previsível.

foreskin. Prepúcio.

forewater. Deságüe precoce de líquido amniótico.

forget. Esquecer.

Forlanini's treatment. Tratamento de Forlanini. Pneumotórax artificial na tuberculose pulmonar.

form. Forma.

Formad's kidney. Rim de Formad. Rim aumentado de volume, próprio do alcoolismo crônico.

formaldehyde. Formaldeído. Sin.: aldeído fórmico.

formalin. Formalina. Formaldeído.

formamint. Mistura de formaldeído e açúcar de leite, usada em estomatite e faringite.

formate. Formiato. Sal de ácido fórmico.

formatio. Formação. // **reticularis.** Formação reticular.

formation. Formação.

formative. Formativo.

forme fruste. Forma frustra.

formica, ant. Formiga.

formication. Formicação, formigamento.

formiciasis. Formicíase. Estado de mortificação local resultante de picadas de formiga.

formicic, formic. Fórmico.

formol. Formol.

formolise. Formólise.

formula. Fórmula. // **electronic.** Fórmula eletrônica. // **empirical.** Fórmula empírica. // **molecular.** Fórmula molecular. // **stereochemical.** Fórmula estereoquímica. // **structural.** Fórmula estrutural.

formulary. Formulário.

Fornet's reaction. Reação de Fornet. Prova de precipitação usada em febre tifóide e sífilis.

fornicolumn. Pilar anterior de fórnix.

fornicommissure. Comissura do hemifórnix.

fornix. Fórnix. Trígono cerebral.

Forssell's sinus. Seio de Forssel. Espaço da parede gástrica rodeado por pregas da mucosa que se vê no exame radioscópico.

Frossman's antigen. Antígeno de Forsman. Antígeno heterogênico, nos tecidos da cobaia e outros animais como também em certos vírus e bactérias, capaz de provocar nos coelhos e outros animais desprovidos dele na produção de lisinas para as hemácias de carneiro.

Förster's operation. Operação de Förster-Penfield. Excisão total ao longo da cicatriz com a área cortical epileptógena em caso de epilepsia traumática.

fortification figures. Teicopsia (ticopsia). Sin.: espectro de fortificação, escotoma cintilante (fortification spectrum)

fortuitous. Fortuito.

forward. Para diante.

fossa. Fossa. // **canine.** Fossa canina. // **cerebellar - of the skull.** Fossa cerebelar do crânio. // **coronoid.** Fossa coronoídea. // **cubital.** Fossa cubital. // **digastric.** Fossa digástrica. // **digital of the femur.** Fossa digital, trocantérica. // **digital — of the peritoneum.** Fossa digital do peritônio. // **floccular.** Fossa "sub arcuata" do temporal. // **for gallbladder.** Fossa para a vesícula biliar. // **hypophyseal.** Fossa hipofisária. // **hypotrochanterica.** Fossa hipotrocantérica. // **iliac.** Fossa ilíaca. // **incisive.** Fossa incisiva. // **incudis.** Fossa da bigorna, incudal. // **infraclavicular.** Fossa infraclavicular. // **infraspinous.** Fossa infraspinosa. // **interpenduncular - of the brain.** Fossa interpenduncular do cérebro. // **intrabulbar.** Fossa intrabulbar. // **ischiorectal.** Fossa isquiorretal. // **jugular.** Fossa jugular. // **lacrimal.** Fossa lacrimal. // **malleolar.** Fossa maleolar. // **mandibular.** Fossa mandibular. // **nasal.** Fossa nasal. // **navicular.** Fossa navicular // **of Rosenmüller.** Fossa de Rosenmüller. // **olecreanon.** Fossa olecrânica. // **ovalis.** Fossa oval. // **ovarian.** Fossa ovárica. // **parafloccular.** Fossa paraflocular. // **patellaris.** Fossa patelar. // **posterior condylar.** Fossa condílea posterior. // **pterygoid.** Fossa pterigoídea. // **pterygopalatine.** Fossa pterigopalatina. // **pyriform.** Fossa piriforme. // **radial.** Fossa radial // **retromolar.** Fossa retromolar. // **rotunda.** Fossa redonda. // **scaphoid.** Fossa escafoídea. // **subarcuate.** Fossa subarcuata. // **sublingual.** Fossa sublingual. // **submandibular.** Fossa submandibular. // **supraspinous.** Fossa supraspinosa. // **supratonsillar.** Fossa supratonsilar. // **temporal.** Fossa temporal. // **terminal.** Fossa terminal. //

trochanteric. Fossa trocantérica. // **trochlear.** Fossa troclear. // **vermian.** Fossa vermiana.

fosset, fossette. Depressão, ulceração corneal.

fossula, fossulet. Fóssula.

Fothergill's disease. Doença de Fothergill. Angina escarlatinosa.

Fothergill's neuralgia. Nevralgia de Fothergill. Nevralgia do trigêmeo.

Fouchet's test. Reação de Fouchet para determinar a bilirrubina sangüínea.

foudroyant, fulminant. Fulminante.

foul. Feio, impuro.

foundling. Criança abandonada.

fourchet, fourchette. Prega mucomembranosa na comissura posterior da vulva, fúrcula.

Fournier's disease, sign test. Doença de Fournier, gangrena idiopática do escroto // Sinal de Fournier, delimitação marcada, característica de lesão cutânea sifilítica // Tíbia em forma de sabre // Prova de Fournier, para fazer patente a marcha atáxica, diz-se ao paciente sentado que se levante e ande e logo que pare subitamente, que ande e dê voltas rapidamente.

fourth. Quarto // **- cranial nerve.** Quarto nervo craniano. Troclear // **- disease.** Quarta moléstia. Doença de Duke ou para-escarlatina.

fourteen. Quatorze.

fovea. Fóvea.

foveal. Foveal.

foveate. Escavado.

foveola. Fovéola.

Foville's fasciculus. Fascículo de Foville. Fascículo cerebelar direto da medula.

fowl. Ave.

Fowler's position. Posição de Fowler. Posição dorsal que se obtém levantando uns 50 cm os pés da cama.

Fowler's solution. Solução de Fowler. Licor arsenical de Fowler.

Fowler-Murphy treatment. Tratamento de Fowler-Murphy (v. *Murphy's treatment*). Pneumotórax artificial com nitrogênio para tratar a tuberculose pulmonar.

fowlpox. Epitelioma contagioso.

Fox's impetigo. Impetigo de Fox ou contagioso.

Fox-Fordyce's disease. Doença de Fox-Fordyce. Erupção de pápulas duras pruriginosas nas axilas, umbigo, mamas e púbis quase exclusivamente de mulheres provavelmente devido à alteração das glândulas sudoríparas.

foxglove. *Floxglove*. Planta do gênero *Digitalis*. "Dedadura".

f.p. Abreviatura de *freezing point*. Ponto de congelação.

f.r. Abreviatura de "*flocculation reaction*". Reação de floculação.

fract. dos. Abreviatura de "*fracta dosis*" dose fracionada.

fraction. Fração.

fractional. Fra ionário.

fractionate. Fracionar.

fracture. Fratura // **- Chauffeur's.** Fratura de rádio ou carpo nos motoristas no tempo das manivelas de arranque. // **- Colle's.** Fratura de Colles. // **- complicated.** Fratura complicada // **- compound.** Fratura exposta, aberta // **- depressed.** Fratura com desvio // **- greenstick.** Fratura em galho verde // **- impacted.** Fratura impactada // **- simple.** Fratura simples, fechada.

fraenum. Freio.

fragilitas. Fragilidade // **- ossium.** Fragilidade óssea.

fragility. Fragilidade.

fragilocyte. Fragilócito. Eritrócito escassamente resistente às soluções ou soros hipotônicos.

fragment. Fragmento.

fragmentation. Fragmentação.

framboesia, raspberry. Framboesia. Sin.: piã, bouba, botão do Amboina, "tonga", polipapiloma tropical, enfermidade infecciosa e contagiosa, tropical, análoga à sífilis e caracterizada por excrescências parecidas com framboesas.

frambesioma. Lesão primária da framboesia.

frame. Armação.

Francis's disease. Doença de Francis. Tularemia.

Francis's triplex pill. Pílula tríplice de Francis. Composta de aloés, mercúrio e escamônea.

francium. Frâncio. Elemento químico com o número atômico *87*, peso atômico *233* e símbolo "Fr".

Frank's operation. Operação de Frank. Extirpação dos nervos intercostais nas crises viscerais de tabes.

Fränkel's treatment. Tratamento de Fränkel: estrofantina em caso de insuficiência cardíaca.

Fränkel-Weichselbaum pneumococcus. Pneumococo de Fränkel-Weischselbaum. *Diplococcus pneumoniae.*

Frankenhäuser's ganglion. Gânglio de Frankenhäuser. Gânglio simpático cervical do útero.

frankincense. Olíbano, incenso.

Frankl-Hochwart's disease. Doença de Frankl-Hochwart. Polineurite cerebral menieriforme.

Franklin's glasses. Lentes de Franklin. Lentes bifocais.

franklinism. Franclinismo. Eletricidade estática ou friccional.

franklinization. Franclinização. Uso terapêutico da eletricidade estática.

Frasera. Frasera. Planta da família das gencianáceas.

Frauenhofer's lines. Linhas ou raias de Frauenhofer. Linhas negras no espectro solar.

Frazier's needle, operation. Agulha de Frazier. Agulha oca para drenagem dos ventrículos laterais do cérebro // Operação de Frazier: neurotomia intracranial da raiz sensitiva do trigêmeo.

freak. Variegado.

freckle. Lentigem, saída.

F.R.C.O.G. Abreviatura de Fellow of Royal College of Obstetricians and Gynaecologists.

F.R.C.P. Abreviatura de Fellow of the Royal College of Physicians.

F.R.C.S. Abreviatura de Fellow of the Royal College or Surgeons.

F.R.C.V. Abreviatura de Fellow of the Royal College of Veterinary.

Frédéricq's sign. Sinal de Frédéricq. Linha avermelhada na margem dental das gengivas, na tuberculose pulmonar.

Fredet-Rammstedt's operation. Operação de Fredet-Rammstedt. Incisão das túnicas serosa e muscular espessadas até a mucosa na estenose congênita do piloro.

free. Livre, não combinado // **- association.** Associação livre.

freemartin. Gêmeo feminino hermafrodita, nascido juntamente com um macho normal. Termo aplicado geralmente ao gado.

freeze. Congelar, gelar.

freezing mixture. Mistura frigorífica.

freezing point. Ponto de congelação.

Frei's bubo or disease. Bubão de Frei. Linfogranulomatose venérea.

Freiberg's infraction. Necrose de osso do pé devido a trama em crianças. Osteocondrite metatarsofalângica deformante juvenil.

fremitus. Frêmito. // **- friction.** Frêmito por fricção. // **- vocal.** Frêmito vibratório ou vocal.

frenetic. Frenético.

Frenkel's sign. Sinal de Frenkel. Hipotonia das extremidades inferiores na tabes dorsal.

Frenkel's treatment. Tratamento de Frenkel. Série de movimentos de precisão que devem executar os pacientes atáxicos com o fim de restabelecer a coordenação.

frenosecretory. Frenossecretor.

frenulum. Frênulo.

frenum. Freio.

frenzy. Frenesi, agitação maníaca violenta.

frequency. Freqüência // **- distribution.** Distribuição de freqüência.

Frerich's theory. Teoria de Frerich. Segundo ela a uremia é, na realidade, um envenenamento pelo carbonato de amônio formado pela ação de um fermento do sangue sobre a uréia.

fresh. Fresco, recente.

fressreflex. Reflexo do maxilar.

fretum. Estreito // **- halleri.** Constricção entre os átrios e os ventrículos fetais // **- oris.** Ístmo das fauces.

Freund's anomaly, reaction. Anomalia, reação de Freund. Anomalia de Freund. A estenose da abertura torácica superior supõe uma predisposição a tuberculose pulmonar //_Reação de Freund. Desagregação das células cancerosas pelo soro de indivíduos sãos.

Freund's operation. Operação de Freund. Secção da primeira costela e cartilagem costal.

Freund-Kaminer reaction. Reação de Freund-Kaminer. O soro de pessoas não cancerosas destrói as células cancerosas, porque as dos pacientes cancerosos não têm efeitos líticos.

Frey's gastric follicles. Folículos gástricos de Frey. Criptas na mucosa gástrica revestidas por células secretoras de ácido, ou pépticos.

Frey's syndrome. Síndrome de Frey. Síndrome auriculotemporal.

Freyer's operation. Operação de Freyer. Prostatectomia suprapúbica.

F.R.F.P.S. Abreviatura de Fellow of the Royal Faculty of Physicians and Surgeons.

friable. Friável.

friar's balsam. Tintura benzóica composta.

Fricke's bandage. Bandagem de Fricke. Bandagem escrotal por meio de tiras em caso de orquite.

friction. Fricção.

Friedländer's bacillus. Bacilo de Friedländer: *Klebsiella pneumoniae.*

Friedländer's decidual cells. Células deciduais de Friedländer. Células grandes do tecido conjuntivo da mucosa uterina que formam a camada compacta da decídua uterina.

Friedländer's disease. Doença de Friedländer. Endarterite obliterante.

Friedman's test. Prova de Friedman. Modificação da prova de Ascheim-Zondek em coelhos.

Friedmann's disease. Doença de Friedmann. Paralisia espinal espasmódica infantil recidivante.

friend. Amigo.

fright neurosis. Neurose de ansiedade ou de angústia.

frigidity. Frigidez, frieza sexual.

frigorific. Frigorífico.

frigostabile. Frigostável.

frigotherapy. Frigoterapia.

frina. Furúnculo oriental.

Fritsch's catheter. Cateter ou sonda de Fritisch. Sonda uterina de dupla corrente.

Friteau's triangle. Triângulo de Friteau. Área, na região genal, correspondente à distribuição dos ramos do nervo facial.

frog. Rã.

Fröhlich's syndrome. Síndrome de Frölich. Distrofia adiposogenital.

Frohn's reagent. Reagente de Frohn. Emprego de iodeto de bismuto e potássio como reativo de alcalóide.

Froin's syndrome. Síndrome de Froin. Combinação de trocas de líquido cefalorraqueano caracterizada pela cor amarelo clara; transparente, presença de globulina em grande quantidade, coagulação rápida e maior número de linfócitos que se observa na perda de comunicação do líquido, com os ventrículos cerebrais.

frolement. Roçadura.

Froment's sign. Sinal de Froment. Ao colher uma folha de papel, o indivíduo normal sustenta-a entre a polpa do polegar e·o lado radial do índice; na paralisia do cubital, a folha é sustentada pela ponta de ambos os dedos.

Frommann's striae. Linhas de Frommann. Estriações nos cilindraxes e dos nervos corados com nitrato de prata.

Frommel's operation. Operação de Frommel. Encurtamento dos ligamentos uterossacros nos desvios uterinos.

frons. Fronte.

front. Fronte.

frontad. Frontípeto. Em direção à porção frontal.

frontal. Frontal // **- eminence.** Eminência frontal // **- lobe.** Lóbulo frontal.

frontalis muscle. Músculo frontal.

frontocerebellar. Frontocerebelar.

frontomalar. Frontomalar.

frontomaxillary. Frontomaxilar.

frontooccipital. Frontoccipital.

frontoparietal. Frontoparietal.

frontopontine. Frontopontino.

frontotemporal. Frontotemporal.

Floriep's ganglion. Gânglio de Floriep. Gânglio do quarto segmento occipital no embrião humano.

frostbite. Frieira, geladura, eritema pérnio.
frothy. Espumoso.
frown. Franzir a sobrancelha. Carranca.
fructose. Frutose.
fructosuria. Frutosúria.
fructus. Fruto.
frugivorous. Frugívoro.
fruit. Fruto.
frutarian. Pessoa que adota dieta de frutas.
frutarianism. Doutrina que prega o uso prioritário de frutas na dieta.
frustation. Frustração.
FSH. Abreviatura de *"follicle stimuling hormone"*.
fuadin. Fuadina. Composto trivalente de antimônio-pirocatequina — dissulfato de sódio, que contém 13 por 100 de antimônio. Sin.: neoantimosan.
Fuchs's coloboma. Coloboma de Fuchs. Pequeno defeito semilunar na coróide, que produz um escotoma na retina. // - **stomata.** Depressão de Fuchs. Depressão na superfície anterior da íris próxima da margem pupilar.
Fuchs's protein test. Prova de Fuchs. Prova fundamentada na observação de que o soro de pessoas normais digere todas as fibrinas exceto as das pessoas normais enquanto o soro das pessoas cancerosas digere todas as fibrinas, salvo o das pessoas cancerosas.
fuchsin, fuchsine. Fucsina.
fuchsinophil. Fucsinófilo.
fuchsinophilous. Fucsinófilo.
fucus. Alga (fuco).
fuel. Combustível.
fugitive. Fugitivo.
fugue, flight. Fuga.
Fukala's operation. Operação de Fukala. Facectomia em caso de alta miopia.
Fuld's test. Prova de Fuld: para determinar o poder antitrípico do soro sangüíneo. Empregam-se três soluções: uma com 0,10 por 100 de tripsina seca de Gubler em solução salina normal ligeiramente alcalina; outra solução neutra de caseína a 0,2 por 100 e outra alcoólica de ácido acético.
fulgurant, fulgurating. Fulgurante.
fulguration, lightning. Fulguração.
full. Pleno, cheio, total.
fullers earth. Silicato de alumínio coloidal, natural, poroso.
fulminant, fulminating. Fulminante.
furamic acid. Ácido fumárico.
fumigant. Fumigante.
fumigation. Fumigação.

fuming. Fumegante.
function. Função.
Functional. Funcional // - **albuminuria.** Albuminúria funcional. // - **disease.** Enfermidade funcional. // - **group.** Grupo funcional.
fundal. Fúndico.
fundamental. Fundamental.
fundectomy. Fundectomia.
fundus, botom. Fundo.
fungal. Fungoso.
fungate. Fungiforme, fungóide.
fungi. Fungos.
fungicide. Fungicida.
fungiform. Fungiforme.
fungistatic. Fungistático.
fungoid. Fungóide.
fungosity. Fungosidade.
fungous. Fungo.
funicle. Funículo.
funicular. Funicular.
funiculitis. Funiculite.
funiculus. Funículo.
funiform. Funiforme.
funis. Funículo.
funnel. Funil, infundíbulo.
fur. Saburra.
furca. Fúrcula.
furcal, furcate. Bifurcado.
furcula, furculum. Fúrcula.
furfur. Caspa, escama.
furfuraceous. Furfuráceo.
furor, fury, rage. Furor.
furred. Saburral.
furrow. Sulco, ruga.

Fürstner's disease. Doença de Fürstner. Paralisia pseudospasmódica, com tremor.
further. Adicional.
furuncle. Furúnculo.
furuncular. Furuncular.
furunculosis. Furunculose.
furunculus. Furúnculo.
Fusarium. Gênero de fungos ascomicetos.
fusein. Fuseína. Pigmento melânica das células da retina fucsina.
fisible. Fusível.
fusiform. Fusiforme.
Fusiformis. Fusiforme.
fusion. Fusão.
Fusobacterium. Gênero de bactérias denominado também *"fusiformis"*.
fusospirillaty. Pertencente ou causada por bacilos fusiformes ou empíricos como a angina de Vincent.

FRASES E EXPRESSÕES

(to) fall back on. Recorrer a.
(to) fall upon. Atacar.
far back. Bem para trás.
(to) find out. Descobrir.
(to) fish out. Extrair.

for the most part. Em sua maior parte.
for the time being. Por algum tempo, por enquanto.
from time to time. De vez em quando.

G

G. Símbolo químico do glicínio.

g. Abreviatura de grama.

γ. Letra grega: gama.

Ga. Símbolo químico do gálio.

Gabbett's method. Método de Gabbett. Para coloração dos bacilos da tuberculose // - **stain.** Coloração de Gabbett. Consiste em 1 parte de fucsina, 1 parte de álcool, 5 partes de fenol e 100 partes de água destilada.

Gabbler's hemiplegia. Hemiplegia de Gabbler. Hemiplegia associada com paralisia cruzada dos nervos cranianos.

gabianol. Gabianol.

Gaboon ulcer. Úlcera de Gaboon. Furúnculo oriental.

gad. Aguilhão, ferrão, vaguear, errar.

gadfly. Tavão besteiro.

gadinin. Gadinina. Ptomaína do pescado putre-facto e dos cultivos de fezes humanas.

gadolinium. Gadolínio. Elemento químico raro, de peso atômico 157 e símbolo "Gd".

gadoment. Uma pomada de óleo de fígado de ba-calhau.

gaduin. Gaduína. Princípio gorduroso básico do óleo de fígado de bacalhau.

Gadus. Gênero de peixes, a que pertence o baca-lhau.

gaff. Harpão, garfo.

Gaffkya. *Gaffkya tetragena.* Micrococo tetráge-no.

gag. Abridor de boca, amordaçar.

gage, gauge. Medir, arquear.

gaile, scabies. Sarna.

Gaillard-Arlt's suture. Sutura de Gaillard-Arlt. Método de sutura para a correção do entrópio.

Gairdner's test. Prova de Gairdner ou da moeda. Meio de conhecer a existência de pneumotórax que consiste em auscultar o tórax, enquanto em outra parte do mesmo percute-se com uma moeda sobre outra aplicada ao tórax. Produz-se som metálico sobre uma cavidade com ar.

Gaisböck's disease. Doença de Gaisböck. Poli-citemia hipertônica.

gait. Marcha.

gakhury. Planta da Índia denominada tecnica-mente de *Tribulus lanuginosus,* usada como medicamento tópico.

gala-. gala. Elemento grego que significa leite.

galactacrasia. Galactacrasia. Anormalidade na composição do leite.

galactaemia. Galactemia, lipemia.

galactagogin. Galactagogina. Hormônio galacta-gogo hipotético da placenta.

galactagogue. Galactagogo.

galactan. Carboidrato hemiceluloso que produz a galactose por hidrólise. O agar é exemplo bem conhecido.

galactase. Galáctase.

galactenzyme. Galactenzima. Preparação comer-cial do *Lactobacillus vulgaris.*

galactic. Galáctico, galactagogo.

galactidrosis. Galactidrose. Exsudação de um lí-quido semelhante a leite.

galactin. Galactina, prolactina.

galactischia. Supressão da secreção láctea.

galactite. Etilgalactose.

galactoblast. Galactoblasto. Corpúsculos do co-lostro.

galactocele. Galactocele. Cisto de glândula ma-mária que contém leite // Hidrocele cheia de líquido leitoso.

galactococcus. Galactococo.

galactocrasia. Galactacrasia.

galactogen, galactogenous. Galactógeno.

galactolipin. Galactolipina, cerebrosido.

galactoma. Galactoma, galactocele.

galactometastasis. Galactoplania. Secreção de leite em alguma parte anormal.

galactometer. Galactômetro. Instrumento para medir o peso específico do leite. Lactodensímetro, cremômetro.

galactopathy. Galactopatia.

galactopexy. Galactopexia. Operação plástica na mama.

galactophagous. Galactófago.

galactophlebitis. Galactoflebite *Flegmasia alba dolens.*

galactophlysis. Erupção de vesículas que contêm líquido leitoso.

galactophore. Galactóforo.

galactophoritis. Galactoforite. Inflamação dos ductos galactóforos.

galactophorous. Galactóforo, ama-de-leite.

galactophygous. Que detém a secreção láctea.

galactoplania. Secreção de leite em parte anormal; metástase láctea.

galactopoietic. Galactopoético.

galactopyra. Febre láctea.

galactorrhoea. Galactorréia, poligalactia.

galactose. Galactose.

galactosemia. Galactosemia.

galactosidase. Galactosídase.

galactoside. Galactosido.

galactosis. Galactose.

galactostasis. Galactostase.

galactosuria. Galactosúria.

galactotherapy. Galactoterapia.

galactotoxin. Galactotoxina.

galactotrophic. Galactotrófico.

galacturia. Galactúria.

galalith. Galalite.

galangal. Raiz de *Alpinia galanga.*

galbanum. Gálbano. Goma resinosa fétida.

Galbiati's operation. Operação de Galbiati. Sinfisiotomia.

galea. Gálea. Aponeurose epicranial.

Galeati's glands. Glândulas de Galeati. As criptas de Lieberkühn.

galeatus. Coberto de membrana.

Galeazzi's fracture, sign. Fratura de Galeazzi. Fratura de extremidade distal do rádio com luxação da extremidade distal do cúbito // Sinal de Galeazzi. Na luxação congênita do quadril, a curvatura da raque com o paciente de pé é produzida pelo encurtamento da perna.

Galega. Gênero de leguminosa venenosa.

galegine. Galegina. Alcalóide encontrado nas sementes da *Galega officinalis.*

Galen's nerve. Nervo de Galeno. Ramo do nervo laríngeo superior, que se anastomosa com o laríngeo inferior // **- veins.** Veias de Galeno. Veias coroídeas.

galenic. Galênico.

galenica. Relativo à doutrina de Galeno. // Nome dado aos remédios vegetais ou preparações de composição indefinida.

galenism. Galenismo. Doutrina de Galeno. A saúde e a doença dependeriam da interação de quatro humores: sangue, bile, linfa e pituita.

galeophilia. Galeofilia. Sin.: gatofilia, elurofilia.

galeophobia. Galeofobia, gatofobia.

galeropia, galeropsia. Galeropia ou galeropsia. Claridade da visão supernormal.

galipina. Galipina. Alcalóide cristalino do córtex da *Galipea custaria.*

Galippe's disease. Doença de Galippe. Gengivite alveolodental infecciosa.

gall. Bile // **- stone.** Cálculo biliar // **- nut.** Noz de galha.

Gall's craniology. Craniologia de Gall. Frenologia.

gallate. Galato. Sal de ácido gálico.

gallbladder. Vesícula biliar.

gallery. Galeria.

gallic acid. Ácido gálico.

gallium. Gálio.

gallon. Galão. Medida de capacidade (4,5435 litros).

gallop rhythm. Ritmo de galope.

gallsickness. Doença do gado vacum caracterizada por temperatura elevada, anemia e icterícia.

gallstone. Cálculo biliar.

Galton's whistle. Apito de Galton. Apito de metal utilizado para avaliar a acuidade auditiva.

galvanic. Galvânico // **- battery.** Bateria elétrica // **- electricity.** Galvanismo.

galvanization. Galvanização.

galvanocautery. Galvanocautério: cautério aquecido pela corrente galvânica.

galvanocontractility. Galvanocontratilidade.

galvanofaradization. Galvanofaradização.

galvanometer. Galvanômetro. Instrumento para determinar a existência de uma corrente elétrica e determinar sua direção e intensidade.

galvanopuncture. Galvanopuntura, eletropuntura.

galvanoscope. Galvanoscopia.

galvanosurgery. Galvanocirurgia.

galvanotaxis. Galvanotaxia.

galvanotherapy. Galvanoterapia.

galvanothermy. Galvanotermia.

galvanotonus. Galvanótono.

galvanotropism. Galvanotropismo, eletrotropismo.

gambir. Extrato seco de folhas e brotos de cato (catechu).

gamete. Gameta. Célula sexual.

gametic. Gamético.

gametoblast. Gametoblasto.

gametocide. Gametocida.

gametocyte. Gametócito.

gametogenesis, gametogeny. Gametogênese.

gametogenic. Gametogênico.

gametophyte. Gametófito.

gametotropic. Gametotrópico.

Gamgee tissue. Tecido de gaze e algodão.

gamma. Gama. Terceira letra do alfabeto grego // - **rays.** Raios gama // - **streptococci.** Estreptococos não hemolíticos.

Gamma disease. Doença de Gamma. Espécie de esplenomegalia.

gammacism. Gamacismo.

gamogenesis. Gamogênese. Reprodução sexuada.

gamogenetic. Gamogenético.

gamomania. Gamomania.

gamut. Escala gama.

Gandy-Gamma nodule. Nódulo de Gandy-Gamma. Nódulos amarelos observados às vezes em casos de esplenomegalia.

ganglial, gangliar. Ganglial.

gangliate, gangliated. Gangliado.

gangliectomy. Gangliectomia.

gangliform. Gangliforme.

gangliitis. Inflamação de um gânglio (ganglite).

ganglioblast. Ganglioblasto.

gangliocyte. Gangliocito.

ganglioma. Ganglioma.

ganglion. Gânglio // - **cardiac.** Gânglio cardíaco // - **ciliary.** Gânglio ciliar // - **compound palmar.** Gânglio composto palmar // - **diaphragmaticum.** Gânglio diafragmático // - **facial.** Gânglio geniculado. // - **Gasserian.** Gânglio de Gasser. // - **impar.** Gânglio ímpar. // - **inferior cervical.** Gânglio cervical inferior. // - **inferior of vagus.** Gânglio inferior do vago. // - **jugular.** Gânglio jugular. // - **lenticular.** Gânglio lenticular. // - **middle cervical.** Gânglio cervical médio. // - **of Bochdalek.** Gânglio de Bochdalek. // - **of Corti.** Gânglio de Corti. // - **of Froriep.** Gânglio de Froriep. // - **of Meckel.** Gânglio de Meckel. // - **of Scarpa.** Gânglio de Scarpa. // - **of Valentin.** Gânglio de Valentin.// - **otic.** Gânglio ótico. // - **petrous.** Gânglio petroso. // - **phrenic.** Gânglio frênico. // - **sphenopalatine.** Gânglio esfenopalatino. // - **spiral.** Gânglio espiral. // - **splanchnic.** Gânglio esplâncnico. // - **stellate.**

Gânglio estrelar. // - **submandibular.** Gânglio submandibular. // - **superior cervical.** Gânglio cervical superior. // - **superior mesenteric.** Gânglio mesentérico superior. // - **superior of vagus.** Gânglio superior do vago. // - **trigeminal.** Gânglio trigeminal. // - **Wrisberg's.** Gânglio de Wrisberg.

ganglionectomy. Gangliectomia.

ganglioneuroma. Ganglioneuroma.

ganglioneuron. Ganglioneurônio.

ganglionic. Ganglial.

ganglionitis. Inflamação de um gânglio (gangleíte).

Gangolphe's sign. Sinal de Gangolphe. Efusão serossangüínea abdominal nos casos de hérnia estrangulada.

gangosa. Gangosa. Sin.: otorrinofaringite mutilante.

gangrene. Gangrena. // - **diabetic.** Grangrena diabética. // - **dry.** Gangrena seca. // - **gas.** Gangrena gasosa. // - **moist.** Gangrena úmida. // - **senile.** Gangrena senil.

gangrenescent. Que está em necrose.

grangrenous. Gangrenoso.

gangway. Passagem.

Gant's line. Linha de Gant. Linha imaginária, sob o trocanter maior, que serve de guia na secção do fêmur.

Gantzer's accessory bundle. Feixe acessório de Gantzer. Fibras musculares que se unem no flexor longo do polegar. // - **muscle.** Músculo de Gantzer. Músculos acessórios e flexores profundos dos dedos.

gap. Espaço, fenda, solução de continuidade.

Gardiner-Brown's test. Prova de Gardiner-Brown nas afecções do labirinto: a condução óssea não é tão boa como a normal.

Garel's sign. Sinal de Garel. Falta de percepção luminosa no lado afetado nas afecções do seio maxilar pela transiluminação elétrica.

Gargarism, gargarisma. Gargarejo.

gargle. Gargarejo, gargarejar.

gargoylism. Gargoilismo.

Garland's S-curve. Curva em "S" de Garland (v. *"Ellis's sign"*).

garlic. Alho.

garment. Roupa, vestuário.

Garrod's test. Reação de Garrod. Para a hematoporfirina na urina.

garrot. Torniquete, garrote.

garroting. Garrotear.

Gärtner's cyst. Cisto de Gärtner. // Tumor cístico desenvolvido a partir do ducto de Gärtner. // - **duct.** Ducto de Gärtner. Estende-se do ligamento largo à parede uterina e da vagina durante a vida intra-uterina, constituindo o vestígio da porção principal do ducto de Wolff.

gas. Gás. // **- bacilli.** Bacilo gasoso. // **- gangrene.** Gangrena gasosa.

gaseous. Gasoso.

gash. Golpe, ferida profunda.

Gaskell's bridge. Ponte de Gaskell. Feixe atriventricular. // **- nerves.** Nervos de Gaskell. Nervos cárdio-aceleradores.

gasometer. Gasômetro. Aparelho para determinar a quantidade de gás que passa por uma tubulatura na unidade de tempo.

gasp. Suspiro, suspirar.

gassed. Submetido à ação de gases venenosos, gasado.

gasserectomy. Gasserectomia.

Gasserian ganglion. Gânglio de Gasser. Gânglio semilunar do trigêmeo.

gaster. Estômago, ventre.

gastradenitis. Gastradenite.

gastral. Gástrico.

gastralgia. Gastralgia.

gastratrophia. Atrofia gástrica.

gastrectasia, gastrectasis. Gastrectasia. Dilatação gástrica.

gastrectomy. Gastrectomia.

gastric. Gástrico. // **- crisis.** Crise gástrica. // **- influenza.** Influenza gástrica. // **- juice.** Suco gástrico. // **- tetany.** Tétano gástrico. // **- ulcer.** Úlcera gástrica.

gastricism. Gastricismo. Transtorno gástrico, como a dispepsia ou indigestão.

gastrin. Gastrina. Hormônio da mucosa gástrica.

gastritis. Gastrite.

gastro-, gaster, gastr. Elemento grego relacionado com estômago ou ventre.

gastroadenits. Gastroadenite.

gastroadynamic. Gastroadinâmico. Estado adinâmico do estômago.

gastroalbumorrhea. Secreção de substância protéica pelo estômago.

gastroamorphus. Gastroamorfo. Monstro gêmeo, carente de estômago.

gastroanastomosis. Gastroanastomose.

gastroatonia. Gastroatonia.

gastroblenorrhea. Gastroblenorréia. Abundante secreção de muco pelo estômago.

gastrobrosis. Gastrobrose. Perfuração do estômago por úlcera ou corrosão.

gastrocamera. Gastrocâmara. Pequena câmara fotográfica para obter fotografias do interior do estômago.

gastrocardiac. Gastrocardíaco.

gastrocele. Gastrocele. Hérnia do estômago.

gastrochronorrhea. Gastrocronorréia. Hipersecreção crônica do estômago.

gastrocnemius. Gastrocnêmios. Gêmeos; músculos da perna, que, com o solear constituem o bíceps sural.

gastrocolic. Gastrocólico. Que tem relações com estômago e cólon.

gastrocolitis. Gastrocolite.

gastrocoloptosis. Gastrocoloptose.

gastrocolostomy. Gastrocolostomia.

gastrocolpotomy. Gastrocolpotomia.

gastrodialysis. Gastrodiálise.

gastrodiaphane, gastrodiaphanoscopy. Gastrodiafonoscópio, gastrodiafanoscopia. Exploração do estômago por transparência mediante lâmpada elétrica introduzida no estômago.

gastrodidymus. Gastrodídimo. Duplo monstro com uma só cavidade abdominal.

gastroduodenal. Gastroduodenal.

gastroduodenitis. Gastroduodenite.

gastroduodenostomy. Gastroduodenostomia.

gastrodynia. Gastrodinia.

gastroenteralgia. Gastrenteralgia.

gastroenteric. Gastrentérico, gastrintestinal.

gastroenteritis. Gastrenterite.

gastroenteroanastomosis. Gastrenteranastomose.

gastroenterocolitis. Gastrenterocolite.

gastroenterocolostomy. Gastrenterocolostomia. Anastomose entre estômago, intestino e cólon.

gastroenterology. Gastrenterologia.

gastroenteropathy. Gastrenteropatia.

gastroenteroplasty. Gastrenteroplastia.

gastroenteroptosis. Gastrenteroptose.

gastroenterostomy. Gastrenterostomia.

gastroenterotomy. Gastrenterotomia.

gastroepiploic. Gastrepiplóico.

gastroesophageal. Gastresofágico.

gastroesophagitis. Gastresofagite.

gastroesophagostomy. Gastresofagostomia.

gastrofaradization. Gastrofaradização.

gastrogalvanization. Gastrogalvanização.

gastrogastrostomy. Gastrogastrostomia.

gastrogavage. Alimentação por sonda gástrica.

gastrogenic. Gastrogênico.

gastrogenous. Gastrogênico.

gastrograph. Gastrógrafo. Aparelho para registrar os movimentos peristálticos do estômago.

gastrohelcosis. Gastrelcose. Úlcera gástrica.

gastrohepatic. Gastrepático.

gastrohepatitis. Gastrepatite.

gastrohydrorrhea. Gastridrorréia.

gastrohyperneuria. Gastriperneúria.

gastrohypertonic. Gastripertonia.

gastrohyponeuria. Gastriponeuria.

gastrohysterectomy. Gastristerectomia.

gastrohysteropexy. Gastristeropexia.

gastrohysterorrhaphy. Gastristerorrafia.

gastrohysterotomy. Gastristerotomia.

gastroileitis. Gastrileíte.

gastroileostomy. Gastrileostomia.

gastrointestinal. Gastrintestinal.

gastrojejunal. Gastrojejunal.

gastrojejunostomy. Gastrojejunostomia.

gastrokateixia. Gastroptose.

gastrokinesograph. Aparelho para determinar os movimentos peristálticos do estômago.

gastrolienal. Gastrolienal.

gastrolith. Gastrólito.

gastrolithiasis. Gastrolitíase.

gastrology. Gastrologia.

gastrolysis. Gastrólise. Liberação de aderências com o estômago.

gastromalacia. Gastromalácia.

gastromegaly. Gastromegalia.

gastromelus. Gastrômelo. Monstro com os membros inseridos no abdome.

gastromenia. Gastromenia. Menstruação vicariante pelo estômago.

gastromeningitis. Gastromeningite.

gastromycosis. Gastromicose.

gastromyotomy. Gastromiotomia, pilorotomia.

gastromyxorrhea. Gastromixorréia. Excessiva secreção mucosa pelo estômago.

gastronephritis. Gastronefrite.

gastrooesophageal. Gastresofágico.

gastropancreatitis. Gastropancreatite.

gastroparalysis. Paralisia gástrica. Gastroplegia.

gastroparesis. Paresia gástrica.

gastroparietal. Relativo ao estômago e à parede abdominal.

gastropathy. Gastropatia.

gastropexy. Gastropexia.

gastrophore. Gastróforo. Instrumento para fixar o estômago e coaptar suas paredes durante as operações sobre este órgão.

gastrophotography. Gastrofotografia.

gastrophrenic. Gastrofrênico.

gastroplasty. Gastroplastia.

gastroplegia. Gastroplegia. Paralisia das paredes gástricas.

gastroptosis. Gastroptose. Deslocamento do estômago para baixo.

gastrorrhagia. Gastrorragia.

gastrorrhaphy. Gastrorrafia.

gastrorrhexis. Gastrorrexia: ruptura do estômago.

gastrorrhoea. Gastrorréia.

gastroschisis. Gastrósquise. Malformação congênita em que a parede abdominal é fendida.

gastroscope. Gastroscópio. Instrumento para exame direto, pela visão, do interior do estômago.

gastroscopy. Gastroscopia.

gastrosplenic. Gastrosplênico.

gastrostenosis. Gastrostenose.

gastrostomy. Gastrostomia.

gastrotrachelotomy. Gastrotraquelotomia. Operação cesárea através do colo uterino.

gastrotympanitis. Gastrotimpanite.

gastrula. Gástrula. Forma do embrião que segue ao período de blástula.

gastrulation. Gastrulação.

gate. Portão, entrada.

gathering. Abscesso, acúmulo.

Gaucher's disease. Doença de Gaucher. Anemia esplênica que se distingue por seu aparecimento freqüente em indivíduos da mesma família e por se observarem no baço células grandes com um ou vários núcleos e um citoplasma homogêneo e brilhante.

gaudy. Bizarro, brilhante.

gauge. Medir. Aferir.

gaultheria oil. Óleo de gaultheria (ericácea).

gaunt. Fraco, delgado.

gauntlet. Manopla, luva longa. Bandagem .em "M" ou "G".

gauze. Gaze. // - **antiseptic.** Gase antisséptica.

gavage. Alimentação por sonda.

Gavard's muscle. Músculo de Gavard. Fibras musculares oblíquas da parede gástrica.

Gay's glands. Glândulas de Gay. Glândulas sudoríparas anais muito desenvolvidas.

Gay-Lussac's law. Lei de Gay-Lussac. O volume de um gás a uma pressão constante varia diretamente com a temperatura.

gear. Engrenagem, transmissão.

Gee's disease. Doença de Gee. Doença celíaca.

Gegenbaur's cells. Células de Gegenbaur. Osteoblastos.

Geigel's reflex. Reflexo de Geigel. Reflexo inguinal na mulher, que corresponde ao reflexo cremastérico no homem.

Geiger-Müller counter. Contador de Geiger-Müller. Instrumento para detectar e contar as partículas carregadas emitidas de uma fonte radiativa.

gel. Gel. Colóide de forma gelatinosa.

gelatin, gelatine. Gelatina.

gelatinous. Gelatinoso.

gelation. Gelação. Conversão de um sol em gel.

gelidity. Gelado. Frio extremo.

Gellé's test. Prova de Gellé. Prova do diapasão para as afecções da cadeia óssea do tímpano.

Gély's suture. Sutura de Gély. Sutura intestinal contínua mediante um fio com uma agulha em cada extremo.

gemellary, paired. Gemelar.

gemellus. Gêmeo.

geminate, geminous. Geminado, par, disposto dois a dois.

gemmation. Gemação.

gena. Bochecha.

gender. Engendrar, gênero.

gene. Gene. Fator hereditário.

genealogy. Genealogia.

general. Geral.

generalize. Generalizar.

generate. Gerar, originar.

generation. Geração.

generative. Gerativo.

generic. Genérico.

genesis. Gênese. Reprodução. Origem ou desenvolvimento.

genetic. Genético.

genetics. Genética.

genial. Genial.

geniculate. Geniculado.

genioglossal. Genioglosso.

genioglossus. Músculo genioglosso.

geniohyoid. Genioioídeo.

genion. Gênio. Ponto craniométrico situado na protuberância mental.

genioplasty. Genioplastia.

genital. Genital.

genitalia, genitals. Genitália, genitais.

genitofemoral. Genitofemoral.

genitourinary. Geniturinário.

genius. Gênio. Caráter de uma afecção especialmente de enfermidade epidêmica.

Gennari's ban, line or layer. Faixa ou linha de Gennari. Linha formada por uma massa densa de fibras na camada média do córtex cerebral.

geno. Elemento grego com a significação de engendrar.

genoblast. Genoblasto.

genotype. Genótipo.

gentian. Genciana. Nome dado às plantas do gênero "genciana".

gentle. Suave.

genu, knee. Joelho.

genuclast. Genuclasto.

genuflexion. Genuflexão.

genuine. Genuíno.

genupectoral. Genupeitoral.

genus. Gênero.

genyantritis. Geniantrite.

Geocyclus. Gênero de esquizomicetos.

geophagism. Geofagismo.

Georget's stupidity. Síndrome confusional de Georget. Confusão mental simples sem alucinações.

geratic. Da velhice (gerôntico).

geratology, gereology. Geriatria.

Gerdy's fibres. Fibras de Gerdy. Fibras do ligamento transverso superficial dos dedos entre os espaços interdigitais, em sua superfície palmar. // - ligament. Ligamento de Gerdy. Porção mais inferior da fáscia claviculopeitoral que se une à fascia axilar.

Gerhardt's sign. Sinal de Gerhardt. Mudança de som de percussão, segundo a posição do enfermo no hidropneumotórax.

Gerhardt's test. Reação de Gerhardt, na urina, para pesquisa de pigmentos biliares.

geriatrics. Geriatria.

Gerlach's valve. Válvula de Gerlach. Prega circular que se observa às vezes no orifício proximal do apêndice cecal.

Gerlier's disease. Doença de Gerlier. Vertigem paralisante endêmica.

germ. Germe, microrganismo, esporo, broto.

German measles. Sarampo germânico, roséola epidêmica. Rubéola.

Germanin. Germanina, suramina.

germicidal, germicide. Germicida.

germiculture. Germicultura.

germifuge. Germífugo.

germinal. Germinativo.

germination. Germinação.

germinative. Germinativo.

geroderma. Geroderma. Distrofia da pele na velhice.

geromorphism. Geromorfismo.

gerontic. Gerôntico.

gerontology. Gerontologia.

gerontoxon. Gerontoxo (Arcus senilis).

Gerota's capsule. Cápsula de Gerota. A fáscia renal.

Gersuny's symptom. Sintoma de Gersuny. Sensação particular de aderência da mucosa intestinal à massa fecal, percebida pela palpação puntidigital em casos de copróstase.

gestalt, form. Forma, figura.

gestation, pregnancy. Gestação, prenhez, gravidez.

get. Obter, receber.

geumaphobia. Geumafobia. Aversão mórbida aos sabores.

Ghon-Sach's bacillus. Bacilo de Ghon-Sach. *Clostridium septicum.*

ghatti gum. Goma obtida de uma árvore da Índia.

ghost. Fantasma, espírito.

Giacomini's band. Faixa de Giacomini. Faixa cinzenta que forma a extremidade anterior da fáscia dentada do hipocampo.

Giannuzzi's cells. Células de Giannuzzi (crescentes de Giannuzzi). Grupos de células granulares próximos da membrana basal das glândulas mucosas.

giant. Gigante. // - **cell sarcoma.** Sarcoma de células gigantes.

giantism. Gigantismo.

Giardia Lamblia. Gênero de protozoários flagelados. // Sin.: Cercômonas, *Lamblia intestinalis, Megastoma entericum.*

giardiasis. Giardíase.

Gibbon's hernia. Hérnia de Gibbon. Hérnia associada a hidrocele.

gibbosity. Gibosidade.

gibbous. Giboso.

gibbus, hump. Giba.

Gibert's disease. Doença de Gibert. Pitiríase rosada.

Gibson's bandage. Bandagem de Gibson. Usada em fraturas da mandíbula.

Gibson's rule. Regra de Gibson. Na pneumonia, se a pressão do pulso em milímetros de mercúrio não é inferior ao número de pulsações, o prognóstico é bom.

giddiness. Vertigem.

Giemsas's stain. Coloração de Giemsa. Usada em hematologia.

Gierke's corpuscles. Corpúsculos de Gierke. Corpos arredondados encontrados no sistema nervoso, provavelmente idênticos aos corpúsculos de Hassall.

Gierke's disease. Doença de Gierke. Glicogenose.

Gifford's reflex. Reflexo ou sinal de Gifford. Contração pupilar ao fazer um esforço para fechar as pálpebras, mantidas separadas.

gigantism. Gigantismo.

gigantoblast. Gigantoblasto.

gigantocyte. Gigantócito.

gigantosoma. Gigantossomo.

giggle. Rir-se por nada.

Gigli's operation. Operação de Gigli. Pubiotomia. // - **saw.** Serra de Gigli. Serra de cadeia para a operação de Gigli.

Gilbert's sign. Sinal de Gilbert. Na cirrose hepática, a secreção da urina é mais rápida durante o jejum, que depois da comida.

Gilchristia dermatitides. Doença ou micose de Gilchrist. Blastomicose americana.

gill. Guelras, brânquias.

gill or gille. Um quarto de uma pinta. Medida cúbica: 14 cm^3.

Gilles de la Tourette's disease. Doença de Gilles de la Tourette. Forma de tico com incoordenação motora, ecolalia e coprolalia. // - **sign.** Sinal de Gilles. Inversão da relação existente na urina entre os fosfatos alcalino-terrosos e os alcalinos, observa-se nos paroxismos da histeria.

Gillette's suspensory ligament. Ligamento de Gillette. Ligamento suspensor do esôfago.

Gimbernat's ligament. Ligamento de Gimbernat. Porção pectínea do ligamento inguinal.

gin. Genebra.

ginger. Gengibre.

gingiva. Gengiva.

gingival. Gengival.

gingivitis. Gengivite.

gingivoglossitis. Gengivoglossite.

ginglymoid. Ginglimóide. Semelhante ao gínglimo.

ginglymus. Gínglimo. Variedade de diartrose que permite movimentos de deslizamento e rotação e a combinação de ambos.

Giovannini's disease. Doença de Giovannini. Afecção nodular rara do cabelo, devido a um fungo.

Giraldés's organ. Órgão de Giraldés. Paradídimo. Corpo situado em cima do epidídimo, que consta de tubos fechados e representa o resto da porção posterior do corpo de Wolff. Sin.: massa inominada, parepidídimo.

girdle. Bandagem ao redor do corpo. // - **anaesthesia.** Anestesia em cinturão. // - **pain.** Dor em cinturão.

Girdner's probe. Sonda de Girdner. Usa-se em cirurgia de guerra. Um fragmento metálico se prende na extremidade de um fio telefônico e o outro extremo se fixa a um disco de metal. O disco se coloca sobre a pele. Se o extremo livre tropeça com uma bala no corpo, o cirurgião ouve um ruído de golpe no receptor.

girl. Menina.

Giuffrida-Ruggieri stigma of degeneration. Estigma de Giuffrida-Ruggieri. Fossa glenoídea, ausente ou insuficiente.

give. Dar.

glabella, glabellus. Glabela, intercílio.

glabrification. Glabrificação.

glabrous. Glabro. Desprovido de pêlos e glândulas, liso.

glacial. Glacial.

glad. Alegre, contente, agradecido.

gladiate. Gladiado, ensiforme.

gladiolus. Gladíolo, mesosterno.

glair. Clara de ovo.

glairy. Viscoso, mucóide.

glance. Olhar.

gland. Glândula. // - **adrenal.** Glândula suprarenal. // - **Bartholin's.** Glândula de Bartholin. // - **of Blandin.** Glândula de Blandin. // - **Bowman's.** Glândula de Bowman. // - **Brunner's.** Glândula de Brunner. // - **buccal.** Glândula bucal. // - **bulbourethral.** Glândula bulbo-uretral. // **ceruminous.** Glândula ceruminosa. // - **ciliary.** Glândula ciliar. // - **Cloquet's.** Glândula de Cloquet. // - **Cowper's.** Glândula de Cowper. // - **Erbner's.** Glândula de Erbner. // - **endocrine.** Glândula endócrina. // - **excretory.** Glândula excretora. // - **gastric.** Glândula gástrica. // - **greater vestibular.** Glândula de Bartholin. // - **haemal.** Glândula hemolinfática.m // - **Haversian's.** Glândula de Havers. // - **intestinal.** Glândula intestinal. // - **labial.** Glândula labial. // - **lacrimal.** Glândula lacrimal. // - **Littré's.** Glândula de Littré. // - **mammary.** Glândula mamária. // **Meibomian.** Glândula de Meibômio. // - **molar.** Glândula molar. // - **of Moll.** Glândula de Moll. // - **nasal.** Glândula nasal. // - **of Nuhn.** Glândula de Nuhn. // - **parathyroid.** Glândula paratireóide. // - **parotid.** Glândula parótida. // - **prostatic.** Glândula prostática. // - **sublingual.** Glândula sublingual. // - **submandibular.** Glândula submandibular. // - **submaxillary.** Glândula submaxilar. // **suprarenal.** Glândula suprarenal. // - **thymus.** Timo. // **thyroid.** Glândula tireóide. // - **urethral.** Glândula uretral. // - **of uterus.** Glândula do útero. // - **Webers's.** Glândula de Webers.

glanders. Mormo.

glandiform. Glandiforme, adenóide.

glandilemma. Glandilema, prepúcio.

glandula, glandule. Glândula diminuta.

glandular. Glandular.

glans. Glande. Sin.: bálano.

glare. Deslumbramento.

Glaser's artery. Artéria de Glaser. Artéria timpânica. // - **fissure.** Fissura glenoídea que divide a fossa glenoídea do osso temporal.

glass. Cristal, vidro.

glassy. Vítreo, hialino.

Glauber's salt. Sal de Glauber. Decaidrato de sulfato de sódio.

glaucoma. Glaucoma.

gleam. Resplendor.

gleet. Uretrite crônica, blenorréia.

gleety. Uretrismo.

Glénard's disease. Doença de Glénard. Enteroptose.

glenohumeral. Gleno-umeral.

glenoid. Glenóide.

Gley's glands. Glândulas de Gley. Glândulas paratireóides.

glia. Glia, neuróglia.

glial. Glial.

glide. Resvalar, deslizar.

gliobacteria. Gliobactéria.

glioblastoma multiforme. Glioblastoma multiforme. Glioblastoma, espongioblastoma multiforme.

gliocytoma. Gliocitoma.

glioma. Glioma.

gliomatosis. Gliomatose.

gliomatous. Gliomatoso.

gliomyoma. Gliomioma.

gliomyxoma. Gliomixoma.

glioneuroma. Glioneuroma.

gliosa. Substância cinzenta da medula.

gliosarcoma. Gliossarcoma.

gliosis. Gliose.

gliosome. Gliossomo.

glischrin. Gliscrina. Tipo nitrogenado de mucosidade produzida na urina com bactérias "Gliscrogenum".

glischruria. Presença de gliscrina na urina, variedade de mucinúria.

Glisson's capsule. Cápsula de Glisson. O tecido conjuntivo do fígado que envolve a veia porta, a artéria hepática e o ducto hepático. // - **sphincter.** Esfíncter de Glisson. Esfíncter de Oddi do ducto biliar.

glissonitis. Glissonite.

globate. Globular, esferóide.

globe. Globo.

globin. Globina.

globinometer. Globinômetro. Instrumento para determinar a proporção de oxiemoglobina no sangue; hemoglobinômetro.

globular. Globular.

globule. Glóbulo.

globulin. Globulina.

globulinuria. Globulinúria.

globulism. Globulismo.

globus. Globo.

glomangioma. Glomo.

glomerate. Glomerulado.

glomerular. Glomerular.

glumerule, glomerulus. Glomérulo.

glomerulitis. Glomerulite.

glomerulonephritis. Glomerulonefrite.

glomus. Glomo. // - **cell.** Célula glômica. // - **coccigeal.** Glomo coccígeo. // - **tumour.** Tumor glômico.

gloomy. Tenebroso, melancólico.

glory. Glória.

glossa, tongue. Língua.

glossal. Lingual.

glossalgia. Glossalgia.

glossectomy. Glossectomia.

Glossina. Gênero de moscas ao qual pertencem as chamadas Tsé-Tsé.

glossitis. Glossite.

glossocele. Glossocele.

glossoepiglottidean. Glossoepiglótico.

glossograph. Glossógrafo. Aparelho que registra os movimentos da língua na linguagem.

glossohyal, glossohyoid. Glossoioídeo.

glossoid. Glossóide.

glossology. Glossologia.

glossolysis. Glossólise.

glossoncus. Tumor ou tumefação da língua.

glossopalatino, glossopalatinus. Glossopalatino.

glossopathy. Glossopatia.

glossopharyngeal. Glossofaríngeo.

glossoplasty. Glossoplastia.

glossoplegia. Glossoplegia.

glossoptosis. Glossoptose. Macroglossia.

glossorrhaphy. Glossorrafia.

glossospasm. Glossospasmo.

glossotomy. Glossotomia.

glossotrichia. Glossotriquia. Língua pilosa.

glossyskin. Pele lucente, transtorno trófico da pele.

glottic. Glótico.

glottis. Glote.

glover's stich or suture. Sutura de luveiro.

gloves. Luvas.

glucaemia, glycaemia. Glicemia.

glucide. Glicídio.

glucohaemia. Glicemia.

glucolysis. Glicólise.

gluconeugenesis. Gliconeogênese.

gluconic acid. Ácido glicônico.

glucoprotein. Glicoproteína.

glucosamine. Glicosamina.

glucose. Glicose.

glucosuria. Glicosúria.

glucotropic. Glicotrópico.

glucyl. Glicil.

glue. Cola, glúten.

Gluge's corpuscles. Corpúsculos de Gluge. Célula migratória do tecido conjuntivo que contém núcleo, gordura e detritos granulares.

glum. Mal-humorado, displicente.

gluside. Sacarina.

glutamic acid. Ácido glutâmico.

glutamine. Glutamina.

glutathione. Glutatião. Tripeptídeo composto de glicocola, cistina e ácido glutâmico, atua como transportador de oxigênio.

gluteal. Glúteo.

glutei. Glúteos (músculos).

gluten. Glúten; cola vegetal.

gluteofemoral. Gluteofemoral.

gluteoinguinal. Gluteoinguinal.

gluteus. Músculos glúteos.

glutinous. Glutinoso, viscoso, pegajoso, adesivo.

glutoid. Glutóide.

glycaemia. Glicemia, hiperglicemia.

glycase. Glícase. Enzima que converte a maltose em glicose.

glycerate. Glicerato.

glyceride. Glicérida, gordura neutra.

glycerin, glycerine. Glicerina.

glicerol. Glicerol, glicerina, glicerito.

glycerose. Glicerose.

glyceryl. Glicerilo, radical trivalente da glicerina.

glycin, glycine. Glicina-, glicocola ou glicocina.

glycogen. Glicogênio. Sin.: amido animal, dextrina animal, hepatina e zoamilina.

glycogenase. Glicogenase.

glycogenesis. Glicogênese.

glycogenolysis. Glicogenólise.

glycogenosis. Glicogenose. Sin.: enfermidade de von Gierke, enfermidade glicogênica, hepatonefromegalia glicogênica, tesaurismose glicogênica.

glycogeusia. Glicogeusia. Sensação subjetiva de sabor açucarado.

glycohaemia. Glicemia.

glycol. Glicol. Álcool hídrico alifático.

glycolate. Glicolato.

glycolic acid. Ácido glicólico.

glycolipid. Glicolipídio.

glycolysis. Glicólise.

glyconeogenesis. Gliconeogênese.

glycopenia. Glicopenia.

glycopexis. Glicopexia. Fixação de açúcar nos tecidos.

glycophenol. Glicofenol.

glycoside. Glicosido.

glycosometer. Glicosômetro: usado para determinar açúcar na urina.

glycosuria. Glicosúria.

glycuronic acid. Ácido glicurônico.

glycuronuria. Glicuronúria.

Glycyrrhiza. *Glycyrrhiza.* Gênero de plantas leguminosas.

glyoxal. Glioxal. Produto de oxidação do acetaldeído.

glyoxalase. Glioxálase. Enzima que se apresenta nos tecidos de todos os animais, exceto no pâncreas e nódulos linfáticos.

G.M.C. Abreviatura de "General Medical Council": Conselho Médico Geral.

Gmelin's test. Reação de Gmelin, para determinar pigmentos biliares na urina.

gnath, gnat, gnato. Elemento grego que significa mandíbula ou maxilar.

gnathic. Gnático, mandibular.

gnathion. Gnátio. Ponto craniométrico situado no extremo inferior da linha médio-mandibular.

gnathocephalus. Gnatocéfalo.

gnatoschisis. Gnatósquise. Fissura congênita do maxilar.

gnathostoma. Gnatóstoma. Vermes nematóides parasitos dos animais domésticos.

gnaw. Roer.

G.N.C. Abreviatura de "General Nursing Council". Conselho Geral de Enfermagem.

gnosis. Gnose. Faculdade de perceber e reconhecer.

go. Ir.

Goa powder. Pó de Goa. Pó de madeira da *Andira araroba.*

goatpox. Varíola caprina. Doença infecciosa aguda das cabras.

Godélier's law. Lei de Godélier. A tuberculose peritoneal.

godemiche. Pênis artificial, usado em casos de sadismo.

Godman's fascia. Fáscia de Godman. Continuação da fáscia peritraqueal do tórax e pericárdio.

Goethe's bone. Osso de Goethe. Osso intermaxilar. Osso quadrado entre a base do crânio e o maxilar inferior das aves. // Osso da vida fetal situado entre ambas as maxilas.

Goetsch's skin reaction. Reação cutânea de Goetsch. A injeção intracutânea de adrenalina produz no hipertireoidismo uma zona branca ao redor da punção e uma zona avermelhada ao redor da branca. Essa zona avermelhada adquire cor cinza azulada que persiste por quatro horas.

Goffe's operation. Operação de Goffe. Método de operação para a cistocele vaginal.

goggles. Óculos protetores.

goitre, goiter. Bócio. // - **colloid.** Bócio colóide. // - **exophthalmic.** Bócio exoftálmico. // - **simple.** Bócio simples. // - **substernal.** Bócio retrosternal. // - **toxic.** Bócio tóxico.

goitrogenic. Bocígeno.

goitrogenicity. Bocigenicidade.

goitrogenous. Bocígeno.

Goldberger's diet. Dieta de Goldberger. Usada na pelagra na qual a uma dieta mista se acrescentam 30g de levedura seca de cerveja.

Goldblatt's clamp. Pinça de Goldblatt. Usada na compressão da artéria renal, na produção de hipertensão experimental.

Golden's sign. Sinal de Golden. Palidez do colo uterino como sinal de gravidez tubária.

Goldflam's disease. Doença de Goldflam. Miastenia grave pseudoparalítica.

Goldscheider's disease, percussion. Doença de Goldscheider. Epidermóide ampolar hereditária. Percussão de Goldscheider: dactiloplessimétrica, em que o dedo percute sobre um plessímetro cilíndrico de vidro que é provido em uma de suas extremidades, de uma esfera de borracha, que se apóia no espaço intercostal.

Goldstein's disease, sign, rays. Doença de Goldstein. Telangiectasia hereditária familiar, com epistaxe. // Sinal de Goldstein. No cretinismo ou idiotia, o espaço entre o hálux e os outros podartículos é maior. // Raios de Goldstein ou raios canais. Raios formados no tubo de Crookes, que tem o cátodo perfurado· constam de íons positivos, análogos aos raios alfa (α).

Goldthwait's operation, symptom. Operação de Goldthwait. Incisão longitudinal do tendão da rótula e transplante e sutura da metade externa no periósteo da superfície ântero-medial da tíbia, na luxação recidivante da rótula. // Sintoma ou Sinal de Goldthwait. Estando o paciente em decúbito supino, o examinador, com uma das mãos aplicadas na porção inferior da raque, levanta com a outra a perna estendida. Se se sente dor antes de mover-se a coluna lombar, trata-se de torção da articulação sacro ilíaca.

Golgi's apparatus. Aparelho de Golgi. Rede intracelular de fibras finíssimas que se tingem de negro com o ácido ósmico e se destroem pelos dissolventes dos lipóides. // - **cells.**

Células de Golgi, astrócitos. Células de neuróglia com numerosos prolongamentos radiados em todos os sentidos. // **- funnels.** Infundíbulos de Golgi. Espirais fibrilares em que Golgi supõe se acharem incluídas as fibras nervosas de mielina.

Golgi-Mazzoni's corpuscles. Corpúsculos de Golgi-Mazzoni (v. *Mazzoni*).

Golgi-Rezzonico's funnels. Infundíbulos de Golgi-Rezzonico. (v. *Golgi's funnels*).

Goll's column. Coluna de Goll. Porção que ocupa a parte média da coluna branca cervical posterior e a torácica superior da medula espinal. Sin.: fascículo grácilis. // **- nucleus.** Núcleo de Goll. Núcleo da porção basal da pirâmide posterior do bulbo.

Goltz's experiment. Experiência de Goltz. Golpeando-se o ventre de uma rã, produz-se detenção da ação cardíaca.

Gombault's degeneration. Degeneração de Gombault. Degeneração periaxilar.

Gombault-Philippe triangle. Triângulo de Gombault-Philippe. Espaço triangular no cone medular, formado pelas fibras que constituem o campo oval de Flechsig.

gomphiasis. Gonfíase. Frouxidão dos dentes.

gol. Elemento grego que indica relação com a rótula.

gonacratia. Espermatorréia.

gonad. Gônada.

gonadal. Gonadal.

gonadectomy. Gonadectomia.

gonadopathy. Gonadopatia.

gonadotrophin. Gonadotrofina.

gonadotropic. Gonadotrópico.

gonagra. Gonagra. Gota no joelho.

gonangiectomy. Gonangiectomia.

gonarthritis. Gonartrite.

gonarthrotomy. Gonartrotomia.

Gongylonema. Gênero de nematódeos, filáricos.

gonid, gonidium. Gonídia.

goniocraniometry. Goniocraniometria.

goniometer. Goniômetro. Instrumento para medir os ângulos dos cristais, ângulos cefálicos e outros.

gonion. Gônio. Vértice do ângulo da mandíbula.

gonioscope. Gonioscópio. Espécie de oftalmoscópio para exame do ângulo de câmara anterior e para demonstrar a motilidade e rotação oculares.

gonite. Qualquer elemento reprodutivo das bactérias.

gonitis. Gonite; gonartrite.

gonoblennorrhoea. Gonoblenorréia.

gonocele. Gonocele.

gonocide. Gonococida.

gonococcal. Gonocócico.

gonococcemia. Gonococemia.

gonococcus. Gonococo.

gonocyte. Gonócito.

gonohaemia. Gonemia (gonococemia).

gonorrhoea. Gonorréia.

gonorrhoeal. Gonorréico.

gonotoxaemia. Gonotoxemia.

gonotoxin. Gonotoxina.

good. Bom, bem.

Goodell's sign. Sinal de Goodell. Se o colo do útero tiver a consistência dos lábios é sinal de gravidez. Se tiver a do nariz, não há gravidez.

gooseflesh. Pele anserina.

Gordon's reflex. Reflexo de Gordon. Reflexo flexor paradoxal que produz a extensão do hálux por pressão ou irritação dos músculos flexores profundos das pernas; indica transtorno das vias motoras.

Gordon's sign. Sinal de Gordon, chamado também de Souquet. Na hemiplegia e afecções cerebelosas, quando o paciente sentado é empurrado subitamente para trás, não realiza o movimento normal de extensão das pernas. // Na caquexia cancerosa há notável diminuição da macicez cardíaca na posição supina.

gorget. Instrumento empregado para litotomia.

gory. Ensangüentado.

Gosselin's fracture. Fratura de Gosselin. Fratura em "V" no extremo distal da tíbia.

Gossypium. Gênero de plantas da família das malváceas.

Gottschalk's operation. Operação de Gottschalk. Encurtamento dos ligamentos uterossacros por via vaginal.

Gottstein's process. Processo de Gottstein. Prolongamento delgado da membrana basilar do órgão de Corti.

gouge. Goiva, escopro.

Goulard's cerate. Cerato de Goulard. Mistura de subacetato de chumbo e cerato de cânfora.

Gould's bowed-head, sign. Sinal de Gould. Inclinação da cabeça ao andar para ver o terreno em que se pisa, nas lesões destrutivas da porção periférica da retina, com o que se leva a imagem à parte conservada da retina.

goundoun. Periostite osteoplástica do nariz. Afecção da África Central. Julga-se ser seqüela de bouba.

Gouraud's disease. Hérnia inguinal.

gout. Gota.

gouty. Gotoso.

Gower's column. Fascículo de Gowers. Massa de fibras no cordão lateral junto do fascículo cerebeloso direto. // **- intermediate process.** Fascículo intermediário de Gowers. Fascículo do cordão lateral da medula, o lateral profundo e o de Gowers. // **- paraplegia.** Paraplegia de Gowers. É devida a cárie na espinha.

Goyrand's hernia. Hérnia de Goyrand. Hérnia inguinal que não desce ao escroto (inguino-intersticial).

G.P.I. Abreviatura de *"General paralysis of the insane".*

gr. Abreviatura de *"grain".* granum, grão (0,065g).

Graafian follicles. Folículos de Graaf. Cada uma das vesículas ováricas e ovissacos em que estão contidos o óvulo e um líquido em que se encontra a foliculina ou estrina. // **- oviduct.** Vesícula de Graaf. Ovissaco. Órgão que contém o óvulo no ovário em diferentes graus de desenvolvimento.

grabble. Ir às apalpadelas.

gracile. Grácil. Músculo medial da coxa.

gradatim, gradually. De maneira gradual.

gradation. Graduação.

graduate. Graduado.

Graefe's disease. Doença de Graefe. Oftalmoplegia progressiva. // **- sign.** Sinal de Graeffe. Falta de sinergia entre a pálpebra e o olho; observa-se com freqüência no bócio exoftálmico. // **- spot.** Ponto de Graefe. Ponto situado próximo do forame supra-orbital ou sobre o forame vertebral, que, pressionado, produz relaxamento do espasmo palpebral em caso de espasmo blefarofacial.

Grafenberg's ring. Anel de Grafenberg. Anel flexível de fio de prata introduzido no útero para impedir a concepção.

graft. Enxerto.

Graham's law. Lei de Graham. O grau de difusão de um gás através de uma membrana porosa se acha em razão inversa da raiz quadrada da densidade.

grain. grão.

Gram's method. Método de Gram. Método usado para coloração de bactérias para preparações e cortes em parafina.

Gram-negative, Gram-positive. Gram-negativo, gram-positivo.

gramme. Grama.

Grancher's disease. Doença de Grancher. Esplenopneumonia. //**- sign.** Sinal de Grancher. Igualdade de tom entre os ruídos inspiratório e expiratório, sinal de obstáculo expiratório nas condensações pulmonares. // Debilitação do murmúrio vesicular nos vértices, rudeza inspiratória e expiração sibilante prolongada na tuberculose pulmonar. // **- system.** Sistema de Grancher. Separação imediata do meio familiar dos filhos de pais tuberculosos. // **- triad.** Tríade de Grancher. Diminuição do murmúrio vesicular, ressonância escódica e aumento das vibrações vocais indica tuberculose pulmonar incipiente.

grand mal. Grande mal. Epilepsia totalmente desenvolvida.

grandeur, greatness. Amplitude, magnitude, extensão.

Grandry's corpuscles. Corpúsculos de Grandry. Corpúsculos de Meckel.

grant. Conceder, conferir, convir.

granula. Granulações.

granular. Granular. // **- kidney.** Rim granular.

granulate. Granulado.

granulation. Granulação.

granule. Grânulo.

granulocytopenia. Granulocitopenia.

granulocytopoiesis. Granulocitopoese.

granuloma. Granuloma. // **- annulare.** Granuloma anular. // **- infectiosum.** Granuloma infeccioso. // **- paracoccidioidal.** Granuloma por paracoccidioides. // **- pyogenicum.** Granuloma piogênico.

granulomatous. Granulomatoso.

granulopenia. Granulopenia.

granulopoiesis. Granulopoese.

granulose. Granuloso.

granulosis. Granulose. // **- rubra nasi.** Granulose "rubra nasi". Afecção da pele do nariz.

granum. Grão.

Granville's hammer. Martelo de Granville. Instrumento usado no tratamento da neuralgia. // **- lotion.** Loção de Granville. Linimento amoniacal.

grape. Uva.

graph. Grafia. Elemento grego com a significação de descrição.

graphic. Gráfico.

graphomania. Grafomania.

graphospasm. Grafospasmo.

Grashey's aphasia. Afasia ou fenômeno de Grashey. Afasia devida à menor duração das impressões sensoriais que produz o transtorno de percepção e associação sem perda de função dos centros ou de conductibilidade. Observa-se nas enfermidades agudas e na concussão cerebral.

grass. Erva.

Grasset's sign. Sinal de Grasset. Incapacidade de levantar ambas pernas ao mesmo tempo, podendo fazê-lo por separado; fenômeno observado na hemiplegia orgânica incompleta.

grating. Áspero. Retículo de microscópio. Ruído de atrito.

Gratiolet's optic radiation. Radiação óptica de Gratiolet. Sistema de fibras nervosas contínuas com as da coroa radial, derivadas principalmente dos corpos geniculados e a via óptica.

grattage. Raspagem, curetagem.

grave. Grave. Sepultura.

gravel. Gravela (arênula urinária).

Graves's disease. Doença de Graves. Bócio exoftálmico. // **- sign.** Sinal de Graves. Aumento do impulso sistólico observado com freqüência no início da pericardite.

gravid. Grávida, prenhe.

gravida. Mulher grávida.

graviditas. Gravidez.

gravidity. Gravidez.

gravidocardiac. Gravidocardíaco.

gravimeter. Gravímetro. Instrumento para determinar o peso ou gravidade específica.

gravimetric. Gravimétrico.

gravitation. Gravitação.

gravity. Gravidade. // **- specific.** Gravidade específica.

Grawitz's granules. Grânulos de Grawitz. Grânulos básicos que se podem encontrar nas hemácias em determinadas condições patológicas. // **- tumour.** Tumor de Grawitz. Hipernefroma. Carcinoma dos túbulos renais.

gray. Cinzento. Encanecer.

Greenhow's disease. Doença de Greenhow. Enfermidade dos vagabundos; melanoderma parasitário.

greffotome. Grefótomo. Instrumento para a secção de enxertos.

Gregarina. Esporozoário simples.

Gregory's powder. Pó de Gregory. Pó de ruibarbo composto.

grenz rays. Raios-X com uma longitude de aproximadamente 2 angströms.

grief. Desgosto, aflição.

Griesinger's sign. Sinal de Griesinger. Edema retromastoídeo observado em caso de trombose no seio lateral ou transverso.

Griffith's mixture. Mistura de Griffith. Tintura de ferro composta.

grimace. Careta, carranca.

grinder. Moer.

grip, grippe. Gripe, influenza. Agarrar.

gripe. Dor forte ou espasmo intestinal.

gristle. Cartilagem.

Gritti's amputation. Amputação de Gritti. Amputação da perna abaixo do joelho.

gritty. Arenoso.

groan. Gemido, lamento.

groin. Virilha.

groove. Sulco, fissura, fenda, cissura. // **- auricular.** Sulco auricular. // **- basilar.** Sulco basilar. // **- carotid.** Sulco carotídeo. // **- Clement Lucas.** Sulco de Clement Lucas. // **- dental.** Sulco dental. // **- infraorbital.** Fissura infra-orbital. // **- lacrimal.** Fosseta lacrimal. // **- meningeal.** Sulco meníngeo. // **- mylohyoid.** Sulco miloioídeo. // **- nasal.** Sulco etmoidal do osso nasal. // **- nuchal.** Sulco da nuca. // **- obturador.** Sulco do obturador. // **- occipital.** Sulco occipital. // **- olfactory.** Sulco do n. olfatório. // **- optic.** Sulco do quiasma. // **- peroneal.** Sulco do perônio. // **- popliteal.** Sulco poplíteo. // **sigmoid.** Sulco sigmóide. // **- spiral.** Sulco espiral. // **- subclavian.** Sulco subclávio. // **- ulnar.** Sulco ulnar.

gross. Grasso, graúdo.

Gross's disease. Doença de Gross (v. *Physick's encysted rectum*).

Grossich's method. Método de Grossich. Uso de tintura de iodo como antisséptico.

ground. Razão, fundamento.

ground itch. Ancilostomíase. Lesão pruriginosa da pele dos pés.

group. Grupo.

Grove's cell. Célula de Grove. Célula da bactéria com duplo líquido. Os líquidos são soluções diluídas de ácidos sulfúrico e nítrico e os metais submersos neles são: zinco e platina.

growth. Crescimento. // **- hormone.** Hormônio de crescimento.

Gruber's bursa. Bolsa de Gruber. Cavidade sinovial do seio tarsal.

Gruber's fossa. Fossa de Gruber. Pequeno recesso na extremidade medial da clavícula no espaço supraesternal.

Gruber's reaction. Reação de Gruber. (v. *Widal's reaction*).

Gruby's disease. Doença de Gruby. Uma forma de tinha tonsurante observada em crianças.

gruel. Caldo de aveia.

Grünbaum-Widal test. Prova de Grünbaum-Widal (v. *Widal's reaction*).

grumous, clotted. Grumoso.

grunt. Grunhir, queixar-se.

Grynfelt's triangle. Triângulo de Grynfelt. Espaço limitado pela duodécima costela e margem inferior do serrado posterior inferior, margem lateral do quadrado lombar e margem posterior do oblíquo interno.

gryochrome. Griocroma. Célula nervosa em que a massa tigróide, ou corpos de Nissl, adota disposição anular.

gryposis. Gripose. Curvatura anormal, por ex.: das unhas, articulações.

gt. Abreviatura de *"gutta"*, gota.

guaiacol. Guaiacol.

guarantee. Garantir, afiançar.

guard. Guarda. Saliência de bisturi para evitar aprofundamento de incisão. Guardar, proteger.

Gubaroff's fold or valve. Prega ou válvula de Gubaroff.

gubernaculum. Gubernáculo.

Gudden's commissure. Comissura de Gudden. Comissura arqueada. Fascículo adjunto ao nervo óptico, aderente à margem posterior do quiasma e medialmente à cinta óptica.

Guéneau de Mussy's point. Botão ou ponto de Guéneau de Mussy. Área dolorosa em caso de pleurisia diafragmática que se encontra ao longo da margem lateral esquerda do esterno.

Guérin's glands. Glândulas de Guérin (v. *Skene glands*). // **- valve.** Válvula de Guérin. Prega mucosa que envolve a laguna magna da uretra masculina.

guide. Guia, dirigir.

Guidi's canal. Canal de Guidi (v. *Vidian's canal*).

guile. Engano, artifício.

guillotine. Guilhotina.

guilt. Delito, culpa.

Guinard's method. Método de Guinard. Tratamento dos tumores ulcerados com a aplicação de carboneto de cálcio.

Guinea pig. Cobaia.

Guinea worm. Verme da Guiné. *Dracunculus medinensis.* // **- disease.** Dracunculose.

Guinon's disease. Doença de Guinon. (v. *Gilles de la Tourette's disease*).

gula. Garganta.

gull. Enganar, fraudar. Gaivota.

Gull's disease. Doença de Gull. Mixedema (forma idiopática). // **- renal epistaxis.** Hematúria essencial de origem renal.

Gull-Sutton's disease. Doença de Gull e Sutton. Arteriosclerose difusa.

gullet. Esôfago, fauce.

Gullstrand's slit lamp. Lâmpada de fenda de Gullstrand. Para exame do segmento anterior do olho. Tem um diafragma com uma fenda que subministra uma luz plana intensa, que demonstra as partes examinadas em secção óptica, deixando o resto na obscuridade.

gum. Goma. Substância vegetal, produto da excreção de várias plantas. É substância sólida, não cristalizável, inodora, insípida e inalterável. Gengiva.

gumma. Goma. Sifiloma. Produção mórbida da sífilis tardia.

gummatous. Gomoso.

gums. Gengiva.

Gunn's ligament. Ligamento de Gunn. Pontos brancos largos, observados com iluminação oblíqua ao redor da mácula lútea; parece que não são patológicas.

Günz's ligament. Ligamento de Günz. Parede superior e medial do ducto em que passam os vasos e nervos obturadores.

gurglign. Gorgolejo. Estertor bolhoso, cavernoso.

gustation. Gustação.

gut. Intestino.

Guthrie's muscle. Músculo de Guthrie. Músculo perineal transverso profundo.

gutta. Gota.

guttatim. Às gotas, em gotejo, gota a gota.

guttis quibusdam. Com umas gotas.

guttur. Garganta.

guttural. Gutural. Pertinente à garganta.

Guyon's isthmus. Istmo de Guyon. Prolongamento do orifício interno do colo do útero.

guzzle. Tragar, beber muito.

gymnastics. Ginástica.

gymnobacteria. Gimnobactéria. Bactéria sem flagelos.

gymnocyte. Gimnócito.

gymnophobia. Gimnofobia.

gymnosophy. Gimnosofia, nudismo, culto ao nu.

gynaecology, gynaecological. Ginecologia, ginecológico.

gynaecologist. Ginecólogo.

gynaecology. Ginecologia.

gynaephobia. Ginefobia.

gynander. Ginandro, ginandróíde. Mulher hermafrodita semelhante a um homem.

gynandria, gynandrism. Ginandria, ginandrismo.

gynatresia. Ginatresia.

gynopathic. Ginopático.

gynopathy. Ginopatia.

gynoplastics. Ginoplástica.

gypsum. Gesso.

gyrate. Girar.

gyration. Giro, giração.

gyre. Giro. Circunvolução cerebral.

gyrencephalic. Girencefálico.

gyroma. Giroma. Forma de tumor do ovário composto de massas refringentes e circunvolutas.

gyrometer. Girômetro. Instrumento para medir as circunvoluções cerebrais.

gyrosa. Vertigem gástrica.

gyrospasm. Girospasmo.

gyrus. Giro. (Latinismo).

FRASES E EXPRESSÕES

(to) gain by. Ganhar com.

(to) gain the upper hand. Sair triunfante.

(to) get up. Levantar-se, expectorar.

grasp my hand. Tome minha mão.

(to) give rise to. Originar.

(to) go down. Baixar.

(to) go into. Entrar em.

(to) go through. Atravessar.

(to) go by. Passar.

(to) guard against. Guardar-se de.

H

H. Símbolo químico do hidrogênio. Da unidade de força magnética: "oersted".

H⁺. Símbolo do íon hidrogênio.

[H⁺]. Símbolo da concentração do íon hidrogênio.

h. Abreviatura da "constante de Planck".

Haab's pupil reflex. Reflexo de Haab. Contração pupilar bilateral, estando o indivíduo em uma habitação escura, quando, sem acomodação e convergência dos olhos, dirige sua atenção a um objeto brilhante, situado dentro do campo da visão.

haasim. Termo composto com as iniciais das enfermidades mais comuns nos recém-nascidos: hemorragia, asfixia, atelectasia, sepsia e sífilis, infecções, icterícia, mastite e meningite.

habena. Habena, pedúnculo da glândula pineal.

habenula. Habênula. Órgão ou parte em forma de rédea ou freio.

habit. Habito, costume.

habitat. Habitat. Habitáculo. Região em que vive naturalmente uma espécie animal ou vegetal.

habituation. Habituação.

habitude. Hábito, costume.

habitus. Hábito.

habromania. Habromania. Amenomania. Desordem mental caracterizada por grande alegria.

Habronema. Gênero de neumatóides parasitos do cavalo.

Hackenbruch's experience. Experiência de Hackenbruch. A área de anestesia local produzida por infiltração local de anestésico é rombóide.

hadephobia. Hadefobia. Medo mórbido ao inferno.

Haeckel's law. Lei de Haeckel. Um organismo em seu desenvolvimento desde o ovo passa pelas mesmas mudanças por que passavam as es-

pécies desde as formas de vida animal inferiores às superiores.

Haeckermann's area. Área de "Laimer-Haeckermann". A região hipofaríngea e esôfago alto, onde se desenvolvem divertículos.

haem. Elemento de origem grega que significa sangue

haemachrome. Hemocromo.

haemachrosis. Hemacrose.

haemacytozoon. Hemocitozoário.

haemad. Em direção à face ventral ou hemal (v. *Hemal*). Glóbulo sangüíneo.

haemagglutination. Hemaglutinação.

haemagglutinin. Hemaglutinina.

haemagogue. Gênero de mosquitos que contém espécies transmissoras da febre amarela na América do Sul.

haemagonium. Hemagônio.

haemal. Hemal. Pertinente ao sangue. Arco condrocostal.

haemamoeba. Hemameba.

haemangioblastoma. Hemangioblastoma.

haemangioendothelioma. Hemangiendotelioma.

haemangioma. Hemangioma.

haemangiomatosis. Hemangiomatose.

haemangiosarcoma. Hemangiossarcoma.

haemaphobia. Hemofobia.

Haemapium. Gênero de plasmócitos.

haemarthrosis. Hemartrose.

haematemesis. Hematêmese.

haematencephalon. Hematencéfalo.

haematherapy. Hemoterapia.

haemathermous. Hematérmico.

haematic. Hemático.

haematin. Hematina.

haematinaemia. Hematinemia.

haematoblast. Hematoblasto.

haematocele. Hematocele.

haematochezia. Hematoquezia.
haematochyluria. Hematoquilúria.
haematocoelia. Hematocelia.
haematocolpos. Hematocolpia.
haematocrit. Hematócrito.
haematocryal, cold-blooded. De sangue frio, indiferente, impassível.
haematocyst. Hematocisto.
haematocyte. Hematócito.
haematocytolisis. Hematocitólise.
haematocytometer. Hematocitômetro; instrumento para contagem de glóbulos num dado volume de sangue.
haematodes. Variedade hemorrágica de câncer encefalóide: sarcoma medular.
haematoencephalic barrier. Barreira hemoliquórica, hemato-encefálica.
haematogenesis. Hematogênese.
haematogenic. Hematogênico.
haematogenous. Hematogênico.
haematoglobin. Hemoglobina.
haematoidin. Hematoidina.
haematology. Hematologia.
haematolymphangioma. Hematolinfagioma, hemolinfangioma.
haematoma. Hematoma.
haematomediastinum. Hematomediastino.
haematometra. Hematometria.
haematomphalocele. Hematonfalocele; onfalocele com hematoma.
haematomyelia. Hematomielia.
haematomyelitis. Hematomielite.
haematomyelopore. Hematomielóporo. Cavidade na medula espinal devido à hemorragia.
haematonephrosis. Hematonefrose.
haematopathology. Hematopatologia.
haematopericardium. Hematopericárdio.
haematoperitoneum. Hematoperitônio.
haematopexis. Hematopexia. Fixação ou coagulação do sangue. Tempo de coagulação.
haematophage. Hematófago. Que se alimenta de sangue.
haematophagous. Hematófago.
haematoplastic. Hematoplástico.
haematopoiesis. Hematopoese.
haematopoietic. Hematopoético.
haematoporphyrin. Hematoporfirina.
haematorrhachis. Hematorraque.
haematorrhoea. Hematorréia.
haematosalpinx. Hematossalpinge. Hemossalpinge.
haematospermia. Hematospermia.
haematothorax. Hematotórax.
haematotoxic. Hematotóxico.

haematotympanum. Hematotímpano.
haematoxilin. Hematoxilina.
haematozemia. Hematocemia. Perda lenta de sangue.
haematozoon. Hematozoário.
haematuria. Hematúria.
haemic. Hêmico, hemático.
haemoagglutinin. Hemaglutinina.
haemoblast. Hemoblasto.
haemoblastosis. Hemoblastose. Sin.: hemolinfadenose, hemomielose.
haemochromatosis. Hemocromatose. Sin.: cirrose pigmentar, diabetes bronzeado, caquexia bronzeada, hemossiderose.
haemochromogen. Hemocromogênio, hemoglobina.
haemoclasis. Hemóclase.
haemoclastic. Hemoclástico.
haemoconcentration. Hemoconcentração.
haemoconia. Hemoconia.
haemocyte. Hemócito, hematócito.
haemocytoblast. Hemocitoblasto.
haemocytolysis. Hemocitólise.
haemocytometer. Hemocitômetro, hematímetro.
haemodynamic. Hemodinâmica.
Haemoflagellata. Hemoflagelados. Protozoários flagelados, parasitos do sangue, como os tripanossomos e as leishmânias.
haemofuscin. Hemofuscina.
haemogenesis. Hematogênese.
haemoglobic. Hemoglobinífero.
haemoglobin. Hemoglobina.
haemoglobinaemia. Hemoglobinemia.
haemoglobinometer. Hemoglobinômetro.
haemoglobinuria. Hemoglobinúria. // **- cold.** Hemoglobinúria por exposição ao frio. // **- paroxismal nocturnal.** Hemoglobinúria intermitente ou paroxística essencial noturna.
haemohistioblast. Hemo-histioblasto.
haemoid. Hemóide, hematóide. Semelhante a sangue.
haemokonia. Hemocônia. Fragmentos de glóbulos vermelhos desintegrados.
haemokoniosis. Hemoconiose.
haemolymph. Hemolinfa.
haemolysin. Hemolisina.
haemolysis. Hemólise.
haemolytic. Hemolítico. // **- anaemia.** Anemia hemolítica. // **- disease of the newborn.** Doença hemolítica do recém-nascido.
haemomediastinum. Hemomediastino.
haemometra. Hematometria, hematimetria.
haemometry. Hemometria, hematometria.

haematopathology. Hemopatologia.

haemopathy. Hemopatia.

haemopericardium. Hemopericárdio.

haemoperitoneum. Hemoperitôneo.

haemopexia. Hemopexia. Fixação ou coagulação do sangue.

haemopexin. Hemopexina.

haemophilia. Hemofilia. Sin.: hematofilia, doença hemática, diátese ou idiossincrasia hemorrágica.

haemophilic. Hemofílico.

haemophilous. Hemófilo. Microrganismo que se desenvolve em um meio que contém sangue.

haemophobia. Hemofobia.

haemophthalmos. Hemoftalmo.

haemopneumothorax. Hemopneumotórax.

haemopoiesis. Hemopoese, hematopoese.

haemopoietin. Hemopoetina. Fator intrínseco de Castle.

haemoptysic. Hemoptísico.

haemoptysis. Hemoptise.

haemorrhage. Hemorragia. // - **unavoidable.** Hemorragia inevitável.

haemorrhagic. Hemorrágico.

haemorrhoid. Hemorróides. // - **external.** Hemorróide externa. // - **internal.** Hemorróide interna.

haemorrhoidal. Hemorroidal.

haemorrhoidectomy. Hemorroidectomia.

haemosalpinx. Hemossalpinx, hematossalpinge.

haemosiderin. Hemossiderina.

haemosiderosis. Hemossiderose.

haemospasia. Hemospasia. Aspiração de sangue por meio de ventosas.

haemospastic. Hemospástico.

haemospermatism. Hemospermia.

Haemosporidia. Hemosporídeos. Esporozoários parasitos dos corpúsculos sangüíneos dos vertebrados.

haemostasis, haemostasia. Hemóstase, hemostasia.

haemostat. Hemóstato. Hemostático. Aparelho ou medicamento para coibir hemorragia.

haemostatic. Hemostático.

haemotachometer. Hemotacômetro, hemocronômetro. Aparelho para medir a velocidade da corrente sangüínea.

haemotherapy. Hemoterapia.

haemothorax. Hemotórax.

haemotympanum. Hemotímpano.

Haffkine's vaccine or serum. Vacina ou soro de Haffkine. Vacina preparada com bacilos da peste ou cólera para prevenir contra estas epidemias.

hafnium. Háfnio. Elemento químico descoberto em minérios de zircônio.

haft. Cabo, asa, punho.

Hagedorn's needle. Agulha, porta-agulhas de Hagerdorn. Agulha de sutura com fundo amplo e borda cortante reta.

Haglund's disease. Doença de Haglund. Bursite do tendão de Aquiles.

Hahnemannism. Hahnemannismo. Homeopatia.

hair. Pêlo, velo, cabelo.

hairy tongue. Língua pilosa.

halazone. Composto orgânico sintético usado na esterilização da água potável $C_7H_5O_4NCl_2S$ ácido p-sulfonadicloramidobenzóico.

Halban's sign. Sinal de Halban. Crescimento de pêlo fino na face e no corpo durante a gravidez.

Haldane's chamber. Câmara de Haldane. Câmara hermeticamente fechada para o estudo do metabolismo nos animais e exame dos gases da respiração.

Hales's piezometer. Piezômetro de Hales. Aparelho para medir a pressão sangüínea na carótida do cavalo.

half. Metade.

halibut, liver oil. Óleo de fígado de hipoglosso.

halisteresis. Halistérese. Privação de sais de cálcio.

halitosis. Halitose.

halitus. Hálito.

hall. Vestíbulo, salão.

Hall's disease. Doença de Marshall-Hall. (v. *Marshall-Hall*).

Haller's ansa. Alça de Haller. Alça formada pelo nervo que une os nervos facial e glossofaríngeo. // - **circle.** Círculo de Haller. (v. *Zinn's circle*). // - **colic omentum.** Cólica do epíplon, de Haller. Processo do ligamento superior do epíplon maior, que pode estar unido ao testículo durante a vida fetal e é comprimida no saco de uma hérnia inguinal. // - **cones.** Cones de Haller. Cones vasculares do epidídimo. // - **congenital hernia.** Hérnia congênita de Haller (v. *Malgaigne's hernia*). // - **fretum.** Istmo de Haller. A constricção que separa o ventrículo do bulbo da aorta, durante o começo da vida fetal. // - **habenula.** Habênula de Haller. A corda delgada formada pela obturação do canal que conecta as cavidades do peritônio e a túnica vaginal, no começo da vida intra-uterina. // - **istmus.** Istmo de Haller (v. *H's fretum*). // - **network.** Rede de Haller. Rede vascular dos testículos. // - **plexus.** Plexo de Haller. Formado pelos ramos do laríngeo externo e do simpático na superfície externa do constrictor inferior da faringe. // **- splendit line.** Cinta fibrosa do longo da face anterior da pia-máter medular. // **- tripod.** Trípode de Haller. Eixo celíaco ou tronco celíaco. // **- tunica vasculosa.** Túnica vascular de Haller. Lâmina vascular de conóide. // **- vas aberrans.** Vaso aberrante de Haller. Delgado conduto unido com a cauda do epidídimo ou com o começo do vaso deferente. // **- venous circle.** Círculo de Haller. Anel venoso por baixo da aréola do mamilo.

hallow. Consagrar, santificar.

hallucination. Alucinação.

hallucinosis. Alucinose.

hallus. Hálux, o grande dedo do pé.

halo. Halo, círculo, aréola.

halogen. Halógeno.

halogenous, halogenic. Halógeno.

haloid. Halóide. Semelhante ao cloreto de sódio.

halt. Mancar, coxear.

ham. Região poplítea, presunto.

Hamamelis. Gênero de plantas saxifragáceas (árvores e arbustos). Suas folhas se utilizam em forma de extrato fluido contra hemorragias, aborto, hemorróides etc. na dose de 10 gotas várias vezes ao dia.

hamartoma. Hamartoma, hamartoblastoma. Tumor devido ao desenvolvimento de elementos anormais no ponto onde se encontram.

hamate bone. Osso unciforme.

Hamberger's schema. Esquema de Hamberger. Diz que os músculos intercostais externos são inspiratórios e os internos expiratórios.

Hamilton-Irving box. Caixa de Hamilton-Irving. Aparelho para a drenagem suprapúbica da bexiga.

hammer. Martelo. Ossículo do ouvido médio.

Hammond's disease. Doença de Hammond. Atetose.

hamstring. Tendões que ladeiam o espaço poplíteo.

hamular. Hamular. Em forma de gancho.

hamulus. Gancho ou anzol pequeno.

hand. Mão.

handful. Punhado.

handle. Cabo.

hangnail. Sabugo das unhas. Unheiro.

Hannot's cirrhosis or disease. Cirrose biliar ou hipertrófica com icterícia.

Hannover's canal. Canal de Hannover. Espaço entre a zônula de Zinn e o vítreo.

hapalonychia. Hapaloníquia. Estado em que as unhas são muito delgadas.

haphalgesia. Hafalgesia. Estado de hipersensibilidade em que o simples contato produz dor. Tacto doloroso.

haploid. Haplóide. Indivíduo que tem nas células germinativas maduras número reduzido de cromossomos, diferentemente do número diplóide ou completo de cromossomos nas células somáticas normais.

haplopathy. Haplopatia. Doença não complicada.

haploscope. Haploscópio. Forma de estereoscópio para exame dos eixos visuais.

happiness. Felicidade.

hapten. Hapteno.

haptic. Háptico.

haptine. Hapteno.

haptophil, haptophile. Haptófilo.

haptophore. Haptóforo.

hard. Duro.

Harder's gland. Glândula de Harder. Glândula lacrimal rudimentar situada no ângulo medial do olho dos animais que possuem membrana nictitante.

harelip. Lábio leporino.

Harley's disease. Doença de Harley. Hemoglobinúria paroxística. Doença de Dressler.

harliquin foetus. Feto-arlequim, com ictiose congênita universal.

harmony. Harmonia.

Harris's lines. Linhas de Harris. Linhas transversais nos ossos longos junto às epífises.

Harrison's groove. Sulco de Harrison. Depressão do tórax, sobre a inserção anterior do diafragma, produzida pelo esforço muscular na dispnéia.

Hartmanella hyalina. Ameba coprozóica, encontrada nas fezes humanas.

Hartmann's critical point. Ponto crítico de Hartmann. Local do intestino delgado onde se encontra a artéria sigmóidea mais baixa com o ramo superior da artéria retal.

Hartmann's curet, speculum. Cureta e espéculo de Hartmann. Pequena cureta de bordas cortantes especialmente destinada a curetagem uterina de focos de cáries etc. // Espéculo de Hartmann. Forma de espéculo nasal.

Hartmann's pouch. Bolsa ou saco de Hartmann. Bolsa peritoneal entre o mesoapêndice e o ligamento de Tuffier. // Dilatação do colo da vesícula biliar.

Hartmann's solution. Solução de Hartmann. Solução de cloreto de sódio, lactato de sódio e fosfato de cálcio e potássio; para injeções na acidose.

hartshorn. Amoníaco. Corno de veado.

harvest mite. Carrapato vermelho e pequeno que ataca o homem e animais.

Hashimoto's disease. Doença de Hashimoto. Tireoidite crônica.

hashish. Haxixe. Caule e folhas dessecadas de cânhamo da Índia.

Hasner's fold. Prega ou válvula de Hasner. *Plica lacrimalis.*

Hassall's corpuscles. Corpúsculos de Hassall. Corpos pequenos no timo, estriados concentricamente; restos do tecido epitelial que se encontram no início do desenvolvimento da glândula.

Hässer's formula. Fórmula de Hässer ou de Trapp. Para encontrar o peso em gramas de substâncias sólidas contidas na urina (em 1000 ml), multipliquem-se as duas últimas cifras do peso específico por 2 (coeficiente de Trapp) ou, segundo outros, por 2,33.

Hassin's sign, treatment. Sinal e tratamento de Hassin. Protrusão e deslocamento para trás da orelha nas lesões do simpático cervical. // Tratamento de Hassin: injeção epidural de morfina contra dores fulgurantes da tabes, nas pernas.

Hata's phenomenon, preparation. Fenômeno e preparação de Hata. Fenômeno de Hata. Aumento da gravidade de uma enfermidade infecciosa, quando se administra uma pequena dose de quimioterápico. // Preparação de Hata: com arsfenamina.

Haudek's niche or sign. Nicho ou sinal de Haudek. Proeminência no contorno radiográfico do estômago, que assinala a cratera de uma úlcera gástrica penetrante.

haunch bone. Ilium, osso ilíaco.

hauptganglion of Küttner. Linfonodo de Küttner. Linfonodo de cadeia da jugular interna, debaixo do ventre posterior do músculo digástrico.

haustral. Relativo às haustra.

haustration. Cavidade formada por cada um dos recessos ou saculações do cólon, entre as pregas semilunares.

haustrum. Haustra (haustrum é o singular).

haustus. Hausto. Bebida, poção, gole.

haut-mal. Grande mal. Forma intensa da epilepsia.

Haver's canals. Canais de Havers. Conduto de tecido ósseo compacto; contêm vasos sangüíneos linfáticos, nervos e medula. // - **glands.** Glândulas de Havers. Pregas sinoviais que Havers acredi-

tava secretarem sinóvia. // - **lamellae.** Lâmina de Havers. Septo ósseo que circunda o canal de Havers. // - **system.** Sistema de Havers. Sistema concêntrico de lamínulas ósseas que circundam os canais de Havers.

hawking. Pigarro, expectoração, secreção clara na garganta.

Hawkins's keloid. Quelóide de Hawkins. Hipertrofia do tecido cicatricial que às vezes se observa nas queimaduras, amputações, etc., formando verdadeiros tumores sésseis ou pediculados.

Hay diet. Dieta de Hay. Dieta seletiva para melhorar a saúde e controlar o peso.

hay fever. Febre do feno.

Hay's test. Prova de Hay. Teste para determinar sais biliares na urina.

Hayem's corpuscle. Corpúsculos de Hayem. (v. *Bizzozero's bloodplatelets*). // - **disease.** Doença de Hayem. Mielite apoplectiforme.

Hayem's solution. Solução de Hayem. Fluido usado no exame microscópico do sangue, composto de bicloreto de mercúrio 0,5 g, cloreto de sódio 1,0 g, sulfato de sódio 5,0 g e água destilada 200 ml. // - **type.** Encefalite aguda não supurativa.

Haygarth's nodes. Nódulos de Haygarth. Exostoses das articulações dos dedos na artrite deformante.

Hb, hemoglobin. Hemoglobina e seu símbolo.

H_3BO_3, boric acid. Ácido bórico.

HCHO, formaldehyde. Formaldeído.

HCl, hydrochloric acid. Ácido clorídrico.

HCO_3. Radical de "bicarbonato".

h.d. Abreviatura de *hora decubitus*, ao deitar-se.

He, helium. Hélio.

head. Cabeça.

Head's area. Zona de Head ou hiperalgésica. Área de sensibilidade cutânea em relação com uma afecção visceral.

headache. Cefaléia.

headling. Cabeçalho.

healing. Curativo medicinal. // - **by first intention.** Curado (cicatrizado) por primeira intenção.

health. Saúde.

healthy. São, saudável.

hearing. Ouvido.

heart. Coração.

heart-block. Bloqueio cardíaco.

heart failure. Insuficiência cardíaca.

heart hurry. Taquicardia.

heart sac. Pericárdio.

heartburn. Azia, pirose.

heat. Calor, fogosidade. // - **apoplexy.** Calor apoplético. // - **specific.** Calor específico.

Heath's operation. Operação de Heath. Divisão do ramo ascendente da mandíbula por via oral, em caso de ancilose da articulação têmporo-mandibular.

heavy. Pesado.

heavy hydrogen. Deutério, hidrogênio pesado.

heavy water. Água pesada.

hebephrenia. Hebefrenia. Conjunto de transtornos mentais no período da puberdade. Demência precoce hebefrênica.

Heberden's disease. Doença de Heberden. Angina pectoris. Artrite deformante. // - **nodes.** Nodos de Heberden. Nodosidades dos dedos na artrite deformante.

Heberden-Rosenbach's nodes. Nodos de Heberden-Rosenbach (v. *Heberden's nodes*).

hebetic. Hebético. Puberal.

hebetude. Hebetude. Torpor, estupor. Estado de entorpecimento mental.

hebin. Substância ou princípio gonadotrópico.

Hebra's erythema. Eritema de Hebra. Eritema polimorfo. // - **pityriasis.** Pitiríase de Hebra. Pitiríase rubra. // - **prurigo.** Prurigo de Hebra. Prurigo, verdadeiro, típico ou genuíno.

hecatomeral, hecatomeric. Diz-se de certos neurônios de associação que têm prolongamentos que se bifurcam e terminam de cada lado da medula.

Hecht's phenomenon. Fenômeno de Hecht. (v. *Rumpel-Leede's phenomenon*).

Hecht's test. Reação de Hecht. Modificação da reação de Wassermann, baseada no fato de que o soro normal é capaz de dissolver dez vezes seu volume de uma solução de sangue de carneiro a 2 por 100.

Hecker's law. Lei de Hecker. Em cada parto sucessivo o peso de um feto é maior que o de seu predecessor em 150 a 200 g.

hectic. Héctico. Habitual. Estado de enfraquecimento e caquexia produzido pela física.

hectine. Composto arsenical que se emprega como o atoxil.

hectogram. Hectograma.

hectolitre. Hectolitro.

hectometer. Hectômetro.

Hedeoma. Hedeoma. Gênero de plantas da família das labiadas. Suas folhas são estimulantes, carminativas e emenagogas.

hederiform. Hederiforme. Certas terminações nervosas em forma de hera, na camada de Malpighi.

hedonia. Hedonia.

hedonism. Hedonismo. Culto ao prazer.

hedonophobia. Hedonofobia. Temor mórbido ao prazer.

hedratresia. Hedratresia. Imperfuração anal.

hedrocele. Hedrocele. Prolapso anal.

heel. Dorso do pé, calcanhar.

Heerfordt's disease. Doença de Heerfordt. Febre uveoparotídea.

Hegar's dilator, operation, sign. Dilatador de Hegar. Série de sondas de vários calibres para dilatar o colo do útero. // Operação de Hegar. Perineorrafia por desnudação de uma área triangular na parede posterior da vagina e sutura de cima para baixo. // Sinal de Hegar. Amolecimento do segmento inferior do útero, observado na gravidez.

hegemony. Hegemonia.

Heiberg-Esmarch maneuver. Manobra de Heiberg-Esmarch. Propulsão da mandíbula para diante para impedir o deslizamento da língua para trás durante a anestesia.

Heichelheim's test. Prova de Heichelheim. Meio para determinar a motilidade gástrica pela administração de iodipina em uma cápsula de gelatina e exame da saliva cada cinco minutos, para a investigação do iodo. A presença desta na saliva indica que a iodipina chegou ao intestino, pois não se decompõe no estômago.

Heidenhain's demilunes. Células semilunares de Heidenhain. // -. **rods or striae.** Bastonetes ou estrias de Heidenhain. Células em coluna dos túbulos uriníferos.

Heilbronner sign of thigh. Sinal ou coxa de Heilbronner. Na paralisia orgânica, a falta de tono muscular faz com que a coxa do lado afetado fique mais larga e plana que do lado são, quando descansa sobre um plano duro.

Heim's pill. Pílula de Heim. Pílulas à base de digital, ipeca e ópio.

Heim-Kreysig's sign. Sinal de Heim-Kreysig, (v. *Kreysig's sign*).

Heine's operation. Operação de Heine. Ciclodiálise no glaucoma.

Heine-Medin's disease. Doença de Heine-Medin. Poliomielite anterior aguda ou paralisia infantil.

Heineke-Mikulicz's operation. Operação de Heineke-Mikulicz. Operação plástica do piloro.

Heinz's bodies. Corpos de Heinz-Ehrlich. Corpúsculos muito refringentes observados nas hemácias em caso de intoxicação pela fenilidrazina e outros venenos e depois da esplenectomia.

Heiser's treatment. Tratamento de Heiser. Tratamento de lepra pela injeção de uma mistura

191

de 60 ml de óleo de chaulmogra, 60 ml de óleo de canforado e 4 g de resorcina.

Heisrath's operation. Operação de Heisrath. Excisão das cicatrizes tarsais no tracoma.

Heister's diverticulum. Divertículo de Heister. Seio da veia jugular. // **- valves.** Válvulas de Heister: pregas valvulares transversais da mucosa do conduto cístico.

Hektoen phenomenon. Fenômeno de Hektoen. A introdução de antígenos no corpo em estados alérgicos pode produzir maior proporção de anticorpos, inclusive relativos a infecções e imunizações prévias.

helcoid. Helcóide, ulceriforme.

Helcoma. Úlcera. Úlcera corneal.

helcosis. Ulceração. Formação de úlcera. Sin.: úlcera tropical e gangrena de hospital.

Held's decussation. Decussação de Held. Decussação de certas fibras do nervo acústico para alcançar o feixe lateral. // **- ground net.** Retículo de Held. Retículo terminal hipotético do sistema nervoso.

helicoid. Helicóide. Semelhante a uma hélice ou espiral.

helicopepsin. Helicopepsina. Enzima semelhante à pepsina.

heliocopod. Helicopodia. Marcha helicópoda. Circundunção.

helicorubrin. Helicorrubrina. Pigmento respiratório (hemocromogênio) que se encontra no fígado e intestino do caracol. *Helix pomata* e de outros articulados. e moluscos.

helicotrema. Helicotrema. Hiato de Scarpa.

helide. Composto de um elemento com hélio.

Hélie's bundle off fibres. Fascículo de Hélie. Fascículo ansiforme da musculatura superficial do útero.

heliencephalitis. Heliencefalite. Encefalite produzida pela ação do sol.

helio-. Elemento de origem grega que significa "sol".

heliopathy. Heliopatia.

heliophilia. Heliofilia.

heliophobia. Heliofobia.

heliosensitivity. Heliossensibilidade.

heliosis. Heliose, insolação.

heliotaxis. Heliotaxia, heliotropismo.

heliotherapy. Helioterapia.

heliotropism. Heliotropismo.

helium. Hélio.

helix. Hélix, hélice.

Helkesimastix. Fecicola. Flagelado coprozóico oval que se desenvolve nas fezes humanas.

Hellat's sign. Sinal de Hellat. Na supuração

mastoídea, um diapasão colocado sobre a área afetada se ouve por tempo mais curto que colocado noutro local.

hellebore. Heléboro. Nome de várias plantas ranunculáceas quase desusadas na atualidade. Sua raiz tem propriedades hidragogas, catárticas fortes, emenagogas e diuréticas.

Hellendall's sign. Sinal de Hellendall ou de Cullen. Descoloração da pele ao redor do umbigo na ruptura da gravidez ectópica.

Heller's plexus. Plexo de Heller. Plexo arterial na parede intestinal.

Heller's test. Reação de Heller, para determinar a albumina na urina.

Hellin's law. Lei de Hellin. De cada oitenta gravidezes, uma é gemelar; de cada seis mil e quatrocentas, uma é trigemelar.

helm. Capacete, governo.

Helmholtz's ligament. Ligamento de Helmholtz. Ligamentos anterior e posterior do martelo reunidos com o nome de "ligamento axial do martelo".

helminth. Helminto. Elemento de origem grega que significa germe intestinal.

helminthiasis. Helmintíase.

helminthic. Helmíntico.

helminthology. Helmintologia.

helminthophobia. Helmintofobia.

helminthous. Helmintia.

helo-. Elemento de origem grega, que significa unha, corno ou calo.

Helmont's mirror or speculum. Espelho de Van Helmont. Tendão central do diafragma.

Heloderma. Gênero de lagartos venenosos do Arizona e Novo México. A espécie *Heloderma suspectum* é o "monstro de Gila".

heloma. Heloma. Corno, calosidade, verruga.

helotomy, helotomeia. Helotomia. Excisão de produções córneas.

help. Auxílio, ajuda.

helpful. Útil.

Helvetius's ligament. Ligamento de Helvetius. Faixas laterais de fibras musculares e tecido conjuntivo na parede gástrica, que produzem a saculação do antro. Ligamentos pilóricos.

Helweg's bundle or triangular tract. Fascículo de Helweg. Pequeno grupo triangular de fibras descendentes do cordão ântero-lateral da medula, que começa na proximidade da oliva e passa para a medula cervical.

heme. Heme. Hematina.

hemeralopia. Hemeralopia. Sin.: cegueira noturna, ambliopia crepuscular, "*dysopia tenebrarum*" hemeropia, hesperanopia "torpor retinae".

hemiachromatopsia. Hemiacromatopsia. Acromatopsia na metade do campo visual.

hemiageusia. Hemiageusia. Ageusia na metade da língua.

hemialgia. Hemialgia, hemicrania, enxaqueca.

hemianacusis. Hemianacusia. Surdez unilateral.

hemianaesthesia. Hemianestesia.

hemianalgesia. Hemianalgesia.

hemianopia, hemianopsia. Hemianopsia. Hemianopia. Cegueira na metade do campo visual de um ou dos dois olhos. Hemiopia.

hemiataxia. Hemiataxia.

hemiathetosis. Hemiatetose.

hemiatrophy. Hemiatrofia.

hemiballism.. Hemibalismo. Coréia unilateral.

hemicephalus. Hemicéfalo. Monstro com um só hemisfério cerebral.

hemichorea. Hemicoréia.

hemicrania. Hemicrania.

hemihyparaesthesia. Hemi-hiperestesia. Hiperestesia na metade do corpo.

hemihypertrophy. Hemi-hipertrofia.

hemimelus. Hemímelo. Monstro com extremidades imperfeitamente desenvolvidas.

hemiopia. Hemiopia, hemiopsia.

hemiopic. Hemiópico.

hemipagus. Hemípago. Monstro duplo unido pelo tórax e com uma boca comum.

hemiparaesthesia. Hemiparestesia.

hemiparesis. Hemiparesia.

hemiplegia. Hemiplegia.

Hemiptera. Hemípteros. Ordem de insetos que compreende especialmente os percevejos.

hemisphere. Hemisfério. // - **cerebral.** Hesmisfério cerebral.

hemlock. Gênero de plantas umbelíferas a que pertence a cicuta.

hen. Galinha, fêmea de qualquer ave.

Henke's space. Espaço de Henke. Espaço entre a coluna vertebral e a faringe e o esôfago, que contém tecido conjuntivo. // - **triangle.** Triângulo de Henke. Espaço triangular situado entre a margem externa do músculo reto do abdome e a prega inguinal.

Henle's ampulla. Ampola de Henle. Extremidade do vaso deferente. // - **layer.** Camada de Henle. Camada externa de células da bainha radicular de um folículo piloso. // - **loop.** Alça de Henle. Curva em "U" de um tubo urinífero. // - **membrane.** Membrana de Henle. Camada mais externa da túnica interna das artérias. // - **spine.** Espinha de Henle. Apófise pontiaguda no temporal, em cima e atrás do meato auditivo.

henna. Folhas secas e pulverizadas da *Lawsonia inermis.*

Henoch's purpura. Púrpura de Henoch. Púrpura associada a sintomas gastrintestinais.

henogenesis. Henogênese, ontogenia.

henosis. Henose. União ou cicatrização. Simbléfaro.

henotic. Henótico. Que tende à cura.

Henry's law. Lei de Henry (v. *Dalton's law).*

Hensen's canal. Canal de Hensen. Canal membranoso cheio de endolinfa do canal coclear ao sáculo vestibular. // - **knot or node.** Nó ou nódulo de Hensen. Área de proliferação celular no óvulo impregnado, na qual começa a estria primitiva.

Henshaw test. Prova de Henshaw. Serve para ajudar na seleção do remédio homeopático apropriado a um determinado caso de doença. Desenvolve-se uma zona visível de floculação no soro sangüíneo do paciente, entra-se em contato com um remédio potenciado homeopaticamente indicado no caso.

Hensing's ligament. Ligamento de Hensing. Pequena prega serosa da extremidade superior do cólon descendente à parede abdominal.

hepaptosia, hepaptosis. Hepatoptose.

hepar. Termo grego que significa fígado.

heparin. Heparina.

heparinate. Heparinato.

heparinize. Heparinizar.

hepatalgia. Hepatalgia.

hepatargia. Hepatargia. Auto-intoxicação hepática.

hepatectomy. Hepatectomia.

hepatic. Hepático.

hepaticocholangiocholecystenterostomy. Hepaticocolangiocolecistenterostomia. Criação cirúrgica de uma anastomose entre a vesícula biliar e um ducto hepático e entre o intestino e a vesícula biliar.

hepaticocholangiojejunostomy. Hepaticocolangiojejunostomia. Anastomose entre a vesícula biliar, um ducto hepático e o jejuno.

hepaticoduodenostomy. Hepaticoduodenostomia.

hepaticoenterostomy. Hepaticoenterostomia.

Hapaticola. Gênero de parasitos hematóides no fígado das ratas: a hepatícola se encontrou na Índia no fígado de pessoas.

hepaticoliasis. Hepaticolíase. Infestação com hepatícola.

hepaticolithotomy. Hepaticolitotomia.

hepaticolithotripsy. Hepaticolitotripsia.

hepaticostomy. Hepaticostomia. Formação de uma fístula cirúrgica no ducto hepático.

hepaticotomy. Hepaticotomia. Incisão do ducto hepático.

hepatism. Hepatismo. Estado mórbido devido a afecção hepática.

hepatitis. Hepatite.

hepato-, hepat-, hepatico. Elementos léxicos de origem grega que entram na nomenclatura e têm o sentido de fígado.

hepatobiliary. Hepaticobiliar.

hepatocarcinogenic. Hepatocancerígeno.

hepatocele. Hepatocele.

hepatocellular. Hepatocelular.

hepatocholangeitis. Hepatocolangite.

hepatocholangiocystoduodenostomy. Hepatocolangiocistoduodenostomia. Estabelecimento de drenagem do ducto biliar no duodeno através da vesícula biliar.

hepatocholangioenterostomy. Hepatocolangioenterostomia. Formação de comunicação entre fígado e intestino.

hepatocholangiogastrostomy. Hepatocolangiogastrostomia. Drenagem do ducto biliar no duodeno através da vesícula biliar.

hepatocholangiostomy. Hepatocolangiostomia.

hepatocirrhosis. Hepatocirrose ou cirrose hepática.

hepatocolic. Hepatocólico.

hepatocystic. Hepatocístico. Relacionado ao fígado e vesícula biliar.

hepatodynia. Hepatodinia.

hepatodysentery. Hepatodisenteria.

hepatodystrophy. Hepatodistrofia. Atrofia amarela aguda do fígado.

hepatoflavin. Hepatoflavina. Riboflavina obtida do tecido hepático.

hepatogenic, hepatogenous. Hepatogênico.

hepatography. Hepatografia.

hepatolenticular. Hepatolenticular. // **degeneration.** Degeneração hepatolenticular.

hepatolith. Hepatólito.

hepatolithiasis. Hepatolitíase.

hepatoma. Hepatoma.

hepatomegaly. Hepatomegalia. Dilatação hepática.

hepatopexy. Hepatopexia. Fixação do fígado móvel por hepatorragia.

hepatoptosis. Hepatoptose.

hepatorenal. Hepatorrenal. // **- syndrome.** Síndrome hepatorrenal.

hepatorrhaphy. Hepatorrafia, hepatopexia.

hepatorrhexis. Hepatorrexia. Ruptura do fígado.

herb. Erva.

herbal. Herváceo.

herbalist. Herbolário.

herbivorous. Herbívoro.

Herbst's bodies, corpuscles. Corpúsculos de Herbst. Terminações sensitivas na pele do bico dos pássaros.

hereditary. Hereditário.

heredity. Hereditariedade.

heredosyphilis. Sífilis hereditária.

Hering's theory of colour sensation. Teoria de Hering. A sensação de cor depende da decomposição e restituição da substância visual; a decomposição produz o vermelho, o amarelo e o branco; a restituição, o azul, o verde e o preto.

heritable. Hereditário.

Hermann's fluid. Líquido ou solução de Hermann: para a tuberculose.

hermaphrodism, hermafroditism. Hermafroditismo.

hermaphrodite. Hermafrodita.

hermetic. Hermético.

hernia. Hérnia. // **- cerebri.** Hérnia cerebral.

hernial. Herniário.

herniate. Herniado.

heroic. Heróico.

heroin, heroine. Heroína.

heroinism. Heroinismo. Heroinomania.

Herophilus, torcular of. Prensa ou tórculo de Herófilo.

herpes. Herpes.

herpetic. Herpético.

herpetiform. Herpetiforme.

hersage. Dissociação das fibras de um nervo periférico com um rastelo ou pente de pontas rombas.

Hertwig's epithelial sheath. Bainha de Hertwig. Coberta de células epiteliais no folículo dental, derivado do órgão do esmalte.

Herxheimer's spiral. Fibras de Herxheimer. Pequenas fibras espirais no estrato mucoso da pele.

Heryng's bening ulcer. Úlcera benigna de Heryng. Úlcera solitária na parte anterior das fauces.

Heschl's convolution. Circunvolução de Heschl. Giro anterior, transverso, temporoparietal.

hesitancy. Vacilação, insegurança.

Hesselbach's hernia. Hérnia de Hesselbach. Hérnia com um divertículo através da fáscia cribriforme. // **- ligament.** Ligamento de Hesselbach. Espaço compreendido entre a margem externa do músculo reto abdominal, o ligamento de Poupart e a artéria epigástrica profunda.

heteradelphus. Heteradelfia. Monstruosidade dupla em que um dos fetos está mais desenvolvido que o outro.

heteradenia. Heteradenia. Alteração ou anomalia do tecido glandular.

heteradenic. Heteradênico.

heteradenoma. Heteradenoma. Cilindroma hialino.

heterauxesis. Heterauxese. Desproporção entre o crescimento de duas partes de um mesmo corpo.

heterocephalus. Heterocéfalo. Monstro com duas cabeças desiguais.

heterochromia. Heterocromia.

heterochromosome. Heterocromossomo. Cromossomo sexual ou alossomo.

heterochromous. Heterocromo.

heterochronia, heterochronism, heterochrony. Heterocronia. Variação nas relações de tempo.

heterochronic, heterochronous. Heterocrônico.

heterocyclic. Heterocíclico.

heterodymus. Heteródimo.

heteroecious. Heterécio.

heteroerotism. Heteroerotismo. Sentimento sexual para com outro indivíduo.

heterogametous, heterogamous. Heterógamo.

heterogamy. Heterogamia.

heterogenesis. Heterogênese, heterogenia.

heterogenous. Heterogêneo.

heteroinoculation. Heteroinoculação.

heterologous. Heterólogo.

heterology. Heterologia.

heterolysin. Heterolisina.

heterolysis. Heterólise.

heterolytic. Heterolítico.

heteromeric. Heterômero. Constituído por partes desiguais.

heterometropia. Heterometropia.

heteromorphism. Heteromorfismo, heteromorfia.

heteromorphosis. Heteromorfose.

heteromorphous. Heteromorfo.

heteronomous. Heterônomo, anômalo.

heteronomy. Heteronimia.

heteronymous. Heterônimo.

heteropagus. Heterópago. Monstro duplo em que o parasito está inserto na parte anterior do autosito.

heterophoria. Heteroforia.

heterophthalmia. Heteroftalmia.

heteroplasia. Heteroplasia.

heteroplasm. Heteroplasma.

heteroplastic. Heteroplástico.

heteroplasty. Heteroplastia.

heterosexual. Heterossexual.

heterosporous. Heterósporo.

heterosuggestion. Heterossugestão.

heterotaxis. Heterotaxia.

heterotopia. Heterotopia. Deslocamento congênito de um órgão ou tecido.

heterotoxin. Heterotoxina.

heterotrichosis. Heterotricose.

heterotrophic. Heterotrófico.

heterotropia. Heterotropia, estrabismo.

heterotrypsin. Heterotripsina.

heterotypical. Heterotípico.

heterozygote. Heterozigoto.

heterozygous. Heterozigótico.

Heubner's disease. Doença de Heubner. Endarterite cerebral sifilítica.

Heubner-Herter's disease. Doença de Heubner-Herter (v. *Coeliac disease*).

Hewiett's stain. Corante de Hewiett. Método para corar cápsulas bacterianas.

hexachromic. Hexacrômico.

hexadactylism. Hexadactilismo, hexadactilia.

hexagon. Hexágono.

hexamethonium. Hexametônio.

hexamine. Hexamina, urotropina.

hexane. Hexano.

hexavalent. Hexavalente.

hexestro, hexoestrol. Hexestrol.

hexobarbitona. Hexobarbital. Evipal.

hexokinase. Hexocínase.

hexosamine. Hexosamina, urotropina.

hexose. Hexose.

hexosephosphate. Hexosefosfato.

hexylresorcinol. Hexilresorcinol.

Hey's infantile hernia. Hérnia infantil de Hey ou "Cooper's hernia". // - **ligament.** Ligamento de Hey. Ligamento femoral; expansão falciforme da "fascia lata".

Hg. Símbolo do "mercúrio".

Hgb, hemoglobin. Hemoglobina.

HgCl$_2$, mercuric chloride. Cloreto de mercúrio, sublimado corrosivo.

H.Hm. Hypermetropic astigmatism. Astigmatismo hipermetrópico.

hiatal. Hiatal.

hiatus. Hiato. // - **hernia.** Hérnia hiatal.

hibernation. Hibernação.

hiccup, hiccough. Soluço.

Hicks's sign. Sinal de Hicks (v. *Braxton-Hicks*).

hide. Couro, pele.

hideous. Horrível, repugnante.

hidrocystoma. Hidrocistoma.

hidropoiesis. Hidropoese.

hidropoietic. Hidropoético.

hidrorrhoea. Hidrorréia.

hidroschesis. Hidrosquese. Supressão do suor.

hidrose. Hidrose.

hieralgia. Hieralgia. Dor no sacro.

Higginson's syringe. Seringa de Higginson. Seringa de borracha para enemas.

high frequency treatment. Tratamento de alta freqüência.

higher bacteria. Bactéria virulenta.

Highmore, antrum of. Antro maxilar. // - **corpus.** Corpo de Highmore. Espessamento da túnica albugínea na borda superior do testículo. Tem forma de cunha. De seu vértice, dirigidos para o interior da glândula partem os septos que dividem o testículo em vários compartimentos.

highmoritis. Highmorite. Inflamação da mucosa do seio maxilar.

hilar. Hilar.

Hildebrand's disease. Doença de Hildebrand. Febre tifóide.

hillock. Eminência, elevação.

Hilton's muscle. Músculo de Hilton. Músculo ariteno-epiglótico. // - **white line.** Linha de Hilton. Linha de união do peritônio com a mucosa anal.

hilum, hilus. Hilo.

hind. Relativo à extremidade posterior. // - **hindbrain.** Cerebelo e bulbo. // - **gut.** Parte esquerda do cólon transverso.

hip. Quadril.

hippocampal. Hipocâmpico, do hipocampo.

hippocampus. Hipocampo. Sin.: pé de hipocampo, hipocampo maior, corno de Ammon.

Hippocastanum. Castanha.

Hippocrates. Hipócrates.

hippocratic. Hipocrático. // - **chorda or funis.** Tendão de Aquiles. // - **corpus.** Texto médico grego com os escritos genuínos de Hipócrates. // - **finger.** Dedo hipocrático. // - **morbus sacer.** Epilepsia. // - **oath.** Juramento de Hipócrates. // - **succussion.** Sucussão hipocrática.

hippurate. Hipurato. Sal do ácido hipúrico.

hippuria. Hipúria, oligúria.

hippuric acid. Ácido hipúrico.

hippus. Hipo. Atetose pupilar.

hircismus. Hircismo. Cheiro forte da axila.

hircus. Hirco. Pêlo da axila.

Hirschfeld's disease. Doença de Hirschfeld. Diabetes de rápido progresso.

Hirschfeld's ganglion. Gânglio de Hirschfeld. Gânglio simpático renal posterior. // - **nerve.** Nervo de Hirschfeld. Ramo lingual do nervo facial.

Hirschsprung's disease. Doença de Hirschsprung. Dilatação hipertrófica congênita em porção inferior do cólon nas crianças pequenas.

hirsute. Hirsuto.

hirsuties, hirsutism. Hirsutismo. Hipertricose, em especial na mulher.

hirudin. Hirudina.

Hirudinea. Família de anelídeos.

hirudo. Gênero de sanguessugas.

His's canal. Canal de His. Canal tireoglosso do feto. // - **cells.** Células de His. Células especializadas formadoras de vasos sangüíneos que se distinguem das células mesodérmicas correntes. // - **perivascular spaces.** Espaços de His. Espaços linfáticos perivasculares da medula espinal. // - **stroma.** Estroma de His. Tecido matriz de suporte da glândula mamária.

His's muscle bundle. Fascículo de His. Feixe muscular com fibras nervosas que conexionam os átrios com os ventrículos cardíacos. Serve para transporte de estímulos.

hiss. Silvar.

histamine. Histamina. // - **test.** Prova de histamina.

histaminase. Histamínase.

histidine. Histidina.

histiocity. Histiócito.

histioid. Histióide.

histochemistry. Histoquímica.

histoclasis. Histoclasia.

histocyte. Histiócito.

histodialysis. Histodiálise.

Histogenesis. Histogênese.

histogenetic. Histogenético.

histoid. Histióide. // - **tumour.** Tumor histióide.

histologist. Histologista.

histology Histologia.

histolysis. Histólise.

histoma. Histoma.

histone. Histona. Proteína básica.

Histoplasma capsulatum. Protozoário parasito do homem, agente da histoplasmose.

histoplasmosis. Histoplasmose.

history. História. // - **family.** História familiar. // - **medical.** História clínica.

histotome. Histiótomo, micrótomo.

histotomy. Histiotomia.

histrionic. Histriônico.

hit. Atacar, pegar.

hives. Urticária. Também significa laringite, crupe e erupção cutânea.

HNO₂, nitrous acid. Ácido nitroso.

HNO₃, nitric acid. Ácido nítrico.

H₂O, water. Água.

H₂O₂, hydrogen peroxide. Água oxigenada.

hoarse. Ronco.

hobby. Tema, mania.

hobnail liver. Cirrose hepática.

Hoboken's valves. Válvulas de Hoboken: ondulações dos vasos do cordão umbilical que causam depressão externa e ação interna semelhante à de válvulas.

Hocevar's sterile glands. Glândulas estéreis de Hocevar. Glândulas de Krause, que carecem de ductos excretores.

Hoche's tract. Feixe de Hoche. Feixe de fibras nervosas que tomam parte do fascículo próprio.

Hochsinger's phenomenon. Fenômeno de Hochsinger. Indicanúria na tuberculose da infância. No tétano, a pressão no lado medial do bíceps produz fechamento da mão.

hocus. Enganar, zombar.

Hodara's disease. Doença de Hodara. Forma de tricorrexe nodosa observada em Constantinopla.

Hofer's nerve. Nervo de Hofer. Nervo representado no homem por um ramo do nervo laríngeo superior.

Hoffa's operation. Operação de Hoffa-Lorenz. Redução incruenta da luxação congênita do quadril e fixação da cabeça do fêmur na cavidade cotilóide rudimentar.

Hoffmann's anodyne. Licor de Hoffmann. Mistura de éter sulfúrico e álcool em partes iguais. // **- symptom.** Sinal de Hoffmann. Aumento da excitabilidade mecânica dos nervos sensoriais na tetania.

Hoffmann's duct. Ducto de Hoffmann. Ducto pancreático.

Hoffmann's type of progressive muscular atrophy. Tipo de atrofia muscular progressiva de Hoffmann (v. *Charcot-Marie*).

Hoffmann's violet. Violeta de Hoffmann. Corante conhecido por "Dalia".

Högyes's treatment. Tratamento de Högyes. Tratamento da raiva com injeção subcutânea de suspensão de vírus a 1 por 100 mais ou menos diluída.

Hohl's method. Método de Hohl. Método para proteger o períneo durante o parto, resistindo com os dedos a parte que se apresenta.

hold. Manter, segurar.

Holden's line. Linha de Holden. Sulco abaixo da prega inguinal, que cruza a cápsula coxofemoral.

hole. Orifício, buraco.

Holl's ligament. Ligamento de Holl. Ligamento intercrural que une ambos os corpos cavernosos do clitóris frente ao meato urinário na mulher.

hollow. Cavidade, depressão, escavação.

Holmes's operation. Operação de Holmes. Excisão do calcâneo.

Holmgren's canals. Canais de Holmgren. Canalículos sem protoplasma celular.

holoblast. Holoblasto.

holoblastic. Holoblástico.

holocain. Holocaína.

holocrine. Holócrina (glândula).

holodiastolic. Holodiastólico.

hologamy. Hologamia.

holorrhachischisis. Holorraquiósquise. Raquiósquise total.

Holotricha. Holótricos. Protozoários cobertos de cílios.

Holthouse's hernia. Hérnia de Holthouse. Hérnia femoral e inguinal simultâneas; hérnia inguinocrural.

holy. Santo, sagrado.

homalcephalus. Homalocéfalo. Portador de cabeça plana.

homatropine. Homatropina.

Home's lobe. Lobo de Holme. Lobo médio da próstata.

home-sickness. Nostalgia.

homicidal. De homicídio.

homiculture. Estirpicultura da espécie humana.

hominal. Humano.

homocentric. Homocêntrico.

homocladic. Homocládico. Anastomose dos ramos de uma mesma artéria.

homoeochronous. Homeócrono. Que ocorre na mesma idade em geração sucessivas.

homoeomorphous. Homeomorfo.

homoeopath. Homeopatia.

homoeopathic. Homeopático.

homoeopathy. Homeopatia.

homoeplasia. Homeoplasia.

homoeoplastic. Homeoplástico.

homoeotransplantation. Homotransplante, homoplastia.

homotropism. Homotropismo, homotropia.

homotype. Homótipo.

homozygous. Homozigótico.

hood. Capuz, toucado, coifa.

hook. Gancho, garfo.

hookworm. Ancilóstomo duodenal, uncinária americana. // **- disease.** Ancilostomíase.

hoop. Asa.

Hoover's sign. Sinal de Hoover. Se ao paralítico deitado se ordenar que aperte a cama com a perna sã, veremos que eleva a perna enferma, fato que não se produz no histerismo ou simulação.

hop, hops. Lúpulo.

hope. Esperança, esperar.

Hope's sign. Sinal de Hope. Duplo batimento cardíaco no aneurisma da aorta.

Hopmann's polyp. Pólipo de Hopmann. Hipertrofia papilar da mucosa nasal, semelhante a um papiloma.

Hoppe-Goldflam's symptom complex. Síndrome de Hoppe-Goldflam. Miastenia grave.

hor. decub. Abreviatura latina de *"hora decubitus"*, na hora de deitar-se.

horde. Horda.

hordeolum. Hordéolo.

hormonal. Hormonal.

hormone. Hormônio.

horn. Corno.

Horne, saccus of van. Saco de van Horne. Saco lácteo; receptáculo de quilo.

Horner's muscle. Músculo de Horner. Tensor do tarso. // - **teeth.** Dentes de Horner. Incisivos com estrias horizontais devidas a deficiência de esmalte.

Horner's ptosis or symptom-complex. Ptose ou síndrome de Horner. Miose, ptose, enoftalmo e anidrose, produzidas por lesão do simpático cervical.

horny. Córneo, caloso.

horopter. Horóptero. Soma de todos os pontos que se vêem simples na visão binocular com os olhos fixos.

horripilation. Horripilação. Estremecimento geral com eriçamento do pêlo.

Horrock's maieutic. Bolsa de borracha que se prende na extremidade de um cateter, para dilatar o colo do útero.

horse-shoe kidney. Rim em ferradura.

Horsley's putty or wax. Cera de Horsley. Composto de cera de abelhas, óleo e ácido carbólico, usado para coibir hemorragias ósseas, especificamente durante as operações sobre o crânio. // - **trephine.** Trefina de Horsley. Trefina circular.

Hortega-cell. Célula de Del Rio Hortega. Micróglia. Variedade de célula neuróglia descrita por Del Rio Hortega. // - **method.** Método de Del Rio Hortega. Vários métodos que visam a demonstrar as células especializadas do sistema nervoso central mediante impregnação pela prata.

hor. un. spatio. Abreviatura latina de *"Horae unius spatio"* no fim de uma hora.

hospital. Hospital.

hospitalism. Hospitalismo.

hospitalize. Hospitalizar.

host. Hóspede. // - **definitive.** Hóspede definitivo ou primário. // - **intermediary.** Hóspede intermediário ou secundário.

hot. Quente, cálido.

Houston's folds. Válvulas ou pregas de Houston. Pregas da mucosa retal. // - **muscle.** Músculo de Houston. Fascículo do músculo isquiocavernoso que passa pelo dorso do pênis.

Hovius's canal. Canal de Hovius, canal de Fontana.

Howell's bodies. Corpúsculos de Howell. Corpos globulares encontrados às vezes nos eritrócitos.

Howship's lacunas or foveolae. Lacunas de Howship. Espaços de reabsorção nos ossos.

Hoyer's canal. Canal de Hoyer. Comunicação entre artérias e veias pequenas sem intervenção de capilares.

H₃PO₂, hypophosphorous acid. H_3PO_2, hypophosphorous acid. Ácido hipfosforoso.

H₃PO₃, phosphorous acid. H_3PO_3, phosphorous acid. Ácido fosforoso.

H₄P₂O₆, hipophosphoric acid. $H_4P_2O_6$, hipophosphoric acid. Ácido hipofosfórico.

H₄P₇O₂, pyrophosphoric acid. $H_4P_7O_2$, pyrophosphoric acid. Ácido pirofosfórico.

h.s. Abreviatura da expressão latina *"hora somni"*. Na hora de dormir.

H₇S, hydrogen sulphide. H_7S, hydrogen sulphide. Hidrogênio sulfurado.

H₂SO₄, sulphuric acid. H_2SO_4, sulphuric acid. Ácido sulfúrico.

Ht, hypermetropia. Símbolo de hipermetropia total.

Hubrechts protochordal knot. Nódulo de Hense (v. *Hense's node*).

Huchard's disease. Doença de Huchard. Hipertensão arterial contínua, considerada como possível causa de arteriosclerose. // - **sign.** Sinal de Huchard. Ressonância paradoxal à percussão no edema pulmonar. Existirá hipertensão arterial se a troca de posição, de pé para deitado, não for seguida de diminuição do pulso. // - **treatment.** Tratamento de Huchard.

Tratamento da dilatação gástrica pela exata diminuição das bebidas.

huddle. Confundir, equivocar.

Hueck's ligament. Ligamento de Hueck. Ligamento pectíneo da íris.

Hueppe's disease. Doença de Hueppe. Septicemia hemorrágica.

Hueter's sign. Sinal de Hueter. Falta de transmissão das vibrações ósseas nos casos de fratura com substância fibrosa entre os fragmentos.

hugeness. Magnitude, tamanho.

Huguenin's projection system. Sistema de projeção de Huguenin. Os neurônios motores superiores e inferiores e os neurônios sensitivos superiores médios e inferiores. Sistema de "equilíbrio" nas atividades sensitivas e motoras.

Huguier's canal. Canal de Huguier. Canal no osso temporal para a corda do tímpano. // - **disease.** Doença de Huguier. Fibroma uterino, lúpus da vulva. // - **fossa.** Fossa de Huguier. Seio do tímpano. // - **glans.** Glândulas de Huguier. (v. *Bartholin's glands*).

hull. Cáscara, bainha.

human. Humano.

humanized. Humanizado. // - **milk.** Leite de vaca desprovido de gordura.

humble. Humilde, modesto.

humectant. Umectante, que umedece.

humectation. Umectação.

humeral. Umeral.

humerus. Úmero.

humid. Úmido.

humidity. Umidade. // - **Absolute, relative.** Umidade absoluta, relativa.

humoral. Humoral. // - **pathology.** Patologia humoral.

humour. Humor. // - **aqueous.** Humor aquoso. // - **crystaline.** Lente (cristalino). // - **vitreous.** Humor vítreo. Sin.: corpo vítreo.

Humphry's ligament. Ligamento de Humphry. Ligamento associado ao ligamento cruzado posterior na articulação do joelho.

hunchback. Cifose.

hunger. Fome. // - **air.** Falta de ar. // - **pain.** Dor de fome.

Hunter's canal. Canal de Hunter. Espaço triangular entre os músculos adutor longo, ou maior e o vasto lateral, contém os vasos femorais e a safena interna *"canalis adductorius"*. // - **chancre.** Cancro de Hunter. Úlcera sifilítica primária. // - **method.** Método de Hunter. Tratamento do aneurisma pela ligadura proximal da artéria.

Hunter's membrane. Membrana de Hunter. Decídua uterina.

Huntington's chorea. Coréia de Huntington. Coréia "hereditária" progressiva crônica.

hurl. Atirar, arremessar, estrondo.

Hurler's disease. Doença de Hurler. Lipocondrodistrofia.

Hürthle's cells. Células de Hürsthle. Células grandes eosinófilas que se vêem, às vezes, na tireóide, restos, segundo parece, das paratireóides.

husky. Rouco.

Huschke's canal or foramen. Canal de Huschke: formado pela união dos tubérculos do anel timpânico. // - **cartilague.** Cartilagem de Huschke (v. *Jacobson's cartilague*). // - **valve.** Válvula de Huschke. Prega semilunar no ducto lacrimal próximo de sua união com o saco.

Hutchinson's disease. Doença de Hutchinson. Prurigo estival. Quiroponfólige. Angioma infeccioso. Coroidite de Tay. // - **facies.** Facies de Hutchinson. Aspecto peculiar que aparece na oftalmologia externa total. // - **patch.** Mancha de Hutchinson. Mancha de cor de salmão na córnea em caso de ceratite sifilítica. // - **prurigo.** Prurigo de Hutchinson. Prurido da dentição. // - **pupil.** Pupila de Hutchinson. Dilatada no lado da lesão na hemorragia meníngea traumática, com contração da outra pupila. // - **teeth.** Dentes de Hutchinson. Incisivos com entalhes na margem livre, considerados como privativos da sífilis congênita, porém nem sempre têm tal significado. // - **triad.** Tríade de Hutchinson. Diagnóstico da sífilis hereditária, 1. Ceratite intersticial difusa. 2. Labirintopatia. 3. Dentes de Hutchinson.

Hutinel's disease. Doença de Hutinel. Cirrose hepática na infância com ascite e edema dos membros inferiores.

Huxham's tincture. Tintura de Huxham. Solução tônica e febrífuga à base de quina amarela.

Huxley's layer or membrane. Camada de Huxley. Membrana celular da raiz de um pêlo.

Hy. Abreviatura de "hipermetropia".

hyalin, hyaline. Hialino.

hyalinogen. Hialinógeno.

hyalinuria. Hialinúria.

hyaloid. Hialóide.

Hyalonyxis. Hialonixe. Punção do corpo vítreo.

hyalophagia. Hialofagia.

hyaloplasm. Hialoplasma. Sin.: citolinfa, enquilema, hialomitoma, paramitous, paraplasma, massa interfilar, ectoplasma.

hyaluronidase. Hialuronídase. Enzima, polissacárase, que existe no esperma, venenos animais e em certas bactérias patogênicas. Desintegra as barreiras protetoras e facilita a invasão do agente patogênico. A do esperma, ao dissolver a massa protetora do óvulo, facilita a penetração do espermatozóide. Sin.: invasina.

hybrid. Híbrido.

hybridism, hybridity. Hibridismo.

hydantoin. Hidantoína.

hydantoinate. Hidantoinato.

hydatid. Hidátide. // - **cyst.** Cisto hidático. // - **disease.** Doença hidatídica. // - **mole.** Mola hidatifórme. // - **of Morgagni.** Hidátide de Morgagni.

hydatidiform. Hidatiforme.

hydatigena. Hidatígeno.

hydatoid. Hidatóide. Relativo ao humor aquoso.

hydnocarpate. Hidnocarpato. Sal do ácido hidnocárpico.

hydnocarpic acid. Ácido hidnocárpico.

Hydnocarpus wightiana. Hidnocarpo. Árvore da Índia de cuja semente se obtém um óleo semelhante à chaulmogra.

hydradenits. Hidradenite. Sin.: adenite sudorípara, abscesso tuberoso, hidroadenite.

hydraemia. Hidremia.

hydraeroperitoneum. Hidraeroperitônio.

hydragogue. Hidragogo.

hydramnion. Hidrámnio.

hydrargyrate. Hidrargirato.

hydrargyria, hydrargyriasis, hydrargyrism. Hidrargirismo, mercurialismo.

hydrargyrum. Hidrargírio, mercúrio.

hydrarthrosis. Hidrartrose.

hydrastine. Hidrastina.

Hydrastis. *Hydrastis canadensis*

hydrate. Hidrato.

hydrated. Hidratado.

hydration. Hidratação.

hydraulics. Hidráulica.

hydrazyne. Hidrazina.

hydrencephalitis. Hidrencefalite.

hydrencephalocele. Hidrencefalocele.

hydrencephalus. Hidrencéfalo.

hydrenterocele. Hidrenterocele.

hydriatic, hydriatric. Hidriático, hidriátrico.

hydriatrics. Hidriatia, hidroterapia.

hydric. Hídrico.

hydride. Hidreto.

hydriodic acid. Ácido iodídrico.

hydriodide. Hidriodeto.

hydroa. Hidroa. // - **aestivale or vacciniforame.** Hidroa estival ou vaciniforme. Afecção cutânea das crianças que consiste em vesículas sobre placas de eritema solar, que costuma recidivar todo verão.

hydroaemia. Hidremia.

hydrobromic acic. Ácido hidrobrômico.

hydrobromide. Hidrobrometo.

hydrocarbon. Hidrocarbono.

hydrocarbonism. Hidrocarbonismo.

hydrocele. Hidrocele.

hydrocenosis. Hidrocenose. Evacuação de líquido hidrópico.

hydrocephalic. Hidrocefálico.

hydrocephalocele. Hidrocefalocele.

hydrocephaloid. Hidrocefalóide.

hydrocephalus. Hidrocéfalo.

hydrochloric acid. Ácido hidroclorídrico.

hydrochloride. Hidrocloridrato.

hydrocirsocele. Hidrocirsocele. Hidrocele associada com varizes do cordão espermático.

hydrocoelia. Hidrocelia. Hidropesia abdominal (ascite).

hydrocolpocele. Hidrocolpocele. Tumor seroso da vagina.

hydroelectric. Hidrelétrico.

hydrogen. Hidrogênio. // - **peroxid.** Peróxido de hidrogênio. / - **hydrogenesis.** Hidrogênese.

hydroglossa. Hidroglossa ou hidroglossia. Rânula.

hydrogymnastics. Hidroginástica.

hydrohymenitis. Hidro-himenite. Inflamação de uma membrana serosa.

hydrohystera. Hidrometria.

hydrokinetics. Hidrocinética, hidrodinâmica.

hydrolactometer. Hidrolactômetro.

hydrolymph. Hidrolinfa.

hydrolysis. Hidrólise.

hydrolytic. Hidrolítico.

hydroma. Hidroma. Tumor ou cisto seroso.

hydromel. Hidromel.

hydromeningocele. Hidromeningocele.

hydrometer. Hidrômetro.

hydrometra. Hidrometria.

hydrometrocolpos. Hidrometrocolpo.

hydrometry. Hidrometria.

hydromicrocephaly. Hidromicrocefalia.

hydromphalus. Hidrônfalo. Cisto umbilical.

hydromyelia. Hidromielia.

hydromyelocele. Hidromielocele.

hydroncus. Hidroma. Tumefação causada por acúmulo de líquido. Hidroncose.

hydronephrectasia. Hidronefrose.

hydronephros. Hidronefrótico.

hydronephrosis. Hidronefrose.

hydronephrotic. Hidronefrótico.

hydronium ion. Hidrônio.

hydrooligocithaemia. Anemia com excesso de soro. Hidrooligocitemia.

hydropancreatosis. Hidropancreatose.

hydroparasalpinx. Hidroparassalpinge.

hydropathic. Hidropático.

hydropathy. Hidropatia.

hydropericarditis. Hidropericardite.
hydropericardium. Hidropericárdio.
hydroperion. Líquido situado entre a caduca reflexa e a verdadeira.
hydroperitoneum. Hidroperitônio. Ascite.
hydropexia. Hidropexia.
hydrophilous. Hidrófilo.
hydrophobia. Hidrofobia.
hydrophobic. Hidrofóbico.
hydrophobophobia. Hidrofobofobia, lisofobia.
hydrophone. Hidrofone.
hydrophthalmia. Hidroftalmia.
hydrophysometra. Hidrofisometria.
hydropic. Hidrópico.
hydroplasm. Hidroplasma.
hydroplasmia. Hidroplasmia, hidroplasma.
hydropleuritis. Hidropleurite.
hydropneumatosis. Hidropneumatose.
hydropneumonia. Hidropneumonia.
hydropneumoperitoneum. Hidropneumoperitônio.
hydropneumothorax. Hidropneumotórax.
hydrops. Hidropsia.
hydropyonephrosis. Hidropionefrose.
hydroquinone. Hidroquinona. Fenol, diatômico, chamado também "paradioxibenzol". Antipirético e antisséptico.
hydrorrachis. Hidrorráquio.
hydrorrhoea. Hidrorréia.
hydrosalpinx. Hidrossalpingio.
hydrosarcocele. Hidrossarcocele.
hydroscheocele. Hidrosqueocele.
hydrosol. Hidrosol.
hydrostatic. Hidrostático.
hydrostatics. Hidrostática.
hydrotherapy. Hidroterapia.
hydrothorax. Hidrotórax.
hydrotis. Hidrotite. Acúmulo de líquido no ouvido médio.
hydrotympanum. Hidrotímpano.
hydroureter. Hidroureter.
hydroxide. Hidróxido.
hydroxil. Oxidrilo.
hydroxybutyric acid. Ácido hidroxibutírico.
hydroxylamine. Hidroxilamina.
hydruria. Hidrúria.
hydruric. Hidrúrico.
hyetometry. Hietometria.
Hygeia. Higéia, Deusa da saúde.
hygeniolatry. Higiolatria. Preocupação com a própria saúde.
hygiene. Higiene.
hygienic. Higiênico.

hygienist. Higienista.
hygroma. Higroma.
hygrometer. Higrômetro.
hygrometric. Higrométrico.
hygrometry. Higrometria.
hygrophobia. Higrofobia.
hygroscope. Higroscópio.
hygroscopic. Higroscópico.
hygrostomia. Higrostomia, ptialismo, salivação.
hyla. Extensão lateral do aqueduto de Sílvio ou paraqueduto.
hyle. Martéria primitiva indiferenciada na Natureza.
hylic. Hílico. Relativo à "hyle" (q.v.).
hyloma. Hiloma. Tumor originado de tecido embrionário.
hylopathism. Hilopatismo. Teoria em que se afirma que a enfermidade é devida à mudança na constituição da matéria.
hylozoism. Hilozoísmo. Teoria que afirma que toda matéria tem vida.
hymen. Hímen.
hymenal. Himenal.
hymenectomy. Himenectomia.
hymenitis. Himenite.
hymenolepsis. Gênero de vermes cestóides.
hymenology. Himenologia.
hymenorrhaphy. Himenorrafia.
hymenotome. Himenótomo.
hymenotomy. Himenotomia.
hyobasioglossus. Hiobasioglosso. Parte basal do músculo hioglosso.
hyoglossus. Hioglosso.
hyoid. Hióide. Semelhante à letra grega hipsilo.
hyomandibular. Hiomandibular.
hyopharyngeus. Hiofaríngeo.
hyoscine. Hioscina.
hyoscyamine. Hiosciamina.
hyoscyamus. Planta solanácea.
hyothyroid. Hiotireóideo, ou tireóideo.
hypacidity. Subacidez.
hypacousis, hypacusis. Hipacusia. Diminuição na audição.
hypaemia. Hifemia. Diminuição do volume de sangue.
hypaesthesia. Hipestesia.
hypalbuminosis. Hipalbuminose.
hypalgesia. Hipalgesia. Diminuição da sensibilidade à dor.
hypalgia. Hipalgia.
hypamnios. Hipamnio. Deficiência do líquido amniótico.
hypasthenia. Hipastenia.

hypaxial. Hipaxial.
hyperacid. Hiperácido.
hyperacidity. Hiperacidez.
hyperacousis, hyperacusia, hyperacusis. Hiperacusia.
hyperactivity. Hiperatividade.
hyperacuity. Hiperacuidade.
hyperadenosis. Hiperadenose.
hyperadiposis. Hiperadipose.
hyperadrenia. Hiperadrenia, hiperadrenalismo.
hyperaemia. Hiperemia.
hyperaesthesia. Hiperestesia.
hyperalbuminosis. Hiperalbuminose.
hyperalgesia, hyperalgia. Hiperalgesia, hiperalgia.
hyperaphia. Hiperafia. Hiperestesia táctil.
hyperaphrodisiac. Hiperafrodisíaco.
hyperbilirubinaemia. Hiperbilirrubinemia.
hyperbrachycephalic. Hiperbraquicefalia.
hypercapnia. Hipercapnia. Quantidade excessiva de dióxido de carbono no sangue.
hypercardia. Hipertrofia cardíaca.
hypercatharsis. Hipercatarse. Catarse ou purgação excessiva.
hiperchlorhydria. Hipercloridria.
hyperchromatic. Hipercromático.
hypercinesis. Hipercinesia.
hypercrinia. Hipercrinia. Aumento no organismo dos produtos de secreção.
hypercryalgesia. Hipercrialgesia.
hypercyesis. Hiperciese, superfetação.
hyperdicrotic. Hiperdicrotismo.
hyperdistension. Hiperdistensão.
hyperdiuresis. Hiperdiurese.
hyperdynamia. Hiperdinamia.
hyperemesis. Hiperêmese. // - **gravidarum.** Hiperêmese da gravidez, vômitos da gravidez.
hyperencephalus. Hiperencéfalo.
hyperephidrosis. Hiperefidrose, hiperidrose. Sudação excessiva.
hyperergasia. Hiperergasia. Atividade funcional exagerada.
hyperesophoria. Hiperesoforia.
hyperextension. Hiperextensão.
hyperflexion. Hiperflexão.
hypergenesis. Hipergênese, hipergenesia.
hypergeusaesthesia. Hipergeusestesia. *Agudeza do gosto.*
hyperglobulia. Hiperglobulia.
hyperglobulinaemia. Hiperglobulinemia.
hyperglucosic. Hiperglicósico.
hyperglycaemia. Hiperglicemia.
hyperglycistia. Hiperglicistia. Excesso de açúcar nos tecidos.

hypergonadism. Hipergonadismo.
hyperhedonia. Hiperedonia, hiperedonismo. Intensidade maior no prazer.
hyperhormonal. Hiper-hormonal.
hyperhydraemia. Hiperidremia.
hyperhydrosis. Hiperidrose.
hyperhypnosis. Hiperipnose.
hyperinsullinism. Hiperinsulinismo.
hyperinvolution. Hiperinvolução.
hyperkeratosis. Hipercinese, hipercinesia.
hiperkinetic. Hipercinético.
hyperlactation. Hiperlactação.
hyperleucocytosis. Hiperleucocitose.
hyperlipaemia. Hiperlipemia.
hypermastia. Hipermastia.
hypermature. Hipermaduro.
hypermetropia. Hipermetropia.
hypermnesia, hypermnesis. Hipermnésia.
hypermotility. Hipermotilidade.
hypermyotonia. Hipermiotonia.
hypermyotrophy, hypermyotrophia. Hipermiotrofia.
hypernephritis. Hipernefrite.
hypernephroma. Hipernefroma.
Hyperol. Hiperol.
hyperonychia. Hiperoniquia.
hyperope. Hiperope.
hyperopia. Hiperopia.
hyperosmia. Hiperosmia.
hyperosteogeny. Hiperosteogenia, hiperosteogênese.
hyperostosis. Hiperostose.
hyperparathyroidism. Hiperparatireoidismo.
hyperpathia. Hiperpatia. Sensibilidade exaltada.
hyperpepsia. Hiperpepsia.
hyperperistalsis. Hiperperistaltismo.
hyperphagia. Hiperfagia.
hyperphonia. Hiperfonia.
hyperphoria. Hiperforia.
hyperplesia. Hipertensão, hipertonia.
hyperpigmentation. Hiperpigmentação.
hiperpinealism. Hiperpinealismo.
hyperpituitarism. Hiperpituitarismo.
hyperplasia. Hiperplasia.
hyperplastic. Hiperplástico.
hyperpnoea. Hiperpnéia, hiperventilação.
hyperporosis. Hiperporose. Calificação excessiva.
hyperpraxia. Hiperpraxia. Atividade maníaca.
hyperproteosis. Hiperproteose.
hyperpselaphesia. Hiperpselafesia, hiperestesia táctil; hiperafia, poliestesia, hafalgesia.
hyperpyretic. Hiperpirético.
hyperpyrexia. Hiperpirexia.

hyperresonance. Hiper-ressonância.

hypersecretion. Hipersecreção.

hypersensitiveness. Hipersensitividade, hipersensibilidade.

hypersomnia. Hipersônia.

hypersthenia. Hiperestenia. Aumento da força vital.

hypertarachia. Hipertaraquia.

hypertension. Hipertensão.

hypertensive. Hipertensivo, hipertensor.

hyperthelia. Hipertelia, hipertrofia do mamilo.

hyperthermalgesis. Hipertermalgesia.

hyperthermia. Hipertermia.

hyperthyrea. Hipertireoidismo.

hyperthyroid. Hipertireoídeo.

hyperthyroidism. Hipertireoidismo.

hypertonia. Hipertonia.

hypertonic. Hipertônico.

hypertoxic. Hipertóxico.

hypertrichiasis, hypertrichosis. Hipertricose*.

hypertrophic. Hipertrófico.

hypertrophy. Hipertrofia. // - **compensatory, simple, true.** Hipertrofia compensadora essencial, funcional ou fisiológica, verdadeira.

hypertropia. Hipertropia.

hypha. Hifa. Nome dos filamentos que constituem o micélio de um fungo.

hyphal. Relativo à hifa.

hyphaemia. Hifemia.

hyphedonia. Hifedonia. Estado patológico caracterizado por grande diminuição do prazer, não se realizando desejos.

hyphidrosis. Hifidrose. Deficiência da sudorese.

Hyphomycetes. Hifomicetos, fungos.

hypnaesthesia. Hipnestesia. Sonolência.

hypnagogic. Hipnagógico.

hypnagogue. Hipnagogo.

hypnalgia. Hipnalgia, nictalgia.

hypnapagogic. Hipnagógico, hipnagogo, hipnótico.

hypnic. Hípnico.

hypnogenis, hypnogenous. Hipnógeno, hipnogênico.

hypnoidal. Hipnóide, estado hipnótico.

hypnolepsy. Hipnolepsia.

hypnology. Hipnologia.

hypnopathy. Hipnopatia.

hypnopompic. Hipnopômpico. Que persiste depois do sonho.

---

* Dorland dá como sinônimos, hypertrichiasis e hypertrichosis, mas o primeiro é antes uma triquíase acentuada, que não é o mesmo que tricose.

hypnosia. Hipnose, hipnotismo.

hipnotic. Hipnótico.

hypnotism. Hipnotismo.

hypnotist. Hipnotizador.

hypnotize. Hipnotizar.

hypo. Abreviatura de "tiossulfato sódio" (usado em fotografia).

hipoacidity. Hipoacidez.

hypoactivity. Hipoatividade.

hypoadenia. Hipoadenia.

hipoadrenia. Hipoadrenia.

hypoalbuminaemia. Hipoalbuminemia.

hypoalimentation. Hipoalimentação.

hypoalonaemia. Hipoalonemia. Deficiência de sais no sangue.

hypoazoturia. Hipoazotúria.

hypobaropathy. Hipobaropatia. Estado patológico dependente dà diminuição da pressão atmosférica.

hypoblast. Hipoblasto.

hypoblastic. Hipoblástico.

hypobromite. Hipobromito.

hypobromous acid. Ácido hipobromoso.

hipocapnia. Hipocapnia.

hypocatharsis. Hipocatarse. Purgação deficiente.

hypochloraemia. Hipocloremia.

hypochloraemic. Hipoclorêmico.

hypochlorhydria. Hipocloridria.

hypochlorhydric. Hipoclorídrico.

hypochlorite. Hipoclorito.

hypochlorization. Hipoclorização.

hypochlorous acid. Ácido hipocloroso.

hypocholesteraemia. Hipocolererinemia, ou hipocolesterolemia.

hypochondriac. Hipocondríaco.

hypochondriacal. Hipocondríaco.

hypochondriasis. Hipocondríase.

hypochordal. Ventral, aplicado à coluna vertebral.

hypochromia. Hipocromia.

hypochromic. Hipocrômico.

hypochrosis. Hipocromia.

hypochylia. Hipoquilia.

hypocoelom. Hipoceloma. Porção ventral do celoma.

hypocystotomy. Hipocistotomia.

hypocytosis. Hipocitose.

Hypoderma. Gênero de moscas.

hypodermatomy. Hipodermotomia. Incisão subcutânea.

hypodermic. Hipodérmico.

hypodermis. Hipoderme ou hipoderma.

hypodermoclysis. Hipodermóclise. Introdução de grande quantidade de líquido (especialmente soro fisiológico) no tecido subcutâneo.

hypodynia. Hipodinia. Dor leve.

hypoexophoria. Hipoexoforia. Foria para baixo e para fora.

hypofunction. Hipofunção.

hypogalactia. Hipogalactia.

hypogastric. Hipogástrico.

hypogastrium. Hipogástrio.

hypogastrocele. Hipogastrocele.

hypogenitalism. Hipogenitalismo.

hypogeusia. Hipogeusia. Diminuição no sentido do gosto.

hypoglandular. Hipoglandular.

hypoglobulia. Hipoglobulia.

hipoglossal. Hipoglóssico. Situado sob a língua.

hipoglossus. Hipoglosso.

hypoglottis. "Hipoglossis". Rânula sublingual.

hypoglycaemia. Hipoglicemia.

hypognathus. Hipógnato. Que tem proeminente a mandíbula. // Monstro fetal com cabeça rudimentar, inserida na mandíbula.

hypogonadism. Hipogonadismo.

hypohidrosis. Hipoidrose.

hypokinesia, hypokinesis. Hipocinesia.

hypokolasia. Inibição deficiente.

hypoleucocytosis. Hipoleucocitose.

hypoleukaemia. Hipoleucemia.

hypolymphaemia. Hipolinfemia.

hypomania. Hipomania.

hypomastia. Hipomastia.

hypomelancholia. Hipomelancolia.

hypomenorrhoea. Hipomenorréia.

hypometabolism. Hipometabolismo.

hypomnesis. Hipomnésia. Debilidade da memória.

hypomyxis. Hipomixia. Pouca secreção mucosa.

hyponanosoma. Hiponanossomia. Grau extremo do nanismo.

hyponeuria. Hiponeuria.

hyponomous. Hipônomo, que se desenvolve sob a superfície; que cava túneis. *Larva migrans.*

hyponichial. Debaixo da unha, subungueal.

hyponychium. Hiponíquio.

hypoparathyroid. Hipoparatireóide.

hypoparathyroidism. Hipoparatireoidismo.

hypoparatireosis. Hipoparatireoidismo.

hypopepsia. Hipopepsia.

hypoperistalsis. Hipoperistaltismo.

hypopharynk. Hipofaringe.

hypophonia. Hipofonia.

hypophoria. Hipoforia.

hypophosphate. Hipofosfato.

hypophosphite. Hipofosfito.

hypophosphoric acid. Ácido hipofosfórico.

hypophosphorous acid. Ácido hipofosforoso.

hypophyseal. Hipofisário.

hypophysectomy. Hipofisectomia.

hypophysis. Hipófise.

hypopituitarism. Hipopituitarismo.

hypoplasia. Hipoplasia.

hypopyon. Hipópio.

hyposalaemia. Deficiência de sais no sangue (cálcio em especial).

hyposecretion. Hipossecreção.

hyposexuality. Hipossexualidade.

hyposmia. Hiposmia. Diminuição do sentido do olfato.

hypospadia, hypospadias. Hipospadia. Abertura congênita da uretra na face inferior do pênis. Também abertura da uretra na vagina.

hypostasis. Hipóstase. Sedimento de sangue por insuficiência circulatória. // - cadavérica. Manchas azul-avermelhadas nas partes mais declives do corpo depois da morte. // - pulmonar. Congestão das partes declives do pulmão nos indivíduos obrigados ao decúbito supino.

hypostatic. Hipostático.

hyposthenia. Hipostenia. Astenia moderada.

hyposthenia. Hipostênico.

hyposthenuria. Hipostenúria. Emissão de urina com peso específico muito baixo.

hypostyptic. Hipostíptico. Adstringente leve.

hyposulphite. Hipossulfito.

hyposulphurous acid. Ácido hipossulfuroso.

hypotension. Hipotensão.

hypotensive. Hipotensor.

hipothalamus. Hipotálamo.

hypothenar. Hipotênar.

hipothermal. Hipotermal.

hypotermia, hipothermy. Hipotermia.

hypothesis. Hipótese.

hypothyreosis, hypothyroidism. Hipotireoidismo.

hypotonia, hypotonus. Hipotonia.

hypotonic. Hipotônico.

hypotoxicity. Hipotoxicidade.

hypotrichous. Qualidade de certos infusórios aciliados na face dorsal.

hypotrophy. Hipotrofia.

hypotropia. Hipotropia.

hypovaria. Hipo-ovarismo.

hypovitaminosis. Hipovitaminose.

hypoxanthine. Hipoxantina.

hypsicephaly. Hipsocefalia. Sin.: acrocefalia, oxicefalia, turricefalia.
hypurgia. Hipurgia.
hypurgic. Hipúrgico.
hystera. Elemento grego que significa útero, matriz.
hysteralgia. Histeralgia.
hysteratresia. Histeratresia. Estreitamento uterino.
hysterectomy. Histerectomia. // **- abdominal, vaginal.** Histerectomia abdominal, vaginal.
hystereurynter. Dilatador do colo uterino.
hysterourysis. Dilatação do colo uterino.
hysteria. Histeria, histerismo.
hysteric, hysterical. Histérico.
hystericoneuralgic. Histericoneurálgico.
hysterics. Crise histérica.
hysteritis. Histerite, metrite.
hysterobubonocele. Histerobubonocele.
hysterocarcinoma. Histerocarcinoma.
hysterocatalepsy. Histerocatalepsia.
hysterocele. Histerocele.
hysterocyesis. Histerociese. Gravidez tópica, uterina.
hysterodynia. Histerodinia.
hysteroepilepsy. Histerepilepsia.
hysterogastrorrhaphy. Histerogastrorrafia.
hysterogenic. Histerogênico.
hysteroid. Histeróide.
hysterocataphraxis. Histerocatafraxia.

hysterokleisis. Histeróclise. Oclusão cirúrgica do orifício uterino.
hysterolaparotomy. Histerolaparotomia.
hysterolith. Histerólito.
hysterology. Histerologia.
hysteroloxia. Histeroloxia.
hysterolysis. Histerólise.
hysteromalacia. Histeromalácia.
hysteromania. Histeromania.
hysterometer. Histerômetro.
hysteromyoma. Histeromioma.
histeromyomectomy. Histeromiomectomia.
hysteromyotomy. Histeromiotomia.
hysteroneurasthenia. Histeroneurastenia.
hysteroneurosis. Histeroneurose.
hysteroophorectomy. Histerooforectomia.
hysteropathy. Histeropatia.
hysteropexy. Histeropexia.
hysteropia. Histeropia.
hysteroptosis. Histeroptose.
hysterorrhaphy. Histerorrafia.
hysterorrhexis. Histerorrexia.
hysteroscope. Histeroscópio.
hysterospasm. Histerospasmo.
hysterotomy. Histerotomia.
hysterotrachelorrhaphy. Histerotraquelorrafia.
hysterotrachelotomy. Histerotraquelotomia.
hysterotraumatism. Histerotraumatismo.
hysterotrismus. Histerotrismo.
hystriciasis. Histricismo.

FRASES E EXPRESSÕES

half measures. Meias medidas.
half-way. Metade da distância...
(to) have to. Ter de...
Have you any nosebleeding? Você tem epistaxe?
Have you ever had the chills? Você teve calafrios?
Have you lost flesh? Você perdeu peso?

here are. Eis aqui.
(to) hold back. Conter.
hold your breath. Não respire.
house physician. Médico de família.
How old are you? Que idade tem você?
How many days are you indisposed? Quantos dias duram suas menstruações?

205

I

I. Símbolo químico do iodo.

I[131]. Iodo radioativo; isótopo radioativo do iodo com peso atômico 131 e vida média de 8,04 dias.

I[132]. Isótopo radioativo do iodo com peso atômico de 132 e vida média de 2,4 horas.

iamatology. Iamatologia. Estudo ou ciência dos remédios.

ianthinopsia. Iantinopsia. Condição visual em que os objetos aparecem coloridos de violeta.

iateria, healing. Terapêutica, tratamento.

iathergy. Iatergia. Estado de imunidade existente em um organismo imunizado no qual foi abolida a sensibilidade cutânea à tuberculina mediante dessensibilização específica.

iatraliptic. Pertinente à aplicação de medicamentos por fricção.

iatric. Relacionado com o médico e a medicina.

Iatrobdella. Hirudíneo. Sanguessuga.

iatrochemical. Iatroquímico.

iatrogenesis. Iatrogênese, iatrogenia.

iatrogenic. Iatrogênico.

iatrol. Iatrol.

iatrology. Iatrologia. Ciência médica.

iatrophysics. Iatrofísica.

iatrotechnics. Iatrotécnica.

I.B. Abreviatura de *"inclusion body"*. Corpo de inclusão.

ibid. Abreviatura de *"ibidem"*. Da mesma forma.

ibite. Sinônimo de oxi-iodotanato de bismuto.

ibogain. Alcalóide tóxico de uma planta apocinácea do Congo.

icajine. Alcalóide tóxico do estrofanto.

ice. Gelo. // **- box.** Geladeira. // **- cream.** Sorvete.

ichor. Icor. Líquido purulento que escorre de certas úlceras.

ichorid. Puriforme.

ichorrhoea. Descarga de pus ou sânie.

ichthammol. Fluido castanho escuro obtido do xisto betuminoso, usado em terapêutica.

ichthyocolla. Ictiocola.

ichthyoid. Ictióide.

ichthyol. Ictiol.

ichthyophagy. Ictiofagia.

ichthyophobia. Ictiofobia.

ichthyosis. Ictiose. Doença cutânea caracterizada por pele seca e escamosa.

ichthyosulphonate. Ictiossulfonato.

ichthyotic. Ictiótico.

ichthyotoxicum. Ictiotóxico.

ichthyotoxism. Ictioxismo.

icicle. Massa pendente de gelo.

iconolagny. Iconolagnia. Excitação sexual por meio de imagens.

icteric. Ictérico.

icteroanaemia. Ictero-anemia. Sin.: ictero-anemia hemolítica. Síndrome de Widal.

icterogenic. Icterogênico.

icterohaemoglobinuria. Ictero-hemoglobinúria.

icterohepatitis. Ictero-hepatite.

icteroid. Icteróide.

icterus. Icterícia. // **- gravis.** Icterícia grave. // **- gravis neonatorum.** Icterícia dos recém-nascidos.

ictus. Icto. Termo que significa golpe, ataque súbito. // **- laryngis.** Icto laríngeo.

id. Abreviatura de idem. O mesmo.

id. Id. Cromômero. Grânulo visível de cromatina, formado por um grupo de determinantes segundo a teoria de Weismann. // Termo de Freud para o verdadeiro inconsciente, reservatório dos instintos em totalidade.

idea. Idéia, pensamento, noção.

ideation. Ideação.

ideational. Ideatório.

identification. Identificação.

identical. Idêntico.

ideomotor. Ideomotor, psicomotor.

ideomuscular. Ideomuscular.

ideophrenia. Ideofrenia.

ideophrenic. Ideofrênico.

ideoplasia. Ideoplasia. Estado de passividade da mente de uma pessoa hipnotizada.

ideovascular. Ideovascular. Relativo as alterações vasculares produzidas pela ideação.

idio-. Do grego. Significa próprio.

idioagglutination. Idioaglutinação. Aglutinação própria.

idioblast. Idioblasto.

idiocy. Idiotia. // - **amaurotic.** Idiotia amaurótica familiar. // - **mongolian.** Idiotia mongólica.

idiogênesis. Idiogênese.

idiogenic. Idiogênico.

idioglossia. Idioglossia. Fala desordenada.

idiogram. Idiograma. Diagrama que representa a constituição cromossômica (cariótipo) de uma categoria individual de espécie de gênero ou genética superior.

idioheteroagglutinin. Idio-heteroaglutinina. Heteroaglutinina normal, presente no sangue.

idioheterolysin. Idio-heterolisina. Heterolisina normal, presente no sangue.

idiohypnotism. Idio-hipnotismo.

idioimbecile. Portador de grau de deficiência mental entre a idiotia e a imbecilidade.

idioisoagglutinin. Idioisoaglutinina. Isoaglutinina normal presente no sangue e não produzida por meios artificiais.

idioisolysin. Idioisolisina. Lisina normalmente presente, que destrói as células de um animal da mesma espécie em que foi formada.

idiolalia. Idiolalia.

idiolysin. Idiolisina. Lisina produzida espontaneamente.

idiom. Idioma.

idiometritis. Idiometrite.

idiomuscular. Idiomuscular.

idiopathic. Idiopático.

idiopathy. Idiopatia.

idiophrenic. Idiofrênico.

idioplasm. Idioplasma, plasma germinativo.

idioretinal. Idiorretínico.

idiosome. Idiossomo.

idiosyncratic. Idiossincrático.

idiot. Idiota. // - **aztec type.** Idiotia de tipo asteca. // - **kulmuk.** Idiotia mongolóide. // **profound.** Idiotia profunda. // **superficial.** Idiotia superficial.

idiotism. Idiotismo.

idioventricular. Idioventricular. Afeta só os ventrículos (do coração).

idler. Vadio, preguiçoso.

ignatia. Fava de Santo Inácio.

igneous. Ígneo.

ignioperation. Ignioperação. Com termocautério.

ignipeditis. Beribéri.

ignis Sancti Ignatti. Fogo de Santo Antonio. Erisipela.

ignipùncture. Ignipunctura.

ignition. Ignição.

ignorance. Ignorância.

Il. Símbolo químico do ilínio.

ileac. Relativo ao íleo (*intestino delgado*).

ileectomy. Ilectomia.

ileitis. Ileíte.

ileocaecal. Ileocecal.

ileocaecostomy. Ileocecostomia.

ileocolic. Ileocólico.

ileocolostomy. Ileocolostomia.

ileoileostomy. Ileoileostomia.

ileoproctostomy. Ileoproctostomia.

ileosigmoidostomy. Ileossigmoidostomia.

ileostomy. Ileostomia.

ileum. Íleo (intestino delgado).

ileus. Íleo (cólica, obstrução intestinal).

ilex. Gênero de plantas ilicíneas a que pertence o mate.

iliac. Ilíaco.

iliacus. Ilíaco.

iliadelphus. Iliadelfo. Monstro duplo unido pela pelve.

iliocapsularis. Ileocapsular.

iliocolotomy. Iliocolotomia.

iliocostal. Iliocostal.

iliocostalis. Iliocostal.

iliofemoral. Iliofemoral.

iliohypogastric. Ílio-hipogástrico.

ilioinguinal. Ilioinguinal.

iliolumbar. Iliolombar.

iliopectineal. Iliopectíneo.

iliopelvic. Iliopélvico.

iliopsoas. Iliopsoas.

iliosacral. Iliossacral.

iliospinal. Iliospinal.

iliotibial. Iliotibial.

iliotrochanteric. Iliotrocantérico.

ilium. Ílio. Osso ilíaco.

ill. Enfermo.

illegality. Ilegalidade.

illegitimacy. Ilegitimidade.

ilegitimate. Ilegitimado.

illinium. Ilínio.

illness. Doença.

illumination. Iluminação.

illusion. Ilusão.

illusional. Ilusório.

illustration. Ilustração.

illutation. Tratamento por banho de lama.

ima, lowest. O mais inferior, o mais profundo.

image. Imagem.

imaginary. Imaginário.

imago. Imagem. Fase adulta ou final de um inseto.

imbalance. Desequilíbrio.

imbecile. Imbecil.

imbecility. Imbecilidade.

imbed. Encaixar, encravar, inclusão.

imbibition. Embebição.

imbricated. Imbricado.

imide, imid. Imida. Composto com o radical NH.

imino. Prefixo usado para denotar a presença de um grupo bivalente NH, ligado a um radical não ácido.

imitation. Imitação.

Imlach's fat pad. Tampão gorduroso de Imlach, que se encontra com freqüência rodeando o anel inguinal externo. // - **ring.** Anel de Imlach. Subdivisão do conduto crural na qual o ligamento redondo se acha rodeado de tecido adiposo.

immaculate, spotless. Imaculado.

immature, unripe. Imaturo.

immediate. Imediato.

immersion. Imersão.

immigrate. Imigrar.

imminent. Iminente.

immiscible. Imiscível.

immisio, insertion. Inserção.

immobility. Imobilidade.

immobilization, fixing. Imobilização.

immodesty. Imodéstia.

immune. Imune.

immunity. Imunidade.

immunization. Imunização.

immunology. Imunologia.

immunotoxin. Imunotoxina.

immunotransfusion. Imunotransfusão.

impacted. Impactado.

impaction. Impacção, impacto.

impairment. Dano, prejuízo, piora.

impalpable. Impalpável.

impaludism. Impaludismo, paludismo, malária.

imparity. Desigualdade.

impellent. Impelente.

imperative, compulsory. Imperativo.

inperception. Falta de percepção.

imperfect. Imperfeito.

imperforate. Imperfurado.

imperforation. Imperfuração, atresia.

imperial drink. Bebida alcalina refrescante.

impermeable. Impermeável.

impervious. Impérvio, impenetrável.

impetiginous. Impetiginoso.

impetigo. Impetigo. // - **bullosa.** Impetigo bolhoso. // - **contagiosa.** Impetigo contagioso. // - **follicularis.** Impetigo folicular. // - **herpetiformis.** Impetigo herpetiforme.

impetus. Ímpeto, impulso.

implacental. Aplacentário.

implant. Implantar, enxertar, inculcar.

implantation. Implantação, enxerto, inclusão.

imply. Significar, implicar.

impotence. Impotência.

impotency. Impotência.

impotentia coeundi. Incapacidade para o coito. // - **erigendi.** Anortose, incapacidade de ereção.

imprecation. Imprecação.

impregnate. Impregnar, saturar, fecundar.

impregnation. Fecundação, impregnação.

impressio. Impressão.

impression. Impressão. // - **digital.** Impressão digital.

improbable. Improvável.

impudent. Impudente.

impulse. Impulso. // - **cardiac, morbid.** Impulso cardíaco, mórbido.

impulsion. Impulsão.

impunity. Impunidade.

impurity. Impureza.

in. Abreviatura de "*inch*", polegada.

impute. Imputar.

inability. Inabilidade.

inacidity. Falta de ácido clorídrico no suco gástrico.

inactivation. Inativação.

inadequacy. Insuficiência, incapacidade.

inanimate. Inanimado.

inanition, exhaustion. Inanição.

inarch. Enxertar.

inarticulate. Inarticulado.

in articulo mortis. Na hora da morte.

inassimilable. Inassimilável.

inaxon. Inaxônio. Célula nervosa de cilindraxe longo.

inborn. Congênito.

incandescent, glowing. Incandescente.

incapable. Incapaz.

incarcerated. Encarcerado.

incarceration. Encarceração.

incarial bone. Osso interparietal.

incarnatio. Encarnação. // - **unguis.** Processo de encravação da unha.

incendiary. Incendiário.

incertitute. Incertidão.

incest. Incesto.

inch. Polegada.

incidence. Incidência.

incident. Incidente.

incineration, cremation. Incineração, cremação.

incipient. Incipiente.

incised. Inciso, cortado.

incision. Incisão.

incisive, cutting. Incisivo.

incisor teeth. Dentes incisivos.

incisura. Incisura.

incitation. Incitação, instigação.

inclusion. Inclusão. // - **body.** Corpo de inclusão // - **foetal.** Inclusão fetal.

incoherence. Incoerência.

incoherent. Incoerente.

incombustible. Incombustível.

incompatibility. Incompatibilidade.

incompatible. Incompatível.

incompetence, incompetency. Incompetência, insuficiência. // - **mitral.** Insuficiência mitral.

incompressible. Incompressível.

incongruence. Incongruência.

incontinence. Incontinência. // - **paradoxical.** Incontinência paradoxal.

incoordination. Incoordenação.

incorporation. Incorporação.

increase. Acrescentar, aumentar.

incredible. Incrível.

increment. Incremento.

incretion. Secreção interna.

incretology. Endocrinologia.

incretory. Incretório, endocrinológico.

incrustation. Incrustação.

incubation. Incubação.

incubator. Incubador ou incubadeira, estufa.

incubus, nightmare. Íncubo.

incudal. Relativo ou pertinente à bigorna.

incudectomy. Incudectomia.

incudius. Músculo relaxador da membrana timpânica.

incumbency. Incumbência.

incur. Incorrer, atrair-se.

incurable. Incurável.

incurvate. Curvo para dentro.

incus. Bigorna.

indagation. Indagação.

indentation. Denteação, incisura ou depressão. Indentação.

independent. Independente.

index. Índice. // -**cardiac.** Índice cardíaco. //

cephalic. Índice cefálico. // - **cephalic height.** Índice céfalo-orbital. // - **colour.** Índice colorimétrico. // - **dental.** Índice dental. // - **facial.** Índice facial. // - **finger.** Dedo indicador. // - **gnathic.** Índice gnático. // - **icteric.** Índice ictérico. // - **orbital.** Índice orbital.

indexometer. Indexômetro. Instrumento para determinar o índice de refração dos líquidos.

Indian hemp. "Cannabis". Gênero de urticáceas.

indican. Índican.

indicanaemia. Indicanemia.

indicanuria. Indicanúria.

indication. Indicação.

indicator. Indicador.

indifferent. Indiferente.

indigenous. Indígena, nativo.

indigestible. Indigesto.

indigestion. Indigestão.

indigitation. Indigitação.

indignant. Indignante.

indigo. Índigo. // - **carmine.** Índigo-carmin.

indirect. Indireto.

indiscretion. Indiscrição.

indiscriminate. Promíscuo, indistinto.

indisposition. Indisposição.

indissoluble. Indissolúvel.

individual psychology. Psicologia individual, individualidade.

indivisible. Indivisível.

indole. Índole.

indolent, painless. Indolente.

indolye acetic acid. Ácido acético indólico ou indolacético.

indoor. Interno, interior.

indophenol-oxidase. Oxídase-indofenol.

indorse. Endossar, apoiar.

indoxyl. Indoxil.

indoxylaemia. Indoxilemia.

indoxyluria. Indoxilúria.

induced. Induzido.

induct. Instalar, induzir.

induction. Indução.

indue. Investir.

indulin. Indulina.

indulinophil. Indulinófilo.

indurated. Endurado.

induration. Enduração.

indurative. Endurativo.

indusium griseum. Camada delgada de substância cinzenta, em cima do corpo caloso.

industrious. Industrioso, aplicado.

indwell. Habitar, existir.

inebriant, intoxicant. Embriagante, intoxicante.

inebriation. Embriaguez.

inebriety. Alcoolismo habitual.

ineffective. Inefetivo.

inelastic. Inelástico.

inept. Incapaz. Inexperiente, absurdo.

inert, inactive. Inerte, inativo.

inertia. Inércia. // **- uterine.** Inércia uterina.

inexact. Inexato.

in extremis dying. Nos últimos momentos da vida.

infancy. Infância.

infant, baby. Infante.

infanticide. Infanticídio.

infantile. Infantil. // **- paralysis.** Paralisia infantil, poliomielite.

infantilism. Infantilismo. // **- hepatic.** Infantilismo hepático. // **- intestinal.** Infantilismo intestinal. // **- Levi-Lorain type.** Infantilismo do tipo Levi-Lorain. // **- renal.** Infantilismo renal.

infarct. Enfarte. // **- uric acid.** Enfartamento de ácido úrico.

infarction. Enfartação.

infect. Infectar.

infection. Infecção. // **- mixted.** Infecção mista.

infectious. Infeccioso, contagioso.

infective. Infeccioso. // **- endocarditis.** Endocardite infecciosa. // **- mononucleosis.** Mononucleose infecciosa.

infecundity, sterility. Infecundidade, esterilidade.

infer. Inferir.

inferior. Inferior.

inferiority complex. Complexo de inferioridade.

inferolateral. Ínfero-lateral.

inferomedian. Ínfero-mediano.

inferoposterior. Ínfero-posterior.

infertility. Infertilidade.

infestation. Infestação.

infested. Infestado.

infibulation. Infibulação. Oclusão do prepúcio ou dos grandes lábios por meio de anéis ou suturas.

infiltrate. Infiltrar-se.

infiltration. Infiltração.

infinite. Infinito. // **- distance.** Distância infinita.

infirm, weak. Enfermo, fraco.

infirmary. Enfermaria.

infirmity. Enfermidade.

inflame. Inflamar

inflammation. Inflamação.

inflammatory. Inflamatório.

inflation. Inflação, insuflação.

inflection. Inflexão.

influenza. Influenza, gripe.

influenzal. Gripal, pertinente à influenza.

influx. Influxo, afluência, instalação.

inform. Informar.

infraaxillary. Infra-axilar.

infraclavicular. Infraclavicular.

infracommissure. Infracomissura.

infraconstrictor. Infraconstrictor.

infracortical. Infracortical.

infracostal. Infracostal.

infracotyloid. Infracotiloídeo.

infraction. Infração. Fratura óssea incompleta.

infradiaphragmatic. Infradiafragmático.

infraglenoid. Infraglenoídeo.

infraglottic. Infraglótico.

infrahyoid. Infra-hioídeo.

inframammary. Inframamário.

inframandibular. Inframandibular.

inframaxillary. Inframaxilar.

infraorbital. Infra-orbital.

infrapatellar. Infrapatelar.

infrapubic. Infrapúbico.

infrared. Infravermelho.

infrascapular. Subescapular.

infraspinatus muscle. Músculo subespinhoso.

infraspinous. Infra-espinhoso.

infrasternal. Subesternal.

infratemporal. Infratemporal.

infratonsillar. Infratonsilar.

infratrochlear. Infratroclear.

infraturbinal. Infraconchal.

infraumbilical. Infra-umbilical.

infravaginal. Infravaginal.

infundibular, funnelshaped. Infundibular.

infundibulin. Hormônio de hipófise.

infundibulum. Infundíbulo.

infused. Infundido, posto em infusão, infuso.

infusion. Infusão.

infusoria. Infusórios. Classe de protozoários.

infusum. Infuso.

ingest. Ingerir.

ingesta. Ingesta, alimentos.

ingestion. Ingestão.

Ingrassia, process of. Prolongamento de Ingrassia. Asa menor do esfenóide.

ingravescent. Engravescente.

ingredient. Ingrediente.

ingrowing nail. Panarício.

inguen, groin. Região inguinal, virilha.

inguinal. Inguinal.

inhabit. Habitar, ocupar.

inhalant, inhalent. Inalante.

inhalation. Inalação.

inhale. Inalar.

inhaler. Inalador.

inherent. Inerente.

inheritance. Herança. // **- dominant.** Herança dominante. //**- holandric.** Herança holândrica ou hologínica. // **- recessive.** Herança recessiva. // **- sexlinked.** Herança cruzada.

inherited. Herdado.

inhibit, restrain. Inibir.

inhibition. Inibição.

inhibitor. Inibidor.

inhibitory. Inibitório.

inhospitality. Inospitalidade.

iniac. Relativo ao ínio.

iniad. Em direção ao ínio.

iniencephalus. Iniencéfalo.

inimical. Hostil.

iniodymus. Iniódimo. Monstro com duas cabeças unidas pelo occiput.

inion. Ponto craniométrico no vértice da protuberância occipital externa.

iniops. Iniope. Monstro duplo para baixo do umbigo, com uma cabeça e duas faces, das quais uma é incompleta.

initial, beginning. Inicial.

inject. Injetar.

injected. Injetado.

injection. Injeção.

injury. Ferimento.

inlay. Embutir.

inlet. Entrada. Estreito superior da pelve.

Inman's disease. Doença de Inman. Mialgia.

inn. Pousada.

innate, congenital. Inato, congênito, conatural.

inner. Interior.

innervation. Enervação.

innidation. Nidação.

innocent, harmful. Inocente.

innocuous. Inócuo.

innominate. Inominado.

innovate. Inovar.

innoxious, harmless. Inócuo.

inoblast. Inoblasto.

inoccipitia. Ausência do lobo occipital.

inochondroma. Inocondroma.

inoculable. Inoculável.

inoculate. Inocular.

inoculation. Inoculação.

inoperable. Inoperável.

inopexia. Inopexia.

inorganic. Inorgânico.

inosclerosis. Inosclerose.

inosculate. Inoscular.

inosculation. Inosculação.

inosinate. Inosinato.

inosine. Inosina. Composto de hipoxantina e ribose, resultante da decomposição do ácido inósico.

inosinic acid. Ácido inosínico.

inosite, inosit. Inosita, inositol. Açúcar muscular ou da carne.

inositis. Inosite.

inosteatoma. Inosteatoma. Esteatoma com elementos fibrosos.

inosuria. Inosúria.

inotropic. Inotrópico, inótropo. A força das contrações musculares; diz-se dos nervos cardíacos que influem positiva ou negativamente sobre a musculatura cardíaca.

inquest. Indagação, averiguação, informação ou pesquisa.

inquire. Inquirir.

inquisition. Inquisição. Investigação especial sobre o estado mental de uma pessoa.

inructation. Arroto, eructação.

inrush. Invasão.

insalivation. Insalivação.

insalubrious, unhealthy. Insalubre.

insane. Insano, louco, demente.

insanitary. Insano.

insanitation. Ausência de condições sanitárias. Insano.

insanity. Insânia, loucura, demência.

insatiable. Insaciável.

inscriptio tendinea. Inscrição tendínea. Corda tendínea que cruza o ventre de um músculo e o divide mais ou menos, como no reto do abdômen.

insect. Inseto.

insecta. Insetos.

insecure. Inseguro.

insemination. Inseminação.

insenescence. Senilidade.

insensible. Insensível.

insertion. Inserção.

inset. Intercalar.

inside. Interior, dentro de.

insidious, hidden. Insidioso.

insinuate. Insinuar.

insipid. Insípido.

in situ. *in situ.* No lugar natural ou normal.

insolation. Insolação.

insoluble. Insolúvel.

insomnia. Insônia.

inspection. Inspecção.

inspersion. Inspersão, ato de espargir, espalhar.

inspiration. Inspiração.

inspirator. Inalador.

inspiratory. Inspiratório.

inspissated. Espessado.

inspissation. Ação ou efeito de espessar, condensar.

inspissator. Condensador.

instep. Arco do pé.

instillation. Instilação.

instint. Instinto.

instinctive. Instintivo.

instruct. Instruir.

instrument. Instrumento.

instrumental. Instrumental.

insufficiency. Insuficiência.

insufflation. Insuflação.

insufflator. Insuflador.

insular, isolate. Isolar.

insulation. Isolamento.

insulator. Isolante.

insulin. Insulina.

insulinaemia. Insulinemia.

insulinoid. Insulinóide.

insulinoma. Insulinoma.

insult, trauma. Trauma, ataque.

insupportable. Insuportável.

insurance. Seguro.

insusceptibility. Insusceptibilidade, imunidade.

intact. Intacto.

integration. Integração.

integrity, wholeness. Integridade.

integument. Tegumento, pele.

integumentary. Tegumentar.

intellect. Intelecto, inteligência.

intelligence. Inteligência.

intemperance. Intemperança.

intensimeter. Intensímetro. Instrumento para medir a intensidade dos raios X.

intensity. Intensidade.

intensive. Intensivo.

intention. Intenção.

interaccessory. Interacessório.

interacinar, interacinous. Interacinoso.

interalveolar. Interalveolar.

interarticular. Interarticular.

interarytenoid. Interaritenoídeo.

interauricular. Interauricular.

interbrain. Intercerebral.

intercadence. Intercadência.

intercalary. Intercalar.

intercanalicular. Intercanalicular.

intercapillary. Intercapilar.

intercarpal. Intercarpal.

intercellular. Intercelular.

intercentral. Intercentral.

intercerebral. Intercerebral.

interchondral. Intercondral.

interclavicular. Interclavicular.

interclinoid. Interclinoídeo.

intercolumnar. Intercolunar.

intercondylar, intercondyloid. Intercondíleo.

intercostohumeral. Intercosto-umeral.

intercourse. Comunicação. // - **sexual.** Coito.

intercranial. Intercranial.

intercricothyrotomy. Intercricotireotomia.

intercrural. Intercrural.

intercurrent. Intercorrente.

interdental. Interdental.

interdiction. Interdição.

interdigital. Interdigital.

interdigitation. Interdigitação.

interest. Interesse.

interface. Interface.

interfacial. Interfacial.

interfascicular. Interfascicular.

interfemoral. Interfemoral.

interference. Interferência.

interfibrillar. Interfibrilar.

interfrontal. Interfrontal.

interganglionic. Interganglionar (interlinfonodal).

intergluteal. Interglúteo.

intergonial. Intergonial (ou intergoníaco).

interkinesis. Intercinesia ou intercinese.

interlobar. Interlobar.

interlobular. Interlobular.

interlock. Unir, abranger, colidir.

interlocking of twins. Complicação no trabalho de parto gemelar em que um gêmeo se engancha no outro.

intermammary. Intermamário.

intermarginal. Intermarginal.

intermarriage. Casamento consangüíneo.

intermaxilla. Osso intermaxilar ou incisivo.

intermaxillary. Intermaxilar.

intermediate. Intermediário, intermédio.

intermenstrual. Intermenstrual.

intermenstrum. Intermênstruo.

interment, burial. Enterro, sepultura, funeral, inumação.

intermission. Intermissão, intermitência.

intermittent. Intermitente.

intermuscular. Intermuscular.

internal capsule. Cápsula interna.

internus. Interno.

interoceptor. Interoceptor, visceroceptor.

interorbital. Interorbital.

interosseous. Interósseo.

interosseous muscle. Músculo interósseo.

interparietal. Interparietal.

interpeduncular. Interpeduncular.

interpolar. Interpolar.

interpolation. Interpolação. Ação de colocar entre dois pólos.

interpose. Interpor.

interprotometamere. Interprotometâmero. No embrião, a parte situada entre os segmentos primários.

interpubic. Interpúbico.

interrenal. Inter-renal.

interrupted. Interrompido.

interrupter. Interruptor.

interscapular. Interescapular.

interspace. Espaço intercostal.

interspinal. Interespinal.

interstices. Interstícios.

interstitial. Intersticial. // **- hernia.** Hérnia intersticial. // **- pregnancy.** Gravidez intersticial. // **- tissue.** Tecido intersticial.

intersystole. Inter-sístole.

intertragicus muscle. Músculo intertrágico. Pequeno músculo do ouvido externo.

intertransversalis muscle. Músculo interstransversal.

intertransverse. Intertransverso.

intertriginous. Intertriginoso.

intertrigo. Intertrigo. Sin.: eritema intertrigo.

intertrochanteric. Intertrocantérico.

interval. Intervalo.

interventricular. Interventricular.

intervertebral. Intervertebral.

intestinal. Intestinal.

intestine. Intestino. // **- large.** Intestino grosso. // **- small.** Intestino delgado.

intestinum crassum, tenue. Intestino grosso, delgado.

intima. Íntima.

intimal. Da íntima.

intimitis. Intimite.

intolerance. Intolerância.

intoxicant. Intoxicante.

intoxication, poisoning. Intoxicação.

intraabdominal. Intra-abdominal.

intraarterial. Intra-arterial.

intraarticular. Intra-articular.

intracapsular. Intracapsular.

intracardiac. Intracardíaco.

intracartilaginous, endochondral. Intracartilaginoso ou intracartilagíneo ou endocondral.

intracellular. Intracelular.

intracranial. Intracranial.

intradermal. Intradérmico.

intraduodenal. Intraduodenal.

intradural. Intradural.

intrafoetation. Intrafetação. Inclusão fetal.

intragastric. Intragástrico.

intraglandular. Intraglandular.

intraglobular. Intraglobular.

intrahepatic. Intra-hepático.

intraintestinal. Intra-intestinal.

intralamellar. Intralamelar.

intralaryngeal. Intralaríngeo.

intraligamentous. Intraligamentoso.

intralobular. Intralobular.

intrammamary. Intramamário.

intramarginal. Intramarginal.

intramedullary. Intramedular.

intramembranous. Intramembranoso.

intramural. Intramural.

intramuscular. Intramuscular.

intranasal. Intranasal.

intraneural. Intraneural.

intranuclear. Intranuclear.

intraocular. Intra-ocular.

intraoral. Intra-oral.

intraorbital. Intra-orbital.

intraosteal. Intra-ósseo.

intraparechymatous. Intraparenquimatoso.

intraparietal. Intraparietal.

intrapelvic. Intrapélvico.

intrapericardial. Intrapericárdico.

intraperitoneal. Intraperitoneal.

intrapleural. Intrapleural.

intrathoracic. Intratorácico.

intratracheal. Intratraqueal.

intratympanic. Intratimpânico.

intraurethral. Intra-uretral.

intrauterino. Intra-uterino.

intravaginal. Intravaginal.

intravasation. Intravasamento.

intravascular. Intravascular.

intravenous. Intravenoso.

intraventricular. Intraventricular.

intravesical. Intravesical.

intra vitam. Durante a vida.

intravitreous. Intravítreo.

intrepid. Intrépido.

intrinsic. Intrínseco.

introducer. Introdutor, intubador.

introgastric. Intragástrico.

introitus, an inlet. Intróito.

intromission. Intromissão.

introspection. Introspecção.

introversion. Introversão, invaginação.

introvert. Introvertido, introverso, invaginado, introverter.

intubation. Intubação.

intumescence. Intumescência.

intussusception. Intussuscepção.

intussuscipiens. Parte do intestino em que se insinua o segmento intestinal invaginado.

inunction. Inunção.

in utero. Dentro do útero.

invade. Invadir, usurpar.

invaginated. Invaginado.

invagination. Invaginação.

invalid. Inválido.

invalidism. Invalidez.

invaluable. Inapreciável.

invasion. Invasão.

invention. Invenção.

inversion. Inversão.

invert. Invertido, homossexual.

invertase. Invértase.

invertebrata. Invertebrados.

intertebrate. Invertebrado.

invertin. Invertina. Sin.: sucrase.

investing. Que suporta ou protege: diz-se das gengivas (que suportam os dentes).

inveterate. Inveterado.

invigorate. Vigorizar, fortificar.

in vitro. Diz-se dos fenômenos que ocorrem só em laboratório, especialmente em tubos de ensaio.

in vivo. Diz-se dos fenômenos que podem ocorrer no organismo vivo.

involucrum. Invólucro.

involuntary. Involuntário.

involution. Involução.

iodal. Iodal.

iodate. Iodato.

iodic acid. Ácido iódico.

iodide. Iodeto.

iodine. Iodo.

iodinophyl. Iodófilo.

iodism. Iodismo.

iodized. Iodizado.

iododerma. Iododerma.

iodoform. Iodofórmio.

iodogallicin. Pó de oxiiodeto de bismuto e metil-galicina, de uso médico.

iodoglobulin. Iodoglobulina.

iodophil. Iodófilo.

iodophilia. Iodofilia.

iodophthalein. Iodoftaleína.

iodosobenzoic acid. Ácido iodobenzóico.

iodotyrin. Iodotirina.

iodoxyl. Iodoxila.

iodum. Iodo.

ion. Íon.

ionic. Iônico.

ionization. Ionização.

ionogenic. Ionogênico.

ionometer. Ionômetro.

ionone. Cetona hidroaromática com cheiro de violetas.

ionotherapy. Ionoterapia.

iophobia. Iofobia.

iotacism. Iotacismo.

ipecacuanha. Ipecacuanha.

ipsation. Ipsação, masturbação.

I.Q. Abreviatura de *"intelligency quotient"*. Quociente de inteligência.

irascibility. Irascibilidade.

iridadenosis. Iridadenose. Adenose ou afecção glandular da íris.

iridaemia. Iridemia.

iridal. Irídio.

iridauxesis. Iridauxese.

iridectome. Iridéctomo.

iridectomy. Iridectomia.

iridectropium. Iridectrópio.

iridencleisis. Iridenclise. Encarceramento da íris em uma incisão.

irideremia. Irideremia.

iridesis. Irídese.

iridic. Irídico.

iridicapsulitis. Iridocapsulite.

iridium. Irídio.

iridoavulsion. Iridoavulsão. Iridodiálise.

iridocele. Iridocele.

iridochoroiditis. Iridocoroidite.

iridocyclitis. Iridociclite.

iridodesis. Iridódese.

iridodonesis. Iridodonese *"Iris tremulans"*.

iridodialysis. Iridodiálise.

iridoplegia. Iridoplegia.

iridorhexis. Iridorrexia, iridorrexe. Ruptura da íris.

iridosclerotomy. Iridosclerotomia.

iridoscope. Iridoscópio.

iridosteresis. Iridosterese. Iridectomia.

iridotasis. Iridótase. Operação de Borthen. Estreitamento cirúrgico em caso de glaucoma.

iridotomy. Iridotomia.

iris. Íris.

iritic. Irítico. Relativo à irite.

iritis. Irite.

irk. Fastidiar.

iron. Ferro.

irradiating. Irradiante.

irreducible. Irreducível.

irregular. Irregular.

irrespirable. Irrespirável.

irrigation. Irrigação.

irritability. Irritabilidade.

irritable. Irritável.

irritant. Irritante.

irritation. Irritação.

irritative. Irritativo.

Isambert's disease. Doença de Isambert. Tuberculose aguda da laringe e faringe.

isatim. Isatina.

ischaemia. Isquemia.

ischesis. Isquese. Retenção ou suspensão de fluxo ou derrame.

ischial. Isquiádico.

ischidrosis. Isquidrose. Supressão do suor.

ischiocapsular. Ischiocapsular.

ischiocavernosus. Isquiocavernoso.

ischiocele. Isquiocele.

ischiococcygeal. Isquiococcígeo.

ischiodidymus. Isquiodídimo.

ischiofemoral. Isquiofemoral.

ischiopagus. Isquiópago.

ischiopubic. Isquiopúbico.

ischiopubiotomy. Isquiopubiotomia.

ischiorectal. Isquiorretal.

ischium. Ísquio.

ischuretic. Iscurético.

ischuria. Iscúria.

island. Ilha. // - **of Langerhans.** Ilhotas de Langerhans. // - **of Reil.** Ilha de Reil.

islet. Ilhota.

isoagglutination. Isoaglutinação.

isoagglutinin. Isoaglutinina.

isochromatic. Isocromático, isocrômico.

isochron. Isócrono.

isochronism. Isocronismo.

isochronous. Isócrono.

isocoria. Isocoria. Igualdade das pupilas.

isocortex. Isocórtex.

isodynamic. Isodinâmico.

isoelectric point. Ponto isoelétrico.

isoelectrical. Isoelétrico.

isogamy. Isogamia.

isolate. Isolado.

isolation. Isolamento.

isolysin. Isolisina.

isolysis. Isólise.

isolytic. Isolítico.

isomer. Isômero.

isomeric. Isomérico.

isomerism. Isomerismo, isomeria.

isometric. Isométrico.

isometropia. Isometropia.

isomorphic. Isomórfico.

isomorphism. Isomorfismo.

isomorphous. Isomorfo.

isonicotinic acid hydrazide. Hidrazida do ácido isonicotínico.

isopathy. Isopatia. Tratamento das enfermidades infecciosas pelo vírus que as produz.

isophoria. Isoforia. Estado em que os olhos estão no mesmo plano horizontal.

isopia. Isopia, isometropia.

isoprene C_5H_2. Isopreno.

isopropyl alcohol. Álcool isopropílico.

isopters. Isópteras. Curvas de igual acuidade visual da retina a distâncias diferentes da mácula.

isoserum treatment. Tratamento pelo isossoro.

isosmotic. Isosmótico.

isospora. Isóspora.

isosthenuria. Isostenúria.

isothermal. Isotérmico.

isothiocyanate. Isotiocianato.

isotiocyanic acid. Ácido isotiociânico.

isotonia. Isotonia.

isotonic. Isotônico.

isotonicity. Isotonicidade.

isotope. Isótopo.

isotoxin. Isotoxina.

isotropic, isotropous. Isotrópico.

isotropy. Isotropia.

issue. Edição, impressão, fonte.

isthmian. Ístmico.

isthmus. Istmo.

Itard's catheter. Sonda de Itard. Sonda para cateterismo da tuba de Eustáquio.

Itard-Cholewa sign. Sinal de Itard-Cholewa. Anestesia da membrana do tímpano na otoesclerose.

itch. Prurido, sarna, escabiose.

itching. Prurido.

iter. Passagem ou via tubular. Aqueduto de Sílvio.

iteral. Relativo à via (iter).

itis. Sufixo de origem grega que denota "inflamação".

ivory. Marfim // - **dental.** Dentina.

Ixodes. Gênero de aracnídeos que compreende carrapatos (ácaros) parasitos de animais e do homem.

ixodiasis. Doença por ácaros.

FRASES E EXPRESSÕES

I will leave a prescription. Deixarei uma prescrição (para você).

in addition. Ademais.

in addition to. Além de...

in a position to. Em condições de...

in broad outline. Em linhas gerais...

in getting on your feet? Ao colocar-se de pé?

in large part. Em grande parte...

in search of. Em busca de...

in spite of. Apesar de...

in the light of. Á luz de...

in the middle of. No meio de (em um sentido).

(to) intrude on. Estorvar, inserir-se.

It came all of a sudden? Apresentou-se tudo subitamente?

J

jab. Golpe, facada.

jaborandi. Nome brasileiro do arbusto rutáceo. *Pilocarpus jaborandi.*

Jaboulay's button, operation. Botão ou operação de Jaboulay. Botão para a anastomose intestinal lateral, sem auxílio de sutura. // Operação que consiste na amputação interílio abdominal.

Jaccoud's dissociated fever. Febre dissociada de Jaccoud. Febre caracterizada por pulso lento e irregular, que tem lugar na meningite tuberculosa dos pacientes adultos.

jacket. Bandagem fixa feita geralmente com pasta de Paris.

Jackson's epilepsy. Epilepsia jacksoniana. Epilepsia parcial, limitada a um lado, a um membro ou a um grupo de músculos, sem perda da consciência. // **- syndrome.** Síndrome de Jackson. Paralisia do palato mole, laringe e metade da língua associada à paralisia do trapézio e esternoclidomastoídeo.

Jackson's membrane. Membrana de Jackson. Prega peritoneal ou aderência entre o ceco e o cólon ascendente e a porção direita da parede abdominal.

Jackson's sign. Sinal de Jackson. Sibilo asmatóide ouvido na ausculta da respiração em casos de corpo estranho vegetal retido na traquéia. // Espuma na fossa piriforme.

Jacob's membrane. Membrana de Jacob. Camada de cones e bastonetes da retina. // **- ulcer.** Úlcera de Jacob. *Ulcus rodens*, especialmente na pálpebra. // **- wound.** Ferida de Jacob. Úlcera cancróide.

Jacobson's anastomosis or plexus. Plexo de Jacobson. Plexo do tímpano. // **- canal.** Canal de Jacobson. Abre-se na superfície inferior do rochedo e contém o nervo de Jacobson; chama-se também canal timpânico. // **- carti-**

lage. Cartilagem nasovomeriana. // **- nerve.** Nervo de Jacobson. Ramo timpânico do nervo glossofaríngeo. // **- organ.** Órgão de Jacobson. Depressão pequena bilateral na parte mais inferior do septo nasal. // **- sulcus.** Sulco de Jacobson. Fosseta vertical no promontório do tímpano que contém o nervo timpânico.

Jacobson's retinitis. Retinite de Jacobson. Retinite sifilítica.

Jacquemet's recess. Recesso de Jacquemet. Recesso hepatocístico, bolsa peritoneal situada entre o fígado e a vesícula biliar.

Jacquemier's sign. Sinal de Jacquemier. Coloração arroxeada da mucosa vaginal sob o orifício uretral, que se observa a partir da quarta semana de gravidez.

Jacques's plexus. Plexo de Jacques. Plexo nervoso, intramuscular na tuba uterina.

Jacquet's erythema. Eritema de Jacquet. (v. *Napkin erythema*).

jactilation. Agitação.

jaculate. Ejacular, lançar.

Jadelot's lines. Linhas de Jadelot. Cada uma das linhas da face na criança: genal, nasal, labial e oculozigomática, que se supõe serem indício de doenças.

Jaffe's sign. Sinal de Jaffe. O fluxo de pus em abscesso subfrênico é mais abundante na inspiração, o contrário do que há com o empiema pleural. Há também reação de Jaffe, para pesquisa de índican. Ao líquido suspeito de conter índican ajunta-se quantidade igual de HCl concentrado e gotas de solução forte de Cena. Se existir índican, forma-se cor azul.

jag. Dentear.

Jäger's diplococcus. Diplococo de Jäger. *Neisseria meningitidis.*

Jaksch's disease. Doença de von Jaksch. Pseudoleucemia infantil.

jalap. Jalapa.

Jame's powder. Pó de James. Óxido de antimônio; 33 partes, e fosfato de cádmio, 67 partes, diaforético rápido.

Janet's disease. Doença de Janet. Psicastenia.

Janet's method. Método de Janet. Irrigação uretral com permanganato de potássio em caso de gonorréia.

janiceps. Janicéfalo, Janicepe. Monstro sincéfalo com duas faces.

Jarisch's ointment. Pomada de Jarisch à base de ácido pirogálico, contra psoríase.

Jarjavay's ligament. Ligamento de Jarjavay. Ligamento útero-reto-sacro ou útero-sacro. Expansão do tecido subperitoneal ou fáscia de proteção e fixação uterovaginal que vai dos lados da porção inferior do útero e se fixa na fáscia pélvica e no sacro, depois de envolver o reto. // - **muscle.** Músculo de Jarjavay. Músculo isquiobulbar da uretra.

Jarmer's suture. Sutura de Jarmer. Sutura intraalveolar do palato.

jaundice. Icterícia. // - **acholuric.** Icterícia acolúrica. // - **catarrhal.** Icterícia catarral. // - **haemolytic.** Icterícia hemolítica. // - **obstructive.** Icterícia obstrutiva. // - **physiological.** Icterícia fisiológica. // - **toxic.** Icterícia tóxica.

Javelle water. Água ou solução de Javel. Solução de hipoclorito de sódio e potássio.

jaw. Mandíbula. Qualquer dos ossos maxilares.

Jaworski's corpuscles. Corpúsculos de Jaworski. Corpos mucosos espirais que se observam na secreção gástrica de pacientes com grandes hipercloridria.

jealous. Ciumento, invejoso.

jecur, liver. Fígado.

jejunal. Jejunal.

jejunectomy. Jejunectomia.

jejunitis. Jejunite.

jejunocolostomy. Jejunocolostomia.

jejunoileitis. Jejuno-ileíte.

jejunoileostomy. Jejuno-ileostomia.

jejunojejunostomy. Jejunojejunostomia.

jejunostomy. Jejunostomia.

jejunum. Jejum.

jelly. Gelatina.

Jendrassik's manoeuvre. Manobra de Jendrassik. Expediente para acentuar o reflexo rotuliano, fazendo com que o paciente enganche suas mãos com os dedos flexionados, e as tracione o quanto possa.

Jenner's stain. Corante de Jenner. Corante de azul de metileno e eosina usado em hematologia.

Jennerian vaccination. Vacinação jenneriana. Vacina antivariólica.

Jensen's sulcus. Sulco de Jensen. Primeiro sulco intermédio do córtex cerebral.

jerck. Sacudida, contração súbita.

jercks. Mania dançante.

job. Tarefa, trabalho.

Joffroy's reflex. Reflexo de Joffroy. Espasmo dos músculos glúteos pela pressão das nádegas, observado na paralisia espasmódica. // - **sign.** Sinal de Joffroy. Falta de contração no músculo frontal no bócio exoftálmico, quando o paciente dirige rapidamente os olhos para cima. // Desaparecimento do espasmo da face ao comprimir o nervo facial, na coréia elétrica.

Johne's bacillus. Bacilo de Johne. *Mycobacterium paratuberculosis.*

Johnson's test. Reação de Johnson. Para determinar a albumina por meio de solução forte de ácido pícrico.

join. Juntar, associar.

joint. Articulação.

Jolles's test. Reação de Jolles. Para determinar pigmentos biliares na urina mediante solução de cloreto de bário, clorofórmio e gotas de ácido clorídrico.

Jolly's bodies. Corpos de Jolly (v. *Howel's bodies*).

Jolly's reaction. Reação de Jolly. Falta de reação muscular à excitação farádica, conservando a faculdade de contração voluntária e reação à excitação galvânica.

Jones's position. Posição de Jones. Flexão aguda do antebraço para o tratamento das fraturas do côndilo medial do úmero. // - **splint.** Férula de Jones. Dois modelos de férulas de uma para as fraturas de Colles de abdução e tração contínuas para as fraturas do extremo superior do fêmur.

Jonnesco's fossa. Fossa de Jonnesco. Fossa duodenojejunal.

Jonstoni area. Área de Jonstoni. *Celsus's area.* "Alopecia areata".

Jorissenne's sign. Sinal de Jorissenne. Na gravidez o pulso não se acelera na mudança da posição horizontal para a vertical.

Josseroud's sign. Sinal de Josseroud. Som metálico forte que se percebe na área pulmonar em casos de pericardite aguda.

Joule. Joule.

Jourdain's disease. Doença de Jourdain. Osteomielite na borda alveolar.

journey. Jornada.

Jovert's fossa. Fossa de Jovert. Oco poplíteo.

joy. Alègria.

jugal. Osso zigomático.

jugomaxillary. Zigomaticomaxilar.

jugular. Jugular.

jugulum. Pescoço, fossa jugular.

jugum. Jugo.

juice. Suco.

Julliard's mask. Máscara de Julliard. Pequena máscara para éter.

jump. Saltar, brincar.

junction. Junta, acoplamento, junção.

junctura. Articulação, junta.

Jung's method. Método de Jung. Psicanálise. // **-muscle.** Músculo de Jung. Músculo tragohelicino.

Jungbluth's vessels. Vasos próprios de Jungbluth. Estão situados sob o âmnios do embrião primitivo.

Juniperus. Junípero. Gênero de coníferas.

junket. Convidar, festejar, obsequiar. Doce de leite.

Junod's boot. Bota de Junod. Usada para produzir congestão passiva.

jury. Júri. // **- of matrons.** Júri de matronas.

jurymast. Aplicação usada como tratamento pela extensão da parte superior da espinha.

just. Justo.

justo major, justo minor. Locuções latinas que indicam que uma coisa é maior ou menor que a normal.

jut. Sobressair, saliente.

juvantia. Coadjuvante. Remédios ou medicamentos utilizados para ajudar a ação de outros.

juvenile. Juvenil.

juxta-articular. Justa-articular.

juxtapositon. Justaposição.

K

K. Símbolo químico do potássio.

k. Abreviatura de *"konstant"*, constante.

Ka. Abreviatura de *"cathode"*, cátodo.

kabure. Afecção cutânea encontrada no Japão.

Kader's operation. Operação de Kader. Gastrostomia em que o tubo se introduz através do retalho, que atua como válvula e oclui o orifício ao retirar o tubo.

Kaes's feltwork. Plexo de Kaes. Plexo de fibras nervosas no córtex cerebral.

Kaes-Bechterew's layer. Camada de Kaes-Bechterew. Camada de fibras nervosas no córtex cerebral.

Kafka's test. Reação de Kafka. Reação de precipitação do líquido cefalorraquídeo feita com solução de bicarbonato de sódio, cloreto de sódio, resina e um corante.

Kahlbaum's disease. Doença de Kahlbaum. Catatonia.

Kahler's disease. Doença de Kahler. Mieloma múltiplo.

Kahn's test. Reação de Kahn. Reação de floculação na sífilis empregando como antígeno um extrato alcoólico de coração de boi tratado pelo éter e colesterinizado. // Reação de turvação no câncer, fundamentada na determinação quantitativa de certo constituinte do sangue, chamado "albumina A".

kahweol. Kahweol. Lípide cristalino branco que forma a parte principal da fração insaponificável do café.

kainite. Cainite (ou cenite). Terra que contém cloreto de potássio e sulfato de magnésio.

kainophobia. Cenofobia. Medo mórbido de novidade.

kairine. Cairina. Cloridrato de etiloxitetraidroquinolina, antipirético potente e algo perigoso, preparado de quinolina. Utilizou-se como sucedâneo da quinina em dose de 0,2 a 1 g. // Base ou alcalóide de que a substância anterior é o cloridrato. A "cairina" ordinária se chama também "metilcairina".

Kaiserling's solution. Solução de Kaiserling. Líquido para conservação de tecidos patológicos.

kakidrosis. Caquidrose, sudação fétida.

kakke. Beribéri.

kakosmia. Cacosmia. Odor desagradável.

kalaazar. Kalazar.

kaleidoscope. Caleidoscópio.

kali. Barrileira, potassa.

kaliaemia. Calemia.

kalimeter. Alcalímetro.

kalium. Potássio.

kallak. Nome de uma dermatite pustalar comum entre os esquimós.

kallikrein. Calicreína. Termo de Frey e Kraut para um hormônio pancreático eliminado pela urina, de ação contrária à da epinefrina.

kalopsia. Calopsia. Condição em que todos os objetos parecem mais formosos do que são na realidade.

Kaminer-Freund's reaction. Reação de Kaminer-Freund. Desagregação das células cancerosas pelo soro de indivíduos sãos.

kanagugui. Planta japonesa cujo extrato fluido se usa na sífilis secundária.

Kanavel's sign. Sinal de Kanavel. Na infecção da bainha tendinosa há um ponto mais doloroso na palma da mão a 2 cm por debaixo da base do dedo mínimo.

Kandahar sore. Úlcera de Kandahar. Furúnculo oriental.

Kangaroo ligature. Ligadura de canguru. Material de sutura feita de cola de canguru.

kaolin. Caulim. Silicato de alumínio.

Kaplan's test. Reação de Kaplan. Ferve-se em um tubo de ensaio uma mistura de 0,2 ml de líquido cefalorraquídeo e 0,3 ml de água destilada; juntam-se 3 gotas de ácido butírico a 5 por cento em solução salina normal. Sobre esta se derramam cuidadosamente 0,5 ml de solução saturada de sulfato de amônio; em 20 minutos forma-se na superfície de contato de ambos os líquidos um anel bem marcado, se há globulina-albumina no líquido cefalorraquídeo.

Kaposi's disease. Doença de Kaposi. Xeroderma pigmentoso.

Kappeler's operation. Operação de Kappeler. Variante da manobra de Heiberg-Esmarch. Propulsão da mandíbula para impedir a queda da língua durante a anestesia.

kapselcoccus. Coco capsular. Micróbio encontrado na piossalpingite.

karaya. Goma de uma árvore do gênero "astragalus", de cujo córtex é extraída.

Karell's treatment. Cura ou tratamento de Karell. Uso sistemático da dieta de leite desnatado em quantidade reduzida, para desafogar o sistema circulatório.

Karroo syndrome. Síndrome de Karroo. É observada na região de Karroo, na África do Sul e consiste em febre elevada, transtornos do aparelho digestivo e dor nos linfonodos nucais.

Kartagener's syndrome. Síndrome ou tríade de Kartagener. Associação de bronquiectasia, sinusite e *situs inversus*.

karyenchyma. Cariênquima. Suco nuclear de uma célula.

karyo-. Elemento grego que indica relação com núcleo, entrando na nomenclatura da citologia.

karyoblast. Carioblasto.

karyochromatophil. Cariocromatófilo.

karyochrome. Cariocromo.

karyoclasis. Carioclase.

karyocyte. Cariócito. Célula nucleada.

karyogamy. Cariogamia.

karyogenesis. Cariogênese.

karyogonad. Cariogônada, gonadonúcleo.

karyokinesis. Cariocinese.

karyolimph. Cariolinfa. Sin.: Carioquilema, paralinina.

karyolysis. Cariólise.

karyomere. Cariômero.

karyomitome. Cariomitoma. Rede cromática do núcleo.

karyon. Núcleo celular.

karyoplasm. Carioplasma.

karyoplast. Carioplasto.

karyosome. Cariossomo.

karyosphere. Cariosfera.

karyotheca. Carioteca.

kata. Prefixo grego que significa abaixo, contra, debaixo.

katathermometer. Catatermômetro. Aparelho para medir o poder refrigerador da atmosfera.

Katayama disease. Doença de Katayama. Afecção produzida pelo *Schistosoma japonicum*, caracterizada por disenteria, hipertrofia dolorosa do fígado e baço, com febre, anemia e hidropisia. // - **test.** Para determinar o monóxido de carbono no sangue.

kathisophobia. Catisofobia, acatisia. Medo mórbido de permanecer sentado.

katotropia. Catatropia, cataforia.

Katz formula. Fórmula de Katz. Para obter a velocidade média de sedimentação das hemácias.

Katzenstein's test. Prova de Katzenstein. Pela constricção das artérias femorais aumenta a pressão sistólica na insuficiência do miocárdio.

Kaufmann's test. Prova de Kaufmann. O paciente bebe 150 ml de água quatro vezes com intervalo de uma hora cada vez. Então levanta-se o pé da cama 25 cm. Se a circulação é suficiente, a diurese aumenta nas duas horas seguintes.

Kaufmann's treatment. Tratamento de Kaufmann. Tratamento da psiconeurose mediante choques elétricos poderosos, e execução de certos exercícios obedecendo a ordens militares.

Kayser's disease. Doença de Kayser. Estado mórbido caracterizada pela pigmentação dos tegumentos, coloração esverdeada da córnea e tremor intencional, associado com diabetes, aumento do baço e cirrose hepática.

Kayser-Fleischer ring. Anel de Kayser-Fleischer Anel corneal de pigmento esverdeado em certos casos de argiroses e na pseudosclerose de Westphal.

KBr. Símbolo químico do brometo de potássio.

KCl. Símbolo químico do cloreto de potássio.

Keating-Hart's treatment. Fulguração ou tratamento de Keating-Hart. Tratamento direto do câncer pela aplicação de eletrocautério.

keen. Afilado, agudo.

Keen's operation, sign. Operação de Keen. Onfalectomia. // Sinal de Keen. Aumento do diâmetro da perna e nos maléolos na fratura de Pott.

keep. Manter.

keeper. Armadura de magneto.

kefyr. Quefir. Variedade de leite fermentado.

Kehr's operation. Operação de Kehr. Colecistectomia com drenagem do ducto comum.

Keith's bundle node. Nó de Keith. Nó de Keith-Flack. Nó sino-auricular.

Keith's diet. Dieta de Keith. Usa-se na nefrite crônica e se baseia na diminuição do conteúdo de água, redução da quantidade de sódio e a mínima ingestão de água, mantida diuturnamente.

kelectome. Celéctomo. Instrumento para incidir um tumor.

Keller's test. Prova de Keller. Emprego de papéis fotossensíveis para determinar a presença de ondas eritematógenas nas radiações compostas.

Kelling's test. Prova de Kelling. Determinação da presença e localização de divertículo esofágico pelo som produzido pela deglutição.

Kelly's operation. Operação de Kelly. Fixação do útero à parede abdominal anterior na retroversão uterina. // - **speculum of.** Espéculo retal tubular com obturador. // Sinal de Kelly. O ureter se contrai como um verme quando comprimido com pinças.

keloid. Quelóide.

keloidosis.. Queloidose. Formação de múltiplos quelóides.

keloma. Queloma, quelóide.

keloplasty. Queloplastia.

kelos. Quelóide.

kelosomus. Celossomo. Monstro com eventração, fissura ou falta de esterno e protrusão maior ou menor dos órgãos torácicos e abdominais.

kelotomy. Celotomia, herniotomia. Operação da hérnia estrangulada.

Kelvin. Kelvin, físico inglês que dá nome à unidade elétrica igual a 1000 volts por hora.

Kempner's diet. Dieta de Kempner. Dieta que consiste só em arroz, frutos suculentos e açúcar, complementada com vitaminas e ferro: para hipertensão e afecções renais crônicas.

Kennedy's syndrome. Síndrome de Kennedy. Neurite óptica retrobulbar, escotoma central com atrofia óptica do lado da lesão, e edema de papila no lado oposto, nos tumores do lobo frontal.

Kenny's method. Método de Kenny. Tratamento da paralisia infantil aplicando fomentações quentes nos músculos em espasmo e reeducação muscular.

keno-. Ceno. Prefixo de origem grega que significa vazio.

kenophobia. Cenofobia. Temor aos grandes espaços abertos e vazios.

kenotoxin. Cenotoxina. A toxina da fadiga.

Kent's bundle. Feixe de Kent. Feixe atrioventricular.

Kent-His's bundle. Feixe de Kent-His.

kephalin. Cefalina.

kephir, kephyr. Quefir.

kept. Mantido.

keracele. Ceratocele.

Kerandel's symptom. Sintoma de Kerandel. Hiperestesia dos tecidos profundos na doença do sono.

keratalgia. Ceratalgia. Dor na córnea.

keratectasia. Ceratectasia. Ectasia ou protrusão da córnea.

keratectomy. Ceratectomia.

keratiasis. Verruga simples.

keratin. Ceratina.

keratinous. Cerático, córneo.

keratinic. Ceratínico.

keratinase. Ceratínase. Enzima proteolítica.

keratinization. Ceratinização.

keratitis. Ceratite. // - **bullous.** Ceratite vesicular. // - **dendritic.** Ceratite dendrítica. // - **neuroparalytic.** Ceratite neuroparalítica. // - **nummulary.** Ceratite numular. // - **phlyctenular.** Ceratite flictenular. // - **profunda.** Ceratite profunda.. // - **sclerosing.** Ceratite esclerosante. // - **superficial punctate.** Ceratite "punctata" superficial.

kerato-. Cerato. Elemento léxico de origem grega relacionado com córnea e tecido córneo.

keratoacanthoma. Ceratacantoma.

keratoangioma. Ceratangioma.

keratocele. Ceratocele. Prolapso da membrana de Descemet através da córnea.

keratocentesis. Ceratocentese.

keratoconjunctivitis. Ceratoconjuntivite.

keratoconometer. Ceratoconômetro.

keratoconus. Ceratocone. Protrusão cônica da córnea.

keratocricoid. Ceratocricoídeo (músculo).

keratoderma. Ceratoderma.

keratodermatosis. Ceratodermatose.

keratodermia. Ceratodermia. // - **gonorrhoeal.** Ceratodermia gonorréica.

keratogenesis. Ceratogênese.

keratogenous. Cerotógeno, ceratogênico.

keratoglobus. Ceratoglobo. Distensão e protrusão da córnea em forma globosa.

keratohaemia. Impregnação hemática da córnea.

keratohyalin. Cerato-hialina.

keratoid. Ceratóide.

keratoiritis. Ceratoirite.

keratoleukoma. Ceratoleucoma.

keratolysis. Ceratólise.

keratoma. Ceratomo.

keratomalacia. Ceratomalacia.

keratome. Ceratótomo.

keratometer. Ceratômetro.

keratometry. Ceratometria.

keratomycosis. Ceratomicose.

keratonyxis. Ceratonixe.

keratoplasty. Ceratoplastia.

keratoscope. Ceratoscópio.

keratoscopy. Ceratoscopia.

keratosis. Ceratose. // **- follicularis.** Ceratose folicular. // **- pharyngis.** Ceratose faríngea. // **- pillaris.** Ceratose pilar. // **- senilis.** Ceratose senil.

keratotome. Ceratótomo.

keratotomy. Ceratotomia.

keraunophobia. Ceraunofobia. Medo mórbido dos relâmpagos.

kerectomy. Ceratectomia.

kerf. Corte, incisão.

kerion celsi. "Quérion de Celso". Inflamação pustulosa do couro cabeludo na tinha tonsurante.

Kerkring's ossicle. Ossículo de Kerkring. Pequeno osso da vida primitiva, futuro processo basilar do occipital. // **- valves.** Válvulas de Kerkring. Válvulas coniventes do intestino del-gado.

kernel. Miolo, núcleo.

kernicterus. Icterícia nuclear.

Kernig's sign. Sinal de Kernig. Devido à hipertonia muscular, provocada por meningite, que se manifesta por dor ou por resistência à extensão completa dos joelhos, estando as coxas em ângulo reto com o corpo.

keto-. Ceto. Prefixo que denota o grupo carbolino. C:O.

keto-acid. Cetose, acidose.

ketogenesis. Cetogênese.

ketogenic. Cetogênico.

ketolysis. Cetólise.

ketonaemia. Cetonemia.

ketone. Cetona. // **- bodies.** Corpos cetônicos.

ketonuria. Cetonúria.

ketose. Cetose (açúcar).

ketosis. Cetose (acidose diabética).

ketosteroid. Cetosteróide.

Key and Retzius's corpuscles. Corpúsculos de Key e Retzius. Corpúsculos diminutos encontrados no bico de certos pássaros aquáticos. Representam seguramente formas de transição. // **- foramina** (v. *Foramen of Luschka*).

kg. Abreviatura de quilograma.

KHCO$_3$, potassium bicarbonate. Bicarbonato de potássio.

Khellin. Quelina (*Khellin*). Relaxante da musculatura lisa obtido da planta *Ammi visnaga.*

KI, potasium iodide. Iodeto de potássio.

kidney. Rim. // **- horseshoe.** Rim anular. // **- lardaceous.** Rim lardáceo. // **- large white.** Expressão aplicada ao rim na glomerulonefrite aguda (sub.) // **- movable.** Rim ectópico ou flutuante. // **- red granular.** Expressão aplicada ao rim encontrado na hipertensão maligna. //**- small white.** Expressão aplicada ao rim encontrado na glomerulonefrite crônica. // **- surgical.** Rim cirúrgico.

Kienböck's disease. Doença de Kienböck. Osteíte crônica necrosante. // **- atrophy.** Atrofia de Kienböck. Atrofia óssea aguda nos estados inflamatórios das extremidades. // **- phenomenon.** Fenômeno de Kienböck. Contração paradoxal do diafragma; no piotórax e no pneumotórax, a porção do diafragma correspondente ao lado afetado se eleva na inspiração e desce na expiração. // **- unit.** Unidade de Kienböck. Unidade de dosificação Roentgenológica, que equivale a 1/10 da dose eritema.

Kiernan's spaces. Espaços de Kiernan. Espaços interlobulares no fígado.

Kiesselbach's area. Área ou "locus" de Kiesselback. Área do septo nasal.

Killian's bundle. Fascículo de Killian. *Fasceau en fronde.* Fibras mais inferiores do constrictor inferior da faringe, imediatamente por cima da verdadeira musculatura esofágica. // **- operation.** Operação de Killian. Ressecção da parede anterior do seio frontal em casos de afecção inflamatória.

kinaesthesia. Cinestesia. Sensação do movimento muscular, peso, posição, etc. dos membros. Sentido muscular.

kinaesthetic. Cinestésico, cinestético, cinesiestésico.

kinase. Quínase.

kind. Classe, tipo.

kinematics. Cinemática.

kineplasty. Cineplastia. Amputação para deixar um coto hábil, para seu uso.

kinesiaesthesiometer. Cinestesiômetro.

kinesialgia. Cinesialgia.

kinesiatrics. Cinesiátrica, cinesioterapia. Tratamento das enfermidades por exercícios musculares.

kinesimeter. Cinesiômetro.

kinesiology. Cinesiologia. Tratado dos movimentos musculares, como a ginástica.

kinesodic. Cinesódico.

kinetic. Cinética, dinâmica, cinemática.

kinetocyte. Cinetócito. Célula móvel.

king's evil. Escrófula.

kink. Angulação, torção.

kinoplasm. Cinoplasma. Sin.: arquioplasma, ergastoplasma.

kiotome. Ciótomo. Instrumento para a amputação da úvula.

kiotomy. Ciotomia.

Kirschner's wire. Fio de Kirschner. Fio especial usado em cirurgia ortopédica.

Kitasato's bacillus. Bacilo de Kitasato. *Pasteurella pestis*.

Kjeldahl's method. Método de Kjeldahl. Usado para determinar a quantidade de nitrogênio em um composto orgânico, aquecendo-o com ácido sulfúrico forte; o nitrogênio se converte em amoníaco que se destila e recolhe mediante uma solução concentrada de ácido sulfúrico.

Klebs-Loeffler's bacillus. Bacilo de Klebs-Loeffler. *Corynebacterium diphtheriae*.

Klebsiella. *Klebsiella*. Gênero de bacteriáceas.

Klein's bacillus. Bacilo de Klein. *Bacillus enteritiris sporogenes*. // **-muscle.** Músculo de Klein. Músculo compressor dos lábios, fascículo marginal dos lábios.

Kleinschmidt's glands. Glândulas de Kleinschmidt. Glândulas conjuntivas.

kleptolagnia. Cleptolagnia. Excitação sexual produzida pelo roubo.

kleptomania. Cleptomania.

kleptomaniac. Cleptomaníaca.

kleptophobia. Cleptofobia.

Klumpke's paralysis. Paralisia de Klumpke. Paralisia do braço causada por lesão do oitavo nervo cervical e primeiro dorsal, produzindo paralisia dos flexores do punho e dos dedos.

km. Abreviatura de *"kilometer"*

kneading. Massagem.

knee. Joelho. // **- cap.** Joelho ou rótula. // **- housemaid's.** Bursite pré-rotuliana. // **- jerk.** Contração do quadríceps femoral.

kneel. Ajoelhar-se.

knife. Bisturi. // **- Beer's.** Ceratótomo. // **- cautery.** Termocautério.

KNO₃, potassium nitrate. Nitrato de potássio.

knock-knee. *Genu valgum*.

Knoll's glands. Glândulas de Knoll. Glândulas especiais nas falsas cordas vocais.

knot. Nó, nodosidade.

know. Conhecer, saber.

knowledge. Conhecimento.

Knox's foramen. Forâmen de Knox. Forâmen epitroclear do úmero.

knuckle. "Nós dos dedos", face dorsal das articulações interfalângicas.

Kobelt cyst. Cisto de Kobelt. Dilatação cística de uma porção do paraovário. / **- muscle.** Músculo de Kobelt ou de Houston. Fascículo do isquiocavernoso, que no dorso do pênis exerce compressão sobre a veia dorsal do mesmo. // **network.** Retículo de Kobelt. Conjunção de veias do bulbo do vestíbulo junto ao clitóris. // **- tubules.** Túbulos de Kobelt. Túbulos do paraovário.

Kobert's test. Reação de Kobert. Para a hemoglobina. O líquido suspeito é tratado com pó de zinco ou com uma solução de sulfato de zinco; o precipitado que resulta se tinge de vermelho com os álcalis.

Köbner's multiple papillary tumours. Doença de Köbner. (v. *Alibert's disease*).

Koch's bacillus. Bacilo de Koch. *Mycobacterium tuberculosis*. // **- eruption.** Erupção de Koch. Erupção morbiliforme consecutiva à injeção de tuberculina. // **- postulates.** Postulados de Koch. Certas regras consideram que é necessária a existência de um microrganismo como causa de certas enfermidades.

Koch's triangle. Triângulo de Koch. Área triangular na parede do átrio direito que marca a situação do nódulo atrioventricular.

Koch-Week's bacillus. Bacilo de Koch-Week. Microrganismo do grupo *Haemophilus* que vai associado a determinado tipo de conjuntivite aguda.

KOH, potassium hydroxide. Hidróxido de potássio.

Kohlrausch's fold. Prega de Kohlrausch. Prega transversa na mucosa retal a uns 6 cm acima da margem anal.

Kohn's bodies. Corpos de Kohn. Corpos coccígeos.

koilonychia. Celoniquia.

Kölliker's dental crest. Crista dental de Kölliker. Porção do maxilar sobre a qual se desenvolvem os incisivos.

Konstantinovich's artery. Artéria de Konstantinovich. Artéria dorsal do reto; ramo da artéria retal (hemorroidal) superior. // **- vein.** Veia de Konstantinovich. Veia marginal do ânus.

Koplik's spots. Manchas ou sinais de Koplik. Manchas na face interna (jugal) da bochecha, no sarampo.

Kopp's asthma. Asma de Kopp. Laringismo estriduloso.

Koranyi's auscultation. Auscultação de Koranyi. Forma especial de percussão auscultatória em que um indicador percute a 2.ª articulação do outro, agindo perpendicularmente.

koronium. Corônio. Vértice do processo coronóide.

Korsakow's psychosis or syndrome. Psicose ou síndrome de Korsakow. Degeneração mental que consiste em perda de memória, reminiscência imaginária, às vezes alucinações com agitação em polineurites; geralmente de origem alcoólica.

kosher, lawful. Legal, jurídico. // - **meat.** Carne de animal sacrificado segundo a   lei judaica.

Kovalevsky's canal. Canal de Kovalevsky. Canal neurentérico.

Koyter's muscle. Músculo de Koyter. Corrugador do supercílio.

K.P. Abreviatura de *"keratitic precipitates"*. Precipitados ceratíticos.

kraurosis. Craurose. // - **vulvae.** Craurose vulvar.

Krause's glands. Glândulas de Krause. Glândulas acinotubulares da conjuntiva. // - **muscle.** Músculo de Krause. Músculo dos lábios.

Krause's membrane. Membrana de Krause. Separa os discos das fibras musculares estriadas. // - **nerve.** Nervo de Krause. Ramo colateral do nervo radial. // - **ventricle.** Ventrículo de Krause. Pequena porção terminal do ducto central da medula espinal.

Kretschmann's space. Espaço de Kretschmann. Pequeno recesso no ático do ouvido médio, situado por baixo do espaço de Prussak.

Kreysig's sign. Sinal de Kreysig. Nos casos de pericárdio aderido existe uma depressão dos espaços intercostais durante a sístole cardíaca.

kripton. Criptônio. Gás raro do ar.

Krishaber's disease. Doença de Krishaber. Neuropatia que afeta os nervos sensitivos e o coração, caracterizada por taquicardia, vertigem, hipertensão e ilusões sensoriais.

Krönlein's hernia. Hérnia de Krönlein. Hérnia properitoneal.

Kronecker's inhibitory centre. Centro inibitório de Kronecker. Centro inibitório do coração. Núcleo motor dorsal do vago.

Krukenberg's vein. Veia de Krukenberg. Veia central do lóbulo hepático.

K_2SO_4, potassium sulphate. Sulfato de potássio.

Kuemmell's disease. Doença de Kuemmell. Espondilite traumática.

Kuester's sign. Sinal de Kuester. Tumor cístico na linha mediana anterior do útero, nos dermóides do ovário.

Kulchitsky's cells. Células de Kulchitsky. Células afins à prata no epitélio do intestino delgado.

Kulenkampff's anaesthesia. Anestesia de Kulenkampff. Método de bloqueio do plexo braquial.

kumis, kumyss. Bebida alcóolica, fermentada preparada do leite de vaca (originariamente com leite de égua, pelos tártaros).

Kupffer's canals. Canais de Kupffer. Canal embrionário dos quais se derivam os ductos de Wolff, para formar os uréteres. // - **cells.** Células de Kupffer. Células estreladas de natureza retículo-endotelial nas paredes das sinuosidades do fígado, às que se atribui a elaboração da bilirrubina das hemácias destruídas.

Kussmaul's coma. Coma de Kussmaul. Coma diabético.

kwashiorkor. Nome utilizado na Costa de Ouro para designar enfermidade semelhante à pelagra.

kyllosis. Quilose.

kymograph, kymographion. Quimógrafo.

kymography. Quimografia.

kymophobia. Quimofobia.

kyphoscoliosis. Cifoscoliose.

kyphosis. Cifose.

kyphotic. Cifótico.

FRASES E EXPRESSÕES

(to) keep at work. Prosseguir trabalhando.

(to) keep up. Continuar, prolongar.

L

L. Símbolo químico de lítio. // Abreviatura de "latin", "libra", "limen", "Linneo", "light". // Símbolo de Ehrlich para "lethal".

l. Abreviatura de *"lege artis"*, "liter", "longitude".

LO. (Limes nul). Símbolo de Ehrlich para uma mistura de toxina-antitoxina, completamente neutralizada que não é mortal para o animal de experimentação.

L+ (Limes tod). Símbolo de Ehrlich para uma mistura de toxina-antitoxina, que mata o animal de experimentação.

La. Símbolo químico do lantânio.

lab or labferment. Fermento lab. Existe no suco gástrico, nos animais jovens especialmente com a propriedade de coagular o leite. Sin.: quimosina, renina, químase.

Labarraque's solution. Solução de Labarraque. Solução desinfetante de hipoclorito de sódio.

Labbé's triangle. Triângulo de Labbé. Área onde o estômago está em contacto com a parede abdominal; compreende um espaço situado entre a linha horizontal ao longo da margem inferior da cartilagem da nona costela, linha das falsas costelas e do fígado.

labialism. Labialismo.

labichorea. Movimentos coréicos dos lábios, com o conseqüente transtorno da linguagem.

labile, unstable. Lábil, instável.

labiodental. Labiodental.

labioglossolaryngeal. Labioglossolaríngeo.

labioglossopharingeal. Labioglossofaríngeo.

labiograph. Labiógrafo. Instrumento para apreciar os lábios ao falar.

labiolingual. Labiolingual.

labiologic. Labiológico.

labiology. Labiologia.

labiomancy. Labiomancia. Arte de compreender as palavras pelos movimentos dos lábios ao pronunciá-las.

labiomental. Labiomental. Pertencente aos lábios e ao mento.

labiomycosis. Labiomicose. Afecção labial produzida por fungos.

labionasal. Labionasal.

labiopalatine. Labiopalatino.

labioplacement. Descolamento labial. Por um dente deslocado.

labioplasty. Labioplastia, quiloplastia.

labiotenaculum. Labiotenáculo. Instrumento para apreender o lábio.

labioversión. Labioversão.

labitome. Labítomo.

labium. Lábio.

Laborde's method. Método de Laborde. Tração da língua em caso de asfixia.

labour. Trabalho, parto. // **- dry.** Parto seco. // **- instrumental.** Instrumental de parto. // **- premature.** Parto prematuro.

labrum. A orla mucosa, ou o lábio. // **- glenoidale.** Margem glenoídea.

labyrinth. Labirinto.

labyrinthectomy. Labirintectomia. Excisão do labirinto do ouvido.

labyrinthine. Labiríntico. // **- nystagmus.** Nistagmo labiríntico.

labyrinthitis. Labirintite.

labyrinthotomy. Labirintotomia. Incisão cirúrgica no labirinto.

labyrinthus. Labirinto.

lac, milk. Leite. // **- sulphuris.** Precipitado sulfúrico.

lacerable. Lacerável.

lacerated, torn. Lacerado, desgarrado.

laceration. Laceração.

lacertus fibrosus. Fáscia bicipital. Vai do tendão do bíceps ao antebraço.

Lachesis. Gênero de cobras venenosas.

lachesine. Substância sintética de propriedades midriáticas semelhantes às da atropina.

lachry-. Elemento latino que aparece grafado corretamente como lacri e significa lágrima.

lacinia. Fímbria.

lack. Falta, ausência. Carecer.

laconism. Laconismo.

lacquer. Envernizar.

lacrima, tear. Lágrima.

lacrimal. Lacrimal.

lacrimation. Lacrimação, lacrimejamento.

lacrimotomy. Lacrimotomia.

lactacidase. Lactacídase. Enzima que produz fermentação láctica.

lactacidemia. Lactacidemia.

lactaciduria. Lactacidúria.

lactagogue. Lactagogo (galactagogo).

lactalase. Lactalase. Enzima que converte a dextrose em ácido lático.

lactalbumin. Lactalbumina.

lactase. Láctase.

lactate. Lactato.

lactation. Lactação.

lactescence. Lactescência.

lactic. Láctico ou lático, pertinente ao leite. // - **acid.** Ácido láctico. // - **fermentation.** Fermentação lática, do leite.

lacticemia. Lacticemia.

lactiferous. Lactífero.

lactin. Lactina.

lactional, lacteal. Láctico.

lactivorous. Lactívoro.

lacto-. Lacto. Elemento latino que significa leite.

Lactobacillus. Lactobacilo. Gênero de bactérias.

Lactobiose. Lactobiose.

lactobutyrometer. Lactobutirômetro. Instrumento para determinar a proporção de nata no leite.

lactocele. Lactocele, galactocele. Dilatação cística da glândula mamária, que contém leite. // Hidrocele de líquido leitoso, geralmente manifestação de filaríase.

lactodensimeter. Lactodensímetro.

lactoflavin. Lactoflavina.

lactogenic. Lactogênico.

lactometer. Lactômetro. Instrumento para determinar a densidade do leite.

lactoprotein. Lactoproteína.

lactorrhea. Lactorréia.

lactosazone. Lactosazona.

lactoscope. Lactoscópio. Instrumento para revelar a proporção de creme no leite.

lactose. Lactose. Açúcar do leite.

lactosuria. Lactosúria.

lactotherapy. Lactoterapia.

lactoxin. Lactoxina. Ptomaína encontrada no leite.

lactovegetarian. Lactovegetariano, lactovegetarista.

lacuna. Lacuna. // - **magna.** Lacuna magna. // - **musculosa.** Lacuna musculosa. // - **vasculosa.** Lacuna vasculosa.

lacunar. Lacunar.

lacunule. Pequena lacuna.

lacus. Lago. // - **lacrimalis.** Lago lacrimal.

Ladendorff's test. Reação de Ladendorff. Para o sangue. Trata-se o líquido suspeito com tintura de guáiaco e, em seguida por óleo de eucalipto, se existir sangue, a camada superior da mistura se torna violeta e a inferior azul.

Ladin's sign. Sinal de Ladin. Na gravidez, pelo toque vaginal se nota na face anterior do útero, na união do corpo com o colo, uma zona elástica circular que dá sensação de flutuação; esta zona aumenta em extensão à medida que progride a gravidez.

Laennec's disease. Doença de Laennec. Cirrose alcoólica do fígado. // - **pearls.** Pérolas de Laennec. Pequenos corpos gelatinosos.

laevoduction. Levoducção. Movimento do olho para a esquerda.

laevophobia. Levofobia.

laevophoria. Levoforia. Tendência a desviar o eixo visual para a esquerda.

laevorotatory. Levorrotatório, levógiro.

laevolusaemia. Levulosemia. Presença de levulose no sangue.

laevilose. Levulose. // - **test.** Prova de levulose.

laevulosuria. Levulosúria.

Lafora's sign. Sinal de Lafora. Cócegas no nariz, considerado como sinal precoce de meningite cerebrospinal.

Lagochilascaris minor. Verme nematóide encontrado no intestino do homem, em Trinidad.

lageniform. Lageniforme. Semelhante a um frasco.

lagnesis, lagnosis. Lagnese. Lagneomania, satiríase ou linfomania.

lagophthalmos. Lagoftalmo. Paresia ou paralisia do orbicular dos olhos.

Lagrange's operation. Operação de Lagrange. Esclerecto-iridectomia.

Laimer's area. Área de Laimer. Área de união do esôfago e da faringe.

Lain's disease. Doença de Lain. Erosão e ardor da mucosa bucal pela corrente elétrica produzida pelos metais diferentes das próteses dentais.

laiose. Substância amarelo clara encontrada na urina em casos de diabetes mellitus. Não é fermentável e é levógira.

lake. Laca, lago.

lakecoloured. Aplica-se ao sangue hemolisado.

Lake's pigment. Pigmento de Lake. Mistura de ácido lático, solução de formaldeído, fenol e água, indicada para aliviar a dor na tuberculose laríngea.

laliatry. Laliatria. Estudo e tratamento das desordens da linguagem.

laliophobia. Laliofobia. Medo mórbido de falar e especialmente de gaguejar.

Lallemand's bodies. Corpos de Lallemand. Concreções nas vesículas seminais.

lalling. Vício de pronunciação que dá ao R o som de L.

lalo-. Lalo. Elemento de origem grega relacionado com fala.

lalognosis. Lalognose. Compreensão da fala.

laloneurosis. Laloneurose. Transtorno da linguagem, de origem nervosa.

lalopathology. Lalopatologia.

lalopathy. Lalopatia.

lalophobia. Lalofobia. Temor mórbido de falar, às vezes acompanhado de gagueira.

laloplegia. Laloplegia. Paralisia do órgão da fala.

lalorrhea. Lalorréia. Fluxo anormal de palavras.

Lalouette's pyramid. Pirâmide de Lalouette. Lóbulo médio da glândula tireóide.

Lamarck's theory. Teoria de Lamarck. Possibilidade de transmissão dos caracteres adquiridos.

lambda. Lambda. Undécima letra do alfabeto grego.

lambdacism. Lambdacismo. Substituição na linguagem falada do "R" pelo "L". Impossibilidade de pronunciar bem o "L".

lambdoid, · lambdoidal. Lambdóide. // - suture. Sutura lambdóide, entre occipital e parietais.

lambert. Lambert. Unidade fotométrica da luz refletida por uma superfície equivalente a 1 lúmen por centímetro quadrado.

lamblia intestinalis. *Lamblia intestinalis*, cercômonas intestinais, e *Megastoma entericum*.

Lambert's treatment. Tratamento de Lambert. Tratamento da morfinomania por redução gradual da dose de morfina, substituindo por doses crescentes de codeína.

lambliasis. Lambliase, giardíase.

lame. Estropiado, paralítico, coxo.

lamella. Lamela, folha delgada

lamellar. Lamelar. Disposto em lamínulas.

lamina. Lâmina. // - **cribosa, terminalis, vas-**culosa. Lâmina cribosa, terminal, vascular.

laminal, laminae. De lâminas, laminado.

laminagram. Laminograma.

laminagraph. Laminógrafo.

laminagraphy. Laminografia.

laminar. Laminar.

Laminaria. Gênero de algas.

laminated. Laminado.

lamination. Laminação.

laminectomy. Laminectomia.

laminitis. Laminite.

laminogram. Laminograma.

laminograph. Laminógrafo.

laminography. Laminografia.

lamprophonia. Lamprofonia. Clareza e sonoridade da voz.

lamprophonic. Lamprofônico.

Lamus. Gênero de percevejos reduvídeos, hoje denominado *Triatoma*.

lanatoside. Lanatosídeo. Glucosido obtido das folhas de *Digitalis lanata*.

lance. Lancetar, incisar com uma lanceta, bisturi, lanceta.

Lancefield classification. Classificação de Lancefield. Classificação dos estreptococos hemolíticos, baseada no teste da precipitina.

lanceolate. Lanceolado.

Lancereaux's interstitial nephritis. Nefrite intersticial de Lancereaux.

lancet. Lanceta, bisturi.

Lancet coefficient. Coeficiente de Lancet. Medida do poder desinfetante de uma substância, comparada com o ácido carbólico, como substância padrão.

lancinating. Lancinante. Agudo, dilacerante.

Lancisi's nerves. Nervos de Lancisi. Estrias longitudinais na superfície superior do corpo caloso.

Landau's test. Reação de Landau. Junta-se a 0,2 cm^3 de soro claro de um paciente 0,01 cm^3 de um reativo composto de solução a 1 por 100 de iodo em tetracloreto de carbono. Agita-se até que desapareça a cor do iodo. Deixa-se em repouso 4 a 5 horas. Em caso de sífilis aparece uma cor amarelo-claro; transparente e se a reação é negativa, a cor é cinza-opaco.

Landerer's treatment. Tratamento de Landerer. Injeções de ácido cinâmico na tuberculose.

Landolfi's paste. Pasta de Landolfi. Pasta composta de uma mistura de cloretos de zinco, antimônio, bromo e ouro.

Landolt's bodies. Corpos de Landolt. Pequenos corpos alongados entre os bastonetes e os cones, na camada medular da retina.

Landouzy's purpura. Doença ou púrpura de Landouzy. Caracteriza-se por sintomas graves do sistema.

Landouzy-Déjèrine's type of progressive muscular atrophy. Tipo de Landouzy-Déjèrine. Atrofia muscular progressiva do tipo fáscio-escapulo-umeral.

Landouzy-Grasset's law. Lei de Landouzy-Grasset. Na lesão de um hemisfério cerebral a cabeça se volta para o lado da lesão cerebral, se há paralisia, e para o dos músculos afetados, se há espasmo.

Landry's paralysis. Paralisia de Landry. Paralisia ascendente aguda.

Landsteiner's method. Método de Landsteiner. Consiste na classificação dos grupos sangüíneos. Denominam-se O, A, B, e AB, que se caracterizam pelas diferentes combinações dos aglutinogênios existentes nas hemácias e das aglutininas α (Anti-A) e β (anti-B) contidas no soro.

Landström's muscle. Músculo de Landström. Pequenas fibras musculares na aponeurose ao redor e atrás do olho, inseridas por diante da aponeurose orbital anterior e nas pálpebras.

Lane's disease. Doença de Lane. Estase crônica intestinal. // **- kinks.** Acotovelamento de Lane. Série de deflexões variáveis no tubo intestinal. // **- operation.** Operação de Lane. Ileossigmoidostomia. // **- plates.** Placas de Lane. Placas de metal usadas para introduzir em fraturas, para osteossíntese.

Lange's operation. Operação de Lange. Restauração de um tendão paralisado pelo implante de fios de seda esterilizada para estimular a formação de bainhas aponeuróticas.

Lange's test. Reação de Lange. Para a presença de globulina no líquido cerebrospinal e diagnóstico conseqüente da sífilis cerebrospinal. // **- solution.** Solução de Lange. Solução de ouro coloidal com formalina.

Langenbeck's incision. Incisão de Langenbeck. Incisões várias utilizadas no tratamento da fissura palatina. // **- operation.** Operação de Langenbeck. Rinoplastia. // **- triangle.** Triângulo de Langenbeck. Área situada sobre a cabeça do fêmur (espinha ilíaca anterior superior, colo do fêmur e grande trocanter).

Langenbeck's nerve. Nervo de Langenbeck. Nervos supraclaviculares posteriores.

Langendorff's cells. Células de Langendorff. Células principais da glândula tireóide.

Langerhans's bodies, islands. Corpos ou ilhotas de Langerhans. Massas diminutas isoladas de células esferoidais ou poliédricas que se encontram no pâncreas. // **- granular layer.** Camada granulosa de Langerhans. Estrato granuloso. // **- stellate corpuscles.** Corpúsculos estrelados de Langerhans. Terminações de fibras nervosas que se observam na rede mucosa da pele.

Langhans's cells. Células de Langhans. Células epiteliais nucleadas que constituem a camada de Langhans. // **- giant cells.** Células gigantes observadas no granuloma tuberculoso. // **- layer.** Camada de Langhans. Membrana celular interna nas vilosidades do córion.

Langley's granulations. Granulações de Langley. Grânulos observados na secreção das células glandulares. // **- nerves.** Nervos de Langley. Nervos pilomotores.

language. Linguagem.

languor. Languidez, langor, abatimento, astenia.

lank. Fraco.

Lankesterella ranarum. Parasito esporozoário das hemácias da rã.

Lankesteria culicis. Parasito esporozoário gregarino no intestino do mosquito *Aedes aegypti.*

Lannelongue's foramina. Orifícios de Lannelongue. Orifícios venosos abertos no átrio direito do coração, maiores e diferentes do orifício de Thebesius. // **- ligament.** Ligamento de Lannelongue. Ligamento costopericárdio. // **- tibia.** Tíbia de Lannelongue. Tíbia deformada pela sífilis.

Lanolin. Lanolina.

Lantermann's incisures. Incisuras de Lantermann. Fendas oblíquas que interrompem a camada de mielina dos nervos. // **- segments.** Segmentos de Lantermann. Cada um dos segmentos internodais dispostos entre as incisuras.

lanugo. Lanugem. Pêlo fino que se observa no feto.

Lanz's line. Linha de Lanz. Linha de união das espinhas ilíacas anteriores e superiores. // **- point.** Ponto de Lanz. Ponto na linha de união das espinhas ilíacas anteriores superiores entre o terço direito e o terço médio (indica local do apêndice cecal).

laparectomy. Laparectomia.

laparo-, lapar-. Elemento de origem grega que significa flanco ou ventre.

laparocele. Laparocele. Hérnia ventral ou hérnia lombar.

laparocholecystotomy. Laparocolecistotomia. Colecistotomia.

laparocolectomy. Laparocolectomia.

laparocolostomy. Laparocolostomia.

laparocolotomy. Laparocolotomia. Colotomia ilíaca.

laparocolpohysterotomy. Laparocolpo-histerotomia. Cesárea vaginal e abdominal.

laparocystectomy. Laparocistectomia. Excisão de um cisto (especialmente o da prenhez ectópica) através de incisão abdominal.

laparoenterostomy. Laparoenterostomia. Abertura artificial do intestino através da parede abdominal.

laparoenterotomy. Laparenterotomia. Enterotomia por incisão abdominal.

laparogastroscopy. Laparogastroscopia.

laparogastrostomy. Laparogastrostomia.

laparohepatotomy. Laparo-hepatotomia.

laparohysterectomy. Laparo-histerectomia.

laparohystero-oophorectomy. Laparo-histero-ooforectomia.

laparohysterotomy. Laparo-histerectomia.

laparo-ileotomy. Laparileotomia.

laparokelyphotomy. Laparocelifotomia. Incisão do saco de gravidez extra-uterina por laparotomia.

laparomonodidymus. Laparomonodídimo. Monstro fetal duplo da pelve para cima.

laparomyitis. Laparomiite.

laparomyomectomy. Laparomiomectomia.

laparonephrectomy. Laparonefrectomia.

laparorrhaphy. Laparorrafia.

laparosalpingectomy. Laparossalpingectomia.

laparosalpingo-oophorectomy. Laparossalpingo-ooforectomia.

laparosalpingotomy. Laparossalpingotomia.

laparoscope. Laparoscópio.

laparoscopy. Laparoscopia.

laparosplenectomy. Laparosplenectomia.

laparothoracoscopy. Laparotoracoscopia.

laparotome. Laparótomo.

laparotomize. Laparotomizar.

laparotomy. Laparotomia.

laparotrachelotomy. Laparotraquelotomia.

laparotyphlotomy. Laparotiflotomia.

laparo-uterotomy. Laparo-uterotomia.

Lapicque's law. Lei de Lapicque. A cronaxia é inversamente proporcional ao diâmetro da fibra nervosa.

lapinization. Lapinização. Inoculação de vírus de varíola no coelho, para modificar o caráter do mesmo.

lapis. Lápis, pedra.

Larat's treatment. Tratamento de Larat. Tratamento das paralisias diftéricas do véu do paladar com correntes farádicas.

lardacein. Lardaceína. Proteína encontrada em

tecidos com degeneração amilóide.

lardaceous. Lardáceo. Amilóide. // **- degeneration.** Degeneração lardácea.

Ladennois's button. Botão de Lardennois. Forma modificada do botão de Murphy.

Laroyenne's operation. Operação de Laroyenne. Punção do fundo de saco de Douglas para promover drenagem em supuração da pelve.

Larrey's amputation. Amputação de Larrey. Desarticulação escápulo-umeral.

Larsen-Johansson's disease. Doença de Larsen-Johansson. Afecção da rótula e que a radiografia mostra um centro de ossificação acessório no pólo inferior do osso.

larva. Larva. // **- migrans.** Dermatite geográfica.

larval. Larval.

larvate. Larvado.

larvicide. Larvicida.

laryngalgia. Laringalgia.

laryngeal. Laríngeo.

laryngectomy. Laringectomia.

laryngismus. Laringismo. // **- stridulous.** Laringismo estriduloso.

laryngitis. Laringite.

laryngocele. Laringocele.

laryngocentesis. Laringocentese.

laryngofissure. Laringofissura, tireotomia ou laringotomia mediana.

laryngograph. Laringógrafo. Instrumento para grafar os movimentos laríngeos.

laryngological. Laringológico.

laryngologist. Laringólogo.

laryngology. Laringologia.

laryngoparalysis. Laringoparalisia, laringoplegia.

laryngopathy. Laringopatia.

laryngophantom. Laringe artificial para a prática de laringoscopia e das manipulações intra-laríngeas.

laryngopharyngeal. Laringofaríngeo.

laryngopharyngitis. Laringofaringite.

laryngopharynx. Laringofaringe.

laryngophony. Laringofonia.

laryngophthisis. Laringoftísica. Tuberculose laríngea.

laryngoplasty. Laringoplastia.

laryngoplegia. Laringoplegia.

laryngorhinology. Laringorrinologia.

laryngorrhagia. Laringorragia.

laryngorrhoea. Laringorréia.

laryngoscleroma. Laringoscleroma.

laryngoscope. Laringoscópio.

laryngoscopy. Laringoscopia.

laryngospasm. Laringospasmo.

laryngostenosis. Laringostenose.

laryngostroboscope. Laringostroboscópio. Aparelho para a observação dos fenômenos intralaríngeos da fonação.

laryngotomy. Laringotomia.

laryngotracheotomy. Laringotraqueotomia, cricotraqueotomia.

laryngotyphoid. Laringotifóide.

laryngovestibulitis. Laringovestibulite.

laryngoxerosis. Laringoxerose. Secura da garganta.

larynx. Laringe.

lascivia. Lascívia, luxúria.

lascivius. Lascivo.

Lasègue's sign. Sinal de Lasègue. Prova para a ciática. Dor causada pela extensão do nervo ciático. A coxa está fletida com o joelho em extensão completa.

lash. Açoite, cílio.

Lassar's paste. Pasta de Lassar, para o tratamento do intertrigo.

lassitude. Lassitude, lassida.

last. Último, passador, durar.

lasting. Duradouro.

Latarget's nerve. Nervo de Latarget. Nervo simpático pré-sacral. // **- vein.** Veia de Latarget. Veia pré-pilórica.

late. Tarde, tardio.

latency. Latência.

latent. Latente. // **- heat, jaundice, period.** Calor, icterícia, período latente.

latera. Lado.

laterad. Em direção ao lado, lateralizado.

lateral. Lateral.

lateris. De lateral.

lateritious, latericeous. Laterício.

lateroflexion. Lateroflexão.

lateropulsion. Lateropulsão.

laterotorsion. Laterotorção.

lateroversion. Lateroversão.

latex. Látex. Suco leitoso de certos vegetais, que contém matérias resinosas de propriedades diversas. A borracha, o ópio, etc. são variedades de látex.

latexion. Flexão lateral.

Latham's circle. Círculo de Latham. Área situada na parede torácica que corresponde com a área de macicez pericárdica.

lathyrism. Latirismo. Sin.: lupinose.

latissimus. Adjetivo latino que significa muito amplo e achatado. Aplica-se a músculos.

latrine. Latrina.

latus. Amplo.

laudanum. Láudano.

laugh. Riso, gargalhada.

laughing gas. Gás hilariante: protóxido de nitrogênio.

laugheter. Riso, hilaridade, gargalhada.

Laugier's hernia. Hérnia de Laugier. Espécie de hérnia femoral, passando o saco pelo ligamento de Gimbernat.

Laumonier's ganglion. Gânglio de Laumonier. Gânglio carotídeo.

Laura's nucleus. Núcleo de Laura (v. *Deiter's nucleus*).

Laurence-Moon-Biedl syndrome. Síndrome de Laurence-Moon-Biedl. Distrofia adiposogenital, atraso mental, retinite pigmentar, defeitos no crânio e sindactilia. Variedade de hipopituitarismo.

laurus. Loureiro.

Lauth's canal. Canal de Lauth. (v. *Canal of Schlemm.*) // **- sinus.** Seio de Lauth. Seio venoso de Schlemn.

Lauth's ligament. Ligamento de Lauth. Ligamento transverso do atlas.

lavage. Lavagem.

Lavandula. Lavândula. Gênero de plantas labiadas a que pertence a alfazema.

Lavdovski's nucleoid. Nucleóide de Lavdovski. Esfera de atração.

Laveran's bodies, corpuscles. Corpúsculos de Laveran. Hematozoário do paludismo. *Plasmodium malarie.*

law. Lei.

Lawson-Tait. Lei de Lawson-Tait. Em todos os casos de afecção abdominal que ponham a vida em risco, deve-se explorar por laparotomias exceto se se souber que a afecção é maligna. // Nó de Lawson-Tait. (v. *Stafford-Shire's knot*). // **- operation.** Operação de Lawson-Tait. Laparotomia por processos inflamatórios dos anexos uterinos. // Marsupialização dos cistos hidáticos do fígado. // Restauração plástica do períneo com retalhos marginais da incisão. // Operação de Battey com inclusão da tuba de Falópio.

laxation. Defecação. Afrouxamento.

laxative. Laxante, laxativo.

laxator. Músculo relaxador.

laxoin. Fenolftaleína.

laxity. Relaxamento.

laxus. Laxo, frouxo.

lay. Colocar, pôr, instalar.

laydown. Prostrar.

layer. Camada, estrato. // **- cortical.** Córtex.

layette. Enxoval de recém-nascido.

lazaret. Lazareto.

lb. Abreviatura de libra (pound).

LBF. Abreviatura (siglas de) *Lactobacillus bulgaricus factor.*

LD. Abreviatura (siglas de) *lethal dose.*

leaching. Lixiviação.

lead. Chumbo. // - **colic.** Cólica saturnina. // - **encephalopathy.** Encefalopatia saturnina. // - **poisoning.** Saturnismo.

lead. Primazia, primeiro lugar, dianteira.

lean. Fraco.

leash. Feixe, cordão (nervo, vaso sangüíneo, fibra, etc.).

leather. Couro.

leather bottle stomach. Linite plástica.

leave. Sair. Deixar. Licenciar.

Leber's corpuscles. Corpúsculos de Leber (v. *Gierke's corpuscles*). // - **disease.** Doença de Leber. Atrofia óptica hereditária. // - **plexus.** Plexo de Leber. Plexos venosos entre o canal de Schlemn e os espaços de Fontana.

lecanopagus. Lecanópago. Monstro gemelar unido pela pelve e partes inferiores; dicéfalo.

Lecat's gulf. Golfo de Lecat. Dilatação da porção bulbar da uretra.

lecher. Libertino, injurioso.

lechopyra. Febre puerperal.

lecithalbumin. Lecitalbumina.

lecithin. Lecitina.

lecithinase. Lecitínase.

lecitho-. *Lecito.* Elemento de origem grega relacionado com "gema de ovo".

lecithoblast. Lecitoblasto.

lecithoprotein. Lecitoproteína.

lecithovitellin. Lecitovitelina.

lectulum. Leito da unha.

Le Dentu's suture. Sutura de Le Dentu. Variedade de sutura de tendão; aplicam-se dois pontos laterais próximos dos extremos dos tendões, e, anodados na parte anterior um, e o outro por cima dos primeiros, anodado na parte lateral.

Lederer's anemia. Anemia de Lederer. Anemia hemolítica aguda, com regeneração megaloblástica e leucocitose.

ledge. Margem, borda.

Ledran's suture. Sutura de Ledran. Variedade de sutura para os ferimentos longitudinais do intestino.

Leduc's current. Corrente de Leduc. Corrente sinusoidal aplicada com o pólo negativo na cabeça e o positivo sobre os rins. Produz estado de inconsciência similar ao produzido pelo éter ou clorofórmio, de que se livra a paciente tão logo se desliga a corrente.

Lee's ganglion. Gânglio de Lee. Gânglio simpático do colo uterino.

leech. Sanguessuga, ventosa.

leer. Olhar de soslaio, malicioso.

Leeuwenhoek's canals. Canais de Leeuwenhoek. Canais ósseos conhecidos com o nome de canais de Haver.

LeFort's amputation, suture. Amputação de LeFort. Modificação do método de Pirogoff na qual o calcâneo é seccionado horizontalmente e não transversalmente. - Sutura de LeFort. Variedade de sutura de tendão com uma simples alça.

left handed. Canhoto.

leg. Perna.

Legal's disease. Doença de Legal. Cefalalgia faringo-timpânica.

Le Gendre's nodosities. Nódulos de Le Grendre (v. *Bouchard's nodosities*).

Legg's disease. Doença de Legg. Osteocondrite deformante dos jovens.

Legg-Calvé-Perthes's disease. Doença de Legg-Calvé-Perthes. É a mesma doença de Legg.

legislation. Legislação.

legitimacy. Legitimidade.

legitimate. Legítimo, legitimar.

Legroux's remissions. Remissões de Legroux. Amplas remissões que podem apresentar-se no curso da tuberculose pulmonar.

legume. Legumina, proteína (semelhante à cafeína) da semente de várias plantas.

leguminous. Leguminosa.

Leichtenstern's sign. Sinal de Leichtenstern. Na meningite cerebrospinal, golpeando ligeiramente qualquer osso dos membros, o paciente estremece subitamente.

Leiner's disease. Doença de Leiner. Eritroderma descamativo.

leio-. Lio. Elemento de origem grega que significa liso, suave.

leiodermia. Liodermia.

leiomyoma. Liomioma.

leiomyosarcoma. Liomiossarcoma.

leiotrichy. Liotriquia.

Leishman's cells. Células de Leishman. Leucócitos basófilos granulados observados nas febres dos pântanos. // - **stein.** Coloração de Leishman. Coloração de Romanowsky amplamente usada no sangue.

Leishman-Donovan bodies. Corpos de Leishman-Donovan. Corpos parasitários pequenos, encontrados no fígado e no baço dos doentes de Kalazar.

leishmanicidal. Leishmanicida.

Leishmania. Gênero de protozoários flagelados parasitos.

Leiter's coel. Espiral ou tubo de Leiter. Tubo longo, metálico com que se envolve o corpo e pelo qual passa água quente ou fria, com o fim de variar a temperatura da área.

Leilor's disease. Doença de Leloir. Lúpus eritematoso.

lema. Lipitude. Secreção meibomiana (remela).

Lembert's suture. Sutura de Lembert. Variedade de sutura intestinal em que a agulha atravessa as camadas serosa e muscular, até a mucosa de ambos os lados da ferida, de modo que ao anodar o fio ficam em contato as superfícies serosas.

lememia. Lememia. Presença de germes na peste no sangue.

lemic. Relativo a uma doença epidêmica ou à peste.

lemmoblast. Lemoblasto. Lemócito primitivo ou imaturo.

lemmoblastoma. Lemoblastoma.

lemnocyte.. Lemócito.

lemniscus. Lemnisco. Cinta ou fita de fibras sensoriais no bulbo e na ponte que chega ao tálamo passando pela face externa dos pedúnculos cerebelosos.

lemnoblast. Lemnoblasto. Espongioblasto.

Lemnocyte. Lemnócito ou espongiócito.

lemography. Lemografia.

lemology.. Lemologia.

lemon. Limão.

lemoparalysis. Paralisia do istmo das fauces.

lemostenosis. Estenose faríngea ou esofágica.

Lenard rays. Raios de Lenard. Raios catódicos depois de sair de um tubo de Crookes através de uma janela de folha de platina.

length. Longitude, extensão.

Lenhartz's treatment. Tratamento de Lenhartz. Tratamento da úlcera gástrica com repouso na cama e regime rico em proteínas com o fim de conseguir total neutralização do ácido clorídrico.

Lenhossek's fibres. Fascículo de Lenhossek. Formação reticular.

Lenhossek's processes. Prolongamentos de Lenhossek. Prolongamentos curtos das células gangliais. // **- stria.** Estria de Lenhossek. Estria branca dos tubos dos corpos mamilares.

leniceps. Fórceps obstétrico de ramos curtos.

lenient, lenitive. Lenitivo.

Lennander's incision. Incisão de Lennander. Incisão abdominal paramediana com afastamento lateral do músculo reto.

Lennhoff's index, sign. Índice e sinal de Lennhoff. Relação da distância entre a incisura esternal e a sínfise púbica com a circunferência maior do abdome. // Sinal de Lennhoff. Sulco que se forma na inspiração profunda sob a última costela e acima de um cisto equinocócico do fígado.

Lenoir's facet. Faceta de Lenoir. Faceta situada na superfície média da rótula.

lens. Lente, cristalino.

lenticel. Glândula lenticular na base da língua.

lenticonus. Lenticone. Curva exagerada do cristalino (lente).

lenticula. Lentícula, núcleo lenticular.

lenticular. Lenticular. // **- degeneration progressive.** Degeneração lenticular progressiva. // **- nucleus.** Núcleo lenticular.

lenticulooptic. Lentículo-óptico, lentículo-talâmico.

lenticulostriate. Lenticulostriado. // **- artery.** Artéria lenticulostriada.

lentiform. Lentiforme, facóide.

lentiginosis. Lentiginose. Presença de lentigo múltiplo.

lentiglobus. Lentiglobo.

lentigo. Lentigo, sarda.

lentigomelanosis. Lentigomelanose. Doença maligna da pele da face que se desenvolve sobre o lentigo.

lentitis. Facite.

lentoptosis. Lentoptose, facoptose.

Lenzmann's point. Ponto de Lenzmann. Ponto sensível na apendicite, a 5 cm ou 6 cm da espinha ilíaca anterior direita na linha que une ambas as espinhas ilíacas.

Leo's test. Reação de Leo. Para a comprovação do ácido clorídrico livre. Junta-se à solução carbonato de cálcio, que se neutraliza, se a acidez é devida a sais.

leontiasis. Leontíase. // **- ossea.** Leontíase óssea.

Leopold's law. Lei de Leopold. Quando a placenta se insere na parede posterior do útero, os ovidutos convergem para a parede anterior; porém se a inserção é na parede anterior, os ovidutos na posição supina, se dirigem para trás e chegam a ser paralelos ao eixo do corpo.

leotropic. Leotrópico. Espirais formadas da direita para a esquerda.

Leotta's sign. Sinal de Leotta. A compressão com os dedos da mão aplicada no quadrante abdominal superior direito produz dor se existem aderências entre o cólon e a vesícula biliar ou o fígado.

leper. Leproso.

lepidic. Lepídico, escamoso.

lepidoid. Lepidóide.

233

Lipidoptera. Lepidóptera.

lepidosis. Lepidose, erupção escamosa, ictiose (lepra, pitiríase).

lepocyte. Lepócito. Célula com parede ou membrana.

lepothrix. Lepotrix. Afecção micótica do pêlo.

lepra. Lepra.

lepraphobia. Leprofobia.

leprosarium, leprosary. Leprosário.

leprosy. Lepra.

leprous. Leproso.

Lept. Abreviatura de *Leptospira.*

leptandra. Leptandra. Planta escrofulariácea.

leptazol. Leptaxol. ($C_6H_{10}N_4$).

leptocephaly. Leptocefalia, dolicocefalia.

leptochroa. Pele de espessura anormalmente diminuída.

leptochymia. Leptoquimia. Diminuição anormal dos líquidos orgânicos.

leptomeninges. Leptomeninge, pia-máter.

leptomeningitis. Leptomeningite.

leptoprosope. Leptoprosopo.

Leptoprosopia. Leptoprosopia, face longa e estreita.

leptorrhinia. Leptorrinia. Nariz delgado.

leptosome. Leptossomo. Fisicamente astênico.

Leptospira. Gênero de espiroquetas com elementos espirais diminutos.

leptothrix. Gênero de tricobactérias em forma de filamentos longos.

leptotrichia. Delgadez e finura do pêlo.

leptus. Designação de forma larval de ácaros do gênero *Trombicula.*

leresis. Lerese. Loquacidade insana ou senil.

Leri's sign. Sinal de Leri. A flexão passiva da mão e punho do lado afetado na hemiplegia não produz flexão normal do cotovelo.

Leriche's operation. Operação de Leriche. Simpatectomia periarterial.

Lermoyez's syndrome. Síndrome de Lermoyez. Ataque de vertigem que aparece depois de aumento da hipoacusia e que melhora a audição depois do ataque.

Leroux's method. Método de Leroux. Tratamento da placenta prévia pelo tamponamento da vagina.

lesbian love. Lesbianismo. Amor lésbico. Sin.: safismo ou tribadismo.

lesbianism. Lesbianismo. Homossexualidade entre mulheres.

Leschke's syndrome. Síndrome de Leschke. Debilidade geral, hiperglicemia e manchas pardas da pele.

Leser-Trélat's sign. Sinal de Leser-Trélat. O angioma senil, as verrugas e manchas pigmentadas cutâneas assinalam o carcinoma.

Lesieur-Privey's sign. Sinal de Lesieur-Privey. A presença de albumina no escarro é sinal de inflamação pulmonar.

lesion. Lesão.

Lesser's triangle. Triângulo de Lesser. Área triangular formada pelos nervos hipoglosso e os ventres do digástrico.

Lesshaft's muscle. Músculo de Lesshaft. Elevador próprio do ânus. Músculo subcutâneo no períneo. // - **triangle.** Triângulo de Lesshaft. Triângulo facial de Grynfelt.

let. Deixar, permitir.

lethal. Letal, mortal.

lethality. Letalidade.

Lethargic. Letárgico.

lethargy. Letargia.

leucaemia. Leucemia.

leucanaemia. Leucanemia.

leucine. Leucina.

Leuckart's canal. Canal de Leuckart. Canal uterovaginal.

leuco-. Leuco. Elemento de origem grega com a significação de branco, leucótico.

leucobases. Leucobase. Grupo de compostos incolores, derivado do trifenilmetano.

leucocyte. Leucócito. // - **basophil, eosinophil, neutrophile, polymorphonuclear.** Leucótico basófilo, eosinófilo, neutrófilo, polimorfo-nuclear.

leucocythaemia. Leucocitemia.

leucocytic. Leucocítico.

leucocytogenesis. Leucocitogênese.

leucocytolysis. Leucocitólise.

leucocytometer. Leucocitômetro. Instrumento empregado na contagem de leucócitos; hematímetro.

leucocytopenia. Leucocitopenia.

leucocytosis. Leucocitose.

leucocyturia. Leucocitúria.

leucoderma, leucodermia. Leucoderma, leucodermia, acromia ou acromasia, especialmente a parcial e congênita.

leucoerythroblastosis. Leucoeritroblastose.

leucokeratosis. Leucoceratose.

leucoma. Leucoma.

leucomaine. Leucomania. Nome comum para um amplo grupo de substâncias básicas que existem em diversos tecidos, produto do metabolismo das substâncias albuminóides.

leucomatosis. Leucomatose.

leucomatous. Leucomatoso.

Leuconostoc. Gênero de estreptococos.

leuconuclein. Leuconucleína. Produto de de composição da núcleo-histona.

leuconychia. Leuconiquia.

leucopathy. Leucopatia.

leucopenia. Leucopenia.

leucoplakia. Leucoplasia. Sin.: leucoceratose, psoríase lingual, tilose lingual.

leucoplasia. Leucoplasia.

leucoplast, leucoplastid. Leucoplastídio. Grânulo das células vegetais, de que derivam os elementos produtores do amido.

leucopoiesis. Leucopoese.

leucopsin. Leucopsina. Substância incolor em que se converte a rodopsina pela exposição à luz branca.

leucorrhoea. Leucorréia.

leucosis. Leucose.

leucotactic. Leucotáxico.

leucotaxis. Leucotaxia. Atração quimiotáxica de leucócitos.

leucotomy. Leucotomia.

leucotrichia. Leucotríquia.

Leudet's bruit. Ruído de Leudet. Estalido seco audível em casos de catarro tubal.

leukaemia. Leucemia (leuquemia). // **- aleukaemic.** Leucemia aleucêmica. // **- cutis.** Leucemia cutânea. // **- lymphoid or lymphatic.** Leucemia linfática, linfoblástica, linfocítica. // **- myeloid, or myelogenic.** Leucemia medular mieloblástica ou mielogênica. // **- monocytic.** Leucemia monocítica.

leukaemic. Leucêmico (leuquêmico).

leukaemoid. Leucemóide.

leukanaemia. Leucanemia.

levator. Levator, elevador.

level, flat. Plano, liso, raso.

lever. Alavanca.

Lévi's syndrome. Síndrome de Lévi. Hipertireoidismo paroxístico.

levigation. Levigação, pulverização.

Levin's tube. Tubo de Levin. Cateter gastroduodenonasal.

levitation. Levitação. Sensação alucinatória de flutuar ou andar no ar.

levo-. Levo. Prefixo latino "*Laevus*", que significa esquerdo.

levocardia. Levocardia.

levocardiogram. Levocardiograma.

levoclination. Levoclinação.

levocycloduction. Levociclodução.

levoduction. Levodução.

levoglucose. Levoglicose.

levogram. Levograma.

levogyration. Ato de desviar para a esquerda.

levogyric, levogyrous. Levógiro.

levophobia. Levofobia.

levorotation. Levorrotação.

levorotatory. Levorrotatório.

levotorsion. Levotorção.

levoversion. Levoversão.

Levret's forceps, law. Fórceps e Lei de Levret. O autor acrescentou ao fórceps a curva pélvica nas margens dos ramos e dele se fizeram infinitas modificações sem vantagens positivas. Lei de Levret. A inserção do cordão é marginal na placenta prévia.

levulose. Levulose. Açúcar de frutas ou frutose.

levulosemia. Levulosemia.

levulosuria. Levulosúria.

Lewandowsky's disease. Doença de Lewandowsky. Tuberculide semelhante à acne rosácea.

Lewin's erythema of the laryn. Eritema laríngeo de Lewin. Catarro sifilítico da laringe.

lewisite. Gás tóxico de guerra, clorovinilarsina.

Lewisohn's method. Método de Lewisohn. Transfusão indireta de sangue com adição de citrato de sódio.

Lewisonella. Gênero de Tripanossomos.

Lexer's vessels. Vasos de Lexer. Vasos justaepifisários.

Leyden's ataxia. Ataxia de Leyden. Enfermidade que simula tabes: pseudotabes.

Leyden-Charcot's crystals. Cristais de Leyden-Charcot (v. *Charcot's crystals*).

Leyden-Moebius type of progressive muscular atrophy. Tipo de atrofia de Leyden-Moebius. Variedade de atrofia muscular progressiva observada nas novilhas e que freqüentemente assume caráter de paralisia pseudo-hipertrófica de Duchenne.

Leydig's cells. Células de Leydig. Células intersticiais dos testículos. // **- duct.** Canal de Leydig. Canal de Wolff.

L.H. Abreviatura de *luteinizing hormone*. Hormônio luteinizante.

Li. Símbolo químico do lítio.

liability. Propensão, probabilidade, risco.

libidina. Erótico.

libidinous. Libidinoso.

libido. Libido, luxúria, lascívia, instinto, apetite sexual.

LiBr, lithium bromide. Brometo de lítio.

libra, pound. Libra.

lichen. Líquen. // **- acuminatus, annularis, atrophicus, hypertrophycus, nitidus, obtusus, corneus, pilaris, planus, sclerosis, scrofulosorum, simplex, chronicus, spino-**

sulus, verrucosus, urticatus. Líquen acuminado, anular, atrófico, hipertrófico, nítido, obtuso, córneo, pilar, ceratose folicular, plano, escleroso, escrofuloso, simples, crônico, espinuloso, verrucoso, urticariforme.

licheniasis. Liqueníase.

lichenification. Liquenificação.

lichenoid. Liquenóide.

lie. Estar situado, estar, residir.

Lieberkühn's crypts. Criptas de Lieberkühn. Glândulas intestinais encontradas em grande número em toda a mucosa do intestino delgado e grosso.

lien, spleen. Baço. Tristeza, hipocondria, melancolia.

lienal. Do baço. Esplênico.

lienectomy. Esplenectomia.

lienitis. Esplenite.

lienocele. Esplenocele.

lienography. Esplenografia.

lienomalacia. Esplenomalacia.

lienomedullary. Esplenomedular, lienomedular.

lienomyelogenous. Esplenomielógeno.

lienomyelomalacia. Esplenomielomalacia.

lienopancreatic. Esplenopancreático.

lienopathy. Esplenopatia.

lienorenal. Esplenorrenal.

lienotoxin. Esplenotoxina.

lienteric. Lientérico.

lientery. Lienteria.

lienunculus. Baço acessório.

Liepmann's apraxia. Apraxia de Liepmann. Disfunção dos membros sem paralisia.

Liesegang's phenomenon. Fenômeno de Liesegang. Formação periódica peculiar de um precipitado em anéis concêntricos e espirais, quando os eletrólitos se difundem e encontram em um gel colóide.

Lieutaud's sinus. Seio de Lieutaud. Ducto que conecta o seio longitudinal inferior com o seio lateral.

life. Vida. Existência, modo de viver, conduta.

lift. Levantar.

ligament. Ligamento. // - **acromioclavicular.** Ligamento acromioclavicular. // - **annular.** Ligamento anular. // - **anterior atlantoaxial.** Ligamento atlantaxial anterior. // - **anterior atlanto occipital.** Ligamento atlanto-occipital anterior. // - **anterior longitudinal.** Ligamento longitudinal anterior. // - **anterior of elbow joint.** Ligamento anterior da articulação do cotovelo. // - **anterior radiocarpal.** Ligamento radiocarpal anterior. // - **anterior radioulnar.** Ligamento radiocubital anterior.

// - **anterior talofibular.** Ligamento talofibular anterior. // - **apical.** Ligamento apical. // - **arcuate.** Ligamento arqueado. // - **arteriosum.** Ligamento arterioso. // - **Bardinet's.** Ligamento de Bardinet. // - **bifurcated.** Ligamento bifurcado. // - **broad uterine.** Ligamento largo do útero. // - **Burns's.** Ligamento de Burns. // - **caroticoclinoid.** Ligamento caroticoclinóide. // - **calcaneofibular.** Ligamento calcaneofibular. // - **cervical.** Ligamento cervical. // - **Cleland's.** Ligamento de Cleland. // - **conoid.** Ligamento conóide. // - **Cooper's.** Ligamento de Cooper. // - **coraco-acromial.** Ligamento coraco-acromial. // - **coracoclavicular.** Ligamento coracoclavicular. // - **coracohumeral.** Ligamento coraco-umeral. // - **cornuate.** Ligamento corniculado. // - **coronary.** Ligamento coronário. // - **costoclavicular.** Ligamento costoclavicular. // - **costocoracoid.** Ligamento costocoracoídeo. // - **cricothyroid.** Ligamento cricotireoídeo. // - **cruciate.** Ligamento cruciforme. // - **cutaneous.** Ligamento cutâneo. // - **deep gastric.** Ligamento gástrico profundo. // - **deep transverse.** Ligamento transverso profundo (do pé e da mão). // - **deltoid.** Ligamento deltoídeo. // - **dorsal calcaneocuboid.** Ligamento dorsal calcaneocuboídeo. // - **dorsal talonavicular.** Ligamento talonavicular dorsal. // - **epidydimoscrotal.** Ligamento epididimoscrotal. // - **falciform of liver.** Ligamento falciforme do fígado. // - **fundiform.** Ligamento fundiforme. // - **funiculoepydydimal.** Ligamento funículo-epididimal. // - **gastrophrenic.** Ligamento gastrofrênico. // - **Gimbernat's.** Ligamento de Gimbernat. // - **glenohumeral.** Ligamento glenoumeral. // - **glenoid.** Ligamento glenoídeo. // - **Hesselbach's.** Ligamento de Hesselbach. // - **Hey's.** Ligamento de Hey. // - **Humphry's.** Ligamento de Humphry. // - **hyoepiglottic.** Ligamento hioepiglótico. // - **iliofemoral.** Ligamento iliofemoral. // - **iliolumbar.** Ligamento iliolombar. // - **iliotrochanteric.** Ligamento iliotrocantérico. // - **inferior of symphysis.** Ligamento inferior da sínfice. // - **inferior tibiofibular.** Ligamento tibiofibular inferior (anterior e posterior). // - **infundibulopelvic.** Ligamento infundibulopélvico. // - **inguinal.** Ligamento inguinal. // - **interclavicular.** Ligamento interclavicular. // - **intercornual.** Ligamento intercornual. // - **interdigital.** Ligamento interdigital. // - **interfoveolar.** Ligamento interfoveolar. // - **interosseous naviculocuboid.** Ligamento navículo-cubóideo interósseo.

// - **interosseous talocalcaneo.** Ligamento talocalcaneal interósseo. // - **interosseous tibiofibular.** Ligamento tibiofibular interósseo. // - **interspinous.** Ligamento interespinoso // - **intertransverse.** Ligamento intertransverso. // - **ischiofemoral.** Ligamento isquiofemoral. // - **lacunar.** Ligamento lacunar. // - **lateral arcuate.** Ligamento arqueado lateral. // - **lateral cervical.** Ligamento cervical lateral. // - **lateral of elbow joint.** Ligamento lateral da articulação do cotovelo. // - **lateral radiocarpal.** Ligamento radiocárpeo lateral. // - **lienophrenic.** Ligamento frenolienal ou frenosplênico. // - **lienorenal.** Ligamento lienorrenal ou esplenorrenal ou nefrosplênico. // - **Lisfranc's.** Ligamento de Lisfranc. // - **Lockwood's.** Ligamento de Lockwood. // - **long lateral - of knee.** Ligamento lateral longo do joelho. // - **long medial - of knee.** Ligamento medial longo do joelho. // - **long plantar.** Ligamento plantar longo. // - **Lumbo-sacral.** Ligamento lumbossacro. // - **medial arcuate.** Ligamento arqueado medial // - **medial brachial.** Ligamento braquial medial. // - **medial - of elbow joint.** Ligamento medial da articulação do cotovelo. // - **medial radiocarpal.** Ligamento radiocárpeo medial. // - **middle odontoid.** Ligamento médio-odontoídeo. // - **mucosum.** Ligamento mucoso. // - **oblique - of Cooper.** Ligamento oblíquo de Cooper. // - **oblique posterior.** Ligamento oblíquo posterior. // - **of Colles.** Ligamento de Colles. // - **of Flood.** Ligamento de Flood. // - **of head of femur.** Ligamento da cabeça do fêmur. // - **of malleus.** Ligamento do martelo. // - **of vena cava.** Ligamento da veia cava. // - **of Weltbrecht.** Ligamento de Weltbrecht. // -**of Zinn.** Ligamento de Zinn. // - **nuchae.** Ligamento da nuca. // - **orbicular.** Ligamento orbicular. // - **ovariouterine.** Ligamento uterovárico. // - **palpebral.** Ligamento palpebral. // - **patellae.** Ligamento da rótula. // - **pectinatum.** Ligamento pectíneo. // - **peritoneal.** Ligamento peritoneal. // - **petrosphenoidal.** Ligamento petrosfenoidal. // - **phrenicocolic.** Ligamento frenicocólico. // - **phrenicosplenic.** Ligamento frenicosplênico. // -**piso-hamate.** Ligamento pisianchoso ou uncopisiforme. // - **pisometacarpal.** Ligamento pisometacárpeo. // - **plantar.** Ligamento plantar. // - **plantar calcaneo-navicular.** Ligamento calcâneo navicular plantar. // - **posterior atlantoaxial.** Ligamento atlantaxial posterior. // - **posterior - of elbow joint.** Ligamento posterior da articulação do cotovelo. // -

posterior longitudinal. Ligamento longitudinal posterior. // - **posterior occipitoaxilar.** Ligamento occipitoaxilar posterior. // - **posterior radio-ulnar.** Ligamento rádio-ulnar posterior. // - **posterior talofibular.** Ligamento talofibular posterior. // - **Poupart's.** Ligamento de Poupart. // - **pterigomandibular.** Ligamento pterigomandibular. // - **peterigospinous.** Ligamento pterigospinoso. // - **pubofemoral.** Ligamento pubofemoral. // - **puboprostatic.** Ligamento puboprostático. // - **pulmonary.** Ligamento pulmonar. // - **pyloric.** Ligamento pilórico. // - **quadrate.** Ligamento quadrado. // - **radiate.** Ligamento radiado. // - **rhomboid.** Ligamento rombóide. // - **round.** Ligamento redondo. // - **round uterine.** Ligamento redondo do útero. // - **sacrococcygeal.** Ligamento sacrococcígeo. // - **sacrosciatic great.** Ligamento sacroisquiático maior. // - **sacrospinous.** Ligamento sacrospinoso. // - **sacrotuberous.** Ligamento sacrotuberoso. // - **short lateral - of knee.** Ligamento lateral curto do joelho. // - **short medial - of knee.** Ligamento medial curto do joelho. // - **short plantar.** Ligamento plantar curto. // - **sphenomandibular.** Ligamento esfenomandibular. // - **spinoglenoid.** Ligamento espinoglenoídeo. // - **spiral.** Ligamento espiral. // - **spring.** Ligamento calcâneo navicular plantar. // - **stellate.** Ligamento estrelado. // - **sternocostal.** Ligamento esternocostal. // - **sternopericardial.** Ligamento esterno pericárdico. // - **Struther's.** Ligamento de Struther. // - **stylohyoid.** Ligamento estiloioídeo. // - **stylomandibular.** Ligamento estilomandibular. // - **subpubic.** Ligamento subpúbico. // - **superficial transversal metatarsal.** Ligamento metatarsal superficial transverso. // - **suprascapular.** Ligamento suprascapular. // - **supraspinous.** Ligamento supraspinoso. // - **suspensorium trochanteric - of Gunther.** Ligamento trocantérico suspensor de Gunther. // - **suspensory.** Ligamento suspensor. // - **suspensory of eye.** Ligamento suspensor do olho. // - **suspensory of Gerdy.** Ligamento suspensor de Gerdy. // - **suspensory - of lens.** Ligamento suspensor da lente (cristalino). // - **suspensory - of liver.** Ligamento suspensor do fígado. // - **suspensory - of ovary.** Ligamento suspensor do ovário. // - **suspensory - of penis.** Ligamento suspensor do pênis. // - **suspensory - of suprarenal.** Ligamento suspensor da supra-renal. // - **talocalcaneal.** Ligamento talocalcâneo. //- **teres.** Ligamento redondo // - **teres of liver.** Ligamento redondo do fígado. // **- teres of uteri.** Ligamento teres do útero. // **- thyroarithenoid.** Ligamento tireoaritenoídeo. // **- thyroepiglottic.** Ligamento tireo-epiglótico. // **- transverse - of hip joint.** Ligamento transverso da articulação do quadril. // **- transverse - of knee joint.** Ligamento transverso da articulação da rótula. // **- transverse atlas.** Ligamento transverso do atlas. // **- transverse humeral.** Ligamento transverso do úmero. // **- transversemetacarpal.** Ligamento metacárpeo transverso. // **- transverse palmar superficial.** Ligamento transverso palmar superficial. // **- transverse pelvic.** Ligamento pélvico transverso. // **- transverse - of perineum.** Ligamento transverso do períneo. // **- transverse scapular.** Ligamento escapular transverso. // **- transverse tibiofibular.** Ligamento tibiofibular transverso. // **- trapezoid.** Ligamento trapezóide. // **- triangular.** Ligamento triangular // **- triangular - of liver.** Ligamento triangular do fígado. // **- venosum.** Ligamento venoso. // **- vestibular.** Ligamento vestibular. // **- vocal.** Ligamento vocal. // **- Winslow's.** Ligamento de Winslow. // **- Wrisberg's.** Ligamento de Wrisberg.

ligamenta. Ligamentos (plural de ligamentum). // **- alaria.** Ligamentos alares. // **- collateralia.** Ligamentos colaterais. // **- crucialia.** Ligamentos cruzados ou cruciformes. // **- denticulata.** Ligamentos denticulados. // **- digital vaginal.** Ligamentos vaginais dos dedos. // **- flava.** Ligamentos amarelos. // **- of Helvetius.** Ligamentos de Helvetius. // **- of Mackenrodt.** Ligamentos de Mackenrodt.

ligamental, ligamentary. Ligamentar, ligamentoso.

ligamentous. Ligamentoso.

ligate. Ligar, aplicar, ligadura.

ligation. Ligação, ligadura, união.

ligator. Ligador.

ligature. Ligadura.

lightness. Leveza, ligeireza.

ligneous. Lenhoso. // **- thyroiditis.** Tireoidite lenhosa.

lignoceric acid. Ácido obtido da cerasina, por hidrólise.

ligula. Lígula, antigo nome da epiglote.

likely. Provável.

lily rash. Espécie de lírio existente na Espanha.

limatura filings. Limalha.

limb. Limbo, membro.

limbic. Limbar, límbico.

limbus. Limbo.

lime. Limo, cal.

lime-water.. Água de cal.

limen. Limen. // **- nasi.** Linha divisória entre as porções óssea e cartilaginosa do nariz.

limic. Límico.

liminal. Liminar.

limit. Limitar.

limiting. Limitante. // **- external membrane.** Membrana limitante externa. // **- internal membrane.** Membrana limitante interna.

Limnatis. Gênero de sanguessuga.

limon. Limão.

limonis succus. Suco de limão.

limosis. Limose. Fome anormal e mórbida.

limosphere. Limosfera.

limp. Claudicação.

limpidity. Limpeza.

limping. Claudicando.

limy. Calcáreo, viscoso.

linctus. Linctus, *looch*, emulsão, eletuário; xarope medicinal espesso; lambedor.

Lindau's disease. Doença de Lindau. Angioma cerebral, geralmente cístico.

line, linea. Linha. // **- absorption.** Linha de absorção. // **- blue.** Linha azul.

lineament. Delineamento, feições fisionômicas.

linear. Linear, longitudinal. // **- atrophy.** Atrofia linear.

linen. Linho, roupa branca.

Ling's system. Sistema de Ling. Meio de tratar as doenças com movimento ginástico do corpo: cinesioterapia, lingismo.

lingua. Língua. // **- geographic.** Língua geográfica.

lingual. Lingual.

lingualis muscle. Músculo lingual.

Linguatula. Gênero de artrópodes que em sua forma adulta habitam as fossas nasais, seios frontais e maxilares dos animais, e às vezes, do homem.

linguatuliasis. Linguatulíase. Infestação com *linguatula*.

linguiform. Linguiforme.

lingula. Língula. // **- cerebelli.** Língula cerebelar.

lingulectomy. Lingulectomia.

linguodental. Linguodental.

linguodistal. Linguodistal.

linguogingival. Linguogengival.

linguopapillitis. Linguopapilite.

liniment, linimentum. Linimento. // **- aconiti.** Linimento de acônito.

linin. Linina, pancromatina.

lining. Revestimento.

linitis plastica. Linite plástica. Sin.: cirrose gástrica, doença de Brinton, esclerose gástrica, gastrite hipertrófica, fibromatosis ventriculi.

linkage. Conectar, valência.

linking. Conexão, união.

linseed. Linhaça. // - **poultice.** Cataplasma da linhaça.

lint. Fios de linho (para sutura).

linum, flax. Linho.

Liouville's icterus. Icterícia de Liouville. Icterícia do recém-nascido.

lip. Lábio.

lipaemia. Lipemia.

liparocele. Liparocele. Tumor adiposo escrotal, adipocele. // Hérnia que contém gordura. // Lipoma.

liparomphalos. Liparônfalo.

Lipase. Lípase. // Sin.: esteapsina, pialina, fermento lipolítico.

lipid. Lípide.

lipiodol. Lipiodol.

lipocele. Lipocele, liparocele, adipocele.

lipochondrodystrophy. Lipocondrodistrofia, síndrome de Hurler.

lipochrin. Lipocrina.

lipochrome. Lipocromo.

lipodystrophy. Lipodistrofia. // - **progressive.** Lipodistrofia paradoxal ou progressiva.

lipofibroma. Lipofibroma.

lipofuscin. Lipofuscina.

lipogenesis. Lipogênese.

lipogenic. Lipogênico.

lipoid. Lípide. // - **degeneration.** Degeneração lipídica. // - **histiocytosis.** Histiocitose lipídica. // - **nephrosis.** Nefrose lipídica.

lipoidosis. Lipidose.

lipoiduria. Lipidúria.

lipolysis. Lipólise.

lipolytic. Lipolítico.

lipoma. Lipoma. // - **arborescens.** Lipoma arborescente.

lipomatosis. Lipomatose.

lipomatous. Lipomatoso.

lipomeria. Lipomeria. Falta congênita de uma extremidade.

lipometabolism. Lipometabolismo.

lipomyxoma. Lipomixoma.

lipophagy. Lipofagia.

lipophile. Lipófilo.

lipophrenia. Lipofrenia. Deficiência das faculdades mentais.

liposarcoma. Lipossarcoma.

lipose. Lipose, lipomatose.

lipothymia. Lipotimia, desmaio, delíquio, perda súbita do conhecimento, melancolia.

lipotrichia. Lipotriquia.

lipoxanthin. Lipoxantina.

lipoxenous. Diz-se do parasito que abandona seu hospedeiro. Lipoxênico.

lipoxeny. Lipoxenia. Abandono do hospedeiro pelo parasito.

Lipschütz's bodies. Corpos de Lipschütz. Corpos de inclusão nas células epiteliais e nervosas afetadas de herpes simples.

lipuria. Lipúria, adiposúria.

liq. Abreviatura de *liquor*.

liquefacient. Liquefaciente.

liquefaction. Liquefação.

liquescent. Liquescente.

liquid. Líquido, fluido, solução.

liquid, paraffin. Parafina líquida.

liquor. Liquor, líquido. // - **amniotic.** Líquido amniótico.

Lisfranc's ligament. Ligamento de Lisfranc. Ligamento entre o segundo metatársico e o primeiro osso cuneiforme. // - **joint.** Articulação de Lisfranc. Tarsometatársica. // - **tubercle.** Tubérculo de Lisfranc. Tubérculo do escaleno na primeira costela.

lisp. Cecear, ceceio.

Lissauer's tract. Feixe ou ligamento de Lissauer, póstero-lateral ascendente na espinha dorsal. // - **zone.** Zona de Lissauer, marginal, entre as fibras da raiz posterior que penetram e a margem do cordão.

lissencephaly. Lissencefalia. Ausência de circunvoluções do córtex cerebral.

list. Lista.

listen. Escutar.

Lister's antiseptic. Antisséptico de Lister. Percloreto de mercúrio. // - **dressing.** Curativo de Lister. Gase impregnada com ácido fênico e outros antissépticos. // - **tubercle.** Tubérculo de Lister. Proeminência na superfície posterior da extremidade mais inferior do rádio, adjacente à fossa onde desliza o tendão do extensor longo do polegar.

Listing's plane. Plano de Listing. Plano vertical transversal perpendicular ao eixo ântero-posterior do olho. Contém o centro do movimento dos olhos e nele se acham situados o eixo transversal e o vertical de rotação ocular.

Liston's splint. Férula reta usada lateralmente à perna ou ao corpo. // - **knife.** Faca de Liston, para amputações.

liter. Litro.

lithagogue. Litagogo.

litharge. Litargírio.

lithiasis. Litíase.

lithic. Lítico.

lithium. Lítio.

lithocenosis. Litocenose.

lithoclast. Litoclasto.

lithoclasty. Litoclastia.

litholapacy. Litopalaxia. Esmagamento de cálculo na bexiga, seguido da evacuação dos fragmentos por meio de sonda aspiradora de Bigelow.

lithometra. Litometria. Calcificação ou ossificação do útero.

lithonephria. Nefrolitíase.

lithonephritis. Litonefrite.

lithopaedion. Litopédio. Feto retido, morto, calcificado.

lithotome. Litótomo. Cistótomo.

lithotomy. Litotomia.

lithotripsy. Litotripsia.

lithotrite. Litótrito, litotríptico.

lithous. Petroso, pétreo.

lithuresis. Liturese.

litmus. Tornassol. // **- paper.** Papel de tornassol.

litre. Litro.

litter. Maca.

Little's area. Área de Little. Lugar onde comumente ocorrem hemorragias no septo nasal.

Little's disease. Doença de Little. Paralisia espasmódica infantil.

Littré's colostomy. Colostomia de Littré. Prática de abertura no cólon através da região ilíaca esquerda. // **- glands.** Glândulas de Littré na mucosa da uretra membranosa. // **- hernia.** Hérnia de Littré. Saco herniário que contém o divertículo de Meckel. // **- sinus.** Seio de Littré. Seio transverso.

live. Vivo, ativo, viver.

livedo. Livedo. Mancha lívida, azulada na pele. // **- reticularis.** Livedo reticular ou anular.

livedoid. Livedoide. "Cutis marmorata".

livelihood. Subsistência.

liver. Fígado.

lives. Vidas.

livetin. Livetina.

livid. Lívido.

lividity. Lividez.

lividity cadaveric, postmortem. Lividez cadavérica.

living. Vivo, vivente, vital.

livor mortis. Lividez cadavérica.

Lizar's lines. Linhas de Lizar. Linhas cirúrgicas na região glútea.

Loa Loa. Gênero de filárias.

loaf. Um pão.

loam. Barro, lama.

loasis. Filaríase.

lobar. Lobar. /d/ **- pneumonia.** Pneumonia lobar.

lobate. Lobado.

lobe. Lobo.

lobectomy. Lobectomia.

lobelia. Gênero de plantas da família das lobeliácea.

lobengulism. Lobengulismo. Desenvolvimento irregular de gordura subcutânea e atrofia dos genitais e sistema piloso.

lobitis. Lobite, lobulite.

Lobstein's cancer. Câncer de Lobstein. Sarcoma retroperitoneal. // **- disease.** Doença de Lobstein, "Osteogenesis imperfecta" osteossatirose; fragilidade constitucional dos ossos. // **- ganglion.** Gânglio de Lobstein. Gânglio acessório do grande simpático em conexão com o plexo solar.

lobster hand. Mão em forma de lagosta.

lobular. Lobular. // **- pneumonia.** Pneumonia lobular.

lobulate. Lobulado.

lobule. Lóbulo.

lobus. Lobo.

local. Local.

localization. Localização.

localized. Localizado.

locate. Achar, encontrar.

locative. Locativo, que indica o local.

lochia. Lóquios.

lochial. Loquial.

lochiometra. Loquiometria. Retenção de lóquios.

lochioperitonitis. Loquioperitonite.

lochiorrhagia. Loquiorragia.

lochiorrhoea. Loquiorréia.

lochioschesis. Loquiosquese. Loquiometria.

lockjaw. Trismo, tétano.

Lockwood's ligament. Ligamento de Lockwood. Ligamento suspensor de bulbo ocular.

locomotion. Locomoção.

locomotive. Locomotor, locomotivo.

locomotor. Locomotor. // **- ataxia.** Ataxia locomotora.

locular. Locular.

loculus. Lóculo. Célula ou espaço pequeno.

locum tenens. Médico substituto, temporário.

locus. Lugar. // **- coeruleus.** Locus cinereus, ferrugineus. // **- minoris resistentiae.** Local de menos resistência.

Löffler's bacillus. Bacilo de Löffler (v. *Klebs-Löffer bacillus*). // **- blood- serum mixture.** Mistura de soro sangüíneo de Löfftler. Soro sangüíneo 3; 1% de caldo de glicose 2; coagulado a 70ºC: usado em cultura de C. *diphteriae*. // **- methylene blue**. Azul de metileno de Löffler. Coloração alcalina usada em Bacteriologia.

logagnosia. Logagnosia, afasia, alogia ou qualquer outro defeito central da linguagem.

logagraphia. Logagrafia. Impossibilidade de expressar à idéia na escrita.

logaphasia. Logafasia, afasia motora.

logoclonia. Logoclonia. Repetição espasmódica das sílabas terminais das palavras.

logomania. Logomania. Loquacidade exagerada.

logoneurosis. Logoneurose, dislogia.

logorrhoea. Logorréia.

Löhlein's diameter. Diâmetro do Löhlein. Distância que existe entre o centro do ligamento subpúbico e o ângulo ântero-superior do forâmen sacro-isquiático maior.

loin. Lombo, ilharga, região lombar.

London paste. Pasta de Londres.

longevity. Longevidade.

longing. Desejo ardente.

longissimus dorsi. Músculo dorsal longo.

longitudinal. Longitudinal.

longsightedness. Hipermetropia.

longus. Longo. // **- capitis, colli**. Músculos reto anterior maior e longo do pescoço, respectivamente.

loop. Alça de platina, alça intestinal, fita, laço.

loose. Desatar, desprender, soltar. // **- bowels, body**. Amplo folgado, ou relaxado de ventre.

lordoscoliosis. Lordoscoliose.

lordosis. Lordose.

lordotic. Lordótico.

Lorenz's operation. Operação de Lorenz. Redução incruenta da luxação congêntia do quadril e fixação da cabeça do fêmur na cavidade cotilóide rudimentar.

Loreta's operation. Operação de Loreta. Gastrotomia e divulsão do orifício pilórico ou cardíaco na estenose dos mesmos. Denomina-se também "operação de Hahn". // - introdução de um fio de aço em um aneurisma, seguida de eletrólise.

lose. Perder.

loss. Perda, privação.

Lossen's rule. Lei de Lossen. Só as mulheres transmitem hemofilia e unicamente os homens padecem.

lost. Perdido.

lotio, lotion. Loção.

Louis's angle. Ângulo de Louis. Formado entre o manúbrio e o corpo do esterno; chamado também "ângulo de Ludwing".

Louis's law. Lei de Louis. A tuberculose pulmonar começa geralmente pelo pulmão esquerdo. // A tuberculose de qualquer parte vai acompanhada de localização nos pulmões.

loupe. Lupa.

louping ill. Forma de encefalite observada em ovelhas e devida a um vírus. Pode transmitir-se ao homem.

louse. Piolho.

lousiness. Pediculose.

Löwe's ring. Anel de Löwe. Anel no campo visual produzido pela mácula lútea. // **- test**. Prova de Löwe. Para a insuficiência pancreática, diabetes e hipertireoidismo; dilatação pupilar pela instilação de epinefrina a 1:1000 de modo padronizado.

Löwenberg's canal. Canal de Löwenberg. Escada média da cóclea.

Löwentahl's tract. Feixe de Löwentahl. Situado ântero-lateralmente na medula espinal.

lower. Inferior.

Lower's tubercle. Tubérculo de Lower. Pequena proeminência no átrio direito entre os orifícios da veia cava superior e inferior. Tubérculo intervenoso.

Löwit's cells. Linfócitos de Löwit. Eritroblastos.

loxarthron. Loxartrose. Deformidade oblíqua de uma articulação, sem luxação, com o pé torto.

lozenge. Trocisco, pastilha.

Lubarsch's crystals. Cristais de Lubarsch. Cristais nos testículos, semelhantes aos do esperma.

lubricant. Lubrificante.

lubrification. Lubrificação.

Luc's operation. Operação de Luc. Drenagem do seio maxilar.

Luca's groove. Depressão de Lucas. Impressão feita pelo tempo na espinha do esfenóide pela corda do nervo timpânico; a "estria espinosa" ou "sulco espinoso". // **sign**. Sinal de Lucas. Distensão do abdome, sintoma precoce de raquitismo.

Lucas-Championnière's disease. Doença de Lucas-Championnière. Bronquite pseudomembranosa crônica.

Luciani's triad. Tríade de Luciani. Astenia cerebral, atonia e astasia.

lucid. Lúcido. // **- interval**. Intervalo lúcido.

Lücke's operation. Operação de Lücke. Incisão no nervo infra-orbital, por via pterigomaxilar.

Lückenschädel. Crânio defeituoso.

Ludwig's angina. Angina de Ludwig. Celulite flegmonosa do assoalho e cavidade bucofaríngea.

Ludwig's angle. Ângulo de Ludwig. (v. *Louis's angle*).

Ludwig's ganglion. Gânglio de Ludwig. Grupo de células nervosas no septo interatrial.

lues. Lues.

luetic. Luético.

Lugol's caustic. Cáustico de Lugol. Preparação contendo iodo, iodeto de potássio (1 parte) e água (2 partes). // - **solution.** Solução de Lugol. Iodo, 5 partes, iodeto de potássio, 10 partes, água destilada, até 100 partes.

lukewarm, tepid. Temperado.

lumbago. Lumbago.

lumbar. Lombar. // - **puncture.** Punção lombar.

lumbocostal. Lombocostal.

lumbocrural. Lombocrural.

lumbodorsal. Lombodorsal.

lumboinguinal. Lombo-inguinal.

lumbosacral. Lombossacro.

lumbricalis muscle. Músculo lumbrical.

Lumbricus. Gênero de anelídeos a que pertence a lombriga.

lumbus. Lombo.

lumen. Lume, de um vaso ou ducto.

luminiferous. Luminífero.

lumpy jaw. Actinomicose.

lunacy, insanity. Loucura.

lunar. Lunar. // - **caustic.** Nitrato de prata.

lunatic. Lunático.

lung. Pulmão.

lunula. Lúnula. Espaço esbranquiçado semilunar na raiz das unhas.

lupoid. Lupóide.

lupoma. Lupoma.

lupus. Lúpus // - **erythematous.** Lúpus eritematoso. // - **hypertrophicus.** Lúpus hipertrófico. // - **papillomatous.** Lúpus papilomatoso. // - **pernio.** Lúpus pérnio. // - **serpiginosus.** Lúpus serpiginoso. // - **verrucosus.** Lúpus verrucoso. // - **vulgarris.** Lúpus vulgar ou voraz.

Luschka bursa. Bolsa de Luschka. Bolsa faríngea das crianças. // - **cartilage.** Cartilagem de Luschka. Cartilagem pequena na parte anterior da corda vocal inferior (plica-vocal). // - **foramina.** Forâmen de Luschka. Abertura lateral do quarto ventrículo na extremidade do recesso lateral. // - **gland.** Glândula de Luschka. Corpo do cóccix, situada na frente e debaixo da extremidade deste osso. Sua função é desconhecida, porém provavelmente é de origem simpático-cromafin.

lust. Luxúria, sensualidade, incontinência, concupiscência, lascívia, imprudência, salacidade.

lusus naturae. Jogo ou capricho da natureza: teratismo, monstruosidade.

luteal. Luteínico.

lutein. Luteína, progesterona.

luteinization. Luteinização.

luteoma. Luteoma.

luxatio erecta. Luxação erecta.

luxation. Luxação.

luxus. Luxo, excesso.

Luys's body or nucleus. Corpo ou núcleo de Luys. Núcleo hipotalâmico: pequeno gânglio próximo da camada óptica, conectado acima com o corpo estriado e abaixo com o pedúnculo cerebelar superior.

lycanthropy. Licantropia. Variedade de zoantropia em que o indivíduo se crê convertido em lobo.

lycomania. Licomania, licantropia.

lye. Lixívia.

lyingin. Puerperal, falso, jacente.

lymph. Linfa. // - **follicles.** Folículos linfáticos.

lymph scrotum. Dilatação dos linfáticos escrotais.

lymphadenectasis. Linfadenectasia.

lymphadenia. Linfadenia.

lymphadenitis. Linfadenite.

lymphadenoid. Linfadenóide.

lymphadenoma. Linfadenoma.

lymphagogue. Linfagogo.

lymphangiectasis, lymphangiectasia. Linfangiectasia.

lymphangioma. Linfangioma.

lymphangitis. Linfangite.

lymphatic. Linfático. // - **gland.** Linfonodo. // - **leukaemia.** Leucemia linfática. // - **system.** Sistema linfático.

lymphatics. Linfáticos. // - **vessel.** Vasos linfáticos.

lymphatism. Linfatismo. Sin.: linfotoxemia, linfoidotoxemia, estado tímico.

lymphoblast. Linfoblasto.

lymphoblastoma. Linfoblastoma.

lymphocyte. Linfócito.

lymphocythemia. Linfocitemia.

lymphocytic. Linfocítico.

lymphocytoma. Linfocitoma, linfocitoblastoma.

lymphocytopenia. Linfocitopenia, linfopenia.

lymphocytosis. Linfocitose.

lymphodermia. Linfodermia. // - **perniciosa.** Linfodermia perniciosa.

lymphoedema. Linfedema.

lymphogenous. Linfógeno.

lymphoglandula. Linfonodo.

lymphogranuloma. Linfogranuloma. // - **benign.** Linfogranuloma benigno. // - **malign.**

242

Linfogranuloma maligno.// **- inguinable.** Linfogranuloma inguinal. Sin.: quarta moléstia venérea. Moléstia de Frei, moléstia de Durand-Nicolas-Favre, bubão climático ou tropical, linfopatia venérea, poradenite, poradenolinfite, úlcera pudenda.

lymphoid. Linfóide. // **- leukaemia.** Leucemia linfóide.

lymphoma. Linfoma.

lymphopenia. Linfopenia.

lymphopoiesis. Linfopoese.

lymphorrhagia. Linforragia.

lymphorrhoea. Linforréia.

lymphosarcoma. Linfossarcoma.

lymphuria. Linfúria.

lyra. Lira. Sin.: lira de David, psaltério, psalóide.

lysin. Lisina.

lysis. Lise.

lysolecithin. Lisolecitina.

lysozyme. Lisozima.

lyssa. Raiva, hidrofobia.

lyssophobia. Lissofobia.

lytic. Lítico.

FRASES E EXPRESSÕES

(to) lay down. Prostrar, tombar-se.

(to) lead to. Originar, provocar.

(to) leave behind. Abandonar, deixar atrás de si.

low down. Bem abaixo.

M

M. Abreviatura de *"Micrococcus"*, "mixture", "muscle".

m. Abreviatura de "meter", "minim", metro mínimo.

μ. Abreviatura de "micra".

M.a. Abreviatura de *"mental age"*, *"meter angle"* e *"Master of arts"*.

M+Am. Abreviatura de *"myopic astigmatism"*.

Ma. Símbolo químico do *masurium*, elemento de número atômico 43, conhecido como tecnécio desde 1947.

M & B. May and Baker.

Mac-Conkey's bouillon. Meio de cultura de Mac-Conkey, com 1,5 por 100 de ágar-ágar, 2 por 100 de peptona, 0,5 por 100 de taurocolato de sódio, 1 por 100 de lactose e vermelho neutro, quantidade suficiente para coloração. // - **stain.** Corante de Mac-Conkey. Para corar cápsula de bactérias. Compõe-se de 100 cc de água a que se associa 0,5 g de violeta de dália e 1,5 de verde de metilo; a que por fim se acrescentam 10 cc de solução alcoólica saturada de fucsina e 90 cc de água destilada.

macabuhay. Planta das Filipinas. *Menispermum Crispum*, empregada como emética, febrífuga e anti-rábica.

Macaca. Larva de mosca da América do Sul, que ataca a pele do homem e animais.

Macalister's muscle. Músculo de Macalister. Músculo crico-traqueal.

macalline. Alcalóide da casca da Andira excelsa: empregado como a quinina.

mace. Macis, arilo da noz-moscada.

maceration. Maceração.

macerative. Que atua na maceração.

Macewen's osteotomy, triangle. Osteotomia e triângulo de Macewen. Osteotomia supracondílea do fêmur por *genu valgum*. // - **Triângulo de.** Espaço compreendido entre a margem pós-tero-inferior da raiz do zigoma e a borda póstero-superior do meato audito externo.

Mache unit. Unidade de Mache. Termo usado para indicar a concentração de emanações de rádio.

macies, leaness. Atrofia, emaciação, fraqueza.

Mackenrodt's ligaments, operation. Ligamentos de Mackenrodt. Ligamentos transversos do colo uterino. // - **operation.** Operação de Mackenrodt. Encurtamento cirúrgico dos ligamentos redondos do útero na retroversão uterina.

Mackenzie's disease. Doença de Mackenzie ou doença X. Denominação de Mackenzie para uma série de sintomas mórbidos de origem desconhecida, que consistem em sensação de mal-estar geral, sensibilidade ao frio, dispepsia, transtornos intestinais, respiratórios e cardíacos.

Mackenzie's syndrome. Síndrome de Mackenzie. Paralisia associada da língua, véu do paladar e cordas vocais do mesmo lado.

mackintosh. Impermeável, tela impermeável.

Maclagan's test. Teste de Maclagan. Prova da turvação do timol.

MacQuarrie's test. Prova de MacQuarrie. Prova para determinar a habilidade mecânica geral com um lápis e papel de prova especiais.

macradenous. Portador de grandes glândulas ou enfartamentos linfonodais.

macrencephalia. Macrencefalia. Hipertrofia do encéfalo.

macro. Macro. Elemento de origem grega que significa grande, alongado.

macrobacterium. Macrobactéria.

macrobiosis. Macrobiose, longevidade.

macrobiotic. Macrobiótico.

macroblast. Macroblasto, megaloblasto, normoblasto grande.

macroblastic. Macroblástico.

macrobrachia. Macrobraquia.

macrocardius. Macrocárdio (monstro).

macrocephalia, macrocephaly. Macrocefalia.

macrocephalous. Macrocéfalo.

macrocheilia. Macroquilia. Hipertrofia dos lábios.

macrocheiria. Macroquiria. Desenvolvimento exagerado das mãos.

macrochemistry. Macroquímica.

macroclitoris. Macroclitóris. Hipertrofia do clitóris.

macrocnemia. Macrocnemia. Tamanho ou longitude anormalmente grande das pernas; macroscelia.

macrococcus. Macrococo.

macrocolon. Macrocólon.

macroconidium. Macroconídio.

macrocornea. Macrocórnea, megalocórnea.

macrocyst. Macrocisto.

macrocytase. Macrocítase. Cítase formada por macrócitos e capaz de destruir as células do animal.

macrocyte. Macrócito.

macrocytic. Macrocítico.

macrocytosis. Macrocitose.

macrodactylia, macrodactylism, macrodactyly. Macrodactilia.

macrodontia. Macrodontia.

macroerythroblast. Macroeritoblasto.

macrogamete. Macrogameta.

macrogametocyte. Macrogametócito.

macrogamy. Macrogamia. Conjugação de indivíduos protozoários adultos.

macrogastria. Macrogastria.

macrogenesy. Macrogenesia, gigantismo.

macrogenitosomia praecox. Macrogenitossomia precoce. Desenvolvimento precoce.

macroglia. Macróglia, astróglia.

macroglossia. Macroglossia.

macrolymphocyte. Macrolinfócito.

macromania. Macromania, megalomania.

macromastia, macromazia. Macromastia.

macromelia. Macromielia.

macromelus. Macrômelo.

macromere. Macrômero. Blastômero de grande tamanho.

macronucleus. Macronúcleo.

macronychia. Macroníquia. Magnitude exagerada da unha.

macropathology. Macropatologia.

macrophage. Macrófago.

macrophagocyte. Macrofagócito.

macropodia. Macropodia.

macropolycyte. Macropolícito. Leucócito, poli-

morfonuclear muito grande, com núcleo polilobulado que se encontra com freqüência no sangue periférico da anemia perniciosa.

macroprosopia. Macroprosopia. Aumento da face.

macropsia. Macropsia. Visão aumentada dos objetos.

macrorhinia. Macrorrinia.

macroscelia. Macroscelia, macrocnemia. Aumento das pernas.

macroscopic. Macroscópico.

macroscopy. Macroscopia.

macrosis. Macrose. Aumento de tamanho.

macrosmatic. Macrosmático. Animal de olfato muito desenvolvido.

macrosomatia, macrosomia. Macrossomatia, macrossomia.

macrosome. Macrossomo.

macrospore. Macrósporo.

macrostoma, macrostomia. Macrostomia. Amplitude exagerada da boca.

macrotia. Macrotia. Tamanho exagerado das orelhas.

macrotome. Macrótomo.

macula. Mácula, mancha. // - **caeruleae.** Manchas azuis. // - **corneae.** Mácula da córnea. // - **lutea.** Mácula lútea.

maculate, spotted. Maculado, manchado.

maculation. Maculação.

macule. Mácula, mancha.

maculopapular. Máculo-papular.

mad. Louco, demente, maníaco, lunático, insano.

madarosis. Madarose. Queda dos supercílios ou dos cílios.

made. Feito, elaborado.

madder. *Rubia tinctoria.*

Maddox's prism. Prisma de Maddox. Dois prismas unidos por suas bases, que se empregam no exame das forias. // - **rod.** Cilindro de Maddox, cilindros paralelos que se empregam também no exame das forias.

Madelung's deformity. Deformidade de Madelung. Torção da extremidade inferior do rádio com deslocamento do cúbito para trás.

Madelung's disease. Doença de Madelung. Deformidade congênita do punho ou cubitolistese posterior. Lipomatose múltipla simétrica do pescoço, ombros e espáduas. // - **operation.** Operação de Madelung. Colotomia lombar com desprendimento e oclusão por duas linhas de sutura da extremidade distal do cólon. // - **sign.** Sinal de Madelung. Na peritonite purulenta existe notório aumento do diferencial térmico reto-axilar.

madescent, moist. Madescente, ligeiramente úmido.

madhouse. Manicômio.

madness. Loucura.

Madura foot. Pé de Madura.

Magendie's foramen. Forâmen de Magendie. Está entre o quarto ventrículo e o espaço subaracnoídeo. // - **solution.** Solução de Magendie. Solução de 16 g de sulfato de morfina para injeção hipodérmica. // - **spaces.** Espaços de Magendie. Espaços situados entre a pia-máter e a aracnóide, correspondente ao sulco do cérebro.

maggot. Verme, larva.

Magnan's sign. Sinal de Magnan. Sensação de corpo estranho sob a pele, observada nos cocainômanos.

magnesia. Magnésia.

magnesic. Magnesiano.

magnesium. Magnésio. // - **trisilicate.** Trissilicato de magnésio.

magnet. Magneto.

magnetic. Magnético.

magnetism. Magnetismo.

magnetization. Magnetização.

magnetometer. Magnetômetro. Aparelho para medir as forças magnéticas.

magnetron. Magnétron. Tubo de vácuo elétrico para produção de ondas eletromagnéticas extremamente curtas.

magnification. Magnificação.

magnify. Magnificar, ampliar.

magnifying power. Poder magnificante.

magnum. Grande osso do carpo.

Maher's disease. Doença de Maher. Paracolpite.

Mahler's sign. Sinal de Mahler. Aumento rápido das pulsações sem elevação correspondente da temperatura, observado na trombose.

mahogany. Acaju.

maidenhead. Hímen, virgindade.

Maier's sinus. Seio de Maier. Divertículo do saco lacrimal junto à abertura dos canalículos lacrimais.

maim. Mutilar.

maimed. Mutilado.

mainengriffe. Mão em garra.

maintain. Manter.

Maisonneuve's bandage. Bandagem gessada circundada e mantida por enfaixamento.

Maissiat's band. Faixa, ligamento ílio-tibial.

Majocchi's purpura. Púrpura anular "telangiectóide".

major, greater, larger. Maior.

majority. Maioridade.

Makins's murmur. Sopro de Makins. Reprodução no coração do sopro sistólico percebido na ausculta de uma artéria seccionada.

mala, cheek-bone. Bochecha, osso malar.

Malacarne's pyramid. Eminência crucial do vérmis do cerebelo formada pelos prolongamentos laterais da substância cinzenta do mesmo.

malacia. Amolecimento, anormal.

maladjustment. Inadaptação.

malady, disease. Doença, enfermidade.

malaise. Mal-estar.

malalignment. Desalinhamento, em especial dos dentes nas arcadas, por distopias.

malandria. Malandres, arestim, eczema crostoso das pernas do cavalo.

malar. Zigomático (arco, osso, processo).

malaria. Malária (ar viciado infecto, corrompido).

malariacidal. Malaricida.

malarial. Malárico.

Malassez's disease. Doença de Malassez. Cisto do testículo.

Malassezi furfur. Fungo que causa a pitiríase versicolor.

malassimilation. Assimilação defeituosa.

malaxation. Malaxação. Espécie de massagem.

maldevelopmental. Malformado.

male. Masculino, varão, macho.

male ferm. *Dryopteris Filix-mas.*

malformation. Malformação.

Malgaign's fossa. Fossa de Malgaigne. Fossa de Malgaigne. Fossa carotídea ou carótica. // - **hernia.** Hérnia de Malgaigne. Hérnia da infância, com descida do intestino para o processo vaginal aberto do peritônio, anterior à descida dos testículos. // - **triangle.** Triângulo de Malgaigne ou de eleição. Triângulo carotídeo superior, formado pelo ventre anterior do digástrico e o esternoclidomastoídeo.

malicacid. Ádico málico. Sin.: ácido pômico e ácido sórbido.

malignancy. Malignidade.

malignant. Maligno. // - **adenoma.** Adenoma maligno. // - **endocarditis.** Endocardite maligna.// - **malaria.** Malária maligna. // - **oedema.** Edema maligno. // - **pustule.** Pústula maligna.

malingerer. Simulador.

maligering. Simulando enfermidade ou defeito.

Mall's lobules. Lóbulos de Mall. Pequenas áreas da polpa, esplênica situadas por fora das últimas ramificações das trabéculas.

malleable. Maleável.

malleal, mallear. Maleolar, malear.

malleation. Martelamento, movimento breve e rápido das mãos na coréia.

malleolar. Maleolar.

malleolus. Maléolo.

malleotomy. Maleotomia.

malleoidosis. Malioidose. Enfermidade infecciosa dos roedores, transmissíveis ao homem.

mallet finger. Dedo em martelo (na mão).

mallet toe. Dedo em martelo (no pé).

malleus. Martelo.

malmsey. Malvasia (uva e seu vinho).

malnutrition. Nutrição defeituosa.

malocclusion. Mal-oclusão.

Malpighi's bodies. Corpos de Malpighi ou rede mucosa de Malpighi. Camada mais interna da epiderme. // - **capsule.** Cápsula de Malpighi ou de Bowman. Envoltura fibrosa ou albugínea do baço que penetra no hilo do órgão para subministrar bainhas aos vasos. // - **corpuscles.** Corpúsculos de Malpighi. Nódulos linfóides do baço. Pelotão de vasos sangüíneos envoltos pela expansão do tubo urinífero do rim. // - **pyramidis.** Pirâmides de Malpighi. Cada um dos fascículos cônicos, em número de 8 a 15, de substância medular do rim. // - **stigmata.** Estigmas de Malpighi. Ponto por onde as veias menores penetram nas maiores no baço. // - **stratum or layer.** Camada ou rede de Malpighi (v. *Corpos de Malpighi*).

malposition. Posição defeituosa.

malpractice. Malpraxis, prática inábil ou imprópria.

malpresentation. Apresentação defeituosa.

malrotation. Rotação imperfeita.

malt. Malte, cerveja.

malta fever. Febre de Malta.

maltase. Máltase.

Malthus, doctrine of. Maltusismo, maltusianismo.

maltose. Maltose.

maltoside. Maltosido.

maltosuria. Maltosúria.

maltreat. Maltratar.

malt sugar. Maltose.

malum. Mal.

malunion. União imperfeita.

Maly's test. Reação de Maly. Para determinar o conteúdo de ácido clorídrico gástrico.

mamelon, nipple. Mamilo.

mamelonne. Mamilo.

mamma. Mama.

mammalgia. Mastalgia.

mammectomy. Mastectomia. Excisão da mama.

mammiform. Mamiforme, mastóide.

mammila, nipple. Mamilo.

mammillary. Mamilar. // - **bodies.** Corpos mamilares.

mammillation. Mamilação.

mammilliform. Mamiliforme. Teliforme.

man. Homem.

manaca. Planta brasileira usada no tratamento da gota e do reumatismo.

manchette. Faixa temporária no revestimento do espermatozóide.

manchineel. Árvore da América Tropical. Dela se obtém um suco venenoso e cáustico.

mancinism. Mancinismo.

mandelic acid. Ácido mandélico.

Mandel's test. Reação de Mandel, para proteínas. Ajunta-se ao líquido em questão, solução de ácido crômico a 5%. As proteínas produzirão precipitação.

Mandelbaum's reaction. Reação de Mandelbaum, para detectar os portadores de bacilos tíficos e diferenciação dos casos antigos e recentes. Cultiva-se uma gota de sangue em meio conveniente inoculado com bacilo tífico; se se trata de um caso recente de febre tifóide, os bacilos se dispõem em cadeias, fileiras ou agrupações, e são todos imóveis; se se trata de um caso antigo, há tendência à formação de cadeias; porém muitos bacilos permanecem isolados e imóveis.

mandible. Mandíbula.

mandibular. Mandibular.

mandibulopharyngeal. Mandíbulo-faríngeo.

Mandl's solution. Solução de Mandl. Líquido que se emprega em embrocações, nos catarros crônicos, composto de iodo, iodeto de potássio, fenol e glicerina.

mandragora. Mandrágora. Gênero de solanáceas com muitas espécies; é conhecida desde a antiguidade, e seu papel foi importante nas práticas supersticiosas da Idade Média.

mandragorine. Mandragorina. Alcalóide tóxico da mandrágora.

mandrel, mandril. Mandril. Estilete ou fio metálico que se introduz nas sondas, cânulas ou agulhas de injeção.

mandrin. Mandril, broca, porta-brocas, cateter.

mammilliplasty. Mamiloplastia. Teloplastia.

mammillitis. Mamilite. Telite.

mammin. Hormônio secretado pela glândula mamária que atua produzindo a cessação da menstruação.

mammitis. Mastite.

mammogen. Mamógeno.

mammogram. Mamograma.

mammography. Mamografia.

mammotomy. Mamotomia, mastotomia.

mammotropic. Mamotrópico.

mammotropin. Mamotropina. Princípio lactogênico da parte anterior da hipófise, prolactina.

manduction, mastication. Manducação, mastigação.

maneuver. Manobra.

manganese. Manganês.

manganic. Mangânico.

manganism. Manganismo.

mange. Sarna.

mangle. Mutilar.

mango. Mangueira, manga.

Mangoldt's epithelial grafting. Enxerto de Mangoldt. Tecido epitelial tomado da epiderma por meio de um dermátomo, para cobrir as superfícies em granulação.

mania. Mania. Elemento de termos técnicos de origem grega que significa preocupação excessiva. Enfermidade mental ou loucura.

maniac. Maníaco.

maniacal. Maníaco.

maniaphobia. Medo da loucura.

manic. Maníaco. // - **depressive insanity.** Mania depressiva.

manigraphy. Manigrafia. Descrição da loucura em suas várias formas.

maniloquism. Dactilologia.

maniluvium. Manilúvio.

manip. Abreviatura de *manipulus*, mão cheia.

manipulation. Manipulação.

Mann's sign. Sinal de Mann. Diminuição da resistência do couro cabeludo à corrente elétrica contínua, observada em certas neuroses traumáticas. // No bócio exoftálmico, os olhos não parecem estar na mesma linha horizontal.

Mann-Williamson ulcer. Úlcera de Mann-Williamson. Úlcera péptica progressiva produzida em animais de experimentação ao praticar ressecção gástrica ou gastrenterostomia.

manna. Maná.

mannerism. Maneirismo.

Manning's exanthem. Exantema de Manning. Exantema septicêmico que sugere grave complicação na escarlatina e na difteria.

mannish. Masculino, varonil.

mannitol. Manitol.

Mannkopf's sign. Sinal de Mannkopf. Aumento da freqüência do pulso pela pressão sobre uma região dolorosa; sinal que não existe na dor simulada.

mannose. Manose.

manometer. Manômetro.

manometric. Manométrico.

manometry. Manometria.

manoscopy. Manoscopia. Medida da densidade dos gases.

manslaughter. Homicídio causal.

Manson's disease. Doença de Manson. Esquistossomose.

Mansonia. Gênero de mosquitos transmissores de diversas enfermidades.

mantle. Manto, capa. Córtex cerebral.

Mantoux reaction. Reação de Mantoux, ou de Mendel. Reação à tuberculina pela injeção nas camadas superficiais da pele de 0,05 ml de tu-

berculina velha diluída. A reação positiva apresenta infiltração e hiperemia ao redor do ponto de injeção.

manual. Manual.

manubrium. Manúbrio, cabo, processo inferior do martelo.

manus, hand. Mão.

Manz's utricular glands. Glândulas de Manz. Utrículo epitelial da córnea.

Maragliano's endoglobular degeneration. Degeneração endoglobular de Maragliano. Grandes hemácias que apresentam áreas irregulares de coloração.

marantic. Marasmático.

Marañón's mano, sign, syndrome. Mão, sinal e síndrome de Marañón. // Mão de Marañón; mão fria e cianótica, inchada com distrofia ungueal no hipogenitalismo. // Sinal de Marañón. A fricção da região tireoídea nos hipertireoídeos com objeto obtuso provoca enrubescimento persistente. // Síndrome de Marañón: escoliose, pé plano e transtornos espinais em associação com insuficiência ovárica.

marasmatic, marasmic. Marasmático.

marasmoid. Marasmóide.

marasmus. Marasmo.

marble bone disease. Leucoeritroblastose. Sin.: doença de Albers-Schönberg, osteopetrose generalizada, osteosclerose frágil generalizada.

Marcacci's muscle. Músculo de Marcacci. Fibras musculares situadas sob o mamilo e aréola.

Marchand's glandules. Glândulas de Marchand. Glândulas supra-renais.

marche a petits pas. Marcha a pequenos passos, própria da rigidez cerebral arteriosclerótica.

Marchant's zone. Zona de Marchant. Região descolável da dura-máter.

Marchi's tract. Fascículo de Marchi. Conduto descendente ântero-lateral do cordão espinal. // - **reaction.** Reação de Marchi. Falta de descoloração da mielina de um nervo pelo ácido ósmico.

Marchiafava-Bignami disease. Doença de Marchiafava-Bignami. Degeneração do corpo caloso.

Marchiafava-Micheli disease, syndrome. Síndrome de Marchiafava-Micheli. Hemoglobinúria comum só durante a noite, associada com um ou mais dos sintomas seguintes: hemossiderinúria, albuminúria, anemia normocrômica, leucopenia, trombocitopenia, reticulocitose, elevação do índice ictérico, períodos de bronzeamento e, com freqüência, baço palpável.

marcid. Murcho.

Marcille's triangle. Triângulo de Marcille.

marcov. Marasmo.

Marey's law. Lei de Marey. As pulsações variam

de modo inverso à pressão sangüínea.

margin. Margem.

marginal. Marginal.

marginoplasty. Marginoplastia.

margo. Margem, borda.

margosa oil. Óleo de margosa (calcáreo).

margosate. Margosato. Sal de ácido margósico. Tem uma ação antiprotozoária e também se usa na sífilis.

mariahuana, marijuana. Maconha.

Marie's disease. Doença de Pierre Marie. Acromegalia. Osteartropatia pulmonar hipertrófica. // - **symptom.** Sintoma de Marie. Tremor das extremidades ou de todo o corpo no bócio exoftálmico.

Marie-Kahler's symptom. Sintoma de Marie-Kahler (v. *Marie's symptom*).

Marie-Robison's syndrome. Síndrome de Marie-Robison. Melancolia, insônia e impotência em uma forma de levulosúria.

Marinesco's succulent hand, sign. Mão suculenta de Marinesco. Tumefação da face dorsal da mão e engrossamento fusiforme dos dedos, que se observa algumas vezes na siringomielia e hemiplegias antigas.

Mariotte's blind spot. Mancha cega de Mariotte. Ponto de Mariotte ou ponto cego. Lacuna do campo visual que corresponde à papila óptica ou entrada do nervo óptico na retina. // - **experiment.** Experiência de Mariotte. Serve para demonstrar o ponto cego da retina fixando um olho no centro de uma cruz desenhada em um papel na qual se assinalou também um ponto. Aproximando ou afastando o papel da face, ver-se-á que a certa distância desaparece a imagem do ponto.

marisca. Hemorróide.

mariscal. Hemorroidal.

marital. Marital.

maritonucleus. Núcleo marital. Núcleo do ovo depois de penetrar nele a célula espermática.

Marjolin's ulcer. Úlcera de Marjolin. Úlcera em uma cicatriz antiga em que houve destruição de tumores verrucosos.

mark. Marca. Sinal.

Markee's test. Prova de Markee. Prova para a gravidez fundamentada no efeito produzido sobre enxertos de endométrio na câmara anterior do olho de coelho pela injeção de mulher grávida.

Marlow's test. Prova de Marlow. Cobre-se o olho com uma venda durante algum tempo, após o que se medirá a heteroforia.

Marmo's method. Método de Marmo. Para produzir a respiração artificial em crianças asfixiadas: o médico sustém a criança com suas mãos as axilas, dará palmadas, que produzirão a inspiração; a expiração se produzirá pressionando com as mãos o tórax da criança.

Marmor. Gênero da família das marmoráceas que compreende os vírus do grupo do mosaico do fumo.

marmoration. Marmorização.

Marmorek's serum. Soro de Marmorek. Soro antiestreptocócico.

Marriott's method. Método de Marriott. Determinação da reserva alcalina. Fazendo o indivíduo respirar em um saco até que a tensão do dióxido de carbono seja virtualmente a do sangue venoso. O ar do saco passa através de uma solução de bicarbonato até saturá-lo e se compara a cor produzida com a dos tubos de amostra.

marrow. Medula.

marrowbrain. Mielencéfalo.

marrubin. Princípio amargo do marroio, considerado como febrífugo.

mars. Ferro.

Marsden's paste. Pasta de Marsden. Mistura escarótica de ácido arsenioso, 2 partes, e goma arábica, 1 parte.

Marsh's disease. Doença de Marsh. Bócio exoftálmico.

Marsh's test. Reação de Marsh para o arsênico. Obtém-se hidrogênio com zinco e ácido sulfúrico diluído e se faz atuar em estado nascente sobre a substância em exame. Se existir arsênico, formar-se-á o arsenieto de hidrogênio; queima-se este gás e mantém-se um pedaço de porcelana na chama: o arsênico metálico fica depositado na porcelana dando uma mancha que é dissolvida pelo hipoclorito de sódio. A reação também detecta o antimônio, mas ele não se dissolve nesta substância.

Marshall's oblique vein. Veia oblíqua de Marshall. Veia do vestíbulo esquerdo que une os seios coronários. // - **vestigial fold.** Prega de Marshall. Prega pericárdica na raiz do pulmão esquerdo formado pelo canal obliterado de Cuvier.

Marshall-Hall's disease. Doença de Marshall-Hall. Anemia cerebral infantil. // - **facies.** Facies de Marshall-Hall. Há na hidrocefalia.

marsh-fever. Malária.

marsh-gas. Metano.

marsupia patellaris. Nome dos ligamentos semilunares do joelho.

marsupial. Marsupial.

marsupium. Bolsa.

Martegiani's area. Área de Martegiani. Espaço ligeiramente alargado no disco óptico que assinala o começo do ducto hialoídeo.

Martin's bandage. Bandagem de Martin. Praticado com uma venda de borracha que comprime as veias varicosas da perna. // - **haemostatic.** Hemostático de Martin. Agárico impregnado de cloreto férrico.

Martin's tube. Tubo de Martin. Tubo de drenagem, um de cujos extremos é em cruz, para que se mantenha colocado.

Martinotti's cells. Células de Martinotti. Tipo distintivo de células do córtex cerebral.

maschaladenitis. Mascaladenite. Inflamação dos linfonodos da axila.

maschalephidrosis. Mascalefidrose. Excessivo suor nas axilas.

maschaloncus. Mascalona. Tumor da axila.

masculation. Masculação. Desenvolvimento das características masculinas.

masculin. Masculino: Hormônio sexual masculino.

masculine, male. Masculino. // - **protest.** Protesto masculino, ou complexo de inferioridade.

masculinity. Masculinidade.

masculinization. Masculinização.

masculinovoblastoma. Tumor do ovário semelhante ao tecido cortical supra-renal. Causa de masculinização da paciente.

masculonucleus. Arsenoblasto.

mask. Máscara, careta.

masked, hidden. Mascarado.

masochism. Masoquismo.

masochist. Masoquista.

mass, massa. Massa. // - **action, law of.** Lei de ação de massas.

massage. Massagem.

Masselon's spectacles. Óculos de Masselon (armação). Óculos para manter elevada a pálpebra superior nos casos de ptose paralítica.

Masset's test. Reação de Masset. Utilizada para pigmentos biliares.

masseter. Masseter.

masseteric. Massetérico.

masseur. Massagista.

Massini's maneuver. Manobra de Massini. Manobra com o fórceps para a extração do feto.

massodent. Instrumento para praticar a massagem nas gengivas.

Massol's bacillus. Bacilo de Massol. *Bacillus vulgaricus*.

massotherapy. Massoterapia. Tratamento das enfermidades com massagem.

mast-, masto. Elemento de origem grega que significa "mama".

mastadenitis. Mastadenite.

mastadenoma. Mastadenoma.

mastalgia. Mastalgia.

mastcell. Células "cevadas". Mastócito.

mastectomy. Mastectomia.

mastelcosis. Mastelcose.

mastic. Mástique; almécega, resina.

mastication, chewing. Mastigação.

masticatory. Mastigatório.

Mastigophora. Microrganismo flagelado.

mastigote. Organismo da classe *Mastigophora*.

mastitis. Mastite.

mastocarcinoma. Mastocarcinoma.

mastochondroma. Mastocondroma.

mastochondrosis. Mastocondrose.

mastocyte. Células "cevada". Mastócito.

mastocystoma. Mastocitoma. Neoplasma que contém mastócitos.

mastodynia. Mastodínia.

mastoid. Mastóide.

mastoidal. Mastoídeo.

mastoidalgia. Mastoidalgia.

mastoidectomy. Mastoidectomia. // - **radical.** Mastoidectomia radical.

mastoideum. Mastoídeo.

mastoiditis. Mastoidite.

mastoidotomy. Mastoidotomia.

mastomenia. Mastomenia. Menstruação vicariante pela mama.

mastoncus. Mastonco. Tumor da glândula mamária.

mastopathy. Mastopatia.

mastopexy. Mastopexia. Fixação cirúrgica da mama pêndula.

mastoplasia. Mastoplasia.

mastoplastia. Mastoplastia. Cirúrgia plástica da mama.

mastoptosis. Mastoptose. Mama pêndula.

mastorrhagia. Mastorragia.

mastoscirrhus. Mastocirro.

mastosis. Mastose.

mastosquamous. Mastoscamoso.

mastostomy. Mastostomia.

mastotic. Mastótico.

mastotomy. Mastotomia.

masturbation. Masturbação.

Matas's operation. Operação de Matas. Endaneurismorrafia.

maté. Mate, chá do Paraguai.

mate. Consorte, cônjuge, sócio.

materia medica. Matéria médica.

material. Material.

maternal. Maternal.

maternity. Maternidade.

maternology. Maternologia.

Mathieu's disease. Doença de Mathieu. Doença de Weil.

matrass. Retorta.

matrix. Matriz.

matrixitis. Matrixite.

matter. Matéria, assunto.

mattress. Colchão.

maturation. Maturação.

mature, ripe. Maduro.

maturity, ripeness. Maturidade.

matzoon o matzun. Leite fermentado.

Mauchart's ligament. Ligamento de Mauchart. Ligamentos occipito-odontoídeos laterais.

maul. Maltratar, agredir a pauladas.

Maumené's test. Reação de Maumené para glicose. Aquece-se a urina com um pouco de cloreto de estranho. Em caso afirmativo, produz-se um precipitado pardo escuro.

Maunoir's hydrocele. Hidrocele de Maunoir, hidrocele cervical. Cisto do pescoço; dilatação serosa de uma fissura ou canal cervical persistente.

Maurer's dots. Manchas de Maurer. Mancha irregular que se cora em vermelho com o corante de Leishman nos corpúsculos vermelhos infectados com o parasito da terçã maligna.

Mauriac's disease. Doença de Mauriac. Eritema nodoso sifilítico.

Mauriceau's lance, maneuver. Manobra de Mauriceau. Manobra destinada a extrair rapidamente a cabeça do feto no parto de nádegas. Introduzem-se dois dedos na boca do feto, colocando-a a cavaleiro sobre o antebraço, e dois dedos da outra mão abarcam o pescoço. Com os primeiros se flexiona e desprende a cabeça, ao mesmo tempo que se levanta o antebraço até colocar o feto em posição vertical.

Mauthner's test or sheath. Prova ou bainha de Mauthner. Método para o exame da cegueira para as cores pelo uso de frasquinhos cheios de diferentes corantes; alguns com uma cor, outros com duas cores, contendo estes últimos as soluções pseudoisocromáticas ou isocromáticas.

mauvein. Mauveína.

maw. Bucho, papo, moela.

maxillia, jawbone. Maxilar.

maxillary. Maxilar.

maxillitis. Maxilite. Inflamação (osteíte) do maxilar ou da glândula maxilar.

maxillodental. Maxilodental.

maxillofacial. Maxilofacial.

maxillolabial. Maxilolabial.

maxillomandibular. Maxilomandibular.

maxillopharyngeal. Maxilofaríngeo.

maxilloturbinal. Maxiloconchal.

maximal. Máximo.

maximum. Máximo.

Maxwell's ring. Anel de Maxwell (v. *Löwe's ring*).

May's sign or test. Sinal ou prova de May. No glaucoma, a instilação de uma gota de solução de adrenalina produz dilatação da pupila.

may. Poder.

Maydl's operation. Operação de Maydl. Inserção dos uretéres no reto, na extrofia da bexiga. // Colostomia após tração e fixação do cólon ao exterior por meio de um bastonete de cristal até a formação de aderências.

Mayer's test. Prova de Mayer: 13,5 g de cloreto de mercúrio e 50 g de iodeto de potássio se dissolvem em 1000 cc de água. Isto se usa como prova alcalóide, com o que se obtém um precipitado branco.

Mayer's speculum. Espéculo de Mayer. Espéculo vaginal com uma valva articulada no cabo.

Mayo's operation. Operação de Mayo. Excisão de uma porção da extremidade pilórica do estômago; oclusão do duodeno e gastrojejunostomia posterior e independente. // Cura da hérnia umbilical e tratamento subcutâneo das veias varicosas com cureta romba.

Mayo's vein. Veia de Mayo. Veia pilórica.

Mayo-Robson's point. Ponto de Mayo-Robson. Ponto de maior sensibilidade nas colecistites, situado diante da união do terço médio com o inferior de uma linha traçada do mamilo direito ao umbigo. // - **position.** Posição de Mayo-Robson ou Elliot. Posição dorsal com um suporte sob o corpo ao nível das costelas inferiores para elevar a região da vesícula biliar nas operações sobre este órgão.

Mayor's hammer. Martelo de Mayor. Espécie de martelo metálico que se aplica como revulsivo à pele depois de havê-la submetida por algum tempo em água fervente.

maza. Placenta.

mazamorra. Erupção cutânea provocada pela penetração de larvas de ancilóstomos, uncinárias.

maze. Labirinto, perplexidade.

mazic. Placentário.

mazo-. Elemento léxico de origem grega que significa mama.

mazodynia. Mazodínia, mastalgia.

mazology. Mastologia.

mazopathy. Mazopatia, mastopatia.

mazopexia. Mazopexia.

mazoplasia. Mazoplasia.

Mazzini's test. Reação de Mazzini. Prova de floculação para o diagnóstico da sífilis.

Mazzoni's corpuscles. Corpúsculos de Mazzoni. Órgãos terminais do tato. Corpos de Golgi-Mazzoni.

McArthur's method. Método de McArthur. Enteróclise por meio de um cateter colocado no colédoco, depois das operações sobre a vesícula biliar.

McBurney's point. Ponto de McBurney. Ponto de sensibilidade especial na apendicite, situado a uns três dedos acima da espinha ilíaca anterior superior direita, numa linha que vai desta ao umbigo.

McCarthy's reflex. Reflexo de McCarthy. Contração do orbicular do olho pela percussão do nervo supra-orbital.

McClintock's sign. Sinal de McClintock. Se uma hora ou mais depois do parto o pulso ultrapassa 100, sugere hemorragia.

McDonald's solution. Solução de McDonald. Acetona 40 partes; álcool desnaturado 60 partes e pixol, 2 partes; para a esterilização da pele nas operações.

McDowell's operation. Operação de McDowell. Extirpação de cisto ovárico ou de um ovário por via abdominal.

McLean's formula, index. Fórmula ou índice de McLean. Modificação da fórmula de Ambard.

McLean-Maxwell disease. Doença de McLean. Afecção crônica do calcâneo que se caracteriza pelo espessamento de seu terço posterior, associado comumente à dor e pressão.

McLeod's capsular rheumatism. Reumatismo capsular de McLeod. Artrite reumatóide com efusão abundante dentro do saco sinovial das folhas e da bolsa.

McMunn's test. Reação de McMunn. Para a determinação do índican na urina.

McPheeter's treatment. Tratamento de McPheeter. Tratamento da úlcera varicosa passando por cima da área ulcerada uma esponja, e fazendo que o paciente passeie o mais possível.

meal. Alimento.

mean. Humilde, mediano, basto, inferior, pobre, baixo, indigno, abatido, tacanho, mesquinho, insignificante, intermediário. // - **geometrical.** Média geométrica. // - **deviation.** Desvio médio. // - **corpuscular diameter.** Diâmetro corpuscular médio. // - **corpuscular volume.** Volume corpuscular médio.

means. Meios, meio.

measles. Sarampo. // - **german.** Rubéola, roséola epidérmica.

measure. Medida.

meatal. Do meato.

meatome or meatotome. Meatótomo.

meatometer. Meatômetro.

meatorrhaphy. Meatorrafia.

meatoscope. Meatoscópio.

meatoscopy. Meatoscopia.

meatotomy. Meatotomia.

meatus. Meato, canal ou orifício de um canal. // - **external auditory.** Meato auditivo externo. // - **internal auditory.** Meato auditivo interno. // - **nasal.** Meato nasal. // - **urethral.** Meato uretral.

mechanical. Mecânico.

mechanism. Mecanismo.

mechanist. Mecanista. Pessoa que baseia tudo que se relaciona com a vida só a propriedades físicas, ou químicas.

mechano-. Elemento léxico de origem grega que significa "máquina".

mechanocyte. Mecanócito, fibroblasto.

mechanogram. Mecanograma.

mechanology. Mecanologia.

mechanoreceptor. Mecanorreceptor.

mechanotherapy. Mecanoterapia.

mechanothermy. Mecanotermia.

mecism. Mecismo. Prolongamento anormal de uma parte ou órgão.

mecistocephalic. Mecistocefálico: índice cefálico menor que 71.

mecistocephalous. Mecistocéfalo.

Mecistocirrhus. Gênero de parasitos nematóides encontrado no quarto estômago dos ruminantes.

Meckel's cartilage. Cartilagem de Meckel. Cartilagem do primeiro arco branquial do feto.

meckelectomy. Mequelectomia.

mecocephalic. Mecocefálico, dolicocefálico.

mecometer. Mecômetro. Instrumento para medir a longitude, em particular, de um feto ou criança.

meconate. Meconato. Sal de ácido mecônico.

meconiorrhea. Meconiorréia. Grande descarga de mecônio.

meconism. Meconismo: intoxicação pelo ópio.

meconium. Mecônio.

media. Média. Túnica das artérias.

mediad. Em direção à linha mediana.

medial. Medial.

mediastinal. Mediastinal.

mediastinitis. Mediastinite.

mediastinopericarditis. Mediastinopericardite.

mediastinotomy. Mediastinotomia.

mediastinum. Mediastino.

mediate, interposed. Mediato, mediar, intervir.

mediation. Mediação.

mediator. Mediador.

medicable. Medicável.

medical. Médico, medicinal. // - **diseases.** Doenças médicas. // - **ethics.** Ética médica.

medicament. Medicamento.

medicamentous. Medicamentoso.

medicamentum. Medicamento.

medicated. Medicado.

medication. Medicação.

medicator. Instrumento para aplicar medicamentos em uma cavidade de corpo.

medicephalic. Cefálica média (veia).

medicinal. Medicinal.

medicine. Medicina.

medico-chirurgical. Médico-cirúrgico.

medicodental. Médico-dental.

medicolegal. Médico-legal.

medicommissure. Medicomissura.

medicus, physician. Médico.

Medin's disease. Doença de Medin ou de Heine-Medin. Poliomielite anterior aguda ou paralisia infantil.

Medina-worm. Filária de Medina.

Mediterranean fever. Febre do Mediterrâneo, febre de Malta ou ondulante; brucelose.

medium. Meio.

medius, middle. Médio.

medulla, marrow. Medula.

medullar. medullary. Medular, parenquimatoso. // - **canal.** Canal medular. // - **groove.**

Canal medular. // **- plate.** Lâmina medular. // **-ridge.** Canal medular.

medullated. Medulado.

medullation. Medulação.

medullectomy. Medulectomia.

medullitis. Medulite.

medullization. Medulização.

medullobast. Meduloblasto.

medulloblastoma. Meduloblastoma.

medullocell. Mielócito.

medullosis. Mielocitose.

medullotherapy. Meduloterapia.

Medusa. Medusa. Gênero de microrganismos móveis: a espécie *Sanguinis hominis* encontra-se no sangue dos enfermos de febre recorrênte, na China.

mega-megalo. Elemento léxico de origem grega que significa grande.

megabacterium. Megabactéria.

megacaecum. Megaceco.

megacardia. Megacardia.

megacephaly. Megacefalia.

megacoccus. Megacoco.

megacolon. Megacólon.

megadont. Megadonto.

megaduodenum. Megaduodeno.

megakaryocyte. Megacariócito.

megakaryocytosis. Megacariocitose.

megalencephalia, megalencephaly. Megalencefalia.

megaloblast. Megaloblasto.

megalocephaly. Megalocefalia.

megalocornea. Megalocórnea.

megalocyte. Megalócito.

megalodactylous. Portador de megalodactilia.

megalogastria. Megalogastria.

megaloglossia. Megaloglossia.

megalomania. Megalomania.

megalomelia. Megalomelia.

megalopsia. Megalopsia.

megaphone. Megafone. Aparelho para medir a altura da voz.

megaseme. Megassemo que tem índice orbitário superior a 89.

megasoma. Megassoma, gigantismo.

Méglin's palatine point. Ponto de Méglin. Ponto por onde sai o nervo palatino do orifício palatino posterior.

megrim. Enxaqueca, hemicrania.

Meibom's cyst. Cisto de Meibômio. Cisto de retenção da glândula de Meibômio das pálpebras. // **- foramen.** Forâmen de Meibômio (v. *forame cego da língua.* // **- glands.** Glândulas de Meibômio. Folículos sebáceos entre o tarso e a conjuntiva palpebral, secretores da lipitude

(ramela). // **- stye.** Hordéolo de Meibômio. Inflamação das glândulas do tarso.

meibomianitis. Meibomite.

Meig's capillaries. Capilares de Meigs. Capilares encontrados entre as fibras musculares do coração.

Meinert's form of enteroptosis. Forma de enteroptose de Meinert. Enteroptose dos pacientes cloróticos.

Meinicke's reaction. Reação de Meinicke. Para o diagnóstico da sífilis.

meiosis, miosis. Miose.

meiostagmin reaction. Reação miostagmínica.

meiotic, miotic. Miótico.

Meissner's corpuscles. Corpúsculos de Meissner. Terminações nervosas tácteis; corpúsculos do tato. // **- plexus.** Plexo de Meissner. Plexo simpático que se encontra na camada submucosa do intestino delgado.

mel, honey. Mel.

melaena. Melena.

melagra. Melagra. Dor muscular dos membros.

melalgia. Melalgia. Dor neurálgica dos membros.

melanaemia. Melanemia. Pigmentos negros no sangue.

melancholia, melancholy. Melancolia.

melancholic. Melancólico.

melanemesis. Melanêmese, vômito negro.

melanephidrosis. Melanidrose. Sudação escura.

melaniferous. Melanífero.

melanin. Melanina.

melanism. Melanismo, melanose.

melanoblast. Melanoblasto.

melanoblastoma. Melanoblastoma, melanoma.

melanocarcinoma. Melanocarcinoma, melanoma.

melanoderma. Melanoderma, melanodermia.

melanodermatitis toxica lichenoides. Melanodermatite tóxica liquenóide.

melanogen. Melanogênico.

melanoglossia. Melanoglossia.

melanoid. Melanóide.

melanoma. Melanoma.

melanomatosis. Melanomatose.

melanonychia. Melanoniquia.

melanopathy. Melanopatia.

melanophore. Melanóforo.

melanosarcoma. Melanossarcoma.

melanosis. Melanose.

melanotic. Melanótico.

melanotrichia linguae. Melanotriquia lingual, glossofitia.

melanuria. Melanúria.

melasicterus. Melasíctero. Doença de Winckle. Melanodermia.

melasma. Melasma, melanose.

melioidosis. Melioidose. Doença de Whitmore, de Stauton. Pseudocólera.

Melissa. Gênero de plantas entre as quais a *Melissa officinalis.*

melissophobia. Melissofobia. Temor mórbido à picada de abelhas.

melitensis. Melitense, brucelose.

melitis. Inflamação da bochecha.

melitococcosis. Melitococia, brucelose, febre ondulante.

melitococcus. Melitococo, *Brucela* ou *Micrococcus mellitensis.*

melitoptyalism. Melitossialia. Secreção de saliva que contém glicose.

melitose. Melitose.

melituria. Melitúria.

melituric. Melitúrico.

mellitum. Mélito. Xarope no qual o mel substitui o açúcar.

mellow. Maduro, brando.

melomania. Melomania.

melomelus. Melômelo. Monstro fetal com membros supranumerários.

melon seed bodies. Estruturas fibrosas pequenas dentro de uma cavidade articular ou em um cisto de uma cápsula tendinosa.

meloncus. Melonco. Tumor na bochecha.

melonoplasty. Meloplastia. Cirurgia plástica da bochecha.

melorheostosis. Melorreostose. Reostose de toda extensão de um membro.

meloschisis. Melósquise. Macrostomia.

Melotte's metal. Metal de Melotte. Metal fundível. Liga de bismuto, chumbo e estanho que funde a baixa temperatura e é empregada pelos dentistas.

Meltzer's law, method, treatment. Lei, método e tratamento de Meltzer. // Lei de Meltzer. Todas as funções vitais são continuamente reguladas por duas forças opostas: aumento ou ação e inibição. // Método de Meltzer. Insuflação intratraqueal de ar que contém vapores anestésicos. // Tratamento de Meltzer. Tratamento paliativo do tétano pela injeção intra-raquídea de solução de sulfato de magnésio.

Meltzer-Lyon method, test. Reação e método de Meltzer-Lyon. Uma forte solução de sulfato de magnésio se instila no duodeno mediante um tubo com a esperança que fique paralisado o esfíncter de Oddi e que esta paralisia vá seguida de contração reflexa da vesícula biliar,
permitindo colher espécies separadas de bile desde o ducto comum à vesícula e ao fígado.

member, limb. Membro.

membrana. Membrana.

membranaceous. Membranoso.

membrane. Membrana. // - **basement.** Membrana basal. // - **basilar.** Membrana basilar. // - **crupous.** Membrana crupal (pseudomembrana). // - **germinal.** Membrana germinativa. // **hyaloid.** Membrana hialóide. // - **limiting.** Membrana limitante. //- **mucous.** Membrana mucosa. // - **nictitating.** Membrana nictitante. // - **pupillary.** Membrana pupilar. // - **serous.** Membrana serosa. // - **synovial.** Membrana sinovial. // - **vitelline.** Membrana vitelina.

membraniform. Membraniforme.

membranoid. Membraniforme.

membranous. Membranoso.

membrum. Membro. // - **muliebre.** Clitóris. // -**virile.** Pênis.

memory. Memória.

menagogue. Menagogo, emenagogo.

menalgia. Menalgia. Dor menstrual.

menaphthone. Menaftona, menadiona.

menarche. Menarca.

Mendel's law. Lei de Mendel. Pode expressar-se por meio da seguinte fórmula: $n (DD + 2 DR + RR)$, em que DD representa a prole dominante pura. RR a recessiva, DR a híbrida e n o número da geração.

Mendel's reflex. Reflexo de Mendel. A percussão do dorso do pé produz normalmente a flexão dorsal do segundo dedo dos 5 dedos; em certas condições nervosas orgânicas, produz-se a flexão plantar dos dedos. Isto é que se chama reflexo de Mendel-Bechterew.

Mendeléeff's law, test. Lei e teste de Medeléeff. Se os elementos estão ordenados segundo seu peso atômico, e divididos em grupos de sete ou oito, os membros correspondentes de cada grupo estão relacionados em suas propriedades químicas. // Teste de Mendeléeff. Reação para o câncer baseado na teoria de que existe uma diferença específica entre os poderes coagulantes dos leucócitos e extratos de eritrócito nos pacientes cancerosos e não cancerosos.

mendelism. Mendelismo.

Mendelsohn's test. Prova de Mendelsohn. Prova de suficiência do miocárdio fundamentada na rapidez com que se restabelece a normalidade do pulso depois de haver-se acelerado pelo exercício.

Menge's pessary. Pessário de Menge. Aparelho de forma e dimensões variáveis que é colocado na vagina para manter o útero em sua posição normal. Existem pessários anticoncepcionais de várias formas.

menidrosis. Menidrose.

Ménière's disease or syndrome. Doença ou síndrome de Ménière. Vertigem de Ménière. // **- solution.** Solução de Ménière. Solução de álcool, éter, bálsamo do Peru, guaiacol, eucaliptol e iodofórmio.

meningeal. Meníngeo.

meningematoma. Hematoma da meninge (dura-máter).

meningeocortical. Meningocortical.

meningeoma. Meningeoma.

meningeorrhaphy. Meningorrafia.

meningism. Meningismo.

meningitis. Meningite. // **- basal.** Meningite basal. // **- cerebrospinal.** Meningite cerebrospinal. // **- serous.** Meningite serosa. // **- tuberculous.** Meningite tuberculosa.

meningo-. Elemento léxico de origem grega que significa "meninge".

meningocele. Meningocele.

meningococcus. Meningococo.

meningocyte. Meningócito.

meningoencephalitis. Meningoencefalite.

meningoencephalocele. Meningoencefalocele.

meningoencephalomyelitis. Meningoencefalomielite.

meningomyelitis. Meningomielite.

meningomyelocele. Meningomielocele.

meningorecidive. Meningite induzida em paciente sifilítico.

meningorhachidian. Meningorraquídeo.

meninguria. Meningúria.

meninx. Meninge, membrana.

meniscectomy. Meniscectomia.

menischesis. Menisquese. Retenção da menstruação.

meniscocyte. Meniscócito, drepanócito, eritrócito em forma de foice.

meniscotomy. Meniscotomia.

meniscus. Menisco.

Menolipsis. Menolipse. Interrupção temporária da menstruação.

menopausal. Relativo à menopausa.

menopause. Menopausa.

menorrhagia. Menorragia.

menorrhoea. Menorréia.

menses. Mênstruo.

menstrual. Menstrual.

menstruation. Menstruação. Sin.: fluxo catamenial, fluxo menstrual, mês, mênstruo, regra.

menstruum. Meio solvente.

mensuration. Mensuração.

mental. Mental.

mentalis muscle. Músculo mental (do mento).

mentality. Mentalidade.

mentha. Menta. // **- piperita.** Hortelã pimenta. // **- virilis.** Hortelã de haste.

menthol. Mentol.

mentimeter. Mentímetro. Método ou meio para mensurar a capacidade mental.

mentism. Mentismo. Estado mental em que as imagens se formam involuntariamente.

mentohyoid. Mentoioídeo.

mentolabial. Mentolabial.

mentolabialis. Mentolabial.

mentulagra. Mentulagra.

mentulate. Macrofálico.

mentulomania. Masturbação.

mentum. Mento.

mepacrine. Quinacrina.

mephitical. Mefítico.

mEq. Abreviatura de *"milliequivalent"*.

meralgia. Meralgia. Dor na coxa. // **- paraesthesica.** Meralgia parestésica.

mercaptans. Mercaptana.

Mercier's bar, valve. Barra de Mercier ou vesical. Lado posterior do trígono da bexiga urinária. // Válvula de Mercio. Prega que, algumas vezes, oclui parcialmente o orifício vesical do ureter.

mercurial. Mercurial.

mercurialism. Mercurialismo, hidrangirismo.

mercuric. Mercúrico.

mercuric chloride. Cloreto de mercúrio.

mercurochrome. Mercuriocromo.

mercurous. Mercuroso.

mercurous chloride. Cloreto mercuroso, calomelano.

mercury. Mercúrio.

meridian. Meridiano.

meridrosis. Meridrose. Sudação parcial.

merispore. Merispório. Esporo produzido por outro mediante fissão.

meristem. Meristema. Tecido embrionário indiferenciado das plantas.

meristic. Merístico. Relacionado com as partes componentes de uma estrutura.

Merizomyria. Gênero de esquizomicetos.

Merkel's corpuscles. Corpúsculos de Merkel. Forma de terminação nervosa táctil. Localizam-se na submucosa da língua e boca.

Merkel's fossa. Fossa de Merkel. Fossa central entre os ventrículos da laringe. // **- muscle.** Músculo de Merkel. Músculo ceratocricoídeo.

Mermithidae. Família de nematóides.

mero-. Elemento léxico de origem grega que significa "parte".

meroacrania. Meracrania. Acrania parcial.

meroanencephaly. Meranencefalia. Anencefalia parcial.

meroblast. Meroblasto. Óvulo que contém um protoplasma formativo e outro nutritivo.

meroblastic. Meroblástico.

merocele. Merocele. Hérnia crural.

merocrine. Merócrino, glândula merócrina, de secreção parcial.

merocyte. Merócito. Núcleo isolado nos ovos meroblásticos.

merogamy. Merogamia. Microgamia.

merogenesis. Merogênese, reprodução por segmentação.

merogony. Merogonia. Desenvolvimento de um organismo de um segmento do ovo.

merology. Merologia.

meromorphosis. Meromorfose.

meronecrobiosis. Meronecrobiose.

meroparesthesia. Meroparestesia.

meropia. Meropia. Cegueira parcial.

merorachischisis. Merorraquísquise, raquísquise parcial.

merotomy. Merotomia.

merozoite. Merozoíta.

mersalyl. Mersalil.

Merseburg triad. Tríade de "Merseburg": bócio, exoftalmo e taquicardia.

Merulius lacrymans. Fungo da madeira dessecada, que inalado produz forma persistente de broncopatia.

Mery's glands. Glândulas de Mery (v. *Cowper's glands*).

merycism. Mericismo, ruminação.

Merzbacher-Pelizaeus's disease. Doença de Merzbacher-Pelizaeus. Leucodistrofia cerebral hereditária progressiva, afecção esclerótica centrolobular familiar, que começa na infância e progride rapidamente, caracterizada por transtornos mentais, tróficos e vasomotores.

mesad. Para a parte média.

mesal. Mesial.

mesaortitis. Mesaortite.

mesaraic. Mesaraico. Mesentérico.

mesarteritis. Mesarterite.

mesencephalon. Mesencéfalo.

mesenchyma. Mesênquima.

mesenchymal. Mesenquimático. // - **cell undifferentiated.** Célula mesenquimática indiferenciada.

mesenteric. Mesentérico.

mesenteriolum. Mesenteríolo.

mesenteritis. Mesenterite.

mesenterium. Mesentério.

mesenteron. Mesêntero.

mesentery. Mesentério.

mesh. Malha, retículo.

mesiad. Mesial, para o meio.

mesial. Mesial.

mesion. Mésio. Plano médio longitudinal do corpo.

mesmerism. Mesmerismo.

mesoappendix. Mesapêndice.

mesobacterium. Mesapêndice.

mesobilirubin. Mesobilirrubina.

mesobilirubinogen. Mesobilirrubinogênio.

mesoblast. Mesoblasto.

mesocaecum. Mesoceco. Prega peritoneal que dá inserção ao ceco.

mesocardia. Mesocárdio.

mesocephalic. Mesocefálico, mesatocéfalo.

mesocephalon. Mesocéfalo.

mesochord. Mesocórdio. Prega amniótica que adere ao cordão umbilical com a placenta.

mesochoroidea. Mesocoroídea. Membrana central da coróide.

mesocoelia. Mesocele, aqueduto de Silvio.

mesocolic. Mesocólico.

mesocolon. Mesocólon.

mesocord. Mesocorda. Corda umbilical aderente à placenta.

mesocornea. Mesocórnea.

mesocuneiform. Mesocuneiforme.

mesocyst. Mesocisto. Prega peritoneal que fixa, a vesícula à face inferior do fígado.

mesocyte. Mesócito. Célula do tecido conjuntivo, mesodérmico. Mesolinfócito.

mesocytoma. Mesocitoma. Tumor do tecido conjuntivo; sarcoma.

mesoderm. Mesoderma.

mesodermal. Mesodérmico.

mesodermic. Mesodérmico.

mesodermopath. Mesodermopático. Pessoa suscetível constitucionalmente a enfermidades dos tecidos derivados do mesoderma embrionário.

mesodesma. Mesodesma.

mesodiastolic. Mesodiastólico.

mesodmitis. Mesodmite.

mesodont. Mesodonto.

mesodontic. Mesodôntico.

mesoduodenal. Mesoduodenal.

mesoduodenum. Mesoduodeno.

mesoepididymis. Mesoepidimite.

mesoesophagus. Mesoesôfago.

mesogaster. Mesogáster.

mesogastric. Mesogástrico.

mesogastrium. Mesentério do estômago embrionário.

mesoglia. Mesóglia.

mesoglioma. Mesoglioma.

mesoglutaeus. Mesoglúteo.

mesognathion. Mesognátio. Osso intermaxilar.

mesohyloma. Meso-hiloma.

mesohypoblast. Meso-hipoblasto, mesentoderma.

mesoileum. Mesoíleo. Mesentério do íleo.

mesojejunum. Mesojejuno.

mesolepidoma. Mesolepidoma. Tumor formado por tecido derivado do mesotélio embrionário persistente. Pode ser típico ou atípico.

mesolobus. Corpo caloso.

mesology. Mesologia, ecologia.

mesolymphocyte. Mesolinfócito.

mesomere. Mesômero. Blastômero mediano.

mesometrium. Mesométrio.

mesomorph. Mesomorfo.

mesomucinase. Mesomucínase. Enzima mucolítica testicular essencial para a fertilização.

mesomula. Período primitivo do embrião que consiste em um ectoderma epitelial e um endoderma incluindo uma massa de mesênquima.

meson. Méson. Mesótron. Eléctron pesado de carga neutra.

mesonasal. Mesonasal.

mesonephric. Mesonéfrico.

mesonephron. Mesonéfron, mesonefro.

mesoneuritis. Mesoneurite.

mesoomentum. Mesoomento. Prega que fixa o omento à parede abdominal.

mesoophoron. Mesoóforo.

mesophryon. Mesófrio, glabela, interciliar.

mesoprosopic. Mesoprosópico.

mesorchium. Mesórquio. Prega peritoneal que envolve o testículo fetal no abdome; mais tarde, túnica vaginal.

mesorectum. Mesorreto.

mesoretina. Mesorretina.

mesorrhaphy. Mesorrafia, mesenteriorráfico.

mesorrhine. Mesorrino.

mesosalpinx. Mesossalpinge.

mesoscapula. Mesoscápula. Espinha de escápula.

mesoseme. Mesossemo.

mesosigmoid. Mesossigmóide.

mesosigmoiditis. Mesossigmoidite.

mesosigmoidopexy. Mesossigmoidopexia.

mesosoma. Mesossomo. De estatura média.

mesosomatous. Mesossomático.

mesosternum. Mesosterno. Corpo do esterno.

mesostroma. Mesostroma. Tecido fibroso embrionário do qual se desenvolvem a membrana de Bowman e Descemet.

mesosyphilis. Mesossífilis, sífilis secundária.

mesosystolic. Mesossistólico.

mesotendon. Mesotendão.

mesothelial. Mesotelial.

mesothelioma. Mesotelioma.

mesothelium. Mesotélio.

mesothenar. Mesotênar.

mesotropic. Mesotrópico. Situado no meio de uma cavidade (abdome).

mesovarium. Mesovário.

met. Encontrado. // Unidade de medida da produção de calor corporal; o calor metabólico produzido por um indivíduo em repouso é de 50 kcal por metro quadrado e hora.

meta-. Meta. Prefixo de origem *grega* que significa mais além, junto a, entre, com.

metaarthritic. Metartrítico.

metabiosis. Metabiose.

metabolic. Metabólico.

metabolism. Metabolismo.

metabolite. Metabólito.

metabology. Metabologia.

metabolon. Matéria com existência transitória.

metacarcinogen. Metacarcinogênico.

metacarpal. Metacárpeo.

metacarpectomy. Metacarpectomia.

metacarpophalangeal. Metacarpofalângico.

metacarpus. Metacarpo.

metacasein. Metacaseína.

metacercaria. Metacercária.

metacetone. Metacetona.

metachemical. Metaquímico.

metachloral. Metacloral.

metachromasia. Metacromasia.

metachromatic. Metacromático.

metachromatism. Metacromatismo.

metachromatophil. Metacromatófilo.

metachromia. Metacromia.

metachromic. Metacrômico.

metachromophil. Metacromófilo.

metachromosome. Metacromossomo.

metachronous. Metacrônico.

metachrosis. Metacrose, mudança de cor.

metachysis. Metáquise. Transfusão de sangue.

metacinesis. Metacinese.

metacoele. Metacele. Cavidade do metencéfalo. Metaceloma.

metacoeloma. Metaceloma.

metacondyle. Metacôndilo.

metacone. Metacone.

metaconid. Metaconídio. Cúspide mesiolingual de um molar inferior.

metacresol. Metacresol.

metacyesis. Metaciese.

metaduodenum. Metaduodeno.

metadysentery. Metadisenteria.

metagaster. Metagáster. Canal intestinal permanente no embrião.

metagastrula. Metagástrula.

metagelatin. Metagelatina.

metagenesis. Metagênese. Geração alternante.

metagglutinin. Metaglutinina.

metaglobulin. Metaglobulina.

metagonimiasis. Metagonimíase. Infestação por metagonimus.

metagonimus. Gênero de trematódeos encontrados no intestino delgado de pessoas do Japão, China, Índias Holandesas.

metagranulocyte. Metagranulócito.

metagrippal. Metagripal. Estado posterior à influenza.

metahemoglobin. Metemoglobina.

metaicteric. Metaictérico.

metainfective. Metainfeccioso.

metakinesis. Metacinese.

metal. Metal.

metalbumin. Metalbumina.

metaldehyde. Metaldeído.

metallaxis. Metalaxe.

metallergy. Metalergia.

metallesthesia. Metalestesia.

metallic. Metálico. // **- tinkling.** Som metálico.

metallization. Metalização.

metallized. Metalizado.

metalloid. Metalóide.

metallophobia. Metalofobia.

metalloplastic. Metaloplástico.

metalloporphyrin. Metaloporfirina.

metalloscopy. Metaloscopia.

metallotherapy. Metaloterapia.

metallurgy. Metalurgia.

metal-sol. Solução coloidal de um metal.

metaluetic. Metaluético, metassifilítico.

metamere. Metâmero. Porção do corpo de um animal que contém todas as partes essenciais orgânicas e que pode viver isoladamente.

metameric. Metamérica.

metamerism. Metamerismo, metameria.

metamitosis. Metamitose.

metamorphic, metamorphous. Metamórfico.

metamyelocyte. Metamielócito. Forma de transição de um mielócito e o leucócito granular. Seu núcleo é idêntico, porção não verdadeiramente lobulado.

metanephrogenic. Metanefrogênico.

metanephron. Metanefro.

metaneutrophil. Metaneutrófilo.

metanucleus. Metanúcleo.

metapeptone. Metapeptona.

metaphase. Metáfase.

metaphrenia. Metafrenia.

metaphrenon. Espaço entre os ombros.

metaphyseal. Metafisário.

metaphysis. Metáfise.

metaphysitis. Metafisite.

metaplasia. Metaplasia. Mudança de um tecido em outro.

metaplasm. Metaplasma (dentoplasma).

metaplastic. Metaplástico, metaplásico.

metaplexus. Metaplexo.

metapneumonic. Metapneumônico.

metapodialia. Termo coletivo para ossos do metacarpo e metatarso.

metapophysis. Metapófise. Eminência mamilar nas apófises articulares superiores de certas vértebras.

metapore. Metáporo. Forâmen de Magendie.

metaprotein. Metaproteína.

metapsyche. Metapsique. O mentecéfalo.

metapsychology. Metapsicologia.

metaptosis. Metaptose.

metapyretic. Metapirético.

metargon. Metargônio. Isótopo do argônio cujo peso atômico é 38.

metarteriole. Metarteríola (pré-capilar).

metasomatome. Metassomátomo.

metastable. Metastável.

metastasis. Metástase.

metastatic. Metastático.

metasternum. Metasterno.

Metastrongylus. Gênero de trematódeos da família *Strongylidae*.

metasynapsis. Metassinapse. Sinapse dos cromossomos pelas extremidades.

metasyncrisis. Metassíncrise. Eliminação da matéria gasta ou mórbida.

metasyndesis. Metassinapse, metassíndese.

metasyphilis. Metalues, metassífilis.

metasyphilitic. Metassifilítica.

metatarsal. Metatársico.

metatarsalgia. Metatarsalgia.

metatarsectomy. Metatarsectomia.

metatarsofalangeal. Metatarsofalângico.

metatarsus. Metatarso.

metatela. Metatela. Tela coroídea do quarto ventrículo.

metathalamus. Metatálamo.

metathesis. Metátese.

metathetic. Metatético.

metathrombin. Metatrombina.

metatroph. Organismo metatrófico.

metatrophia. Metatrofia.

metatrophic. Metatrófico.

metatrophy. Metatrofia. Atrofia por malnutrição.

metatuberculosis. Metatuberculose.

metatypic, metatypical. Metatípico.

Metazoa. Metazoário. Seres que se caracterizam pela segmentação do óvulo.

Metchnikoff's larva. Larva de Metchnikoff. Parenquímula. Período posterior ao da blástula fechada. // - **theory.** Teoria de Metchnikoff: as bactérias e elementos daninhos no organismo são destruídos pelos leucócitos e fagócitos; o resultado da luta entre esses elementos é a inflamação.

metencephalon. Metencéfalo.

meteorism. Meteorismo.

meteorology. Meteorologia.

meteoropathy. Meteoropatia.

meteorophobia. Meteorofobia.

meteororesistant. Meteororresistente.

meteorosensitive. Meteorossensível.

meter. Metro.

methaemalbumin. Metemalbumina, pseudometemoglobina.

methaeme. Hematina.

methaemoglobin. Metemeglobina.

methaemoglobinemia. Metemoglobinemia.

methaemoglobinuria. Metemoglobinúria.

methane. Metano.

methetic. Metético.

methionine. Metionina.

method. Método.

methomania. Metomania, dipsomania.

methyl. Metil. // - **alcohol.** Metil-álcool. // - **testosterone.** metiltestosterona.

methylene. Metileno.

methylglyoxal. Metilglioxal.

methylsulphonal. Metilsulfonal. Trional.

metopagus. Metópago, metopópago. Monstro fetal duplo unido pelas frontes.

metopoplasty. Metopoplastia.

metoposcopy. Metoposcopia.

Metorchis. Gênero de trematódeos.

metoxenous. Metóxeno. Dois hóspedes para o completo ciclo de existência de um parasito.

metoxeny. Metoxenia, metaxenia.

metra-. Elemento léxico de origem grega que significa útero.

metraderm. Abertura externa do útero de certos dibotriocéfalos.

metralgia. Metralgia, histeralgia.

metranoikter. Dilatador uterino.

metratome. Metrátomo, histerótomo.

metratomy. Metratomia, histerotomia.

metratonia. Metratonia. Atonia uterina.

metratrophia. Metratrofia.

metre. Metro.

metrechoscopy. Combinação de menstruação, ausculta e inspecção.*

metrography. Metrografia.

metrology. Metrologia.

metromalacoma. Metromalacoma.

metromalacosis. Metromalacose.

metromania. Metromania.

metromenorrhagia. Metromenorragia.

metranoscope. Metranoscópio.

metroparalysis. Metroparalisia. Inércia uterina.

metropathia, metropathy. Metropatia.

metropathic. Metropático.

metropathy. Metropatia.

metroperitonitis. Metroperitonite.

metrophlebitis. Metroflebite.

metroptosis. Metroptose.

metrorrhagia. Metrorragia.

metrorrhexis. Metrorrexia.

metrorrhoea. Metrorréia.

metrosalpingitis. Metrossalpingite.

metrosalpinx. Metrossalpinge.

metroscope. Metroscópio.

metrostaxis. Metrostasia. Hemorragia uterina escassa, mas permanente (em gotejo).

metrectasia. Metrectasia.

metrectomy. Metrectomia.

metrectopia, metrectopy. Metrectopia.

metreurynter. Metreurínter. Saco insuflável para dilatar o colo uterino.

metreurysis. Metreurise. Dilatação do colo do útero com metreurinter.

metric. Métrico.

metriocephalic. Metriocéfalo. Crânio com índice vertical entre 72 e 77.

metritis. Metrite.

metrocarcinoma. Metrocarcinoma.

metrocele. Metrocele.

metroclyst. Instrumento para metróclise.

metrocolpocele. Metrocolpocele.

metrocyte. Metrócito.

metrodynia. Metrodínia.

metroendometritis. Metrendometrite.

metrofibroma. Metrofibroma.

metrogenous. Metrógeno.

metrogonorrhea. Metrogonorréia.

---

* Este é o vertebe de Dorland, ininteligível "*ipsis literis*". Não está averbado no Cardenal, no Blakiston's, em Stedman, nem tampouco no Garnier Delamare.

metrostenosis. Metrostenose.

metrosteresis. Metrostérese. Histerectomia.

Mett's test. Prova de Mett. Prova para determinar a pepsina, utilizando a digestão da albumina coagulada.

mettled. Brioso, ardente.

Meulengracht's diet, method. Dieta e método de Meulengracht. Para determinação dos pigmentos biliares no soro, dilui-se este, até que a cor amarela corresponda à de uma solução de bicromato de potássio padrão.

Meyer's disease. Doença de Meyer. Hipertrofia das tonsilas faríngeas.

Meyer's organ. Órgão de Meyer. Acúmulo de glândulas junto à língua, situada no músculo hioglosso. // - **rings.** Anéis de Meyer. Pessário circular de borracha branca. // - **sinus.** Seio de Meyer. Depressão do pavimento do meato auditivo externo.

Meyerholtz's muscle. Músculo de Meyerholtz. Fibras musculares dispostas radialmente situadas sob a aréola do mamilo.

Meynert's bundle. Feixe de Meynert. Fascículo de fibras nervosas que vai da habênula ao espaço interpeduncular. // - **commissure.** Comissura de Meynert. Fibras nervosas que se estendem do pavimento do terceiro ventrículo até o corpo subtalâmico. // - **dorsal tegmental decussation.** Decussação dorsal tegmental de Meynert, encontrada no mesencéfalo ao nível do colículo superior e entre os núcleos na parte dorsal da rafe média. // - **fibres.** Fibras de Meynert. Fibras nervosas que vão do corpo quadrigêmeo anterior ao nervo oculomotor. // - **layer.** Camada de Meynert. Camada de células piramidais no córtex cerebral. // - **solitary cells.** Células solitárias de Meynert. Células da camada ganglial do córtex cerebral.

Meynet's nodosities. Nódulos de Meynet. Crescimento de tipo nodular conectado com a articulação, tendão, formado às vezes na vizinhança das articulações atacadas do reumatismo articular agudo.

Mg. Símbolo químico do magnésio.

mg. Abreviatura de "miligrama".

MgO, magnesium oxide. Óxido de magnésio.

MgSO$_4$, magnesium sulphate. Sulfato de magnésio.

MgSO$_4$ 7H$_2$O. Sais de Epson.

miasm. Miasma.

miasmatic. Miasmático.

Mibelli's disease. Doença de Mibelli. Poroceratose.

mica. Miolo (de pão).

micaceous. Friável.

mication. Micação. Movimento rápido.

micelle. Micela. Sin.: bioblasto, bioplasto, gêmula, idiossomo, microzima, pangênio, plastídulo, protômero, somáculo, tagma, unidade fisiológica.

Michaelis's rhomboid. Rombóide de Michaelis. Zona na parte inferior da espádua, de forma losângica, limitada por cavidades correspondentes às espinhas ilíacas posteriores e superiores, o começo do sulco interglúteo e à fosseta que forma o processo espinhoso da quinta vértebra lombar, particularmente sensível na mulher.

Michel's clamps. Agrafes (grampos) de Michel para fechar incisões cirúrgicas.

micracoustic. Micracústico.

micranatomy. Micranatomia.

micrangiopathy. Micrangiopatia. Anatomia microscópica. Histologia.

micrangium. Capilar.

micrencephalon. Micrencéfalo. Cerebelo.

micrencephalous. Micrencefálico.

micrencephalus. Micrencéfalo.

microadenopathy. Micradenopatia.

microaerophilic. Micraerófilo.

microaerotonometer. Micraerotonômetro.

microanalysis. Microanálise.

microanatomy. Micranatomia.

microangiopathy. Micrangiopatia.

microangioscopy. Micrangioscopia.

microbacillary. Microbacilo.

microbacteria. Microbactéria.

microbalance. Microbalanço (balança de precisão).

microbe. Micróbio.

microbial. Micróbico.

microbicidal, microbicide. Microbicida.

microbiohemia. Microbiemia.

microbiologist. Microbiólogo.

microbiology. Microbiologia.

microbiophobia. Microbiofobia.

microbiophotometer. Microbiofotômetro. Aparelho para medir o crescimento das culturas bacterianas, tendo em conta o grau de turvação.

microbioscope. Microbioscópio.

microbiosis. Microbiose.

microbiotic. Microbiótico.

microbism. Microbismo.

microblast. Microblasto.

microblepharia, microblepharon. Microbléfaro.

microbrachia. Microbraquia.

microcardia. Microcardia.

microcentrum. Microcentro. Centrossomo.
microcephalia. Microcefalia.
microcephalic. Microcefálico.
microcephalism. Microcefalia.
microcephalous. Microcéfalo.
microcephalus. Microcéfalo.
microcephaly. Microcefalia.
microchemistry. Microquímica.
micrococcacea. Família de esquizomicetos.
micrococcus. Micrococo.
microcornea. Microcórnea.
microcosmic. Microcósmico.
microcoulomb. Microcoulomb.
microcyst. Microcisto.
microcyte. Micrócito.
microcythaemia. Microcitemia.
microcytosis. Microcitose.
microdactylia. Microdactilia.
microdont. Microdonte.
microdontism. Microdontismo.
microfilaria. Microfilária.
microfilm. Microfilme.
microgamete. Microgameta.
microgamy. Microgamia.
microgastria. Microgastria.
microglia. Micróglia.
microgliacyte. Microgliácito.
microglossia. Microglossia.
micrognathia. Micrognatia.
microgram. Micrograma.
micrography. Micrografia.
microgyria. Microgiria.
microhepatia. Micro-hepatia.
microhistology. Micro-histologia.
microhm. Microhm. Milionésima parte do ohm.
microincineration. Microincineração.
microkinematography. Microcinematografia.
microkymotherapy. Microcimoterapia.
microlesion. Microlesão.
microleukoblast. Microleucoblasto.
microliter. Microlitro.
microlith. Micrólito.
microlithiasis. Microlitíase.
micrology. Micrologia.
microlymphoblast. Microlinfoblasto.
micromandibulare. Micromandibular.
micromania. Micromania.
micromanipulator. Micromanipulador.
micromastia. Micromazia. Micromastia.
micromegaly. Micromegalia, progeria.
micromelia. Micromelia.
micromelus. Micrômelo. Feto com um ou mais

membros anormalmente diminutos.
micromere. Micrômero. Pequeno blastômero.
micrometabolism. Micrometabolismo.
micrometer. Micrômetro.
micrometry. Micrometria.
micromicron. Micromícron. Milionésima parte do mícron.
micromillimeter. Micromilímetro.
micromotoscope. Micromotoscópio.
micromyelia. Micromielia. Espinha dorsal anormalmente diminuta.
micromyeloblast. Micromieloblasto.
micromyelocyte. Micromielócito.
micron. Mícron.
micronodular. Micronodular.
micronucleus. Micronúcleo.
micronychia. Microníquia.
micronychosis. Micronicose.
microorchidia. Microrquidismo.
microorganic. Microrgânico.
microorganism. Microrganismo.
microparasite. Microparasito.
micropathology. Micropatologia.
micropenis. Micropênis.
microphage. Micrófago.
microphagocyte. Microfagócito.
microphagus. Micrófago.
microphakia. Microfacia. Diminuição anormal da lente (cristalino).
microphilic. Microfílico.
microphobia. Microfobia.
microphonia. Microfonia.
microphonograph. Microfonógrafo.
microphthalmia. Microftalmia.
microphthalmoscope. Microftalmoscópio.
microphthalmus. Microftalmo.
microphyte. Micrófito.
microphytic. Microfítico.
micropodia. Micropodia.
micropolariscope. Micropolariscópio.
micropolygyria. Micropoligiria ou polimicrogiria.
microprecipitation. Microprecipitação.
microprojection. Microprojeção.
microprosupus. Microprósopo. Feto com face pouco desenvolvida.
microprotein. Microproteína.
micropsia. Micropsia.
micropsychia. Micropsiquia.
microptic. Micróptico.
micropus. Micrópodo.
micropyle. Micrópila.
microradiogram. Microrradiograma.
microradiography. Microrradiografia.

microrchidia. Microrquídia.

microrefractometer. Microrrefratômetro.

microrespirometer. Microrrespirômetro.

microrhinia. Microrrinia.

microscope. Microscópio.

microscopic. Microscópico.

microseme. Microssemo. Com índice orbital menor que 83 graus.

Microsiphonales. Tricomicetos.

microsmatic. Microsmático.

microsoma, microsome. Microssoma. Elemento granuloso muito pequeno do protoplasma celular. Grânulos de cromatina existentes no núcleo.

microsomatia, microsomia. Microssomia.

microsome. Microssomo.

microspectroscope. Microspectroscópio. Espectroscópio usado em conexão com microscópio para exame do espectro de objetos microscópicos.

microsphere. Microsfera. Centrossomo.

microspherocyte. Microsferócito. Eritrócito típico da icterícia hemolítica. É diminuto, quase esférico e muito frágil.

Microspira. Gênero de bactérias espiriláceas idêntico ao *Vibrio*.

Microspironema. Nome utilizado hoje para os organismos incluídos agora no gênero *Treponema*.

microsphygmia. Microsfigmia. Debilidade do pulso.

microsplanchnic. Microsplâncnico. Que tem a porção abdominal relativamente menor que a torácica.

microsplenia. Microsplenia.

microsporia. Microsporia.

microsporidia. Microsporidia. Esporídia com esporos pequenos e usualmente uma cápsula polar.

microsporon. Gênero de fungos de pequenos esporos parasitos da pele e do pêlo.

microsporum. Micrósporo.

microstat. Micróstato. Platina do microscópio.

microstomia. Microstomia. Pequenez da boca.

microtia. Microtia. Orelhas diminutas.

microtome. Micrótomo.

microtomy. Microtomia.

microtonometer. Microtonômetro. Tonômetro diminuto para medir tensão do oxigênio e dióxido de carbono no sangue arterial.

microtrauma. Microtrauma.

microviscosimeter. Microviscosímetro.

microvivisection. Microvivissecção.

microvolt. Microvolt.

microvoltometer. Microvoltímetro. Instrumento para detectar mínimas mudanças do potencial elétrico do corpo.

microvolumetry. Microvolumetria.

microwaves. Microondas. Ondas eletromagnéticas de muito alta freqüência e de ondas de curta longitude, consideradas oscilantes entre 1 mm e 1 m ou entre 1 cm e 1 m.

microzoaria. Microzoários. Termo extensivo a todos microrganismos.

microzoon. Microzoário. Microrganismo animal.

microzyme. Microzima, micela.

Micrurus. Gênero de serpentes venenosas da América, chamadas de Coral, com peçonha neurotóxica.

miction. Micção.

micturate. Urinado.

micturition. Micção.

mid. Meio, em meio de.

midaxillary line. Linha medioaxilar.

midbody. Corpo médio. Corpo ou massa de grânulos desenvolvida na região equatorial do fuso, durante a anáfase da mitose.

midbrain. Mesencéfalo.

midclavicular line. Linha medioclavicular.

middle. Médio, mediano.

Middeldorpf's triangle. Triângulo de Middeldorpf. Férula triangular almofadada que sustenta o braço em extensão parcial nas fraturas do úmero.

midget. Anão.

midgut. Mesogáster. Intestino primitivo (porção média).

midline. Linha média.

midpain. Dor intermenstrual.

midplane. Plano médio. Plano estreito da pelve.

midpoint. Ponto médio.

midriff. Diafragma.

midsternal line. Linha mediosternal.

midventricle. Ventrículo médio. Cavidade do mesencéfalo.

midwife. Enfermeira que assiste no parto, parteira.

midwifery. Obstetrícia.

Mierjejevsky's foramen. Forâmen de Mierjejevsky (v. *Forâmen de Luschka*).

Miescher's tubes. Cilindros ou tubos de Miescher. Cistos musculares infectados com sarcosporídios.

might. Poder, força.

migraine. Hemicrania. Enxaqueca. // - **ophthalmic.** Enxaqueca oftálmica. // - **ophthalmoplegic.** Enxaqueca oftalmoplégica.

migrans, wandering. Migrador, migratório.

migration. Migração.

migratory. Migratório.

mikron. Mícron.

Mikulicz's cells. Células de Mikulicz. Células que, no rinoscleroma, contêm os bacilos. // - **disease.** Doença de Mikulicz. Hipertrofia crônica das glândulas lacrimais e salivares devido à substituição do tecido glandular por células linfáticas. Chama-se também "acroacitose".

mild. Suave.

Mildew. Fungo parasito, com várias espécies.

Milian's sign. Sinal de Milian. Nas inflamações subcutâneas do crânio e face, não se afetam as orelhas, que o são nas enfermidades cutâneas.

miliaria. Miliária. Afecção cutânea, idiopática ou sintomática de outros estados, produzida pela inflamação das glândulas sudoríparas e caracterizada pela erupção de pápulas e vesículas vermelhas pruriginosas, que logo se fazem transparentes e se descamam.

milieu. Meio ambiente.

milium. Milium. // - **colloid.** Milium colóide. //

milk. Leite. // - **certified.** Leite esterilizado. // - **condensed.** Leite condensado. // - **crust.** Crosta de leite. // - **homogenized.** Leite homogeneizado. // - **pasteurized.** Leite pasteurizado. // - **skimmed.** Leite desnatado.

milk-leg. Flegmasia, "alba dolens".

Milkman's syndrome. Síndrome de Milkman. Transtornos funcionais intensos e imprecisos, dores sem localização precisa nos membros inferiores; dificuldade na marcha, invalidez; na radiografia óssea, estrias e fissuras transversais múltiplas e simétricas no fêmur, tíbia e perônio, que parecem fraturas.

milktooth. Dente de leite.

Millar's disease. Enfermidade de Millar. Laringismo.

Millard's test. Reação de Millard para a albumina. Junta-se à urina um reativo composto de ácido fênico líquido, 2 partes; ácido acético glacial, 6 partes, e solução de hidróxico de potássio, 22 partes: este reativo precipita a albumina.

Millard-Gubler's syndrome. Síndrome de Millard-Gubler (ou paralisia). Hemiplegia cruzada.

Miller-Abbott's tube. Tubo de Miller-Abbott. Sonda nasal de 2,5 m de comprimento, de duplo lúmen de calibres desiguais. Emprega-se nos casos de obstrução intestinal.

milliampere. Miliampére.

milligramme. Miligrama.

millilitre. Mililitro.

millimetre. Milímetro.

millimicron. Milimícron.

Millon's test. Reação de Millon. O reativo é composto de 10 g de mercúrio dissolvidos em 20 ml de ácido nítrico, tudo diluído em quatro volumes de água; muito sensível para descobrir substâncias orgânicas nitrogenadas, que coram em vermelho.

Mills's disease. Doença de Mills. Hemiplegia ascendente.

Mills-Reincke's phenomenon. Fenômeno de Mills-Reincke. A mortalidade diminui em todas as enfermidades como resultado de purificação da água.

milphosis. Milfose. Queda dos cílios.

Milroy's disease. Doença de Milroy. Forma de edema hereditário das pernas.

Milton's disease. Doença de Milton. Urticária gigante.

mimetic. Mimético.

mind. Mente.

mindblidness. Amnésia visual, agnosia.

mind pain. Psicalgia.

minddeafness. Surdez mental.

miner's elbow. Cotovelo dos mineiros. // - **nystagmus.** Nistagmo dos mineiros. // - **phthisis.** Tísica dos mineiros: antracose. // - **spit.** Escarro dos mineiros.

mineral. Mineral.

minim. Mínimo. Sexagésima parte da dracma = 0,06.

minimal. Mínimo.

minimum. Mínimo.

minium. Mínio.

Minkowski's method. Método de Minkowski. Palpação do rim com dilatação gasosa prévia do cólon.

Minkowski-Chauffard syndrome. Síndrome de Minkowski-Chauffard. Icterícia hemolítica.

Minor's disease, sign. Doença e sinal de Minor. Hematomielia central. // - **sign.** Sinal de Minor. O paciente de ciática, para se pôr de pé, estando sentado, apóia-se sobre o membro são, coloca uma das mãos na região lombar e flexiona a perna afetada.

Minot-Murphy's diet, treatment. Dieta e tratamento de Minot-Murphy. Tratamento da anemia perniciosa com preparações de fígado. // - **diet.** Dieta de Minot-Murphy. Dieta com grandes quantidades de fígado.

minute. Diminuto. Minuto.

minuthesis. Diminuição da sensibilidade psicofísica de um órgão sensitivo, devido a constantes estímulos sobre tal órgão, produzindo fadiga.

263

mio-. Elemento léxico de origem grega que significa músculo.

miocardia. Miocardia, sístole cardíaca.

miodidymus, miodymus. Miodídimo. Monstro com duas cabeças unidas pelo occipício.

miophone. Miofone. Instrumento que faz perceptíveis os sons produzidos pela contração muscular.

mioplasma. Mioplasma.

mioplasmia. Mioplasmia.

miopragia. Miopragia.

miopus. Miopus ou miopo. Monstro dicefálico com uma face rudimentar.

miosis. Miose.

miotic. Miótico.

miotin. Miotina.

miracidium. Miracídio. Embrião ciliado de alguns trematódeos: Bilharzia e outros.

mirage. Miragem.

mirror. Espelho.

mirror-speech. Modo de falar em que as palavras são pronunciadas de trás para diante.

mirror-writing. Modo de escrever em que as letras aparecem como vistas no espelho.

misandry. Misandria.

misanthrope. Misantropo.

miscarriage. Abortamento.

misce. Misture-se; indicação que sob uma fórmula se abrevia como um "m".

miscegenation. Miscigenação. União de indivíduos de raças diferentes ou procriação de indivíduos de raça mista.

mischief. Mal, dano.

miscible. Miscível.

Mises's marginal plexus. Plexo marginal de Mises. Plexo marginal dos nervos das pálpebras.

misfit. Inadaptado, desequilibrado.

misogamy. Misogamia. Aversão ao casamento.

missogyny. Misoginia.

missed abortion. Retenção de feto morto.

missed labour. Retenção prolongada de feto no útero, depois de se produzirem as dores.

mistura. Mistura.

Mitchell's disease. Doença de Mitchell. Eritromelalgia.

Mitchell's skin, treatment. Pele de Mitchell. Vermelha e perspirante, observada nos casos de lesão irritativa incompleta de um nervo. // Tratamento de Mitchell. Tratamento da neurastenia, da histeria, etc., mediante repouso absoluto, freqüente e abundante alimentação, massagem sistemática e eletricidade.

mite. Nome dado aos ácaros em geral, exceto os carrapatos.

mithridatism. Mitridatismo. Estado de hábito ou imunidade aos venenos.

mitigate. Mitigar.

mitis. Suave, dócil.

mito-. Elemento léxico de origem grega que significa "fio".

mitochondria. Mitocôndrios. Sin.: condriossomo, condrioconto, condriomito, plastocôndrio, plastossomo, grânulos de Altmann.

mitogenesia. Mitogenesia.

mitogenetic. Mitogenético.

mitogenic. Mitogênico.

mitokinetic. Mitocinético.

mitoma, mitome. Mitoma.

mitoplasm. Mitoplasma. Substância cromática do núcleo celular.

mitoschisis. Mitósquise.

mitosin. Mitosina. Hormônio protetor da mitose ou maturação folicular.

mitosis. Mitose. Sin.: cariocinese, citodiérese, mitósquise.

mitosome. Mitossomo.

mitotic. Mitótico.

mitral. Mitral.

mitralism. Mitralismo.

mitroarterial. Mitrarterial.

Mittleschmerz, middle pain. Dor intermenstrual.

mixed. Misto.

mixture. Mistura.

m.l.d. Abreviatura de *minimum lethal dose*. Dose mínima letal.

Mn. Símbolo químico do manganês.

M'Naghten rule. Regra de M'Naghten. Uma defesa fundada na loucura deve demonstrar claramente que o acusado ao tempo do ato punível achava-se em tal estado mental que não reconhecia a natureza e qualidade do ato, ou, se a reconhecia, não sabia que atuara mal.

mneme. Memória.

mnemonic. Mnemônico.

Mo. Símbolo químico do molibdênio.

mobile. Móvel.

mobility. Mobilidade.

mobilization. Mobilização.

Möbiu's disease. Doença de Möbius. Hemicrania periódica com paralisia reincidente do nervo oculomotor. // **- sign.** Sinal de Möbius. Debilidade da convergência do olhar no exoftalmo. // **- syndrom.** Diplegia facial congênita.

mocezuelo. No México: tétano dos recém-nascidos.

modality. Modalidade.

mode. Modo.

modify. Modificar.

modiolus. Modíolo. Eixo ou columela do caracol. Trépano exfoliativo ou perfurante.

modus. Modo. // - operandi. Modo de realização.

Moeller's reaction. Reação de Moeller. Rinorreação. Reação tuberculínica nasal.

Moeller-Barlow disease. Doença de Moeller-Barlow. Hematoma subperiostal no raquitismo.

mogi-. Elemento léxico de origem grega que significa "dificuldade".

mogiarthria. Mogiartria.

mogigraphia. Mogigrafia.

mogiphonia. Mogifonia, disfonia, fonastenia.

M.O.H. Abreviatura de Medical Officer of Health.

Mohrenhein's fossa. Fossa de Mohrenhein. Fossa infraclavicular. Ampla depressão sob a clavícula situada entre os músculos; peitoral maior, menor e deltoíde.

moiety. Metade.

moist, damp. Úmido.

Mojon's method. Método de Mojon. Injeção de água fria por via umbilical, para a placenta, para favorecer o seu descolamento após o parto.

mol. Mol. Molécula-grama; peso molecular em gramas.

molar. Molar. Dente molar.

molariform. Molariforme.

molarity. Molaridade.

mold, mould. Forma, molde, mofo, bolor.

mole. Mola. // - carneous, haemorhagic, hydatidiform, vesicular. Mola carnosa, hemorrágica, hidatiforme, vesicular.

molecular. Molecular.

molecule. Molécula.

molilalia. Mogilalia.

molimen. Molime. Esforço natural para o cumprimento de uma função, especialmente da menstruação.

Molisch's test. Reação do Molisch para a glicose. A 2ml de urina juntam-se 2 gotas de solução de timol a 15% e um volume igual a ácido sulfúrico, produz-se então cor vermelho-escuro.

Moll's glands. Glândulas de Moll. Pequenas glândulas sudoríparas modificadas que se abrem nas margens das pálpebras.

Möllgaard's treatment. Tratamento de Möllgaard. Tratamento da tuberculose com sanocrisina e soro de convalescente.

mollities, softness. Amolecimento. // - ossium. Amolecimento ósseo, osteomalacia.

Mollusca. Moluscos.

molluscum. Molusco. // - contagiosum, fibrosum. Molusco contagioso, fibroso.

molybdenum. Molibdênio.

molysmophobia. Molismofobia, misofobia. Medo de contaminação.

Momburg's belt. Cintura de Momburg. Tubo ou faixa de borracha que dá duas ou três voltas na cintura, a fim de coibir a hemorragia pós-parto.

momentum. Momento. Quantidade de movimento.

Monadidae. Família da classe dos mastigóforos.

Monakow's bundle. Feixe rubrospinal de Monakow. Fascículo pré-piramidal. Tem fibras descendentes situadas entre o fascículo piramidal cruzado e o de Gowers.

Monaldi's drainage. Drenagem de Monaldi. Drenagem por sucção das cavernas na tuberculose pulmonar.

monamide. Monamida. Amida com só um grupo de amida.

monamine. Monamina. Amina com só um grupo de amina.

monaminuria. Monaminúria.

monarthric. Monartrítico.

monarthritis. Monartrite.

monarticular. Monarticular.

monaster. Monáster. Estado de cariocinese caracterizado pela formação de uma estrela no equador do fuso acromático.

monathetosis. Monatetose. Atetose de uma parte do corpo.

monatomic. Monatômia, univalente, monabásico.

monaural. Monaural. Relativo a um ouvido.

monavalent. Monovalente.

monavitaminosis. Monavitaminose.

monaxon. Monaxônio. Neurônio de um só axônio ou ciclindraxe.

Mönckeberg's arterioesclerosis. Esclerose de Mönckeberg. Degeneração da túnica média das artérias com atrofia dos elementos musculares e depósitos calcáreos nos mesmos.

Mondonesi reflex. Reflexo de Mondonesi. No coma apoplético, a compressão do globo ocular provoca a contração dos músculos faciais do lado oposto ao das lesões; no coma tóxico, a contração é bilateral.

monerula. Monérula. Óvulo impregnado sem núcleo.

Monge's disease. Doença de Monge. Estado mórbido acompanhado de sintomas eritrêmicos, que atinge algumas vezes pessoas que atravessam os Andes.

Mongolian idiocy. Idiotia, mongolóide.

Mongolian spot. Mancha mongólica, escura, na região lombar, nos recém-nascidos.

mongolism. Mongolismo.

mongoloid. Mongolóide.

monilethrix. Monilétrix. Pêlo nodoso ou moniliforme.

Monilia. Gênero de fungos parasitos que fermentam os açúcares, com produção de gases.

moniliasis. Monilíase.

moniliform. Moniliforme.

Monneret's pulse. Pulso ou sintoma de Monneret. Pulso moderadamente cheio, lento, próprio da icterícia.

mono-. Prefixo grego que significa *só, único.*

monoanesthesia. Monoanestesia.

monoarticular. Monoarticular.

monobacillary. Monobacilar.

monobacterial. Monobacteriano.

monobasic. Monobásico.

monoblast. Monoblasto.

monoblastoma. Monoblastoma.

monoblepsis. Monoblepsia.

monobrachius. Monobráquio. Falta congênita de um braço.

monobromated. Monobromato.

monobromcamphor. Monobromocanforado.

monobromophenol. Monobromofenol.

monobulia. Monobulia.

monocaine hydrochloride. Cloridrato de monocaína.

monocalcic. Monocálcico.

monocardian. Monocárdio.

monocephalus. Monocéfalo.

monochord. Monocórdio.

monochorea. Monocoréia.

monochorionic. Monocoriônico.

monochroic. Monocróico.

monochromasy. Monocromasia.

monochromatic. Monocromático.

monocle. Monóculo.

monococcus. Monococo.

monocorditis. Monocordite.

monocranius. Monocrânio, monocéfalo.

monocrotic. Monocrótico.

monocrotism. Monocrotismo.

monocular. Monocular.

monocyte. Monócito.

monocytic. Monocítico. // **- leukaemia.** Leucemia monocítica.

monocytopenia. Monocitopenia.

monocytopoiesis. Monocitopoese.

monocytosis. Monocitose.

monodactylia. Monodactilia.

monodactylism. Monodactilismo.

monodactylous. Monodáctilo (monodactíleo).

monodermoma. Monodermoma. Tumor desenvolvido na base de uma camada germinal.

monodiplopia. Monodiplopia.

monogametic. Monogamético.

monogamy. Monogamia.

monoganglial. Monoganglial.

monogastric. Monogástrico.

monogenesis. Monogenia.

monogenous. Monógeno.

monogerminal. Monogerminal.

monogonium. Monogônio. Forma assexuada do parasito da malária.

monogony. Monogonia, monogenia.

monograph. Monógrafo.

monohemerous. Monêmero. Que dura um só dia.

monohybrid. Monoíbrido.

monohydrated. Monoidratado.

monohydric. Monoídrico.

monoinfection. Monoinfecção.

monolene. Monoleno. Um hidrocarboneto oleoso claro e branco.

monolepsis. Monolepsia. Transmissão à descendência dos caracteres de um progenitor com exclusão do outro.

monolocular. Monolocular, unilocular.

monomania. Monomania.

monomaniac. Monomaníaco.

monomastigote. Monótrico. Monomastigóforo, que só tem um flagelo.

monomaxillary. Monomaxilar.

monomelic. Monomélico.

monomeric. Monomérico. Composto de moléculas simples.

Monometres. Ordem mais inferior dos mamíferos.

monomolecular. Monomolecular.

monomorphic. Monomórfico.

monomorphism. Monomorfismo.

monomphalus. Monônfalo. Monstro duplo, unido pelo umbigo.

monomyoplegia. Monomioplegia.

monomyositis. Monomiosite.

mononephrous. Mononéfrico.

mononeural. Mononeural ou mononêurico.

mononeuric. Mononêurico ou mononeural.

mononeuritis. Mononeurite.

mononuclear. Mononuclear.

mononucleate. Mononucleado.

mononucleosis. Mononucleose.

mononucleotide. Mononucleótide.

monoosteitic. Monosteítico.

monoparaesthesia. Monoparestesia.

monoparesis. Monoparesia.

monopathy. Monopatia.

monophasia. Monofasia.

monophobia. Monofobia.

monophthalmous. Monoftálmico.

monophthalmus. Monoftalmo.

monophyletic. Monofilético.

monophyletism. Monofiletismo.

monophyletist. Monofiletista.

monophyodont. Monofiodonte.

monopia, monopsia. Monopia.

monoplasmatic. Monoplasmático.

monoplast. Monoplasto.

monoplegia. Monoplegia.

monoplegic. Monoplégico.

monopodia. Monopodia.

monopolar. Monopolar.

monops. Monope. Ausência congênita de um olho.

monopus. Monópode. Afeto de monopodia. Ausência congênita de um pé.

monorchid. Monórquido ou monorquio, com ausência congênita de um testículo.

monorchidic. Monórquido ou monórquio.

monorchidism. Monorquidismo ou monorquismo.

Monorecidive. Monorrecidiva.

monorhinic. Monorrino.

monosaccharide. Monossacárido.

monosaccharose. Monossacarose.

monosomus. Monossomo. Monstro duplo com um só corpo e duas cabeças mais ou menos separadas.

monopasm. Monospasmo.

monospermy. Monospermia.

Monostoma. Gênero de vermes trematódeos.

monostratal. Monostratificado. Unistratificado.

monosymptomatic. Monossintomático.

monotonia. Monotonia.

monotrichous. Monótrico.

monovalent. Monovalente.

monovular. Monovular.

monoxeny. Monoxenia.

monoxide. Monóxido.

monozygotic. Monozigótico.

Monro's fissure. Sulco de Monro: situado na porção inferior do terceiro ventrículo que termina no forâmen de Monro. // **- foramen.** Forâmen de Monro. Orifício de comunicação entre o terceiro ventrículo e os ventrículos laterais.

mons. Monte. // **- pubis veneris.** Púbis, monte de Vênus.

Monsel's salt. Sal de Monsel. Sulfato férrico.

monster. Monstro. // **- double.** Monstro duplo ou gemelar.

monstrosity. Monstruosidade. Sin.: teratismo.

Monteggia's dislocation. Luxação de Monteggia. Luxação da articulação do quadril em que a cabeça do fêmur se encontra detida pela espinha ilíaca ântero-superior e a perna em rotação externa.

Montgomery's tubercles or glands. Tubérculos ou glândulas de Montgomery. Glândulas sebáceas da aréola do mamilo.

monthly courses, monthly sickness. Menstruação.

monticulus. Montículo.

mood. Humor, disposição do âmino.

moon. Lua.

Moon's teeth. Dentes de Moon. Primeiro molar diminuto, cupuliforme, na sífilis.

Moore's fracture. Fratura de Moore. Fratura da extremidade distal do rádio com deslocamento da cabeça do cúbito e aprisionamento da apófise estilóide sob o ligamento anular.

Moore's test. Reação de Moore. Um líquido com glicose, fervido com potassa ou soda cáustica, dará uma coloração vermelho-escura de vinho de Málaga; se se acrescenta uma gota de ácido nítrico ou sulfúrico, produzir-se-á cheiro característico de caramelo.

Mooren's ulcer. Úlcera de Mooren. Úlcera crônica da córnea que se observa nos velhos.

Moot's rule. Regra de Moot. Na anestesia, a pressão do pulso indica a força cardíaca, e deve ser suficientemente elevada para compensar a deficiente função renal.

mope. Atordoar, abater.

moral imbecile. Imbecil moral.

moral insanity. Insanidade moral.

Morand's disease. Doença de Morand. Paresia das extremidades. // **- foot.** Pé de Morand. Deformidade do pé que consiste na existência de oito dedos. // **- spur.** Esporão de Morand. Eminência cônica do assoalho do ventrículo lateral; hipocampo menor; calcar avis.

Morax-Axenfeld's conjunctivitis. Conjuntivite de Morax-Axenfeld. Forma de conjuntivite devida ao diplobacilo de Morax-Axenfeld. *Haemophilus* de Morax-Axenfeld.

morbid. Mórbido, brando, suave.

morbidity. Morbidade.

morbilli, measles. Sarampo.

morbilliform. Morbiliforme.

morbus, disease. Morbo, enfermidade, mal.

morcellation. Fragmentação.

morcellement. Secção de um tumor, seguida de sua remoção, aos pedaços.

mordant. Mordente.

Morel ear, syndrome. Orelha e síndrome de Morel. Orelha deformada, larga e amolecida caracterizada pelo desenvolvimento da hélice, antélice e fossa, de modo que as pregas parecem obliteradas. // Síndrome de Morel. Hiperostose frontal, obesidade, transtornos nervosos e mentais.

Morel-Kraepelin disease. Doença de Morel-Kraepelin. Demência precoce.

Morelli's reaction. Prova de Morelli. Para distinguir um exsudato de um transudato: juntam-se umas gotas do líquido a uma solução saturada de cloreto mercúrio em tubo de ensaio; se é exsudato, produz-se um coágulo.

Moreschi's phenomenon. Fenômeno de Moreschi. Fixação de complemento.

Morestin's method, operation. Método e operação de Morestin. Desarticulação da rótula com secção intercondílea do fêmur.

Moretti's test. Reação de Moretti: para a febre tifóide. Saturam-se de sulfato de amônio cristalizado 25ml de urina. Depois de 5 min, filtra-se a urina e dilui-se ao terço: a 1 ml do filtrado juntam-se 2 ml de soda cáustica a 10 por 100 e logo 1 gota de tintura de iodo a 5 por 100; agita-se a mistura e, se a reação for positiva, aparece uma cor amarelo ouro persistente.

Morgagni's cataract. Catarata de Morgagni: é líquida, com núcleo duro. // **- concha.** Concha de Morgagni. Interessa o etmóide. // **- foramen.** Forâmen de Morgagni. Forâmen de Meibômio. // **- fossa.** Fossa de Morgagni: fossa navicular da uretra. // **- fraenum or retinaculum.** Freio de Morgagni. Prega ao redor da cavidade do ceco, formada pela prolongação das pregas da válvula ileocecal. // **- glands.** Glândulas de Morgagni ou glândulas de Littré. // **- globules.** Glóbulos de Morgagni. Esferas hialinas que, às vezes, aparecem entre as lentes cristalinas e suas cápsulas, nos casos de catarata. // **- hydatid.** Hidátide de Morgagni. Remanescentes do ducto de Müller que pertencem aos ovidutos das fêmeas e aos testículos dos machos. // **- lacuna.** Lacuna de Morgagni. Pequena depressão na mucosa uretral que contém as glândulas de Littré. // **- liquor.** Liquor de Morgagni. Líquido claro encontrado após a morte nas lentes do cristalino entre o epitélio e suas fibras. // **- nodules.** Nódulos de Morgagni ou corpos de Arán. // **- sinuses.** Seios de Morgagni. Depressões no fundo de saco no limite das mucosas anal e retal, separadas pelas colunas de mesmo nome // **- tubercles.** Tubérculos de Morgagni ou tubérculos de Montgomery. // **- valves.** Válvulas de Morgagni. Seio de Morgagni. // **- ventricle.** Ventrículo de Morgagni. Ventrículo laríngeo. Espaço entre as cordas falsas e as verdadeiras.

Morgan's bacillus. Bacilo de Morgan. *Salmonella Morgani.*

morgue. Necrotério. Depósito de cadáveres para sua identificação.

moria. Moria. Tendência à fatuidade e ao gracejo.

moribund. Moribundo.

morioplasty. Morioplastia. Restauração cirúrgica de perdas de substância.

Morison's pouch. Recesso de Morison; sobre o pólo superior do rim, limitando com o peritônio.

Moritz's test. Reação de Moritz ou de Rivalta. Para distinguir os exsudatos dos transudatos.

Mörner's test. Reação de Mörner. Para a tirosina. Juntam-se aos cristais, em um tubo de ensaio, alguns centímetros cúbicos de um reativo composto de solução de formaldeído: 1 ml, água destilada 45 ml e ácido sulfúrico 55 ml; aquece-se até à ebulição. A tirosina se manifesta por uma coloração verde.

morning sickness. Vômitos gravídicos.

Moro's reaction. Reação de Moro para a tuberculose. Erupção de pápulas vermelhas ou pálidas em uma zona da pele, pela aplicação de uma pomada de 5 ml de tuberculina antiga e 5 ml de lanolina anidra.

moron. Débil mental.

moronism. Debilidade mental.

morph-. Elemento léxico de origem grega que significa "forma".

morphea. Morféia. Esclerodermia circunscrita ou em placas; afecção da pele caracterizada por placas ou faixas que curam sem deixar vestígios ou se atrofiam, deixando cicatriz permanente. // **- acroteric.** Morféia acrotérica. Variedade que afeta as extremidades. // **- alba.** Morféia alba. Alfos, denominação antiga de uma afecção talvez leprosa. // **- atrophica.** Morféia atrófica. Variedade em que as placas se atrofiam, e deixam cicatrizes. // **- guttata.** Morféia "guttata". Degeneração das camadas papilar e reticular da pele em forma de manchas brancas lenticulares. // **- herpetiform.** Morféia herpetiforme. // **- linearis.** Morféia linear, em linhas ou faixas. // **- nigra.** Morféia negra, Melas; morféia com lesões pigmentadas.

morphine. Morfina.

morphinic. Morfínico.

morphinism. Morfinismo.

morphoea. Morféia. Sin.: esclerodermia parcial, quelóide de Addison, lepra maculosa.

morphogenesis. Morfogênese.

morphogeny. Morfogenia.

morphological. Morfológico.

morphology. Morfologia.

morpholysis. Morfólise.

morphometry. Morfometria.

morphosis. Morfótico.

Morrant-Baker's cyst. Cisto de Morrant-Baker. Protrusão herniária da membrana sinovial através da capsúla fibrosa da articulação em conexão com osteartrite.

Morris's appendicitis point. Ponto apendicular de Morris, sensível na apendicite crônica, a duas polegadas do umbigo numa linha que vai do umbigo à espinha ilíaca súpero-posterior direita.

mors, death. Morte.

morsus. Mordida, mordedura. // **- diaboli.** Mordedura diabólica. Pavilhão franjeado da tuba de Falópio.

mortal. Mortal.

mortality. Mortalidade.

mortar. Almofariz, gral.

Morton's cough. Tosse de Morton. Tosse seguida de vômitos sangüíneos, observada com freqüência na tuberculose pulmonar.

Morton's disease. Doença de Morton. Metatarsalgia.

mortuary. Necrotério.

morula. Mórula. Período de segmentação do óvulo fecundado, que adquire um aspecto de amora; antecede a blástula.

morulation. Morulação.

moruloid. Morulóide.

Morus. Gênero de plantas urticáceas.

Morvan's chorea. Coréia de Morvan. Contrações fibrilares dos músculos das panturrilhas e região posterior da coxa que, às vezes, se estendem ao tronco, porém nunca chegam ao pescoço ou à face. // **- disease.** Doença de Morvan. Variedades de siringomielia com produção de panarícios análgicos.

moschatine. Moscatina. Alcalóide da *Achillea moschata.*

Moschcowitz's operation. Operação de Moschcowitz. Operação da hérnia crural por via inguinal.

Moschcowitz's test. Reação de Moschcowitz para a arteriosclerose, fazendo diminuir a corren-

te sangüínea do membro por meio de faixa de Esmarch.

Mosher's cells. Células de Mosher: extensões do seio etmoidal junto à eminência ou bula etmoidal.

Mosetig-Moorhof bone wax. Cera de osso de Mostig-Moorhof, para preencher cavidades ósseas estéreis.

Mosler's diabetes. Diabetes com Mosler. Inositúria com poliúria.

mosquito. Mosquito.

moss. Musgo. Nome de muitas plantas criptógamas da ordem das Muscíneas.

Moss's blood grouping. Grupo sangüíneo de Moss. Sistema sangüíneo típico em que o soro de pessoas do grupo I não aglutina as células de outras pessoas; o soro do grupo II aglutina células do grupo I e III. O soro do grupo III aglutina células dos grupos I e II. O soro do grupo IV aglutina as células dos demais grupos.

Moszkowicz's test. Prova de Moszkowicz. Prova para arteriosclerose que consiste em produzir isquemia nos membros inferiores por meio da faixa de Esmarch, que se retira ao cabo de 5 minutos; no estado normal, a cor própria reaparece em poucos segundos, na arteriosclerose o reaparecimento é muito mais lento.

mossy. Musgoso.

Motais's operation. Operação de Motais. Transplante da porção média do tendão do reto superior do olho à pálpebra superior em caso de ptose desta.

motarium. Motorium. Centro motor, especialmente o centro comum das ações motoras.

moth. Traça, mariposa, inseto noturno da família dos lepidópteros. // **- patches.** Cloasma.

mother. Mãe.

motile. Móvel: capaz de movimento.

motility. Motilidade: faculdade de mover-se.

motion. Evacuação dos intestinos. Movimentos.

motor. Motor. // **- aphasia.** Afasia motora. // **- area.** Área motora. // **- points.** Pontos motores.

motorial. Motor, pertencente ao movimento.

motoricity. Motricidade.

motorium. Centro motor e aparelho locomotor.

motorius. Nervo motor.

motormeter. Aparelho para registar os movimentos mecânicos do estômago.

motorpathy. Tratamento das enfermidades pela ginástica.*

---

* N. do T. — Crf. homeopatia, que é tratamento, e não doença.

Mott's law. Lei de Mott. Lei da antecipação. Os filhos de loucos perdem a razão mais precocemente que seus pais.

mouches, flies. Moscas. // **- volantes.** Moscas volantes.

mould, mold. Mofo, fungo.

mountain sickness. Mal das montanhas.

mounting. Subida, elevação.

mouth. Boca, entrada.

move. Mover-se.

movement. Movimento. // **- amoeboid.** Movimento amebóide. // **- associated.** Movimento associado.

moxa. Moxa: material combustível, cônico ou cilíndrico para ser colocado sobre a pele e queimado.

Moynihan's test. Prova de Moynihan. Meio para reconhecer a disposição em ampulheta do estômago, que consiste em dar separadamente os papéis gasógenos ou de Seidlitz. Em caso afirmativo, é possível observar a formação de dois sacos distintos.

M.P.S. Abreviatura de Member of the Pharmaceutical Society.

M.R.C.P.E. Abreviatura de Member of the Royal College of Physicians Edinburgh.

M.R.C.P.I. Abreviatura de Member of the Royal College of Physicians of Ireland.

M.R.C.S. Abreviatura de Member of the Royal College of Surgeons.

M.S. Abreviatura de Master of Surgery.

Much's bacillus. Bacilo de Much. *Mycobacterium tuberculosis.* // **- granules.** Grânulos de Much. Grânulos encontrados nos escarros tuberculosos, considerados como modificações dos bacilos tuberculosos. Tingem-se pelo método de Gram. // **- reaction.** Reação de Much. Psicorreação: inibição da ação hemolítica do veneno de cobra sobre as hemácias, observada na demência precoce e na psicose maníaco-depressiva. // **- stain.** Coloração de Much. Método de coloração dos bacilos tuberculosos em metilvioleta, álcool e fenol.

mucic acid. Ácido múcico.

mucid. Viscoso.

muciferous. Mucífero.

muciform. Muciforme, mucóide, mixóide.

mucigen. Mucígeno.

mucigenous. Mucígeno.

mucilage. Mucilagem.

mucilaginous. Mucilaginoso.

mucin. Mucina.

mucinase. Mucinase.

mucinemia. Mucinemia.

mucinoblast. Mucinoblasto. Precursor de uma célula mucosa.

mucinogen. Mucinógene.

mucinoid. Mucinóide.

mucinolytic. Mucilonítico.

mucinous. Mucinoso.

mucinuria. Mucinúria.

muciparous. Mucíparo.

mucitis. Mucite.

Muck's reaction. Reação de Muck. Na albuminúria gravídica, a aplicação de adrenalina na parte anterior do meato inferior do nariz produz uma zona de cor branco grisáceo.

mucocele. Mucocele.

mucocutaneous. Mucocutâneo.

mucocyte. Mucócito. Célula da oligodendróglia cujo citoplasma sofreu degeneração mucóide.

mucoderm. Mucoderma.

mucolysine. Mucolisina.

mucolytic. Mucolítico.

mucomembranous. Mucomembranoso.

mucoperiosteal. Mucoperiostal.

mucoperiosteum. Mucoperiósteo.

mucopolysaccharide. Mucopolissacáride.

mucoprotein. Mucoproteína.

mucopurulent. Mucopurulento.

mucopus. Mucopus.

Mucor. Gênero de mucoríneas ou zigomicetos que compreende o mofo.

mucodermal. Mucodérmico.

mucoenteritis. Enterite catarral aguda.

mucofibrous. Mucofibroso ou fibromucoso.

mucoflocculent. Mucofloculento.

mucoglobulin. Mucoglobulina.

mucoid. Mucóide.

Mucoraceae. Família da ordem dos ficomicetos.

mucorin. Mucorina. Substância albuminóide proveniente de certos cogumelos.

mucormycosis. Mucormicose.

mucosa. Mucosa.

mucosal. Pertencente à mucosa.

mucosanguineous. Mucossangüíneo.

mucosedative. Mucossedativo.

mucoserous. Mucosseroso.

mucosin. Mucosina.

mucositis. Mucosite.

mucosity, sliminess. Mucosidade.

mucous. Mucoso. // **- colitis.** Colite mucosa.

mucus. Muco.

mud. Lama, barro, lodo, limo.

Muir's tract. Fascículo de Muir. Fascículo septomarginal de Muir e Bruce.

Mulder's angle. Angulo de Mulder. Ângulo entre a linha facial de Camper e uma linha da raiz nasal à sutura occipital.

Mulder's test. Reação de Mulder para a glicose. Alcaliniza-se o líquido com carbonato de sódio, acrescentando uma solução de índigo-carmim a ser aquecida, a mistura perde a cor, porém, recupera a cor azul agitada ao ar.

Mules's operation. Operação de Mules. Evisceração do olho.

mulespinner's disease. Doença das fiandeiras.

muliebria. Órgãos genitais femininos.

muliebrity. Feminilidade.

mull. Confusão, promontório.

Müller's duct. Canal de Müller. Canal paramesonéfrico que na mulher forma as tubas uterinas e o ducto uterovaginal. No homem está atrófico, porém permanece como os apêndices testiculares e seios prostáticos. // - **eminence.** Eminência de Müller. Elevação da parede dorsal do seio urogenital devida ao Canal de Müller. // - **experiment.** Experiência de Müller. Faz-se uma inspiração profunda com a glote fechada. Como não pode entrar ar, a pressão dos pulmões baixa e os capilares pulmonares se dilatam. Causa disto pode ser a anemia cerebral. Possivelmente causa de vertigem laríngea. // - **tubercle.** Tubérculo de Müller. (v. *Müller's eminence*).

Müller's fibres. Fibras de Müller. Fibras de sustentação na neuróglia da retina. // - **muscle.** Músculo de Müller. Músculo ciliar circular e músculo palpebral superior. // - **ring.** Anel de Müller. Anel circular que volteja a união do corpo e colo uterino no último período da gravidez.

Müller's fluid. Fluido ou líquido de Müller. Líquido que contém bicromato de potássio e sulfato de sódio para endurecer preparações microscópicas.

Müller's sign. Sinal de Müller. Na insuficiência aórtica, observam-se a pulsação da úvula e o enrubescimento das amígdalas e véu palatino síncronos com a ação cardíaca.

müllerianosis. Endometriose.

multangulum. Ossos trapézio e trapezóide da segunda fileira do carpo.

multicapsular. Multicapsular.

multicellular. Multicelular.

multicuspid. Multicúspide.

multidentate. Multidenteado.

multidigitate. Multidigitado.

multiflagellate. Multiflagelado.

multifoetation. Multifetação.

multiform. Multiforme.

multigravida. Multigrávida.

multilobular. Multilobular.

multilocular. Multilocular.

multinuclear, multinocleated. Multinucleado.

multipara. Multípara.

multiparity. Multiparidade.

multiparous. Multípara.

multiple. Múltiplo. // - **myeloma.** Mieloma múltiplo. // - **neuritis.** Neurite múltipla. // - **sclerosis.** Esclerose múltipla.

multipolar. Multipolar. // - **nervecells.** Células nervosas multipolares.

multi-. Elemento léxico de origem latina que significa muitos (*multus*).

multitude, crowd. Multidão.

multivalent. Multivalente, polivalente.

mum. Silencioso, calado. // Disfarçar-se.

Mummery's fibres. Fibras de Mummery. Estruturas fibrilares no desenvolvimento da dentina.

mummification. Mumificação.

mummy. Múmia.

mumps. Parotidite.

munificence. Munificência.

Munzer's bundle or tract. Fascículo de Munzer. Fascículo fibroso do corpo geniculado interno à formação reticular da porção lateral da ponte; fascículo tetopontino.

mural. Mural. // - **fibroid.** Mural fibróide. // - **pregnancy.** Gravidez mural.

murder. Assassino.

murmur. Murmúrio. // - **cardiac.** Murmúrio cardíaco. // - **cardiopulmonary or cardiorespiratory.** Murmúrio respiratório ou vesicular. Sopro.

Murphy's button. Botão de Murphy. Dispositivo para anastomosar as extremidades de uma alça intestinal dividida. Formado por duas lâminas de metal semelhantes a botões, cada uma com uma parte oca, uma menor que a outra, ajustando-se mutuamente. Cada extremo do intestino se sutura ao colo de cada botão. // - **treatment.** Tratamento de Murphy. Pneumotórax artificial com o nitrogênio. Enteróclise gota a gota com solução salina fisiológica na peritonite, combinada com a posição de Fowler.

murrain. Morrinha.

muscae. Mosca. Gênero de muscídeos a que pertence a mosca comum. // - **hispaniolae.** Cantáridas. // - **volitantes.** Moscas volantes.

muscarine. Muscarina.

muscle. Músculo. // - **abductor digiti minimi.** Músculo abdutor do deto mínimo. // - **abductor hallucis.** Músculo abdutor do hálux. // - **abductor ossis metatarsi digiti quinti pedis.**

Músculo abdutor do quinto podartículo. // - **abductor pollicis brevis.** Músculo abdutor curto do polegar. // - **abdutor pollicis longus.** Músculo abdutor longo do polegar. // - **accelerator urinae.** Músculo bulbocavernoso. // - **accessorius ad accessorium.** Músculo quadrado plantar. // - **adductor brevis.** Músculo adutor curto. // - **adductor hallucis.** Músculo adutor do hálux. // - **adductor longus.** Músculo adutor longo. // - **adductor magnus.** Músculo grande adutor da coxa, terceiro adutor. // - **adductor pollicis.** Músculo adutor do polegar. // - **anconeus.** Músculo ancôneo. // - **antitragicus.** Músculo antítrago. // **articularis genu.** Músculo subcrural ou tensor sinovial do joelho. // - **aryepiglotticus.** Músculo aritenoepiglótico. // - **arytenoideus.** Músculo aritenoídeo. // - **arytenoideus obliquus.** Músculo aritenoídeo. // - **arytenoideus transversus.** Músculo aritenoídeo transverso (feixe transversal do aritenoídeo). // - **attolens aurem.** Músculo auricular superior. // - **attrahens aurem.** Músculo auricular anterior. // - **auricular.** Músculo auricular. // - **auricularis anterior.** Músculo auricular anterior. // - **auricularis superior.** Músculo auricular superior. // - **azygos uvulae.** Músculo ázigo da úvula. // - **biceps brachii.** Músculo bíceps braquial. // - **biceps femoris.** Músculo bíceps crural. // - **biventer cervicis.** Músculo cervical transverso ou grande complexo. // - **brachialis.** Músculo braquial. // - **brachioradialis.** Músculo braquiorradial. // - **buccinator.** Músculo bucinador. // - **bulbospongiosus.** Músculo ejaculador do semen. // - **cervicalis ascendens.** Músculo cervical ascendente. // - **chondroglossus.** Músculo condroglosso. // - **ciliary.** Músculo ciliar. // - **circumflexus palati.** Músculo circunflexo do palato. // - **coccygeus.** Músculo coccígeo. // - **complexus.** Músculo complexo. // - **compressor glandulae Cowperi.** Músculo compressor da glândula de Cowper. // - **compressor naris.** Músculo compressor de nariz (parte transversa). // - **compressor sacculi laryngis.** Músculo ventricular*. // - **compressor urethrae.** Músculo compressor da uretra. // - **compressor venae dorsalis penis.** Músculo elevador do pênis. // - **compressor radicis penis.** Músculo constrictor da raiz do pênis. // - **coracobrachialis.** Músculo coracobraquial. // - **corrugator cutis ani.** Músculo subcutâneo do esfíncter

externo (de Ellis). // - **corrugator supercilli.** Músculo corrugador do supercílio. // - **costalis.** Músculo costal. // - **costocervicalis.** Músculo costocervical. // - **cremaster.** Músculo cremaster. // - **crico-arytenoideus lateralis, posterior.** Músculo cricoaritenoídeo lateral e posterior. // - **cricothyroideus.** Músculo cricotireoídeo. // - **crureus.** Músculo crural. // - **cucullaris.** Músculo trapézio. // - **dartos.** Túnica dartos. // - **deep transverse perineal.** Músculo transverso profundo do períneo. // - **deltoid.** Músculo deltóide. // - **depressor alae nasi.** Músculo depressor da asa nasal. // - **depressor anguli oris.** Músculo depressor do ângulo da orelha. // - **depressor labii inferioris.** Músculo depressor do lábio inferior. // - **depressor septi.** Músculo depressor do septo. // - **detrusor urinae.** Músculo expulsor da urina da parede vesical. // - **digastric.** Músculo digástrico. // - **dilator naris anterior.** Músculo dilatador da abertura nasal. // - **dilator naris posterior.** Músculo dilatador posterior do nariz. // - **dilatador pupillae.** Músculo dilatador da pupila. // - **dorsal interosseus.** Músculo interósseo dorsal do pé e da mão. // - **ejaculator seminis.** Músculo bulbocavernoso. // - **Ellis's.** Ligamento de Ellis. // - **erector clitoridis.** Músculo isquiocavernoso. // - **erector penis.** Músculo isquiocavernoso. // **erector spinae.** Músculo sacrospinal. // - **extensor carpi radialis longus.** Músculo extensor radial largo do carpo, primeiro radial externo. // - **extensor carpi-ulnaris.** Músculo cubital posterior. // - **extensor digitorum brevis.** Músculo extensor curto dos dedos do pé. // - **extensor digitorum cummunis.** Músculo extensor comum dos dedos da mão. // - **extensor digitorum longus.** Músculo extensor comum dos dedos do pé. // - **extensor hallucis brevis, longus.** Músculo extensor curto e próprio do hálux. // - **extensor indicis.** Músculo extensor próprio do indicador. // - **extensor pollicis brevis, longus.** Músculo extensor curto e longo do polegar. // - **external intercostal.** Músculo intercostal externo. // - **external oblique abdominal.** Músculo oblíquo externo abdominal (grande oblíquo). // - **flexor accessorius.** Músculo flexor acessório. // - **flexor carpi radialis.** Músculo flexor radial do carpo. // - **flexor carpi ulnaris.** Músculo flexor ulnar do carpo. // - **flexor digiti minimi brevis.** Músculo flexor curto do dedo mínimo. // - **flexor digitorum brevis.** Músculo flexor curto plantar. // - **flexor digitorum sublimis.** Músculo flexor comum super-

---

* N. do T. — Só vem assim denominado no B.N.A.

ficial dos dedos. // - **flexor hallucis brevis.** Músculo flexor curto do hálux. // - **flexor hallucis longus.** Músculo flexor longo do hálux. // - **flexor indicis brevis.** Músculo flexor curto do indicador. // - **flexor pollicis brevis.** Músculo flexor curto do polegar. // - **flexor pollicis longus.** Músculo flexor longo do polegar. // - **flexor profundus digitorum.** Músculo flexor comum profundo dos dedos. // - **gemellus inferior.** Músculo gêmeo inferior. // - **gemellus superior.** Músculo gêmeo superior. // - **gastrocnemius.** Músculo gastrocnêmio. // - **genioglossus.** Músculo genioglosso. // - **geniohyoid.** Músculo geniioídeo. // - **gluteus maximus, medius, minimus.** Músculo glúteo maior, médio e menor. // - **gracilis.** Músculo reto medial. // - **hellicis major, minor.** Grande e pequeno músculos da hélice. // - **Henle's.** Músculo de Henle. // - **Horner's.** Músculo de Horner. // - **hyoglossus.** Músculo hioglosso. // - **iliacus.** Músculo ilíaco. // - **iliacus minor.** Músculo ilíaco menor. // - **iliocapsularis.** Músculo iliocapsular. // - **iliococcygeus.** Músculo iliococcígeo. // - **iliocostalis.** Músculo iliocostal. // - **iliopsoas.** Músculo iliopsoas. // - **inferior constrictor.** Músculo infra-espinhoso. // - **intercostales intimi.** Músculos intercostais internos. // - **internal oblique abdominal.** Músculo oblíquo interno abdominal. // - **interosseus.** Músculo interósseo da mão e do pé. // - **interspinales.** Músculo interespinosos. // - **intertransversales.** Músculos intertransversais. // - **intracostalis.** Músculos intercostais. // - **ischiobulbosus (Cuvier).** Músculo bulbo-esponjoso. // - **ischiocavernosus.** Músculo isquiocavernoso. // - **ischiococygeus.** Músculo isquiococcígeo. // - **laryngeal.** Músculo laríngeo. // - **lateral pterygoid.** Músculo pterigoídeo lateral. // - **latissimus dorsi.** Músculo dorsal maior, músculo grande dorsal. // - **laxator tympani.** Músculo relaxador do tímpano. // - **levator anguli oris.** Músculo elevador do canto da boca ou músculo canino. // - **levator ani.** Músculo elevador do ânus. // - **levator glandulae thyroidae.** Músculo elevador da glândula tireóide. // - **levator labii superioris.** Músculo elevador próprio do lábio superior. // - **levator labii superioris alaeque nasi.** Músculo elevador comum da asa nasal e lábio superior. // - **levator menti.** Músculo elevador do lábio inferior. // - **levator palati.** Músculo elevador do palato. // - **levator palpebrae superioris.** Músculo elevador da pálpebra. // - **levator penis.** Músculo elevador do pênis. // - **le-**

vator prostatae. Músculo elevador da próstata. // - **levator scapulae.** Músculo elevador da escápula. // - **levatores costarum.** Músculos elevadores das costelas. // - **longitudinalis linguae inferior, superior.** Músculo lingual inferior e superior. // - **longus capitis, cervicis, colli.** Músculo longo da cabeça e do pescoço. // - **lumbrical.** Músculo lumbrical da mão e do pé. // - **masseter.** Músculo masseter. // - **medial pterygoid.** Músculo pterigoídeo medial. // - **mentalis.** Músculo mental. // - **middle constrictor of the pharynx.** Músculo constrictor médio da faringe. // - **multifidus.** Músculo multífido da raque. // - **mylohyoid.** Músculo miloioídeo. // - **obliqui of eyeball.** Músculos oblíquos do olho. // - **obliquos abdominis externus.** Músculo oblíquo externo (maior) do abdome. // - **obliquus abdominis internus.** Músculo oblíquo interno do abdome. // - **obliquus capitis inferior.** Músculo oblíquo inferior da cabeça (maior). // - **obliquus capitis superior.** Músculo oblíquo superior da cabeça (menor) // - **obliquus inferior.** Músculo oblíquo inferior do olho. // - **obliquus superior.** Músculo oblíquo superior do olho. // - **obturator externus.** Músculo obturatório (ou obturador) externo. // - **obturator internus.** Músculo obturatório (ou obturador) interno. // - **occipito-frontalis.** Músculo occipitofrontal. // - **of Bell.** Músculo de Bell. // - **of Treitz.** Músculo de Treitz. // - **of uterus.** Músculo do útero. // - **omohyoid.** Músculo omoioídeo. // - **opponens digiti minimi.** Músculo oponente do dedo mínimo. // - **opponens pollicis.** Músculo oponente do polegar. // - **orbicularis oculi, oris.** Músculo orbicular do olho, das pálpebras e da boca ou dos lábios. // - **palatoglossus.** Músculo palatoglosso. // - **palatopharyngeus.** Músculo palatofaríngeo. // - **palmar interosseous.** Músculo interósseo palmar. // - **palmaris brevis.** Músculo palmar cutâneo. // - **palmaris longus.** Músculo palmar maior. // - **papillary.** Músculo papilar. // - **pectineus.** Músculo pectíneo. // - **pectoralis major and minor.** Músculo peitoral maior e menor. // - **peripenic.** Túnica dartos. // - **peroneus brevis, longus, and tertius.** Músculo peronial lateral, curto, longo e anterior. // - **plantar interosseus.** Músculo interósseo plantar. // - **plantaris.** Músculo plantar delgado. // - **platysma.** Músculo platisma. // - **popliteus.** Músculo poplíteo. // - **prevertebral.** Músculo pré-vertebral. // - **procerus.** Músculo prócero. // - **recto-urethralis.** Músculo retro-uretral. // - **recto-**

273

vesical. Músculo retovesical. // **- rectus abdominis.** Músculo reto-abdominal. // **- rectus capitis anticus major and minor.** Músculo reto anterior maior e menor da cabeça. // **- rectus capitis lateralis.** Músculo reto lateral da cabeça. // **- rectus capitis posterior major and minor.** Músculo reto posterior maior e menor da cabeça. // **- rectus femoris.** Músculo reto anterior. // **- retrahens aurem.** Músculo auricular posterior. // **- rhomboideus major and minor.** Músculo rombóide maior e menor. // **- risorius.** Músculo risório. // **- rotatores.** Músculos rotatores espirais, do dorso, ou sub-multífidos. // **- sacrospinalis.** Músculo sacrospinal. // **- sartorius.** Músculo sartório. // **- scalenus anterior, medius, pleuralis, posterior.** Músculo escaleno anterior, médio, pleural e posterior. // **- semimembranosus.** Músculo semimembranoso. // **- semispinalis capitis.** Músculo semi-espinhoso da cabeça. // **- semitendinosus.** Músculo semitendinoso. // **- serratus major.** Músculo dentado maior. // **- serratus posticus inferior, superior.** Músculo dentado posterior inferior e posterior superior. // **- soleus.** Músculo solear. // **- sphincter ani externus.** Músculo esfíncter externo do ânus. // **- sphincter ani internus.** Músculo esfincter interno do ânus. // **- sphincter ani tertius.** Músculo esfíncter de Nelaton. // **- sphincter pupillae.** Músculo esfíncter da pupila ou íris. // **- sphincter urethrae.** Músculo esfíncter da uretra. // **- sphincter vaginae.** Músculo esfíncter da vagina. // **- sphincter vesicae.** Músculo esfíncter da bexiga. // **- spinalis.** Músculo espinal. // **- splenius.** Músculo esplênico. // **- stapedius.** Músculo estapédico. // **- sternalis.** Músculo esternal. // **- sternocostalis.** Músculo esternocostal. // **- sternohyoid.** Músculo estenoioídeo. // **- sternomastoid.** Músculo esternomastoídeo. // **- sternothyroid.** Músculo esternotireoídeo. // **- styloglossus.** Músculo estiloglosso. // **- stylohyoid.** Músculo estilioioídeo. // **- stylopharyngeus.** Músculo estilofaríngeo. // **- subanoconeus.** Músculo subancôneo. // **- subclavius.** Músculo subclávio. // **- subcostal.** Músculo subcostal. // **- subcrureus.** Músculo subcrural. // **- subscapularis.** Músculo subescapular. // **- subscapularis minor of Gruber.** Músculo subescapular menor. // **- superficial transverse perineal.** Músculo perineal transverso superficial. // **- superior constrictor.** Músculo constritor superior da faringe. // **- supinator.** Músculo supinador. // **- supraspinatus.** Músculo supra-espinhoso. // **- suspensory**

of duodenum. Músculo suspensor do duodeno. // **- temporalis.** Músculo temporal. // **- tensor fasciae latae.** Músculo tensor da fascia lata. // **- tensor palati.** Músculo tensor do palato. // **- tensor tarsi or muscle of Horner.** Músculo tensor do tarso (parte lacrimal do músculo do olho). // **- tensor tympani.** Músculo tensor do tímpano. // **- teres major, minimus and minor.** Músculo redondo maior, mínimo e menor. // **- thyro-arytenoideus.** Músculo tíreo-aritenoídeo. // **- thyro-epiglotticus.** Músculo tíreo-epiglótico. // **- thyrohyoid.** Músculo tireoioídeo. // **- tibialis anterior, posterior.** Músculo tibial anterior e posterior. // **- tragicus.** Músculo do trago. // **- transversus abdominis.** Músculo transverso do abdome. // **- transversus auriculae.** Músculo auricular transverso. // **- transversus cervicis.** Músculo transverso do pescoço. // **- transverso linguae.** Músculo transverso da língua. // **- transversus nuchae.** Músculo transverso da nuca. // **- transversus pedis.** Músculo transverso do pé. // **- trapezius.** Músculo trapézio. // **- triangularis menti.** Músculo depressor do ângulo da boca. // **- triangularis sterni.** Músculo triangular do esterno. // **- triceps.** Músculo tríceps. // **- vastus intermedius, lateralis, medialis.** Músculo crural, vasto lateral e medial. // **- verticalis linguae.** Músculo vertical da língua. // **- vocalis.** Músculo vocal. // **- Wood's.** Músculo de Wood. // **- zygomaticus major and minor.** Músculo zigomático maior e menor.

muscular. Muscular. // **- distrophy.** Distrofia muscular. // **- rheumatism.** Reumatismo muscular. // **- sense.** Cinestesia.

muscularis mucosae. Muscularis mucosae ou muscular da mucosa.

musculature. Musculatura.

musculocutaneous. Musculocutâneo.

musculomembranous. Musculomembranoso.

musculospiral. Musculospiral.

musculus. Músculo.

musk. Almíscar.

Musset's sign. Sinal de Musset. Pequenas sacudidas rítmicas da cabeça síncronas com os batimentos cardíacos nos casos de aneurisma ou insuficiência aórtica.

mussitation. Mussitação. Movimento dos lábios sem produção de som.

mussy. (v. Guéneau de Mussy).

must. Mosto.

mustard gas. Gás mostarda.

musty. Bolorento, cediço.

mutacism. Mutacismo.

mutarotation. Mutarrotação.

mutase. Mútase.

mutation. Mutação.

mute. Mudo, silencioso, calado.

mutilation. Mutilação.

mutism, dumbness. Mustimo.

mutualism. Mutualismo.

My. Abreviatura de *myopia*.

Mya's disease. Doença de Mya (v. *Hirschsprung's disease*).

myalgia. Mialgia.

myamoeba. Miameba.

myanesin. Mianesina.

myasthenia. Miastenia.

myasthenic reaction. Reação miastênica.

myatonia. Miatonia. // **- congenita.** Miatonia congênita.

myatrophy. Miatrofia.

mycelium. Micélio.

mycetes. Fungo.

mycetism. Micetismo.

mycetoma. Micetoma. Sin.: doença de Ballingal, pé de Madura.

Mycobacteriaceae. Micobacteriácea.

mycobacterium. Micobactéria.

mycodermatitis. Micodermatite.

mycohaemia. Micetemia.

mycology. Micologia.

mycoprotein. Micoproteína.

mycosis. Micose.

mycostasis. Micostase.

mycotic. Micótico.

mycotoxin. Micotoxina.

mycteric. Mictérico.

mydriasis. Midríase.

mydriatic. Midriático.

myectomy. Miectomia.

myel. Elemento léxico de origem grega, relacionada com a medula espinal ou óssea.

myelencephalitis. Mielencefalite.

myelencephalon. Mielencéfalo.

myelin. Mielina.

myelination. Mielinização.

myelinic. Mielínico.

myelinization. Mielinização.

myelinoclasis. Mielonoclasia.

myelinogenesis. Mielinogênese.

myelinogenetic. Mielogênico ou mielinogenético.

myelinogeny. Mielinogenia.

myelinolysin. Mielinolisina.

myelinoma. Mielinoma.

myelinopathy. Mielinopatia.

myelinosis. Mielinose.

myelitic. Mielítico.

myelitis. Mielite. // **- acute ascending.** Mielite aguda ascendente. // **- disseminated.** Mielite disseminada. // **- transverse.** Mielite transversa. Sin.: Paralisia infantil.

myeloarchitectonics. Mieloarquitetônica.

myeloblast. Mieloblasto.

myeloblastemia. Mieloblastemia.

myeloblastic. Mieloblástico.

myeloblastoma. Mieloblastoma.

myeloblastomatosis. Mieloblastomatose.

myeloblastosis. Mieloblastose.

myelobrachium. Mielobráquio.

myelocele, myelocoele. Mielocele.

myeloclast. Mieloclasto.

myelocone. Mielocone.

myelocyst. Mielocisto.

myelocystic. Mielocístico.

myelocystocele. Mielocistocele.

myelocystomeningocele. Mielocistomeningocele.

myelocyte. Mielócito.

myelocythemia. Mielocitemia.

myelocytic. Mielocítico.

myelocytoma. Mielocitoma.

myelocytomatosis. Mielocitomatose.

myelocytosis. Mielocitose.

myelodiastasis. Mielodiástase.

myelodysplasia. Mielodisplasia.

myeloencephalic. Mielencefálico.

myeloencephalitis. Mielencefalite.

myelofibrosis. Mielofibrose.

myelofugal. Mielófugo.

myeloganglitis. Mieloganglionite.

myelogenesis. Mielogênese.

myelogenic, myelogenous. Mielogênico.

myelogeny. Mielogenia.

myelography. Mielografia.

myeloid. Mielóide.

myeloidin. Mieloidina.

myeloidosis. Mieloidose.

myelokentric. Mielocêntrico.

myelolymphangioma. Mielolinfangioma, elefantíase.

myelolymphocyte. Mielolinfócito.

myelolysis. Mielólise.

myelolytic. Mielolítico.

myeloma. Mieloma. // **- multiple.** Mieloma múltiplo. Sin.: Doença de Kahler ou de Huppert. Albumosúria mielopática ou de Bence-Jones, linfadenia óssea, mielomastose.

myelomalacia. Mielomalacia.

myelomatoid. Mielomatóide.

myelomatosis. Mielomatose.

myelomenia. Mielomenia. Hemorragia menstrual na medula espinal.

myelomeningitis. Mielomeningite.

myelomeningocele. Mielomeningocele.

myelomere. Mielômero.

myelon. Medula espinal.

myeloneuritis. Mieloneurite.

myelonic. Mielônico.

myeloparalysis. Mieloparalisia.

myelopathic. Mielopático. // - **muscular atrophy.** Atrofia muscular mielopática.

myelopathy. Mielopatia.

myelopetal. Mielópeto. Em direção da medula espinal.

myelophage. Mielófago.

myelophthisis. Mielotísica, tabes dorsal, anemia aplástica.

myeloplast. Mieloplasto.

myeloplax. Mieloplaxo.

myeloplaxoma. Mieloplaxoma.

myeloplegia. Mieloplegia.

myelopoiesis. Mielopoese.

myelopore. Mielóporo.

myeloradiculitis. Mielorradiculite.

myeloradiculodysplasia. Mielorradiculodisplasia.

myeloradiculopathy. Mielorradiculopatia.

myelorrhagia. Mielorragia.

myelorrhaphy. Mielorrafia.

myelosarcoma. Mielossarcoma.

myelosarcomatosis. Mielossarcomatose.

myelosclerosis. Mielosclerose.

myelosis. Mielose.

myelospasm. Mielospasmo.

myelospongium. Mielospôngio.

myelotome. Mielótomo.

myelotomy. Mielotomia.

myelotoxic. Mielotóxico.

myelotoxicity. Mielotoxicidade.

myenteric. Mientérico.

myenteron. Camada muscular do intestino.

myesthesia. Miestesia.

myiasis. Miíase. // - **linearis.** Miíase linear, larva migrans.

myiocephalon. Miiocéfalo.

myiodesopsia. Miiodesopsia.

mykol. Álcool que se encontra nos corpos de certas bactérias.

mylohyoid. Miloioídeo.

myoblast. Mioblasto.

myoblastoma. Mioblastoma.

myocarditis. Miocardite

myocardium. Miocárdio.

myocardiogram. Miocardiograma.

myocardiograph. Miocardiógrafo.

myocardiorrhaphy. Miocardiorrafia.

myocardosis. Miocardose.

myocele. Miocele.

myocelialgia. Miocelialgia ou miocelalgia.

myocelitis. Miocelite.

myocellulitis. Miocelulite.

myoceptor. Mioceptor. Parte do músculo que recebe o estímulo nervoso.

myocerosis. Miocerose.

myochorditis. Miocordite. Inflamação dos músculos das cordas vocais.

myochrome. Miocromo. Pigmento muscular.

myoclonic epilepsy. Epilepsia mioclônica.

myoclonus. Mioclono.

myocolpitis. Miocolpite.

myocomma. Miocoma, esclerótomo.

myocrismus. Miocrismo.

myocytoma. Miocitoma.

myodegeneration. Miodegeneração.

myodemia. Miodemia.

myodesopsia. Miiodopsia. Mosca volante.

myodiastasis. Miodiástase.

myodynamic. Miodinâmico.

myodynamics. Miodinâmica.

myodynamometer. Miodinamômetro.

myodynia. Miodinia.

myodystonia. Miodistonia.

myodystrophia. Miodistrofia.

myoelastic. Mielástico.

myofibroma. Miofibroma.

myofibrosis. Miofibrose.

myofibrositis. Miofibrosite.

myogelosis. Miogelose. Gelificação dos colóides da fibra muscular.

myogen. Miógeno.

myogenetic, myogenic, myogenous. Miogênico.

myoglia. Mióglia.

myoglobulin. Mioglobulina.

myoglobulinuria. Mioglobulinúria.

myognathus. Miógnato. Monstro fetal com uma mandíbula supranumerária inserta por músculos na mandíbula normal.

myogram. Miograma.

myograph. Miógrafo.

myographic. Miográfico.

myography. Miografia.

myohematin. Mioematina.

myohemoglobin. Mioemoglobina.

myohemoglobinuria. Mioemoglobinúria.

myoid. Mióide.

myoidem. Mioedema.

myoischemia. Mioisquemia

myokerosis. Miocerose.

myokinase. Miocínase.

myokinesis. Miocinese. Deslocamento de fibras musculares.

myokymia. Miocimia. Tremor fascicular dos músculos.

myolemma. Miolema, sarcolema.

myolipoma. Miolipoma.

myology. Miologia.

myolysis. Miólise.

myoma. Mioma.

myomalacia. Miomalácia.

myomatous. Miomatoso.

myomectomy. Miomectomia.

myomere. Miômero.

myometritis. Miometrite.

myon. Míon. Unidade muscular.

myoneural. Mioneural. // **- junction.** Terminação nervosa em um músculo.

myoneuroma. Mioneuroma.

myoneurosis. Mioneurose.

myonymy. Mionímia. Nomenclatura dos músculos.

myoparalysis. Paralisia muscular, mioparalisia.

myopathic. Miopático.

myopathy, myopathia. Miopatia.

myope. Míope.

myopericarditis. Miopericardite.

myoperitonitis. Mioperitonite.

myophage. Miófago.

myophagism. Miofagismo.

myophone. Miofone.

myoplasm. Mioplasma.

myoplastic. Mioplástico.

myoplasty. Mioplastia.

myoprotein. Mioproteína.

myorrhaphy. Miorrafia.

myorrhexis. Miorrexia.

myosalgia. Miosalgia.

myosalpingitis. Miossalpingite.

myosalpinx. Miossalpinge.

myosarcoma. Miossarcoma.

myosclerosis. Miosclerose.

myoscope. Mioscópio.

myoseism. Miossismia, miossismo.

myoseptum. Miossepto, esclerótomo.

myoserum. Suco muscular.

myosin. Miosina.

myosinogen. Miosinogênio.

myosinuria. Miosinúria.

myosis. Miose.

myositic. Miosítico.

myositis. Miosite. // **- ossificans.** Miosite ossificante.

myospasm. Miospasmo.

myosteoma. Miosteoma.

myostroma. Estroma muscular.

myosuria. Miosúria.

myosuture. Miossutura.

myotactic. Miotático.

myotenotomy. Miotenotomia.

myotherapy. Mioterapia.

myothermic. Miotérmico.

myotic. Miótico.

myotome. Miótomo.

myotomy. Miotomia.

myotonia, myotonus. Miotonia. // **- acquisita.** Miotonia adquirida. // **- atrophica.** Miotonia atrófica. // **- congenita.** Miotonia congênita.

myotonic pupillary reaction. Reação miotônica da pupila.

myotony. Miotonia.

myozymase. Miozímase.

myringa. Miringe. Membrana timpânica.

myringitis. Miringite.

myringodectomy. Miringectomia parcial ou total.

myringomycosis. Miringomicose.

myringoplasty. Miringoplastia.

myringoscope. Miringoscópio, otoscópio.

myringotome. Miringótomo.

myringotomy. Miringotomia, miringocentese.

myrinx. Miringe. Membrana do tímpano.

myrrh. Mirra.

myrtiform. Mirtiforme.

mysophobia. Misofobia, misomisia.

mytilotoxin. Mitilotoxina.

myxadenitis labialis. Mixadenite labial. Doença de Baelz.

myxobacteriales. Ordem da classe dos esquizomicetos.

myxochondroma. Mixocondroma.

myxoid. Mixóide.

myxolipoma. Mixolipoma.

myxoma. Mixoma.

myxomatosis. Mixomatose.

myxomatous. Mixomatoso.

Myxomycetes. Mixomicetos.

myxorrhoea. Mixorréia.

myxosarcoma. Mixossarcoma.

FRASES E EXPRESSÕES

(to) make out. Distinguir, decifrar, entender.

may be fortunate. Pode ser uma sorte.

(to) meet with. Encontrar-se com, reunir-se com.

N

N. Símbolo químico do nitrogênio.

N. Símbolo químico de "normal".

Na. Símbolo químico de *natrium*: sódio.

Na$_2$B$_4$O$_7$ + 10 H$_2$O. Bórax.

Nabothian cyst or ovules. Cistos ou ovos de Naboth. Cistos pequenos formados pelos folículos de Naboth. // - **follicles.** Folículos de Naboth. Folículos mucosos do colo uterino que afetam a região vizinha ao orifício. // - **menorrhagia.** Menorragia de Naboth. Descarga mucosa do útero grávido como resultado de acúmulo de secreção excessiva das glândulas uterinas.

NaBr, sodium bromide. Brometo de sódio.

NaCl, sodium chloride. Cloreto de sódio.

NaClO, sodium hypochlorite. Hipoclorito de sódio.

NaClO$_3$, sodium chlorate. Clorato de sódio.

Na$_2$CO$_3$, sodium carbonate. Carbonato de sódio.

nacre. Nácar.

naevocarcinoma. Nevocarcinoma.

naevoid. Nevóide.

naevous. Com múltiplos nevos.

naevus. Nevo. // - **carvernosus.** Nevo cavernoso. // - **pigmentosus.** Nevo pigmentoso. // - **vascularis.** Nevo sangüíneo ou vascular. // - **vinosus.** Nevo vinhoso.

nagana. Nagana. Tripanossomíase dos cavalos e gado da América Central.

Nagel's test. Prova de Nagel. Procedimento para examinar a visão das cores por meio de tabelas com cores impressas em círculos concêntricos.

NaHCO$_3$, sodium bicarbonate. Bicarbonato de sódio.

nail. Unha. // - **bed.** Leito ungueal. // - **ingrowing.** Unha encravada coberta por tecido. // - **matrix.** Matriz da unha. // - **spoon.** Unha em colher.

nanism. Nanismo, nanossomia.

nanocephalous. Nanocéfalo, microcéfalo.

nanocephaly. Nanocefalia.

nanocormia. Nanocormia. Nanismo do tronco.

nanoid. Nanóide.

nanomelia. Nanomelia. Hipogenesia de um membro.

nanophthalmus. Nanoftalmo.

nanosomia, dwarfism. Nanossomia, nanismo. // - **pituitary.** Nanossomia pituitária.

nanous, dwarfism. Anão, pequeno, atrofiado.

nanus, dwarf. Anão.

NaOH, sodium hydroxide. Hidróxido de sódio.

nape, nucha. Nuca.

naphtha. Nafta. // - **wood.** Gasolina de madeira.

naphthol. Naftol.

naphtholism. Naftolismo.

Napier's aldehyde test. Provas de aldeído de Napier. A 1 ml de soro sangüíneo junta-se uma gota de solução de formaldeído a 40 por 100. Se o soro se torna branco e opalescente é prova da existência de "Kala-azar".

napkin erythema. Eritema das fraldas.

Narath's operation. Operação de Narath. Fixação do epíplon ao tecido subcutâneo da parede abdominal para estabelecer circulação colateral em casos de obstrução da veia porta.

narceine. Narceína. Alcalóide do ópio.

narcism, narcissism. Narcisismo.

narcoanalysis. Narco-análise.

narcolepsy. Narcolepsia.

narcoleptic. Narcoléptico.

narcosis. Narcose.

narcotic. Narcótico.

narcotism. Narcotismo.

narcotize. Narcotizar.

nares, nostrils. Narinas, fossas nasais.

narrow. Estreito.

nasal. Nasal.

nascent. Nascente.

nasiform. Nasiforme, rinóide.

nasion. Násio. Ponto médio na sutura frontona-sal.

Nasmyth's membrane or cuticle. Membrana ou cutícula de Nasmyth. Delicada cutícula que cobre a superfície livre do dente jovem.

nasociliary. Nasociliar.

nasolabial. Nasolabial.

nasolacrimal. Nasolacrimal.

nasooccipital. Naso-occipital.

nasopalatine. Nasopalatino.

nasopharyngeal. Nasofaríngeo.

nasopharyngitis. Nasofaringite, rinofaringite.

nasopharynx. Nasofaringe.

nasoscope. Nasoscópio, rinoscópio.

nasus, nose. Nariz.

natal. Natal. Relativo ao nascimento. Relativo às nádegas.

natality. Natalidade.

nates, buttocks. Nádegas.

native, inborn. Nativo.

natrium. Sódio.

natural. Natural.

nature. Natureza.

naughty. Perverso, mau.

naupathia, seasickness. Naupatia, enjoo do mar, maresia.

nausea. Náusea.

nauseant. Nauseante.

nauseous. Nauseoso.

navel. Umbigo.

navicular, boatshaped. Navicular.

nearpoint. Ponto próximo.

nearsighted. Míope.

nearthrosis. Neartrose, pseudartrose.

nebenkern. Condriossomo. Sin.: paranúcleo.

nebula, cloudiness. Nébula.

nebulae, sprays. Nébulas.

nebulizer. Nebulizador.

Necator. Necator. Sin.: uncinária, *Ancylostoma americanum.*

neck. Pescoço, garganta.

necrobiosis. Necrobiose. // - **lipoidica diabetica.** Necrobiose lipídica diabética.

necrophagous. Necrófago.

necrophily. Necrofilia.

necrophobia. Necrofobia.

necropsy. Necropsia.

necrosis. Necrose. // - **coagulative.** Necrose de coagulação. // - **colliquative.** Necrose coliquativa. // - **liquefactive.** Necrose de liquefação. // - **fat.** Necrose de tecido adiposo.

necrospermia. Necrospermia.

necrotic. Necrótico.

necrotomy. Necrotomia.

need. Necessitar.

needle. Agulha.

needleholder. Porta-agulhas.

needling. Punção; especialmente de uma catarata.

Neef's hammer. Martelo de Neef. Usado para estabelecer e romper rapidamente um circuito galvânico.

Neftel's disease. Doença de Neftel. Atremia.

negative. Negativo.

negativism. Negativismo.

neglect. Desatender, negligenciar.

Negri bodies. Corpos de Negri. Corpos de inclusão ovais ou redondos observados no protoplasma e, às vezes, nos prolongamentos das células nervosas de animais mortos de hidrofobia; sua presença é considerada como prova concludente da raiva.

Neisser-Wechsberg's phenomenon. Fenômeno de Neisser-Wechsberg. Desvio de complemento.

Neisseria. Gênero de cocáceas.

Nélaton's catheter. Sonda de Nélaton. Cateter de borracha mole. // - **dislocation.** Luxação de Nélaton. Luxação em que o astrágalo se encontra forçado entre a tíbia e o perônio. // - **fold.** Prega de Nélaton. Prega mucosa transversal na união do terço médio com o terço inferior do reto. // - **haematocele.** Hematoma de Nélaton. Hematoma da tuba de Falópio. // - **line.** Linha de Nélaton. Linha reta da espinha ilíaca ântero-superior à tuberosidade isquiática.

nelavan. Doença do sono.

Nemathelmintes. Nematelminto.

nematocide. Nematocida.

Nematoda. Nematóides.

nematosis. Nematose.

Nembutal. Nembutal.

neoarsphenamine. Neoarsfenamina, neossalvarsan.

neoarthrosis. Neartrose.

neobiogenesis. Neobiogênese.

neoblastic. Neoblástico.

neocaine. Neocaína. Derivada de hidrocloreto de procaína.

neocerebellum. Neocerebelo. Última parte desenvolvida do cerebelo que compreende os lóbulos laterais e o núcleo dentado.

neocinetic. Neocinético.

neocortex. Neocórtex, neopálio. Porção não olfatória do córtex cerebral.

neocyte. Neócito. Forma não adulta de leucócito.

neoencephalon. Neoencéfalo.

neolalia. Neolalia. Fala caracterizada pelo uso freqüente de neologismos.

neologism. Neologismo.

neonatal. Neonatal.

neonatus. Neonato, recém-nascido.

neopallium. Neopálio, neocórtex.

neophyte. Neófito.

neoplasia. Neoplasia.

neoplasm. Neoplasma.

neoplastic. Neoplásico, neoplastia.

neoplasty. Neoplastia.

Neosalvarsan. Neossalvarsan. Sin.: 914, neodiarsenol, neoarsfenamina, "neokhar-sivan", "novarsenobillon", novorsenobenzol, neosarcol, "neosalutina", arsfenamina.

neostigmine. Neostigmina, prostigmina.

neostriatum. Neostriato.

neothalamus. Neotálamo.

nephelometer. Nefelômetro.

nephelometry. Nefelometria. Método de análise química e bacteriológica que consiste em apreciar o brilho da luz refletida pelas partículas em suspensão ou em tubo, comparando-se com uma suspensão-padrão.

nephralgia. Nefralgia, nefrodínia.

nephralgic. Nefrálgico.

nephrapostasis. Nefrapóstase. Abscesso ou inflamação supurativa do rim.

nephrasthenia. Nefrastenia. Caracteriza-se por ligeiros sintomas renais, como albiminúria e cilindrúria.

nephratonia. Nefratonia. Atonia renal.

nephrauxe. Nefrauxe. Hipertrofia renal.

nephrectasia. Nefrectasia.

nephrectasis, nephrectasy. Nefrectasia.

nephrectomy. Nefrectomia.

nephredema. Nefredema.

nephrelcosis. Nefrélcose.

nephremia. Nefremia.

nephremphraxis. Nefrenfraxia. Obstrução dos vasos renais.

nephria. Enfermidade de Bright.

nephric. Néfrico, renal.

nephridium. Nefrídio. Órgão excretório do embrião.

nephrism. Nefrismo. Caquexia devido à afecção renal.

nephritic. Nefrítico.

nephritis. Nefrite. // **- acute interstitial.** Nefrite aguda intersticial. // **- embolic focal.** Nefrite embólica focal. // **- glomerulo acute.** Glomerulonefrite aguda. // **- glomerulo-cronic.** Nefrite glomerular crônica ou·glomerulonefrite crônica.

nephroabdominal. Nefro-abdominal.

nephroangiosclerosis. Nefro-angiosclerose. Hipertensão com lesões renais de origem arterial.

nephroblastoma. Nefroblastoma, tumor de Wilms.

nephrocalcinosis. Nefrocalcinose. Precipitação de fosfato de cálcio nos túbulos renais.

nephrocapsectomy. Nefrocapsectomia. Decorticação do rim.

nephrocardiac. Nefrocardíaco.

nephrocele. Nefrocele. Protrusão herniária do rim.

nephrogenic. Nefrogênico.

nephrolith. Nefrólito. Cálculo renal.

nephrolithiasis. Nefrolitíase.

nephrolithotomy. Nefrolitotomia.

nephrologist. Nefrologista.

nephroma. Nefroma.

nephromalacia. Nefromalácia.

nephromegalia, nephromegaly. Nefromegalia.

nephromere. Nefrômero, nefrótomo.

nephron. Néfron. Unidade renal composta da cápsula de Bowman e seu glomérulo, continuado pelo tubo urinífero em sua totalidade.

nephroncus. Nefronco. Tumor renal.

nephroparalysis. Nefroparalisia.

nephropathic. Nefropático.

nephropexy. Nefropexia. Fixação de um rim ptosado.

nephrophthisis. Nefrotísica. Tuberculose renal.

nephroptosis. Nefroptose.

nephropyelitis. Nefropielite.

nephropyelolithotomy. Nefropielototomia.

nephropyeloplasty. Nefropieloplastia.

nephropyosis. Nefropiose.

nephrorrhagia. Nefrorragia.

nephrorrhaphy. Nefrorrafia. Sutura do rim.

nephrosclerosis. Nefrosclerose.

nephrosis. Nefrose.

nephrosplenopexy. Nefrosplenopexia. Fixação cirúrgica do rim e baço.

nephrostoma. Nefróstoma. Orifício infundibuliforme ciliado, em conexão com os tubos de Wolff.

nephrostomy. Nefrostomia.

nephrotic. Nefrótico.

nephrotome. Nefrótomo.

nephrotomy. Nefrotomia. // **- abdominal.** Nefrotomia abdominal. // **- lumbar.** Nefrotomia lombar.

nephrotuberculosis. Nefrotuberculose.

nephrotyphoid. Nefrotifóide, nefrotifo.

nephroureterectomy. Nefro-ureterectomia.

Nernst's theory. Teoria de Nernst. O estímulo elétrico atua sobre os tecidos, produzindo uma dissociação de íons, mudando a concentração dos sais na membrana celular.

nerve. Nervo. // **- block.** Bloqueio nervoso. // **- cell.** Célula nervosa. // **- deafness.** Surdez por lesão do nervo acústico. // **- endplate.** Terminação nervosa motora. // **- fibre.** Fibra nervosa. // **- mixed.** Nervo misto. // **- plexus.** Plexo nervoso. // **- root.** Raiz nervosa. // **- abducent.** Nervo abducente. // **- accessory.** Nervo acessório. // **- acessory obturator.** Nervo obturador interno. // **- accessory phrenic.** Nervo frênico. // **- anterior crural.** Nervo crural anterior. // **- anterior cutaneous - of the neck.** Nervo cutâneo anterior do pescoço. // **- anterior ethmoidal.** Nervo etmoidal anterior. // **- anterior interosseous.** Nervo interósseo anterior. // **- anterior tibial.** Nervo tibial anterior. // **- Arnold's.** Nervo de Arnold. // **- auditory.** Nervo auditivo. // **- auricular great.** Nervo auricular maior. // **- auricular posterior.** Nervo auricular posterior. // **- auricular - of vagus.** Nervo auricular do vago. // **- auriculotemporal.** Nervo auriculotemporal. // **- buccal.** Nervo bucal. // **- cardiac great, inferior, superior.** Nervo cardíaco maior, inferior, superior. // **- caroticotympanic.** Nervo carótico-timpânico. // **- cervical.** Nervo cervical. // **- chorda tympanic.** Corda do tímpano. // **- circumflex.** Nervo circunflexo. // **- coccygeal.** Nervo coccígeo. // **- cochlear.** Nervo coclear. // **- common peroneal.** Nervo peroneal comum. // **- cutaneous of thigh.** Nervo cutâneo crural. // **- deep temporal.** Nervo temporal profundo. // **- dental inferior, posterior superior.** Nervo dental inferior e posterior superior. // **- digastric.** Nervo digástrico. // **- digital.** Nervo digital. // **- dorsal - of penis.** Nervo dorsal do pênis. // **- dorsalis pedis.** Nervo dorsal do pé. // **- dorsolumbar.** Nervo dorsolombar. // **- external laryngeal.** Nervo laríngeo externo. // **- external petrosal.** Nervo petroso externo. // **- facial.** Nervo facial. // **- femoral.** Nervo femoral. // **- frontal.** Nervo frontal. // **- genicular.** Nervo genicular. // **- genicular obturator.** Nervo obturador geniculado. // **- genitocrural.** Nervo genitocrural. //

- genitofemoral. Nervo genitofemoral. // **- glossopharyngeal.** Nervo glossofaríngeo. // **- greater occipital.** Nervo occipital maior. // **- greater palatine.** Nervo palatino maior ou anterior. // **- greater splanchnic.** Nervo esplâncnico maior. // **- greater superficial petrosal.** Nervo petroso superficial maior. // **- hypoglossal.** Nervo hipoglosso. // **- iliohypogastric.** Nervo ilio-hipogástrico ou nervo abdominogenital maior. // **- ilioinguinal.** Nervo ílio-inguinal. // **- incisive.** Nervo incisivo. // **- inferior dental.** Nervo dental inferior. // **- inferior gluteal.** Nervo glúteo inferior. // **- inferior haemorrhoidal.** Nervo hemorroidal inferior. // **- inferior nasal.** Nervo nasal inferior. // **- infraorbital.** Nervo infra-orbital. // **- infratrochlear.** Nervo infratroclear. // **- intercostal.** Nervo intercostal. // **- intercostobrachial.** Nervo intercostobraquial. // **- internal carotic.** Nervo carotídeo interno. // **- internal laryngeal.** Nervo laríngeo interno. // **- Jacobson's.** Nervo de Jacobson. // **- lacrimal.** Nervo lacrimal. // **- laryngeal.** Nervo laríngeo interno. // **- lateral cutaneous.** Nervo cutâneo lateral. // **- lateral cutaneous - of thigh.** Nervo cutâneo lateral da perna. // **- lateral pectoral.** Nervo peitoral lateral. // **- lateral plantar.** Nervo plantar lateral. // **- lateral popliteal.** Nervo poplíteo lateral. // **- least splanchnic.** Nervo esplâncnico menor. // **- lesser occipital.** Nervo occipital menor. // **- lesser palatine.** Nervo palatino posterior. // **- lesser splanchnic.** Nervo esplâncnico menor. // **- lesser superficial petrosal.** Nervo petroso superficial menor. // **- lingual.** Nèrvo lingual. // **- long ciliary.** Nervo ciliar longo. // **- long pudendal.** Nervo pudendo maior. // **- long sphenopalatine.** Nervo esfenopalatino longo. // **- lowest splanchnic.** Nervo esplâncnico menor. // **- mandibular.** Nervo mandibular. // **- masseteric.** Nervo massetérico. // **- maxillary.** Nervo maxilar. // **- medial calcanean.** Nervo calcâneo médio. // **- medial cutaneous - of arm.** Nervo cutâneo médio do braço. // **- medial cutaneous - of forearm.** Nervo cutâneo médio do antebraço. // **- medial pectoral.** Nervo peitoral médio. // **- medial plantar.** Nervo plantar medial. // **- medial popliteal.** Nervo poplíteo medial. // **- median.** Nervo mediano. // **- meningeal.** Nervo meníngeo. // **- mental.** Nervo mental. // **- musculocutaneous.** Nervo musculocutâneo. // **- musculospiral.** Nervo muscolospiral. // **- mylohyoid.** Nervo miloioídeo. // **- nasal.** Nervo nasal. // **- nasociliary.** Nervo nasociliar. // - **nasopalatine.** Nervo nasopalatino. // - **obturator.** Nervo obturador ou obturatório. // - **obturator internus.** Nervo obturador interno. // - **oculomotor.** Nervo oculomotor. // - **oesophageal.** Nervo esofágico. // - **of Bell.** Nervo respiratório de Bell, ramo do plexo cervical ao músculo dentado. // - **of heart.** Nervo do coração. // - **of cuadratus femoris.** Nervo do quadrado femoral. // - **of Sapolini.** Nervo de Sapolini. // - **of serratus anterior.** Nervo do músculo dentado anterior. // - **of tongue.** Nervo da língua. // - **of Wrisberg.** Nervo de Wrisberg. // - **olftactory.** Nervo olfatório. // - **ophthalmic.** Nervo oftálmico. // - **optic.** Nervo óptico. // - **orbital.** Nervo orbital. // - **palatine.** Nervo palatino. // - **palmar cutaneous.** Nervo palmar cutâneo. // - **palmar.** Nervo palmar. // - **pathetic.** Nervo patético ou troclear. // - **pelvis splanchnic.** Nervo esplâncnico da pelve. // - **perineal.** Nervo perineal. // - **perforating cutaneous.** Nervo perfurante cutâneo. // - **petrosal.** Nervo petroso. // - **pharyngeal.** Nervo faríngeo. // - **phrenic.** Nervo frênico. // - **plantar.** Nervo plantar. // - **posterior auricular.** Nervo auricular posterior. // - **posterior cutaneous - of arm.** Nervo cutâneo posterior do braço. // - **posterior cutaneous - of thigh.** Nervo cutâneo posterior da perna. // - **posterior ethmoid.** Nervo etmoidal posterior. // - **posterior interosseous.** Nervo interósseo posterior. // - **posterior scapular.** Nervo escapular posterior. // - **posterior thoracic.** Nervo torácico posterior. // - **posterior tibial.** Nervo tibial posterior. // - **presacral.** Nervo pré-sacral. // - **pudendal.** Nervo pudendo. // - **pudic.** Nervo pudendo. // - **pulmonary.** Nervo pulmonar. // - **radial.** Nervo radial. // - **ramus descendens hypoglossy.** Ramo descendente do nervo hipoglosso. // - **recurrent laryngeal.** Nervo recorrente laríngeo. // - **rhomboid.** Nervo do rombóide. // - **sacral.** Nervo sacral. // - **saphenous.** Nervo safeno. // - **sciatic.** Nervo ciático. // - **scrotal.** Nervo escrotal. // - **short ciliary.** Nervo ciliar curto. // - **sixth cranial.** Sexto par craniano. // - **small sciatic.** Nervo ciático menor. // - **Soemmering's.** Nervo de Soemmering. // - **sphenopalatine.** Nervo esfenopalatino. // - **spinal.** Nervo espinal. // - **splanchnic.** Nervo esplâncnico. // - **stylohyoid.** Nervo estiloioídeo. // - **subcostal.** Nervo subcostal. // - **suboccipital.** Nervo suboccipital. // - **subscapular.** Nervo subescapular. // - **superficial cervical.** Nervo cervical superficial. // - **superior dental.** Ner-

vo dental superior. // - **superior gluteal.** Nervo glúteo superior. // - **superior laryngeal.** Nervo laríngeo superior. // - **superior nasal.** Nervo nasal superior. // - **supraclavicular.** Nervo supraclavicular. // - **supraorbital.** Nervo supra-orbital. // - **suprascapular.** Nervo supra-escapular. // - **supratrochlear.** Nervo supratroclear. // - **sural.** Nervo sural. // - **sural communicating.** Nervo comunicante sural. // - **sural cutaneous.** Nervo cutâneo sural. // - **temporal deep.** Nervo temporal profundo. // - **third craneal.** Terceiro par craniano. // - **third occipital.** Terceiro nervo occipital. // - **thirteenth cranial.** Décimo terceiro par craniano. // - **tibial.** Nervo tibial. // - **to popliteus.** Pertencente ao nervo poplíteo. // - **to rhomboids.** Pertencente ao nervo do rombóide. // - **to subclavius.** Pertencente ao nervo subclávio. // - **to thyrohyoid.** Pertencente ao nervo tireoioídeo. // - **transverse cervical.** Nervo cervical transverso. // - **trigeminal.** Nervo trigêmeo. // - **trochlear.** Nervo troclear. // - **tympanic.** Nervo timpânico. // - **ulnar.** Nervo ulnar. // - **ulnar collateral.** Nervo ulnar colateral. // - **vagus.** Nervo vago. // - **vestibular.** Nervo vestibular. // - **zygomatic.** Nervo zigomático. // - **zygomaticofacial.** Nervo zigomático facial. // - **zygomaticotemporal.** Nervo zigomático temporal.

nervi. Nervos. // - **nervorum.** Nervi-nervorum.

nervone. Cerebrosido extraído do sistema nervoso.

nervous. Nervoso. // - **dyspepsia.** Dispepsia nervosa.

nervousness. Nervosismo.

nervus. Nervo.

netterrash. Urticária.

Nettleship's dots. Doença de Nettleship. Urticária pigmentosa.

network. Retículo.

Neubauer's artery, ganglion. Artéria e gânglio de Neubauer. Artéria tireoídea profunda. Artéria inconstante que nasce na aorta e supre a glândula. // - **ganglion.** Gânglio de Neubauer. Gânglio grande formado pela união do gânglio cervical inferior e primeiro gânglio torácico.

Neumann's corpuscles. Corpúsculos de Neumann. Eritrócitos nucleados encontrados às vezes no sangue depois de um processo regenerativo. // - **crystals.** Cristais de Neumann ou cristais de Charcot. // - **sheaths.** Camada de Neumann: formam a parede dos túbulos da dentina.

Neumann's disease. Doença de Neumann. Pênfigo vegetante.

neurad. Em direção ao neuraxe.

neuradynamia. Neurastenia.

neuragmia. Neuragmia. Desgarro de um tronco nervoso acima ou abaixo de seu gânglio.

neural. Neural. // **- canal.** Canal neural. // **- fold.** Prega neural. // **- groove.** Fossa ou goteira neural. // **- hiatus.** Hiato neural. // **- plate.** Terminação, placa neural. // **- ridge.** Crista neural. // **- sheath.** Bainha neural. // **- tube.** Tubo neural.

neuralgia. Neuralgia.

neuralgic. Neurálgico.

neurasthenia. Neurastenia.

neuraxis. Neuraxe, cilindraxe.

neuraxitis. Encefalite. // **- epidemic.** Encefalite epidêmica.

neuraxon. Neuraxônio, axônio, cilindraxe.

neure. Neurônio. Cfr. neuron. Elemento léxico — neuro, de origem grega que significa nervo.

neurectasis, neurectasia. Neurectasia.

neurectomy. Neurectomia.

neurectopia, neurectopy. Neurectopia.

neurenteric. Neurentérico. // **- canal.** Canal neurentérico.

neurilemma. Neurilema. Sin.: bainha de Schwann.

neurilemmitis. Neurilemite. Inflamação do neurilema.

neurin, neurine. Neurina.

Neurinoma. Neurinoma.

neurit, neurite. Neurito, cilindraxe.

neuritic. Neurítico.

neuritis. Neurite. // **- interstitial.** Neurite intersticial. // **- multiple.** Neurite múltipla. // **- multiple diphtheritic.** Polineurite diftérica. // **- parenchymatous.** Neurite parenquimatosa. // **- optic.** Neurite óptica. // **- retrobulbar.** Neurite retrobulbar.

neuroanatomy. Neuranatomia.

neurobiotaxis. Neurobiotaxia.

neuroblast. Neuroblasto.

neuroblastoma. Neuroblastoma.

neurocardiac. Neurocardíaco.

neurocyte. Neurócito.

neurodermatitis. Neurodermatite.

neurodermatosis. Neurodermatose.

neuroendocrine. Neurendócrino.

neuroepidermal. Neurepidérmico.

neuroepithelial layer. Camada neurepitelial.

neuroepithelioma. Neurepitelioma.

neuroepithelium. Neurepitélio.

neurofibrillae, neurofibril. Neurofibrila.

neurofibroma. Neurofibroma.

neurofibromatosis. Neurofibromatose. Sin.: doença de von Recklinghausen, neuromatose, neuroma múltiplo, neurectodermatose, neurogliomatose, polifibromatose neurocutânea pigmentar.

neurogenesis. Neurogênese.

neurogenous. Neurógeno.

neuroglia. Neuróglia.

neuroglioma. Neuroglioma.

neurohistology. Histologia do sistema nervoso.

neurohumoral. Neuro-humoral.

neuroid. Neuróide.

neurokeratin. Neuroceratina.

neurologic. Neurológico.

neurologist. Neurólogo.

neurology. Neurologia.

neurolymph. Neurolinfa.

neurolysin. Neurolisina.

neurolysis. Neurólise.

neuroma. Neuroma. // **- amputation.** Neuroma de amputação ou apocópico // **- ganglionic.** Neuroma ganglial.

neuromalacia. Neuromalácia.

neuromere. Neurômero. Metâmero espinal, mielômero.

neuromuscular. Neuromuscular. // **- spindle.** Fuso neuromuscular.

neuromyal. Mioneural.

neuron, neurone. Neurônio. // **- lower motor.** Neurônio motor inferior. // **- upper motor.** Neurônio motor superior ou cortical.

neuronal, neuronic. Neuronal.

neuronophagia. Neuronofagia.

neuronosis. Neuronose.

neuronyxis. Neuronixe. Punção cirúrgica de um nervo.

neuroparalysis. Neuroparalisia.

neuropathic. Neuropático.

neuropathology. Neuropatologia.

neuropathy. Neuropatia.

neurophonia. Neurofonia.

neurophthalmology. Neuroftalmologia.

neurophysiology. Neurofisiologia.

neuropile. Substância molecular; rede de fibras nervosas sem mielina, distribuída pelo sistema nervoso central.

neuroplasm. Neuroplasma. Sin.: axoplasma.

neuroplasty. Neuroplastia.

neuropodio. Neuropódio. Finíssimas fibrilas que são a terminação dos prolongamentos cilindraxiais do segundo tipo ou de Golgi.

neuropore. Neuróporo. Substância molecular,

rede de fibras nervosas sem mielina, distribuída pelo sistema nervoso central.

neuropsychiatry. Neuropsiquiatria.

neurorecidive. Neurorrecidiva.

neuroretinitis. Neurorretinite.

neuroretinopathy. Neurorretinopatia.

neurorhexis. Neurorrexia.

neurorrhaphy. Neurorrafia.

neurosis. Neurose. // - **actual.** Neurose real. // - **anxiety.** Neurose de ansiedade ou angústia. // - **cardiac.** Neurose cardíaca. // - **obsessional.** Neurose de obsessão. // - **transference.** Neurose de transferência. // - **traumatic.** Neurose traumática. // - **war.** Neurose de guerra.

neuroskeleton. Neurosqueleto ou endosqueleto.

neurosome. Neurossomo.

neurospongium. Neuróglia.

neurosurgeon. Neurocirurgião.

neurosurgery. Neurocirurgia.

neurosuture. Neurossutura.

neurosyphilis. Neurossífilis.

neurotendinal. Neurotendinoso. // - **spindle.** Fuso neurotendinoso.

neurothele. Papila nervosa, neurotélio.

neurotic. Neurótico, neural, neuropático, neurópata.

neurotmesis. Neurotmese. Interrupção entre as formações conjuntivas e as constitutivas do nervo.

neurotome. Neurótomo, neurômero.

neurotomy. Neurotomia.

neurotonic, reaction. Reação neurotônica.

neurotoxin. Neurotoxina.

neurotripsy. Neurotripsia. Esmagamento ou trituração de um nervo.

neurotrope, neurotropic. Neurotrópico, neurótropo.

neurotropism. Neurotropismo.

neurovascular. Neurovascular.

Neusser's granules. Grânulos de Neusser. Grânulos basófilos, encontrados ocasionalmente nos leucócitos junto do núcleo. Segundo este autor, sua presença se acha estreitamente unida à diátese do ácido úrico, porém foram observados também em outras condições.

neuter. Neutro.

neutral. Neutro. // - **solution.** Solução neutra.

neutrality. Neutralidade.

neutralize. Neutralizar.

neutropenia. Neutropenia. Deficiência anormal das células neutrófilas do sangue.

neutrophil, neutrophile. Neutrófilo.

neutrophilia. Neutrofilia.

newborn. Recém-nascido.

newgrowth. Neoplasma.

Newton's color rings. Anéis ou discos de Newton. Anéis coloridos que se vêem nas superfícies das membranas transparentes e delgadas como as bolhas de sabão, devido à aberração cromática.

NH_3, **amonia.** Amônio (radical).

NH_4Br, **ammonium bromide.** Brometo de amônio.

NH_4Cl, **ammonium chloride.** Cloreto de amônio.

$(NH_2)_2CO$, **urea.** Uréia.

NH_4NO_3, **ammonium nitrate.** Nitrato de amônio.

$(NH_4)_2SO_4$, **ammonium sulphate.** Sulfato de amônio.

Ni. Símbolo químico do níquel.

niacin. Niacina. Ácido nicotínico.

nice. Fino, delicado.

Nickles's test. Reação de Nickles. Para distinguir o açúcar de cana da glicose aquece-se a 100° o açúcar com tetracloreto de carbono, que enegrece o açúcar de cana, mas não o faz com a glicose.

Nicol prism. Prisma de Nicol. Rombóide de espato de Islândia, partido em dois e coladas ambas as partes com bálsamo do Canadá, desdobra o raio luminoso em uma parte que se reflete totalmente na camada interposta e outra que o atravessa como luz polarizada.

nicotinamide. Nicotinamida.

nicotine. Nicotina.

nicotinic acid. Ácido nicotínico. Sin.: fator PP, niacina.

nicotinism. Nicotinismo.

nictating, nictitating. Nictação, nictitação. Pestanejamento. // - **membrane.** Membrana nictitante.

nictitation. Nictitação.

nidal. Focal.

nidation. Nidação.

Niemann's disease. Doença de Niemann. Histiocitose lipóide: afecção da infância de curso rápido e fatal, que se distingue por anemia e leucocitose, pigmentação dos tegmentos, hepato e esplenomegalia.

Niemeyer's pill. Pílula de Niemeyer. Pílula composta de quinina, digital e ópio.

nightblindness. Cegueira noturna.

nightmare. Pesadelo.

night-screaming, night-terrors. Terror noturno devido a pesadelo.

night-sweat. Suor noturno.

night-walking. Sonambulismo.

nigrescent. Enegrecente.

nigrities linguae, black tongue. Glossofitia.

nikethamide. Niquetamida.

nil nocere. Não causa dano.

ninth nerve. Nono par craniano: glossofaríngeo.

niphablepsia. Nifablepsia. Cegueira temporária produzida pela neve.

nipple. Mamilo.

Nisbet's chancre. Cancro de Nisbet. Abscessos que aparecem no pênis como seqüelas de linfangite por cancro mole.

Nissl's bodies. Corpos de Nissl. Grânulos grossos que se coram com os corantes básicos e constituem o retículo citoplasmático da célula nervosa; substância trigóide. // **- stain.** Coloração de Nissl. Azul de metileno. // **- degeneration.** Degeneração de Nissl. Degeneração do corpo celular que se produz depois da divisão de uma célula nervosa.

nisus. Esforço intenso, molime.

nit. Lêndea. Nome popular do ovo ou larva do piolho.

Nitabuch's stria or fibrin stria. Estria de Nitabuch. Camada de fibrina nos espaços intervilosos da placenta.

Nithsdale neck, goitre. Bócio.

nitraemia. Nitremia, azotemia.

nitrated. Nitratado.

nitration. Nitratação.

nitre. Nitro, salitre.

nitric. Nítrico. // **- acid.** Ácido nítrico.

nitride. Nitreto, azoleto.

nitrification. Nitrificação.

nitrile. Nitrilo.

nitrite. Nitrito.

Nitrobacter. Gênero de nitrobacteriáceas.

nitrobacteria. Nitrobactéria.

Nitrobacteriaceae. Nitrobacteriáceas.

Nitrobacterieae. Nitrobactérias.

nitroerythrite. Nitreritrol.

nitrogen. Nitrogênio.

nitrogenous. Nitrogenado.

nitrometer. Nitrômetro.

nitrous. Nitroso. // **- acid.** Ácido nitroso. // **- oxide.** Óxido nitroso.

N.N.N. medium. Meio de N.N.N. Meio de cultura de Novy, McNeal, Nicolle, empregado para *Leishmaniae* e tripanossomos.

Nocardia. Antigo gênero de microrganismos que se incluem nos actinomicetos.

nociassociation. Nociassociação.

nociceptive. Nociceptivo, nociceptor. Aplicado a um estímulo que produz dor e desintegração

tecidual.

noctambulation. Noctambulismo, sonambulismo.

nocturia. Noctúria, nictúria.

nocturnal. Noturno. // **- haemoglobinuria.** Hemoglobinúria noturna.

nocuous. Nocivo.

nod. Nó, nódulo, calo ósseo. Cabecear, inclinar a cabeça.

nodal. Nodal, nodular. / **- point.** Ponto nodal.

nodding espasm. Espasmo nodular.

node. Nódulo. Nodo. // **- Aschoff's.** Nódulo de Aschoff. // **- auriculoventricular.** Nódulo auriculoventricular. // **- Heberden's.** Nódulo de Heberden. // **- Parrot's.** Nódulo de Parrot. // **- Ranvier's.** Nódulo de Ranvier. // **- Singer's.** Nódulo de Singer. // **- sino-auricular.** Nódulo sinauricular.

nodose. Nodoso.

nodosity. Nodosidade.

nodular. Nodular.

nodule. Nódulo. // **- rheumatic.** Nódulo reumático.

nodulus. Nódulo. // **- vermis.** Nódulo do vérmis.

nodus. Nó.

noematic. Noemático.

noesis. Inteligência, conhecimento.

Noguchi's test, virus. Reação e vírus de Noguchi. Modificação da reação de Wassermann. // Reação observada na paralisia geral, na tabes e reação da luetina.

Noguchia. Gênero de bactérias.

noise. Ruído.

noli me tangere. Ulcus rodens. Úlcera maligna.

noma. Noma.

nomenclature. Nomenclatura.

nomogram. Nomograma.

non compos mentis. De mente ou espírito insano.

non repetatur. Não seja repetido.

nonadherent. Não aderente.

nonage. Menoridade.

nonan. Nona. Que ocorre de 9 em 9 dias, como certas formas de malária.

nonce. Atualidade.

nonconductor. Que conduz mal.

nonigravida. Nonigrávida. Mulher grávida pela nona vez.

nonipara. Nonípara. Mulher que pariu nove vezes ou pare pela nona vez.

Nonne's syndrome. Síndrome de Nonne. Síndrome cerebelar.

Nonne-Apelt's reaction. Reação de Nonne-

Apelt. Prova para determinar globulina no· líquido cerebrospinal.

nonnucleated. Anucleado.

nonose. Carboidrato com molécula que contém nove átomos.

nonparous. Nulípara.

nonprotein, nitrogen. Nigrogênio não protéico.

nonunion. Desunião.

nonus. Nono par craniano. O nervo hiproglosso.

nonviable. Inviável: inapto para a vida.

norm. Norma.

norma. Norma, regra, princípio.

normal. Normal. // **- solution.** Solução normal. // **- saline solution.** Solução salina normal.

normative. Normativo, normal.

normoblast. Normoblasto.

normoblastic. Normoblástico.

normoblastosis. Normoblastose.

normocytic. Nórmocítico.

normocytosis. Normocitose.

Norris's colourless corpuscles. Corpúsculos de Norris. Hemácias descoradas invisíveis no plasma sangüíneo.

nose. Nariz.

nosebleed. Epistaxe.

nosema, disease, illness. Enfermidade ou mal.

nosocomium. Nosocômio, hospital, enfermaria.

nosogeny. Nosogenia.

nosohaemia. Nosemia. Hemopatia.

nosology. Nosologia.

nosomania. Nosomania.

nosomycosis. Nosomicose.

nosophilia. Nosofilia.

nosophobia. Nosofobia.

nosotoxicosis. Nosotoxicose.

nostalgia. Nostalgia.

notrils. Fossas nasais anteriores.

nostrum. Medicamento secreto, empírico.

notal. Relativo à face posterior do tórax, dorsal.

notancephalia. Notancefalia. Ausência congênita do cerebelo.

notch. Chanfradura, depressão, ranhura, incisura.

notched. Denteado.

note. Nota, apontamento.

noteblindness. Cegueira para notas musicais.

noteless. Obscuro, desconhecido.

notencephalocele. Notencefalocele. Encefalocele occipital.

notencephalus. Notencéfalo. Monstro com encefalocele na parte posterior da cabeça.

Nothnagel's symptom. Sintoma de Nothnagel. Paralisia unilateral do motor ocular comum combinada com ataxia cerebelar nas lesões do pedúnculo cerebral. // **- type of facial paralysis.** Tipo de paralisia facial de Nothnagel.

notice. Notar, observar; nota, observação.

notifiable. Notificável.

noto-. Elemento léxico de origem grega que significa dorso.

notochord. Notocórdio, notocorda.

notochordoma. Notocordoma.

notogenesis. Notogênese.

notomelus. Notímelo. Monstro duplo com membros acessórios no dorso.

notomyelitis. Notomielite. Inflamação da espinha dorsal.

notoriety. Notoriedade.

noumenal. Relativo ao "noumenon".

noumenon. Intuição racional independente da percepção.

nourish. Nutrir.

nousic. Relacionado com o cérebro ou com as faculdades intelectuais.

Novarsan. Novarsan, neossalvarsan.

Novarsenobenzol. Novarsenobenzol.

Novarsenobillon. Nome francês (nome farmacêutico) do neossalvarsan.

novepithel. Novepitélio.

Novocain. Novocaína.

novo-epinephrine. Novo-epinefrina.

novoscope. Novoscópio. Instrumento para percussão auscultatória.

Novy's bacillus. Bacilo ou clostrídio de Novy. Bacilo isolado dos feridos de guerra, gram-positivo sacarolítico, patogênico para os animais de laboratório.

Novy-Macneal blood agar. Ágar-sangue de Novy-Macneal. Ágar nutritivo que contém sangue de coelho desfibrinado, recomendado especialmente para cultura de tripanossomos.

noxa. Nóxia: qualquer agente que cause doença.

noxious. Nocivo.

Np. Símbolo químico do "Neptunium". Netuno.

nubecula. Nubécula, nefélio, opacidade ligeira da córnea.

nubile. Núbil.

nubility. Nubilidade.

nucha. Nuca.

nucis, nut. Noz.

Nuck's canal. Canal de Nuck: prolongamento dentro do canal inguinal feminino do processo vaginal. // **- diverticulum.** Divertículo de Nuck. Prolongamento do peritônio em forma de tubo fechado que acompanha o ligamento redondo no feto, porém que às vezes persiste na idade adulta.

nuclear. Nuclear. // **- agenesis.** Agenesia nuclear. // **- aplasia.** Aplasia nuclear. // **- jaundice.** Icterícia nuclear. // **- paralysis.** Paralisia nuclear. // **- sap.** Cariolinfa. // **- stain.** Núcleo corado.

nucleases. Nucléase.

nucleated. Nucleado.

nucleic acid. Ácido nucléico.

nucleiform. Nucleiforme.

nucleins. Nucleínas.

nucleoalbumin. Nucleoalbumina. Sin.: paranucleína, pseudonucleína.

nucleohiston. Nucleoistona.

nucleolar. Nucleolar.

nucleolus. Nucléolo.

nucleomicrosoma. Nucleomicrossomo.

nucleoplasm. Nucleoplasma.

nucleoplasmic ratio. Proporção nucleoplásmica.

nucleoproteins. Nucleoproteínas.

nucleosidase. Nucleosídase.

nucleosides. Nucleosidos.

nucleotidase. Nucleotídase.

nucleotide. Nucleótide.

nucleotoxin. Nucleotoxina.

nucleus. Núcleo. // **- pulposus.** Núcleo pulposo.

nude. Nu, despido.

Nuel's gland. Glandula de Nuel. Glândula mucípara da extremidade distal da língua.

nullipara. Nulípara.

nulliparity. Nuliparidade.

nulliparous. Nulípara.

numb. Entorpecido, adormecido, paralisado.

nummiform. Numular.

nummular. Numular.

nummulation. Numulação.

nun's murmur. *Bruit de diable.* Som audível nas grandes veias da raiz do pescoço em pacientes anêmicos e, às vezes, no indivíduo normal.

nunnation. Nunação. Som nasal das palavras.

nuptiality. Nupcialidade.

nurse. Enfermeira profissional, governante, ama. // **- wet.** Ama de leite.

nurture. Nutrição, criar.

Nussbaum's cellules. Células de Nussbaum. Células das glândulas pilóricas.

nut. Noz.

nutans. Inclinado.

nutation. Nutação. Movimento oscilatório de vaivém.

nutgall. Noz de galha.

nutmeg. Noz-moscada.

nutmegliver. Fígado moscado, ou em noz-moscada.

nutrient. Nutriente.

nutriment. Nutrimento, nutrição, substância nutritiva.

nutrition. Nutrição.

nutritional. Nutritivo.

nutritious. Nutritivo.

nutritive. Nutritivo.

nutshell. Casca de noz.

nux vomica. Noz-vômica.

nyctalgia. Nictalgia.

nyctalope. Nictalope.

nyctalopia. Nictalopia.

nyctophilia. Nictofilia.

nyctophobia. Nictofobia.

nycturia. Nictúria.

nylon. "Nylon", náilon.

nympha. Ninfa.

nymphectomy. Ninfectomia.

nymphitis. Ninfite.

nymphomania. Ninfomania. Sin. furor uterino, metromania.

nymphotomy. Ninfotomia.

nystagmic. Nistágmico.

nystagmiform. Nistagmiforme.

nystagmograph. Nistagmógrafo.

nystagmus. Nistagmo. // **- amblyopic.** Nistagmo amaurótico. // **- caloric.** Nistagmo calórico. // **- central.** Nistagmo central. // **- conjugate.** Nistagmo conjugado. // **- disjunctive.** Nistagmo disjuntivo. // **- dissociated.** Nistagmo dissociado. // **- galvanic.** Nistagmo galvânico. // **- jerky.** Nistagmo espasmódico. // **- miners.** Nistagmo dos mineiros. // **- ocular.** Nistagmo ocular. // **- ondulatory.** Nistagmo ondulatório. // **- optico-kinetic.** Nistagmo optocinético. // **- of eccentric fixation.** Nistagmo da fixação excêntrica. // **- pendular.** Nistagmo pendular. // **- rotatory.** Nistagmo rotatório. // **- vestibular.** Nistagmo vestibular.

FRASES E EXPRESSÕES

never mind. Não importa.

night and morning. Ao deitar-se e ao levantar-se.

no doubt. Sem dúvida.

none the less. Não obstante.

not at all. De modo algum.

O

O. Símbolo químico do oxigênio.

oafish. Lerdo, estúpido, tonto.

oak. Carvalho, madeira de carvalho.

oarialgia. Ovarialgia.

oaric. Ovárico.

oarium. Ovário.

oat. Aveia.

OB. Abreviatura de *Obstetrics, Obstetrícia.*

ob-. Prefixo latino que indica "contra", diante de.

obcecation. Obcecação.

obdormition. Dormência, parestesia regional com anestesia por compressão nervosa.

obduction. Obdução, autópsia médico-legal.

O'Beirne's sphincter, tube. Esfíncter, tubo de O'Beirne. Feixe de fibras na união do cólon com o reto. // Tubo de O'Beirne. Tubo longo flexível, para injetar líquido no "S" ilíaco.

obeliac. Obelíaco.

obelion. Obélio. Ponto craniométrico na sutura sagital.

Ober's operation. Operação de Ober. Transplante do tendão do sartório e tensor da fáscia lata para o tendão da rótula na paralisia do quadríceps femoral. // Sutura da extremidade dos tendões do peroneal longo e tibial posterior com o tendão de Aquiles, depois de passá-los pelo túnel, no calcâneo, na paralisia do gastrocnêmio.

Obermayer's test. Reação de Obermayer para determinar o índican* na urina.

Obermeier's spirillum. Espirilo de Obermeier. *Treponema recurrentis.*

Obermüller's test. Reação de Obermüller, para o colesterol. Ponha-se a substância em um tubo de ensaio, misture-se 1 ou 2 gotas de anidrido propiônico e aqueça-se sobre chama branda;

ao esfriar-se, a massa troca de cor sucessivamente em azul, verde alaranjado, carmim e cobre.

Oberst's method, operation. Método e operação de Oberst. Anestesia local produzida pela injeção de água destilada ou solução salina no tecido conjuntivo subcutâneo. // Operação de Obest. Inserção de um retalho de pele do abdome dentro deste, para drenagem de ascite.

Obersteiner-Redlich's area, zone. Área ou zona de Obersteiner-Redlich. Parte desprovida de mielina no ponto em que a raiz posterior penetra na medula espinal.

obese. Obeso, corpulento.

obesitas, obesity. Obesidade.

obesogenous. Obesógeno.

obex. Lâmina cinzenta situada posteriormente ao tálamo. Ferrolho.

Obey. Obedecer.

obfuscation. Ofuscamento.

obit. Óbito.

obtuary. Obituário. Registo de óbitos.

object. Objetar.

objectblindness. Cegueira para objetos. Apraxia.

objective. Objetivo.

oblate. Esferóide. De pólos achatados.

obligate. Obrigatório. // - **aerobe.** Aeróbio obrigatório. // - **parasite.** Parasito obrigatório.

oblique. Oblíquo.

obliquimeter. Obliquímetro. Instrumento para medir a obliquidade do estreito superior da pelve.

obliquity. Obliqüidade.

obliquus. Oblíquo.

obliteration. Obliteração.

oblongata. Bulbo raquídeo.

obmutescence. Obmutescência. Afonia.

obnubilation. Obnubilação.

---

* No Voc. ortográfico oficial estatui-se indicana (s.d.).

oesophagoduodenostomy. Esofagoduodenostomia.

oesophagogastrostomy. Esofagogastrotomia.

oesophagojejunostomy. Esofagojejunostomia.

oesophagomalasia. Esofagomalácia.

oesophagometer. Esofagômetro.

oesophagomycosis. Esofagomicose.

oesophagoplasty. Esofagoplastia.

oesophagoscope. Esofagoscópio.

oesophagospasm. Esofagospasmo.

oesophagostenosis. Esofagostenose.

oesophagostoma. Esofagostoma.

oesophagostomiasis. Infestação por Oesophagostomum.

Oesophagostomum. Gênero de nematóides da família dos estrongiloídeos.

oesophagostomy. Esofagostomia. Criação de abertura artificial permanente no esôfago.

oesophagotomy. Esofagotomia. Incisão no esôfago.

oesophagus. Esôfago.

oestradiol. Estradiol. // **- benzoate.** Benzoato de estradiol. // **- dipropionate.** Dipropionato de estradiol.

Oestreicher's reaction. Reação de Oestreicher (v. *Xanthidrol's reaction*).

oestrin. Estrona.

oestriol. Estriol, estrona.

oestrone. Estrona. Sin.: foliculina, hormônio folicular, telina.

oestrostilben. Estilbestrol.

oestrous. Estro, cio.

oestrual. Estrual.

oestrum. Estro.

officinal. Oficinal (da Farmacopéia).

offspring. Filho, descendente.

often. Com freqüência, amiúde.

Ogata's method. Método de Ogata. Estímulo da respiração pela percussão da parede torácica.

ogo. Gongosa.

Ogston's line, operation. Linha de Ogston. Linha imaginária do tubérculo do fêmur à incisura intercondílea. // Operação de Ogston. Ressecção do côndilo externo do fêmur no *genu valgum*. Ressecção de um fragmento cuneiforme do tarso no pé plano, para restaurar a abóbada plantar.

Ogston-Luc operation. Operação de Ogston-Luc. Operação para curar afecções do seio frontal mediante incisão sobre a margem da órbita.

Oguchi's disease. Doença de Oguchi. Forma de cegueira noturna congênita, observada no Japão.

Ohara's disease. Doença de Ohara. Tularemia.

ohm. Ohm.

Ohm's law. Lei de Ohm. A intensidade de uma corrente elétrica é diretamente proporcional à força eletromotriz e inversamente proporcional à resistência do circuito.

Oidiomycetes. Oidiomicetos.

oidiomycosia. Oidiomicose.

oidiomycotic. Oidiomicótico.

Oidium. Gênero de fungos artrósporos.

oils. Óleos.

ointment. Ungüento.

Oken's body. Corpo de Oken. Corpo de Wolff.

o.l. Abreviatura de *"oreculuslaevus"* olho esquerdo.

Ol. oliv. Abreviatura de *"oleum olivae"*, óleo de oliva.

old. Velho.

olea. Óleos, essências.

oleaginous. Oleaginoso.

oleander. Oleandro, espirradeira.

oleate. Oleato.

olecranal. Olecranal, olecraniano.

olecranoid. Olecranóide.

olecranon. Olecrano.

olefiant. Etileno. // **- gas.** Etileno, alquilênio.

olefine. Olefina.

oleic acid. Ácido oléico.

olein. Oleína.

oleoinfusion. Óleo-infusão.

oleoma. Oleoma.

oleometer. Oleômetro. Instrumento para avaliar a pureza do óleo.

oleonucleoprotein. Oleonucleoproteína.

oleoperitoneography. Oleoperitoniografia.

oleoresin. Oleorresina.

oleosus. Oleoso.

oleotherapy. Oleoterapia.

oleothorax. Oleotórax.

oleum. Óleo.

olfactism. Olfação.

olfactometer. Olfatômetro. Aparelho para avaliar a sensibilidade olfativa.

olfactometry. Olfatometria.

olfactophobia. Olfatofobia.

olfactory. Olfativo, pertinente à olfação, próprio para a olfação*. // **- area.** Área olfativa. // **- bulb.** Bulbo olfativo. // **- bundle.** Fuso olfativo // **- cells.** Células olfativas. // **- center.** Centro olfativo. // **- lobe.** Lobo olfativo. // **- nerve.** Nervo olfativo. // **- tract.** Faixa olfativa. // **- trigone.** Trígono olfativo.

---

* N. do T. — olfatório em anatomia é o mais próprio e melhor que olfativo, que só conota relação e pertinência com a olfação, enquanto olfatório conota especialização, finalismo.

odontexesis. Odontexese. Raspagem ou curetagem dos dentes.

odontia. Odontalgia.

odontiasis. Odontíase, dentição*.

odontinoid. Odontinóide, odontóide.

odontitis. Odontite.

odontoblast. Odontoblasto. Sin.: fibriloblasto.

odontobothrion. Odontobótrio. Alvéolo dental.

odontobothritis. Odontobotrite.

odontoclasis. Odontóclase. Fratura de um dente.

odontoclast. Odontoclasto.

odontogen. Odontógeno.

odontogenesis, odontogeny. Odontogênese, odontogenia.

odontoglyph. Odontóglifo. Instrumento para raspar os dentes.

odontograph. Odontógrafo. Instrumento para registrar a desigualdade do esmalte dental.

odontoid. Odontóide.

ondotolith. Odontólito.

odontology. Odontologia.

odontoloxia, odontoloxy. Odontoloxia. Irregularidade na direção do dente (obliqüidade).

odontoma. Odontoma.

odontome. Odontoma. // - **complex.** Odontoma complexo. // - **composite.** Odontoma composto. // - **compound.** Odontoma composto.

odontonecrosis. Odontonecrose.

odontopathy. Odontopatia.

odontophobia. Odontofobia.

odontoplast. Odontoplasto.

odontoplasty. Odontoplastia.

odontoplerosis. Odontoplerose. Obturação de uma cavidade por cárie.

odontoptosis. Odontoptose.

odontoradiograph. Odontorradiógrafo. Odontorradiograma.

ondotorrhagis. Odontorragia.

odontorthosis. Odontortose. Ortopedia dental. Correção de irregularidade dos dentes.

odontoschism. Odontosquisma. Fissura dental.

odontoscope. Odontoscópio.

odontoscopy. Odontoscopia.

odontosis. Odontose. Dentição, odontogenia.

odontosteophyte. Odontosteófito. Tumor ósseo de um dente.

odontotheca. Odontoteca. Saco dental.

odontotherapy. Odontoterapia.

odontotomy. Odontotomia.

---

* N. do T. — Rigorosamente odontose é dentição normal e odontíase, anômala.

odontotripsis. Odontotripsia. Desgaste ou abrasão de um dente.

odontotripy. Odontotripia. Perfuração de um dente.

odoriferous. Odorífero, fragrante.

odour. Odor.

odorimeter. Odorímetro. Instrumento para medir o poder olfatório.

odorimetry. Odorimetria.

odoriphore. Odorífero.

odorography. Odorógrafo.

O'Dwyer's tubes. Tubos de O'Dwyer. Tubos de várias formas para intubação laríngea.

odynacusis. Odinacusia. Audição dolorosa.

odynia-. Elemento léxico com sufixo — ia —, de origem grega, que significa dor.

odyno-. Odino. Elemento léxico que quer dizer dor.

odynometer. Odinômetro.

odynophagia. Odinofagia. Dor à deglutição.

odynophobia. Odinofobia.

odynopoeia. Odinopoético. Que provoca dor.

oecology, ecology. Ecologia. Parte da biologia que estuda o modo de viver dos animais e plantas e suas relações com o ambiente.

oedema. Edema. // - **angioneurotic.** Edema angioneurótico. // - **cerebral.** Edema cerebral. // - **collateral.** Edema colateral. // - **hereditary.** Edema hereditário. // - **hunger.** Edema da fome. // - **malignant.** Edema maligno, pústula maligna. // - **nutritional.** Edema nutricional. // - **pulmonary.** Edema pulmonar. // - **renal.** Edema renal.

Oedipus complex. Complexo de Édipo. Personagem da tragédia grega que se casou com sua mãe, depois de matar seu pai.

Oehl's layer. Camada de Oehl. Camada clara e refringente da pele. // - **muscle.** Feixes musculares na corda tendinosa da válvula atrioventricular esquerda.

Oehler's symptom. Sintoma de Oehler. Frieza e palidez dos pés na claudicação intermitente.

Oertel's treatment. Tratamento de Oertel. Cura de terreno. Marcha progressivamente ascensional em terrenos em declive, para reduzir a obesidade.

oesophageal. Esofágica.

oesophagectasis. Esofagectasia.

oesophagectomy. Esofagectomia.

oesophagismus. Esofagotrismo. Espasmo do esôfago.

oesophagitis. Esofagite.

oesophagocele. Esofagocele.

observation. Observação.

observerscope. Endoscópio com dois ramos que permitem que dois examinadores observem ao mesmo tempo.

obsession. Obsessão.

obsessive-compulsive. Obsessivo-compulsivo.

obsidional. Que sucede em guerras de trincheiras, em cercos.

obsolescence. Obsolescência. Cessação ou começo de cessação de um processo fisiológico, atrofia com esclerose dos tecidos.

obsolete. Obsoleto, antiquado, em desuso, sem utilidade.

obstetric, obstetrical. Obstétrico, tocológico. // - **paralysis.** Paralisia obstétrica.

obstetrician. Obstetra, tocólogo.

obstetrics. Obstetrícia.

obstinacy. Obstinácia.

obstipation. Obstipação, constipação.

obstruction. Obstrução.

obstructive. Obstrutivo.

obstruent. Obstruente.

obtain. Obter, adquirir.

obtund. Obtundente. Que embota a sensibilidade.

obtundent. Obtundente.

obturation. Obturação.

obturator. Obturator. // - **canal.** Canal obturator. // - **foramen.** Forâmen obturador. // - **hernia.** Hérnia obturadora. // - **membrane.** Membrana obturadora.

obtuse, blunt. Obtuso.

obtusion. Obtusão. Embotamento intelectual ou sensitivo.

obviate. Obviar, evitar inconvenientes.

occipital. Occipital. // - **lobe.** Lobo occipital. // - **protuberance.** Protuberância occipital. // - **sinus.** Seio occipital.

occipitoanterior. Occipitoanterior.

occipitocervical. Occipitocervical.

occipitofacial. Occipitofacial.

occipitofrontal. Occipitofrontal.

occipitomental. Occipitomental.

occipitoparietal. Occipitoparietal.

occipitoposterior. Occipitoposterior.

occipitotemporal. Occipitotemporal, têmporo-occipital.

occipitothalamic. Occipitotalâmico.

occiput. Occiput, occipúcio.

occlude. Ocluir.

occluding. Obstruente.

occlusio. Oclusão. // - **pupillae.** Oclusão da pupila, seclusão.

occlusion. Oclusão.

occlusive. Oclusivo. // - **pessary.** Pessário oclusivo.

occlusometer. Oclusômetro. Gnatodinamômetro.

occult. Oculto, escondido. // - **blood.** Sangue oculto.

occupational disease. Doença profissional. // - **neurosis.** Neurose profissional. // - **therapy.** Terapêutica profissional.

occur. Ocorrer.

ocellus. Ocelo. Olho simples dos invertebrados.

ochlophobia. Oclofobia. Temor mórbido das multidões.

ochrodermia. Ocrodermia. Palidez cutânea.

ochronosis. Ocronose. Coloração amarela.

Ochsner's solution. Solução de Ochsner. Solução saturada de ácido bórico com fenol e álcool. // - **sphincter.** Esfíncter de Ochsner. Esfíncter descrito no duodeno distalmente à abertura do ducto biliar.

octagon. Octágono.

octan. Octana. Febre intermitente, que se repete a cada oito dias.

octane. Octano. Hidrocarboneto que existe no petróleo.

octavalent. Octavalente.

octavus. Oitavo.

octigravida. Octigrávida.

octipara. Octípara.

octose. Octose.

ocular. Ocular.

oculenta. Plural de oculentum, pomada oftálmica.

oculist. Oculista, oftalmólogo.

ocullocardiac. Oculocardíaco. // - **reflex.** Reflexo oculocardíaco.

oculogyral, oculogyric. Oculógiro. // - **attacks.** Ataxia oculógira.

oculomotor. Oculomotor.

oculomotorius. Nervo oculomotor.

oculomycosis. Oculomicose.

oculozygomatic. Oculozigomático.

oculus, eye. Olho.

o.d. Abreviatura de *oculus dexter*, olho direito.

odd. Ímpar, particular.

Oddi's sphincter. Esfíncter de Oddi. Fibras esfinctéricas ao redor da terminação do ducto biliar comum.

odious. Odioso, aborrecido.

odontalgia. Odontalgia.

odontalgicum. Odontálgico.

odontalysis. Odontólise.

odontatrophy. Odontatrofia.

odontectomy. Odontectomia.

odonterism. Odonterismo. Ranger de dentes, briquismo.

olid, oliodous. Fétido, hediondo.

oligaemia. Oligemia.

olighydria, oligidria. Secreção sudoral deficiente; escassez de líquidos no corpo.

oligo-. Elemento léxico de origem grega que significa "pouco, escasso".

oligoamnios. Oligodrâmnio.

oligoblast. Oligoblasto. Oligodendrócito primitivo.

oligocardia. Oligocardia, bradicardia.

oligocholia. Oligocolia.

oligochromasia. Oligocromasia, hipocromasia.

oligochromenia. Oligocromenia. Insuficiência de hemoglobina no sangue.

oligochylia. Oligoquilia. Deficiência de quilo.

oligochymia. Oligoquimia. Deficiência de quimo.

oligocystic. Oligocístico. Que contém pequeno número de cistos ou de espaços abertos.

oligocythemia. Oligocitemia. Diminuição do número de glóbulos no sangue.

oligodactylia. Oligodactilia. Falta congênita de dedos.

oligodendria. Oligodendróglia.

oligodendroblastoma. Oligodendroblastoma. Tumor formado por células jovens de oligodendróglias.

oligodendrocyte. Oligodendrócito. Célula da oligodendróglia.

oligodendroglia. Oligodendróglia. Sin.: mesóglia.

oligodendroglioma. Oligodendroglioma.

oligodipsia. Oligodipsia. Falta anormal de sensação da sede.

oligodontia. Oligodontia. Anomalia de desenvolvimento caracterizada pela presença de dentes em número menor que o normal.

oligodynamic. Oligodinâmico.

oligo-erythrocythemia. Oligoeritrocitemia. Deficiência de glóbulos vermelhos.

oligogalactia. Oligogalactia.

oligohaemia. Oligoemia, anemia, hifemia.

oligohydramnios. Oligidrâmnio. Presença de menos de 300 ml de líquido amniótico.

oligohydruria. Oligidrúria. Concentração anormalmente elevada na urina.

oligohypermenorrhea. Menstruação infreqüente com excessivo fluxo menstrual.

oligohypomenorrhea. Menstruação infreqüente com descarga deficiente.

oligoleukocythemia. Oligoleucocitemia, leucopenia.

oligoleukocythosis. Oligoleucocitose, leucopenia.

oligomania. Oligomania. Mania relativa a diminuto número de idéias; monomania.

oligomelus. Oligômelo. Que padece de pequenez excessiva congênita dos membros, ou falta de um deles.

oligomenorrhea. Oligomenorréia, hipomenorréia, opsomenorréia.

oligonecrospermia. Oligonecrospermia.

oligopepsia. Oligopepsia. Digestão deficiente.

oligophrenia. Oligofrenia. Desenvolvimento mental deficiente.

oligoplasmia. Oligoplasma.

oligopnea. Oligopnéia. Respiração retardada.

oligoposy. Oligoposia. Ingestão insuficiente de líquido.

oligopsychia. Oligopsiquia. Debilidade mental.

oligoptyalism. Oligoptialismo. Secreção salivar diminuída.

oligopyrene. Espermatozóide anormal em que só uma parte dos cromossomos entra no núcleo.

oligoria. Oligoria. Forma de melancolia.

oligosialia. Oligossialia.

oligosideremia. Oligossideremia.

oligospermia. Oligospermia.

oligotrichia. Oligotriquia, oligotricose.

oligotrophy. Oligotrofia. Nutrição deficiente.

oligozoospermia. Oligozoospermia.

oliguria. Oligúria.

oliva, olive. Oliveira, azeitona, oliva bulbar.

olivary. Olivar, oliváceo.

Oliver's sign. Sinal de Oliver. Pulso laríngeo percebido durante tração da traquéia. Sinal de aneurisma da aorta.

Oliver's test. Reação de Oliver: para albumina, sobre a urina, em um tubo de ensaio, coloque-se uma solução a 1 por 4 de tungstato de sódio e uma a 10 por 6 de ácido cítrico; a produção de um coágulo branco na superfície de união de ambos os líquidos manifesta a presença de albumina.

Oliver-Carderelli's sign. Sinal de Oliver-Carderelli. Nas jovens solteiras, os tumores situados diante do útero são geralmente cistos dermóides.

olivopontocerebellar. Olivopontocerebelar.

Ollier's disease. Doença de Ollier. Acondroplasia. // - **layer.** Camada de Ollier. Camada osteogênica do periósteo.

Ollier-Thiersch's method of skingrafting. Método de enxerto dermoepidérmico, em tiras.

olophonia. Olofonia. Voz defeituosa devido à malformação do órgão fonatório.

o.m. Abreviatura de *omni mane*, toda manhã.

om. quar. hor. Abreviatura de *omni quadranti hora*, cada quatro horas.

oma-. Sufixo de origem grega que significa "tumor", "tumoração" ou estado final de ação (conotada por sufixo: ose)*

omacephalus. Omacéfalo ou omocéfalo. Monstro sem cabeça e sem extremidades superiores.**

omagra. Omagra. Artrite gotosa do ombro.

omalgia. Omalgia. Escapulalgia. Dor no ombro.

omarthritis. Omartrite.

omasitis. Omasite. Inflamação do omaso.

omasum. Terceira divisão do estômago dos ruminantes.

Ombrédanne's operation. Operação de Ombrédanne. Orquidopexia transescrotal. // Cura radical da hipospádia por um procedimento que evita o desvio da urina e a sonda permanente.

ombrophobia. Ombrófobia. Temor mórbido da chuva.

ombrophore. Ombróforo. Aparelho para aplicar ducha de água com dióxido de carbono.

omega. Ômega. A última letra do alfabeto grego.

omental. Omental, epiplóico.

omentectomy. Omentectomia.

omentitis. Omentite.

omentopexy. Omentopexia. Operação que consiste em fixar o epíplon a qualquer tecido.

omentoplasty. Omentoplastia.

omentorrhaphy. Omentorrafia. Sutura do epíplon.

omentosplenopexy. Omentosplenopexia.

omentotomy. Omentotomia.

omentovolvulus. Vólvulo do omento.

omentum. Omento.

omentumectomy. Omentectomia, epiploectomia.

omitis. Omite.

ommatidium. Omatídeo. Grupo de células associadas funcionalmente; unidade funcional do olho composto dos invertebrados.

omn. hor. Abreviatura de *omni hora*, de hora em hora.

omn. noct. Abreviatura de *omni nocte*, todas as noites.

omnigenous. Omnígeno: de todos os gêneros.

omnipotence. Omnipotência.

omnivorous. Omnívoro. Que se alimenta de carne e vegetais.

omo-. Elemento léxico de origem grega que significa ombro.

---

* N. do T. — O terceiro sentido foi acrescentado pelo tradutor: aparece em coloboma.

** N. do T. — Omacéfalo, forma melhor pois o **A** é um alfa privativo e não mero infixo.

---

omocephalus. Omocéfalo (v. Omacephalus)

omodynia. Omodinia, omalgia, escapulodinia.

omohyoid. Omoióide.

omoplate. Omoplata.

omophagia. Omofagia. Alimentação por alimentos crus.

omosternum. Cartilagem interarticular do esterno com a clavícula.

omotocia. Omotocia.

omphalectomy. Onfalectomia. Excisão do umbigo.

omphalic. Onfálico.

omphalitis. Onfalite.

omphalocele. Onfalocele.

omphalocyte. Onfalócito.

onphalomesenteric. Onfalomesentérico.

omphalopagus. Onfalópago. Monstro duplo unido pelo umbigo.

omphalophlebitis. Onfaloflebite.

omphalorrhagia. Onfalorragia.

onphalorrhoea. Onfalorréia.

omphalos. Elemento léxico de origem grega que significa umbigo.

omphalotomy. Onfalotomia.

omphalotribe. Onfalótribo. Pinça para comprimir o cordão umbilical e esmagá-lo.

omphalus, navel. Umbigo.

onanism. Onanismo, masturbação.

Onanoff's reflex. Reflexo de Onanoff. Contração do músculo bulbocavernoso pressionando a glande.

Onchocerca. Gênero de filárias.

onchocerciasis. Oncocercose.

onco-. Elemento léxico de origem grega que significa "massa", "tumor".

oncocyte. Oncócito.

oncography. Oncografia.

oncology. Oncologia.

oncolysis. Oncólise.

oncoma. Oncoma, tumor.

oncometer. Oncômetro. Instrumento para medir as alterações de forma dos órgãos e partes do corpo.

oncometria. Oncometria. Medida das alterações de forma do corpo.

oncosis. Oncose. Estado mórbido devido ao desenvolvimento de tumores. Tumoração.

oncosphere. Oncosfera. Cistocerco de tênia armado de ganchos.

oncotherapy. Oncoterapia.

oncotic. Oncótico.

oncotomy. Oncotomia.

oncotropic. Oncotrópico.

ondometer. Ondômetro. Aparelho para medir a

freqüencia das oscilações nas correntes de alta freqüência.

-one. Sufixo usado em química para indicar nitrogênio pentavalente.

oneiric. Onírico. Pertencente ao sonho; parecido com um sonho.

oneirism. Onirismo. Estado de alucinação.

oneiro-. Elemento léxico de origem grega que significa "sonho".

oneirodynia. Onirodinia. Dor noturna.

oneirogmus. Polução noturna.

oneirology. Onirologia.

oneirophrenia. Onirofrenia. Forma de esquizofrenia caracterizada por alterações do sensório.

oneiroscopy. Oniroscopia.

oniomania. Oniomania. Desejo mórbido de fazer compras desnecessárias.

onion. Bulbo de *Allium cepa*.

onkinocele. Tumefação da membrana peritendínea.

onomatology. Onomatologia*. Nomenclatura.

onomatomania. Onomatomania. Alteração funcional da linguagem por transtorno mental.

onomatophobia. Onomatofobia.

onset. Ataque, começo.

onslaugth. Ataque.

ontogenesis, ontogeny. Ontogênese.

ontogenetic. Ontogenético.

onychalgia. Onicalgia. Unhas dolorosas, hiperestesia das unhas.

onychatrophy. Onicatrofia.

onychauxis. Onicauxe. Hipertrofia das unhas.

onychectomy. Oniquectomia.

onychaxallaxis. Degeneração das unhas.

onychia. Oníquia. Inflamação da matriz da unha.

onycho-. Elemento léxico de origem grega que significa "unha".

onychoclasis. Onicóclase. Rotura da unha.

onychocryptosis. Onicocriptose. Unha encravada.

onychodynia. Onicodinia.

onychogenic. Onicogênico.

onychogram. Onicograma.

onychograph. Onicógrafo.

onychogryphosis, onychogriposis. Onicogripose. Unha endurecida em forma de gancho.

onychohelcosis. Oniquelcose. Ulceração da unha.

---

* N. do T. — Onomatologia é um estudo de cada um dos termos especializados de uma nomenclatura técnica particular. Exemplo vivo é a monumental Onomatologia Anatômica que imortalizou o maior conhecedor da nomenclatura anatômica, jamais alcançado: J. Hyrtl.

onychoid. Onicóide.

onycholisis. Onicólise. Separação da unha de seu leito.

onychoma. Onicoma. Tumor ungueal.

onychomadesis. Onicomadese. Transtorno no crescimento da unha.

onychomalacia. Onicomalácia. Amolecimento ungueal.

onychomicosis. Onicomicose.

onychonosus. Doença das unhas (sentido amplo-onicose).

onychopacity. Oniconiquia.

onychopathic. Onicopático.

onychopathology. Onicopatologia.

onychopathy. Onicopatia.

onychophagia. Onicofagia.

onychophyma. Onicofima. Espessamento da unha.

onychophysis. Onicófise. Crescimento córneo sob as unhas dos pés.

onychoptosis. Onicoptose. Queda das unhas.

onychorrhexis. Onicorrexe.

onychoschisis. Onicósquise. Divisão ou fissuração das unhas.

onychosis. Onicose. Onicopatia.

onychotillomania. Onicotilomania. Neurose de roer as unhas.

onychotomy. Onicotomia.

onychotrophy. Onicotrofia. Crescimento, nutrição da unha.

onyx. Unha.

onyxis. Oníquia, unha encravada.

oo-. Elemento léxico de origem grega que significa "ovo".

ooblast. Oblasto. Célula que se desenvolve o ovo.

oocenter. Ovocentro.

oocephalus. Oocéfalo, trigonocéfalo. Indivíduo com a cabeça em forma de ovo. Dolicocéfalo.

oocinesia, ookinesis. Oocinesia. Movimentos micóticos do ovo durante a maturação e fecundação.

oocyesis. Oociese. Gravidez no ovário.

oocyst. Oocisto.

oocyte. Oócito. // **- primary.** Oócito primário. // **- secondary.** Oócito secundário.

oodeocele. Oodeocele. Hérnia obturadora.

oogamous. Oogâmico.

oogamy. Oogamia. Conjugação dos gametas sexualmente dessemelhantes.

oogenesis. Oogênese.

oogonium. Oogônio. Célula primordial de que procede o ovo.

ookinesis. Oocinesia.

ookinete. Oocineto. Forma livre do parasito da malária.

oolemma. Oolema. Sin.: zona pilúcida.

oophagy. Oofagia.

oophoralgia. Ooforalgia.

oophorectomy. Ooforectomia. Sin: ovariectomia normal, castração.

oophoritis. Ooforite.

oophorohysterectomy. Ooforoisterectomia.

oophoromalacia. Ooforomalácia.

oophoron. Oóforo.

oophoropathy. Ooforopatia.

oophoropexy. Ooforopexia.

oophoroplasty. Ooforoplastia.

oophorosalpingectomy. Ooforossalpingectomia.

oophorosalpingitis. Ooforossalpingite, salpingovarite.

ooplasma. Ooplasma. Vitelo.

ootid. Espermatídio.

ooxanthine. Ooxantina.

ooze. Lama, limo.

opacity. Opacidade.

opalescence. Opalescência.

opaque. Opaco.

opeidoscope. Opidoscópio. Aparelho para estudo das vibrações da voz por meio da luz refletida em um espelho.

open. Aberto, abrir.

opening. Abertura.

operable. Operável, factível.

operation. Operação.

operative. Operatório.

operator. Operador, cirurgião.

opercular. Opercular.

operculum. Opérculo. Opérculo de Arnold, de Burdach, da ínsula.

ophiasis. Ofíase. Calvície serpiginosa.

ophidiophobia. Ofidiofobia.

ophiotoxaemia. Ofiotoxemia. Toxemia produzida por picada de cobra. Ofidismo.

ophryon. Centro da glabela. Ponto médio da linha supra-orbitária transversa: ófrio.

ophryosis. Ofriose. Espasmo dos supercílios.

ophthalmagra. Oftalmagra. Dor reumática ou gotosa no olho.

ophthalmalgia. Oftalmalgia.

ophthalmatrophia. Oftalmatrofia.

ophthalmectomy. Oftalmectomia.

ophthalmencephalon. Oftalmencéfalo.

ophthalmia. Oftalmia. // - **neonatorum.** Oftalmia do recém-nascido.

ophthalmic. Oftálmico.

ophthalmitis. Oftalmite. Oftalmia, panaftalmia. // - **sympathetic.** Oftalmia simpática.

ophthalmoblennorrhoea. Oftalmoblenorréia.

ophthalmocarcinoma. Oftalmocarcinoma.

ophthalmodiaphanoscope. Oftalmodiafanoscópio.

ophthalmodynamometer. Oftalmodinamômetro.

ophthalmofundoscope. Oftalmofundoscópio.

ophthalmograph. Oftalmógrafo.

ophthalmologist. Oftalmólogo.

ophthalmomalacia. Oftalmomalácia.

ophthalmometer. Oftalmômetro.

ophthalmometroscope. Oftalmometroscópio.

ophthalmometry. Oftalmometria.

ophthalmomyotomy. Oftalmomiotomia.

ophthalmopathy. Oftalmopatia.

ophthalmophacometer. Oftalmofacômetro.

ophthalmophthisis. Oftalmotísica.

ophthalmoplasty. Oftalmoplastia.

ophthalmoplegia. Oftalmoplegia. // - **externa, interna.** Oftalmoplegia externa, interna.

ophthalmoreaction. Oftalmorreação.

ophthalmorrhagia. Oftalmorragia.

ophthalmorrhexis. Oftalmorrexia.

ophthalmoscope. Oftalmoscópio.

ophthalmoscopy. Oftalmoscopia. // - **direct, indirect.** Oftalmoscopia direta, indireta.

ophthalmostasis. Oftalmóstase.

ophthalmostatometer. Oftalmostatômetro.

ophthalmothermometer. Oftalmotermômetro.

ophthalmotonometry. Oftalmotonometria.

ophthalmotropometer. Oftalmotropômetro.

ophthalmotropometry. Oftalmotropometria.

opiate. Opiáceo.

opinion. Opinião.

opiomania. Opiomania.

opiophagism. Opiofagismo.

opisthion. Opístio. Ponto médio na margem posterior do forâmen occipital.

opistognathism. Opistognatismo. Desenvolvimento insuficiente da mandíbula.

opisthorchiasis. Opistorquíase.

Opisthotonoid. Gênero da classe dos trematódeos.

opisthotonoid. Semelhante ao opistótono.

opisthotonos. Opistótono.

opium. Ópio.

opius habit. Abuso habitual do ópio.

opiunism. Opionismo. Abuso do ópio e seu quadro tóxico.

opocephalus. Opocéfalo. Monstro fetal com orelhas fundidas, sem boca, nem nariz e com um só olho ou dois muito próximos.

opodidymus. Opodídimo. Monstro fetal com uma só cabeça e duas faces.

opotherapeutic. Opoterapia.

Oppenheim's disease. Doença de Oppenheim. Miatonia congênita.

Oppenheim's gait. Marcha de Oppenheim. Marcha que se caracteriza pela oscilação irregular dos quadris, corpo e membros, em pessoas que sofrem de esclerose disseminada.

opponens. Oponente.

opposite. Oposto.

opression. Opressão.

opsinogen. Opsinógeno.

opsomania. Opsomania. Desejo insano de alimento.

opsonic. Opsônico. // **- index.** Índice opsônico. // **- negative phase.** Fase negativa opsônica. // **- positive phase.** Fase positiva opsônica.

opsonin. Opsonina.

opsonotherapy. Oposonoterapia.

optic. Óptico. // **- atrophy.** Atrofia óptica. // **- axis.** Eixo óptico. // **- chiasma.** Quiasma óptico. // **- cup.** Vesícula óptica secundária. // **- disc.** Disco óptico. // **- foramen.** Forâmen óptico. // **- nerve.** Nervo óptico. // **- neuritis.** Neurite óptica. // **- pit.** Fossa óptica. // **- plate.** Placa óptica. // **- thalamus.** Tálamo óptico. // **- tract.** Feixe óptico. // **- primary vesicle.** Vesícula óptica primária.

optical. Óptico. // **- activity.** Atividade óptica.

optician. Óptico.

optics. Óptica.

option. Opção.

optimum. Ótimo.

optogram. Optograma.

optometer. Optômetro.

optometry. Optometria.

optostriate. Optostriado.

ora. Orla, borda, margem. // **- serrata.** Margem em ziguezague.

oracular, oraculous. Positivo, magistral, dogmático.

oral. Oral (referente à boca).

orbicular. Orbicular.

orbicularis. Orbicular.

orbiculus, ciliaris. Anel ciliar.

orbit. Órbita.

orbital. Orbital.

orcein. Orceína.

orcheoplasty. Orqueoplastia.

orchi-. Elemento léxico de origem grega que significa "testículo".

orchialgia. Orquialgia.

orchidectomy. Orquiectomia.

orchidopexy, orchidopexia. Orquiopexia.

orchioplasty. Orquioplastia.

orchiorrhaphy. Orquiorrafia.

orchiotomy. Orquiotomia.

orchis. Testículos.

orchitic. Orquítico.

orchitis. Orquite.

orchiotomy. Orquiotomia.

Orcin, orcinol. Orcina, orcinol.

ord. Fio, corte. Ordenar, dispor.

order. Ordem, indicação.

orderly. Ajudante, assistente, praticante.

ordinate. Ordenado.

orf. Nome popular dado na Escócia a uma pústula infecciosa das ovelhas.

organ. Órgão.

organelle. Organela.

organic. Orgânico. // **- chemistry.** Química orgânica.

organism. Organismo.

organization. Organização.

organizer. Organizador.

organogenesis. Organogênese.

orgon, organon. Órgão.

organopathy. Organopatia.

organotherapeutic. Organoterapia.

organotherapy. Organoterapia.

orgasm. Orgasmo.

oriental. Oriental.

orientation. Orientação.

orifice, opening. Orifício.

orificial. Orificial.

origin. Origem.

orinasal. Orinasal.

ornithine. Ornitina.

Ornithodorus. Gênero de carrapatos.

orolingual. Orolingual.

oronasal. Oronasal.

oropharyngeal. Orofaríngeo.

oropharynx. Orofaringe.

Oroya fever. Febre de Oroya, ou doença de Carrión. Febre elevada e irregular, anemia do tipo perniciosa e grande sensibilidade dos órgãos hematopoéticos. Observa-se no Peru.

ortho-. Elemento léxico de origem grega que significa "reto, direito, normal".

orthobiosis. Ortobiose. Vida higiênica.

orthocaine. Ortocaína, ortofórmio.

orthocephalic. Ortocefálico. Diz de quem tem índice cefálico médio entre 70 a 75 graus.

orthocephaly. Ortocefalia.

orthocresol. Ortocresol.

orthodiagram. Ortodiagrama. Registo e impressão obtidos por meio de ortodiágrafo.

orthodiagraphy. Ortodiagrafia.

orthodontia. Ortodontia.

orthodontic. Ortodôntico.

orthodontics. Ortodontia.

orthodontist. Ortodontista.

orthognathism. Ortognatismo. Aproximação à vertical da linha de perfil da fronte ao mento.

orthognathous. Ortógnato.

orthometer. Ortômetro.

orthopaedic. Ortopédico. // - **surgery.** Cirurgia ortopédica.

orthopaedist. Ortopedista.

orthophoria. Ortoforia. Equilíbrio normal dos músculos do olho.

orthopnoea. Ortopnéia.

Orthoptera. Ordem de insetos.

orthoptic. Ortóptico. // - **training.** Método ortóptico. Que corrige a obliquidade dos eixos visuais.

orthoptist. Ortoptista.

orthoscope. Ortoscópio.

orthoscopic. Ortoscópico.

orthosis. Ortose. Sin.: ortopedia.

orthostatic. Ortostático. // - **albuminuria.** Albuminúria ortostática.

Oryza. Gênero de gramíneas a que pertence o arroz.

o.s. Abreviatura de *"oculus sinister"*, olho esquerdo.

orthotonus. Ortótono.

Os, osmium. Ósmio.

os, mouth. Osso, boca. Orifício.

osazone. Osazona. Membro de uma série de compostos obtidos aquecendo açúcar com fenilidrazina e ácido acético.

oscedo. Bocejo.

oscheal. Escrotal.

oscheitis. Osqueíte.

oscheocele. Osqueocele.

oscheohydrocele. Osquidrocele.

oscheolith. Osqueólito.

oscheoma. Osqueoma.

oscheoplasty. Osqueoplastia.

Oscillaria. Gênero de algas.

oscillation. Oscilação.

oscillometer. Oscilômetro.

Oscinis pallipes. Espécie de mosca.

oscitation. Oscitação, bocejo.

osculum. Ósculo, abertura ou orifício diminuto.

-osis. Sufixo que significa "processo" em geral mórbido, ou ação.

Osler's disease. Doença de Osler. Eritremia. // - **nodes.** Nódulos de Osler. Pequenos nódulos dolorosos encontrados nas polpas dos dedos em caso de endocardite infecciosa subaguda. // - **phenomenon.** Fenômeno de Osler. Aglutinação das plaquetas imediatamente depois de serem retiradas da circulação.

osmate. Osmato.

osmesis. Osmose, olfação.

osmic acid. Ácido ósmico.

osmidrosis. Ormidrose. Sudaçao fétida, bromidrose.

osmium. Ósmio.

osmo-. Elemento léxico de origem grega que tem relação com o "olfato".

osmosis. Osmose.

osmotic. Osmótico. // - **pressure.** Pressão osmótica.

osphresis. Osfrese, olfação.

ossa. Ossos.

ossein. Osseína.

osseoalbumoid. Osseomucina.

osseocartilaginous. Osteocartilaginoso.

osseomucoid. Osteomucóide.

osseous, bony. Ósseo.

ossicle. Ossículo.

ossicula. Ossículos. // - **auditus.** Ossículos do ouvido.

ossiculectomy. Ossiculectomia.

ossiferous. Ossífero.

ossific, ossificans. Ossificante.

ossification. Ossificação.

ossiform, bone-like. Ossiforme, osteóide.

ossify. Ossificar.

ossiphone. Ossifone. Aparelho que permite a audição por via óssea.

ossuary. Ossário.

osteal, bony. Ósseo.

ostealgia. Ostealgia.

osteameba. Célula óssea em forma de ameba.

osteanabrosis. Osteanabrose.

osteanagenesis. Osteanagênese. Regeneração óssea.

osteanaphysis. Osteanáfise. Reprodução de osso.

ostearthritis. Osteartrite.

osteoarthrotomy. Osteartrotomia.

ostectomy. Ostectomia.

ostectopy. Ostectopia. Deslocamento de um osso.

ostein, osteine. Osteína.

osteite. Osteíte.

osteitis. Osteíte. // - **deformans.** Osteíte deformante. // - **fibrosa.** Osteíte fibrosa.

ostembryon. Ossificação do feto: Litopédio.

ostemia. Ostemia. Congestão em um osso.

ostempyesis. Ostempiese. Supuração óssea.

ostensibly. Ostensibilidade.

299

osteo-. Elemento léxico de origem grega que significa "osso".

osteoacusis. Osteacusia. Audição por condução óssea.

osteoanagenesis. Osteanagênese. Regeneração do osso.

osteoanesthesia. Osteanestesia.

Osteoaneurysm. Osteaneurisma.

osteoarthritis. Osteartrite.

osteoarthropathy. Osteartropatia. // **- pulmonary, hipertrophic.** Osteartropatia pulmonar, hipertrófica. Sin.: doença de Bamberger-Marie, osteoperiostite ossificante toxicogênica.

osteoarthrotomy. Osteartrotomia.

ostearticular. Ostearticular.

osteoblast. Osteoblasto.

osteoblastic. Osteoblástico.

osteoblastoma. Osteoblastoma.

osteocachectic. Osteocaquético.

osteocachexia. Osteocaquexia.

osteocamp. Instrumento para curvar um osso sem fratura.

osteocampsia. Osteocampsia. Curvatura anormal de ossos, como na osteomalácia.

osteocarcinoma. Osteocarcinoma.

osteocartilaginous. Osteocartilaginoso.

osteocele. Osteocele.

osteocementum. Osteocemento.

osteocephaloma. Osteocefaloma.

osteochondral. Osteocondral.

osteochondritis. Osteocondrite. // **- dissecans.** Osteocondrite dissecante.

osteochondrodystrophia. Osteocondrodistrofia.

osteochondrofibroma. Osteocondrofibroma.

osteochondrolysis. Osteocondrólise.

osteochondroma. Osteocondroma.

osteochondromatosis. Osteocondromatose.

osteochondrophyte. Osteocondrófito.

osteochondrosarcoma. Osteocondrossarcoma.

osteochondrosis. Osteocondrose.

osteoclasia, osteoclasis. Osteoclasia.

osteoclast. Osteoclasto.

osteoclastoma. Osteoclastoma.

osteoclasty. Osteoclasia.

osteocope, osteocopic pain. Osteócopo, dor osteócopa. Dor intensa nos ossos.

osteocranium. Osteocrânio.

osteocystoma. Osteocistoma.

osteocyte. Osteócito.

osteodentin. Osteodentina.

osteodentoma. Osteodentoma.

osteodermia. Osteodermia.

osteodesmosis. Osteodesmose.

osteodiastasis. Osteodiástase.

osteodynia. Osteodinia.

osteodystrophia. Osteodistrofia.

osteoectomy. Ostectomia.

osteoectopy. Ostectopia.

osteoencephaloma. Osteoencefaloma.

osteoenchondroma. Osteoencondroma.

osteoepiphysis. Osteoepífise.

osteofibroma. Osteofibroma.

osteogenesis. Osteogênese. // **- imperfecta.** Osteogênese imperfeita. Sin.: *fragilitas ossium*, osteopsatirose.

osteogenetic. Osteogênico.

osteogenic. Osteogênico. // **- sarcoma.** Sarcoma osteogênico.

osteogenous. Osteogênico.

osteogeny. Osteogenia.

osteogram. Osteograma.

osteography. Osteografia.

osteohalisteresis. Ostealisterese. Falta ou deficiência de elementos minerais nos ossos.

osteohemachromatosis. Osteoemacromatose.

osteohydatidosis. Osteidatidose.

osteoid. Osteóide. // **- chondroma.** Condroma osteóide.

osteoid-osteoma. Osteoma-osteóide. Tumor osteoblástico benigno composto de tecido osteóide e osso atípico.

osteolipochondroma. Osteolipocondroma.

osteolipoma. Osteolipoma.

osteology. Osteologia.

osteolysis. Osteólise.

osteolytic. Osteolítico.

osteoma. Osteoma. // **- cancellous.** Osteoma esponjoso. // **- compact.** Osteoma compacto.

osteomalacia. Osteomalácia. Sin.: malacosteon mullities ossium, osteomalacose.

osteomalacic. Osteomalácico.

osteomalacosis. Osteomalacose, osteomalácia.

osteomatoid. Osteomatóide.

osteomatosis. Osteomatose. Formação de múltiplos osteomas.

osteomere. Osteômero. Um de uma série de ossos iguais como uma vértebra.

osteometry. Osteometria.

osteomiosis. Osteomiose. Desintegração de osso.

osteomyelitic. Osteomielítico.

osteomyelitis. Osteomielite.

osteomyelodysplasia. Osteomielodisplasia.

osteomyelography. Osteomielografia.

osteoncus. Osteoncose.

osteonecrosis. Osteonecrose.

osteoneuralgia. Osteoneuralgia.

osteonosus. Osteonose.

osteopathia. Osteopatia.

osteopathic. Osteopático.

osteopathology. Osteopatologia.

osteopathy. Osteopatia.

osteopecilia. Osteosclerosis fragilis generalisata.

osteopedion. Osteopédio. Osteolitopédio.

osteoperiosteal. Osteoperiostal.

osteoperiostitis. Osteoperiostite.

osteopetrosis. Osteopetrose. Osteosclerose condensante generalizada.

osteophagia. Osteofagia.

osteophony. Osteofonia. Condução óssea do som.

osteophore. Osteóforo. Pinças para arrancar porções de osso.

osteophyma. Osteofima.

osteophyte. Osteófito.

osteophytosis. Osteofitose. Formação de osteófitos.

osteopsathyrosis. Osteopsatirose. Sin.: doença de Lobstein, "osteogenesis imperfecta", *fragilitas ossium.*

osteoplast. Osteoplasto.

osteoplastic. Osteoplástico.

osteoplasty. Osteoplastia.

osteopoikilosis. Osteopecilose. Osteosclerose condensante generalizada.

osteoporosis. Osteoporose.

osteoradionecrosis. Osteorradionecrose.

osteorrhagia. Osteorragia.

osteorrhaphy. Osteorrafia.

osteosarcoma. Osteossarcoma.

osteosarcomatous. Osteossarcomatoso.

osteosclerosis. Osteosclerose.

osteosclerotic. Osteosclerótico.

osteoscope. Osteoscópio. Instrumento para a prova de um aparelho radiográfico para o exame de uma preparação do tipo dos ossos do antebraço.

osteoseptum. Parte óssea do septo nasal.

osteosis. Osteose.

osteospongioma. Osteospongioma.

osteosteatoma. Osteosteatoma.

osteostixis. Osteostixe. Punção cirúrgica de um osso.

osteosuture. Osteossutura.

osteosynovitis. Osteossinovite.

osteosynthesis. Osteossíntese.

osteotabes. Osteotabes.

osteotelangiectasia. Osteotelangiectasia.

osteothrombosis. Osteotrombose.

osteotome. Osteótomo. Escopro para a prática da osteotomia.

osteotomy. Osteotomia.

osteotribe, osteotrite. Osteótribo. Instrumento para raspagem de ossos cariados: cureta.

osteotrophy. Osteotrofia.

osteotylus. Osteótilo. Calo ósseo.

osteotympanic. Osteotimpânico.

ostial. Osteóide.

ostitis. Osteíte.

ostium. Óstio.

ostosis. Ostose, osteose, osteogênese.

ostraceous. Ostráceo.

ostracosis. Ostracose.

ostraesterol. Álcool que se encontra nas ostras.

ostreotoximus. Ostreotoxismo. Intoxicação por ostras deterioradas.

otalgia. Otalgia.

Otani's test. Prova de Otani. Para a febre tifóide, paratifóide e disenteria. Toma-se uma pequena quantidade de sangue citratado do doente em uma pipeta capilar, junta-se quantidade igual a emulsão de bacilos da doença. Depois de passados pelo autoclave, toma-se com pipeta 1 gota, cora-se e contam-se os fagócitos. Se 30 por 100 deles englobou bacilos, a prova é positiva.

otectomy. Otectomia.

othaematoma. Otematoma.

othaemorrhagia. Otemorragia.

othaemorrhoea. Otemorréia.

otic. Ótico.

oticodinia. Oticodinia. Vertigem por afecção ótica.

otitis. Otite. // - **esternal.** Otite externa. // - **internal.** Otite interna. // - **media.** Otite média.

otoacariasis. Otoacaríase.

otoantritis. Otoantrite.

otoblennorrhea. Otoblenorréia.

otocatarrh. Catarro no ouvido.

otocephalus. Otocéfalo.

otocleisis. Otoclise. Oclusão do ouvido.

otoconia. Otólitos. Plural de otoconium.

otocranium. Otocrânio.

otocyst. Otocisto.

otogenous. Otogênico.

otolith. Otólito.

otologist. Otologista.

otology. Otologia.

otomycosis. Otomicose.

otopharyngeal. Otofaríngeo. // - **tube.** Tuba otofaríngea.

otophone. Otofone.

otopiesis. Otopiese. Pressão anormal no labirinto.

otoplasty. Otoplastia.

otopyorrhoea. Otopiorréia.

otorhinolaryngology. Otorrinolaringologia.

otorrhagia. Otorragia.

otorrhoea. Otorréia.

otosalpinx. Otossalpinge.

otoscleronectomy. Otoscleronectomia.

otosclerosis. Otosclerose.

otoscope. Otoscópio.

ototomy. Ototomia.

ouabain. Ouabaína.

ounce. Onça. Unidade de peso.

outbreak. Estalido.

outer. Exterior.

outlet. Orifício inferior do canal pélvico, saída.

outlook. Atitude.

outpatient. Paciente ambulatório.

output. Total expedido ou produzido.

outside. Exterior, por fora.

oval. Oval.

ovarian. Ovárico. // **- pregnancy.** Gravidez ovárica.

ovariectomy. Ovariectomia. Ooforectomia.

ovariocele. Ovariocele.

ovariocentesis. Ovariocentese.

ovariocyesis. Ovariociese.

ovariohysterectomy. Ovarioisterectomia.

ovariotomy. Ovariotomia.

ovarium. Ovário. // **- masculinum.** Hidátide de Morgagni.

ovary. Ovário.

oven. Forno.

over. Em cima, excesso.

overdetermination. Superdeterminação. Termo psicanalítico.

overextension. Hiperextensão.

overflow. Inundação, derrame.

overgrowth. Hipertrofia.

Overlach's spines. Espinhos de Overlach. Prolongamentos protoplasmáticos celulares do epitélio do colo uterino.

overlade. Sobrecarregar.

overlying of children. Asfixia da criança por pressão da mãe, enquanto dorme.

override. Anular, invalidar.

overstrain. Apertar ou estirar.

overweight. Obesidade.

ovicapsule. Ovicápsula.

oviduct. Oviduto.

oviferous. Ovífero.

ovification. Ovificação.

oviform. Oviforme.

ovigenous. Ovígeno.

ovigerm. Ovigerme.

ovigerous. Ovígero.

oviparous. Ovíparo.

ovisac. Ovissaco, vesícula de Graaf.

ovitestis. Ovotestis.

ovoalbumin. Ovalbumina.

ovogenesis. Ovogênese.

ovoglobin. Ovoglobina.

ovoid. Ovóide.

ovolecithin. Ovolecitina.

ovomucin. Ovomucina.

ovomucoid. Ovomucóide.

ovoplasm. Ovoplasma.

ovotestis. Ovotestis.

ovovitellin. Ovovitelino.

ovoviviparous. Ovovivíparo.

ovular. Ovular.

ovulase. Ovúlase.

ovulation. Ovulação.

ovule. Óvulo.

ovulum. Óvulo.

ovum. Ovo, óvulo.

Owen's lines. Linhas de Owen. Linhas que atravessam a dentina devido à irregularidade do eixo dos tubos dentinais.

owing (to). Devido a.

own. Próprio.

oxalaemia. Oxalemia. Presença de excesso de oxalatos no sangue.

oxalate. Oxalato.

oxalic acid. Ácido oxálico.

oxaluria. Oxalúria.

oxaluric acid. Ácido oxalúrico.

oxgall. Bile de boi.

oxidase. Oxídase.

oxidation. Oxidação.

oxide. Óxido.

oxidized. Oxidado.

oxido-reduction. Óxido-redução.

oxyblepsia. Oxiblepsia.

oxycephaly. Oxicefalia, acrocefalia, hipsocefalia, turricefalia.

oxychloride. Oxicloreto.

oxychromatin. Oxicromatina.

oxydum. Óxido.

oxyecoia, oxyakoia. Oxiacusia, hiperacusia.

oxygen. Oxigênio.

oxygenase. Oxigênase.

oxygenation. Oxigenação.

oxygeusia. Oxigeusia. Hipergeusia. Hipersensibilidade gustativa.

oxyhaemoglobin. Oxiemoglobina.

oxyhydrogen. Oxi-hidrogênio.

oxyopia. Oxiopia.

oxyphenarsine. Oxifenarsina.

oxyphil, oxyphile. Oxífilo.

oxypurine. Oxipurina.

oxytocia. Oxitocia. Parto rápido.
oxytocic. Oxitócico.
oxytocin. Oxitocina.
oxyuriasis. Oxiuríase.
oxyuris. Oxiúro. Nematóide intestinal.

oz. Abreviatura de *ounce*, onça.
ozaena. Ozena.
ozochrotia. Ozocrotia. Cheiro ofensivo da pele.
ozone. Ozônio.
ozostomia. Ozostomia.

FRASES E EXPRESSÕES

of course. Desde logo.
of the day. Da época, de então.
on the contrary. Pelo contrário.
on the one hand. Por um lado.
on the other hand. Em troca, por outro lado.

on record. Registrado.
(to) open into. Abrir-se caminho.
over a period. Durante um período.
owing to. Devido a.

P

P. Símbolo químico de Fósforo.

p. Abreviatura de *para-* em química.

p.ae. Abreviatura de *pártes aequales:* partes iguais.

P$_2$. Abreviatura de "segundo ruído pulmonar".

Pa. Símbolo químico do protactínio.

Paas's disease. Doença de Paas. Distrofia óssea familiar, com diversas deformidades esqueléticas, coxa valga, escoliose, espondilite, etc.

PAB, PABA. Ácido paraminobenzóico.

P wave. Onda P.

pabular. Pabular, alimentício.

pabulum. Pábulo, alimento.

Pacchioni's bodies. Corpúsculos ou glândulas de Pacchioni. Pequenas eminências no tecido aracnoídeo sob a dura-máter que produzem por pressão, ligeiras depressões na superfície interna do crânio. // **- depressions.** Depressões de Pacchioni (v. *Pacchioni's bodies*). // **- foramen.** Forâmen de Pacchioni. Abertura da tenda do cerebelo pela qual se estende a ponte de Varoli; incisura da tenda.

pacemaker. Marcapasso, nódulo sinatrial.

Pachon's method. Método de Pachon. Cardiografia estando o paciente em decúbito lateral esquerdo.

pachy-. Elemento de origem grega que significa "grosso", "espesso".

pachyblepharon. Paquibléfaro.

pachycephalous. Paquicéfalo.

pachycephaly. Paquicefalia.

pachychilia. Paquiquilia. Aumento de espessura dos lábios.

pachyderm. Paquiderme.

pachyderma, pachydermia. Paquidermia.

pachydermatocele. Paquidermatocele.

pachydermatous. Paquidérmico de pele espessada.

pachyglossia. Paquiglossia.

pachyhematous. Portador de sangue espesso, de paquiemia.

pachyhemia. Paquiemia.

pachyleptomeningitis. Paquileptomeningite.

pachylosis. Paquilose.

pachymenia. Paquimenia.

pachymenic. Paquimênico.

pachymeningitis. Paquimeningite. // **- external, internal.** Paquimeningite, externa, interna. // **- haemorrhagical internal.** Paquimeningite hemorrágica interna. // **- spinalis hypertrophical.** Paquimeningite espinal hipertrófica.

pachymeninx. Paquimeninge. Dura-máter.

pachynema. Paquinema.

pachyonychia. Paquioniquia.

pachytene. Paquinema.

pachytic. Paquítico, adiposo, gordo.

pachytrichous. Paquitríquico.

pachyvaginitis. Paquivaginite.

pacification. Pacificação.

Pacini's corpuscles or bodies. Corpúsculos ou corpos de Pacini. Massas ovais visíveis à vista desarmada, formadas por membranas concêntricas de tecido conjuntivo, envolvendo um bulbo granuloso central, terminação de uma neurofibrila. Abundam nas palmas das mãos e plantas dos pés, genitais externos etc., e são considerados como órgãos periféricos da sensibilidade geral. // **- fluid.** Solução de Pacini. Solução empregada no exame microscópico do sangue, que consta de 2 partes de sublimado corrosivo, 4 de cloreto de sódio, 26 de glicerina e 226 de água destilada.

pad. Almofada, chumaço, coxim.

padding. Enchimento, algodão.

paddy. Arroz em casca.

paederast. Pederasta.

paederasty. Pederastia.

paediatrician, paediatrist. Pediatra.

304

paediatrics. Pediatria.

paedicterus. Icterícia do recém-nascido.

paedophilia. Pedofilia.

Page's disease. Doença de Page. Neurose traumática. Sin.: Erichsen's disease.

Pagenstecher's ointment. Pomada de Pagenstecher. Pomada oftálmica de óxido amarelo de mercúrio.

Paget's disease. Doença de Paget. Osteíte deformante. Afecção inflamatória do mamilo e aréola que com freqüência se faz cancerosa. // **- disease of the nipple.** Dermatite papilar maligna de Paget. Psorospermose do mamilo e da aréola. // **- recurrent fibroid.** Fibróide recorrente de Paget. Sarcoma de células fusiformes do tecido subcutâneo.

paidology. Pedologia.

paidonosology. Pedonosologia, pediatria.

pail. Cubo, balde.

pain. Dor.

painter's colic. Cólica dos pintores.

pair. Par, parelha.

Pajot's hook. Gancho de Pajot, para decapitação do feto. // **- law.** Lei de Pajot. Todo corpo sólido contido dentro de outro com paredes lisas tende a acomodar-se a estas paredes, esta lei rege os movimentos de rotação do feto durante o parto.

Pal's stain. Coloração de Pal. Fixação para modificar a coloração de Weigert das bainhas de mielina.

palatal. Palatino.

palate. Palato. // **- cleft.** Palato fissurado. // **- hard.** Palato duro. // **- soft.** Palato mole.

palatiform. Palatiforme.

palatine. Palatino. // **- arches.** Arco palatino. // **- paresis.** Paresia do palato.

palatitis. Palatite.

palatoglossal. Palatoglosso.

palatoglossus muscle. Músculo palatoglóssico.

palatognathus. Palatógnato.

palatograph. Palatógrafo.

palatography. Palatografia.

palatomaxillary. Palatomaxilar.

palatomyograph. Palatomiógrafo.

palatonasal. Palatonasal.

palatopharyngeal. Palatofaríngeo.

palatopharyngeus muscle. Músculo palatofaríngeo.

palatoplasty. Palatoplastia.

palatoplegia. Palatoplegia.

palatorrhaphy. Palatorrafia.

palatosalpingeus. Palatossalpíngeo.

palatoschisis. Palatósquise. Fissura palatina, uranósquise.

palatum. Palato.

pale. Pálido.

paleencephalon. Palencéfalo.

paleocerebellum. Paleocerebelo.

paleocinetic. Paleocinético.

paleocortex. Paleocórtex.

paleoencephalon. Palencéfalo.

paleogenesis. Paleogênese.

paleogenetic. Paleogenético.

paleokinetic. Paleocinética.

paleontology. Paleontologia.

paleophrenia. Paleofrenia.

paleopsychology. Paleopsicologia.

paleosensation. Paleo-sensação.

paleostriatal, paleostriatum. Paleostriado.

paleothalamus. Paleotálamo.

Palfyn's sinus. Seio de Palfyn. Cavidade no interior da apófise crista-galli, que às vezes comunica o seio frontal e as células etmoidais.

pali-. Elemento léxico de origem grega que significa "repetição, outra vez, de novo".

palicinesia. Palicinésia.

palikinesia. Palicinésia.

palilalia. Palilalia.

palindromia. Palindromia. Recorrência de uma enfermidade.

palindromic. Palindrômico, recorrente.

palinesthesia. Palinestesia.

palingenesis. Palingênese, regeneração.

palingraphia. Palingrafia.

palinmnesis. Palimnese. Memória de fatos passados.

palinphrasia. Palinfrasia.

palirrhea. Palirréia, regurgitação.

palisade cells. Células em paliçada.

palish. Pálido, macilento.

palistrophia. Palistrofia.

pall. Pano mortuário. Pálio.

palladium. Paládio.

pallanesthesia. Palanestesia. Insensibilidade para as vibrações.

pallescence. Palescência.

pallesthesia. Palestesia.

palliate. Paliar, excusar.

palliative. Paliativo.

pallid, pallidus, pallida, pale. Pálido.

pallidum. Pálido.

pallium. Pálio.

pallo., paleness. Palidez.

palm. Palma da mão.

palma, palm. Palma.

palmar. Palmar.

palmaris muscles. Músculos palmares.

305

palmature. Sindactilia congênita ou adquirida (queimadura etc.).

palmesthesia. Palmestesia.

palmesthetic. Palmestésico.

palmic. Relativo à palmeira, ao pulso, palpitação ou ao espasmo saltatório.

palmiped. Palmípede.

palmitate. Palmitato.

palmitic. Palmítico.

palmitin. Palmitina.

palmityl. Palmitilo.

palmus. Pulsação, palma da mão.

palograph. Palógrafo. Variedade de esfigmógrafo. Nele se transmitem os impulsos de uma coluna líquida dentro de um tubo em "U" e os movimentos da superfície do líquido são fotografados.

palpable. Palpável.

palpation. Palpação.

palpatometry. Palpatometria.

palpatopercussion. Palpatopercussão.

palpebra. Pálpebra. // - **inferior, superior.** Pálpebra inferior, superior.

palpebral. Palpebral.

palpebralis. Palpebral (músculo).

palpebrate. Provido de pálpebra. Pestanejar.

palpebration, winking. Pestanejamento, nictação.

palpitation. Palpitação.

palsy. Paralisia.

Paltauf's nanism. Nanismo de Paltauf. Nanismo associado a linfatismo.

Paltauf-Sternberg's disease. Doença de Paltauf-Sternberg. Doença de Hodgkin, linfogranulomatose.

palter. Tergiversar, enganar.

paludal. Palúdico, paludial.

paludism. Paludismo, malária. Sin.: febre palúdica, palustre, febre limnêmia, febre telúrica, impaludismo, paludose.

paludrine. Paludrina.

pamaquin. Plasmoquina.

ρ-aminosalycylic acid. Ácido paraminossalicílico.

pamphlet. Panfleto, folheto.

pampiniform. Pampiniforme, em forma de verruga ou gavinha.

pampinocele. Pampinocele, varicocele do plexo pampiniforme.

pamplegia. Pamplegia.

pan-. Pan. Elemento léxico de origem grega, que significa "todo". Aparece também sob sua forma completa: pant (o).

pan. Panela, caçarola. // - **bed-pan.** Comadre.

panacea. Panacéia.

panagglutination. Panaglutinação.

panangiitis. Panangiite.

panaritium. Panarício.

panarteritis. Panarterite.

panarthritis. Panartrite.

Panas's solution. Solução de Panas. Emprega-se em abluções nas inflamações oculares e esta é composta de 1g de iodeto de mercúrio, 400ml de álcool e 20.000 ml de água.

panasthenia. Panastenia.

panatrophy. Panatrofia.

panblastic. Panblástico. Conectado com todas as camadas do blastoderma.

pancarditis. Pancardite, endocardite, miocardite e pericardite simultâneas.

panchromatic. Pancromático.

panchromia. Pancromia.

Pancoast's operation, suture. Operação e sutura de Pancoast. Secção da segunda divisão do trigêmeo em sua saída do crânio. // Sutura de Pancoast. Sutura plástica. Sutura de uma tira ou língua cortada de uma das bordas da ferida em um canal ou sulco cortado no outro lábio.

Pancoast's tumor. Tumor de Pancoast. Tumor do ápice do tórax que se estende e destrói costelas e vértebras e invade os plexos bronquiais.

pancreas. Pâncreas.

pancreatalgia. Pancreatalgia.

pancreatectomy. Pancreatectomia.

pancreatic. Pancreático.

pancreaticoduodenal. Pancreaticoduodenal.

pancreaticoduodenectomia. Pancreatoduodenectomia.

pancreaticoenterostomy. Pancreatenterostomia.

pancreaticojejunostomy. Pancreatojejunostomia.

pancreatin. Pancreatina.

pancreatism. Pancreatismo.

pancreatitis. Pancreatite. // - **acute.** Pancreatite aguda.

pancreatogenous. Pancreatógeno.

pancreatolipase. Pancreatolípase.

pancreatolith. Pancreatólito.

pancreatolysis. Pancreatólise.

pancreatolytic. Pancreatolítico.

pancreatomy. Pancreatotomia.

pancreolytic. Pancreatolítico.

pancreopathy. Pancreatopatia.

pandect. Recopilação.

pandemic. Pandêmico.

Pander's cells, nucleus. Células, núcleo de Pander. Massa lenticular de substância cinzenta sob o tálamo óptico e próximo do núcleo do Stilling. // **- false amnion.** Folhetos de Pander. Cada uma das três porções do blastoderma, isto é, ectoderma, mesoderma e endoderma.

Paneth's cells. Células de Paneth. Células estreladas da mucosa do intestino delgado.

pang. Angústia, dor.

pangen. Pangênio. Unidade hipotética do idioplasma, idioblasto, bióforo, ou micela.

pangenesis. Pangênese.

panhidrosis. Pan-hidrose.

panhydrometer. Pan-hidrômetro.

panhygrous. Pan-hígrico.

panhysterectomy. Pan-histerectomia.

panhystero-oophorectomy. Pan-hístero-ooforectomia.

panhysterosalpingectomy. Pan-hístero-salpingectomia.

panic. Pânico, medo.

panicle. Panículo.

panicula. Panícula.

panidrosis. Panidrose. Perspiração prolongada de todo o corpo.

panimmunity. Pan-imunidade.

panis, bread. Pão.

Panizza's foramen. Forâmen de Panizza. Forâmen interventricular do coração anormal nos mamíferos, porém normal nos vertebrados inferiores. // **- plexuses.** Plexos de Panizza. Plexos linfático profundos aos lados do frênulo do prepúcio.

panmixia. Pan-mixia.

panmyeloid. Pan-mielóide.

panmyelopathy. Pan-mielopatia.

panmyelophthisis. Pan-mielotísica.

panniculitis. Paniculite.

panniculus. Panículo. // **- adiposus.** Panículo adiposo.

pannus. Panus. Sin.: ceratite vascular.

panophthalmia, panophthalmitis. Panoftalmia.

panoptic. Panóptico.

panoptosis. Panoptose.

panostitis. Panosteíte.

panotitis. Panotite.

panphobia. Pantofobia. Temor mórbido de tudo.

panplegia. Pamplegia.

Pansch's fissure. Fissura de Pansch. Fissura cerebral, da extremidade inferior da fissura central à extremidade final do lobo occipital.

pansclerosis. Pansclerose.

panseptum. Pansepto.

pansinusitis. Pansinusite.

panspermatism. Panspermatismo.

panspermia. Panspermia.

pansphygmograph. Pansfigmógrafo. Instrumento para increver simultaneamente os movimentos cardíacos, o pulso arterial e a respiração.ção.

Panstrongylus. Gênero de hemípteros reduvídeos.

pant-. Elemento léxico prefixal de origem grega que significa "todo".

pant. Arquejar, respirar com dificuldade.

pantachromatic. Inteiramente acromático.

pantalgia. Pantalgia.

pantanencephalia. Pantanencefalia. Ausência total de cérebro em um monstro fetal.

pantaphobia. Pantafobia.

pantatrophia. Pantatrofia.

pantocain. Pantocaína.

pantograph. Pantógrafo. Instrumento para registro gráfico do contorno do tórax.

pantomorphic. Pantomórfico. Capaz de assumir muitas formas.

pantophobia. Pantofobia. Temor ou ansiedade por tudo, lipemania ansiosa.

pantopon. Pantopon.

pantothenic acid. Ácido pantotênico.

pap. Papila.

papain. Papaína. Sin.: pepsina vegetal.

Papanicolaou's stain. Método de Papanicolaou. Método de coloração de várias secreções corpóreas, respiratória, digestiva, ou geniturinárias para exame das células exfoliativas com o fim de detectar a presença de processo maligno.

papaver. Gênero de plantas papaveráceas.

papaveretum. Cloridrato de alcalóide do ópio.

papaverine. Papaverina.

papaya. Suco de fruto de mesmo nome (mamão) ("Carica papaya").

paper. Papel.

papescent. Com a consistência de papa.

papille, nipple. Papila, mamilo. // **- circumvallata.** Papila circunvalata ou caliciforme. // **- duodeny.** Papila duodenal, ampola de Vater. // **- filiformis.** Papila filiforme. // **- fungiformis.** Papila fungiforme. // **- lacrimalis.** Papila lacrimal. // **- renal.** Papila renal.

papillary. Papilar.

papillectomy. Papilectomia.

papilliferous. Papilífero.

papilliform. Papiliforme.

papillitis. Papilite.

papilloedema. Papiledema.

papilloma. Papiloma.

papillomatosis. Papilomatose.

papilloretinitis. Papilorretinite.

papillous. Papilar.

Pappataci fever. Febre de Pappataci. Enfermidade febril de curta duração de três dias, produzida por vírus filtrável, transmitida pela picadura do inseto *Phlebotomus pappatassii.*

Pappenheim's staining. Coloração de Pappenheim. Utiliza-se para diferenciação entre granulações basófilas das hemácias, e os fragmentos nucleares e também para a tuberculose.

pappy. Em forma de papa ou pirão.

papular. Papular.

papulation. Papulação ou papulização. Formação de pápulas.

papule. Pápula.

papuliferous. Papulífero.

papuloid. Papulóide.

papulonecrotic tuberculide. Tuberculide pápulo-necrótica.

papulopustular. Papulopustular.

papulopustule. Papulopústula.

papulovesicle. Papulovesícula.

papulovesicular. Papulovesicular.

papyraceous. Papiráceo.

Paquelin's cautery. Cautério ou termocautério de Paquelin.

par. Equivalência, paridade.

paraaminobenzenesulphonamide. Paraminobenzenossulfonamida.

paraaminobenzoic acid. Ácido paraminobenzóico.

paraaminosalicylic acid. Ácido paraminossalicílico.

paraanaesthesia. Paranestesia.

parabanic acid. Ácido parabânico.

parabiosis. Parabiose.

parabiotic. Parabiótico.

parablast. Parablasto.

parablastic. Parablástico.

parablastoma. Parablastoma.

parablepsia. Parablepsia. Visão lateral, visão falsa ou pervertida.

parabulia. Parabulia.

paracanthoma. Paracantoma.

paracardiac. Paracardíaco.

paracasein. Paracaseína.

paracele. Paracele. Ventrículo lateral do cérebro.

paracentesis. Paracentese.

paracentetic. Relativo à paracentese.

paracentral. Paracentral.

paracephalus. Paracéfalo.

paracerebellar. Paracerebelar.

paracholera. Paracólera.

paracholesterin. Paracolesterina.

paracholia. Paracolia. Secreção biliar desordenada.

parachordal. Paracordal.

parachroia. Paracróia, paracromia.

parachroma. Paracromia. Cor alterada da pele.

parachromatin. Paracromatina.

parachromatism. Paracromatismo, paracromia, paracromatopsia.

parachromatopsia. Paracromatopsia.

parachrome. Paracromia.

parachromophore. Bactéria que secreta um pigmento e o retém em seu corpo.

parachromophoric. Paracromatofórico.

paracinesia. Paracinesia.

paracme. Paracme. Período de declinação ou remissão.

paracoccidioides. Paracoccidióide.

paracoele. Paracele. Ventrículo lateral do cérebro.

paracolitis. Paracolite.

paracolpitis. Paracolpite.

paracone. Paracone. Cúspide mesiolingual de um molar superior.

paracoto. Paracoto. Casca da rubiácea: *Palicurea densiflora.*

paracousis. Paracusia.

paracoxalgia. Paracoxalgia. Dor semelhante à da coxite.

paracresol. Paracresol.

paracrystals. Paracristais.

paracyesis. Paraciese.

paracystitis. Paracistite.

paracystium. Tecido conetivo perivesical.

paradenitis. Paradenite.

paradental. Paradental, periodôntico.

paradentitis. Paradentite, periodontite.

paradentium. Periodôntio, periodonto.

paradiabetes. Paradiabetes.

paradiagnosis. Paradiagnose.

paradidymal. Paradidímico, paradídimo.

paradidymis. Paradídimo.

paradiphtherial. Paradiftérico.

paradox. Paradoxo.

paradysentery. Paradisenteria.

paraesthesis. Parestesia.

paraffin. Parafina.

paraffinoma. Parafinoma.

parafibrinogen. Parafibrinogênio.

paraflagellate. Paraflagelado.

paraflagellum. Paraflagelo.

paraflocculus. Paraflóculo.

paraformaldehyde. Paraformaldeído, parafórmio.

parafuchsin. Parafucsina.

parafunction. Parafunção.

paragammacism. Paragamacismo.

paraganglioma. Paraganglioma.
paraganglion. Paragânglio.
paragelatose. Paragelatose.
paragenitalis. Paragenital.
parageusia, parageusis. Parageusia.
paragglutination. Paraglutinação.
paraglobulin. Paraglobulina. Sin.: caseína do soro, fibroplastina, fibrinoplastina, serina, substância fibrinoplástica, soroglobulina.
paraglossa. Paraglossa.
paraglossitis. Paraglossite.
paragnathus. Parágnato. Monstro com mandíbula supranumerária.
paragomphosis. Paragonfose.
Paragonimus. Gênero de trematódeos. // - **Wertermanii.** Distomia pulmonare.
paragonimiasis. Paragonimíase.
paragrammatism. Paragramatismo.
paragraphia. Paragrafia.
parahemoglobin. Paremoglobina.
parahemophilia. Paremofilia.
parahepatic. Parepático.
parahidrosis. Paridrose.
parahormone. Parormônio.
parahypnosis. Para-hipnose.
parahypophysis. Para-hipófise.
paraimmunity. Para-imunidade.
parainfection. Para-infecção.
parakeratosis. Paraceratose.
parakinesis, parakinesia. Paracinesia.
paralactic acid. Ácido paralático.
paralalia. Paralalia.
paralambdacism. Paralambdacismo.
paralbumin. Paralbumina.
paraldehyde. Paraldeído.
paraldehydism. Paraldeidismo.
paralexia. Paralexia.
paralgesia. Paralgesia.
parallax. Paralaxe.
parallel. Paralelo.
paralogia. Paralogia.
paralogism. Paralogismo.
paraluetic. Paraluético.
paralysis. Paralisia. // - **acute ascending.** Paralisia ascendente aguda. // - **agitans.** Paralisia agitante. // - **bulbar.** Paralisia bulbar. // - **crutch.** Paralisia cruzada. // - **familial periodic.** Paralisia periódica familiar. // - **general - of the insane.** Paralisia geral, paralisia geral progressiva. Sin.: enfermidade de Bayle, encefalite crônica intersticial difusa, periencefalomeningite crônica difusa, demência paralítica, paresia geral, paralisia dos alienados, tabes cerebral, meningoencefalite sifilítica. // - **obste-**trical.** Paralisia obstétrica. // - **Pseudobulbar.** Paralisia pseudobulbar.
paralytic. Paralítico.
paralyze. Paralisar.
paramagnetic. Paramagnético.
paramagnetism. Paramagnetismo.
paramammary. Paramamário.
paramastitis. Paramastite.
paramastoid. Paramastóideo.
paramastoiditis. Paramastoidite.
paramecium. Paramécio. Gênero de protozoários ciliados semelhantes ao Balantidium.
paramenia. Paramenia.
parameniscus. Paramenisco.
paramesial. Paramesial.
parameter. Parâmetro.
parametric. Paramétrico.
parametritis. Parametrite.
parametrium. Parâmétrio.
paramnesia. Paramnésia.
Paramoecium. Paramécio.
paramorphine. Paramorfina.
paramount. Superior, supremo.
paramusia. Paramusia. Amusia parcial.
paramyelin. Paramielina.
paramyoclonus, multiplex. Paramioclonia múltipla, enfermidade de Friedreich.
paramyotonia congenita. Paramiotonia congênita, enfermidade de Thomsen.
paranaesthesia. Paranestesia.
paranephric. Paranéfrico, para-renal.
paranephritis. Paranefrite.
paranephros, paranephrus. Paranefro. Cápsula supra-renal.
paraneural. Paraneural.
paraphrasia. Parafrasia.
paraphrenia. Parafrenia.
paraphrenic. Parafrênico.
paraphysis. Paráfise. Saco de paredes delgadas derivado do teto do telencéfalo.
paraphyte. Parasito vegetal. Vegetação proliferante.
paraplasm. Paraplasma.
paraplast. Massa de emplastros.
paraplastic. Paraplástico.
paraplectic. Paraplégico.
paraplegia. Paraplegia.
paraplegic. Paraplégico.
parapleuritis. Parapleurite.
paraplexus. Paraplexo.
parapneumonia. Parapneumonia.
parapneumonic. Parapneumônico.
parapophysis. Parapófise. Processo acessório de uma vértebra.

parapoplexy. Parapoplexia.

parapraxià, parapraxis. Parapraxia.

paraproctitis. Paraproctite.

paraproctium. Parapróctio. Tecido que rodeia o reto e o ânus.

paraprostatitis. Paraprostatite.

parapsis. Parapsia. Alteração do tato.

parapsoriasis. Parapsoríase.

parapyloric. Parapilórico.

parapyramidal. Parapiramidal.

paraqueduct. Paraqueduto.

parareaction. Para-reação.

pararectal. Para-retal.

pararenal. Para-renal.

pararhotacism. Para-rotacismo.

pararrhythmia. Para-ritmia.

pararthria. Parartria.

parasacral. Para-sacral.

parasagittal. Para-sagital.

parasalpingitis. Para-salpingite.

parasecretion. Para-secreção.

parasexuality. Para-sexualidade.

parasigmatism. Para-sigmatismo.

parasinoidal. Para-sinoidal.

parasite. Parasito.

parasitic. Parasitário.

parasiticide. Parasiticida.

parasitism. Parasitismo.

parasitoid. Parasitóide.

parasitology. Parasitologia.

parasitophobia. Parasitofobia.

parasitosis. Parasitose.

parasitotrope, parasitotropic. Parasitótropo.

parasitotropism. Parasitotropismo.

parasitotropy. Parasitotropia.

parasoma. Parassoma, paranúcleo.

parasomnia. Parassonia.

paraspadias. Paraspádia.

parasternal. Parasternal.

parasthenia. Parastenia.

parastruma. Parastruma.

parasympathetic nerves or system. Nervos ou sistema parassimpático.

parasynapsis. Parassinapse.

parasyndesis. Parassinapse, parassíntese.

parasynovitis. Parassinovite.

parasyphilitic. Parassifilítico.

parasystole. Parassístole.

paratarsium. Paratarso: porção lateral do tarso.

paratenon. Tecido alveolar do compartimento aponeurótico em que se encontra o tendão.

paratherapeutic. Paraterapêutico.

parathermy. Paratermia.

parathormone. Paratormônio.

parathria. Parartria.

parathyroid. Paratireóide.

parathyroidal. Paratireóideo.

parathyroidectomy. Paratireoidectomia.

parathyroprivic. Paratireoprivo.

paratrichosis. Paratricose.

paratyphoid bacilli. Bacilos paratifoídeos.

paratyphoid fever. Febre paratifóide.

paraurethral. Para-uretral.

parauterine. Para-uterino.

paravaginal. Paravaginal.

paravenous. Paravenoso.

paravertebral. Paravertebral.

paravesical. Paravesical.

paraxial. Paraxial.

parcel. Parcela.

parch. Secar, queimar.

Paré's suture. Sutura de Paré. Emprego de tiras de pano passadas nas margens do ferimento, que são suturadas para aproximá-las.

parectasia. Parectasia.

parectropia. Parectropia.

paregoric. Paregórico.

pareidolia. Paridolia.

parencephalia. Parencefalia.

parencephalitis. Parencefalite.

parencephalocele. Parencefalocele.

parencephalon. Parencéfalo.

parencephalus. Parencéfalo, parencefálico (malformado).

parenchyma. Parênquima.

parenchymatous. Parenquimatoso.

parenchymitis. Parenquimite.

parenchymula. Parenquímula.

parenteral. Parenteral.

parepicele. Parepicele. Recesso lateral do quarto ventrículo.

paraepididymis. Parepidídimo.

parergasia. Parergasia.

paresis. Paresia.

paresoanalgesia. Paresanalgesia.

paretic. Parético.

pareunia. Pareunia.

parget. Reboco, engessar.

parhormone. Parormônio.

parica. Narcótico preparado com a semente da árvore brasileira *Piptadenia niops* (paricá).

paridrosis. Paridrose.

paries. Parede.

parietal. Parietal.

parietofrontal. Parietofrontal.

parietooccipital. Parietoccipital.

parietotemporal. Parietotemporal.

parietovisceral. Parietovisceral.

Parinaud's conjunctivitis. Conjuntivite de Parinaud. Conjuntivite com vegetações, adenopatia pré-auricular e submandibular e sintomas gerais. // **- ophthalmoplegia.** Oftalmoplegia de Parinaud. Paralisia do reto lateral de um lado com espasmo do reto medial contralateral.

Paris green. Verde-Paris.

parity. Paridade.

Park's aneurysm. Aneurisma de Park. Aneurisma arteriovenoso.

Park-Williams bacillus. Bacilo de Park-Williams. *Corynebacterium diphteriae.*

Parker's fluid. Fluido de Parker. Fluido composto de formaldeído e álcool.

Parker's arches. Arcos de Parker. Arcos occipitais do desenvolvimento do crânio que completam a porção occipital do crânio primitivo.

Parkinson's disease. Doença de Parkinson. Paralisia agitante. // **- facies or mask.** Facies parkinsoniana, séria e fixa, característica da paralisia agitante.

parkinsonian. Parkinsoniana. Pertencente à paralisia agitante.

parkinsonism. Parkinsonismo.

paroccipital. Paroccipital.

parodontal. Parodôntico, periodôntico.

parodontitis. Parodontite.

parodontium. Periodôntio, periodonto.

parodontopathy. Periodontopatia.

parodontosis. Parodontose, periodontose, hoje: enfermidade periodôntica.

parodynia. Parodinia.

parolivary. Parolivar.

paromphalocele. Paronfalocele.

paroniria. Paroniria.

paronychia. Paroníquia.

paronychosis. Paronicose.

paroophoritis. Parooforite.

parophthalmia. Paroftalmite. Inflamação do tecido conjuntivo ao redor do olho.

parophthalmoncus. Paroftalmonco.

paropsis. Paropsia. Transtorno no sentido da visão.

parorchidium. Paroquia.

parorchis. Epidídimo.

parorexia. Parorexia.

parosmia. Parosmia.

parosteal. Pertencente à face externa do periósteo.

parosteites. Parosteíte.

parosteosis. Parosteose.

parostitis. Parosteíte.

parostosis. Parosteose.

parotic. Parótico, parolídeo.

parotid. Parótida. // **- gland.** Glândula parótida.

parotidectomy. Parotidectomia.

parotitis. Parotidite. // **- epidemic.** Parotidite epidêmica.

parous, bearing. Parida, suporte, apoio.

parovarian. Parovárico.

parovarium. Parovário. Sin.: epoóforo, órgão de Rosenmüller.

paroxism. Paroxismo.

paroxismal. Paroxístico. // **- rhinorrhea.** Rinorréia paroxística. // **- tachycardia auricular.** Taquicardia auricular paroxística. // **- ventricular tachycardia.** Taquicardia ventricular paroxística.

parricidal. Parricida.

Parrish's chemical foot. Mistura de Parrish. Xarope de fosfato ferroso, usado como tônico.

Parrot's atrophy of the new-born. Atrofia neonatal de Parrot. Atrepsia. Atrofia infantil primária. // **- disease.** Doença de Parrot. Pseudoparalisia sifilítica das extremidades devida à separação da epífise. // **- nodes.** Nódulos de Parrot. Osteócitos nodulares dos ossos frontal e parietal situados ao redor da fontanela anterior, na sífilis hereditária. // **- sign.** Sinal de Parrot. Dilatação da pupila ao beliscar a pele do pescoço na meningite. Nódulos ósseos na tábua externa do crânio nas crianças com heredossífilis. // **- ulcers.** Úlceras de Parrot. Ulcerações da boca, no sapinho.

Parry's disease. Doença de Parry. Bócio exoftálmico.

pars. Parte ou porção.

parse, analyse. Analisar.

parsley. Salsa. Usada às vezes em afecções renais.

Parson's disease. Doença de Parson. Bócio exoftálmico.

part. aeq. Abreviatura de *partes aequales.* Partes iguais.

part. vic. Abreviatura de *partibus vicibus:* em partes ou doses divididas.

partake. Participar.

parthenogenesis. Partenogênese.

partial pressure. Pressão parcial.

particle. Partícula.

partition. Divisão, segmentação, separação.

parturient. Parturiente.

parturifacient. Parturifaciente.

parturition. Parturição, ato de parir.

partus. Parto.

parulis. Parúlide. Flegmão da gengiva.

PAS. Ácido paraminossalicílico.

Paschen bodies. Corpúsculos ou corpos de Paschen. Grânulos celulares diminutos observados na varíola e vacina; sua significação é imprecisa.

Paschutin's degeneration. Degeneração de Paschutin. Degeneração peculiar ao diabetes.

passage. Passagem, meato, via.

Passavant's bar. Obstáculo de Passavant. Rugas ou pregas projetadas na parede posterior da faringe produzidas ao se contraírem as fibras superiores do músculo palatofaríngeo. // - **cushion.** Coxim de Passavant. Saliência nas paredes posteriores e laterais da nasofaringe ao nível das margens livres do palato mole em casos de rinite atrófica.

passion. Dor, sofrimento, emoção intensa.

passionate. Apaixonado, colérico.

passive. Passivo. // - **congestion.** Congestão passiva. // - **immunity.** Imunidade passiva. // - **movements.** Movimentos passivos.

passivity. Passividade.

paste. Pasta.

pasteboard. Papelão, cartão.

Pasteur's fluid. Líquido ou solução de Pasteur. Meio de cultura de bactérias composto de 100 partes de água, 10 de açúcar cândi, 0,5 de tartarato de amônio e 0,075 de cinzas de levedura.

Pasteurella. Gênero de bactérias gram-negativas, pequenas, de coloração bipolar, freqüentemente ovóides, que compreende os agentes da peste bubônica.

pasteurellosis. Pasteurelose.

pasteurization. Pasteurização.

pastille. Pastilha.

pastpointing. Inabilidade fisiológica para, com os olhos fechados, tocar e reproduzir os objetos corretamente com os braços e os dedos estendidos, depois de estimular artificialmente o labirinto.

pasty. Pastoso.

pat. Conveniente.

patch. Mancha ou área irregular, placa, pápula. // - **mucous.** Pápula mucosa.

pate. O vértice da cabeça.

patefaction. Patefação. Ação e efeito de deixar aberto.

patella. Rótula.

Patella's disease. Doença de Patella. Estenose pilórica em pacientes tuberculosos.

patellapexy. Patelopexia.

patellar. Patelar.

patellectomy. Patelectomia.

patelliform. Pateliforme.

patellofemoral. Patelofemoral.

patellometer. Patelômetro. Para medir o reflexo patelar ou rotular.

patency. Permeabilidade, abertura.

Paterson's corpuscles. Corpúsculos de Paterson. Corpúsculos microscópicos redondos ou ovais nas pápulas do molusco contagioso ou epitélio.

Paterson's syndrome. Síndrome de Plummer Vinson. Disfagia com glossite, anemia hipocrômica, esplenomegalia e atrofia da boca, faringe e extremo superior do esôfago. É chamada também disfagia sideropênica.

path. Senda, caminho, curso.

pathema. Qualquer estado mórbido.

pathemology. Patemologia.

pathergasia. Patergasia. Disfunção mental caracterizada principalmente por anomalias na conduta.

pathergia. Patergia, paralergia.

pathergic. Patérgico.

pathergization. Partergização.

pathergy. Patergia.

pathetic. Patético, terno, comovedor, sentimental.

patheticus. Troclear. Quarto par craniano.

pathetism. Patetismo, hipnotismo, mesmerismo.

pathfinder. Cateter fino, para averiguar estenose uretral.

pathic, disease. Pático, pertencente à doença, doente.

patho-. Prefixo que significa "enfermidade", ou "mórbido".

pathoamine. Amina causadora de doença ou produzida por doença; patoamina.

pathoanatomy. Anatomia patológica.

pathobiology. Patobiologia.

pathobolism. Patobolismo.

pathoclisis. Patóclise. Afinidade de certas toxinas por determinados órgãos.

pathocrine. Patócrino.

pathocrinia. Patocrinia.

pathodixia. Patodixia.

pathodontia. Patodontia.

pathogen, pathogenic. Patogênico.

pathogenesis. Patogenia.

pathogenetic. Patogênico.

pathogenicity. Patogenicidade.

pathognomonic. Patognomônico.

pathognomy. Patognomia.

pathological. Patológico.

pathologist. Patologista.

pathology. Patologia.

patholysis. Patólise.

pathomaine. Qualquer dos alcalóides cadavéricos.

pathomania. Patomania.

pathomeiosis. Patomiose. Tendência por parte do enfermo a diminuir a importância de sua afecção.

pathometabolism. Patometabolismo.

pathometer. Patômetro. Aparelho para registrar os incidentes de enfermidades em uma localidade.

pathometry. Patometria.

pathomimesis. Patomimese. Imitação ou simulação mais ou menos voluntária de uma enfermidade.

pathomimia. Patomimia.

pathomorphism. Patomorfismo.

pathomorphology. Patomorfologia.

pathoneurosis. Patoneurose.

pathonomia. Patonomia. Conjunto de leis que regulam as enfermidades.

pathoocclusion. Maloclusão.

pathophilia. Patofilia. Adaptação do modo de vida a uma enfermidade incurável.

pathophobia. Patofobia.

pathophoresis. Patoforese. Transmissão de enfermidades.

pathophoric. Patoforético.

pathophysiology. Patofisiologia.

pathopoiesis. Patopoese.

pathopsychology. Patopsicologia.

pathopsychosis. Patopsicose.

pathoradiography. Patorradiografia.

pathos. Sentimento, ternura.

pathosis. Patose.

pathotropism. Patotropismo.

-pathy. Terminação léxica que significa condição, patológica ou enfermidade.

patience. Paciência.

patient. Paciente.

patricide. Parricida.

Patrick's solution, test. Solução reação de Patrick. Solução de cloridrato, de cocaína em álcool e água destilada para injeções no trigêmeo. // **- test.** Reação de Patrick. Com o paciente em decúbito supino, flexionam-se coxa e joelho e coloca-se o nucléolo lateral sobre a rótula (patela) da perna oposta, deprime-se a perna assim colocada e produz-se dor, sendo isto indício de artrite coxofemoral.

patrogenesis. Androgênese.

patten. Cimento, fundamento.

pattern. Padrão, modelo.

patulous. Distendido, aberto.

Paul's tube. Tubo de Paul. Tubo de vidro calibroso para anastomose intestinal temporária.

Paul-Bragg's apparatus. Aparelho de Paul-Bragg, para respiração artificial.

Paul-Bunnell's test. Prova de Paul-Bunnell. O sangue de enfermos de febre glandular contém anticorpos heterófilos, isto é, aglutina hemá-

cias de carneiro.

paulocardia. Bradicardia.

paunch. Ventre, abdome.

pauper. Pobre, indigente.

pause. Pausa, intervalo.

pausimenia. Menopausa.

Pauzat's disease. Doença de Pauzat. Periosteíte osteoplástica dos ossos do pé.

pavement epithelium. Epitélio pavimentoso.

pavex. Aparelho para produzir exercícios vasculares passivos no tratamento das enfermidades circulatórias periféricas.

Pavlov's method. Método de Pavlov. Estudo da influência da mente sobre o reflexo salivar. // **- stomach.** Estômago de Pavlov. Porção isolada do estômago de cão que se abre na parede abdominal por fístula.

Pavlov's tract. Ducto de Pavlov, retrorreticular.

pavor. Pavor. // **- nocturnus.** Pavor noturno.

Pavy's disease. Doença de Pavy. Albuminúria cíclica.

paw. Garra.

Pawlik's folds. Pregas de Pawlik. Linhas laterais do triângulo de Pawlik na vagina. // **- triangle.** Triângulo de Pawlik. Triângulo formado por pregas da vagina que corresponde exatamente ao triângulo vesical.

Paxton's disease. Doença de Paxton. Tinha nodosa.

Payr's clamp. Pinças de Payer. Pinças de compressão para as operações abdominais. // **- disease.** Doença de Payr. Estenose intestinal crônica por aderências na flexura esquerda do cólon, que determinam sua angulação. // **- sign.** Sinal de Payr. Dor à pressão no lado interno do pé; significa trombose pós-operatória iminente.

Pb. Símbolo químico do *plumbum*, chumbo.

Pb(CH$_3$COO)$_2$, lead acetate. Acetato de chumbo.

PbCO$_3$, lead carbonate. Carbonato de chumbo.

PbI$_2$, lead iodide. Iodeto de chumbo.

Pb(NO$_3$)$_2$, lead nitrate. Nitrato de chumbo.

PbO, lead monoxide. Monóxido de chumbo.

PbO$_2$, lead dioxide. Dióxido de chumbo.

PbSO$_4$, lead sulphide. Sulfeto de chumbo.

p.c. Abreviatura de *"post cibum"*, após as refeições.

Pd. Símbolo químico de paládio.

peak. Máximo. O ponto mais alto.

Péan's forceps. Pinças de Péan. Pinças hemostáticas ordinárias. // **- operation.** Operação de Péan. Histerectomia vaginal com fragmentação do corpo do útero. Desarticulação do quadril

313

sem ligadura prévia dos vasos. Laparotomia por fibróides uterinos.

pearl. Pérola.

pearl disease. Tuberculose bovina, caracterizada pela presença de nódulos transparentes nas membranas afetadas. // **- epithelial pearls.** Pérolas epiteliais. Massas concêntricas esferoidais de células epiteliais observadas no colesteatoma ou no epitelioma escamoso.

pearly bodies. Colesteatoma.

Pearson's solution. Solução de Pearson. Licor arsenical de Pearson.

peau de chagrin. Tumor cutâneo da esclerose tuberosa.

pebrine. Pebrina. Sin.: gatina.

peccant. Pecante, morboso.

peccatiphobia. Temor mórbido ao pecado.

pechyagra. Pequiagra. Gota da articulação do cotovelo.

Pechlin's glands. Glândulas de Pechlin. (v. *Peyers's patches*).

Pecquet's cistern. Cisterna de Pecquet. Receptáculo do quilo, origem do ducto torácico. // **- duct.** Ducto de Pecquet ou torácico. Ducto linfático esquerdo que ascende do receptáculo do quilo até a união das veias subclávia e jugular interna esquerdas. Recolhe a linfa das porções subdiafragmáticas do corpo e supradiafragmáticas da metade esquerda do corpo.

pectase. Péctase.

pecten. Púbis, osso da pelve, terço médio do canal anal.

pectenitis. Inflamação de pécten do ânus.

pectenotomy. Incisão no pécten.

pectid acid. Ácido péctico.

pectin. Pectina.

pectinase. Pectínase.

pectinate. Pectíneo.

pectineal. Pectíneo.

pectiniform. Pectiniforme.

pectization. Coagulação ou gelatinização (termo de química coloidal).

pectolytic. Pectolítico.

pectoral. Peitoral.

pectoralis muscles. Músculos peitorais.

pectoralgia. Dor no peito.

pectoriloquy. Pectorilóquia.

pectose. Pectose.

pectosinase. Enzima que transforma a pectose em pectina.

pectus. Peito, tórax. // **- carinatum, gallinaceum.** Tórax em quilha ou carena.

pedal. Podálico, relativo ou pertencente ao pé.

pedant. Pedante.

pedarthrocace. Pedartrocace. Tumor branco nas crianças, "spina ventosa".

pedatrophia. Pedatrofia.

pederast. Pederasta.

pederasty. Pederastia.

pederosis. Pederose.

pedesis. Movimento bowniano, pedese.

pedestrian. Pedestre.

pedia-. Elemento léxico de origem grega que significa "criança".

pedialgia. Pedialgia.

pedicle. Pedículo.

pedicular. Pedicular.

pediculation. Pediculose.

pediculocoides ventricosus. Pequeno ácaro encontrado em palhas de colchões. *Acarus tritici*.

pediculophobia. Pediculofobia.

pediculosis. Pediculose.

pediculus. Piolho. // **- capitis.** Pediculus capitis. // **- corporis.** Pediculus corporis ou vestimenti. // **- pubis.** Pediculus pubicus, chato.

pedicure. Pedicuro.

pediluvium. Pedilúvio.

pediococcus. Gênero de bactérias não patogênicas, de que algumas espécies produzem ácido lático.

pediodontia. Pediodontia.

pedionalgia. Pedialgia.

pediophobia. Pediofobia.

pediphalanx. Falange do podartículo.

pedistibulum. Estribo (ossículo).

pedo-. Elemento léxico de origem grega que significa "criança".

pedobaromacrometer. Pedobaromacrômetro. Instrumento para medir altura e peso das crianças.

pedobarometer. Pedobarômetro.

pedogenesis. Pedogênese.

pedograph. Pedógrafo.

pedology. Pedologia.

pedometer. Pedômetro.

pedonosology. Pedonosologia.

pedontia. Pedodontia.

pedontology. Pedontologia.

pedopathy. Pedopatia.

pedophilia. Pedofilia.

pedophobia. Pedofobia.

peduncle. Pedúnculo. // **- cerebellar.** Pedúnculo cerebelar. // **- cerebellar middle.** Pedúnculo cerebelar médio. // **- cerebellar superior and inferior.** Pedúnculo cerebelar superior e inferior.

peduncular. Peduncular.

pedunculated. Pedunculado.

pedunculotomy. Pedunculotomia.

peel. Descascar, descorticar, pelar.

peg. Cavilha, prego, escápula.

pejorative, worsening. Pejorativo.

Pekelharing's theory. Teoria de Pekelharing. A coagulação do sangue seria devido ao cálcio da trombina, que, unindo-se ao fibrinogênio, formaria a fibrina.

Pel's crises. Crises de Pel. Crises de dor ocular, lacrimejamento e fotofobia nos tabéticos.

Pel-Ebstein's disease. Doença de Pel-Ebstein. Linfadenoma com ataques periódicos de febre.

pelada. Pelada, *alopecia areata*. Semelhante à pelagra.

pelage. Pelagem, pele, pêlo ou lã de animais vivos.

peliosis rheumatica. Peliose ou púrpura reumática.

pellagra. Pelagra. Sin.: lepra italiana, lepra lombarda, escorbuto alpino, erisipela lombarda, maidismo, mal da rosa, mal do sol, rafania maisitica, rosa de Asturias, psilose pigmentosa.

pellagrin. Pelagrina.

pellagrous. Pelagroso.

Pellegrini's disease. Doença de Pellegrini.

Pellegrini-Stieda's disease. Doença de Pellegrini-Stieda. Produção óssea semilunar na parte superior do ligamento lateral interno da rótula, devida a traumatismo.

pellet. Pílula pequena.

pelletierine. Peletierina. Sin.: punicina.

pellicle. Cutícula, película.

pellicular, pelliculous. Pelicular.

pellucid. Transparente.

pelma. Planta do pé.

pelo-. Elemento léxico de origem grega que significa 'lodo.

pelohaemia. Espessura anormal do sangue.

peloid. Semelhante ao lodo.

pelology. Pelologia.

pelopathy. Pelopatia. Tratamento pela lama medicinal.

pelotherapy. Peloterapia.

pelveoperitonitis. Pelviperitonite.

pelvic. Pélvico. // - **abscess.** Abscesso pélvico. // - **cellulitis.** Celulite pélvica. // - **index.** Índice pélvico.

pelvicephalometry. Pelvicefalometria.

pelvicliseometer. Pelvicliseometria. Instrumento para medir a inclinação e o diâmetro da pelve.

pelvifixation. Pelvifixação.

pelvigraph. Pelvígrafo.

pelvimeter. Pelvímetro.

pelvimetry. Pelvimetria.

pelvioperitonitis. Pelviperitonite.

pelvirectal. Pelvirretal.

pelvis. Pelve.

pemphigoid. Penfigóide.

pemphigus. Pênfigo. // - **foliaceus.** Pênfigo foliáceo. // - **neonatorum.** Pênfigo neonatorum. // - **syphiliticus.** Pênfigo sifilítico.

Pende's sign. Sinal de Pende. Reflexo pilomotor por irritação da pele; sinal de insuficiência supra-renal.

pending. Pendente.

pendular. Pendular.

pendulous. Pendente, suspenso.

penetrating. Penetrante.

penetration. Penetração.

penetrometer. Penetrômetro. Aparelho para medir a penetração e a intensidade dos raios X.

penial. Peniano.

peniaphobia. Peniafobia: medo mórbido da pobreza.

penicidin. Produto antibacteriano obtido de Penicillum.

penicillamine. Penicilamina.

penicillin. Penicilina. // - **(calcium salt) eye ointment.** Pomada oftálmica de penicilina. // - **cream.** Creme de penicilina. // - **injection.** Penicilina injetável. // - **injection oily.** Injeção oleosa de penicilina.

penicillinase. Penicilínase.

penicilliosis. Peniciliose.

penicillium. Gênero de cogumelos em que se desenvolvem filamentos frutíferos com expansões em forma de pincel.

penicillus. Ramúsculos arteriais, como os dos lóbulos hepáticos, em espanador.

penile. Do pênis.

penillamine. Penilamina.

penilloaldehyde. Penilaldeído.

penis. Pênis.

penitis. Falite.

penniform. Peniforme.

pennyroyal. Nome popular da *Mentha pulegium*, poejo aromático.

pennyweight. Escrúpulo. Equivalente a 24 grãos ou 1,555 g.

penology. Penologia. Criminologia.

penotherapy. Penoterapia.

Penrose's drain. Dreno de penrose. Tubo de borracha cheio de gaze.

pensive. Pensativo.

pent-, penta-. Elemento léxico de origem grega que quer dizer "cinco".

pentabasic. Pentabásico.

pentachromic. Pentacrômico.

315

pentacyclic. Pentacíclico.
pentadactyl. Pentadactílico.
pentaglucose. Pentaglicose.
pental. Pental.
pentamethylenediamine. Pentametilenodiamina cadaverina.
pentamethylenetetrazol. Pentametilenotetrazol.
pentamidine. Pentamidina.
pentane. Pentano.
Pentastoma. Gênero de artrópodes endoparasitos encontrados no homem.
pentastomiasis. Pentastomíase.
pentatomic. Pentatômico.
Pentatrichomonas. Gênero de tricomonas intestinais caracterizada por terem cinco flagelos anteriores.
pentatrichomoniasis. Pentatricomoníase.
pentavaccine. Pentavacina.
pentavalent. Pentavalente.
pentene. Pentênio: o mesmo que Amylene.
pentide. Nome farmacêutico da substância chamada "sodium pentose nucleotide".
pentobarbital calcium. Pentobarbital cálcico.
pentosaemia. Pentosemia.
pentosan. Pentosan.
pentosidase. Pentosídase.
pentoside. Pentosido.
pentosuria. Pentosúria.
pentothal sodium. Pentotal sódico.
pentoxide. Pentóxido.
penury. Penúria.
Penzoldt's test. Teste de Penzoldt. Reação para a glicose. Junta-se potassa cáustica e uma solução ligeiramente alcalina de ácido diabenzolfulfônico. Agite-se a mistura. Em caso afirmativo, forma-se uma cor vermelha ou vermelho-amarelada.
peotomy. Peotomia, falectomia.
pepper. Pimenta.
peppermint. Menta piperita.
pepsin. Pepsina.
pepsinogen. Pepsinógeno.
pepsinuria. Pepsinúria.
peptic. Péptico. // - **ulcer.** Úlcera péptica.
peptidase. Peptídase.
peptide. Peptídeo.
peptogenous. Peptogênico.
peptonaemia. Peptonemia.
peptone. Peptona.
peptonization. Peptonização.
peptonize. Peptonizar.
peptonuria. Peptonúria.
per anum. Pelo ânus.

peracephalus. Peracéfalo.
peracidity. Peracidez, superacidez.
peracute. Excessivo agudo.
perambulation. Perambulação.
perarticulation. Perarticulação, diartrose.
percaine. Percaína.
perceibable. Perceptível.
perception. Percepção.
perceptivity. Perceptividade.
percolate. Percolar, percolato.
percolation. Percolação.
percolator. Percolador.
percorten. Percortem.
percuss. Percutir.
percussion. Percussão.
percussor. Percussor.
percutaneous. Percutâneo.
Pérez's sign. Sinal de Pérez. Ruído de atrito ouvido auscultando sobre o externo, se a paciente levanta ou baixa os braços; indica existência de tumor mediastínico ou de aneurisma da croça da aorta.
perfect. Perfeito.
perflation. Perflação.
perforans. Perfurante.
perforate. Perfurar.
perforation. Perfuração.
perforator. Perfurador.
perforatorium. Perfuratório.
perfrom. Executar, realizar.
perfrication. Perfricação, fricção.
perfusion. Perfusão.
periacinous. Periacinoso.
periadenitis. Periadenite.
perianal. Perianal.
periangiitis. Periangiite.
periangiocholitis. Periangiocolite.
periapical. Periapical.
periappendicitis. Periapendicite.
periarteritis. Periarterite. // - **nodosa.** Periarterite nodular. ou nodosa.
periarthritis. Periarterite.
periarticular. Periarticular.
periaxial. Periaxial.
periaxillary. Periaxilar.
periaxonal. Periaxônico.
periblast. Periblasto.
periblepsis. Periblepsia.
peribronchial. Peribrônquico.
peribronchitis. Peribronquite.
peribulbar. Peribulbar.
peribursal. Peribursal.
perical. Micetoma.
pericaecal. Pericecal.

pericanalicular. Pericanalicular.
pericapsular. Pericapsular.
pericardectomy. Pericardiectomia.
pericardiac, pericardial. Pericardíaco.
pericardiocentesis. Pericardiocentese.
pericardiolysis. Pericardiólise.
pericardiotomy. Pericardiotomia.
pericarditic. Pericardítico.
pericarditis. Pericardite. // - **adhesive.** Pericardite adesiva. // - **fibrinous.** Pericardite fibrinosa. // - **haemorrhagic.** Pericardite hemorrágica. // - **with effusion.** Pericardite com derrame.
pericardium. Pericárdio. // - **parietal.** Pericárdio parietal. // - **visceral.** Pericárdio visceral.
pericellular. Pericelular.
pericementitis. Pericementite.
pericholangitis. Pericolangite.
pericholecystitis. Pericolecistite.
perichondral. Pericondral.
perichondritis. Pericondrite.
perichondrium. Pericôndrio.
perichondroma. Pericondroma.
perichord. Ao redor do notocórdio.
perichordal. Ao redor do notocórdio.
perichoroidal. Pericoroídeo.
perichrome. Pericromática. Célula nervosa em que os corpúsculos de Nissl estão dispostos em fileira sob a membrama celular.
periclasis. Períclase.
periconchal. Periconchal.
periconchitis. Periconchite. Inflamação do periósteo orbital.
pericorneal. Pericorneal.
pericoronal. Pericoronal.
pericoxitis. Pericoxite.
pericranium. Pericrânio.
pericystic. Pericístico.
pericystitis. Pericistite.
pericystium. Pericístio.
pericyte. Perícito, célula com capacidade de contração disposta em torno dos capilares por hora da membrana basal.
pericytial. Pericicial.
peridectomy. Peridectomia.
perideferentitis. Perideferentite.
peridendritic. Peridendrítico.
peridental. Periodôntico.
peridentium. Periodonto.
peridentoclasia. Periodontoclasia, enfermidade periodôntica*.

---

* N. do T. — Esta última denominação, bastante vaga é a de uso na atualidade.

periderm. Peridermo.
peridermal. Peridérmico.
peridesmic. Peridésmico.
peridesmitis. Peridesmite.
peridesmium. Peridésmio.
peridiastole. Peridiástole.
perididymis. Perididimite.
perididymitis. Perididimite.
peridiverticulitis. Peridiverticulite.
peridontal. Periodôntico.
peridontia. Peridontia.
peridontoclasia. Periodontoclasia.
periductal. Periductal.
periductile. Peridúctil.
periduodenitis. Periduodenite.
peridural. Peridural.
peridurogram. Peridurograma.
peridurography. Peridurografia.
periencephalitis. Periencefalite.
periencephalography. Periencefalografia.
periencephalomeningitis. Periencefalomeningite.
periendothelioma. Periendotelioma.
perienteric. Perientérico.
perienteritis. Perienterite.
perienteron. Perienteron. Cavidade perivisceral primitiva do embrião.
periependymal. Periependimário.
periepithelioma. Periepitelioma.
periesophagitis. Periesofagite.
perifistular. Perifistular.
perifocal. Perifocal.
perifollicular. Perifolicular.
perifolliculitis. Perifoliculite.
periganglionic. Periganglial.
perigastric. Perigástrico.
perigastritis. Perigastrite.
periglandular. Periglandular.
periglial. Periglial.
periglossitis. Periglossite.
periglottic. Periglótico.
periglottis. Periglosso. Mucosa da língua.
perihepatic. Periepático.
perihepatitis. Periepatite.
perihernial. Em torno de uma hérnia.
perihysteric. Ao redor do útero.
periinsular. Peri-insular.
perijejunitis. Perijejunite.
perikeratic. Pericerático.
perilabyrinth. Perilabirinto.
perilabyrinthitis. Perilabirintite.
perilaryngeal. Perilaríngeo.
perilaryngitis. Perilaringite.
perilenticular. Perilenticular ou perilental.

perilobar. Perilobar.
perilobulitis. Perilobulite.
perilymph. Perilinfa.
perilymphadenitis. Perilinfadenite.
perilymphangitis. Perilinfangite.
perilymphatic. Perilinfático.
perimastitis. Perimastite.
perimedullary. Perimedular.
perimeter. Perímetro.
perimetritis. Perimetrite.
perimetrium. Perimétrio.
perimetry. Perimetria.
perimyositis. Perimisiíte.
perimysium. Perimísio.
perineal. Perineal.
perineocele. Perineocele.
perineoplasty. Perineoplastia.
perineorrhaphy. Perineorrafia.
perineotomy. Perineotomia.
perinephric. Perinéfrico.
perinephritis. Perinefrite.
perinephrium. Perinefro.
perineum. Períneo.
perineural. Perineural.
perineuritis. Perineurite.
perineurium. Perineuro, epineuro.
perinuclear. Perinuclear.
periocular. Periocular.
period. Período, menstruação.
periodate. Periodato. Sal do ácido periódico.
periodic. Periódico (do período e do iodo).
periodic acids. Ácidos periódicos.
periodicity. Periodicidade.
periodontal. Periodôntico.
periodontitis. Periodontite.
periodontium. Periodonto.
periodontoclasia. Periodontoclasia, pericementoclasia.
periodontology. Periodontologia.
periodontosis. Periodontose.
periomphalic. Perionfálico. Ao redor do umbigo.
perionychia. Perioníquia.
perionychium. Perioníquio.
perioophoritis. Periooforite.
perioptometry. Perioptometria. Campimetria.
periorbit, periorbita. Periórbita.
periorbital. Periorbital.
perirchitis. Periorquite.
periost. Periósteo.
periosteal. Periostal, periosteal.
periosteitis. Periosteíte.
periosteotomy. Periosteotomia.
periosteum. Periósteo.

periostitis. Periosteíte.
periotic. Periótico.
periovular. Periovular.
peripachymeningitis. Peripaquimeningite.
peripancreatic. Peripancreático.
peripancreatitis. Peripancreatite.
peripapillary. Peripapilar.
peripatetic. Peripatético.
periphacitis. Perifacite.
periphakus. Perifaco.
peripherad. Em direção à periferia.
peripheral, peripheric. Periférico. // - **nerve.** Nervo periférico. // - **neuritis.** Neurite periférica.
periphery. Periferia.
periphlebitis. Periflebite.
periplasm. Periplasma.
periplast. Periplasto.
periplastic. Periplástico.
peripleural. Peripleural.
peripleuritis. Peripleurite.
peripneumonia. Peripneumonia.
peripneumonitis. Peripneumonite.
peripolar. Peripolar.
periportal. Periportal.
periproctic. Peripróctico.
periproctitis. Periproctite.
periprostatic. Periprostático.
periprostatitis. Periprostatite.
peripyema. Peripiema. Supuração ao redor de um dente.
peripyloric. Peripilórico.
periradicular. Perirradicular.
perirectal. Perirretal.
perirectitis. Perirretite.
perirenal. Perirrenal.
perirhinal. Perirrínico.
perisalpingitis. Perissalpingite.
perisalpingo-ovaritis. Perissalpingo-oovarite.
perisalpinx. Perissalpinge.
perisclerium. Tecido fibroso em torno de cartilagem de ossificação.
periscope. Periscópio.
periscopic. Periscópico.
perisigmoiditis. Perissigmoidite.
perisinusitis. Perissinusite.
perisplanchnic. Perisplâncnico.
perisplanchnitis. Perisplancnite.
perisplenic. Perisplênico.
perisplenitis. Perisplenite.
perispondylitis. Perispondilite.
peristalsis. Peristaltismo.
peristaltic. Peristáltico.
peristaphyline. Peristafilino.

peristaphylitis. Peristafilite.

peristasis. Perístase.

peristole. Perístole.

peristoma. Perístoma. Sulco que vem do citóstoma de certos protozoários.

peristyle. Peristilo.

perisystolic. Perissistólico.

peritectomy. Peritectomia.

peritendineum. Bainha peritendínea.

peritendinitis. Peritendinite.

peritenonitis. Peritenonite.

perithecium. Peritécio. Aparelho reprodutor, receptáculo de fungos pirenomicetos.

perithelial. Peritelial.

perithelioma. Peritelioma.

perithelium. Peritélio.

perithyroiditis. Peritireoidite.

peritomy. Peritomia.

peritoneal. Peritoneal.

peritoneoscopy. Peritoneoscopia.

peritoneotomy. Peritoneotomia.

peritoneum. Peritônio.

peritonitic. Peritonítico.

peritonitis. Peritonite. // - **acute.** Peritonite aguda. // - **chronic adhesive.** Peritonite crônica adesiva. // - **gonococcal.** Peritonite gonocóca. // - **pneumococcal.** Peritonite pneumocócica. // - **puerperal.** Peritonite puerperal. // - **tuberculous.** Peritonite tuberculosa.

peritonsillar. Peritonsilar.

peritonsillitis. Peritonsilite.

Peritricha. Microrganismos que contêm flagelos distribuídos por todo corpo ou só ao redor da boca.

perityphlitis. Peritiflite.

periureteritis. Periureterite.

periurethritis. Periuretrite.

periuterine. Periuterino.

perivascular. Perivascular.

perlèche. Boqueira. Estomatite angular. Quilite angular.

Perlia's nucleus. Núcleo de Perlia. Centro oculomotor que se encontra na cinérea, sob o aqueduto de Sílvio.

permanence. Permanência.

permanganate. Permanganato.

permanganic acid. Ácido permangânico.

permeable, pervious. Permeável, pérvio.

permit. Permitir.

permute. Permutar.

pernicious. Pernicioso. // - **anaemia.** Anemia perniciosa. // - **malaria.** Malária perniciosa. // - **vomiting.** Vômito pernicioso.

pernio, chilblain. Pérnio.

perobrachius. Perobráquio. Feto com braços deformados.

perocephalus. Perocéfalo.

perochirus. Peroquiro.

perodactylus. Perodátilo.

peromelia. Peromelia.

peromelus. Perômelo. Feto com deformidade nos membros.

peronaeus muscle. Músculo peroneal.

perone. Perônio.

peroneal. Peroneal.

peroneal muscular atrophy. Atrofia muscular peroneal.

peroneum. Perônio.

peroneus muscle. Músculo peroneal.

peropus. Perópode. Portador de malformação congênita nos pés.

peroral. Peroral.

per os. *Per os,* por boca.

perosis. Perose. Malformação.

perosomus. Perossomo. Monstro fetal com malformação geral.

perosseous. Transmitido pelo osso.

peroxidase. Peroxídase.

peroxide. Peróxido.

perpetuate. Perpetuar.

perplex. Confundir.

per primam intentionem. Cura, ou cicatrização por primeira intensão. *

per rectum. Pelo reto (via retal).

perry. Sidra de peras.

perseveration. Perseveração.

person. Pessoa.

personal. Pessoal.

personality. Personalidade.

perspiration. Perspiração.

persuade. Persuadir.

pertain. Pertencer.

Perthes's disease. Doença de Perthes. Osteocondrite deformante do jovem.

Pertick's diverticulum. Divertículo de Pertick. Fosseta de Rosenmüller anormalmente profunda.

per tubam. Através de um tubo.

pertussis. Coqueluche.

Peru balsam. Bálsamo do Peru.

perversion. Perversão. // - **sexual.** Perversão sexual.

pervert sexual. Pervertido sexual.

---

* N. do T. — Calcada em trabalho de Rebelo Gonçalves, maior ortógrafo vivo da língua portuguesa, o Vocabulário Ortográfico de 1943 sancionou para a cura em primeira ou segunda intensão, a grafia com — s — de intensão.

per vias naturales. Por vias naturais.

pervius. Pérvio.

pes. Pé. // **- anserinus.** Pé anserino. // **- cavus.** Pé cavo. // **- planus.** Plano, pé chato.

pessary. Pessário.

pessimism. Pessimismo.

pest. Peste.

pestiferous. Pestífero.

pestilence. Pestilência.

pestle. Pilão.

pet. Mima. Domesticado.

petechia. Petéquia.

petechial. Petequial.

pethidine. Petidina.

Petit's aponeurosis. Aponeurose de Petit. Aponeurose pélvico-genital.

Petit's ligaments. Ligamentos de Petit. Bordas ligamentosas do fórnice betesga de Douglas.

petit mal. Pequeno mal.

Petri dishes. Placas ou discos de Petri para cultura.

petrifaction. Petrificação.

petrissage. Massagem.

petrolagar. Nome farmacêutico de emulsão de óleo mineral.

petrolate. Petrolato.

petrolatum. Petrolato.

petroleum. Petróleo.

petromastoid. Petromastoídeo.

petrosphenoid. Petrosfenoidal.

petrous. Petroso.

pexis. Pexia, fixação.

Peyer's nodules. Glândulas de Peyer. Linfonodos do intestino principalmente do íleo, isolados ou em placas. // **- patches.** Placas de Peyer. Nome dos folículos agrupados e dispostos em placas alongadas, situadas no intestino delgado, na parte oposta do mesentério.

Peyerian fever. Febre de Peyer. Febre tifóide.

Pf. Abreviatura de *Pfeifferella.* Antigo nome do gênero de bactérias *Malleomyces.*

Pfannenstiel's incision. Incisão de Pfannenstiel. Incisão abdominal curva de convexidade inferior, acima da sínfise púbica, na linha média.

Pfeiffer's glandular fever. Febre glandular de Pfeiffer. Forma leve de febril glandular.

Pfeifferella. *Pfeifferella.*

Pflüger's tubes. Tubos de Pflüger. Ductos interlobulares das glândulas, salivares. Massas cilíndricas de óvulos imaturos no tecido intersticial do ovário. // **- law.** Lei de Pflüger. Fisiologicamente, o reflexo se manifesta primeiro no nervo motor que procede do mesmo lado e está ao mesmo nível do nervo sensitivo estimulado, depois se difunde pelos nervos que partem de maiores alturas, e por fim se estende ao lado oposto simetricamente.

Ph. Símbolo antigo do "phosphorus", fósforo.

pH. Símbolo que indica a concentração em íons ácidos H+ livres em solução, segundo Sorensen e o logaritmo trocado de sinal da concentração iônica.

phace, phacea. Lente, cristalino.

phacoid. Lenticular, facóide.

phacoidoscope. Facoidoscópio, facoscópio.

phacoma. Facoma. Mancha cor de café com leite que faz parte do quadro clínico de muitas enfermidades. Neologismo de Van der Hoeve.

phacoscope. Facoscópio.

phaeochromoblast. Feocromoblasto.

phaeochromocyte. Feocromócito.

phaeochromocytoma. Feocromocitoma, paraganglioma.

phagedaena. Úlcera de crescimento rápido e acentuado poder destrutivo.

phagocyte. Fagócito.

phagocytic. Fagocítico.

phagocytosis. Fagocitose.

phagokaryosis. Fagocariose.

phagomania. Fagomania.

phagophobia. Fagofobia.

phalangeal. Falângico.

phalangitis. Falangite.

phalanx. Falange.

phallectomy. Falectomia. Excisão do pênis.

phallic. Fálico.

phallitis. Falite.

phallus. Falo, pênis.

phaneroscopy. Faneroscopia. Método para o exame da pele.

phantom. Fantasma. // **- tumour.** Tumor fantasma.

pharmaceutic, pharmaceutical. Farmacêutico.

pharmaceutical chemistry. Química farmacêutica.

pharmacist. Farmacêutico.

pharmacodynamics. Farmacodinâmica.

pharmacology. Farmacologia.

pharmacomania. Farmacomania.

pharmacopoeia. Farmacopéia.

pharmacy. Farmácia.

pharyngeal. Faríngeo.

pharyngectomy. Faringectomia.

pharyngismus. Faringismo.

pharyngitis. Faringite.

pharyngoamygdalitis. Faringoamidalite.

pharyngocele. Faringocele.

pharyngoglossus. Faringoglosso.

pharyngokeratosis. Faringoceratose.

pharyngolaryngitis. Faringolaringite.

pharyngolith. Faringólito.

pharyngomycosis. Faringomicose. Sin.: Faringite ceratótica, faringoceratose, "algosis faucium" angileptotricia.

pharyngoparalysis. Faringoplegia.

pharyngopathy. Faringopatia.

pharyngostaphylinus muscle. Músculo faringostafilino.

phase. Fase, aspecto.

phasis. Fase.

phemotone. Prominal.

phenacetin. Fenacetina.

phenazone. O mesmo que Antipirina.

phenic. Fênico.

phenobarbitone. Fenobarbital.

phenolphtalein. Fenolftaleína.

phenomenon. Fenômeno.

phenylmercuric nitrate. Nitrato fenilmercúrico.

phenytoin. Fenitoína.

phial. Redoma, frasco.

philter. Filtro.

phleboclysis. Flebóclise. Injeção venosa de um líquido.

phleborrhagia. Fleborragia.

phleborrhaphy. Fleborrafia.

phleborrhexis. Fleborrexia.

phlebothrombosis. Flebotrombose.

phlebotomus. Flebótomo.

phlebotomy. Flebotomia.

phlegm. Flegma, flegmasia.

phlegmasia. Flegmasia. // - **alba dolens.** Flebite da femoral, habitualmente puerperal.

phlegmatic. Flegmático.

phlegmon. Flegmão.

phlegmonous. Flegmonoso.

phlogogen. Corpo que tem poder de causar inflamação.

phlogogenic. Flogogênico.

phlogosis. Flogose.

phlorentin. Composto derivado da florizina, usado como febrífugo.

phloridzin, phlorizin. Floridizina.

phlyctena. Flictena.

phlyctenoid. Flictenóide.

phlyctenula. Flictênula.

phlyctenular. Flictenular.

phlyctenule. Flictênula.

phlyzacion, phlyzacium. Flizácio.

phobia. Fobia.

phocomelus. Focômelo.

phonasthenia. Fonastenia.

phonation. Fonação.

phonatory. Fonatório.

phonendoscope. Fonendoscópio.

phonetic. Fonético.

phonic. Fônico.

phonica. Fônica.

phonometer. Fonômetro.

phonophobia. Fonofobia.

phonophore. Fonóforo.

phonopsia. Fonopsia.

phonoreceptor. Fonorreceptor.

phoresis. Forese.

phorology. Forologia.

phosgen, phosgene. Fosgênio.

phosphagenic. Fosfagênico.

phosphataemia. Fosfatemia.

phosphatase. Fosfátase.

phosphate. Fosfato.

phosphatic. Fosfático.

phosphatine. Fosfatina.

phosphatometer. Fosfatômetro.

phosphaturia. Fosfatúria.

phosphene. Fosfeno.

phosphide. Fosforeto.

phosphite. Fosfito.

phosphocreatinase. Fosfocreatínase.

phosphocreatine. Fosfocreatina.

phospholipids, phospholipoids. Fosfolípide.

phosphoprotein. Fosfoproteína.

phosphorated. Fosforado.

phosphorescence. Fosforescência.

phosphorescent. Fosforescente.

phosphoretted. Fosforado.

phosphoric acid. Ácido fosfórico.

phosphorism. Fosforismo.

phosphorous acid. Ácido fosforoso.

phosphoruria. Fosfatúria.

phosphorus. Fósforo.

photalgia. Fotalgia. Dor ocular produzida pela luz.

photic. Fótico.

photoactinic. Fotactínico.

photobacterium. Fotobactéria.

photobiotic. Fotobiótico.

photochemistry. Fotoquímica.

photodermia. Fotodermia.

photodromy. Fotodromia.

photodynia. Fotodinia, fotalgia.

photodysphoria. Fotodisforia.

photoelectricity. Foto-eletricidade.

photogen. Substância que se supõe existir nas bactérias fotogênicas que lhes conferem luminescência.

photography. Fotografia.

photolyte. Fotólito.

photometer. Fotômetro.
photometry. Fotometria.
photomicrograph. Fotomicrógrafo.
photomicrography. Fotomicrografia. Microfotografia.
photon. Fóton.
photonosus. Fotonose.
photoophthalmia. Fotooftalmia.
photoparaesthesia. Fotoparestesia.
photophaty. Fotopatia.
photophobia. Fotofobia.
photopsia. Fotopsia.
photoptometry. Fotoptometria.
photoradiometer. Fotorradiômetro.
photoreceptor. Fotorreceptor.
photosensitive. Fotossensível.
photosyntax. Fotossíntese.
photosynthesis. Fotossíntese.
phototaxis. Fototaxia.
phototherapy. Fototerapia.
phototropism. Fototropismo.
photoxylin, photoxylon. Fotoxilina.
phren-. Fren, freno. Elemento léxico de origem grega que tem relação com mente ou diafragma.
phrenalgia. Frenalgia.
phrenasthenia. Frenastenia.
phrenasthenic. Frenastênico.
phrenasthesia. Frenastesia.
phrenetic. Frenético.
phrenic. Frênico.
phrenicotomy. Frenicotomia.
phrenitis. Frenite.
phrenograph. Frenógrafo.
phrenohepatic. Frenepático.
phrenology. Frenologia.
phrenopathy. Frenopatia.
phrenoplegia. Frenoplegia.
phrenoptosis. Frenoptose.
phrenosin. Frenosina.
phrenosinic acid. Ácido frenosínico.
phrenospasm. Frenospasmo.
phrynolysin. Lisina ou toxina do veneno de sapo.
phthalate. Ftalato.
phthalic acid. Ácido ftálico.
phtheiriasis, phthriasis. Ftiríase.
phtheirophobia. Ftirofobia.
phthinoid. Semelhante à tísica, consumpção, tuberculose.
phthisic. Tísica.
phylactic. Filático.
phylaxis. Filaxia.

phylode. Em forma de folha.
phylogenesis, phylogeny. Filogênese.
phylum. Raça, tribo.
physeptone. Fiseptona.
physiatrics. Fisiatria.
physic. Física.
physical. Físico. // - **diagnostic.** Diagnóstico físico. // - **examination.** Exame físico. // - **signs.** Sinais físicos.
physician. Médico.
physicist. Físico. Fisicista (adepto do fisicismo).
Physick's encysted rectum. Reto cístico de Physick.
physics. Física.
physiognomy. Fisiognomia.
physiological. Fisiológico.
physiologist. Fisiólogo.
physiology. Fisiologia.
physiotherapy. Fisioterapia.
physique. Física.
physocephaly. Fisocefalia, prematurocefalia.
physohaematometra. Fisematrometria.
physometra. Fisometria.
physopyosalpinx. Fisopiossalpinge.
physostigmine. Fisostigmina.
phytalbumin. Fitalbumina.
phytalbumose. Fitalbumose.
phytase. Fítase.
phytate. Fitato.
phytic acid. Ácido fítico.
phytobezoar. Fitobezoar.
phytochemistry. Fitoquímica.
phytogenesis. Fitogênese.
phytogenous. Fitogênico.
phytoid. Fitóide.
phytomelin. O mesmo que Rutina.
Phytomonas. Fitomônas. Gênero de plantas destruidoras de bactérias.
phytopathogenic. Fitopatogênico.
phytopathology. Fitopatologia.
phytoplasm. Fitoplasma.
phytotoxin. Fitotoxina.
phytozoon. Fitozoário, zoófito.
pia, pia mater. Pia-máter.
pial. Pial.
pialyn. Esteapsina, lípase.
pian. Pian, bomba. Sin.: framboesia (em espanhol parangi).
pianist's cramp. Espasmo dos pianistas.
piarachnitis. Piaranite, leptomeningite.
pica. Pica. Perversão do apetite observada na histeria, clorose e gravidez, em que apetecem substâncias não comestíveis.
pick. Picar, escolher.

Pick's bundle. Feixe de Pick. Feixe de fibras nervosas no bulbo conectadas com o fascículo piramidal.

Pick's disease. Doença de Pick. Hepatomegalia com peritonite e ascite rebelde sem icterícia, em indivíduos que sofreram pericardite.

picotement. Picada, punção.

picramic acid. Ácido picrâmico.

picrate. Picrato.

picric acid. Ácido pícrico.

picrocarmine. Picrocarmin.

picrotoxin. Picrotoxina.

piece. Pedaço, fragmento.

piedra, stone. Pedra.

pier. Limite, remate.

piesimeter, piezometer. Piezômetro.

pigment. Pigmento.

pigmentary. Pigmentar.

pigmentation. Pigmentação.

pigmented. Pigmentado.

pigmy. Pigmeo.

pilary. Pilar.

pilastered. Estriado. // **- femur.** Fêmur estriado.

pile. Pilha, monte, estaca.

pileous, hairy. Piloso.

piles. Hemorróidas.

pileum. Píleo. Membranas que algumas vezes cobrem a cabeça do feto no parto.

pill. Abreviatura de "pílula".

pillar. Pilar. // **- or the fauces.** Pilar das fauces, do véu do paladar.

pillation. Triquíase.

pillow. Almofada, coxim.

pilocarpine. Pilocarpina.

Pilocarpus. Pilocarpo.

pilomotor. Pilomotor.

pilonidal. Pilonidal.

pilose, pilous. Piloso, hirsuto.

pilosis. Pilose, hirsutismo, triquíase.

pilot. Piloto, prático.

pilula. Pílula.

pilular. Pilular.

pimeloma. Pimeloma, lipoma.

pimelorrhoea. Pimelorréia.

pimelosis. Pimelose, adipose, obesidade.

pimeluria. Pimelúria, lipúria.

pimple. Pequena pústula.

pin. Alfinete, guia.

Pinard's sign. Sinal de Pinard. Dor aguda à pressão sobre o fundo do útero, que após o sexto mês de gravidez significa apresentação de nádegas.

pince, ciseaux. Pinça. Tesoura.

pincement. Pinçamento.

pincers. Pinças, tenazes.

pincet, pincette. Pinça diminuta.

pinch. Beliscar.

pineal. Pineal. // **- body or gland.** Glândula pineal.

pinguecula. Pingécula.

pinhole. Orifício feito por alfinete ou agulha. // **- os.** Orifício ósseo.

piniform. Piniforme, cônico.

pink disease. Doença rosada, eritredema ou doença de Feer.

pinkeye. Conjuntivite purulenta epidêmica.

pinna. Pina: pavilhão da orelha.

pinnal. Relativo ao pavilhão.

pint. Pinta: medida de capacidade 0,472 l.

pinworm. Nome que engloba oxiúros e áscaris.

Piorkowski's stain. Corante de Piorkowski, para grânulas metacromáticos. Coloração com azul de metileno alcalino, descoloração com ácido clorídrico a 3 por 100, em álcool coloração com eosina aquosa a 1 por 100.

pipe. Tubo, ducto.

pipette. Pipeta.

piqure, puncture. Punção.

Pirie's bone. Osso de Pirie: astragalo-escafóide.

piriform, pyriform. Piriforme.

Pirogoff's amputation. Amputação de Pirogoff. Amputação subperiostal semelhante à de Syme, porém conservando uma parte do calcâneo na extremidade inferior do retalho. // **- angle.** Ângulo de Pirogoff ou venoso: formado pelas veias subclávia e jugular interna. // **- triangle.** Triângulo de Pirogoff ou de Pinaud. Espaço triangular na região infraioídea, limitada pelo nervo hipoglosso à margem posterior do músculo miloioídeo e o tendão do músculo digástrico.

piroplasma. Gênero de esporozoários parasitos de hemácias.

piroplasmosis. Piroplasmose.

Pirquet's reaction. Reação de Pirquet. Reação inflamatória local produzida pela tuberculina.

pisiform. Pisiforme. // **- bone.** Osso pisiforme.

piss. (vulg.) Urinar.

pit. Fosso, abismo, poço.

pitch. Tom, diapasão, piche.

pitchblende. Pechblenda, uraninita.

piteous. Carinhoso, lastimoso.

pith. Medula espinal, medula óssea. Força, energia.

pithiatric. Pitiátrico. Curável por persuasão.

pithing. Descerebração.

pitocin. Pitocina.

Pitre's areas. Áreas de Pitres. Áreas do córtex-cerebral. // **- sign.** Sinal de Pitres. Hiperestesia do escroto e testículos em casos de tabes dorsal.

pitresinn. Pitressina.

pitted. Picado.

pitting. Formação de depressão; impressão digital.

pituita. Pituita, muco glutinoso, flegma.

pituitary. Pituitário. Relativo à pituita. // - **basophilism.** Pituitária basófila. // - **body or gland.** Glândula pituitária hipofisária. // - **stalk.** Conexão entre o hipotálamo e a hipófise.

pituitary gonadotrophine. Gonadotrofina hipofisária.

pituitrin. Pituitrina.

pityriasis. Pitiríase.

placebo. Placebo.

placenta. Placenta.

placental. Placentário.

Placentalia. Subclasse de mamíferos em que entram todos, menos os marsupiais e monotremos.

placentation. Placentação.

placentitis. Placentite.

placentoid. Placentóide.

placid. Plácido.

Placido's disc. Disco de Plácido. Disco de cartão com círculos concêntricos negros que se emprega para detectar astigmatismo corneal.

placing reflexes. Reflexos de posição.

placode. Placóide. Placa ou lâmina do ectoderma.

plagiocephalic. Plagiocefálico. Com obliqüidade e assimetria da cabeça.

plagiocephaly. Plagiocefalia.

plague. Peste.

plain. Plano, liso.

plaint. Queixa.

Planck's constant. Constante de Planck. Símbolo h; seu valor númerico é $6,55 \times 10^{-27}$ erg. seg.

plane. Plano.

planimeter. Planímetro.

planning. Projeto.

planocellular. Planocelular.

planoconcave. Planocôncavo.

planoconvex. Planoconvexo.

planomania. Planomania.

planta. Planta (vegetal); planta do pé.

plantar. Plantar.

plantaris muscles. Músculos plantares.

planula. Plânula. Embrião só com duas camadas: ectoderma e endoderma.

planum. Plano. // - **occipitale.** Plano occipital.

plaque. Placa. Plaqueta sangüínea. Sin.: hematoblasto, trombócito, globulino (esp.), plastócito;

corpúsculo de Zimmermann, de Hayem.

plasma. Plasma.

plasmatic, plasmic. Plasmático.

plasmodesmus. Plasmodesmo.

plasmodiblast. Plasmodiblasto.

plasmodium. Plasmódio. Gênero de plasmotídeos, parasito das hemácias. // - **falciparum.** Plasmódio falcíparo. // - **malarie.** Plasmódio da malária. // - **vivax.** Plasmódio vivax.

plasmogamy. Plasmogamia.

plasmogen. Plasmogênio, bioplasma.

plasmolysis. Plasmólise.

plasmorrhexis. Plasmorrexia.

plasmoschisis. Plasmósquise.

plasmosome. Plasmossomo.

plasmotropism. Plasmotropismo.

plasome. Plassomo, micela ou bióforo.

plasson. Protoplasma de célula anucleada.

plaster. Emplastro.

plastic. Plástico.

plasticity. Plasticidade.

plasticule. Plastícula. Molécula de substância plástica.

plastid. Plastídio, protoblasto.

plastin. Plastina, linina, hialoplasma.

plastogamy. Plastogamia.

plastomere. Plastômero, citômero.

plate. Superfície achatada, lâmina.

plated. Achatado.

platelet. Plaqueta.

platiculture. Cultura bacteriana em ágar ou gelatina, em placa de vidro.

plating. Aplicação de placa (cirurgia), revestimento de chapa.

platinum. Platina.

platy-. Elemento léxico de origem grega que significa "largo" ou plano.

platybasia. Platibasia. Deformidade de desenvolvimento em que a base do occipital parece empurrada para cima pela coluna vertebral; denomina-se também "impressão basilar". Aumento de largura da base do crânio.

platycephalic, platycephalous. Platicéfalo.

platyhelminthes. Platielminte.

platyhieric. Platiérico, com o sacro achatado.

platypellic. Platipélico.

platypodia. Platipodia.

platyrrhine. Platirrino.

platysma. Platisma.

plausible. Plausível.

Plaut's angina. Angina de Plaut (v. *Vincent's angina*).

Playfair's treatment. Tratamento de Playfair: de repouso no leito.

plea. Argumento, litígio.

pleasure. Prazer, agrado.

pledget. Tampão, compressa de gase ou algodão.

plegaphonia. Plegafonia*.

Plehn's granules. Grânulos de Plehn. Basófilos que se encontram nos parasitos da malária.

pleicholuria. Excesso de cloretos na urina.

pleio-. Elemento léxico de origem grega que significa: "mais", plenitude.

pleochroic. Pleocróico, pleocromático.

pleochroism. Pleocroísmo.

pleochromatic. Pleocromático.

pleocytosis. Pleocitose.

pleomastia, pleomazia. Pleomastia.

pleomorphism. Pleomorfismo.

pleonectic. Pleonético.

pleonexia. Pleonexia. Desejo mórbido de adquirir. Combinação mais estável da hemoglobina e oxigênio no sangue circulante.

plethora. Pletora.

plethoric. Pletórico.

plethysmograph. Pletismógrafo.

plethysmometer. Pletismômetro.

pleura. Pleura.

pleural. Pleural.

pleuralgia. Pleuralgia.

pleurapophysis. Pleurapófise. Costela da vértebra padrão.

pleurapostema. Pleurapostema.

pleurectomy. Pleurectomia.

pleurisy. Pleuris, pleurisia.

pleuritic. Pleurítico.

pleuritis. Pleurite.

pleurobronchitis. Pleurobronquite.

pleurocele. Pleurocele.

pleurocentesis. Pleurocentese..

pleurodynia. Pleurodínia.

pleurolith. Pleurólito.

pleuropericarditis. Pleuropericardite.

pleuroperitoneal. Pleuroperitoneal.

pleuropneumonia. Pleuropneumonia.

pleuropneumonolysis. Pleuropneumonólise.

pleuropulmonary. Pleuropulmonar.

pleurosoma. Pleurossomo. Monstro fetal com eventração na região súpero-lateral do abdome e desenvolvimento imperfeito do braço do mesmo lado.

pleurothotonos. Pleurotótono.

pleurotomy. Pleurotomia.

plexiform. Plexiforme.

plexor. Plexor, martelo de percussão.

---

* N. do T. — A forma correta seria plegofonia; sem A privativo.

plexus. Plexo. // - **aortic.** Plexo aórtico. // - **Auerbach's.** Plexo de Auerbach. // - **brachial.** Plexo braquial. // - **buccal.** Plexo bucal. // - **cardiac.** Plexo cardíaco. // - **cavernous.** Plexo cavernoso. // - **cervical.** Plexo cervical. // - **choroid.** Plexo coróide.. // - **coccygeal.** Plexo coccígeo. // - **coeliac.** Plexo celíaco. // - **coronary.** Plexo coronário. // - **diaphragmatic.** Plexo diafragmático. // - **hepatic.** Plexo hepático. // - **hypogastric.** Plexo hipogástrico. // - **inferior mesenteric.** Plexo mesentérico inferior. // - **infraorbital.** Plexo infraorbital. // - **internal carotid.** Plexo carotídeo interno. // - **left gastric.** Plexo gástrico esquerdo. // - **lumbar.** Plexo lombar. // - **Meissner's.** Plexo de Meissner. // - **myenteric.** Plexo mientérico. // - **ovarian.** Plexo ovárico. // - **pampiniform.** Plexo pampiniforme. // - **parotid.** Plexo parotídeo. // - **patellar.** Plexo patelar. // - **pelvic.** Plexo pélvico. // - **pharyngeal.** Plexo faríngeo. // - **phrenic.** Plexo frênico. // - **prostatic venous.** Plexo venoso prostático. // - **pterygoid venous.** Plexo venoso pterigoídeo. // - **pudendal.** Plexo pudendo. // - **pulmonary.** Plexo pulmonar. // - **rectal venous.** Plexo venoso retal. // - **renal.** Plexo renal. // - **sacral.** Plexo sacro. // - **solar.** Plexo solar. // - **spermatic.** Plexo espermático. // - **splenic.** Plexo esplênico. // - **submucous.** Plexo submucoso. // - **subsartorial.** Plexo subsartorial. // - **superior mesenteric.** Plexo mesentérico superior. // - **suprarenal.** Plexo supra-renal. // - **testicular.** Plexo testicular. // - **Turner's.** Plexo de Turner. // - **tympanic.** Plexo timpânico.

pliant. Flexível, macio.

plica. Plica, prega. // - **fimbriata.** Prega mucosa franjada látero-frenular da língua. // - **semilunaris.** Prega semilunar. // - **sublingualis.** Prega sublingual. // - **transversalis recti.** Prega transversal do reto.

plicate, folded. Pregueado.

plicotomy. Plicotomia (da membrana timpânica).

pliers, pincers. Pinças.

plod. Trabalhar, lutar.

Plugge's test. Reação de Plugge. Solução de fenol que assume cor vermelha, se se mistura com nitrato de mercúrio, contendo indícios de ácido nitroso.

plum. Ameixa, riqueza, sorte.

plumbage. Plumagem, adorno.

plumbago. Plumbago, grafito.

plumbism. Saturnismo.

325

plumbum. Chumbo.

plume. Plumagem, penacho.

Plummer's pill. Pílula de Plummer, de antimônio e calomelano.

plump. Obstrução, entupimento.

pluriglandular. Pluriglandular.

pluripara. Plurípara.

plus. Mais.

plutomania. Plutomania.

pneodynamics. Pneodinâmica.

pneogaster. Vias aéreas.

pneograph. Pneógrafo.

pneometer. Espirômetro.

pneuma. Pneuma. Ar vital dos pneumatistas.

pneumarthrosis. Pneumartrose.

pneumatic. Pneumática.

pneumatics. Pneumática.

pneumatocele. Pneumatocele.

pneumatogram. Pneumatograma.

pneumatometer. Pneumatômetro.

pneumatometry. Pneumatometria.

pneumatosis. Pneumatose.

pneumatotherapy. Pneumatoterapia.

pneumatothorax. Pneumotórax.

pneumaturia. Pneumatúria.

pneumectomy. Pneumectomia.

pneumocele. Pneumocele.

pneumococcaemia. Pneumococcemia.

pneumococcal. Pneumocócito.

pneumococcus. Pneumococo.

pneumocconiosis. Pneumoconiose.

pneumocrania, pneumocranium. Pneumocrania.

pneumoderma. Pneumoderma.

pneumoenteritis. Pneumoenterite.

pneumogastric. Pneumogastria.

pneumogram. Pneumograma.

pneumograph. Pneumógrafo.

pneumohaemopericardium. Pneumo-hemopericárdio.

pneumohaemothorax. Pneumo-hemotórax.

pneumohydrometra. Pneumo-hidrometria.

pneumohydropericardium. Pneumo-hidropericárdio.

pneumohydrothorax. Pneumo-hidrotórax.

pneumokoniosis. Pneumoconiose.

pneumolith. Pneumólito.

pneumolithiasis. Pneumolitíase.

pneumomassage. Pneumomassagem.

pneumometer, pneumonometer. Pneumômetro.

pneumomycosis. Pneumomicose.

pneumomyelography. Pneumomielografia.

pneumonectasia, pneumonectasia. Pneumonectasia, pneumectasia.

pneumonectomy. Pneumonectomia.

pneumonia. Pneumonia.

pneumonic. Pneumônico.

pneumonitis. Pneumonite.

pneumonocele. Pneumonocele, pneumocele.

pneumonokoniosis. Pneumonoconiose.

pneumonolysis. Pneumonólise. // - **intrapleural.** Pneumonólise intrapleural.

pneumonomelanosis. Pneumonomelanose.

pneumonometer. Pneumonômetro.

pneumonopathy. Pneumonopatia.

pneumonorrhaphy. Pneumonorrafia.

pneumonosepsis. Pneumonossepsia.

pneumonosis. Pneumonose.

pneumonotomy. Pneumonotomia.

pneumopaludism. Pneumopaludismo.

pneumopericardium. Pneumopericárdio.

pneumoperitoneum. Pneumoperitônio.

pneumophonia. Pneumofonia.

pneumopyopericardium. Pneumopiopericárdio.

pneumopyothorax. Pneumopiotórax.

pneumorrhagia. Pneumorragia.

pneumotherapy. Pneumoterapia.

pneumothorax. Pneumotórax. // - **artificial.** Pneumotórax artificial. // - **spontaneous.** Pneumotórax espontâneo.

pneumotomy. Pneumotomia.

pneumotympanum. Pneumotímpano.

pneumotyphus. Pneumotifo.

pneumouria. Pneumúria.

pneusis. Respiração.

pock. Pústula, bexiga, bolha.

pock-marked. Marcado de cicatrizes de varíola ou bexiga, bexigoso.

pocket. Bolsinho, cavidade, saco.

pocketing. Armazenamento de pus em uma cavidade.

poculum. Copo. // - **diogenis.** Oco da mão.

pod. Bainha, cápsula.

podagra. Podagra.

podalgia. Podalgia.

podalic. Podálico. // - **version.** Versão podálica.

podarthritis. Podartrite.

podelcoma. Podelcoma.

podencephalus. Podencéfalo.

podiatrist. Pediatra, calista pedicuro.

podo-. Elemento léxico de origem grega que significa "pé" ou pedículo.

podobromidrosis. Podobromidrose.

pododynia. Pododínia, podalgia.

podoedema. Podedema.

podophylin. Podofilina.

podophylium. Podófilo: tecidos que constituem a porção sensível do casco dos animais.

pogoniasis. Pogoníase. Barba em mulheres.

pogonion. Pogônio. Ponto mais avançado do mento, na linha média.

poikilo-. Elemento léxico de origem grega que significa "variedade ou irregular".

poikiloblast. Peciloblasto.

poikilocyte. Pecilócito.

poikilocytosis. Pecilocitose.

poikilodermatomyositis. Pecilodermatomiosite.

poikilodermia. Pecilodermia. // **- atrophicans. vascularis.** Pecilodermia atrófica vascular.

poikilonymy. Pecilonímia.

poikilothermism. Pecilotermismo.

poikilothrombocyte. Pecilotrombócito.

point. Ponto.

pointillage. Massagem puntidigital.

Poirier's gland. Glândula de Poirier. Glândula linfática situada no lugar em que a artéria uterina cruza com o ureter. // **- line.** Linha de Poirier. Linha do ângulo frontonasal até um ponto imediatamente por cima do lambda.

poison. Veneno.

Poisson's fossa. Fossa de Poisson. Recesso peritoneal infraduodenal.

poke. Bolsa, saco.

pocker back. Espondilite deformante.

polar. Polar. // **- body.** Corpo polar. // **- caps.** Casquete polar.

polarimeter. Polarimetria.

polariscope. Polariscópio.

polarity. Polaridade.

polarization. Polarização.

polarizer. Polarizador.

pole. Polo.

poliencephalitis. Poliencefalite. // **- haemorrhagica superior.** Poliencefalite hemorrágica aguda ou superior.

poliomyelencephalitis. Poliomielencefalite.

poliomyelitis. Poliomielite. // **- acute anterior.** Poliomilite anterior aguda.

poliomyeloencephalitis. Poliomielencefalite.

polioplasm. Polioplasma.

poliosis. Poliose, canície.

polish. Polir, alisar.

Politzer's bag. Pera de Politzer. Pera de borracha para irrigação da tuba faringotimpânica. // **- cone of light.** Cone de luz de Politzer. Triângulo luminoso de membrana do tímpano. // **- method.** Método de Politzer. Dilatação da tuba faringotimpânica e do tímpano, fazendo passar ar da cavidade nasal no momento em que o paciente deglute.

politzerization. Politzerização.

pollen. Pólen.

pollex. Polegar.

pollinosis. Polinose, febre do feno.

pollution. Polução. // **- nocturnal.** Poluição noturna. // **- self.** Poluição voluntária, masturbação.

polocyte. Polócito. Corpo polar.

polonium. Polônio. Metal raro.

Polya's operation. Operação de Polya, empregada na úlcera péptica ou no câncer gástrico. Gastrectomia subtotal e excisão da primeira parte do duodeno; o coto gástrico se anastomosa com a primeira porção do jejuno posterior no cólon transverso.

polyaemia. Poliemia.

polyalgesia. Polialgesia.

polyandrous. Poliandro.

polyarthric. Poliartrítico.

polyarthritis. Poliartrite.

polyarticular. Poliarticular.

polyatomic. Poliatômico.

polyaxon. Poliaxônio.

polybasic. Polibásico.

polycheiria. Poliquiria.

polychromatic. Policromático.

polychromatophilic. Policromatófilo.

polychromia. Policromia.

polycoria. Policoria. Existência de mais de um orifício pupilar em um olho. Acúmulo de patologia de substâncias de reserva em um órgão, resultando em hipertrofia do mesmo.

polycrotic. Policrótico.

polycyesia, polycyesis. Policiesia.

polycystic. Policístico.

polycythaemia. Policitemia.

polydactylism. Polidactilismo.

polydipsia. Polidipsia.

polydontia. Poliodontia.

polygalactia. Poligaláctia.

polygastria. Poligastria.

polygenesis. Poligenia.

polyglobulism. Poliglobulismo, poliglobulia, policitemia.

polygnathus. Polígnato.

polygraph. Polígrafo.

polygyria. Poligiria.

polyhaemia. Poliemia.

polyhedral. Poliédrico.

polyhidrosis. Polidrose.

polyhydramnios. Polidrâmio.

polymastia, polymazia. Polimastia. Sin.: incorreto de politelia.*

polymelia. Polimelia.

polymelus. Polímelo.

polymenorrhoea. Polimenorréia.

polymer. Polímero (polímere)**.

polyonychia. Polioníquia.

polyorchidism. Poliorquidismo, poliorquia.

polyorchis. Pessoa provida de mais de dois testículos.

polyotia. Poliotia.

polyp, polypus. Pólipo.

polypeptide. Polipeptídeo.

polyphagia. Polifagia.

polyphalangism. Polifalangismo.

polyphase. Polífase.

polyphrasia. Polifrasia.

polypiferous. Polipífero.

polyplasmia. Poliplasmia.

polyplast. Poliplasto.

polyplastic. Poliplástico.

polyplax. Piolho de ratos.

polyploidy. Poliplóide.

polypnoea. Polipnéia.

polypodia. Polipodia.

polypoid. Polipóide.

polyporus. Gênero de fungos com muitas espécies.

polyposis. Polipose.

polypotome. Polipótomo.

polypotrite. Polipótribo.

polyptychial. Poliptíquio. Disposto em camadas.

polysaccharides. Polissacarídeo.

polysarcia. Polissarcia.

polysarcous. Portador de polissarcia.

polyscelia. Policelia.

polyserositis. Polisserosite.

polysinusitis. Polissinusite.

polysomia. Polissomia.

polysomus. Polissomo.

polyspermia, polyspermism. Polispermia.

polyspermy. Polispermia.

polystichia. Polistiquia.

polytendinitis. Politendinite.

polythelia. Politelia.

polytocous. Polítoco.

polytrichum. Gênero de musgo.

polytrichia, polytrichosis. Politríquia.

---

* N. do T. —Na polimastia, há número aumentado de glândulas mamárias; na politelia, o número aumentado é de mamilos.

** N. do T. — O Vocabulário Ortográfico Oficial recomenda só polímere.

polytrophia. Politrofia.

polyuria. Poliúria.

polyvalent. Polivalente.

pomade. Pomada.

pomatum. Pomada.

pome. Pomo.

pomegranate. Romã, fruto da *Punica granatum.*

pomp. Pompa, fausto.

pompholyx. Ponfólige, hidrocistoma.

pomphus, wheal. Pústula, vesícula.

pomum. Pomo de Adão.

ponceau B. Vibrião da escarlatina.

Pond's extract. Extrato de Pond. Extrato fluido de *Hamamelis virginiana.*

ponderable. Ponderável.

Ponfick's shadows. Sombra de Ponfick. Células vermelhas não pigmentadas que se observam no sangue em casos de hemoglobinemia.

pons. Ponte. // - **Varolüi.** Ponte de Varoli.

ponticular. Ponticular.

ponticulus. Pontículo.

pontile, pontine. Pontino.

pontocaine hydrochloride. Hidrocloreto ou cloridrato de pontocaína.

pop. Estalo. Bebida gasosa.

poplar. Choupo, álamo.

poples. Face posterior do joelho.

poplitaeus. Poplíteo.

popliteal. Poplíteo.

poppy. Papoula.

Populus. Gênero de salicáceas a que pertence o álamo.

porcine. Porcino.

porcupine. Porco-espinho.

porcupine disease. Pele de porco-espinho.

pore. Poro.

porencephalia, porencephalus. Porencefalia.

porencephaly. Porencefalia.

pork. Carne de porco.

Porocephalus. Gênero de artrópodes parasitos do homem e animais chamados também linguátulas.

porokeratosis. Poroceratose.

poroma. Poroma.

poroscopy. Poroscopia.

porosis. Porose, porencefalia.

porosity. Porosidade.

porous. Poroso.

porphin. Porfina.

porphyreus. Porfiria.

porphyrinaemia. Porfirinemia.

porphyrinuria. Porfirinúria.

porrigo. Porrigem. Fava do couro cabeludo.

porta. Porta, hilo, veia porta.

Portal's muscle. Músculo de Portal. Músculo subaracnoídeo capsular. Fibras do músculo braquial inseridas na parte anterior da cápsula da articulação do cotovelo.

porteaiguille. Porta-agulha.

Porter's fascia. Fáscia de Porter. Fáscia pré-traqueal.

portio. Porção, parte.

portwine mark or stain. Coloração de vinho do Porto.

porus. Poro. // **- acusticus externus.** Poro acústico externo. // **- acusticus internus.** Poro acústico interno. // **- opticus.** Poro óptico. // **- sudoriferus.** Poro sudorífero.

pose. Postura, atitude.

position. Posição. // **- Fowler's.** Posição de Fowler. // **- genupectoral.** Posição genupeitoral. // **- left lateral recumbente.** Posição lateral acostada. // **- lithotomy.** Litotomia. // **- occipito-anterior.** Posição occípito-anterior. // **- occipito-posterior.** Posição occípito-posterior. // **- Sim's.** Posicão de Sim.

positive. Positivo.

positron. Pôsitron.

posological. Posológico.

posology. Posologia.

possess. Ter, possuir.

possible. Possível.

post. Correio, poste.

postaxial. Pós-axial.

postcentral. Pós-central.

postcerebellar. Pós-cerebelar.

postcerebral. Pós-cerebral.

postcibal. Pós-cíbico.

postcisterna. Pós-cisterna.

postclavicular. Pós-clavicular.

postclimateric. Pós-climatérico.

postcommissure. Pós-comissura.

postcondylar. Pós-condíleo.

postconubial. Pós-conubial.

postconvulsive. Pós-convulsivo.

postcornu. Corno posterior do ventrículo lateral.

postcribum. Pós-cribum.

postdiastolic. Pós-diastólico.

postdicrotic. Pós-dicrótico.

postdigestive. Pós-digestivo.

postdiphtheric. Pós-diftérico.

postdural. Pós-dural.

postembryonic. Pós-embrionário.

postencephalitis. Pós-encefalite.

postepileptic. Pós-epilético.

posterior. Posterior. // **- chamber.** Câmara posterior.

posterula. Postérula. Pequeno espaço situado atrás das conchas nasais.

postethmoid. Pós-etmoídeo.

postexion. Flexão posterior.

postfebrile. Pós-febril.

postganglionic. Pós-ganglionar.

postgeminum. Corpos quadrigêmeos posteriores.

postglenoid. Pós-glenoídeo.

postgracile. Pós-grácil.

postgraduate. Pós-graduado.

posthaemorrhage. Pós-hemorrágico.

posthemiplegic. Pós-hemiplégico.

posthepatic. Pós-hepático.

posthetomy. Postectomia, circuncisão.

posthitis. Postite.

posthumous. Póstumo.

posthyoid. Pós-hioídeo.

posthypnotic. Pós-hipnótico.

posthypophysis. Pós-hipófise.

posticus. Termo latino que significa posterior.

postischial. Pós-isquiático.

postmalarial. Pós-malárico.

postmastoid. Pós-mastoídeo.

postmedian. Pós-mediano.

postmediastinal. Pós-mediastínico.

postmeiotic. Pós-miótico.

postmenopausal. Pós-menopáusico.

postmesenteric. Pós-mesentérico.

postmortem. Post-mortem.

postnasal. Pós-nasal.

postnatal. Pós-natal.

postnodular. Pós-nodular.

postocular. Retro-ocular.

postoesophageal. Retro-esofágico.

postoperative. Pós-operatório.

postparalytic. Pós-paralítico.

postpartum. Pós-parto.

postpone. Adiar, pospor, diferir.

postpontile. Pós-pontino.

postprandial. Pós-prandial.

postrolandic. Pós-rolândico.

postsacral. Pós-sacral.

postscalenus. Pós-escaleno.

postscapular. Pós-escapular.

postescapularis. Pós-escapular.

postscarlatinal. Pós-escarlatínico.

postulate. Postulado.

postural. Postural. // **- reflex.** Reflexo postural.

posture. Postura, posição. // **- sense.** Sentido de posição.

postuterine. Pós-uterino, retro-uterino.

postvaccinal. Pós-vacínico.

Pot. Abreviatura de *potash*, potassa.

pot. Marmita, pote, urinol.

potable. Potável.

Potain's apparatus. Aspirador de Potain, usado para aspirar ou injetar ar ou líquido na cavidade pleural.

potash. Potassa. Hidróxido ou carbonato de potássio.

potassa. Potassa.

potassium. Potássio.

potency. Potência.

potentia coeundi. *Potentia coeundi.* Capacidade de realizar o coito.

potential. Potencial.

potentiometer. Potenciômetro.

potion. Poção, beberagem.

potomania. Potomania, *delirium tremens.*

Pott's aneurysm. Aneurisma de Pott. Varizes aneurismáticas. // ‑ **boss.** Mal de Pott: na afecção tuberculosa os processos espinhosos estão proeminentes nesta afecção. // ‑ **curvature.** Curvatura de Pott. Gibosidade produzida pela espinha dorsal afetada por tuberculose. // ‑ **disease.** Mal de Pott. Nome comum das afecções tuberculosas da coluna vertebral. // ‑ **fracture.** Fratura de Pott. Fratura da extremidade distal do perônio. // ‑ **gangrene.** Gangrena de Pott. Gangrena senil. // ‑ **paralysis.** Paralisia de Pott. Paraplegia devido à afecção tuberculosa da coluna vertebral. // ‑ **puffy tumour.** Tumor túmido de Pott. Edema circunscrito do couro cabeludo associado à osteomielite dos ossos do crânio.

pouch. Saco, bolsa. // ‑ **of Douglas.** Fórnice de Douglas. // ‑ **perineal.** Fórnice perineal. /⊢ ‑ **of Prussak.** Bolsa de Prussak. // ‑ **Rathke.** Bolsa de Rathke. // ‑ **rectouterine.** Fórnice retouterino. // ‑ **rectovesical.** Fórnice retovesical. // ‑ **of Tröltsch.** Bolsa de Troultsch. // ‑ **vesicouterine.** Fórnice vésico-uterino.

Poulet's disease. Doença de Poulet. Osteoperiostite reumática.

poultice. Cataplasma, emplastro.

pound. Libra.

Poupart's ligament. Ligamento de Poupart. Ligamento inguinal.

pour. Verter, jogar.

powder. Pó.

power. Poder, faculdade.

pox. Qualquer doença pustulosa, eruptiva.

Pozzi's muscle. Músculo de Pozzi: extensor curto do dedo da mão, ou camada dos extensores profundos dos dedos. // ‑ **syndrome.** Síndrome de Pozzi. Leucorréia e dor na região anal, sem aumento do útero, próprio da endometrite.

p.p.factor. Fator ou substância p.p.. Pelagra.

P‑R interval. Intervalo P‑R.

practise. Praticar, exercitar, ensaiar.

practitioner. Médico geral.

praecoid. Prematuro, precoce. Demência precoce.

praecox. Precoce.

praevia. Prévia. // ‑ **placenta.** Placenta prévia.

pragmatism. Pragmatismo.

praxis. Prática.

prav. Rogar, suplicar.

preadult. Pré-adulto.

preagonal. Pré-agônico.

preamble. Preâmbulo.

preanaesthesia. Pré-anestesia.

preaortic. Pré-aórtico.

preataxic. Pré-atáxico.

preaxial. Pré-axial.

prebrachial. Pré-braquial.

precancerous. Pré-canceroso.

precapillary. Pré-capilar.

precardiac. Pré-cardíaco.

precaution. Precaução.

precava. Pré-cava.

precentral. Pré-central.

prechordal. Pré-cordal.

precipitant. Precipitante.

precipitate. Precipitado.

precipitation. Precipitação.

precipitin. Precipitina.

precipitinogen. Precipitinogênio.

precocious. Precoce.

precommissure. Pré-comissura.

preconvulsive. Pré-convulsivo.

precordia. Precórdio.

precordial. Precordial.

precordium. Precórdio.

precornu. Corno anterior ou porção frontal do ventrículo lateral.

precostal. Pré-costal.

precranial. Pré-cranial.

precribum. Pré-cribrum.

precuneal. Pré-cuneal.

precuneus. Lóbulo quadrilátero, do lobo parietal do cérebro.

precursory. Precursor.

prediastole. Pré-diástole.

prediastolic. Pré-diastólico.

predicrotic. Pré-dicrótico.

prediction. Pré-dicção.

predigest. Pré-digerido.

predigestion. Pré-digestão.

predisposing. Predisponente.

predisposition. Predisposição.

predominate. Predominar.

preeclampsia. Pré-eclâmpsia.

preepiglotic. Pré-epiglótico.
preeruptive. Pré-eruptivo.
preface. Prefácio.
prefrontal. Pré-frontal. // - **leucotomy.** Leucotomia pré-frontal.
preganglionic. Pré-ganglionar.
pregnancy. Gravidez. // - **cells.** Células da gravidez.
pregnant. Grávida.
pregnyl. Preparado contendo gonadotrofina carbônica.
prehemiplegic. Pré-hemiplégico.
prehensile. Preênsil.
prehension. Preensão.
prehyoid. Pré-hióide.
prehypophysis. Pré-hipófise.
prejudice. Preconceito, preocupação.
prelimbic. Pré-límbico.
preliminary. Preliminar.
premalignant. Pré-maligno.
premaniacal. Pré-maníaco.
premature. Prematuro.
premaxillia. Pré-maxila.
premaxillary. Pré-maxilar.
premedication. Pré-medicação.
premeditate. Premeditar.
premenstrual. Pré-menstrual.
premolar. Pré-molar.
premonition. Premonição, prevenção, advertência.
premonitory. Premonitório, prodrômico. // - **symptom.** Sintoma premonitório.
prenatal. Pré-natal.
preneoplastic. Pré-neoplásico.
preoccipital. Pré-occipital.
preoccupy. Preocupar.
preoperative. Pré-operatório.
preoperculum. Pré-opérculo.
preoptic. Pré-óptico.
preoral. Pré-oral.
prepalata. Pré-palatino.
preparation. Preparação.
preparative. Preparativo, preparatório.
prepatellar. Pré-patelar.
preponderance ventricular. Preponderância ventricular.
prepossess. Predispor, preocupar.
prepuce. Prepúcio.
preputial. Prepucial.
prepyloric. Pré-pilórico.
prepyramidal. Pré-piramidal.
prerectal. Pré-retal.
prerenal. Pré-renal.
preretinal. Pré-retínico.

presage. Presságio.
presbiatrics. Presbiatria.
prebycusis, presbykousis. Presbiacusia.
presbyope. Presbíope.
presbyopia. Presbiopia.
presbysphacelus. Gangrena senil.
prescind. Prescindir, abstrair.
prescription. Prescrição, receita.
presence. Presença.
presenile. Pré-senil.
presenility. Pré-senilidade.
present. Presente, atual.
presentation. Apresentação.
presentiment. Pressentimento.
preserve. Preservar, conservar.
presphenoid. Pré-esfenóide.
presphygmic. Pré-esfígmico.
press. Pressionar, comprimir.
pressor. Que aumenta a pressão sangüínea, pressor.
pressure. Pressão, força, peso, tensão.
presternum. Pré-esterno, manúbrio.
prestige. Prestígio.
presuppose. Pressupor.
presylvian. Pré-silviano.
presystole. Pré-sístole.
presystolic. Pré-sistólico.
pretarsal. Pré-tarsal.
pretend. Apresentar, fingir, simular.
pretext. Pretexto.
prethyroid. Pré-tireóide.
pretibial. Pré-tibial.
pretracheal. Pré-traqueal.
pretuberculosis. Pré-tuberculose.
pretympanic. Pré-timpânico.
prevent. Prevenir, impedir.
preventive. Preventivo, profilático. // - **Medicine.** Medicina preventiva.
prevertebral. Pré-vertebral.
previous. Prévio.
priapism. Priapismo.
price. Preço, estimação.
Prichard's reticulate membrane. Membrana reticulada de Prichard. Membrana intercelular na ampola do canal semicircular.
prick. Picar, aguilhoar, espetar.
pricklecell. Célula espinhosa.
pricklyheat. Miliária.
pride. Orgulho.
primae viae. Ducto alimentar.
primary. Primário. // - **colours.** Cores primárias. // - **lesion.** Lesão primária. // - **sore.** Cuidado primário.

331

Primates. Ordem mais elevada na Escala Zoológica.

prime. Plenitude de vigor.

primigravida. Primigrávida.

primipara. Primípara.

primiparity. Primiparidade.

primiparous. Primípara.

primitive. Primitivo.

primogenial. Primogênito.

primordial. Primordial.

primordium. Primórdio.

princeps. Princeps, nome de certas artérias. // **- pollicis.** Artéria do hálux e do polegar.

Princeteau's tubercle. Tubérculo de Princeteau. No osso temporal onde começa o seio petroso superior.

principle. Princípio. // **- proximate.** Princípio próximo. // **- ultimate.** Princípio último.

Pringle's band. Ligamento de Pringle. Faixa peritoneal que se estende do mesocólon até a flexura duodenojejunal.

Pringle's disease. Doença de Pringle. Adenoma sebáceo.

print. Estampar, imprimir.

Prior-Finkler vibrio. Espirilo ou vibrião de Prior-Finkler. *Vibrio proteus.*

prism. Prisma.

prismatic. Prismático.

prismoid. Prismóide.

prismosphere. Prismosfera.

pristine. Prístino, original.

private. Secreto, oculto, solitário, reservado.

privine. Privina.

privity. Confidência.

p.r.n. Abreviatura de *pro re nata*. De acordo com as circunstâncias.

proamnion. Proâmnio.

proantithrombin. Proantitrombina.

proatlas. Proatlas.

probable. Provável.

probable expectation of life. Termo médio de vida, determinada estatisticamente.

probang. Sonda laríngea ou esofágica.

probe. Sonda.

probe-pointed. Sonda com extremo rombo.

proboscis. Probóscide.

procaine hydrochloride. Cloridrato de procaína.

procedure. Procedimento.

proceed. Prosseguir, proceder.

process. Processo, apófise. // **- acromion.** Processo acromial. // **- alveolar.** Processo alveolar. // **- calcaneal.** Processo do calcâneo. // **- clinoid.** Processo clinóide. // **- clinoid anterior.**
Processo clinóide anterior. // **- clinoid middle.** Processo clinóide médio. // **- clinoid posterior.** Processo clinóide posterior. // **- condyloid.** Processo condilóide. // **- coracoid.** Processo coracóide. // **- coronoid.** Processo coronóide. // **- coronoid - of ulna.** Processo coronóide da ulna. // **- dentatus.** Processo dentado. // **- ensiform.** Processo ensiforme. // **- ethmoidal.** Processo etmoidal da concha nasal inferior. // **- falciform.** Processo falciforme. // **- frontal.** Processo frontal. // **- infraorbital.** Processo infra-orbital. // **- intrajugular.** Processo intrajugular. // **- jugular.** Processo jugular. // **- lacrimal.** Processo lacrimal. // **- mastoid.** Processo mastóide. // **- maxillary.** Processo maxilar. // **- nasal.** Processo nasal. // **- odontoid.** Processo odontóide. // **- orbital.** Processo orbital. // **- palatine.** Processo palatino. // **- papillary - of liver.** Processo papilar do fígado. // **- paroccipital.** Processo paroccipital. // **- petrosal posterior.** Processo petroso posterior. // **- postauditory.** Processo pós-auditivo. // **- pterigoid.** Processo pterigóide. // **- sphenoidal.** Processo esfenoidal. // **- styloid.** Processo estilóide. // **- styloid - of fibula.** Processo estilóide da fíbula. // **- sytoid - of radius.** Processo estilóide do rádio. // **- styloid - of ulna.** Processo estilóide da ulna. // **- supracondylar.** Processo supracondíleo. // **- temporal.** Processo temporal. // **- uncinate.** Processo unciforme. // **- uncinate - of pancreas.** Processo unciforme do pâncreas. // **- vaginal.** Processo vaginal. // **- vaginal - of sphenoid.** Processo vaginal do esfenóide. // **- xiphoid.** Processo xifóide. // **- zygomatic.** Processo zigomático.

processomania. Processomania.

processus. Processo, apófise.

prochoresis. Procorese. Peristaltismo gástrico.

prochromosomes. Procromossomos.

procidentia. Procidência.

procreation. Procriação.

proctalgia. Proctalgia.

proctatresia. Proctatresia.

proctectasia. Proctectasia.

proctectomy. Proctectomia.

proctencleisis. Proctenclise.

procteurynter. Procteurinter.

proctitis. Proctite. Inflamação anal ou retal.

proctocele. Proctocele.

proctoclysis. Proctólise.

proctococcypexy. Proctococcipexia.

proctodaeum. Proctodeo. Prega do ectoderma embrionário, que avança para a cloaca até o encontro do ectoderma com o endoderma; a membrana formada entre ambos desaparece e o intestino se abre, então, ao exterior.

proctodynia. Proctodinia.

proctogenic. Proctogênico.

proctology. Proctologia. Ciência que se ocupa do estudo da anatomia e enfermidades anorretais.

proctoparalysis. Proctoparalisia, proctoplegia.

proctopexy, proctopexia. Proctopexia.

proctophobia. Proctofobia. Estado de apreensão mental, comum nos doentes da área anorretal.

proctoplasty. Proctoplastia.

proctoptoma. Proctoptoma.

proctoptosis. Proctoptose.

proctorrhagia. Proctorragia.

proctorrhaphy. Proctorrafia.

proctorrhoea. Proctorréia.

proctoscope. Proctoscópio.

proctoscopy. Proctoscopia.

proctosigmoidectomy. Proctossigmoidectomia.

proctosigmoiditis. Proctossigmoidite.

proctostenosis. Proctostenose.

proctostomy. Proctostomia.

proctotome. Proctótomo.

proctotomy. Proctotomia.

procure. Alcançar. Conseguir, obter, lograr.

prodromal. Prodrômico.

produce. Produzir.

product. Produto.

productive. Produtivo.

proem. Proêmio, prólogo.

proencephalus. Proencéfalo.

proenzyme. Proenzima.

profane. Profano.

professional. Profissional.

Profeta's law. Lei de Profeta. As crianças normais de pais sifilíticos possuem imunidade definida para a sífilis.

proffer. Propor, oferecer.

Profichet's disease. Doença de Profichet. Nódulos calcáreos peri-articulares.

profile. Contorno, perfil.

Proflavine neutral. Proflavina neutra.

profound. Profundo.

profundus. Profundo.

profusion. Profusão.

progaster. Progáster, arquentério.

progeny. Progênie.

progeria. Progeria. Sin.: senilismo.

progesterone. Protesterona. Sin.: luteína, lutina, luteosterona, fator beta, progestina.

progestin. Progesterona.

proglossis. Proglóssia.

proglottis. Proglote (plural proglótide).

prognathism. Prognatismo.

prognathous. Prógnato.

prognosis. Prognose.

prognostic. Prognóstico.

prognosticate. Prognosticar.

progression. Progressão.

progressive. Progressivo. // **- lenticular degeneration.** Degeneração lenticular progressiva. // **- muscular atrophy.** Atrofia muscular progressiva.

proguanil. Paludrina.

prohistiocyte. Pró-histiócito.

project. Projeto.

projectile vomiting. Vômito em jacto.

projection. Projeção. // **- fibres.** Fibras de projeção.

prolabium. Prolábio.

prolactin. Prolactina.

prolamin. Proteína de um grupo de proteínas encontradas em cereais.

prolan. Prolan.

prolapse. Prolapso. // **- of the cord.** Prolapso do cordão. // **- of the iris.** Prolapso da íris.

prolapsus. Prolapso.

prolepsis. Prolepse.

proleptic. Proléptico.

proliferate. Proliferar.

proliferating, proliferous. Prolífero.

proliferation. Proliferação.

prolific. Prolífico.

prologerous. Prolígero.

proline. Prolina.

prolix. Prolixo.

prominence. Proeminência.

promiotosis. Promitose.

promontory. Promontório.

pronation. Pronação.

pronator. Pronador.

prone. Prono, prostrado, inclinado.

pronephron, pronephros. Prônefro.

pronged. Dentado.

pronounce. Pronunciar.

prontosil. Prontosil.

pronucleos. Pronúcleo.

proestrum. Proestro.

proof. Prova.

prootic. Proótico.

prop. Sustentar.

propaedeutics. Propedêutica.

propagation. Propagação, reprodução.

propamidine isothionate. Isotianato de propamidina.

propcells. Células de sustentação de Purkinje.

333

propel. Impelir.

Propeomyces. Gênero de fungos.

propepsin. Propepsina.

proper. Adequado, próprio.

prophase. Prófase.

prophylactic. Profilático.

prophylaxis. Profilaxia.

propione. Dietilcetona.

propionic acid. Ácido propiônico.

propionitrile. Propionitrila.

propitious. Propício.

proplexus. Proplexo. Plexo coróide do ventrículo lateral.

proponal. Marca de hipnótico, à base de barbitúrico.

propose. Propor.

proprietary medicine. Produto médico-farmacêutico com marca registrada.

proprioceptive. Proprioceptivo.

proprioceptor. Proprioceptor.

propriospinal. Propriospinal.

proprothrombin. Proprotrombina.

proptosis. Proptose. // - **ocular.** Proptose ocular. Procidência de um olho, de qualquer causa.

propulsion. Propulsão.

pro re nata. *Pro re nata.* De acordo com as circunstâncias.

prorsad, forwards. Direção anterior.

proscribe. Proscrever.

prosecretin. Prossecretina.

prosector. Prossector.

prosencephalon. Prosencéfalo.

prosodemic. Prosodêmico. Transmissão patológica direta.

prosogaster. Prosogáster. Intestino anterior, protogáster.

prosopagus. Prosópago. Monstro fetal com um gêmeo parasito inserido na face.

prosopalgia. Prosopalgia. Nevralgia facial.

prosoponeuralgia. Prosoponeuralgia. Prosopalgia. Propopodinia.

prosopoplegia. Prosopoplegia, paralisia facial.

prosoposchisis. Prosopósquise.

prosopospam. Prosospasmo, riso sardônico.

prosoposternodymia. Prosóposternodimia. Monstruosidade dupla unida pela face e pelo esterno.

prosopothoracopagus. Prosopotoracópago, hemípago. Monstro fetal duplo com as faces e tórax fundidos.

prosopotocia. Prosopotocia. Apresentação de face.

prospermia. Prospermia. Ejaculação precoce.

prostatalgia. Prostatalgia.

prostatauxe. Prostatauxe. Hipertrofia prostática.

prostate. Próstata.

prostatectomy. Prostatectomia.

prostatic. Prostático.

prostatitic. Prostatítico.

prostatitis. Prostatite.

prostatomy. Prostatomia.

prostatorrhoea. Prostatorréia.

prostatovesiculectomy. Prostatovesiculectomia.

prostatovesiculitis. Prostatovesiculite.

prosthesis. Prótese. Substituição artificial de uma parte do corpo.

prosthetics. Protético.

prostigmine. Prostigmina.

prostitution. Prostituição.

prostrate. Prostrar.

prostration. Prostração. // - **nervous.** Prostração nervosa.

protal. Congênito.

protalbumose. Protalbumose.

protaminase. Protamínase.

protamine. Protamina.

protanope. Portador de protanopia.

protanopia. Protanopia. Cegueira para o vermelho.

protargin. Sal orgânico de prata.

protargol. Protargol.

protean. Protéico.

protease. Protéase.

protect. Proteger, defender.

protective. Protetor.

proteid. Proteína.

protein. Proteína.

proteinaemia. Proteinemia.

proteinase. Proteínase.

proteinic. Proteínico.

proteinuria. Proteinúria.

proteoclastic. Proteoclástico.

proteolysis. Proteólise.

proteolytic. Proteolítico.

proteomorphic theory. Teoria proteomórfica.

proteose. Proteose.

proteosuria. Proteosúria.

Proteus. Gênero de bactérias gram-negativas de formas múltiplas em bastonetes móveis.

prothrombin. Protrombina.

Protista. Protista.

protoalbumose. Protalbumose.

protobacteriaceae. Família de bactérias.

protebe. Protóbio. Ultravírus.

protodiastole. Protodiástole.

protogaster. Protogáster, arquentério.

protominobacter. Gênero de bactérias.

Protomonadina. Grupo de protozoários flagelados com menos de três flagelos.

proton. Próton.

protonephron. Protônefro.

protopathic. Protopático.

protophyte. Protófito.

protoplasis. Protoplasia.

protoplasm. Protoplasma.

protoplasmic. Protoplásmico.

protoplastin. Protoplastina.

protoporphyrin. Protoporfirina.

protoporphyrinuria. Protoporfirinúria.

protopsis. Protrusão do olho.

prototoxoid. Prototoxóide.

prototrophic. Prototrófico.

prototype. Protótipo.

protovertebra. Protovértebra.

protoxoid. Protoxóide.

protozoa. Protozoário.

protozoan, protozoon. Elemento pertencente aos Protozoários.

protozoology. Protozoologia.

protract. Protrair, dilatar.

protractor. Protractor.

protrude. Lançar-se para diante.

protrypsin. Protripsina.

protuberance. Protuberância.

Proust's space. Espaço de Proust. Fórnice retovesical.

prove. Demonstrar.

proviso. Condição, cláusula.

provitamin. Provitamina.

Prowazek's bodies. Corpos de Prowazek (v. *Prowazek-Greef body*).

Prowazek-Greef body. Corpo de Prowazek-Greef. Corpo de inclusão encontrado nas células da conjuntiva em caso de tracoma; chama-se também corpo do tracoma.

proximal. Proximal, o mais próximo do centro.

proximate. Próximo.

prune. Podar, desbastar, cortar. Ameixa.

prunux. Gênero de árvores e arbustos da família das rosáceas.

pruriginous. Pruriginoso.

prurigo. Prurigo.

pruritic. Pertencente ao prurido.

pruritus. Prurido.

Prussak's fibres. Fibras de Prussak. Cada um dos curtos filamentos do extremo do processo curto do martelo até a incisura de Rivino. // **- space.** Espaço de Prussak. Recesso membranoso timpânico superior.

Prussian blue. Azul da Prússia.

prussic acid. Ácido prússico.

Ps. Abreviatura de *Pseudomonas*.

psalis. Fórnice ou rígono cerebral.

psalterium. Psaltério, lira, omaso.

psammoma, sand. Psamoma.

psammosarcoma. Psamossarcoma.

psammous, sandy. Relativo a psamoma.

pselaphesis. Pselafesia. Sentido do tato.

psellism. Pselismo, gagueira.

pseudocanitin. Pseudaconitina.

pseudacousia. Pseudacusia.

pseudaesthesia. Pseudestesia.

pseudarthritis. Pseudartrite.

pseudarthrosis. Pseudartrose.

pseudencephalus. Pseudencéfalo. Monstro com massa de vasos sangüíneos e tecido conjuntivo no lugar do cérebro.

pseudo. Falso.

pseudoangina. Pseudangina.

pseudobulbar. Pseudobulbar.

pseudocoxalgia. Pseudocoxalgia.

pseudocrisis. Pseudocrise.

pseudocroup. Pseudocrupe.

pseudocyesis. Pseudociese.

pseudodiphtheria. Pseudodifteria.

Pseudodiscus watsoni. Parasito intestinal da África.

pseudoepithelioma. Pseudepitelioma.

pseudoganglion. Pseudogânglio.

pseudogeusaesthesia. Pseudogeusestesia.

pseudogeusia. Pseudogeusia.

pseudoglioma. Pseudoglioma.

pseudohermaphroditism. Pseudo-hermafroditismo.

pseudohernia. Pseudo-hérnia.

pseudohypertrophy. Pseudo-hipertrofia.

pseudoicterus. Pseudo-ictetícia.

pseudoleukaemia. Pseudoleucemia.

pseudomelanosis. Pseudomelanose.

pseudomembrane. Pseudomembrana.

pseudomeningitis. Pseudomeningite.

pseudomenstruation. Pseudomenstruação.

pseudomethaemoglobin. Pseudometemoglobina.

pseudomnesia. Pseudomnésia.

Pseudomonas pyocyanea. P. aeruginosa. Esquizomiceto.

Pseudomonilia. Pseudomonília.

pseudomucin. Pseudomucina.

pseudomyxoma. Pseudomixoma.

pseudonarcotism. Pseudonarcotismo.

pseudoneuroma. Pseudoneuroma.

pseudooedema. Pseudedema.

pseudoparalysis. Pseudoparalisia.

pseudoparesis. Pseudoparesia.

pseudophthisis. Pseudofísica.

Pseudophyllidea. Ordem de cestóides que têm um órgão terminal de sucção ou dois opostos.

pseudoplegia. Pseudoplegia.

pseudopod, pseudopodium. Pseudópode.

pseudopregnancy. Pseudociese.

pseudoprotein. Pseudoproteína.

pseudopsia. Pseudopsia.

pseudopterygium. Pseudopterígio.

pseudoptosis. Pseudoptose.

pseudorabies. Pseudo-raiva, pseudo-hidrofobia.

pseudoreaction. Pseudo-reação.

pseudoreduction. Pseudo-redução.

pseudosclerosis. Pseudosclerose.

pseudosmallpox. Pseudovaríola.

pseudosmia. Pseudosmia.

pseudotumour. Pseudotumor.

pseudotyphoid. Pseudotifóide.

pseudoxanthine. Pseudoxantina.

pseudoxanthoma. Pseudoxantoma.

psilosis. Psilose, alopecia. // **- of intestines.** Psilose intestinal.

psittacosis. Psitacose.

Psoas. Psoas.

psodymus. Psódimo. Monstro duplo da cintura para baixo.

psora. Psora, sarna.

psoriasis. Psoríase.

psoriatic. Psoriático.

Psorophora. Gênero de mosquitos.

psorophthalmia. Psoroftalmia.

psorosperm. Psorospermia. Microrganismo unicelular que pertence aos protozoários.

psorospermosis, psorospermiasis. Psorospermose. // **- follicularis vegetans.** Psorospermose folicular vegetante.

psorous. Sarnento, psoroso.

psyche, mind. Mente.

psychiatric. Psiquiátrico.

psychiatrics. Psiquiatria.

psychiatrist. Psiquiatra.

psychiatry. Psiquiatria.

psychic, psychical. Psíquico. // **- blindness.** Cegueira psíquica. // **- secretion.** Secreção psíquica.

psychoanalysis. Psicanálise.

psychoanalyst. Psicanalista.

psychoasthenia. Psicastenia.

psychocortical. Psicocortical.

psychogenesis. Psicogênese, psicogenia.

psychogenia. Psicogenia.

psychogenic. Psicogênico.

psychognosis. Psicognose. Estudo completo do espírito do paciente por meios hipnóticos.

psychological. Psicológico.

psychology. Psicologia. // **- abnormal.** Psicologia anormal. // **- individual.** Psicologia individual.

psychometer. Psicômetro.

psychometry. Psicometria.

psychomotor. Psicomotor.

psychoneurosis. Psiconeurose.

psychonomy. Psiconomia. Ciência das leis da atividade mental.

psychoparesis. Psicoparesia.

psychopath. Psicopático.

psychopathia. Psicopatia.

psychopathic. Psicopático.

psychopathology. Psicopatologia.

psychopathy. Psicopatia.

psychoplegia. Psicoplegia.

psychoplegic. Psicoplégico.

psychosin. Psicosina. Cerebrosido do tecido cerebral.

psychosomatic. Psicossomático.

psychotherapeutic. Psicoterapêutico.

psychotherapy. Psicoterapia.

psychotic. Psicótico.

psychroalgia. Psicralgia.

psychrotherapy. Psicoterapia.

Pt. Símbolo químico da platina.

ptarmic. Ptármico, esternutatório.

pterion. Ptério. Ponto craniométrico na união dos ossos frontal temporal, parietal e asa maior do esfenóide.

pterygium. Pterígio.

pterygoid. Pterigóide.

pterygomandibular. Pterigomandibular.

pterygomaxillary. Pterigomaxilar.

pterygopalatine. Pterigopalatino.

ptilosis. Ptilose.

ptisan. Tisana, decocto.

ptomaine. Ptomaína.

ptosis. Ptose.

ptyalagogue. Ptialagogo.

ptyalin. Ptialina.

ptyalism. Ptialismo.

ptyalocele. Ptialocele.

ptyalorrhoea. Ptialorréia.

ptyalose. Ptialose.

puberal. Puberal.

pubertas. Puberdade. /// **- praecox.** Puberdade precoce.

puberty. Puberdade.

pubes. Plural de púbis.

pubescence. Pubescência.

pubic. Púbico.

pubiotomy. Pubítomia.
pubis. Púbis.
pubofemoral. Pubifemoral.
pubotibial. Pubitibial.
pubovesical. Pubivesical.
pucker. Preguear, enrugar.
pudenda. Plural de pudendum.
pudendal. Pudendo.
pudendagra. Pudendagra.
pudendum. Pudendo, órgão genital externo. // - **muliebre.** Vulva.
pudic. Pudendo.
puericulture. Puericultura.
puerile. Pueril.
puerpera. Puérpera.
puerperal. Puerperal. // - **fever.** Febre puerperal. // - **insanity.** Loucura puerperal.
puerperant. Puérpera.
puerperium. Puerpério.
puff. Sopro.
puffiness. Inchaço, tumefação.
puke. Vômito.
puking. Vomitivo. // - **fever.** Mal do leite ("milk-sickness"), doença do gado.
pulex. Pulga. // - **irritans.** Pulga comum.
pull. Estirar.
pullicide. Pulicida.
Pullularia. Gênero de fungos.
pullulation. Pululação.
pulmo, lung. Pulmão.
pulmoaortic. Pulmo-aórtico.
pulmolith. Pulmólito.
pulmometer. Pulmômetro.
pulmometry. Pulmometria.
pulmonary. Pulmonar.
pulmonectomy. Pneumectomia.
pulmonic. Pneumônico.
pulmonitis. Pneumonite.
pulp. Polpa.
pulpefaction. Pulpefação.
pulpitis. Pulpite.
pulpy. Pulpiforme.
pulsate. Pulsação.
pulsatile. Pulsátil.
Pulsatilla. Espécie de anêmona.
pulsation. Pulsação.
pulse. Pulso.
pulsimeter. Esfigmômetro.
pulsus. Pulso. // - **alternans.** Pulso alternante.
pultaceous. Pultáceo.
pulverization. Pulverização.
pulverulent. Pulverulento.
pulvinar. Pulvinar. Parte posterior e interna do tálamo óptico.

pulvis, powder. Pó.
pumice. Lava.
pump. Bomba. // - **air.** Bomba de ar. // - **breast.** Aspirador de leite. // - **dental.** Bomba dental. // - **stomach.** Bomba gástrica.
punctate. Pontilhado, puntiforme.
punctum. Ponto.
puncture. Punctura. Puncionar. // - **lumbar.** Punção lombar.
pungent. Pungente.
punish. Castigar.
P.U.O. Abreviatura de *pyrexia of unknown origin*, febre de origem desconhecida.
pupa. Pupa. Segundo período de desenvolvimento de um inseto entre larva e imago. Ninfa. Crosta, especialmente nos lábios.
pupil. Pupila. // - **artificial.** Pupila artificial. // - **cat's eye.** Pupila em fechadura. // - **pinhole.** Pupila em orifício por punctura de alfinete.
pupillary. Pupilar.
pupillometer. Pupilômetro.
pupilostatometer. Pupilostatômetro.
pure, unstained. Puro, imaculado.
purgation. Purgação, catarse.
purgative. Purgativo, purgante.
purge. Purgar, purificar.
puriform. Puriforme.
purify. Purificar.
purinaemia. Purinemia.
purinase. Purínase.
purine. Purina.
Purkinje's cells. Células de Purkinje. Células nervosas de corpo espesso, piriforme, com prolongamentos protoplasmáticos dirigidos para a periferia e o cilindraxe para a profundidade, situadas entre os estratos molecular e granuloso do cerebelo. // - **corpuscles.** Corpúsculos de Purkinje. Células nervosas grandes, ramificadas, que formam a camada média do córtex do cerebelo. // - **fibres.** Fibras de Purkinje. Fibras musculares moniliformes que formam uma rede no tecido subendotelial dos ventrículos cardíacos. Atribui-se a elas a transmissão dos estímulos dos átrios. // - **figures.** Imagens de Purkinje. Imagem na retina produzida pelos vasos sangüíneos. // - **granular layer.** Camada granulosa de Purkinje. (v. *Czermak's interglobular spaces*). // - **network.** Rede de Purkinje. // - **vesicle.** Vesícula de Purkinje. Núcleo do óvulo.
Purkinje-Sanson's images. Imagens de Purkinje-Sanson.
purl. Murmurar.
purpose. Propósito.

purpura. Púrpura. // **- anaphylactoid.** Púrpura anafilática. // **- haemorrhagica.** Púrpura hemorrágica. // **- rheumatica.** Púrpura reumática. // **- simplex.** Púrpura simples.

purpuric. Purpúreo.

purpurin. Purpurina.

pursue. Perseguir, acossar.

purulence, purulency. Purulência.

purulent. Purulento.

puruloid. Puriforme.

pus. Pus.

push. Empurrar, impelir.

pustula maligna. Pústula maligna.

pustular. Pustoloso.

pustulation. Pustulação.

pustule. Pústula. // **- malignant.** Pústula maligna.

pustulent. Pustulento.

pustulocrustaceous. Pústulo-crostoso.

put. Pôr.

putamen. Putâmen.

putrefaction. Putrefação.

putrefy. Putrefazer.

putrescence. Putrescência.

putrescent. Putrescente.

putrescine. Putrescina.

putrid. Pútrido.

putty, Horsley's. Cera de Horsley (v. *Horsley*).

puzzling. Enigmático.

Px. Abreviatura de "pneumotórax".

pyaemia. Piemia.

pyarthrosis. Piartrose.

pycno-. Elemento léxico de origem grega que significa "espesso", freqüente, denso.

pycnocardia. Picnocardia.

pycnolepsy. Picnolepsia.

pycnophrasis. Picnofrasia.

pycnosis. Picnose.

pycnotic. Picnótico.

pyelectasis. Pielectasia.

pyelic. Piélico.

pyelitic. Pielítico.

pyelitis. Pielite.

pyelocystitis. Pielocistite.

pyelography. Pielografia.

pyelolithotomy. Pielolitotomia.

pyelonephritis. Pielonefrite.

pyelonephrosis. Pielonefrose.

pyelopathy. Pielopatia.

pyelotomy. Pielotomia.

pyesis. Piose, supuração.

pygal. Glúteo, da nádega.

pygodidymus. Pigodídimo.

pygomelus. Pigômelo.

pygopagus. Pigópago.

pyknic. Pícnico.

pyla. Ânus.

pylephlebectasis. Pileflebectasia. Dilatação da veia porta.

pylephlebitis. Pileflebite.

pylethrombophlebitis. Piletromboflebite.

pylethrombosis. Piletrombose.

pylic. Pílico, portal.

pylon. Perna artificial.

pylorectomy. Pilorectomia.

pyloric. Pilórico.

pyloroplasty. Piloroplastia.

pyloroscopy. Piloroscopia.

pylorospasm. Pilorospasmo.

pylorostenosis. Pilorostenose.

pylorostomy. Pilorostomia.

pylorotomy. Pilorotomia.

pylorus. Piloro.

pyo-. Elemento léxico de origem grega que significa "pus".

pyocolpocele. Piocolpocele.

pyocolpos. Piocolpos.

pyoctanin. Pioctanina.

pyocyanin. Piocianina.

pyocyst. Piocisto.

pyocyte. Piócito.

pyodermatosis. Piodermatose.

pyodermitis. Piodermite.

pyogenesis. Piogênese.

pyogenic. Piogênico.

pyohaemia. Pioemia.

pyohaemothorax. Pioemotórax.

pyoid. Pióide, puriforme.

pyoktanin. Pioctanina.

pyometra, pyometrium. Piometria.

pyonephritis. Pionefrite.

pyonephrolithiasis. Pionefrolitíase.

pyonephrosis. Pionefrose.

pyonephrotic. Pionefrótico.

pyoovarium. Piovário.

pyopericarditis. Piopericardite.

pyopericardium. Piopericárdio.

pyoperitoneum. Pioperitônio.

pyophagia. Piofagia.

pyophthalmia. Pioftalmia.

pyophylactic. Piofilático.

pyopneumopericarditis. Piopneumopericardite.

pyopneumopericardium. Piopneumopericárdio.

pyopneumoperitonitis. Piopneumoperitonite.

pyopneumothorax. Piopneumotórax.

pyopoiesis. Piopoese.

pyorrhoea. Piorréia.* // - **alveolaris.** Piorréia alveolar. Sin.: alveólise, cementoperiostite, enfermidade de Fauchard ou de Riggs, gengivite expulsiva, gengivopericementite, parodontite, parodontose, pericementite crônica, periodontoclasia.
pyorrhoeal. Piorréico, relativo à piorréia.
pyosalpingitis. Piossalpingite.
pyosalpinx. Piossalpinge.
pyosapraemia. Piossapremia.
pyosclerosis. Piosclerose.
pyosepticaemia. Piossepticemia.
pyostatic. Piostático.
pyothorax. Piotórax.
pyoureter. Pioureter.
pyramid. Pirâmide.
pyramidal. Piramidal. // - **bone.** Osso piramidal.
pyramidalis muscle. Músculo piramidal.
pyrenaemia. Pirenemia.
pyrene. Hidrocarboneto policíclico carcinogênico.
pyrethrine. Princípio isolado do Piretro.
pyrethrum. Gênero de compostas.
pyretic. Pirético.
pyretotyphosis. Piretotifose, delírio febril.
pyretotyposis. Piretotipose, febre de caráter intermitente.
pyrexia. Pirexia.

pyrexial. Piréxico.
pyridine. Piridina.
pyridoxine. Piridoxina.
pyriform. Piriforme.
pyriformis muscle. Músculo piriforme.
pyrimidine. Pirimidina.
pyroborate. Piroborato.
pyroboric acid. Ácido pirobórico.
pyrogallic acid. Ácido pirogálico.
pyrogen. Pirogênio.
pyrogenic. Pirogênico.
pyroligneous. Pirolenhoso. // - **acid.** Ácido pirolenhoso.
pyromania. Piromania.
pyrometer. Pirômetro.
pyrophobia. Pirofobia.
pyrophorus. Piróforo.
pyrophosphate. Pirofosfato.
pyrophosphoric acid. Ácido pirofosfórico.
pyrosis. Pirose.
pyrotic. Pirótico.
pyroxilin. Piroxilina.
pyrrole. Pirrol.
pyruvic acid. Ácido pirúvico.
pythogenesis. Pitogênese.
pyuria. Piúria.

FRASES E MODISMOS

paint the swelling with this. Pincelar a tumefação com isto.
peculiar to. Privativo de.
pensioner's home. Asilo de anciães.
(to) play a part. Desempenhar um papel.
(to) point out. Assinalar.

present day. Moderno, atual.
probable expectation of life. Termo médio de vida, determinado estatisticamente.
(to) push a head. Impelir para diante.
(to) put in another way. Expressar em outras palavras.

---

* N. do T. — Enfermidade periodôntica (denominação atual).

Q

q.d. Abreviatura de *quarter in die*, quatro vezes ao dia.

q-h. Abreviatura de *quaque hora*, cada hora.

q. 2h. Abreviatura de *quaque secunda hora*, cada duas horas.

q. 3h. Abreviatura de *quaque tertia hora*, cada três horas.

q.l. Abreviatura de *quantum libet*, à vontade.

q.p. Abreviatura de *quantum placet*, tantas vezes quanto se deseje.

q.s. Abreviatura de *quantum sufficit*, em quantidade suficiente.

q.v. Abreviatura de *quantum vis*, quanto se quiser.

Q wave. Onda Q.

quack. Charlatão, curandeiro.

quackery. Charlatanismo, empirismo.

quacksalver. Medicastro.

quadrangular. Quadrangular.

quadrant. Quadrante.

quadrate. Quadrado. // **- lobe.** Lobo quadrado.

quadratus. Quadrado.

quadribasic. Quadribásico.

quadriceps. Quadríceps.

quadrigemina. Quadrigêmeos.

quadrigeminal. Quadrigêmeo.

quadrigeminum. Quadrigêmeo.

quadrilateral. Quadrilátero.

quadrilocular. Quadrilocular.

quadripara. Quadrípara.

quadriparous. Quadrípara.

quadripartite. Quadripartido.

quadriplegia. Quadriplegia, tetraplegia.

quadripolar. Quadripolar.

quadrisect. Quadrisseccionar.

quadriurate. Quadriurato.

quadrivalent. Quadrivalente, tetravalente.

quadroon. Quarteirão. Filho de branco mulato.

quadromanous. Quadrúmano.

quadruped. Quadrúpede.

quadruplet. Uma de quatro crianças gêmeas.

quail. Acovardar-se, retroceder.

Quain's fatty heart. Degeneração de Quain. Degeneração gordurosa das fibras musculares cardíacas.

quake. Tremer, trepidar.

qualify. Qualificar, habilitar-se.

qualitative. Qualitativo.

quality. Qualidade.

qualm. Mal-estar, náusea.

quantitative. Quantitativo.

quantity. Quantidade.

quantivalance. Quantivalência.

quantum. Quantum. Unidade de energia na teoria dos "quanta".

quarantine. Quarentena.

quarrel. Pendência, disputa.

quart. Quarta enfermidade. Sin.: doença de Dukes-Filatow, rubéola morbiliforme ou escarlatinosa, pseudescarlatina epidêmica, escarlatina, roseólica.

quartan. Escarlatinóide.

quarter. Quarto, trimestre.

quarter evil. Carbúnculo sintomático.

quartipara. Quartípara.

quartz. Quartzo.

quash. Reprimir, invalidar.

quassation. Quassação.

Quassia. Gênero de simarubáceas sul-americanas.

Quatrefages's angle. Ângulo de Quatrefages. Ângulo parietal, usado em craniotomia.

queasiness. Náusea.

queasy. Nauseabundo.

Queckenstedt's sign. Sinal de Queckenstedt. A compressão das veias do pescoço aumenta a pressão liquórica nas pessoas normais, aumento que cessa com a compressão; se existir bloqueio do ducto espinal, a compressão não produz nenhum efeito. Enfermidade aguda febril por *Rickettsia burneti*.

Queensland fever. Febre Q.

queer. Estranho, misterioso, falso.

Quénus's haemorrhoidal plexus. Plexo hemorroidal de Quéno. Plexos nervosos secundários dos plexos lombaórtico e hipogástrico.

Quénu-Mayo operation. Operação de Quéno-Mayo. Extirpação do reto e do canal anal com seus linfonodos, por câncer.

question. Pergunta.

Queyrat's erythroplasia. Eritroplasia de Queyrat. Manchas vermelhas que se observam no pênis, lábios, boca ou braços, dolorosas e com tendência a malignidade.

quick. Rápido, ligeiro, ágil, fino, agudo.

quicken. Vivificar, acelerar.

quickening. Primeiro sinal de vida que dá o feto.

quicklime. Cal viva.

quickly. Rapidamente.

quicksand. Areias movediças.

quicksilver. Mercúrio.

quiet. Quieto.

quill. Pena de ave, bobina de lançadeira.

Quillaia. Gênero de árvores rosáceas.

quilt. Colcha, acolchoar.

quinacrine hydrochloride. Cloridrato de quinacrina.

quinate. Quinato.

quince. Marmeleiro.

Quincker's capillary pulse. Pulso capilar de Quincker, perceptível nos capilares do leito das unhas, com alternativas de congestão e palidez devido principalmente à insuficiência aórtica.

quinic. Quínico. // - **acid.** Ácido quínico. // - **fever.** Febre quínica.

quinicine. Quinicina.

quinidamine. Quinidamina.

quinidine. Quinidina.

quinine. Quinina.

quinol. Hidroquinona.

quinoline. Quinolina.

quinquivalent. Pentavalente.

quinsy. Angina, esquinência.

quintan. Quintã.

quintescence. Quintescência.

quintipara. Quintípara.

quintuplet. Quíntuplo.

quite. Totalmente, muito, bastante.

quoad vitam. No que se refere à vida.

quoin. Pedra angular, canto, ângulo.

quotidian. Quotidiano.

quotient. Quociente.

R

R. Abreviatura de *organic radical. Réaumur, remotum (far), respiration, Rickettsia, right* y *Behnken's unit.*

+R. Símbolo de *Rinne's test positive.*

−R. Símbolo de *Rinne's test negativo.*

r. Símbolo de Roentgen.

Ra. Símbolo químico do rádio.

Raabe's test. Reação de Raabe para a albumina. Filtre-se a urina em tubo de ensaio e junte-se um cristal de ácido tricloracético: a albumina e o ácido úrico formam um anel branco ao redor do cristal, porém o formado por esta última substância não fica bem definido.

rabid. Raivoso, fanático, violento, furioso.

rabies. Raiva.

rabific. Rabífico.

rabiform. Rabiforme.

rabigenic. Rabígeno.

RaBr₂, radium bromide. Brometo de rádio.

race. Raça.

racemase. Racêmase.

raceme. Rácimo.

racemic. Racêmico.

racemose. Racemoso.

racephedrine. Racefedrina, efedrina racêmica.

rachi.-Elemento léxico de origem grega que significa raque, coluna vertebral.

rachial. Raquídeo.

rachialbuminometer. Raquialbuminômetro.

rachialbuminometry. Raquialbuminometria.

rachialgia. Raquialgia.

rachianalgesia. Raquianalgesia.

rachianesthesia. Raquianestesia.

rachicentesis. Raquicentese. Punção do canal raquídeo.

rachidian. Raquídeo.

rachigraph. Raquigráfo. Instrumento para rejuntar os desvios da coluna vertebral.

rachilysis. Raquílise. Tratamento mecânico das curvaturas da coluna vertebral.

rachiocampsis. Raquiocampsia. Curvatura da coluna vertebral.

rachiocentesis. Raquiocentese.

rachiochysis. Raquióquise. Derrame aquoso do canal raquídeo.

rachiocyphosis. Raquiocifose.

rachiodynia. Raquiodinia.

rachiometer. Raquiômetro.

rachiomyelitis. Raquiomielite.

rachiopagus. Raquiópago.

rachioparalysis. Raquioparalisia.

rachiopathy. Raquiopatia.

rachioplegia. Raquioplegia.

rachioscoliosis. Raquioscoliose.

rachiotomy. Raquiotomia.

rachiopagus. Raquiópago.

rachiresistance. Raquirresistência.

rachis. Raque.

rachisagra. Raquissagra.

rachischisis. Raquísquise. Raquiósquise. Fissura congênita da coluna vertebral. Espinha bífida.

rachisensibility. Raquissensibilidade.

rachitis. Inflamação da Raque (sentido absoluto). Raquitismo.

rachitism. Raquitismo.

rachitomy. Raquitomia.

racial. Racial.

rad. Abreviatura de *radix,* raiz. // Unidade de medida da dose de absorção de uma radiação ionizante.

radectomy. Radectomia. Rizectomia, excisão de parte de uma raiz dental.

Rademacher's system. Sistema de Rademacher. Crença de que deve existir um remédio para cada enfermidade.

radiability. Irradiabilidade.

radiable. Irradiável.

radiad. Em direção ao rádio.

radial. Radial.

radian. Em oftalmometria, arco cujo comprimento é igual ao seu raio de curvatura.

radiant. Radiante.

radiathermy. Diatermia de onda longa.

radiation. Radiação.

radical. Radical.

radiciform, rootshaped. Radiciforme, rizóide.

radicle. Radícula.

radicotomy. Rizotomia.

radicula. Radícula.

radicular. Radicular.

radiculectomy. Radiculectomia.

radiculitis. Radiculite.

radioactive. Radioativo.

radioactivity. Radioatividade.

radiocarpal. Radiocarpal, radiocárpeo.

radiochemistry. Radioquímica.

radiodermatitis. Radiodermatite.

radiodiagnosis. Radiodiagnóstico.

radiodigital. Radiodigital.

radioelement. Radioelemento.

radiogenic. Radiogênico.

radiograph. Radiógrafo.

radiography. Radiografia.

radiohumeral. Radioumeral.

radiological. Radiológico.

radiologist. Radiologista, radiólogo.

radiology. Radiologia.

radiolus. Radíolo.

radionecrosis. Radionecrose.

radiopaque. Radiopaco.

radiophosphorus. Radiofósforo.

radioresistant. Radiorresistente.

radiostereoscopy. Radiosterioscopia.

radiosurgery. Radiocirurgia.

radiotherapeutic. Radioterapia.

radiotherapist. Radioterapeuta.

radiotherapy. Radioterapia.

radiothorium. Radiotório.

radioulnar. Radioulnar.

radish. Rabanete, rábano.

radium, radius, Radium, rádio.

radix, root. Raiz.

radon. Radônio. Emanação de rádio.

raffinose. Rafinose. Trissacarídeo da beterraba.

rage. Raiva, furor, cólera.

Rainey's corpuscles. Corpúsculos de Rainey. Nódulos de cálcio depositados nos tecidos. // - **tubes.** Tubos de Rainey. Túbulos formados no processo de calcificação.

raise. Elevar, erigir.

rake. Rastro, coçar.

rale. Estertor.

Ralfe's test. Prova de Ralfe, para determinar a acetona na urina.

ramal. Relativo aos ramos, ramificação.

ramalis vena. Veia porta e seus ramos.

R.A.M.C. Royal Army Medical Corps.

rami. Ramos. // - **accelerantes.** Ramos acelerantes. // - **musculares.** Ramos musculares.

ramification. Ramificação.

ramify. Ramificar.

ramisection. Ramissecção.

ramitis. Ramite.

ramollissement. Amolecimento.

Ramón y Cajal's cells. Células de Ramón y Cajal (v. *Cajal*).

ramose. Ramoso, ramificado.

Ramsden's ocular. Ocular de Ramsden. Peça de olho com duas lentes planoconvexas.

Ramstedt's operation. Operação de Ramstedt. Incisão do músculo circular do piloro, o que permite o prolapso da membrana mucosa. Usa-se para a estenose pilórica congênita.

ramus. Ramo.

rancid. Râncido.

rand. Margem, borda.

Randacio's nerves. Nervos de Randácio. Nascem do gânglio esfenopalatino.

range. Alinhar, classificar, alcance.

ranine. Ranino. // - **tumour.** Tumor ranino.

Ranke's angle. Ângulo de Ranke. Situado no plano horizontal do crânio numa linha que passa pelo centro da margem alveolar e centro da sutura nasofrontal.

Ranke's formula stages. Fórmula e períodos de Ranke. Fórmula: A = peso específico − 100 × 0,52 − 5406, em que A é o peso em gramas de albumina por litro de um líquido seroso. // Períodos: Na tuberculose humana: I. Complexo primário, II. Generalização, III. Tuberculose crônica de um órgão isolado.

rankenangioma. Aneurisma racemoso ou cirsóide.

Ransohoff's operation. Operação de Ransohoff. Incisão crucial múltipla da pleura no empiema.

rant. Declamar, linguagem bombástica.

ranula. Rânula.

ranular. Ranular.

Ranunculus. Gênero de ranunculáceas.

Ranvier's crosses. Cruzes de Ranvier. Figuras escuras cruciformes, observadas nos nódulos de Ranvier, que se coram nas secções longitudinais com a prata. // - **discs.** Discos de Ranvier. Terminações tácteis das fibras nervosas na substância transparente entre os corpúsculos de Grandry. // - **nodes.** Nódulos de Ranvier. Nódulos produzidos pelas constricções das fibras nervosas meduladas com intervalos de 1 mm.

Raoult's law. Lei de Raoult. A diminuição do ponto de congelação de uma substância é proporcional à concentração molecular da mesma.

rape. Violação, estupro.

raphe. Rafe.

rapidity. Rapidez.

raptus. Rapto, impulso, êxtase, arrebatamento. // **- maniacus.** Ataque ou crise maníaca.

rare. Raro.

rarefaction. Rarefação.

rasceta. Linhas ou sulcos transversais na face palmar do punho.

Rasch's sign. Sinal de Rasch. Flutuação do líquido amniótico no começo da gravidez.

rash. Erupção ou exantema.

Rasmussen's aneurysm. Aneurisma de Rasmussen. Aneurisma arterial numa caverna tuberculosa no pulmão.

rasp. Lima, raspadeira.

raspatory. Rugina.

raspberry mark. Hemangioma congênito.

rasura, scrapings. Raspado.

rate. Porcentagem, proporção média, índice numérico.

Rathke's pouch, pocket. Bolsa de Rathke. Divertículo na raiz da boca embrionária de fronte à membrana bucofaríngea.

ratification. Ratificação.

ratio, degree. Relação, proporção.

ration. Ração, proporção.

rational. Racional.

ratsbane. Arsênico branco.

rattle. Gritaria, estertor, aturdir.

Rau's apophysis or process. Processo de Rau. Processo longo do martelo.

Rauber's layer. Camada de Rauber. Ectoderma primitivo.

Rauchfuss's triangle. Triângulo de Rauchfuss. Área triangular de macicez no dorso, no lado oposto ao derrame, chamado também triângulo de Grocco.

rausch. Ligeira anestesia geral com éter.

rauschbrand. Antraz sintomático.

Rauwolfia. Gênero de árvores tropicais cujo suco foi empregado como veneno de flechas.

Rauzier's disease. Doença de Rauzier. Edema azul.

rave. Delirar, desvairar.

ravish. Arrebatar, estuprar.

raw. Cru, pelado.

ray. Raio, fileira, raia.

Rayer's disease. Doença de Rayer. Xantoma.

Raygat's test. Prova de Raygat. Para demonstrar se o recém-nascido viveu. Coloca-se o pulmão na água, se respirou, flutuará.

Raymond type of apoplexy. Tipo de apoplexia de Raymond. Apoplexia marcada por parestesia da mão do lado paralisado.

Raynaud's disease. Doença de Raynaud. Asfixia, síncope ou gangrena local das extremidades. Paralisia dos músculos do véu palatino após parotidite.

R.C.O.G. Royal College of Obstetricians and Gynaecologists.

R.C.P. Royal College of Physicians.

R.C.S. Royal College of Surgeons.

R.C.S.E. Royal College of Surgeons of Edinburgh.

R.C.S.I. Royal College of Surgeons of Ireland.

re-. Prefixo latino que significa "atrás", "contrário", "de novo".

reach. Alcançar.

react. Reagir.

reaction. Reação.

reactivate. Reativar.

reactivation. Reativação.

reading. Leitura.

ready. Preparado, disposto.

reagent. Reativo.

reagin. Reagina.

realize. Perceber como realidade.

reamputation. Reamputação.

reason. Razão.

reassure. Tranqüilizar.

Réaumur's thermometer. Termômetro de Réaumur. Neste termômetro o ponto de congelação da água é de 0 (zero) graus, e o da ebulição é de 80 graus. Raramente usado na atualidade.

rebound. Repercutir, rebotar, ressaltar.

recall. Recordar.

recede. Retroceder.

receiver. Receptor, recipiente.

receptaculum chyli. Cisterna de Pecquet.

receptor. Receptor.

recess, recessus. Recesso, fosseta ou pequena cavidade, seio.

recession. Depressão, retração, reentrância.

recessive characteristic. Característica recessiva.

recessus. Recesso, fosseta, seio.

recidivation. Recidiva, recorrência.

recidivist. O que reincide na mesma prática.

recipient. Recipiente.

reciprocal. Recíproco.

Recklinghausen's canals. Canais de Recklinghausen. Pequenos ductos linfáticos no tecido conectivo, considerados como ramos terminais dos vasos linfáticos. Canais da córnea. // - **disease.** Doença de von Recklinghausen. Neurofibroma múltiplo; neurofibromatose. Osteíte fibrosa osteoplástica.

reclination. Reclinação.

Reclus's disease. Doença de Reclus. Mastite intersticial crônica.

recognize. Reconhecer.

reconstruction. Reconstrução.

record. Registro.

recrement. Recremento. Humor do organismo, que, depois de secretado, é reabsorvido, ou permanece nele, cumprindo missão útil. *

recrudescence. Recrudescência.

rect-. Abreviatura de "*rectificatus*", retificado.

rectal. Retal.

rectalgia. Retalgia.

rectectomy. Retectomia.

rectification. Retificação.

rectified. Retificado.

rectitis. Retite.

rectoabdominal. Pertencente ao reto e ao abdome.

rectocele. Retocele.

rectococcygeal. Retococcígeo.

rectococcypexy. Retococcigopexia, proctococcigopexia.

rectopexy. Retopexia.

rectophobia. Retofobia.

rectoscope. Retoscópio.

rectosigmoid. Retossigmóide.

rectostenosis. Retostenose.

rectostomy. Retostomia.

rectotomy. Retotomia.

rectourethral. Retouretral.

rectouterine. Retouterino.

rectovaginal. Retovaginal.

rectovesical. Retovesical.

rectum. Reto.

recumbent. Recumbente.

recuperate. Recuperar.

recuperation. Recuperação.

recurrence. Recorrência.

recurrent. Recorrente.

recurring. Recorrente.

recurved. Recurvado.

recurvation. Ação de recurvar.

red. Vermelho. // - **fever.** Febre vermelha. // - **mite.** *Thrombicula alfreddugesi.*

redia. Segundo período larval de certos trematódeos.

redifferentiation. Rediferenciação.

redintegration. Reintegração.

redislocation. Luxação após redução.

Redlig's phenomenon. Fenômeno de Redlig. Nos neuropatas, o aperto de mãos muito intenso e persistente dilata e irregulariza as pupilas, e, às vezes, reduz ou faz desaparecer a fotorreação.

redox. Em química, mútua redução e oxidação.

redressement forcé. Força regressiva.

reduce. Reduzir.

reducible. Redutível.

reducin. Reducina.

reductase. Redúctase.

reduction. Redução.

redundant. Redundante.

reduplicated. Reduplicado.

reduplication. Reduplicação.

reeducation. Reeducação.

reed. Cana, caniço.

reference, delusion or idea of. Idéia de referência.

refine. Refinar, purificar, clarificar.

reflect. Refletir.

reflection. Reflexão.

reflector. Refletor.

reflex. Reflexo. // - **conditioned.** Reflexo condicionado.

reflexly. De maneira reflexa.

reflexophil. Reflexófilo.

reflux. Refluxo.

reform. Reformar.

refract. Refratar.

refracta dosi. Em doses divididas, repetidas.

refraction. Refração.

refractionist. Refracionista, optometrista.

refractive. Refrativo.

refractometer. Refratômetro.

refractory. Que não se sujeita de bom grado a tratamento.

refracture. Refratura.

refrain. Refrear.

refrangibility. Refrangibilidade.

refrangible. Refrangível.

refresh. Refrescar, renovar.

refrigerant. Refrigerante.

refrigeration. Refrigeração.

refund. Restituir.

refusion. Refusão.

regard. Regenerar.

regeneration. Regeneração.

regimen. Regime.

region. Região.

---

* N. do T. — Exemplo, a saliva.

regional. Regional.
register. Registro.
regressive. Regressivo.
regret. Pena, pesar, sentimento.
regular. Regular.
reg. umb. Abreviatura de *Regio umbilici*, região umbilical.
regurgitant. Regurgitante.
regurgitation. Regurgitação.
rehabilitate. Reabilitar.
Reichel's cloacal duct. Ducto de Reichel. Fissura no embrião, entre o septo de Douglas e a cloaca.
Reichert's cartilage. Cartilagem de Reichert, do segundo arco branquial. Corresponde ao arco hioídeo do embrião, de que se desenvolvem os processos estilóides. // - **canal.** Canal de Reichert. Também chamado de Hensen.
Reichmann's disease. Doença de Reichmann. Gastrossucorréia.
Reid's base line. Linha de Reid. Linha básica antropométrica no crânio.
reign. Reinar, predominar.
Reil's ansa. Alça de Reil. Alça peduncular. Lemnisco, fascículo de fibras sensitivas que nasce nos músculos terminais dos nervos sensitivos espinais e bulboprotuberanciais e o homólogo do lado oposto no bulbo. // - **island.** Ilha de Reil do córtex cerebral.
reimplantation. Reimplantação.
reinfection. Reinfecção.
reinoculation. Reinoculação.
reins. Rins.
reinstall. Reinstalar.
reinversion. Reinversão.
Reisseisen's muscle. Músculo de Reisseisen. Fibras musculares dos brônquios.
Reissner's fibre. Fibra de Reissner. Fibra livre no conduto central da medula espinal. // - **membrane.** Membrana de Reissner. Membrana vestibular do caracol.
reiterate. Reiterar.
rejuvenescence. Rejuvenescimento.
relapse. Recaída, recidiva, recorrência.
relapsing fever. Febre recorrente.
relation. Relação.
relaxant, loosening. Relaxante.
relaxation. Relaxamento.
relaxin. Relaxina.
reliable. Digno de confiança.
relief. Alívio, consolo, socorro, descanso.
rely upon. Confiar em.
remain. Permanecer.
Remak's fibres. Fibras de Remak. Fibras nervosas

sem mielina, muito numerosas nos nervos simpáticos. / - **ganglia.** Gânglios de Remak. Grupo de células nervosas na desembocadura da veia cava inferior.
remark. Observação.
remarkable. Notável.
remedial. Remediado, curativo.
remedy. Remédio.
remember. Recordar.
remission. Remissão.
remittent. Remitente. // - **fever.** Febre remitente.
removal. Remoção.
remove. Remover.
ren, kidney. Rim.
renal. Renal. // - **calculus.** Cálculo renal. // - **glands.** Glândulas renais.
Renaut's layer. Camada ou membrana de Renaut. Membrana hialina delgada entre o córion e a epiderme.
render. Voltar.
Rendu's tremor. Tremor de Rendu, histérico.
renew. Renovar.
renicapsule. Cápsula supra-renal.
renicardiac. Cardiorrenal.
reniform. Reniforme.
renin. Renina.
reniportal. Portorrenal.
renipuncture. Punção renal.
renitis. Nefrite.
rennet. Coalho.
rennin. Coalho.
rennogen. Reninógeno.
renocortical. Renocortical.
renocutaneous. Renocutâneo.
renogastric. Gastrorrenal.
renography. Renografia, nefrografia.
renointestinal. Enterorrenal.
Rénon-Delille's syndrome. Síndrome de Rénon-Delille. Intolerância para o calor, hiperidrose, taquicardia, hipotensão, oligúria e insônia no dispituitarismo associado com distireoidismo.
renopathy. Nefropatia.
renopulmonary. Renopulmonar.
renotrophic. Renotrófico.
renotropic. Renotrópico.
renovation. Renovação.
rentschlerization. Destruição das bactérias pelos raios ultravioleta de comprimento de onda de 2537 unidades Angström.
renunculus. Renículo.
reoxidation. Reoxidação.
repeat. Repetir.

repellent. Repelente.

repeller. Instrumento usado em obstetrícia veterinária.

repercolation. Repercolação.

repercussion. Repercussão.

repercussive. Repercussivo.

repetatur. Que se repita.

repine. Amofinar-se.

replantation. Reimplantação.

repletion. Repleção.

replication. Réplica.

reply. Replicar, contestar.

report. Informar, divulgar.

reposition. Reposição.

representative. Representativo.

repression. Repressão.

reprimand. Reprimenda, repreender.

reproduce. Reproduzir.

reproduction. Reprodução.

reproductive. Reprodutivo.

repulsion. Repulsão.

request. Solicitude.

require. Requerer.

research. Investigação.

resect. Ressecado.

resection. Ressecção.

resectoscope. Instrumento para ressecção transuretral da próstata.

resemble. Assemelhar-se.

resent. Ressentir-se de.

reserpine. Reserpina.

reserve. Reserva.

reservoir. Reservatório.

reside. Residir, viver.

residual. Residual.

residue. Resíduo.

residuum. Resíduo.

resign. Resignar, ceder.

resilience. Resiliência, elasticidade.

resilient. Resiliente.

resin. Resina.

resinoid. Resinóide.

resinous. Resinoso.

resist. Resistir.

resistance. Resistência.

resolute. Resoluto. Que sofreu resolução.

resolution. Resolução, reabsorção, aluimento.

resolvent. Resolvente, resolutivo.

resonance. Ressonância.

resonant. Ressonante.

resorcin. Resorcina.

resorcinol. Resorcinol.

resorption. Absorção.

respect. Respeitar.

respirable. Respirável.

respiration. Respiração.

respirator. Respirador.

respiratory. Respiratório.

respire. Respirar.

respirometer. Respirômetro.

responde. Respirômetro.

responde. Responder, reagir.

responsability. Responsabilidade.

response. Resposta.

rest. Descanso, repouso, resto.

restibrachium. Corpo restiforme.

restiform. Restiforme.

resting, quiescent. Quieto, tranqüilo, inativo.

restis. Corpo restiforme.

restitutio ad integrum. Retorno completo ao estado de saúde.

restitution. Restituição.

restocythaemia. Restocitemia.

restorative. Restaurativo.

restore. Restaurar.

restraint. Restringido, limitado.

restrict. Restringir.

result. Resultado.

resume. Retornar, recomeçar.

resuscitation. Ressuscitação.

resuscitator. Ressuscitador.

retardation. Retardamento.

retch, retching. Arquear, fazer esforço para vomitar.

rete. Retículo, plexo.

retention. Retenção.

retial. Reticulado.

reticulate. Reticulado.

reticulocyte. Reticulócito.

reticulocytosis. Reticulocitose.

reticuloendothelial. Reticulendotelial.

reticulosarcoma. Reticulossarcoma.

reticulum, network. Retículo.

retiform. Retiforme.

retina. Retina.

retinaculum. Retináculo.

retinal. Retínico.

retinitis. Retinite.

retinoblastoma. Retinoblastoma.

retinochoroiditis. Retinocoroidite.

retinoscope. Retinoscópio.

retinoscopy. Retinoscopia.

retire. Retirar-se.

retort. Retorta.

retothel. Reticulendotelial.

retothelial. Pertencente ao "Retothelium".

retothelioma. Tumor do "retothelium".

retothelium. Camada de células que cobre o tecido reticular.

retract. Retrair.

retractile. Retrátil.

retractility. Retratilidade.

retraction. Retração.

retractor. Retrator.

retrahens. Que retrai, que faz recuar. Músculo auricular posterior.

retreat. Retiro, asilo.

retrenchment. Corte.

retribution. Retribuição.

retrieve. Recuperar.

retro-. Prefixo latino que significa "atrás", "para trás".

retroaction. Retroação.

retroauricular. Retroauricular.

retrobronchial. Retrobrônquico.

retrobuccal. Retrobucal.

retrobulbar. Retrobulbar.

retrocalcaneobursitis. Retrocalcaneobursite.

retrocardiac. Retrocardíaco.

retrocatheterism. Retrocateterismo.

retrocecal. Retrocecal.

retrocedent. Retrocedente.

retrocervical. Retrocervical.

retrocession. Retrocesso.

retroclavicular. Retroclavicular.

retroclusion. Retroclusão.

retrocolic. Retrocólico.

retrocollic. Retrocervical.

retrocursive. Retrocursivo.

retrodeviation. Retrodesvio.

retrodisplacement. Retrodeslocamento.

retrodural. Retrodural.

retroflexed. Retroflexo.

retroflexion. Retroflexão.

retrognathia, retrognathi. Retrognatia. Retrognatismo. Posição da mandíbula por detrás do plano da frente.

retrograde. Retrógrado.

retrography. Retrografia.

retrogression. Retrogressão.

retroinfection. Retroinfecção.

retroinsular. Retroinsular.

retroiridian. Retroirídico.

retrojection. Retroinjeção.

retrojector. Instrumento para lavagem do útero.

retrolabyrinthine. Retrolabiríntico.

retrolingual. Retrolingual.

retromammary. Retromamário.

retromandibular. Retromandibular.

retromastoid. Retromastoídeo.

retromorphosis. Retromorfose.

retronasal. Retronasal.

retroocular. Retrocular.

retroesophageal. Retroesofágico.

retroperitoneal. Retroperitoneal.

retroperitoneum. Retroperitônio.

retroperitonitis. Retroperitonite.

retropharyngeal. Retrofaríngeo.

retropharyngitis. Retrofaringite.

retropharynx. Retrofaringe.

retroplacental. Retroplacentário.

retroplasia. Metaplasia retrógrada.

retropleural. Retropleural.

retroposition. Retroposição.

retropulsion. Retropulsão.

retrorectal. Retrorretal.

retrospection. Retrospecção.

retrospondylolisthesis. Retrospondilolistese.

retrosternal. Retrosternal.

retrosymphysial. Situado atrás da sínfise.

retrotarsal. Retrotarsal.

retrouterine. Retrouterino.

retrovaccination. Retrovacinação.

retroversion. Retroversão.

retroverted. Retroverso.

return. Devolver.

Retzius's bodies. Corpos de Retzius. Massas ou grânulos protoplasmáticos com pigmento na extremidade inferior de uma célula pilosa do órgão de Corti. // **- gyrus.** Giro intralimbar do rinencéfalo. // **- striae.** Estrias de Retzius. Linhas escuras observadas no esmalte dos dentes.

Retzius's cave. Cavidade de Retzius ou pré-peritoneal. Tecido frouxo subperitoneal defronte da bexiga. // **- gyri.** Circunvolução de Retzius ou sagital. Circunvolução paralela à sutura sagital do crânio. // **- ligament.** Ligamento de Retzius ou fundiforme. Porção do ligamento anular anterior do tornozelo que forma uma alça ao redor do extensor longo dos dedos e do peroneal lateral curto. Expansão da bainha do reto abdominal e da linha alba que se divide em duas curtas para envolver a raiz do pênis.

reunion. Reunião.

Reuss's colour charts. Cartas coloridas de Reuss que contêm letras impressas em cores sobre fundo colorido. Usa-se para testar cromatopsia.

revaccination. Revacinação.

reveal. Revelar.

revellent. Revulsivo.

Reverdin's graft. Enxerto de Reverdin. Pequeno fragmento de epiderme colocado na superfície de granulação para estimular a cura.

Reverdin's needle. Agulha de Reverdin, curva ou reta montada em um cabo, com um entalhe junto ao extremo que pode converter-se em um orifício por meio de um estilete metálico móvel.

reverie. Sono, ilusão, devaneio, delírio, desvario, fantasia, meditação, contemplação.

reversal of gradient. Uma porção do cordão fecal chega a uma área de irritação e causa espasticidade local do intestino com um tom mais alto que na área situada mais abaixo.

reversible. Reversível.

reversion. Reversão.

revise. Revisar.

revive. Ressuscitar, reviver.

revivification. Revivificação, revivescência, refrescamento.

revulsion. Revulsão.

revulsive. Revulsivo.

Rh. Símbolo químico do *rhodium*, ródio.

Rh factor. Fator *Rh.* "*Rhesus factor*".

Rhabditis. Gênero de vermes nematódeos.

rhabdium. Fibra muscular estriada.

rhabdoid. Rabdóide. Semelhante a um bastão ou cilindro; aplica-se também à sutura sagital.

rhabdomyoma. Rabdomioma.

rhabdomyosarcoma. Rabdomiossarcoma.

rhachianaesthesia. Raquianestesia.

rhachicentesis. Raquiocentese.

rhachidial. Raquídio.

rhachidian. Raquídico.

rhachiocampsis. Raquiocampsia. Curvatura da coluna vertebral.

rhachiochysis. Efusão de líquido no canal medular.

rhachiodynia. Raquiodinia.

rhachiokyphosis. Raquiocifose.

rhachiometer. Raquiômetro.

rhachiomyelitis. Raquiomielite.

rhachioparalysis. Raquioparalisia.

rhachiopathy. Rachiopatia.

rhachioplegia. Raquioplegia.

rhachiotome. Raquiótomo.

rhachiotomy. Raquiotomia.

rhachipagus. Raquiópago.

rhachis. Raque.

rhachischisis. Raquiósquise.

rhachitic. Raquítico.

rhacoma. Racoma.

rhacous. Lacerado, escoriado.

rhagades. Rágades.

rhamnose. Ramnose.

Rhamnus, buckthorns. Gênero de árvores como o espinheiro alvar e a cáscara sagrada.

Rhaphanus. Gênero de plantas a que pertence o rabanete.

rhaphe. Rafe.

rhegma. Regma, ruptura, fratura.

rheobase. Reóbase.

rheobasic. Reobásico.

rheochord. Reocórdio.

rheometer. Reômetro, galvanômetro.

rheonome. Aparelho para detectar o efeito irritativo em um nervo.

rheophore. Reóforo.

rheoscope. Reoscópio.

rheostat. Reóstato.

rheostaxis. Reotaxia.

rheotrope. Reótropo.

Rhesus's factor. Fator Rhesus. Aglutinogênio encontrado nas hemácias de macacos do gênero Rhesus e que existe normalmente em 85 por cento das pessoas, que por isto se dizem Rh positivas. O sangue destas, transfundido a Rh negativos (15 por cento), provoca no soro destes formação de anticorpos que, em sucessivas transfusões podem aglutinar os eritrócitos do doador Rh positivo. Também na gravidez um feto Rh negativo provoca, na mãe Rh negativa, a produção de aglutininas que poderiam ser a causa de eritroblastose fetal ou enfermidade hemolítica dos recém-nascidos.

rhetome. Reótomo.

rheum. Reuma.

rheumarthritis, rheumarthrosis. Reumartrite.

rheumatalgia. Reumatalgia.

rheumatic. Reumático. // - **arthritis.** Artrite reumatóide. // - **fever.** Febre reumática.

rheumatism. Reumatismo. // - **acute articular.** Reumatismo agudo. Sin.: febre reumática, poliartrite aguda febril, doença de Bouillaud. // - **chronic.** Reumatismo crônico. Sin.: artrodinia, gota astênica, poliartrite deformante, osteoartrite. // - **gonorrhoeal.** Reumatismo blenorrágico. // - **synovial.** Reumatismo sinovial.

rheumatoid. Reumatóide.

rheumic. Reumático.

rhexis. Elemento léxico de origem grega, que significa ruptura e se refere ao elemento léxico que o precede: cardiorrexia é ruptura do coração.

rhinal. Nasal.

rhinalgia. Rinalgia.

rhinencephalon. Rinencéfalo.

rhinencephalus. Rinencéfalo. Monstro rinocéfalo.

rhineurynter. Rineurinter.

rhinion. Rínio. Ponto cefalométrico mais baixo da sutura internasal.

rhinocoele. Rinocele.

349

rhinodynia. Rinodinia.
rhinolalia. Rinolalia.
rhinolaryngitis. Rinolaringite.
rhinolaringology. Rinolaringologia.
rhinolith. Rinólito.
rhinolithiasis. Rinolitíase.
rhinological. Rinológico.
rhinologist. Rinologista.
rhinomeiosis. Rinomiose.
rhinommectomy. Rinomectomia. Excisão do ângulo medial do olho.
rhynomycosis. Rinomicose.
rhinonecrosis. Rinonecrose.
rhinopathy. Rinopatia.
rhinopharyngeal. Rinofaríngeo, nasofaríngeo.
rhinopharyngitis. Rinofaringite.
rhinopharynx. Rinofaringe.
rhinophonia. Rinofonia.
rhinophore. Rinóforo.
rhinophyma. Rinofima.
rhinoplasty. Rinoplastia.
rhinopolyp, rhinopolypus. Rinopólipo.
rhinorrhagia. Rinorragia.
rhinorrhoea. Rinorréia.
rhynosalpingitis. Rinossalpingite.
rhinoscleroma. Rinoscleroma.
rhinoscope. Rinoscópio.
rhinoscopy. Rinoscopia.
rhinostenosis. Rinostenose.
rhinotomy. Rinotomia.
rhizoid, ootlike. Rizóide.
rhizome. Rizoma.
rhizomelic. Rizomélico. Relativo às raízes dos membros: ombros e quadris.
rhizoneure. Rizoneuro.
Rhizopoda. Rizopódes. Subclasse dos sarcodíneos com pseudópodes lobulados, que compreende as amebas.
rhizotomy. Rizotomia.
Rhodesian fever. Febre da Rodésia.
rhodium. Ródio.
Rhodobacteriaceae. Rodobacteriácea.
rhodocyte. Rodócito.
rhodogenesis. Rodogênese.
rhodopsin. Rodopsina.
rhombencephalon. Rombencéfalo.
rhombocoele. Rombocele.
rhomboid. Rombóide.
rhomboideus muscle. Músculo rombóide.
rhonchal, rhonchial. Rônquico.
rhonchus. Ronco.
rhotacism. Rotacismo.
rhubarb. Ruibarbo.
rhynchota. Ordem de insetos hematófagos em que se incluem os Pediculídeos e Acantídeos.

Rhus. Gênero de plantas anacardiáceas.
rhypophobia. Horror patológico à sujeira.
rhythm. Ritmo.
rhythmic, rhythmical. Rítmico.
rhythmophone. Ritmofone.
rhythmotherapy. Ritmoterapia.
rhytidectomy. Ritidectomia.
rhytidosis. Ritidose. Rugas da córnea; presença de rugas em pele de jovem.
rib. Costela.
Ribbert's theory. Teoria de Ribbert. Um tumor se forma pelo desenvolvimento de células em descanso, devido à tensão reduzida dos tecidos vizinhos.
ribbon. Cinta, tira.
Ribera's method. Método de Ribera. Produção de isquemia dos membros inferiores por compressão da cintura com bandagem elástica.
Ribes's ganglion. Gânglio de Ribes. Suposta terminação superior do simpático que circunda a artéria comunicante anterior do cérebro.
ribodesose. Ribodedose.
riboflavina. Riboflavina.
ribonuclease. Ribonuclease.
ribopyranose. Ribopiranose.
ribose. Ribose.
rice. Arroz.
rice-water stools. Fezes da cólera-morbo, em água de arroz.
Richard's fringe. Franja de Richard. Franja ovárica do forâmen do ducto uterino.
Richardson's sign. Sinal de Richardson. Aplicação de uma faixa apertada no braço como prova de morte, que, neste caso, dá lugar a repleção das veias periféricas.
Richet's aneurysm. Aneurisma fusiforme de Richet. Dilatação em forma de fuso.
Richet's canal. Canal de Richet. Ducto da veia umbilical na parede anterior do abdome, constituído por fibras do transverso profundo dirigidas à veia. // - **fascia.** Aponeurose de Richet, que cobre todo o canal.
Richter's hernia. Hérnia de Richter. Hérnia de uma parte somente da parede intestinal.
ricinine. Ricinina.
ricinus. Rícino.
rickets. Raquitismo, microrganismos bacteriformes endoparasitos de artrópodes.
rickettsiosis. Riquetsiose. Enfermidade por Ricketsia.
Riddoch's reflex. Reflexo de Riddoch. Nas lesões graves da medula espinal, a excitação por debaixo da lesão produz reflexos de flexão nas

extremidades inferiores, esvaziamento da bexiga e suor, abaixo, da lesão.

Rideal-Walker's coefficient. Coeficiente de Rideal-Walker. Quociente obtido ao dividir o número que representa a diluição de um desinfetante que mata um microrganismo, em um tempo determinado, pelo número que exprime o grau de diluição do fenol que mata o microrganismo no mesmo tempo.

Ridell's operation. Operação de Ridell, de sinusite frontal.

rider's bone. Osso de cavaleiro: formação endurecida no joelho dos que praticam equitação.

ridge. Sulco, margem, sulcar.

Ridley's sinus. Seio de Ridley, circular ou coronário.

Rieckenberg's phenomenon. Fenômeno de Rieckenberg. Reação da trombocitobarina, acúmulo de plaquetas sobre os tripanossomos em um soro imune.

Riedel's lobe. Lóbulo de Riedel. Anomalia do fígado que consiste em uma porção linguiforme de substância hepática inserida no lobo direito // **- struma or thyroiditis.** Tireoidite de Riedel, lenhosa, que consiste em uma infiltração dura da glândula tireóide.

Rieder's cells. Células de Rieder. Linfoblastos de núcleos multilobulados.

Riegel's pulse. Pulso de Riegel. Pulso que diminui durante a expiração. // **- meal.** Refeição de Riegel. 200 g de sopa, 200 g de carne bovina, 50 g de batatas em purê e pão tostado.

Riegler's test. Reação de Riegler. A 5 ml de urina, juntam-se 20 gotas de solução de ácido betanaftossulfônico (10 g em 200 ml de água destilada). A urina se turva, se contiver albumina.

Riehl's melanosis. Melanose de Riehl. Pigmentação e hiperceratose com prurido e descamação da pele.

Riesman's sign. Sinal de Riesman. No bócio esoftálmico se ouve ruído com o estetoscópio aplicado sobre o olho. // Nas afecções da vesícula biliar, a percussão do músculo reto com a margem cubital da mão, com o paciente mantendo suspensa a respiração, produz dor aguda.

Rieux's hernia. Hérnia de Rieux. Protrusão do intestino em uma bolsa retrocecal.

rifeness. Abundância.

Riga's disease. Doença de Riga: afta caquética.

Riga-Fede's disease. Doença de Riga-Fede. Granuloma do frênulo lingual em crianças.

Rigal's suture. Sutura de Rigal. Variedade de sutura trançada em que se usam anéis de borra-

cha em vez de fios.

Rigg's disease. Doença de Riggs. Enfermidade periodôntica.

right. Reto, justo, equitativo, sincero, razoável, honesto, idôneo, próprio, conveniente, direito, direto, ordenado, são, cordato.

rigid. Rígido.

rigidity. Rigidez. // **- cadaveric.** Rigidez cadavérica.

rigor. Frieza, calafrio. // **- mortis.** Rigidez cadavérica. // **- nervorum.** Tétano.

rile. Encolerizar.

rim. Canto, margem.

rima. Rima.

rimose, rimous. Rimoso, fendido, gretado.

rimula. Rímula, pequena fissura.

rind. Córtex.

Rindfleisch's cells, folds. Células e pregas de Rindfleisch. Leucócitos granulares eosinófilos. // Pregas de Rindfleisch da superfície serosa do pericárdio ao redor da origem da aorta.

ring. Círculo, circunferência, circular, anel.

ringed. Anelado.

Ringer's solution. Solução de Ringer. Solução salina normal composta de cloreto de sódio, de potássio, de cálcio, de bicarbonato de sódio, fosfato monossódico, dextrose e água, empregada em todas as formas de desidratação, acidose ou alcalose, e para melhorar a atividade renal.

ringworm. Tinha microscópica.

Rinne's test. Teste de Rinne. Mantém-se alternadamente um diapasão diante do ouvido e do processo mastóide. Se o som se percebe melhor por condução óssea, o paciente é Rinne negativo.

Riolan's anastomosis. Anastomose de Riolan, entre as artérias mesentéricas superior e inferior. // **- arcade.** Arco de Riolan. Anastomose arterial dos vasos intestinais. / **- bouquet.** Feixe de Riolan: músculos e ligamentos originados no processo estilóide. // **- muscle.** Músculo de Riolan. Feixe marginal do orbicular do olho.

rip. Raspar, romper.

ripa. Margem, orla.

riparian. Marginal.

Ripault's sign. Sinal de Ripault. A pressão externa sobre o olho no vivo produz alteração somente temporária da forma normal da pupila, enquanto no morto, costuma ser permanente.

ripe. Maduro, sazonado.

R.I.P.H. Royal Institute of Public Health. Instituto Real de Saúde Pública.

rise. Elevar.

risk. Perigo, risco.

Risley's prism. Prisma de Risley. Prisma para o exame do desequilíbrio dos músculos oculares.

risorius muscle. Músculo risório.

Risquez's sign. Sinal de Risquez. Presença de pigmento livre no sangue circulante, no impaludismo.

Ristella. Gênero de bactérias anaeróbias gram-negativas parasitas.

risus sardonicus. Riso sardônico.

Ritgen's maneuver. Manobra de Ritgen. Pressão da cabeça fetal para cima e para diante, por meio de dedos no períneo.

Ritter's disease. Doença de Ritter. Dermatite exfoliativa das crianças.

Ritter's law, tetanus. Lei de Ritter. A abertura e fechamento de uma corrente elétrica produzem igualmente estímulo nervoso. // - **tetanus.** Tétano de Ritter. Contrações tetânicas produzidas pela abertura de uma corrente contínua ao longo de um nervo, observadas na tetania.

Ritter-Rolle's phenomenon. Fenômeno de Ritter-Rolles. Estímulos elétricos dos troncos nervosos motores provocam reação mais tardia dos músculos extensores e abdutores que dos flexores e adutores. Flexão do pé por estímulo elétrico ligeiro e extensão do mesmo por excitação elétrica enérgica.

Ritter-Vally's law. Lei de Ritter-Vally. O aumento primitivo e a perda secundária da irritabilidade em um nervo, produzidos pela secção que o separa do centro nervoso, seguem direção periférica.

Rivalta's disease. Doença de Rivalta. Actinomicose.

Rivalta's reaction, test. Reação de Rivalta, para distinguir os exsudatos dos transudatos.

Riva-Rocci's sphygmomanometer. Esfigmomanômetro de Riva-Rocci, para medir tensão arterial.

Riverius's potion. Poção antiemética de Rivério. Preparação medicamentosa em duas soluções edulcoradas: uma de ácido cítrico e outra de bicarbonato de sódio ou potássio, destinadas a ser ingeridas em separado, uma imediatamente após a outra para reagirem no estômago, e dar produção do ácido carbônico.

Rivière's sign. Sinal de Rivière. Zona de percussão apagada na espádua, na altura dos processos espinhosos da quinta, sexta e sétima vértebras dorsais: sinal de tuberculose pulmonar.

Rivinus's duct. Ducto de Rivinus, um dos ductos excretores das glândulas sublinguais. // - **membrane.** Membrana de Rivinus ou membrana de Schrapnell. // - **notch.** Entalhe irregular na membrana do tímpano.

rivulose. Rivulose.

riziform. Riziforme.

Rn. Símbolo químico do Radônio.

roast. Assar, tostar.

Robert's ligament, pelvis, test. Ligamento, pelve e teste de Robert. Feixe de fibras do ligamento cruzado da rótula ao menisco lateral. // - **pelvis.** Pelve de Robert. Deformidade pélvica consecutiva à ancilose das articulações sacroilíacas, caracterizadas por sacro rudimentar e grande diminuição dos diâmetros transverso e oblíquo. // - **test.** Para a albumina.

Robertson's pupil, sign. Pupila ou sinal de Robertson. Pupila de Argyll-Robertson. // - **sign.** Sinal de Robertson. Aparecimento de máculo-pápulas vermelhas no tronco, na degeneração do miocárdio. // - A pressão de uma zona dolorosa não produz dilatação da pupila nos simuladores.

Robin's myeloplax. Mieloplaxo de Robin, osteoclasto. // - **sheath.** Bainha ou envoltório de Robin, que circunda os nervos. // - **spaces.** Espaços de Robin. Espaços linfáticos associados com as artérias.

robinose. Trissacarídio do glucosido, robinina.

Robinson's abdominal brain. Cérebro abdominal de Robinson. Gânglio celíaco. // - **cervical loop.** Curvatura cervical de Robinson. Artéria uterina adjacente ao colo uterino. // - **circle.** Círculo arterial útero-ovárico. // - **menstrual ganglia.** Gânglios menstruais de Robinson. Gânglios autônomos da parede uterina.

Robinquet's paste. Pasta de Robinquet. Cáustica, de cloreto de zinco, farinha e guta-percha.

Robison's ester. Éster de Robison. Fosfato de glicose.

roborant. Roborante, tônico.

robust. Robusto.

Rochelle salt. Sal de Rochelle.

rodent ulcer. Úlcera gástrica.

Rodman's operation. Operação de Rodman. Ablação da mama cancerosa com ampla dissecção de linfáticos.

rodonalgia. Eritromelalgia.

roe. Corça, cabrito montês.

Roederer's obliquity. Obliquidade de Roederer. Posição da cabeça fetal com o occiput apoiado na margem superior do estreito da pelve.

Roentgen rays. Raios Roentgen ou Raios X.

roentgenism. Roentgenismo.

roentgenkater. Intoxicação pelos Raios X.

roentgenocardiogram. Roentgenocardiograma.

roentgenocinematography. Roentgencinematografia.

roentgenogram. Roentgenograma.

roentgenograph. Roentgenografia.

roentgenotherapy. Roentgenoterapia.

roentgenokymograph. Roentgenocimógrafo.

roentgenologist. Roentgenologista.

roentgenology. Roentgenologia.

roentgenometer. Roentgenômetro.

roentgenometry. Roentgenometria.

roeteln, roetheln. Termo alemão: rubéola.

Roffo's test. Prova de Roffo. A 2 ml de soro sangüíneo recém-centrifugado se juntam 5 gotas de solução de vermelho neutro a 5 por 100; a cor amarela do soro se converte em vermelha, se o indivíduo padecer de câncer.

Roger's disease, reaction. Doença, reação de Roger. Comunicação anormal congênita entre os ventrículos do coração. // - **reaction.** Reação de Roger. A existência de albumina no escarro é indício de tuberculose.

Roger-Josué's test. Prova de Roger-Josué. Meio para reconhecer o caráter infeccioso de uma doença que consiste em levantar uma ampola na pele por meio de vesicatório e examinar o conteúdo da mesma. Se a proporção de eosinófilos é menor que 25 por cento, é provável a enfermidade infecciosa.

Roger's sphygmomanometer. Esfigmomanômetro de Roger, para medir a tensão arterial.

Röhl's marginal corpuscles. Corpúsculos marginais de Röhl, observados nas margens dos eritrócitos de animais, depois da administração de drogas quimioterápicas.

Rohr's stria. Estria de Rohr, nas camadas placentárias.

Rokitansky's disease. Doença de Rokitansky (v. *Budd's disease or cirrhosis*).

Rolando's area. Área de Rolando ou motora. As circunvoluções frontal ascendente e parietal ascendente, onde parece que se encontram os centros nervosos do movimento. // - **fissure.** Fissura de Rolando. Sulco central. // - **funiculum.** Funículo de Rolando. Elevação na parte lateral do fascículo em cunha da medula. // - **tubercle.** Tubérculo de Rolando. Massa arredondada de substância cinzenta sob a superfície das colunas laterais do bulbo raquídeo.

rolandometer. Rolandômetro.

roll. Rodar.

Roller's nucleus. Núcleo de Roller. Núcleo cinzento no bulbo, entre o fascículo longitudinal posterior e o lemnisco.

Rolleston's rule. Regra de Rolleston. A pressão sistólica ideal para um adulto é calculada somando a 100 a metade da idade em anos.

Rollet's chancro. Cancro de Rollet. Cancro misto.

Rollet's stroma. Estroma de Rollet. Estroma descolorido dos leucócitos.

Rollier's treatment. Tratamento de Rollier. Tratamento da tuberculose pela exposição aos raios de sol.

Romaña's sign. Sinal de Romaña. Dacrioadenite e ou oftalmia unilateral na moléstia de Chagas.

romanopexy. Sigmoidopexia.

romanoscope. Romanoscópio.

Romanovsky's method, stain. Método e coloração de Romanovsky, para o parasito do impaludismo.

Romberg's disease, sign. Doença, sinal de Romberg. Hemiatrofia facial. // Sinal de Romberg. Vacilação do corpo estando o doente com os pés juntos e olhos fechados, significando isto ataxia motora.

Romberg-Howships's sign. Sinal de Romberg-Howships. Dores lancinantes na perna na hérnia obturadora estrangulada.

Römer's experiment, reaction. Experiência, reação de Römer. Instilação de Abrina na conjuntiva para demonstrar a formação de antitoxinas. // - **reaction.** Reação de Römer. A injeção intradérmica de tuberculina em um centro hemorrágico.

Rommelaere's sign. Sinal de Rommelaere. Proporção anormalmente escassa de fosfato e cloreto de sódio na urina na caquexia cancerosa.

rongeur-forceps. Pinça, goiva.

röntgenography. Röentgenografia.

root. Raiz.

Rorschach's test. Prova de Rorschach. Prova psicométrica que consiste em uma série de dez desenhos em negro e colorido cujo significado o paciente tem de explicar.

rosacea. Rosácea.

rosanilin, rosaniline. Rosanilina.

rosary. Rosário. // - **rachitic.** Rosário raquítico.

rose. Rosa. // - **attar of.** Essência de rosa.

rosemary. Rosmaninho.

Rose's position. Posição de Rose. Posição dorsal com a cabeça pendurada, utilizada em algumas operações nas vias respiratórias.

Rose's tamponade, tetanus. Tamponamento, tétano de Rose. Tamponamento cardíaco. Compressão aguda do coração pelo sangue acumulado no pericárdio procedente de uma ruptura cardíaca. // Tétano de Rose. Tétano cefálico, consecutivo a ferida na cabeça, paralisia facial, disfagia e espasmo laríngeo, sintomas que têm semelhança com a hidrofobia.

Rose's test. Teste de Rose. O raspado de uma suposta mancha de sangue ferve-se em potassa cáustica diluída; o líquido resultante é esverdeado em camada delgada e vermelho se mais espessa, se for realmente sangue.

rosein. Roseína, fucsina.

Rosenbach's disease. Doença de Rosenbach. Erisipelóide da mão dos pescadores.

Rosenbach's law, sign, tuberculin. Lei, sinal e tuberculina de Rosenbach. Nas lesões dos centros e troncos nervosos, a paralisia aparece nos extensores antes que nos flexores. // Sinal de Rosenbach: falta do reflexo abdominal na hemiplegia orgânica. // Tremor das pálpebras no bócio exoftálmico. // Impossibilidade dos neurastênicos de fechar os olhos imediatamente, quando se ordena. // Tuberculina de Rosenbach. Variedade preparada com culturas de bacilos tuberculosos infectados com o fungo *Trichophyton holosericum album*, que tem a propriedade de reduzir a toxicidade dos mesmos.

Rosenheim's enema, sign. Enema, sinal de Rosenheim. Enema alimentar composto de peptona, óleo de fígado de bacalhau e açúcar em solução alcalina. // Sinal de Rosenheim. Ruído de roçadura no hipocôndrio esquerdo, sinal de perigastrite.

Rosenmüller's fossa, organ. Fossa e órgão de Rosenmüller. Recesso faríngeo. // **- organ.** Órgão de Rosenmüller: parovário.

Rosenthal's canal. Canal de Rosenthal. Canal espiral da cóclea.

Rosenthal's vein. Veia de Rosenthal. Veias basilares do cérebro que se esvaziam na veia cerebral magna.

roseola. Roséola.

Roser's line. Linha de Roser ou Nelaton. Linha reta da espinha ilíaca ântero-superior à tuberosidade isquiática. Na luxação do fêmur, o vértice do trocanter não corresponde a esta linha, como na flexão normal, o ângulo reto da coxa sobre a pelve, porém mais posteriormente.

rosin. Rosina. Colofônia.

Rosin's test. Teste de Rosin. Tornar o líquido alcalino com carbonato de sódio e tratá-lo com éter: colore-se em vermelho.

rosindol reaction. Reação de óleo de resina.

Rosmarinus. Gênero de plantas labiadas a que pertence o rosmaninho.

Ross's black spores. Esporos de Ross. Oócitos da malária degenerados e pigmentados encon

trados no corpo do mosquito. // **- cycle.** Ciclo de Ross. Ciclo de desenvolvimento do *Plasmodium malarie*, que se produz no mosquito.

Ross's bodies. Corpos de Ross. Corpos redondos, cor de cobre com granulações escuras e movimentos amebóides, observados no sangue e líquidos de sifilíticos.

Ross's test. Reação ou teste de Ross, para a coloração de espiroquetas da sífilis.

Rossbach's disease. Doença de Rossbach. Gastroxinse ou hipercloridria.

Rossel's test. Teste de Rossel com aloína para comprovação de sangue nas fezes.

Rossolimo's reflex. Reflexo de Rossolimo. Nas lesões do fascículo piramidal, a percussão da superfície plantar do hálux produz sua flexão.

Rostan's asthma. Asma de Rostan ou asma cardíaca. Dispnéia devido à insuficiência aguda do miocárdio.

rostellum. Rostro ou bico pequeno; parte da cabeça de um verme endoparasito que tem ganchos.

rostrate. Rostrado.

rostrum. Rostro, face, bico.

rot. Apodrecer, corromper-se.

rotate, to rovolve. Rodar.

rotation. Rotação.

rotator. Rotatório.

rotenone. Rotenona. Inseticida agrícola.

Roth's disease. Doença de Roth. Meralgia parestésica.

Roth's spots. Manchas de Roth. Pequenas manchas brancas que se observam na retina em caso de retinite séptica. // **- vas aberrans.** Vaso aberrante de Roth. Túbulo do epidídimo, conectado com a rede testicular, porém, não com o vaso deferente.

Roth-Bernhardt's disease. Doença de Roth-Bernhardt. Meralgia parestésica.

rotlauf. Erisipela do porco.

Rotter's test. Teste de Rotter. Injeção intradérmica de 2-6-diclorfenolindofenol produz uma coloração que, se desaparecer em dez minutos, indica a suficiência em vitamina C.

rotula. Rótula.

rotular. Rotular.*

rotund. Rotundo.

Rouget's cells. Células de Rouget. Células isoladas na superfície externa das paredes dos capilares. // **- muscle.** Músculo de Rouget. Fibras circulares do músculo ciliar.

---

* N. do T. — Melhor que rotuliano. Patelar.

rough. Áspero, rude, duro.

roughage. Porção celulosa ou fibrosa da dieta.

Rougnon-Heberden disease. Doença de Rougnon-Heberden. Angina de peito.

rouleau. Rolo, cilindro. Disposição de hemácias.

round. Redondo.

roundworm. Áscaris.

Rouseau's bone. Osso de Rouseau. Osso lacrimal externo.

Rous's sarcoma, test. Sarcoma e teste de Rous. Neoplasma sarcomatóide das aves domésticas, de que se obtém o vírus que, injetado em outras aves, produz um tumor. // - **test.** Reação de Rous, para a hemossiderina. Centrifuga-se a urina, juntam-se ao sedimento 5 ml de uma solução de ferrocianeto de potássio a 2 por 100 e 5 ml de solução de ácido clorídrico a 1 por 100: os grânulos de hemossiderina se tingem em azul.

Roussel's sign. Sinal de Roussel. Dor aguda à percussão ligeira da região infraclavicular entre a clavícula e a quarta costela. Sinal de tuberculose incipiente.

Roussy-Déjerine syndrome. Síndrome de Roussy-Déjerine. Síndrome talâmica.

Roussy-Lévy disease. Doença de Roussy-Lévy. Variedade de ataxia familiar, caracterizada por falta de reflexos tendinosos e pé cavo.

routinism. Extremo conservacionismo médico.

Roux's muscle. Músculo de Roux. Músculo retrouretral.

Roux's operation. Operação de Roux. Osteotomia na sínfise mandibular na glossectomia.

Roux's serum. Soro de Roux. Variedade de soro antidiftérico.

Roux's sign. Sinal de Roux. Sensação de suave resistência à palpação do ceco vazio na apendicite supurada.

Rovighi's sign. Sinal de Rovighi. Estremecimento percebido à percussão e palpação de um cisto hidático superficial do fígado.

Rovsing's sign. Sinal de Rovsing. A pressão no lado esquerdo sobre um ponto correspondente ao de McBurney à direita, desperta dor deste lado em casos de apendicite, porém não em outras afecções abdominais.

Rowntree-Geraghty's test. Teste de Rowntree-Geraghty. Com fenolsulfonoftaleína, para apreciar a função renal. Depois da injeção hipodérmica, aparece na urina, ao cabo de 10-15 minutos, fisiologicamente. A aparição mais tardia indica alteração da função renal.

-rrhage, -rrhagia. Elemento léxico, que indica "fluxo excessivo". *

Ru. Símbolo químico do *ruthenium*, rutênio.

rub. Esfregar.

rubber. De borracha.

rubedo. Rubefação da pele.

rubefacient. Rubefaciente.

rubella. Rubéola.

rubeola. Sarampo, *rubéola*. // **scarlatinosa.** Quarta moléstia.

rubescent. Rubescente.

rubidium. Rubídio.

rubiginous. Rubiginoso.

rubigo. Palavra latina que significa ferrugem.

rubin. Fucsina.

Rubner's law, test. Lei, reação de Rubner. A rapidez do crescimento é proporcional à intensidade dos processos metabólicos. // - **reaction.** Reação de Rubner. Para o óxido de carbono no sangue. Agite-se o sangue com 4 ou 5 volumes de solução de acetato de chumbo. Se o sangue contiver CO, conservará sua cor brilhante, caso contrário, sua cor se torna chocolate-escuro.

rubor. Rubor.

rubrospinal. Rubrospinal.

rubrum. Rubro, núcleo rubro.

Rubus. Gênero de plantas da família das rosáceas.

Ruck's tuberculin. Tuberculina de Ruck. Variedade preparada por filtração de culturas virulentas, dessecação e pulverização dos bacilos e tratamento dos mesmos pelo éter.

ructus. Eructação.

rudimentary. Rudimentar.

rudimentum. Rudimento.

Rudinger's muscle. Músculo de Rudinger. Músculo dilatador interno.

rue. Arrepender-se, lamentar.

rueful. Lamentável, triste.

Ruffini's bodies or corpuscles. Corpos ou corpúsculos de Ruffini. Terminações nervosas na pele, que têm disposição ramificada e estão incluídas no tecido conjuntivo.

ruga. Ruga ou prega, dobra. // - **palatina.** Prega palatina.

rugitus. Rugido, ruído nos intestinos, borborigmo.

rugose. Rugoso.

rugosity. Rugosidade.

rum. Rum. Estranho, singular, excelente.

rumble. Retumbar, alvoroçar.

---

* N. do T. — Fluxo súbito e excessivo, maciço.

ruminant. Ruminante.
rumination. Ruminação.
rumour. Rumor.
Rump. Anca, nádega, cóccix.
runaround. Paroníquia, panarício.
rupia. Rúpia.
rupophobia. Rupofobia.
rupture. Ruptura.
ruptured. Roto.
Rusconi's anus. Ânus de Rusconi. Blastóporo ou protóstoma.
rust. Mofo, ferrugem.

ruthenium. Rutênio.
rutidosis. Rutidose.
rutin. Rutina.
Ruysch's tunic. Túnica de Ruysch: túnica coriocapilar.
R wave. Onda R.
rye. Centeio.
Ryle's duodenal tube. Tubo duodenal de Ryle. Tubo delgado de borracha com extremidade provida de oliva, empregado em refeições de ensaio.

FRASES E EXPRESSÕES

raise it more. Levante-o mais.
raise your arm. Levante o braço.

rather than. Antes que, melhor que.
(to) rely on. Confiar.

S

S. Símbolo químico de *sulphur*, enxofre.

s. Abreviatura de *sinister*, sinistro ou esquerdo.

s.a. Abreviatura latina de *secundum artem*, segundo a arte.

Saathoff's test. Teste de Saathoff para a gordura em dejectos. Esfrega-se uma partícula de excremento com Sudan e esquenta-se: a gordura se tinge de amarelo e vermelho.

sabadilla. Cevadilha.

sabadine. Cevadina.

sabal. Gênero de palmeiras do sul dos Estados Unidos. Com suas bagas, se prepara um extrato fluido diurético, expectorante e afrodisíaco.

Sabatier's suture. Sutura de Sabatier. Método pelo qual a aproximação dos lábios da ferida intestinal se efetua por meio de uma tabuinha impregnada de essência de terebintina.

Sabbatia. Gênero de plantas gencianáceas que compreende muitas espécies, entre elas *Sabbatia angularis*, chamada também Centaura americana. Como a genciana, tem propriedades tônicas, estomacais e febrífugas.

sabine. Sabina. Arbusto conífero, sempre verde, *Juniperus sabina*.

Sabouraud's agar. Meio de cultura de Sabouraud. Caldo de ágar a 1,3 por cento, água, peptona e maltose.

Sabrazès's test. Prova de Sabrazés ou de Henderson. O paciente faz uma inspiração profunda e a mantém o maior tempo possível; se não pode mantê-la por mais de vinte segundos, a anestesia é perigosa devido à acidose.

sabulous. Sabuloso, arenoso.

saburra, sordes. Saburra.

saburral. Saburral.

sac. Saco, bolsa, cavidade, receptáculo. // **conjuntival.** Saco conjuntival.

saccate, saccated. Encistado, saculado.

saccharase. Invértase.

saccharated. Açucarado.

saccharephidrosis. Sacarefidrose.

sacchariferous. Sacarífero.

saccharification. Sacarificação.

saccharimeter. Sacarímetro.

saccharimetry. Sacarimetria.

saccharin. Sacarina. // Sin.: sacarinol, sicose, gluside (inglês), sacarinose, garantose, benzossulfimida.

saccharine. Sacarina.

saccharo-. Elemento de origem grega que significa "açúcar".

saccharobiose. Sacarobiose.

saccharogalactorrhea. Sacarogalactorréia.

saccharolytic. Sacarolítico.

saccharometer. Sacarômetro, sacarímetro.

Saccharomyces. Gênero de fungos do fermento.

saccharomycosis. Sacaromicose.

saccharorrhoea. Sacarorréia. Diabetes melito.

saccharose. Sacarose.

saccharosuria. Sacarosúria.

saccharuria. Sacarúria.

sacciform. Saciforme.

sacular. Sacular.

sacculated. Saculado.

saccule. Sáculo.

sacculocochlear. Saculococlear.

sacculus. Sáculo. // **communis.** Sáculo comum. // **lacrimalis.** Sáculo lacrimal. // **laryngis.** Sáculo laríngeo. // **proprius.** Sáculo próprio, do ouvido.

saccus. Saco. // **lacrimalis.** Saco lacrimal.

Sachs's disease. Doença de Sachs. Idiotia amaurótica familiar. // **test.,** Reação de Sachs. Reação de floculação.

Sachs-Georgi's reaction. Reação de Sachs-Georgi. Reação de floculação para a sífilis.

Sachsse's solution. Solução de Sachsse. Dissolvem-se 1,8 g de iodeto vermelho de mercúrio,

25 g de iodeto de potássio e 80 g de hidróxido de potássio em água, q.s. para 1 litro, a glicose reduz essa solução, dando precipitado negro.

sacra media. Sacra média.

sacrad. Em direção ao sacro.

sacral. Sacral.

sacralgia. Sacralgia.

sacralization. Sacralização.

sacratama. Sacratama. Termo de von Pirquet para indicar o grau normal de nutrição de uma criança.

sacrectomy. Sacrectomia.

sacred bark. Cáscara sagrada.

sacrifice. Sacrifício, sacrificar.

sacrificial operation. Operação sacrificante.

sacro-. Elemento léxico de origem latina, relacionado com o osso sacro.

sacroanterior. Sacroanterior.

sacrococcygeal. Sacrococcígeo.

sacrocoxalgia. Sacrocoxalgia.

sacrocoxitis. Sacrocoxite.

sacrodynia. Sacrodinia.

sacroiliac. Sacroilíaco.

sacroiliitis. Sacroiliite.

sacrolisthesis. Sacrolistese. Posição do sacro em um plano anterior ao da quinta vértebra lombar.

sacrolumbar. Sacrolombar.

sacroperineal. Sacroperineal.

sacroposterior. Sacroposterior.

sacropromontory. Promontório do sacro.

sacrosciatic. Sacrociático.

sacrospinal. Sacrospinal.

sacrospinalis muscle. Músculo sacrospinal.

sacrostatic. Sacrostático.

sacrotomy. Sacrotomia.

sacrouterine. Sacrouterino.

sacrovertebral. Sacrovertebral.

sacrum. Sacro.

sactosalpinx. Dilatação da tuba uterina.

saddlenose. Nariz em sela.

sadism. Sadismo.

sadistic. Sádico.

Saemisch's operation, ulcer. Operação, úlcera de Saemisch. Transfixação ou secção da córnea na cura do hipópio. // - **ulcer.** Úlcera serpiginosa da córnea.

Saenger's operation sutura. Operação, sutura de Saenger. A operação, também chamada de Müller, consiste em uma histerectomia vaginal por divisão do útero em duas metades laterais. // Método de operação cesárea em que o útero é extraído após a remoção do feto. // - **suture.**

Sutura da incisão uterina na cesárea por meio de oito ou dez suturas profundas com fio de prata ou de vinte ou mais superficiais, que compreendem o peritônio.

Saenger's sign. Sinal de Saenger. Na sífilis cerebral volta a aparecer o reflexo pupilar à luz, depois de uma curta permanência na obscuridade, porém não na ataxia locomotora.

safety. Segurança.

safflower. Açafroa.

saffron. Açafrão.

safranine. Safranina.

safrol. Safrol.

sag. Pender, estar pendente.

sagapenum. Sagapeno.

sage. Salvia, sábio, filósofo.

sagittal. Sagital.

sago. Sagu. Fécula alimentícia obtida da medula de várias espécies de palmeiras.

St. Agatha's disease. Doença de Santa Ágata. Doença do tórax.

St. Anthony's fire. Erisipela.

St. Germain's tea. Chá de São Germano. Laxante.

St. Gervasius's disease. Doença de S. Gervásio. Reumatismo.

St. Gotthard's disease. Doença de S. Gotthard. Ancilostomíase.

St. Hubert's disease. Doença de Santo Hubert. Hidrofobia.

St. Ignatius bean. Fava de Santo Inácio.

St. Sement's disease. Doença de S. Sement. Sífilis.

St. Thomas's balsm. Bálsamo de S. Tomás. Bálsamo de tolu.

St. Vitu's dance. Dança de S. Vito. Coréia.

sake. Saquê. Vinho obtido no Japão por fermentação alcoólica de arroz.

sal, salt. Sal.

salacetol. Salacetol.

salacious. Salaz, lascivo.

salicity. Salacidade.

salep. Salepo. Tubérculos ovais dessecados de várias espécies de orquídeas.

salicylate. Salicilato.

salicylic acid. Ácido salicílico.

saline. Salino. // - **solution.** Solução salina.

salipyrin. Salipirina.

saliva, spittle. Saliva.

salivant. Salivante.

salivary. Salivar. // - **calculus.** Cálculo sialagogo. // - **fistula.** Fístula salivar.

salivate. Salivar.

salivation. Salivação.

salivator. Salivador.

salivatory. Salivatório.

Salix. Gênero de árvores e arbustos a que pertence o salgueiro.

sallow. Macilento, pálido, lívido.

Salmonella typhy. Esquizomiceto produto da febre tifóide.

salol. Salol.

salpingectomy. Salpingectomia.

salpingemphraxis. Salpingenfraxia.

salpingian. Salpíngico, tubal.

salpingion. Salpíngio.

salpingitis. Salpingite.

salpingocatheterism. Salpingocateterismo.

salpingocyesis. Salpingociese. Gravidez tubal.

salpingomalleus. Músculo tensor do tímpano.

salpingooophorectomy. Salpingo-ooforectomia.

salpingoophoritis. Salpingo-ooforite.

salpingooothecocele. Sapingotecocele, salpingoforocele.

salpingopharyngeal. Salpingofaríngeo.

salpingopharyngeus. Salpingofaríngeo.

salpingoplasty. Salpingoplastia.

salpingorrhaphy. Salpingorrafia.

salpingostaphyline. Salpingostafilino.

salpingostaphylinus. Salpingostafilino.

salpingostomy. Salpingostomia.

salpingotomy. Salpingotomia.

salpinx. Salpinge. Tuba.

salt. Sal. // **~ volatile.** Sal volátil.

saltation. Ato de saltar. Variação abrupta.

saltative. Salto, pulo, variação brusca.

saltatory. Saltatório.

Salter's lines. Linhas de Salter. Linhas que se supõe mostrar a estrutura laminar da dentina.

saltish. Mais ou menos salgado.

saltpetre. Nitrato de potássio. // **~ Chile.** Nitrato de sódio, do Chile.

salts. Sais de Epsom.

salubrious. Salubre.

salutary. Salutar.

salvage. Despesas de salvamento.

salvarsan. Salvarsan. Sin.: arsfenamina, arsenobenzol, diarsenol, arsaminol, "jacol".

salvatella. Salvatela: veia colateral medial do mínimo.

salve. Ungüento.

Salvia. Sálvia. Gênero de labiadas que compreende muitas espécies.

Salzer's test meal. Refeição de prova de Salzer. Consiste em duas refeições dadas com quatro horas de intervalo e se extrai o conteúdo gástrico uma hora depois da última; se o estômago é normal, não devem subsistir restos da primei-

ra, que consiste em ovos fervidos, boi assado frio, arroz e leite; a segunda refeição é de pão e água.

Salzmann's membrane. Membrana externa do vítreo: membrana basal situada entre o corpo vítreo e a coróide.

Samarium. Samário. Elemento metálico muito raro, do grupo do didínio.

Samisch's operation. Operação de Samisch. Transfixação ou secção da córnea, na cura do hipópio. // **~ ulcer.** Úlcera de Samisch. Úlcera serpiginosa e infecciosa da córnea.

sample. Amostra, modelo.

Sampson's cyst. Cisto de Sampson. Cisto chocolate. Cisto cheio de sangue degenerado. Lesão característica da endometriose.

Sanarelli's bacillus. Bacilo de Sanarelli: *Salmonella icteroide.*

sanative, sanatory. Sanatório.

sanatorium. Sanatório.

sanction. Sanção.

sandalwood. Sândalo. // **~ oil.** Óleo de sândalo.

sandarac. Sandaraca. Resina branco-amarelada de árvores coníferas.

Sander's disease. Ceratoconjuntivite epidêmica. Estado mórbido observado em crianças, devido à excessiva alimentação com hidratos de carbono. Caracteriza-se por vômitos, sintomas cerebrais e depressão circulatória.

Sanders's sign. Sinal de Sanders. Pulsação cardíaca ondulante, especialmente no epigástrio.

Sandström bodies. Corpos de Sandström. Paratireóide.

Sandwith's bald tongue. Língua de Sandwith. Paratifóide, pelagra.

sane. São, sadio.

sanedrine. Sanedrina. Efedrina levorrotatória.

Sänger's macula. Mácula de Sänger. Mancha vermelha no orifício da glândula vulvovaginal na vaginite gonorréica.

sangui-. Elemento léxico de origem latina que significa "sangue".

sanguicolous. Sangüícola.

sanguifacient. Hematogênico, hematopoético.

sanguiferous. Sangüífero.

sanguification. Sangüificação.

sanguimotor, sanguimotory. Sangüimotor. Relacionado com a circulação.

Sanguinaria. Gênero de plantas papaveráceas.

sanguinarin. Sanguinarina.

sanguine. Sangüíneo, pletórico.

sanguineous. Sangüíneo.

sanguinoform. Sangüiniforme, hematóide.

sanguinolent. Sangüinolento.

359

sanguinopoietic. Sangüinopoético, hematopoético.

sanguirenal. Sangüirrenal.

sanguis, blood. Sangue.

sanguisuction. Sanguissucção.

sanguisuga. Sanguessuga.

sanguivorous. Hematófago.

sanies. Sânie. Derrame fétido de uma ferida ou úlcera, icor.

sanious. Sanioso, icoroso.

sanitarian. Sanitário.

sanitary. Sanitário. // - **cordon.** Cordão sanitário.

sanitation. Saneamento.

sanity. Sanidade.

Sanocrysin. Sanocrisina.

Sansom's sign. Sinal de Sansom. Aumento notável da área de macicez no segundo e terceiro espaços intercostais, em caso de derrame pericárdio. Sopro rítmico, que se percebe, aplicando o estetoscópio nos lábios no aneurisma da aorta torácica.

Sanson's images. Imagens de Sanson. Três imagens que se observam no exame da pupila: duas direitas vistas: uma na córnea, outra na cristalóide anterior e a terceira invertida, aparece na cristalóide posterior.

santalin. Santalina. Chamada também ácido santálico.

santalum. Sândalo.

Santini booming. Ruído de Santini. Som característico ouvido à percussão sobre um cisto hidático.

santonica. Santônica, sêmen-contra.

santonin. Santonina.

Santorini's cartilages. Cartilagens de Santorini. Cartilagens corniculadas da laringe. // - **caruncula.** Tubérculo de Santorini. Carúncula major. Papila de Vater, carúncula minor; orifício do conduto acessório no duodeno. // - **duct.** Ducto de Santorini. // - **vein.** Veia emissária através do fíâmen parietal.

sap. Seiva, suco.

saphena. Safena (veia).

saphenectomy. Safenectomia.

saphenous. Safeno.

saphranophile. Safranófilo.

sapid. Sapido, saboroso.

sapience. Sabedoria.

sapless. Seco.

Sapolini's nerve. Nervo de Sapolini. Nervo intermédio, décimo terceiro par craniano.

Saponaria. Gênero de plantas cariofiláceas.

saponification. Saponificação.

saponin. Saponina.

Sappey's plexus. Plexo de Sappey. Plexo linfático na aréola mamária. // - **veins.** Veias de Sappey. Plexo venoso no ligamento falciforme do fígado.

sapphism. Safismo. Homossexualidade feminina.

sapremia. Sapremia. Intoxicação por absorção de produtos de putrefação.

sapremic. Saprêmico.

saprin. Saprina. Ptomaína das substâncias viscerais em decomposição.

sapro-. Elemento léxico de origem grega que significa podre, significando putrefação.

saprodontia. Saprodontia. Antigo nome da cárie dental.

saprogenic, saprogenous. Saprogênico.

saprol. Saprol.

Saprolegnia. Gênero de ficomicetos parcialmente saprofíticos.

saprophilous. Saprófilo.

saprophyte. Saprófito.

saprophytic. Saprofítico.

saprophytism. Saprofitismo.

sapropyra. Tifo maligno ou infecção pútrida.

saprotyphus. Saprotifo.

saprozoic. Saprozóico.

saprozoite. Saprozoíta.

sarapus. Pessoa com pé plano.

Sarbó's sign. Sinal de Sarbó. Analgesia do nervo ciático poplíteo externo, observada, algumas vezes, na tabes dorsal.

sarcin. Sarcina, hipoxantina.

Sarcina. Gênero de cocáceas em que a divisão celular se efetua em três planos.

sarcinic. Sarcínico.

sarcitis. Sarcite.

sarco-. Sarco. Elemento léxico de origem grega que significa "carne", "carnoso".

sarcoadenoma. Sarcoadenoma, adenossarcoma.

sarcoblast. Sarcoblasto, sarcoplasto, mioblasto.

sarcocarcinoma. Sarcocarcinoma.

sarcocele. Sarcocele.

sarcocyst. Sarcocisto. Sin.: túbulo de Rainey ou de Meischer.

Sarcocystis. Gênero de sarcosporídeos, patogênico para alguns animais.

sarcocyte. Sarcócito.

sarcode. Sarcode.

sarcodina. Sarcodíneos. Classe inferior de protozoários compostos só de uma massa de protoplasma, que compreende as amebas, foraminíferos, heliozoários, etc.

sarcoenchondroma. Sarcoencondroma.

sarcogenic. Sarcogênico.
sarcoglia. Sarcóglia, sarcoplasma.
sarcoid. Sarcóide.
sarcoidosis. Sarcoidose.
sarcolactate. Sarcolactato.
sarcolactic. Sarcolático.
sarcolemma. Sarcolema.
sarcolemmic, sarcolemmous. Sarcolêmico.
sarcology. Sarcologia.
sarcolysis. Sarcólise.
sarcolyte. Sarcólito.
sarcolytic. Sarcolítico.
sarcoma. Sarcoma. // - **melanotic.** Sarcoma melânico.
sarcomagenesis. Sarcomatogênese.
sarcomagenic. Sarcomatogênico.
sarcomatoid. Sarcomatóide.
sarcomatosis. Sarcomatose.
sarcomatous. Sarcomatoso.
sarcomelanin. Sarcomelanina.
sarcomere. Sarcômero.
sarcomphalocele. Sarconfalocele.
sarcomyces. Fungo que cresce na carne.
Sarcophaga. Gênero de moscas da família das sarcofagídeas.
sarcoplasm. Sarcoplasma.
sarcoplasmic. Sarcoplásmico.
sarcoplast. Sarcoplasto.
sarcopoietic. Sarcopoético.
Sarcoptes. Gênero de pequenos aracnídeos ectoparasitos.
sarcoptidosis. Sarcoptidose.
sarcosepsis. Sarcossepsia.
sarcosine. Sarcosina. Metilglicocola. Substância cristalizável.
sarcosis. Sarcose.
sarcosome. Sarcossoma.
Sarcosporidia. Sarcosporídio. Ordem de esporozoários, alguns dos quais são parasitos do sistema muscular do porco, carneiro e outros animais.
sarcosporidiasis. Sarcosporidíase.
sarcosporidium. Sarcosporídio.
sarcostosis. Sarcosteose. Formação óssea em tecidos musculares.
sarcostyle. Sarcostilo.
sarcotherapy. Sarcoterapia.
sarcotic. Sarcótico.
sarcous. Sarcoso.
sardonic grin. Riso sardônico.
sarmentocymarin. Sarmentocimarina. Glicosido das sementes do *Strophantus sarmentosus*, tóxico cardíaco.
sarmentose. Sarmentoso.

Sarracenia. Gênero de plantas polipétalas.
sarsaparilla. Salsaparrilha.
sartian. Doença epidêmica da pele da Ásia Central.
sartorius. Sartório (músculo).
sash. Faixa, cinturão.
sassafras. Sassafrás.
sat. Abreviatura de "saturado" ou "saturação". // - **sol.** Abreviatura de "solução saturada".
satellite. Satélite.
satiate. Saciar, saturar, fartar.
satiety. Saciedade.
satisfy. Satisfazer.
Satterthwaite's method. Método de Satterthwaite. Respiração artificial produzida mediante pressão alternada com relaxamento sobre o abdome.
Sattler's couche. Camada de Sattler. Camada média da coróide. Camada intervascular. // - **glands.** Glândulas de Sattler. Glândulas ciliares.
saturated. Saturado.
saturation. Saturação. // - **of atmosphere.** Saturação da atmosfera. // - **point.** Ponto de saturação.
saturnine. Saturnino.
saturnism. Saturnismo.
satyriasis. Satiríase.
satyromania. Satiromania.
Sauer's vaccine. Vacina de Sauer. Variedade de vacina contra a coqueluche.
Sauerbruch's cabinet. Câmara de Sauerbruch. Primeira câmara de pressão negativa (1903). Usada em intervenções torácicas, é disposta de tal forma que a cabeça do paciente permanece fora da câmara, e o corpo, com o cirurgião e ajudantes, dentro dela.
Sauders's disease, sign. Doença e sinal de Saunders. Estado mórbido observado nas crianças com transtornos digestivos por excessiva ingestão de hidratos de carbono. Vômitos, sintomas cerebrais e depressão circulatória. // - **sign.** Sinal de Saunders. Sincinesia de boca e mão: quando uma criança abre amplamente a boca, produz movimentos associados da mão, que consistem na extensão e separação dos dedos.
sauriasis. Sauríase, ictiose.
sauriderma. Sauriderma, sauríase, ictiose, histricíase.
sauroid. Sauróide.
sausage-poisoning. Botulismo.
Saussure's hygrometer. Higrômetro de Saussure.

Sauvineau's ophthalmoplegia. Oftalmoplegia de Sauvineau. Paralisia do reto medial de um olho e espasmo do reto lateral do outro.

savage. Selvagem.

Savage's perineal body. Corpo perineal de Savage. Massa fibromuscular situada entre o ânus e a vulva.

save. Salvar, poupar, salvação.

Savill's disease. Doença de Savill. Eczema epidêmico.

savin, oil of. Óleo de Sabina.

savory. De aroma ou paladar agradável.

savoury. Perfume.

saw. Serra. Provérbio, sentença. // **- Gigli's.** Serra de Gigli, usada na trepanação craniana.

Saxer's cells. Células de Saxer. Corpúsculos emigrantes primários; forma primitiva de leucócitos no tecido mesenquimal embrionário.

Sayre's bandage, jacket. Bandagem, corpete de Sayre. Bandagem adesiva usada nas fraturas da clavícula. // **- jacket.** Corpete de Sayre. Aparelho gessado, usado no mal de Pott.

Sb. Símbolo do *stibium*, antimônio.

scab. Crosta escura. Homem ruim.

scabbard. Bainha, funda.

scabies. Sarna.

scabious. Sarnento.

scabrities. Aspereza, estado escamoso, crostoso. // **- unguium.** Dureza normal das unhas.

scala. Escala, órgão em forma de espiral. // **- media.** Canal coclear. // **- tympanic.** Rampa timpânica. // **- vestibuli.** Rampa vestibular.

scald. Escaldadura.

scale. Escama.

scalene. Escaleno.

scalenotomy. Escalenotomia.

scalenus muscle. Músculo escaleno. // **- anterior.** Escaleno anterior. // **- medius.** Escaleno médio. // **- pleuralis.** Escaleno pleural. // **- posterior.** Escaleno posterior.

scales. Balança.

scaling. Descamação.

scall. Psoríase, impetigo, sarna, etc.

scalp. Couro cabeludo.

scalpel. Escalpelo.

scalprum. Raspador dentado.

scaly. Escamoso.

escammonin. Escamonina.

scammony. Escamônea. Planta da família das convolvuláceas.

scamper. Escapar-se, fuga.

scanning speech. Palavra escandida.

scanty. Escasso.

scaphocephalic. Escafocefálico.

scaphocephalus. Escafocéfalo.

scaphoid. Escafóide.

scaphoiditis. Escafoidite.

scapula. Escápula.

escapulalgia. Escapulalgia. Sin.: escapulodinia, omalgia.

scapular. Escapular.

scapulary. Escapulário (bandagem).

escapulectomy. Escapulectomia.

scapuloclavicular. Escapuloclavicular.

scapulodynia. Escapulodinia.

scapulohumeral. Escápulo umeral.

scapulopexy. Escapulopexia.

scapulothoracic. Escapulotorácico.

scapulovertebral. Escapulovertebral.

scar. Escara, cicatriz.

scarcely. Escassamente, apenas.

scarfskin. Cutícula, epiderme.

scarification. Escarificação.

scarificator. Escarificado.

scarify. Escarificar.

scarlatina. Escarlatina.

scarlatinal. Escarlatinoso, escarlatinóide.

scarlatinoid. Escarlatinóide, escarlatiniforme, quarta enfermidade.

scarlet. Escarlate. // **- Biebrich's.** Escarlatina de Biebrich. // **- fever.** Febre escarlatina.

Scarpa's fascia. Fáscia de Scarpa. Camada fibrosa da fáscia superficial do abdome. // **- ganglion.** Gânglio de Scarpa. Gânglio do nervo vestibular no meato auditivo interno. // **- triangle.** Triângulo de Scarpa ou femoral.

scatacratia. Escatacracia. Incontinência de fezes.

scatemia. Escatemia. Intoxicação intestinal.

scato-. Elemento léxico de origem grega que significa "fezes".

scatologic. Escatológico.

scatology. Escatologia. Estudo das fezes.

scatoma. Escatoma, estercoroma, fecaloma.

scatophagy. Escatofagia.

scatophilia. Escatofilia.

scatoscopy. Escatoscopia.

scatter, scattering. Difusão ou desvio dos raios X, ao passar através de um determinado meio.

scatula. Caixa para pós ou pílulas.

scavenger-cells. Células emigrantes.

Scedosporium. Gênero de fungos.

scelalgia. Celalgia.

Sceleth's treatment. Tratamento de Sceleth. Tratamento da morfinomania pelo uso de purgantes e uma prescrição de bromidrato de escopolamina, bromidrato de pilocarpina, cloridrato de etilmorfina, extrato de cáscara sagrada e álcool.

scelotyrbe. Paralisia espasmódica das pernas.

Schacher's ganglion. Gânglio de Schacher. Gânglio ciliar.

Schachowa's irregular tubule. Túbulo irregular de Schachowa, renal.

Schaefer's method. Método de Schaefer, de respiração artificial usado no tratamento da asfixia aparente. O paciente é colocado sobre a espádua e exercem-se pressões intermitentes na parede inferior do tórax.

Schäffer's reflex. Reflexo de Schäffer. Flexão dorsal do pé e dos dedos por beliscamento do tendão de Aquiles em seu terço médio, observada na hemiplegia orgânica.

Schanz's disease. Doença de Schanz. Inflamação traumática que se localiza no tendão de Aquiles.

Schapiro's sign. Sinal de Schapiro. Falta de retardamento do pulso na posição recostada; indício de debilidade do miocárdio.

Schaudinn's bacillus. Bacilo de Schaudinn. Espiroqueta pálido.

Schaumann's disease. Doença de Schaumann: sarcoidose.

Schauta's operation. Operação de Schauta. Operação de Wertheim-Schauta. Interposição do útero entre a base da bexiga e a parede anterior da vagina, na cistocele.

Schede's method. Método de Schede. Tratamento da necrose óssea mediante curetagem da cavidade e preenchimento desta com sangue coagulado, que se mantém úmida e asséptica sob apósito de gaze e borracha.

schema. Esquema.

schematic. Esquemático.

schematogram. Esquematograma.

schematograph. Esquematógrafo.

Schenck's disease. Doença de Schenck. Esporotricose.

Scherer's test. Teste de Scherer. Trate-se a substância com ácido nítrico que é secada cuidadosamente sobre uma folha de platina. A formação de nitrato de nitrotirosina produz cor amarela que a soda cáustica converte em vermelho.

scheroma. Xeroftalmia.

Scheuermann's disease. Doença de Scheuermann. Osteocondrite das epífises dos corpos vertebrais.

Schiassi's operation. Operação de Schiassi. Anastomose epiplóica para a derivação colateral do sangue porta. // Tratamento das varizes das pernas pela injeção nas mesmas de uma solução iodo-iodetada. // Aplicação de envoltório de gaze iodoformada no baço para provocar a formação de uma cápsula espessa que reduza o volume do órgão.

Schick's test. Reação de Schick. Procedimento para avaliar o grau de imunidade à difteria, mediante injeção intracutânea de uma quantidade de toxina diftérica, equivalente à décima quinta parte da dose mínima letal. Produz-se uma resposta inflamatória, se a paciente não pode neutralizá-la.

Schiefferdecker's intermediate disc. Disco intermediário de Schiefferdecker. Substância que, nos nódulos de Ranvier, ocupa o espaço entre a bainha de Schwan e o cilindraxe. // - **theory.** Teoria de Schieffendecker. Existe uma espécie de simbiose entre os tecidos do corpo, de tal forma que os produtos do metabolismo de um tecido servem de estímulo às atividades de outros tecidos.

Schiff biliare cicle. Ciclo biliar de Schiff. Ciclo segundo o qual os sais biliares secretados com a bile são absorvidos pelas vilosidades intestinais e de novo levadas ao fígado, onde se usam outra vez.

Schiff's test. Teste de Schiff. Para hidratos de carbono na urina. Esquente-se a urina e junte-se ácido sulfúrico; expõe-se aos vapores produzidos um papel seco, impregnado de uma mistura de partes iguais de xilindina e ácido acético glacial com álcool: o papel se torna vermelho, se existirem hidratos de carbono.

Schilder's disease. Doença de Schilder. Encefalopatia subcortical progressiva.

Schiller's test. Teste de Schiller. Prova que se fundamenta no fato de que as células cancerosas não contêm glicogênio e, portanto, não se tingem com o iodo. Aplica-se solução de Gram ao colo uterino suspeito de câncer escamoso, e, se o tecido é são, a superfície se tinge de pardo; no caso contrário, torna-se branco, ou amarelada.

Schilling's hemogram. Hemograma de Schilling. Contagem diferencial de leucócitos neutrófilos polimorfonucleares, em que estes se dividem em quatro grupos: (1) Mielócitos, cujo elemento nuclear é um só corpo excêntrico. (2) Formas jovens em que o núcleo é um só fragmento. (3) Formas em que o núcleo é uma simples faixa e (4) Formas segmentadas cujo núcleo está dividido aparentemente em dois ou mais fragmentos.

Schimmelbusch's disease. Doença de Schimmelbusch. Degeneração cística da mama.

schindylesis. Esquindilese: sinartrose em que um osso se encaixa na fissura de outro.

Schiötz's tonometer: Tonômetro de Schiötz para medir a tensão intra-ocular.

schistasis. Fissura congênita do corpo.

schisto-. Elemento léxico de origem grega que significa: fendido, fissurado.

schistocelia. Esquistocelia. Fissura congênita do abdome.

schistocephalus. Esquistocéfalo.

schistocoelia. Esquistocelia.

schistocormia. Esquistocormia. Monstruosidade fetal em que o tronco é fendido.

schistocystis. Esquistocistia.

schistocyte. Esquistócito.

schistocytosis. Esquistocitose.

schistoglossia. Esquistoglossia.

schistomelia. Esquistomelia.

schistoprosopia. Esquistoprosopia. Sin.: prosopósquise.

schistoprosopus. Esquistoprósopo. Monstro fetal com esquistoprosopia.

schistorrhachis. Esquistorraquia.

Schistosoma. Esquistossomo. Parasito trematódeo do gênero *Schistosoma* ou *Schistosomum*.

schistosomiasis. Esquistossomíase. Sin.: bilharziose.

schistosomus. Esquistossomo.

schistothorax. Esquistoróax.

schizogenis. Esquizogênese.

schizogony. Esquizogonia.

schizoid. Esquizóide.

Schizomycetes. Esquizomiceto.

schizomycosis. Esquizomicose.

schizont. Esquizonte.

schizonychia. Esquizoniquia.

schizophrenia. Esquizofrenia.

schizophrenic. Esquizofrênico.

schizophyta. Esquisófitos.

Schlatter's disease. Doença de Schlatter. Alongamento e fragmentação freqüentes do tubérculo anterior da tíbia. É uma epifisite, freqüentemente dolorosa.

Schleich's anesthesia. Anestesia de Schleich. Solução de cocaína, morfina e cloreto de sódio (sal comum), que se injeta para a produção de anestesia local. // Anestesia geral por inalação de mistura de clorofórmio, éter sulfúrico e éter de petróleo. // Anestesia por infiltração.

Schlemm's canal. Canal de Schlemm, na união da córnea e esclera.

Schlesinger's phenomenon. Fenômeno ou sinal de Schlesinger na tetania: se se suspende o membro inferior pelo joelho e se flete fortemente o quadril, produz-se em pouco tempo um espasmo extensor do joelho com supinação extrema do pé. Denomina-se também "fenômeno de Poul ou da perna".

Schlippe's salt. Sal de Schlippe. Quermes dos alemães, sulfoantimoniato sódico.

Schloffer's tumor. Tumor de Schloffer. Tumefação inflamatória do abdome consecutiva à intervenção cirúrgica.

Schlösser's treatment. Tratamento de Schlösser, da nevralgia facial por injeções de álcool de 80 graus no orifício de saída do nervo.

Schmiedel's ganglion. Gânglio de Schmiedel. Gânglio carotídeo inferior no plexo cavernoso.

Schmidt's clefts. Fissuras de Schmidt. Fissuras segmentárias, na camada medular dos nervos periféricos.

Schmidt's syndrome. Síndrome de Schmidt. Paralisia de um lado, que afeta a corda vocal, véu do paladar, trapézio e esternoclidomastoídeo. // - **test.** Reação de Schmidt para a bile. Em uma placa de vidro, trituram-se partículas de matéria fecal recente com uma solução aquosa concentrada de sublimado corrosivo. Passadas vinte e quatro horas, examina-se a substância; a bilirrubina aparece em partículas verdes e a hidrobilirrubina em partículas vermelhas.

Schmidt-Lantermann's incisures. Incisura de Schmidt-Lantermann. Linhas oblíquas nas bainhas das fibras nervosas medulares.

Schmincke's tumor. Tumor de Schmincke. Linfoepitelioma originado no anel de Waldeyer, que se estende na base do crânio.

Schmitz's bacillus. Bacilo de Schmitz. *Shigella ambigua.*

Schmorl's disease. Doença de Schmorl. Condroma dos discos vertebrais. // - **nodes.** Nódulos de Schmor. Áreas de rarefação observadas nos raios X na espinha dorsal. // - **furrow.** Sulco de Schmorl. Depressão no vértice do pulmão, indício, segundo parece, de tendência à tuberculose.

Schnabel's caverns. Cavernas de Schnabel. Rarefações no nervo óptico e disco no glaucoma.

schnauzkrampf. Espasmo labial.

Schneider's carmine. Carmim de Schneider. Solução saturada de carmim em ácido acético concentrado. // - **membrane.** Membrana de Schneider. Membrana pituitária.

Schoenmaker's line. Linha de Schoenmaker. Linha imaginária entre a extremidade do trocanter maior e a espinha ilíaca ântero-superior; em condições normais, passa pelo umbigo; mas, se o trocanter está mais alto ou mais baixo, passa por baixo ou por cima dele.

Schöler's treatment. Tratamento de Schöler. Injeção de tintura de iodo no corpo vítreo no descolamento da retina.

Scholz's disease. Doença de Scholz. Forma familiar de desmielinização da encefalopatia.

Schön's theory. Teoria de Schön. Para a acomodação ocular, o músculo ciliar exerce sobre o cristalino uma ação análoga à produzida sobre um globo de borracha sustentado com ambas as mãos e comprimido com os dedos.

Schönbein's reaction. Reação de Schönbein. Uma solução que contenha um sal de cobre se cora em azul, se se acrescenta cianeto de potássio e tintura de guáiaco. // Coloração em azul pela adição de água oxigenada à tintura de guáiaco misturada com substância que é suspeita de ser sangue.

Schönlein-Henoch's disease. Doença de Schönlein-Henoch. Púrpura idiopática em que pode haver concomitância de sintomas articulares e intestinais, com ataque de dor abdominal.

Schott's treatment. Tratamento de Schott ou de Nauheim. Tratamento de Schott, no balneário de Nauheim, das doenças do coração por imersão em banhos salinogasosos e exercício sistematicamente dirigido.

Schottmüller's disease. Doença de Schottmüller. Febre paratifóide.

Schreger's lines. Linhas de Schreger. Linhas que se vêem na dentina, devidas talvez a uma ilusão óptica, que indicam as curvaturas primitivas dos tubos da dentina.

Schreiber's maneuver. Manobra de Schreiber. Método de reforço das distensões do reflexo patelar e do tornozelo por fricção da pele da coxa e da perna.

Schröder's disease, granules. Doença de Schröder. Hipertrofia do endométrio e metrorragias abundantes devidas provavelmente à deficiência de hormônio gonadotrópico.

Schröder's fibres. Fibras de Schröder. Formação reticular da medula.

Schröder's ring, operation. Anel, operação de Schröder ou de Bandl. Espessamento do útero em forma anular durante o parto, acima do orifício interno que assinala o limite inferior da porção contrátil do útero. // - **operation.** Operação de Schröder. Excisão da mucosa uterina na endometrite crônica. Métodos de colporrafia, traquelorrafia, etc.

Schröder's test. Reação em teste de Schröder para a uréia. Junte-se uma parte da substância a uma solução de bromo em clorofórmio; a uréia se decompõe e forma gás.

Schrön's bacillus, granule. Bacilo, grânulo de Schrön. Espécie ácido-resistente encontrada em tuberculose. // - **granule.** Grânulo de Schrön. Pequeno grânulo de origem duvidosa, observado na mancha germinativa do ovo.

Schroth's treatment. Tratamento de Schroth. Tratamento da obesidade pela exclusão ao máximo da água em qualquer forma.

Schrötter's corea. Coréia de Schrötter. Coréia da laringe.

Schuchardt's operation. Operação de Schuchardt. Histerectomia paravaginal.

Schüffner's granules. Grânulo de Schüffner. Grânulos observados nas hemácias parasitadas nas febres terçãs que se coram policromicamente com azul de metileno.

Schüle's sign. Sinal de Schüle. Ômega melancólico. Prega de pele na glabela semelhante à letra grega ômega, considerado sinal de melancolia.

Schüller's disease. Doença de Schüller. (v. *Christian-Schüller's disease*).

Schüller's ducts. Ductos de Schüller, das glândulas de Skene.

Schultz-Charlton reaction. Reação de Schultz-Charlton. A injeção de soro de convalescente de escarlatina em uma zona cutânea com erupção vermelho brilhante produz branqueamento da pele no ponto injetado, branqueamento que não se apresenta com injeção de soro de enfermo com escarlatina.

Schultze's bundle. Fascículo de Schultze. Fascículo em forma de vírgula, situado ao longo da metade da porção posterior do cordão póstero-lateral da medula espinal. // - **cells.** Células de Schultze. Células da membrana mucosa olfatória. // - **membrane.** Membrana de Schultze. Mucosa olfatória.

Schultze's folds. Pregas de Schultze, do âmnio na origem placental do cordão umbilical. // - **method.** Método de Schultze. Procedimento para fazer que o recém-nascido respire por meio de movimentos.

Schultze-Chvostek's sign. Sinal de Schultze-Chvostek. (v. *Chvostek's sign*).

Schum's test. Teste de Schum. Reação da benzidina para pigmentos sangüíneos. Tratam-se 10 ml do líquido suspeito com 1 ml de ácido acético glacial e se junta um terço do volume de éter. O éter, que sobrenada, se transporta para outro tubo de ensaio que contém uma mistura de 0,5 ml de solução de benzidina em ácido acético glacial e 2 ml de água oxigenada. Produz-se cor verde ou azul, que aos cinco minutos se converte em púrpura sujo.

Schürmann's test. Teste de Schürmann para a sífilis.

Schutz's bundle. Fascículo de Schutz. Fascículo longitudinal dorsal de fibras.

Schwabach's test. Prova de Schwabach. Processo para reconhecer o estado dos aparelhos condutor e perceptor dos sons pela medida do tempo durante o qual são percebidos diapasões em série por condução aérea e óssea.

Schwalbe's convolution. Circunvolução de Schwalbe. Circunvolução occipital anterior. // **- fissure.** Fissura de Schwalbe. Fissura coronóide. // **- nucleus.** Núcleo de Schwalbe. Núcleo vestibular principal. // **- pocket.** Bainha de Schwalbe: depressão entre arco tendíneo e a parede da pelve. // **- space.** Espaço de Schwalbe, subvaginal do nervo óptico.

Schwann's sheath. Bainha de Schwann. Neurilema.

schwannoma. Schwanoma. Tumor da substância branca de Schwann.

Schwartz's test. Prova de Schwartz. Aplicam-se os dedos à veia safena na coxa. Esta é tida como varicosa e se percute alguma parte proeminente da safena; se é varicosa, os dedos percebem os golpes.

Schwartze's operation. Operação de Schwartze. Abertura das células mastoídeas com escopro e martelo nas afecções do ouvido médio.

Schwarz's test. Teste de Schwarz, para determinar a presença de sulfonal: consiste em aquecer a substância com carvão vegetal; o odor de mercaptan indica a presença daquela substância.

Schwediauer's disease. Doença de Schwediauer. Aquilobursite.

Schweigger-Seidel's sheath. Bainha capilar de Schweigger-Seidel. Espessamentos fusiformes ou ovais nas paredes dos pincéis do baço.

Schweitzer's reagent. Reagente de Schweitzer. Solução amoniacal de sulfato de cobre. Dissolvente da celulose, algodão, seda, etc.

Schweninger's method. Método de Schweninger. Restrição de líquidos no tratamento da obesidade.

sciage. Movimento de serrar na massagem.

sciatic. Ciático.

sciatica. Ciática. Sin.: isquialgia, mal de Cotugno, isquiática.

science. Ciência.

scientific. Científico.

scientist. Cientista.

scilla. Cila.

scillaren. Cilareno.

scillipicrin. Cilipicrina.

scillism. Cilismo.

scillitoxin. Cilotoxin.

scintillation. Cintilação.

sciopody. Ciopodia.

scirrhoid. Cirróide.

scirrhoma. Cirroma, cirro.

scirrhosis. Cirrose.

scirrhous. Cirroso.

scirrhus. Cirro.

scision. Cisão.

scissor-leg. Perna em tesoura, deformidades da articulação do quadril; as pernas se cruzam ao caminhar.

scissors. Tesoura. // **- artery.** Tesoura da artéria. // **- iris.** Tesoura de íris.

scissura, splitting. Cissura, fissura.

Sclavo's serum. Soro de Sclavo. Soro bactericida usado no tratamento do antraz. É preparado por inoculação do bacilo do antraz em burros.

sclera. Esclera.

scleral. Escleral.

sclerectasia. Esclerectasia.

sclerectome. Esclerótomo.

sclerectomy. Esclerectomia.

sclerema. Esclerema. // **- neonatorum.** Esclerema dos recém-nascidos. Sin.: escleredema, algor progressivo.

sclerencephalia. Esclerencefalia.

scleritic. Escleroso.

scleritis. Esclerite.

sclerochoroiditis. Esclerocoroidite.

scleroconjunctivitis. Escleroconjuntivite.

sclerocornea. Esclerocórnea.

sclerodactylia. Esclerodactilia.

scleroderma. Esclerodermia. Sin.: escleremia, esclerema dos adultos ou de Buschke, escleroma, corionite, cútis tensa crônica, dermatosclerose, esclerostenose cutânea.

sclerodermatitis. Esclerodermatite, esclerodermite.

sclerodesmia. Esclerodesmia.

sclerogenous. Esclerogênico.

scleroid. Escleróide.

scleroiditis. Escleroidite.

sclerokeratitis. Escleroceratite.

scleroma. Escleroma. Sin.: esclerema, esclerodermia. Rinoscleroma.

scleromalacia. Escleromalácia.

scleromeninx. Escleromeninge, dura-máter.

scleromere. Esclerômero.

sclerometer. Esclerômetro.

scleronychia. Escleroniquia.
scleronixis. Escleronixe.
sclerooophoritis. Esclero-ooforite.
scleroprotein. Escleroproteína.
sclerosarcoma. Esclerossarcoma.
sclerose, to harden. Esclerose, endurecer.
sclerose en plaques or multiple sclerose. Esclerose em placas ou múltipla.
sclerosed. Esclerosado.
sclerosing. Esclerosante. // **- phlebitis.** Flebite esclerosante.
sclerosis. Esclerose, enduração, degeneração ou fibrose.
scleroskeleton. Esclerosqueleto.
sclerostenosis. Esclerostenose.
sclerostoma. Esclerostoma. / / **- duodenale.** Esclerostoma duodenal.
sclerotic. Esclerótico.
sclerotica. Esclera.
scleroticectomia. Esclerectomia.
scleroticotomy Esclerotomia.
sclerotis, ergot of rye. Esporão do centeio (em massa dura, escura).
sclerotitis. Esclerite.
sclerotium. Massa dura formada por fungos.
sclerotome. Esclerótomo.
sclerotomy. Esclerotomia.
sclerous, hard. Escleroso, duro.
scobs. Limalha.
scolecoidectomy. Escolecoidectomia, apendicectomia.
scolecoiditis. Escolecoidite, apendicite.
scolecology. Escolecologia, helmintologia.
scolex. Escólex, cabeça da tênia, verme.
scolioma. Escolioma.
scoliometer. Escoliômetro, instrumento para medir curvas.
scoliopathexis. Distúrbio mental em relação com doenças.
scoliorrhachitic. Escoliorraquítico.
scoliosiometry. Escoliometria. Escoliosiometria, medição das curvas da raque.
scoliosis. Escoliose.
scoliotic. Escoliótico.
scoop. Instrumento em forma de colher, cureta.
scoparin. Escoparina.
scoparius. Escopária, giesteira, leguminosa: *Cytisus scoparius*.
scope. Escopo, fim, propósito.
scopolamine. Escopolamina. // **- hydrobromide.** Bromidrato de escopolamina. // **- narcophine anaesthesia.** Escopolamina anestésica.
scopolia. Gênero de solanáceas.
scopometer. Escopômetro. Instrumento para medir a turvação de uma solução.
scopophobia. Escopofobia.
scoracratia. Escoracracia. Incontinência fecal.
scorbutic. Escorbútico.
scorbutus. Escorbuto.
score. Marca, corte, incisão.
scoria. Escória.
scorify. Escorificar.
scorings. Linhas transversais delgadas produzidas ao aumentar a densidade do osso e observadas aos raios X nas metáfises dos ossos longos por detenção de seu crescimento.
scorpion. Escorpião.
scotch. Corte, incisão.
scotodinia. Escotodinia.
scotograph. Escotógrafo.
scotography. Escotografia.
scotoma. Escotoma. Mancha escura, imóvel, que cobre parte do campo visual ou objeto que se olha, resultado de insensibilidade de parte da retina.
scotomatous. Escotomatoso.
scotometer. Escotômetro.
scotophobia. Escotofobia.
Scott's dressing. Pomada de Scott. Pomada mercurial.
scour. Branquear, desengordurar.
Scr. Abreviatura de *scruple*, escrúpulo.
scragged, scraggily. Áspero, desigual, fraco.
scraper. Raspador.
scratch. Coçar, arranhar.
screak. Ranger.
screen. Anteparo, biombo, abrigo. // **bjerum -.** Tela oftálmica. // **fluorescent-.** Tela fluorescente.
screw-worm. Larva da mosca *Chyromya macellaria*.
scrip. Cédula.
scrobiculate, pitted. Escrobiculado.
scrobiculus. Escrobículo, pequena cavidade.
scroll. Rolo de papel, voluta.
scrophula. Escrófula.
scrophulide. Escrofúlide.
scrophuloderma. Escrofulodermia.
scrophulophyma. Escrofulofima.
scrophulosis. Escrofulose.
scrophulous. Escrofuloso.
scrotal. Escrotal.
scrotitis. Escrotite, orqueíte.
scrotocele. Escrotocele.
scrotum. Escroto.
scruff. Nuca.
scruple. Escrúpulo (=20 gramas).
scrupolosity. Escrúpulo, escrupulosidade.

scud. Correr rapidamente.

Sculteto bandage. Bandagem de Sculteto.

scurf. Caspa, crosta.

scurby. Escorbuto.

scute. Escama. Lâmina curva do osso da parede externa do ático no ouvido.

scutiform. Escutiforme. Em forma de escudo.

scutulum. Crostas da tinha. Omoplata.

scutum. Cartilagem tireóide, abóbada do ático, rótula.

scybalous. Cibaloso, cibaliforme.

scybalum. Cíbalo.

scyphoid. Caliciforme.

scythian disease. Doença cítica. Atrofia dos órgãos genitais masculinos, pênis e testículos, devido à perversão sexual.

scytitis. Dermatite.

scytoblastema. Citoblastema.

Scytonema. Gênero de esquizomicetos.

Se. Símbolo químico do *selenium*, selênio.

sea-sickness. Mal de mar, enjôo, maresia.

sea-tangle. Laminária.

seal. Selo, timbre, firma.

seam. Costura, sutura.

search. Pesquisa.

searcher. Pesquisador.

seat. Assento, sede.

seaweed. Espécie de alga.

sebaceous. Sebáceo. // - **cyst.** Cisto sebáceo. // - **gland.** Glândula sebácea.

sebastomania. Sebastomania. Loucura ou mania religiosa.

Sebileau's hollow. Depressão de Sebileau. Depressão sublingual entre a língua e as glândulas sublinguais. // - **muscle.** Músculo de Sebileau. Camada profunda do septo escrotal. // - **suspensory ligaments.** Ligamentos suspensores: os dos pulmões, os ligamentos costopleurais.

sebiparous. Sebáceo.

sebolith. Sebólito.

seborrhagia. Seborragia.

seborrhoea. Seborréia.

seborrhoeal. Seborréico.

sebum. Sebo.

Secale. Gênero de gramíneas a que pertence o centeio.

secalin. Secalina.

secalose. Secalose.

secant. Secante.

secernent, secrening. Secretante.

second. Segundo.

second intention. Segunda intenção. // - **second nerve.** Nervo óptico.

secondaries. Termo dado nos depósitos metastá-

ticos dos tumores malignos.

secondary. Secundário.

secreta. Secreção em geral.

secretagogue. Secretagogo.

Secretan's disease. Doença de Secretan. Edema grave produzido por uma ferida.

secrete. Secretar, esconder.

secretion. Secreção. // - **esternal.** Secreção externa. // - **internal.** Secreção interna.

secretomotor. Secretomotor.

secretory. Secretório.

section. Secção.

sector. Setor.

secundigravida. Secundigrávida.

secundines, the placenta. Secundinas.

secundipar. Secundípara.

secundum artem. Segundo a arte (médica).

secure. Seguro, tranqüilo.

sed. Abreviatura de *sedes*, deposições.

sedation. Sedação.

sedative. Sedativo.

sedentaria ossa. Ossos sobre os quais nos sentamos: ísquio e cóccix.

sedentary. Sedentário.

sediment. Sedimento.

sedimentation. Sedimentação.

see. Ver.

seed. Semente. Origem, germe, princípio gerador, esperma, sêmen.

seek. Buscar, inquirir.

Seeligmüller's sign. Sinal de Seeligmüller. Midríase do lado da face afetado de nevralgia.

seem. Parecer.

seepage. Filtração, percolação.

Seessel's pocket. Bolsa de Seessel. Pequena depressão embrionária atrás do vértice da hipófise rudimentar.

seether. Caldeira.

Séglas's type of paranoia. Tipo psicomotor de paranóia, dito Séglas.

segment. Segmento.

segmental. Segmentar.

segmentation. Segmentação.

segregation. Segregação, separação, dissociação, secreção.

segregator. Segregador.

Séguin's symptom. Sintoma de Séguin. Contração involuntária dos músculos que se produz antes de começar um ataque epilético.

Seidel's scotoma. Escotoma de Seidel. Extensão aliforme do ponto cego.

Seidelin's bodies. Corpos de Seidelin. Corpos descobertos nas hemácias em caso de febre amarela nos parasitos causadores das enfermidades.

Seidlitz's powder. Pó de Seidlitz. Pós efervescentes.

Seignette's salt. Sal de Seignette. Sal de La Rochela.

Seiler's cartilage. Cartilagem de Seiler. Pequeno cilindro cartilagíneo no processo vocal da cartilagem aritenóide.

seismotherapy. Sismoterapia. Tratamento por vibração.

seizure. Apreensão, prisão, captura, seqüestro.

selection. Seleção.

selenium. Selênio.

self. Próprio, idêntico, pessoal.

selfabuse. Masturbação.

sell. Vender.

sella. Sela. // - **turcica.** Sela túrcica.

seltzer water. Água de Seltzer.

selvage. Orla, ourela.

semantic. Semântico. // - **aphasia.** Afasia com perda da memória das palavras.

semblance. Indício, imagem, aparência.

semeiography. Semiografia. Descrição dos sintomas das enfermidades.

semeiology. Semiologia.

semeiosis. Semiose.

semeiotic. Semiótico.

semeiotics. Semiótica, sintomatologia.

semelincident. Semelincidente que acomete uma só vez o indivíduo.

semen. Sêmen.

semenuria. Semenúria, espermatúria.

semicanal. Semicanal.

semicartilaginous. Semicartilagíneo.

semicircular canal. Canal semicircular.

semidiagrammatic. Semidiagramático.

semiflexion. Semiflexão.

semilunar. Semilunar.

semimembranosus muscle. Músculo semimembranoso.

seminal. Seminal, espermático.

semination. Seminação.

seminiferous. Seminífero.

seminormal. Seminormal. // - **solution.** Solução seminormal.

seminuria. Seminúria.

semis. Semi, metade.

semispinalis. Músculo semispinal.

semisulcus. Semissulco.

semite. Semita.

semitendinosus muscle. Músculo semitendinoso.

Semmelweis. Médico de Viena que descobriu que a febre puerperal era uma septicemia.

send. Enviar.

send out. Emitir.

senega. Polígala.

senegin. Senegina.

senescence. Senescência, envelhecimento.

senescent. Senescente.

senile. Senil.

senilism. Senilismo. // Sin.: geroderma, geromorfismo, progeria, nanismo senil.

senility. Senilidade, velhice.

senna. Sene. Nome de folhas e frutos ou folículos de várias espécies de leguminosas.

sensation. Sensação.

sense. Sentido, mente, inteligência, razão, juízo.

sensibamine. Alcalóide hidrossolúvel do esporão do centeio, complexo de ergotamina e ergotaminina.

sensibility. Sensibilidade.

sensible. Sensível.

sensitive. Sensitivo.

sensitiveness. Sensibilidade.

sensitized. Sensibilizado.

sensitizer. Sensibilizador, sensibilizatriz, amboceptor.

sensorial. Sensorial.

sensoriomotor. Sensoriomotor.

sensorium. Sensório.

sensory. Sensório.

sensualism. Sensualismo, sensualidade.

sentient. Sensível, sensitivo.

separate. Separado, separar.

separator. Separador.

separatorium. Afastador.

sepsis. Sepsia, septicemia, infecção pútrida.

septaemia. Septicemia.

septal. Septal; relativo ao septo.

septan. Septena. Febre intermitente que recidiva a cada sete dias.

septate. Separado por um septo.

septectomy. Septectomia.

septic. Séptico. // - **fever.** Febre séptica. // - **tank.** Drenagem séptica.

septicaemia. Septicemia. // - **puerperal.** Septicemia puerperal.

septicaemic. Septicêmico.

septicine. Septicina, sepcina.

septicopyaemia. Septicopiemia.

septigravida. Septigrávida.

septimetritis. Septimetrite.

septipara. Septípara.

septivalent. Septivalente.

septometer. Septômetro.

septonasal. Septonasal.

septotome. Septótomo.

septotomy. Septotomia.

septum. Septo. // **- interventricular.** Septo interventricular. // **- nasal.** Septo nasal.

seq. luce. Abreviatura de *sequenti luce*, no dia seguinte.

septuplet. Um dos sete filhos nascido de um único parto.

sequel, sequela. Seqüela.

sequestral. Relativo ao seqüestro.

sequestration. Seqüestração.

sequestrectomy. Seqüestrectomia.

sequestrotomy. Seqüestrotomia.

sequestrum. Seqüestro.

sera. Soros.

seralbumin. Seralbumina.

serial. Seriado.

seriflux. Fluxo seroso.

serine. Serina, seralbumina.

serious. Sério, grave, severo.

seriscission. Seriscisão. Secção de tecidos moles por uma ligadura de seda.

seroalbuminous. Seralbuminoso.

seroalbuminuria. Seralbuminúria.

serobacterine. Nome comercial de vacinas bacterianas.

serocolitis. Serocolite.

seroculture. Serocultura.

serodermatosis. Serodermatose.

serodiagnosis. Serodiagnose, sorodiagnóstico.

seroenteritis. Seroenterite.

seroenzyme. Seroenzima.

serofibrinous. Serofibrinoso.

serofluid. Serofluido.

serogastria. Serogastria.

seroglobulin. Seroglobulina.

serohepatitis. Sero-hepatite.

seroimmunity. Seroimunidade.

serolin. Serolina.

serology. Serologia.

serolysin. Serolisina.

seromembranous. Seromembranoso.

seromucous. Seromucoso.

seronegative. Seronegativo.

seropneumothorax. Seropneumotórax.

seropositive. Seropositivo.

seropurulent. Seropurulento.

seropus. Seropus.

serosa. Serosa.

serosanguineous. Serossangüíneo.

seroserous. Serosseroso.

serositis. Serosite.

serosity. Serosidade.

serosynovial. Serossinovial.

serosynovitis. Serossinovite.

serotherapy. Seroterapia.

serotina. Serotina.

serous. Seroso.

serovaccination. Serovacinação.

serpens. Serpente, que serpeia. // **- ulcus.** Úlcera serpiginosa.

serpentaria. Nome de várias plantas de várias famílias. A mais importante é a de Virginia.

serpiginous. Serpiginoso.

serpigo. Qualquer erupção serpiginosa: tinha ou herpes.

serrated. Serreado.

Serratia. Gênero de bactérias saprófitas produtoras de um pigmento vermelho.

serration. Estrutura denteada, chanfradura.

serratus. Serreado. Com a borda semelhante a uma serra.

serrefine. Espécie de sutura e de pinça hemostática.

serrenoeud. Pinça de vasos.

Serres's angle. Ângulo de Serres. Ângulo metafacial ou de antropometria. // **- glands.** Glândulas de Serres. Glândulas gengivais, ilhas de epitélios que se encontram na gengiva das crianças.

serrulate. Serrilhado.

Sertoli's cells. Células de Sertoli. Células de suporte do epitélio testicular.

serum. Soro. // **- gonadotrophin.** Gonadotrofina sérica. // **- sickness.** Doença do soro. // **- therapy.** Soroterapia.

serumuria. Albuminúria.

servant. Servente.

Servetus, M. Médico e teólogo espanhol a que se atribui o descobrimento da circulação pulmonar (1509-1553).

sesame. Sésamo. Planta da família das begoniáceas.

sesamoid. Sesamóide. // **- bone.** Osso sesamóide. // **- cartilage.** Cartilagem sesamóide.

sesamum. Sésamo.

sesqui-. Prefixo latino que indica "um e meio".

sesquioxide. Sesquióxido.

sesquisalt. Sesquissal.

sessile. Séssil.

set. Fixar, colocar, pôr, situar, ajustar, encaixar, reduzir.

setaceous. Setáceo.

seton. Cerda, fio de linho ou seda usado para drenar.

settle. Estabelecer.

seven day fever. Febre recorrente, septena.

seventh nerve. Nervo facial.

sever. Seccionar.

several. Vários.

sewage. Lixo, resíduo. Conjunto ou rede de esgotos (uso errôneo).

sewer. Canal, dreno, esgoto. // **- air gas.** Emanações das cloacas.

sex. Sexo. // **- limited.** Sexo limitado. // **- linked.** Expressão aplicada àquelas características que não se herdam igualmente em ambos sexos.

sexdigital, sexdigitate. Sexdigitado.

sexivalent. Sexivalente.

sextan. Que ocorre de seis em seis dias (febre).

sextigravida. Sextigrávida.

sextipara. Sextípara.

sextuplet. Um de seis gêmeos.

sexual. Sexual. // **- disease.** Enfermidade sexual. // **- intercourse.** Coito. // **- organs.** Órgãos sexuais.

sexuality. Sexualidade.

shade. Sombra.

shaft. Flecha, dardo, seta. Diáfase de osso longo.

shake. Oscilar, vacilar.

shame. Vergonha.

shank. Tíbia. Perna das aves, canela.

shape. Forma.

share-bone. Osso do púbis.

sharp. Agudo, claro.

Sharpey's fibres. Fibras de Sharpey. Fibras de tecido conjuntivo entre o periósteo e o osso.

shave. Raspar, barbear.

sheath. Bainha, funda.

shed. Verter, derramar, espaciar, exalar.

shedding. Derrame.

sheet. Folha, lâmina, prancha.

shelf. Estante.

shell-shock. Neurose produzida pelo tiro de canhão.

Shenton's arch or line. Arco ou linha de Shenton. Linha curva nas radiografias do quadril normal, formada pelo vértice do forâmen obturado. Sua deformidade é causa de fraturas ou doenças do quadril.

Shepherd's fracture. Fratura de Shepherd. Fratura da parte externa do astrágalo.

Sherrington's law. Lei de Sherrington. Cada raiz espinal posterior inerva uma região especial da pele, ainda que as fibras de segmentos medulares adjacentes invada a mesma região.

Shiga's bacillus. Bacilo de Shiga, de disenteria.

Shigella. Gênero de bacteriáceas em que está incluído o bacilo da disenteria.

shin. Canela. // **- bone.** Tíbia.

shingles. Herpes zoster.

shirt. Camisa.

shiver. Tremor, calafrio, estremecimento.

shock. Choque. // **- anaphylactic.** Choque anafilático. // **- therapy.** Terapêutica do choque.

shoe. Sapato.

shoemaker's spasm. Espasmo dos sapateiros.

short. Breve.

short circuit. Curto-circuito.

short-sightedness. Miopia.

short-windedness. Dispnéia.

shot. Injeção.

shotgun prescription. Prescrição.

shoulder. Ombro.

show. A descarga de sangue durante a menstruação. Mostrar, ensinar, expor.

Shrapnell's membrane. Membrana de Shrapnell. Porção flácida superior da membrana do tímpano.

shunt. Desvio, derivação.

Si. Símbolo químico do *silicon*, silício.

sialaden. Glândula salivar.

sialadenitis. Sialadenite.

sialadenoncus. Sialadenonco.

sialagogue. Sialagogo.

sialaporia. Sialaporia.

sialic, sialine. Siálico, salivar.

sialism, sialismus. Sialismo.

sialo-. Elemento léxico de origem grega que significa saliva.

sialoadenectomy. Sialadenectomia.

sialoadenotomia. Sialadenotomia.

sialoaerophagy. Sialaerofagia.

sialoangietasis. Sielangiectasia.

sialoangiitis. Sialoangiite.

sialocele. Sialocele.

sialogenous. Sialógeno.

sialogogue. Sialogogo.

sialoid. Sialóide.

sialolith. Sialólito.

sialolithiasis. Sialolitíase.

sialolithotomy. Sialolitotomia.

sialoncus. Sialonco. Tumor próximo à língua, devido à obstrução por cálculo de uma glândula salivar.

sialorrhoea. Sialorréia.

sialoschesis. Sialosquesia.

sib. Consangüíneo.

sibilant. Sibilante.

sibilus. Sibilo.

sibling. Um de dois ou mais filhos dos mesmos pais.

Sibson's fascia. Fáscia de Sibson ou aponeurose. Septo que cobre a pleura apical, inserido na primeira costela. // - **muscle.** Músculo de Sibson. Quarto escaleno, escaleno pleural ou mínimo.

sick. Mal, enfermo, doente. // - **haedache.** Enxaqueca com náuseas. // - **list.** Lista de enfermos. // - **room.** Sala de enfermos.

sickle cell. Drepanócito. Célula falciforme. // - **anaemia.** Anemia drepanocítica.

sickness. Doença, indisposição, mal. Náusea.

side. Lado, margem, parte, face, aspecto. // - **chain.** Receptor.

sidero. Elemento léxico de origem grega que significa "ferro".

siderogenous. Siderógeno.

sideropenia. Sideropenia.

siderophilus. Siderófilo.

sideroscope. Sideroscópio.

siderosis. Siderose.

siderous. Sideroso.

Siebenmann's canals. Canais de Siebenmann. Canais vasculares delgados, provavelmente, de vasos linfáticos no aqueduto da cóclea.

sieve. Peneira. Crivo. // - **bone.** Etmóide.

sig. Abreviatura de "signa", observa.

sigh. Suspiro. Inspiração prolongada precedida por uma breve expiração.

sight. Vista, visão, perspectiva, aspecto.

sigma. Sigma. Letra grega que serve de símbolo de um milésimo do segundo. // - **reaction.** Reação de Sigma.

sigmatism. Sigmatismo.

sigmoid. Sigmóide. // - **flexure.** Alça sigmóide. // - **valves.** Válvulas sigmóides ou semilunares.

sigmoidectomy. Sigmoidectomia.

sigmoiditis. Sigmoidite.

sigmoidopexy. Sigmoidopexia.

sigmoidoproctostomy. Sigmoidoproctostomia.

sigmoidoscope. Sigmoidoscópio.

sigmoidoscopy. Sigmoidoscopia.

sigmoidostomy. Sigmoidostomia.

sign. Sinal.

signa. Observar, prestar atenção.*

signature. Assinatura, firma, prescrição.

signatures, doctrine of. Doutrina dos sinais.

signaturist. Adepto da doutrina dos sinais (q.v.).

significantly. Significativamente, significantemente.

sikimin. Hidrocarboneto tóxico das folhas do *Illicium religiosum*, planta do Japão (sikimi).

Silex's sign. Sinal de Silex. Sulcos radiados a partir dos ângulos da boca na sífilis congênita.

---

* N. do T. — T. Patino. É em sentido imperativo.

silica. Sílica.

silicate. Silicato.

silicic acid. Ácido silícico.

silicon. Silício.

silicosis. Silicose.

silk. Seda.

silkworm gut. Seda para suturas, crina.

sillonneur. Bisturi com três lâminas usado em oftalmologia.

silt. Lama, lodo.

silver. Prata. // - **arsenobenzol.** Arsenobenzol, associado à prata. // - **arsphenamine.** Arsfenamina associada à prata. // - **gelatose.** Gelatose de prata. // - **protein.** Proteína de prata. // - **proteinate.** Proteinato de prata. // - **trinitrophenolate.** Trinitrofenolato de prata.

Silvester's method. Método de Silvester. Forma de respiração artificial na qual se elevam os braços do paciente por cima da cabeça, depois se preme com eles o tórax.

simmer. Ferver com fogo lento.

Simmond's disease. Doença de Simmonds. Doença de Barraquer. Lipodistrofia progressiva. Sin.: Caquexia hipofisária.

Simon's posture. Posição de Simon. Decúbito dorsal com pernas fletidas sobre os quadris.

simple. Simples.

Sims's position. Posição de Sims. Posição inglesa ou decúbito lateral recostado. Posição lateral sobre o lado esquerdo com a coxa direita elevada e fletida. // - **speculum.** Espéculo de Sims. Espéculo vaginal especial.

simul. Ao mesmo tempo que.

simulation. Simulação.

Simulium. Gênero de dipteros hematófagos.

sinalbin. Sinalbina.

Sinapis. Gênero de crucíferas a que pertence a mostarda.

sinapism. Sinapismo.

sincipital. Sincipital.

sinciput. Sincipúcio.

sinew. Tendão, fibra, nervo, energia.

singer's nodes or nodules. Nódulo de Singer ou do macaco. Cordite tuberosa. Formação de nódulos descorados nas cordas vocais.

single. Único.

singultus. Soluço.

sinigrin. Sinigrina.

sinistrad. Em direção à esquerda.

sinistral. Pertencente ou relativo ao lado esquerdo.

sinistrality. Sinistralidade.

sinistraural. Sinistraural.

sinistrocardial. Sinistrocardíaco.

sinistrocerebral. Sinistrocerebral.

sinistrocular. Sinistrocular.

sinistromanual. Sinistromanual, sinistrômano, canhoto.

sinistropedal. Sinistropedal.

sinistrous. Relativo ao lado esquerdo, canhoto.

sinuous. Sinuoso.

sinus. Seio. // - **anal.** Seio anal. // - **aortic.** Seio aórtico. // - **basilar.** Seio basilar. // - **cavernous.** Seio cavernoso. // - **circular.** Seio circular da íris. // - **coronary.** Seio coronário. // - **ethmoidal.** Seio etmoidal. // - **frontal.** Seio frontal. // - **inferior petrosal.** Seio petroso inferior. // - **inferior sagital.** Seio sagital inferior. // - **intercavernous.** Seio intercavernoso. // - **marginal.** Seio marginal. // - **maxillary.** Seio maxilar. // - **oblique pericardial.** Seio oblíquo pericárdico. // - **of larynx.** Seio da laringe. // - **of Morgagni.** Seio de Morgagni. // - **of Valsalva.** Seio de Valsalva. // - **paranasal.** Seio paranasal. // - **petrosquamous.** Seio petroscamoso. // - **ocularis.** Seio ocular. // - **portal.** Seio portal. // - **prostatic.** Seio prostático. // - **pulmonary.** Seio pulmonar. // - **renal.** Seio renal. // - **sigmoid.** Seio sigmóide. // - **sphenoparietal.** Seio esfenoparietal. // - **sphenoidal.** Seio esfenoidal. // - **straight.** Seio longitudinal. // - **superior sagital.** Seio sagital superior. // - **superior petrosal.** Seio petroso superior. // - **tarsi.** Seio do tarso. // - **transverse.** Seio transverso. // - **transverse pericardial.** Seio pericárdio transverso. // - **tympani.** Seio timpânico. // - **venous.** Seio venoso.

sinusal. Sinusal.

sinusitis. Sinusite.

sinusoid. Sinusóide.

sinusoidal. Sinusoidal. // **alternating currents.** Correntes alternadas sinusoidais.

siphon. Sifão.

siphonage. Sifonamento.

Siphonaptera. Ordem de insetos a que pertencem as pulgas.

Siphunculata. Gênero de insetos que inclui os piolhos.

Siphunculina funicola. Agente transmissor de conjuntivite.

Sippy diet. Dieta de Sippy. Regime dietético na úlcera gástrica, à base de leite, farináceos, ovos administração de alcalinos, bicarbonato de sódio, magnésio e carbonato de cálcio.

sirenomelus. Monstro sem pés e com as pernas fundidas.

sister. Irmã.

sistomensin. Sistomensina. Hormônio do corpo lúteo.

site. Sitio, posição, lugar.

sitiergia. Sitiergia, anorexia histérica.

sitiology. Sitiologia.

sitiophobia. Sitiofobia.

sitotherapy. Sitoterapia.

sitotoxin. Sitotoxina.

sitotropism. Sitotropismo.

situation. Situação.

situs. Sítio, posição. // - **perversus.** Deslocamento de qualquer víscera. // - **viscerum inversus.** Transposição lateral das vísceras torácicas ou abdominais.

sitzbath. Banho de assento. Semicúpio.

sixth nerve. Nervo abducente. // - **sixth disease.** Exantema súbito.

size. Porte, tamanho.

skatole. Escatol, metilnidol.

skatophagy. Escatofagia, coprofagia.

skein. Espirema.

skeletal. Esquelético.

skeletins. Esqueletinas, substâncias insolúveis que ocorrem nos tecidos epiteliais dos invertebrados como quitina, sericina, espongina, etc.

skeletization. Esqueletização.

skeletogenous. Esqueletógeno.

skeleton. Esqueleto.

Skene's tubercules or glands. Túbulos ou glândulas de Skene. Glândulas para-uretrais na mulher.

skia-. Elemento léxico de origem grega que significa "sombra".

skiagram. Roentgenograma. Radiografia. Ciograma.

skiagraph. Ciógrafo.

skiagraphy. Ciagrafia. Radiografia.

skialytic. Cialítico, ciolítico. Destrutor da sombra.

skiameter. Ciametria. Sin.: actinômetro. Para medir a intensidade dos raios X.

skiametry. Ciometria.

skiascope. Cioscópio.

skin. Pele. // - **graft.** Enxerto cutâneo.

skleriasis. Escleríase, escleroderma.

Skoda's rale. Estertor de Skoda. Estertor brônquico percebido através do tecido hepatizado da pneumonia. // - **sign.** Sinal de Skoda. Ruido timpânico ouvido à percussão do tórax em derrame pleural.

skopophobia. Escopofobia. Temor patológico de ser visto.

skoto-. Elemento léxico de origem grega que significa "escuridão".

skotograph. Escotógrafo.

skotography. Escotografia.

skull. Crânio.

slabby. Espesso.

slaver. Baba.

sleep. Dormir.

sleeping sickness. Doença do sono.

slide. Resvalar, escorrer, declive, lâmina, porta-objetos.

slight. Ligeiro, menor.

sling. Atadura, funda, laço, suspensório.

slip. Deslizar.

slippery elm. Olmo.

slit. Fender, fenda.

slitlamp of Gullstrand. Lâmpada de fenda de Gullstrand.

slope. Declive.

slough. Lodaçal. Escara.

sloughing. Desbridamento. Retirada de escavas.

slow. Lento.

slowly. Lentamente.

Sm. Símbolo químico do *samarium*, samário.

small. Pequeno.

smallpox. Bexigas. Varíola.

smash. Quebrar, esmagar.

smear culture. Cultura em esfregaço.

Smee cell. Célula de Smee. Célula de bateria elétrica que tem duas placas (uma de zinco e a outra de prata platinada) em uma solução de ácido sulfúrico.

smegma. Esmegma.

smegmatic. Esmegmático.

smell. Odor, percepção do cheiro, sentido do olfato.

smelling salts. Sais voláteis.

smile. Sorrir, sorriso.

Smith's disease. Doença de Smith. Colite mucosa. // - **sign.** Sinal de Smith. Sopro ouvido à ausculta sobre o manúbrio, tendo o paciente a cabeça defletida: observa-se na hipertrofia dos linfonodos brônquicos.

Smith's dislocation. Luxação de Smith. Luxação para frente ou para trás do metatarso e do osso cuneiforme medial. // - **fracture.** Fratura de Smith. Fratura inversa à de Colles, com deslocamento do fragmento para diante.

Smith's operation. Operação de Smith. Esmagamento das hemorróidas com pinças e aplicação consecutiva de termocautério. Extração da catarata não madura com sua cápsula intacta.

Smith's test. Teste de Smith. Teste do iodo para determinar pigmentos biliares.

Smith-Petersen nail. Cravo de Smith-Petersen. Cravo triangular usado para fixar a cabeça do fêmur em casos de fraturas.

Smith-Pitfield method. Método de Smiti-Pitfield. Método de coloração para flagelos.

smoke. Fumo, fumar.

smoker's sore throat. Catarro dos fumantes.

Sn. Símbolo químico do *stannum*, em inglês "tin", estanho.

snake. Cobra.

snakeroot, black. Raiz seca, raízes de *Cimicifuga racemosa*.

sneezing. Espirro, esternutação.

Snell's law. Lei de Snell. O sino do ângulo de incidência mantém uma relação constante com o seno do ângulo de refração entre dois meios dados.

Snellen's reform eye. Olho reduzido de Snellen. Olho artificial composto de dois planos côncavo-convexos separados por um espaço vazio. // - **test types.** Tipos de prova de Snellen. Tabelas com letras e sinais impressos de diferentes tamanhos e formas, que empregam os oculistas para o exame da acuidade visual.

snore. Roncar, ronco.

snow. Neve.

snow carbon dioxide. Dióxido de carbono sólido.

snowblindness. Fotofobia e conjuntivite por reflexão da neve.

snuffles. Coriza.

SO_2, sulphur dioxide. Dióxido de enxofre.

Soamin. Soamina.

soap. Sabão.

sob. Soluço, soluçar.

sobissminol mass. Sobisminol. // - **solution.** Solução de Sobisminol.

socia parotidis. Parótida acessória.

social. Social, gregário. // - **evil.** Prostituição. // - **medicine.** Medicina social.

society. Sociedade.

sociology. Sociologia.

socket. Cavidade. // - **tooth.** Alvéolo.

soda. Soda.

sodaemia. Sodemia.

sodium. Sódio. // - **amytal.** Amital sódico. // - **bicarbonate.** Bicarbonato de sódio. // - **biphosphate.** Bifosfato de sódio. // - **bisulphate.** Bissulfato de sódio. // - **carbonate.** Carbonato de sódio. // - **chloride.** Cloreto de sódio. // - **citrate.** Citrato de sódio. // - **iodide.** Iodeto de sódio. // - **salicylate.** Salicilato de sódio. // - **silicate.** Silicato de sódio. // - **sulphate.** Sulfato de sódio.

sodoku. "Sodoku".

sodomist, sodomite. Sodomita.

sodomy. Sodomia.

Soemmering's ligament. Ligamento de Soemmering. Ligamento suspensor da glândula lacrimal. // - **muscle.** Músculo de Soemmering. Músculo elevador da glândula tireóide. // - **nerve.** Nervo de Soemmering. Nervo pudendo maior, ramo perineal do glúteo inferior ou ciático menor. // - **substance.** Substância de Soemmering. Substância que se encontra entre o tegumento e a base dos pedúnculos, no mesencéfalo.

soft. Brando, mole, afeminado, betuminoso.

softening. Amolecimento. // - **of the bones.** Amolecimento dos ossos. Osteomalálcia. // - **of the brain.** Amolecimento cerebral.

soil. Sujar; esterco.

soil-pipe. Tubos de desagüe.

Sol. Abreviatura de *solution*, solução.

solanism. Solanismo. Envenenamento por solanina.

solanoid. Solanóide. Semelhante na textura, à batata crua.

solanoma. Solanoma. Câncer solanóide.

Solanum. Gênero de solanáceas a que pertencem o tomate, a batata e a erva-moura.

solarization. Exposição à luz solar para receber seus efeitos benéficos.

Solayres's obliquity. Obliqüidade de Solayres. Descida da cabeça fetal, encaixada no diâmetro oblíquo da pelve por seu diâmetro mento-occipital.

soldier. Soldado.

sole. Sola, planta do pé.

solenoid. Solenóide.

soleus. Solear.

solid. Sólido.

solidarity. Solidariedade.

solidism. Solidismo.

solipsism. Solipsismo.

solitary. Solitário.

Solium. Solitária. *Taenia solium*.

solubility. Solubilidade.

soluble. Solúvel.

solum tympani. Pavimento do tímpano. // - **ventriculi quarti.** Pavimento ou soalho do quarto ventrículo.

solution. Solução.

solvent. Solvente.

soma. Soma.

somacule. Somáculo, o fragmento menor do protoplasma.

soma-esthetic. Somestésico.

somasthenia. Somastenia.

somatic. Somático.

somatoblast. Somatoblasto.

somatoceptor. Somatoceptor.

somatochrome. Somatocromo.

somatoderm. Somatoderma, somatopleura.

somatodidymus. Somatodídimo. Monstro gemelar unido pelo tronco.

somatodymia. Somatodimia.

somatology. Somatologia.

somatome. Somátomo.

somatomegaly. Somatomegalia.

somatometry. Somatometria.

somatopagus. Somatópago.

somatopathic. Somatopático.

somatopathy. Somatopatia.

somatophrenia. Somatofrenia.

somatoplasm. Somatoplasma.

somatopleure. Somatopleura.

somatopsychic. Somatopsíquico.

somatotomy. Somatotomia.

somatotridymus. Somatotrídimo. Monstro com três troncos.

somite. Somito.

somitic. Somítico.

somnambulism. Sonambulismo.

somnambulist. Sonâmbulo.

somnifacient. Sonífero, hipnótico.

Somnifaine. Marca registrada farmacêutica de hipnótico.

somniferous. Sonífero.

somniloquence, somniloquism, somniloquy. Soniloquia, soniloquismo.

somnolence. Sonolência, sopor.

somnolent. Sonolento.

somnolentia. Sonolência.

son. Filho.

sonde coudé. Sonda acotovelada.

Soneryl. Marca registrada de hipnótico. // - **sodium.** Derivado químico com introdução de sódio ao sal.

sonitus. Zumbido, tinnitus.

Sonne dysentery. Disenteria de Sonne. Produzida pela variedade Sonne do bacilo disentérico.

sonometer. Sonômetro.

sonorous. Sonoro.

soot-cancer. Câncer do escroto.

sophistication. Sofisticação.

sopor. Sopor, sono profundo.

soporiferous. Soporífero.

soporific. Soporífico.

soporose, soporous. Soporoso.

s. op. s. Abreviatura de *si opus sit*, se é necessário.

sorbefacient. Absorvente.

sorbitol. Sorbitol.

sordes. Sordes. Matéria fuliginosa que se acumula em dentes e gengivas.

sore. Chaga, úlcera, mal, dor.

Sorensen's reagent. Reativo de Sorensen. Acetato de sódio, 188 g; ácido acético glacial 56,5g; água destilada para 1000.

Soret's band. Faixa de Soret. Faixa que se observa no limite da cor violeta do espectro da hemoglobina. // **- effect.** Efeito de Soret. Quando uma solução se mantém algum tempo a uma temperatura determinada, e a parte superior é mais quente que a inferior, existe uma diferença na concentração entre ambas.

sorghum. Sorgo. Árvore da família das rosáceas de frutos adstringentes.

Sorgius's glands. Linfonodos de Sorgius. Linfonodos paramamários. // Grupo anterior dos linfonodos da axila.

soroche. Mal das Montanhas. Nome em língua andina.

sort. Classe, tipo.

s. o. s. Abreviatura de *si opus sit*, se é necessário.

souffle. Sopro, ruído auscultatório.

sound. Som.

sour. Azedo, ácido.

Sousa's nerve. Nervo de Souza. Fibras nervosas gustatórias no sistema petroso.

Southey's tubes. Tubos de Southey. Cânulas de pequenos calibre que se colocam nos tecidos, para sua drenagem, para o que vão providas de um trocarte.

soya bean. Semente de soja.

sozin. Sozina.

sp. Abreviatura de *spiritus*.

space. Espaço. // **- axilary.** Espaço axilar. // **- Burns's.** Espaço de Burns. // **- deep forearm.** Antebraço profundo. // **- distal pulp.** Espaço tenar. // **- fascia palmar.** Espaço palmar. // **- hypothenar.** Espaço hipotenar. // **- middle palmar.** Espaço palmar médio. // **- of Parona.** Espaço de Parona. // **- palmar.** Espaço palmar. // **- pelvocrural.** Espaço pelvicrural. // **- retropharyngeal.** Espaço retrofaríngeo. // **- retropubic.** Espaço retropúbico. // **- suprarrenal.** Espaço supra-renal. // **- thenar.** Espaço tênar.

spagiric. Espagírico, pertencente à escola médica alquimista de Paracelso.

Spahlinger's treatment. Tratamento de Spahlinger. Tratamento da tuberculose pulmonar que se realiza, destruindo primeiro as toxinas tuberculosas, mediante a injeção de vários soros bacteriolíticos e antitóxicos, e aplicando depois uma vacina terapêutica com uma série de tuberculinas.

Spallanzani's law. Lei de Spallanzani. A regeneração é mais completa nos indivíduos jovens que nos velhos.

spanaemia. Espanemia.

Spanish fly. Mosca espanhola, cantárida.

spanogyny. Espanoginia. Escassez de mulheres.

spanopnoea. Espanopnéia. Respiração pouco freqüente.

spargosis. Espargose. Dilatação da mama pelo leite.

sparteine. Esparteína.

spasm. Espasmo.

spasmodermia. Espasmodermia.

spasmodic. Espasmódico.

spasmodism. Espasmodismo.

spasmology. Espasmologia.

spasmophilia. Espasmofilia.

spasmophilic. Espasmofílico.

spasmotoxin. Espasmotoxina.

spasmus. Espasmo. // **- nutans.** Espasmo do Selaam.

spastic. Espástico. // **- paralysis.** Paralisia espástica.

spasticity. Espasticidade.

spatial. Espacial.

spatia zonularia. Canal de Petit.

spatula. Espátula.

spatulate. Espatulado.

spay. Excisão dos ovários ou testículos. Castrar.

speak. Falar.

specialist. Especialista.

specis. Espécie.

specific. Específico.

specifity. Especificidade.

specillum. Sonda. Lente.

specimen. Espécime, exemplar, amostra, porção.

spectacles. Óculos.

spectral. Espectral.

spectrograph. Espectrógrafo.

spectrometer. Espectômetro.

spectrometry. Espectrometria.

spectrophobia. Espectrofobia.

spectrophotometer. Espectrofotômetro.

spectroscope. Espectroscópio.

spectrum. Espectro.

speculate. Especular, meditar.

speculum. Espéculo.

speech. Palavra, fala, discurso.

Spence's axillary tall. Apêndice axilar de Spence. Prolongamento da mama para a axila.

Spencer Wells facies. Facies de Spencer Wells. Expressão da face nas doentes dos ovários.

Spengler's fragments. Fragmentos de Spengler. Corpos redondos pequenos observados nos escarros dos tuberculosos. // - **imune bodies.** Corpos de Spengler. Corpos imunes extraídos dos corpúsculos vermelhos de animais imunizados contra a tuberculose. // - **method.** Método de Spengler. Método para examinar escarro da tuberculose, tratando-o com uma solução de carbonato de sódio, pancreatina e ácido carbólico. // - **tuberculin.** Tuberculina de Spengler. Preparação dos bacilos de tuberculina bovina.

Spens's syndrome. Síndrome de Spens (v. *Adams-Stockes disease*).

sperm. Abreviatura de espermatozóide.

spermaceti. Espermacete. Sin.: cetina, branco de baleia, cetáceo, "albumceti" (esp.).

spermacrasia. Espermacrasia, espermatorréia.

spermatemphraxis. Espermatenfraxe. Impedimento à descarga do sêmen.

spermatic. Espermático. // - **cord.** Cordão espermático.

spermatid. Espermátide.

spermatin. Espermatina.

spermatism. Espermatismo.

spermatitis. Espermatite, deferentite ou funiculite.

spermatoblast. Espermatoblasto.

spermatocele. Espermatocele.

spermatoclemma. Espermatoclema. Polução.

spermatocyst. Espermatocisto. Vesícula seminal. Espermatocele.

spermatocystitis. Espermatocistite.

spermatocyte. Espermatócito.

spermatogenesis. Espermatogênse. Espermatogenia.

spermatogenic. Espermatogênico.

spermatogonium. Espermatogônio. Sin.: espérmio, espermatozoário, espermatossomo, filamento sexual, zoospermo.

spermatozoid. Espermatozóide.

spermatozoon. Espermatozóide.

spermaturia. Espermatúria.

spermectomy. Espermectomia.

spermoblast. Espermoblasto.

spermolith. Espermólito.

spermolysis. Espermólise.

spermoneuralgia. Espermoneuralgia.

spermoplasm. Espermoplasma.

spermosphere. Espermosfera.

spermospore. Espermósporo.

sp. gr. Abreviatura de *specific gravity*, peso específico.

sphacelate. Esfacelado.

sphacelation. Esfacelamento.

sphaceloderma. Esfaceloderma.

sphacelous. A slough. Esfacelo, gangrena úmida.

sphagitis. Inflamação da garganta.

sphenion. Esfênio. Ponto craniométrico no ângulo do parietal correspondente ao esfenóide.

sphenocephalus. Esfenocéfalo.

sphenoethmoid. Esfenoetmoídeo.

sphenofrontal. Esfenofrontal.

sphenoid. Esfenóide. Sin.: osso basilar, cuneiforme, multiforme.

sphenoidal. Esfenoidal.

sphenoiditis. Esfenoidite.

sphenomalar. Esfenozigomático.

sphenomaxillary. Esfenomaxilar.

sphenooccipital. Esfeno-occipital.

sphenopalatine. Esfenopalatino.

sphenoparietal. Esfenoparietal.

sphenotic. Esfenótico (osso fetal).

sphenotresia. Esfenotresia.

sphenotribe. Esfenótribo.

sphenotripsy. Esfenotripsia.

sphenoturbinal. Esfenoconchal.

spheraesthesia. Esferestesia.

sphere. Esfera.

spherical. Esférico.

spherobacteria. Esferobactéria, coco, micrococo.

spherocyte. Esferócito.

spheroid. Esferóide.

spheroma. Esferoma.

spherometer. Esferômetro.

sphincter. Esfíncter.

sphincteral. Esfinctérico.

sphincteralgia. Esfincteralgia.

sphincterectomy. Esfinterectomia.

sphincteritis. Esfincterite.

sphincteroplasty. Esfincteroplastia.

sphingosine. Esfingosina, esfingomielina. Fosfolípide do rim, cérebro e músculos.

sphygmic. Esfígmico. Relativo ao pulso, especialmente o arterial.

sphygmo-. Elemento léxico de origem grega que significa "pulso".

sphygmocardiogram. Esfigmocardiograma.

sphygmocardiograph. Esfigmocardiógrafo.

sphygmochronograph. Esfigmocronógrafo.

sphygmogram. Esfigmograma.

sphygmograph. Esfigmógrafo.

sphygmography. Esfigmografia.

sphygmoid. Esfigmóide.

sphygmomanometer. Esfigmomanômetro.

sphygmophone. Esfigmofone.

sphygmoscope. Esfigmoscópio.

sphygmoscopy. Esfigmoscopia.

sphygmosystole. Esfigmossístole.

sphygmotonometer. Esfigmotonômetro.

sphygmous. Esfígmico.

sphyra, malleus. Martelo.

sphyrectomy. Esfirectomia.

sphyrotomy. Esfirotomia.

spice. Bandagem em forma de oito.

spicule. Espícula. Fragmento em forma de agulha.

spidercells. Células aracniformes (Deiter's cells).

Spieghel's line. Linha de Spieghel. Linha semilunar dos músculos da parede abdominal. // **lobe.** Lóbulo de Spieghel. Lóbulo hepático caudal.

Spiegle's tumour. Tumor de Spiegle. Papiloma múltiplo do crânio.

Spigelia. Gênero de loganiáceas.

spiloma. Espiloma, nevo.

spiloplania. Espiloplania. Manchas eritematosas errantes.

spiloplaxia. Espiloplaxia (na lepra).

spilus. Espilo ou espiloma, nevo.

spikenard. Nome dado a planta *Nordostachys jatamansi.*

spina, thorn. Espinha. // **bifida.** Espina bífida. // **dorsalis.** Espinha dorsal. // **ventosa.** Espinha ventosa.

spinal. Espinal. // **analgesia.** Analgesia espinal. // **column.** Coluna espinal. // **cord.** Cordão espinal.

spinalis muscle. Músculo espinal. // **capitis.** Espinal da cabeça. // **cervicis.** Espinal cervical.* // **dorsi.** Espinal dorsal.

spinate, thorny. Espinhoso.

spindle. Fuso.

spine. Espinha.

spinobulbar. Espinobulbar.

spinocerebellar. Espinocerebelar.

spinoneural. Espinoneural.

spinous. Espinoso. // **process.** Processo espinoso.

spintherism. Espinterismo, espinteropia.

spinterometer. Espinterômetro. Aparelho usado para reconhecer em cada ampola a força das faíscas elétricas.

spintheropia. Espinteropia, fotopsia, visão subjetiva de faíscas, centelhas.

spiral. Espiral.

spirem, spireme. Espirema.

Spirillaceae. Espiriláceas.

spirillaemia. Espirilemia.

spirillosis. Espirilose, espiroquetose.

---

* N. do T. — Spinalis colli, melhor que spinalis cervicis.

spirillum. Espirilo.

spirit. Espírito, álcool.

spirituous. Espirituoso, alcoólico.

spiritus, spirit. Espírito.

spirobacteria. Espirobactéria.

Spirochaeta. Espiroqueta. // **pallida.** Espiroqueta. Treponema pálido.

spirochaetales. Ordem de esquizomicetos que compreende as famílias espiroquetáceas e treponematáceas.

spirochaetaemia. Espiroquetemia.

spirochaete. Espiroqueta.

spirochaetosis. Espiroquetose.

spirochaeturia. Espiroquetúria.

spirocid. Espirocida.

spirograph. Espirógrafo.

spirographidin. Espirografidina.

spirographin. Espirografina.

spiroid. Espiróide.

spirometer. Espirômetro.

spirometry. Espirometria.

Spiromonas. Gênero de espirilos.

Spironema. Espironema. Espiroqueta (treponema) hoje incluída no gênero *Borrelia.*

spirophore. Espiróforo.

spirulina. Microrganismo espiral em forma de fuso.

spissated. Espessado, condensado.

spissitude. Condensação, espessamento.

spit. Lançar, cuspir, escarrar.

spittle. Saliva.

Spitzka's bundle. Fascículo de Spitzka. Fibras do fascículo longitudinal posterior que se conectam com o terceiro e o sexto núcleos nervosos.

Spix's ossicle or spine. Espinha de Spix. Língula da mandíbula.

splanchna. Intestino, víscera.

splanchnapophysis. Esplancnapófise.

splanchnectopia. Esplancnectopia.

splanchnemphraxis. Esplancnenfraxia. Obstrução intestinal.

splanchnic. Esplâncnico. // **nerves.** Nervos esplâncnicos.

splanchnicectomy. Esplancnicectomia.

splanchnicotomy. Esplancnicotomia.

splanchno-. Elemento léxico de origem grega que significa víscera, entranha.

splanchnocele. Esplancnocele, celoma ventral, cavidade pleuroperitoneal.

splanchnodynia. Esplancnodinia.

splanchnography. Esplancnografia.

splanchnolith. Esplancnólito.

splanchnolithiasis. Esplancnolitíase.

splanchnology. Esplancnologia.

splanchnomegaly. Esplancnomegalia.

splanchnomicria. Esplancnomicria.

splanchnopathy. Esplancnopatia.

splanchnopleure. Esplancnopleura.

splanchnoptosis. Esplancnoptose. Sin.: enteroptose, ptose abdominal, visceroptose, doença de Glénard.

splanchnosclerosis. Esplancnosclerose.

splanchnoscopy. Esplancnoscopia.

splanchnoskeleton. Esplancnosqueleto.

splanchnotomy. Esplancnotomia.

splanchnotribe. Esplancnótribo.

splash fremitus. Frêmito vibratório.

splash in the stomach. Chapinhas sobre o estômago.

splashing. Som vibratório.

splay-foot. Pé plano.

spleen. Baço.

splenadenoma. Esplenadenoma.

splenaemia. Esplenemia.

splenalgia. Esplenalgia.

splenatrophy. Esplenatrofia.

splenauxe. Esplenauxia, esplenomegalia.

splenectasis. Esplenectasia.

splenectomy. Esplenectomia.

splenectopia. Esplenectopia.

splenelcosis. Esplenelcose.

splenemphraxis. Esplenenfraxia.

splenetic. Esplênico.

splenic. Esplênico.

spleniculus. Baço acessório diminuto.

splenitis. Esplenite.

splenium. Esplênio.

splenius muscle. Músculo esplênio. // - **capitis.** Esplênio da cabeça. // - **cervicis.** Esplênio do pescoço.

splenization. Esplenização.

splenoblast. Esplenoblasto.

splenocele. Esplenocele.

splenocolic. Esplenocólico.

splenocyte. Esplenócito.

splenodynia. Esplenodinia.

splenography. Esplenografia.

splenohaemia. Esplenemia.

splenoid. Esplenóide.

splenokeratosis. Esplenoceratose.

splenoma. Esplenoma.

splenomalacia. Esplenomalácia.

splenomegalia. Esplenomegalia. // - **tropical.** Esplenomegalia tropical, kala-azar.

splenoncus. Esplenonco, esplenoma.

splenophaty. Esplenopatia.

splenopexia, splenopexis, splenopexy. Esplenopexia.

splenophrenic. Esplenofrênico.

splenophthisis. Esplenoftisia.

splenoneumonia. Esplenopneumonia. Sin.: corticopleurite, doença de Desnos, doença de Grancher.

splenoptosia, splenoptosis. Esplenoptose.

splenorrhagia. Esplenorragia.

splenorrhaphy. Esplenorrafia.

splenotomy. Esplenotomia.

splenulus. Baço acessório, pequeno.

splenunculus. Baço acessório, pequeno.

splint. Tala.

splitting. Hidrólise.

Spondli's foramen. Forâmen de Spondli. Forâmen pequeno na base do crânio, entre o etmóide e as pequenas asas do esfenóide.

spondylalgia. Espondilalgia.

spondylarthritis. Espondilartrite.

spondilarthrocace. Espondilartrocace, tuberculose vertebral.

spondyle. Vértebra, peça da coluna.

spondylexarthrosis. Espondilexartrose, luxação vertebral.

spondylitis. Espondilite. // - **deformans.** Espondilite déformante. // - **tuberculosa.** Espondilite tuberculosa.

spondylodynia. Espondilodinia.

spondylolisthesis. Espondilolistese.

spondylopathy. Espondilopatia.

spondylopyosis. Espondilopiose.

spondyloschisis. Espondilosquise.

spondylosis. Espondilose.

spondylosyndesis. Espondilossíndese.

sponge. Esponja.

spongia. Esponja.

spongiform. Espongiforme.

spongioblast. Espongioblasto.

spongioblastoma. Espongioblastoma, glioblastoma. // - **multiforme.** Espongioblastoma multiforme.

spongioid. Espongióide.

spongiopiline. Dispositivo feito de esponja e lã forradas de borracha, usado como cataplasma.

spongioplasm. Espongioplasma.

spongiose. Espongiose.

spongy. Esponjoso, poroso.

spontaneous. Espontâneo.

spook. Fantasma, aparição.

spoon. Colher. // - **nail.** Unha côncava, em colher.

sporadic. Esporádico.

sporadoneure. Célula nervosa esporádica, isolada, encontrada em qualquer dos tecidos.

sporangia. Esporângios.

sporangiophore. Esporangióforo.

sporangium. Esporângio.

spore. Espório.

sporicidal. Esporicida.

sporiferous. Esporífero.

sporiparous. Esporíparo.

sporoblast. Esporoblasto.

sporocyst. Esporocisto.

sporogenesis. Esporogênese.

sporogenic. Esporogênico.

sporogeny. Esporogenia, esporogonia.

sporont. Esporonte.

sporophore. Esporóforo.

sporophyte. Esporófito.

sporoplasm. Esporoplasma.

Sporothrix. Gênero de cogumelo.

sporotrichosis. Esporotricose.

Sporozoa. Esporozoário.

sporozoite. Esporozoíta. Sin.: zigotoblasto, gametoblasto.

sporozoon. Esporozoário.

sport. Animal· ou planta que exibe variação espontânea do tipo normal.

sporulation. Esporulação.

sporule. Espórulo.

spot. Mancha, mácula, ponto, lunar.

sprain. Torcer, torcedura, entorse.

spray. Neblina formada por um líquido antisséptico*, finamente dividido por uma corrente de ar ou jato de vapor.

spread. Propagação.

Sprengel's deformity. Deformidade de Sprengel. Deslocamento congênito da escápula para frente.

spring. Saltar, primavera, fonte, mola.

spring conjunctivitis. Conjuntivite primaveril.

sprue. Sapinho, espru, psilose ou diarréia tropical.

spud. Faca pequena, bisturi.

spur. Broto, esporão, excitação, espora, apófise.

spurious. Espúrio, degenerado, bastardo, falso.

sputum. Esputo, escarro. // - **rusty.** Escarro hemoptóico.

squama. Escama.

squamate. Escamoso.

squamoparietal. Escamoparietal.

squamosa. Escama do temporal.

squamosal. Escamoso.

squamosphenoid. Escamosfenoidal.

squamotemporal. Escamotemporal.

squamous. Escamoso. // - **epithelium.** Epitélio escamoso.

square. Praça.

square lobe. Lobo quadrado do fígado.

squarrious, squarrose, squarrous. Escamoso, crostoso.

squaw root. Raiz de *Caulophyllum thalictroides*.

squill. Cila.

squint. Estrabismo.

squarting cucumber. Elatério.

Sr. Símbolo químico do *strontium*, estável.

staccato speech. Distúrbio da fala em que ela é em estacato.

stactometer. Estalagmômetro.

Staderini's nucleus. Núcleo de Staderini. Núcleo intercalado: núcleo pequeno do décimo segundo par craniano. Núcleo intercalado.

stadium. Estádio.

staff. Haste, bastão, usado como guia.

stage. Período, fase, etapa.

stagger. Atordoar, vacilar, oscilar.

staggers. Vertigem nos cavalos, vertigem.

stagnate. Estancar, estagnar.

stagnation. Estancamento.

Stahr's gland. Linfonodo de Stahr. Linfonodo na artéria facial.

stain. Manchar, corar, tingir.

staining. Coloração. // - **vital.** Coloração vital.

staircase sign. Sinal da escada.

stalagmometry. Estalagmometria. Método diagnóstico baseado na determinação da tensão superficial dos líquidos orgânicos.

stalagmos. Gota.

stamina. Força natural da constituição. Vigor.

stammer. Gaguejar.

stammering. Gagueira.

stamp. Selar, selo.

stanch. Estancar, obstruir.

standard. Padrão, modelo, tipo, lei. // - **solution.** Solução padrão, padronizada.

standardization. Padronização.

Stanley's cervical ligaments. Ligamentos cervicais de Stanley. Fibras capsulares do colo do fêmur; fibras retinaculares.

stannate. Sal do ácido, estânico.

stannic. Estânico. // - **acid.** Ácido estânico.

Stannius's ligature. Ligadura de Stannius. Ligadura do coração da rã entre o seio venoso e o átrio.

stannous. Estanhoso.

stannum. Estanho.

stapedectomy. Estapedectomia, excisão do estribo.

stapedial. Estapédico.

stapediovestibular. Estapédio-vestibular.

---

* N. do T. — Antisséptica ou com qualquer outra ação farmacológica.

stapedius muscle. Músculo estapédico.

stapes. Estribo.

staph. Abreviatura de *Staphylococcus*.

staphyle. Úvula.

staphylectomy. Estafilectomia.

staphyline. Estafilina. // - **gland.** Glândula estafilina.

staphylion. Estafílio (ponto craniométrico), úvula, mamilo.

staphylitis. Estafilite.

staphyloangina. Estafilangina.

staphylococcaemia. Estafilococemia.

staphylococcal. Estafilocócico.

staphylococcic. Estafilocócico.

staphylococcus. Estafilococo.

staphylodermatitis. Estafilodermatite, estafilodermia.

staphyloedema. Estafiledema.

staphylohaemia. Estafilemia.

staphyloma. Estafiloma.

staphylomatous. Estafilomatoso.

staphylomycosis. Estafilomicose.

staphyloncus. Estafilonco. Tumefação da úvula.

staphylopharyngeus. Estafilofaríngeo.

staphyloplasty. Estafiloplastia. Sin.: palatoplastia.

staphyloptosis. Estafiloptose.

staphylorrhaphy. Estafilorrafia.

staphyloschisis. Estafilósquise.

staphylotome. Estafilótomo.

staphylotomi. Estafilotomia.

staphysagria. Semente venenosa de *Delphinium staphisagria*.

star. Estrela, astro, asterisco. // - **cell.** Célula estrelada.

staranise fruit. Fruto maduro do *Illicium verum*.

starch. Amido, fécula, rígido.

start. Começar.

starvation. Falta de alimento. // - **treatment.** Tratamento por dieta.

stasimorphy. Deformidade total ou parcial de um órgão, por falta de desenvolvimento.

stasiphobia. Estasiofobia.

stasis. Estase. Sin.: Estagnação, hipóstase*. // - **intestinal.** Estase intestinal ou próstase. // - **venous.** Estase, venosa.

state. Estado, condição.

statement. Afirmação, enunciado.

static. Estático.

statics. Estático.

---

* N. do T. — Não são a rigor sinônimos, hipóstase e estase.

station. Estação, posição. // - **test.** Teste de posição.

statistics. Estatística. // - **medical or vital.** Estatística médica ou vital.

statocyst. Estatocisto. Saco vestibular do labirinto.

statolith. Estatólito.

stature. Estatura.

status. Estado. // - **catarrhalis.** Estado catarral. // - **cribrosus.** Estado cribroso (cribriforme). // - **epilepticus.** Estado epilético. // - **lymphaticus.** Estado linfático. // - **marmoratus.** Estado marmóreo.

statuvolence. Estado hipnótico induzido pelo próprio indivíduo.

stauroplegia. Hemiplegia cruzada, estauroplegia.

stea-. Elemento léxico de origem grega que significa gordura.

steady. Constante, firme.

steapsin. Esteapsina.

steapsinogen. Esteapisinogênico.

stearic acid. Ácido esteárico.

steariform. Esteariforme.

stearin. Estearina.

stearodermia. Seborréia.

stearorrhoea. Esteatorréia.

steatitis. Esteatite.

steatocele. Esteatocele.

steatogenous. Esteatogênico.

steatolysis. Esteatólise.

steatolytic. Esteatolítico.

steatoma. Esteatoma.

steatomatosis. Esteatomatose.

steatopathy. Esteatopatia.

steatopygia. Esteatopigia. Adipose exagerada nas regiões glúteas.

steatorrhoea. Esteatorréia. // - **idiopathic.** Esteatorréia idiopática.

steatosis. Esteatose.

steatozoon. Esteatozário.

steel. Aço. // - **tincture of.** Tintura de cloreto de ferro. // - **wine of.** Vinho férrico.

Steell's murmur. Murmúrio ou sopro de Steell. Murmúrio devido à insuficiência relativa das válvulas pulmonares. Murmúrio diastólico suave, ouvido na área pulmonar no terceiro espaço intercostal esquerdo, junto da margem externa e que se propaga para o esterno.

stegnosis. Estegnose. Constricção.

Stegomya. Gênero de culicídios. // - **calopus or fasciata.** Agente da febre amarela.

Steinach's operation. Operação de Steinach. Ligadura com ressecção parcial do deferente.

Steinmann's pin. Extensão de Steinmann por pinos, exercida no fragmento distal de um osso fraturado, por meio de pinos implantados no mesmo.

stellate. Estrelado.

stellectomy. Estelectomia.

Stellwag's sign. Sinal de Stellwag, observado no bócio exoftálmico: ampliação aparente da rima palpebral.

stem. Haste, eixo, tronco.

stench. Mau cheiro, fedor, peste.

stenion. Estênio. Ponto craniométrico, situado na região temporal, em cada extremo do diâmetro transverso menor da cabeça.

steno-. Elemento léxico de origem grega que significa "estreito, contraído".

stenocardia. Estenocardia.

stenocephalia, stenocephaly. Estenocefalia.

stenocephalous. Estenocéfalo.

stenochoria. Estenocoria.

stenochoriasis. Estenocoríase.

stenopaeic. Estenopéico.

stenosed. Estenosado. Estreitado.

stenosis. Estenose. // - **aortic.** Estenose aórtica. // - **pyloric.** Estenose pilórica.

stenostomia. Estenostomia. Sin.: microstomia.

stenothermal. Estenotérmico.

stenothorax. Estenotórax.

stenotic. Estenótico.

Stensen's canals. Canais de Stensen; que se dirigem ao forâmen incisivo. // - **duct.** Ducto de Stensen. Ducto parotídeo.

step. Passo, andar, marcha.

stephanion. Estefânió, ponto craniométrico.

steppage-gait. Marcha escarvante.

stercobilin. Estercobilina.

stercolith. Estercólito.

stercoraceous. Estercoráceo.

stercoraemia. Estercoremia, copremia.

stercoral. Estercoral.

estercorous. Estercoral, fecal.

stercus, dung. Esterco, fezes, excremento.

stere. Estere, o mesmo que quilolitro.

stereo-. Elemento léxico de origem grega que significa "sólido".

stereoagnosis. Estereagnosia.

stereochemistry. Estereoquímica.

stereognosis. Estereognosia.

sterognostic. Esterognóstico.

stereogram. Estereograma.

stereograph. Estereógrafo.

stereoisomerism. Estereoisomerismo.

stereoisomers. Estereômetro.

stereometry. Estereometria.

stereoorthopter. Estéreo-ortóptero.

stereoplasm. Estereoplasma.

stereoscope. Estereoscópio.

stereoscopic. Estereoscópico.

stereoscopy. Estereoscopia.

stereoskiagraphy. Estereosquiagrafia.

stereotropism. Estereotropismo.

sterile. Estéril.

sterility. Esterilidade.

sterilization. Esterilização.

sterilize. Esterilizar.

sterilizer. Esterilizador, estufa seca.

sternal. Esternal.

sternalgia. Esternalgia, angina de peito.

Sternberg-Reed cells. Células de Sternberg-Reed. Células multinucleares grandes, observadas nos nódulos linfáticos, na moléstia de Hodgkin.

sternebra. Esternebra, vértebra esternal.

sternoclavicular. Esternoclavicular.

sternocleidomastoid. Esternoclidomastoídeo. // - **muscle.** Músculo esternoclidomastoídeo.

sternocostal. Esternocostal.

sternodymus. Esternódimo. Monstro gemelar unido pelo tórax.

sternohyoid. Esternoioídeo.

sternohyoideus muscle. Músculo esternoioídeo.

sternoid. Esternóide.

sternomastoid. Esternomastoídeo.

sternopagus. Esternópago. Esternódio (v. *sternodymus*).

sternothyroid. Esternotireoídeo. // - **muscle.** Músculo esternotireoídeo.

sternotracheal. Esternotraqueal.

sternum. Esterno.

sternutament. Esternutatório .

sternutatio, sneezing. Crise paroxística esternutatória como a da asma do feno.

sternutation. Esternutação, ato de espirrar.

sternutatory. Esternutatório.

steroid. Esteróide.

sterol. Esterol.

stertor. Estertor.

stertorous. Estertoroso.

stetho-. Elemento léxico de origem grega que significa "tórax, peito".

stethokyrtograph. Estetocirtógrafo.

stethoscope. Estetoscópio. // - **binaural.** Estetoscópio binauricular.

stethoscopic. Estetoscópico.

stethoscopy. Estetoscopia.

sthenia. Estenia, força vital, atividade orgânica, excesso de estímulo.

stibamine glucoside. Glicosido de estibamina.

stibialism. Estibialismo, estibismo, intoxicação, especialmente crônica, pelo antimônio.

stibine. Estibina.

stibium. Antimônio.

stibophenum. Estibofênio.

stick. Vara, bastão, grudar.

sticking-plaster. Emplasto colante, adesivo, resinoso.

sticky. Pegajoso.

stictacne. Acne punctata.

stiff. Duro, firme, torpe, hirto, rígido. // - **neck.** Torcicolo.

stigma. Estigma.

stigmatic. Estigmático.

stigmatism. Estigmatismo.

stigmatization. Estigmatização.

stilboestrol. Estilbestrol.

stilboestrol, dipropionate. Dipropionato de estilbestrol.

stilet, stilette. Estilete.

Still's disease. Doença de Still. Poliartrite crônica que afeta as crianças.

stillbirth. Abortamento.

stillborn. Aborto.

stillicidium. Estilicídio, gotejo. // - **lacrimarum.** Epífora. // - **narium.** Coriza. // - **urinae.** Estrangúria.

Stilling's canal. Canal de Stilling, hialpídeo, e canal central da medula. // - **column.** Coluna de Stilling. Coluna de Clarke. // - **fibres.** Fibras de Stilling. Formação reticular da medula.

Stilling's root. Raiz de Stilling. Prolongamento.

Stillingia. Gênero de plantas euforbiáceas.

stilo-. Elemento léxico de origem grega que tem relação com o processo estilóide do temporal.

stimulant. Estimulante.

stimulate. Estimular.

stimulation. Estímulo.

stimulus. Estímulo.

stirpiculture. Estirpicultura.

stirrup, stapes. Estribo.

stitch. Coser, unir, juntar, dar pontos, dor em pontada.

stock. Tronco, estirpe. // - **vaccine.** Vacina, depósito.

stocking. Meia comprida.

Stoerk's blenorrhoea. Blenorragia de Stoerk. Blenorragia associada à supuração crônica profusa que produz hipertrofia da mucosa nasal, faríngea e laríngea.

Stohr's cellules. Células de Stohr. Células nas glândulas gástricas do piloro.

stoicheiology. Estequiologia. Aspectos matemáticos das moléculas químicas e dos átomos.

stoicheiometry. Estequiometria.

stoke. Unidade de viscosidade cinemática.

Stokes's disease. Doença de Stokes. Bócio exoftálmico. // - **law.** Lei de Stokes. Todo o músculo, situado sobre uma área afetada por inflamação, está freqüentemente paralisado. // - **sign.** Sinal de Stokes. Dor intensa do abdome, à direita do umbigo, na enterite aguda.

Stokes's lens. Lentes de Stokes. Combinação de lente de um cilindro côncavo e outro convexo, usada no diagnóstico do astigmatismo.

Stokes-Adams disease. Doença de Stokes-Adams. Bradicardia permanente com crises de síncope e epilepsia, atribuída à arteriosclerose das artérias vertebral e basilar.

stoma. Boca.

stomacace. Estomacacia. Escorbuto.

stomach. Estômago.

stomachalgia. Dor no estômago.

stomachic. Estomáquico.

stomatalgia. Dor na boca.

stomatitis. Estomatite. // - **gangrenous.** Estomatite gangrenosa. // - **ulcerativa.** Estomatite ulcerativa.

stomatocace. Estomacacia.

stomatology. Estomatologia.

stomatomycosis. Estomatomicose.

stomatonecrosis. Estomatonecrose, noma, estomatônoma.

stomatonoma. Estomatônoma.

stomatopathy. Estomatopatia.

stomatoplasty. Estomatoplastia.

stomatorrhagia. Estomatorragia.

stomatoschisis. Estomatósquise, quilósquise, uranósquise, estafilósquise.

stomocephalus. Estomocéfalo.

stomodaeum. Estomodeo. Depressão no ectoderma embrionário que forma mais tarde a boca e a parte superior da faringe.

stomoxyscalcitrans. Mosca vulgar do cavalo e dos estábulos.

stone. Pedra, cálculo, caroço de fruta.

stool. Defecação. // - **pesa sopus.** Deposição diarréica. // - **rice-water.** Defecação colérica.

stop. Deter, interceptar, suspender, paralisar, diafragma do microscópio.

storastorax. Estoraque.

stovaine. Estovaína.

stovarsol. Estovarsol.

Str. Abreviatura de *Streptococcus*.

strabismal, strabismic. Estrábico.

strabismus. Estrabismo.

strabismometer. Estrabismômetro.

strabometer. Estrabismômetro.

Strachan's disease. Doença de Strachan. Pelagra.

straight. Reto.

strain. Esforçar-se, exceder-se; esforço.

strait. Estreito, ajustado, apertado.

stramonium. Estramônio.

strangalaesthesia. Zonestesia.

strangle. Estrangular, sufocar, reprimir.

strangulated. Estrangulado.

strangulation. Estrangulamento, constricção.

stranguria, strangury. Estrangúria.

strap. Faixa, correia, tira, alça.

stratification. Estratificação.

stratified. Estratificado.

stratiform. Estratiforme.

stratum. Estrato, camada, lâmina.

strawberry gallbladder. Vesícula biliar amorangada. // **- tongue.** Língua amorangada da escarlatina.

streak. Raia, lista. // **- culture.** Cultura em linha.

streaked. Estriado.

stream. Corrente.

strengthen. Fortalecer.

strenuous. Rigoroso.

strephosymbolia. Estrefossimbolia.

streptobacillus. Estreptobacilo.

streptobacteria. Estreptobactéria.

streptococcaemia. Estreptococemia.

streptococcal. Estreptococo.

streptococceae. Tribo de esquizomicetos.

streptococcus. Estreptococo.

streptomycin. Estreptomicina.

streptomycosis. Estreptomicose.

streptosepticaemia. Estreptossepticemia.

streptothricial. Relativo ou devido à bactéria: Streptothrix.

streptothricosis. Estreptotricose.

Streptothrix. Gênero de clamidobacteriáceas.

stress. Esforço; ressaltar.

stretcher. Maca, padiola.

stria. Estria.

striae. Estria. // **- atrophicae.** Estria atrófica. // **- gravidarum.** Estria gravídica.

striatal. Estriado.

striate, striated, striped, streaked. Estriado. // **- body.** Corpo estriado.

striation. Estriação.

striatum. Estriado (corpo).

stricken. Fulminado.

strict. Estricto.

stricture. Estrictura, estreitamento, estenose.

stridor. Estridor. // **- laryngeal.** Estridor laríngeo ou congênito.

stridulous. Estriduloso.

strip. Descobrir, desnudar.

stripe. Tira, barra, lista, faixa, franja.

strobila. Estróbilo. Tênia adulta.

strobilation. Estrobilação.

strobiloid. Estrobilóide.

stroboscope. Estroboscópio. Instrumento que exprime as sucessivas fases de um movimento.

stroke. Golpe, choque, pincelada, ataque fulminante.

stroma. Estroma.

stromal. Estromático.

stromatolysis. Estromatólise.

stromhur. Aparelho para medir a corrente sangüínea.

strong. Forte.

strongyloides. Estrongilóide.

strongyloidosis. Estrongiloidose.

Strongylus. Estrongilo. Gênero de nematóides parasitos do intestino dos mamíferos.

strontium. Estrôncio. // **- bromide.** Brometo de estrôncio.

strophanthin. Estrofantina.

strophanthus. Estrofanto.

strophocephalus. Estrofocéfalo.

strophulus. Estrófulo.

Stroud's pecten or pectinated area. Área pectínea de Stroud. Área situada entre a linha branca de Hilton e a margem inferior das válvulas de Morgagni.

structural. Estrutural.

struma. Estroma, bócio.

strumeprivous. Estrumiprivo, caquexia estrumipriva.

strumitis. Estrumite, tireoidite.

strumoderma. Escrofuloderma.

strumous. Estrumoso, escrofuloso.

Struthers's ligament. Ligamento de Struthers. Ligamento do úmero.

strychnine. Estricnina.

strychninism. Estricninismo.

strychninomania. Estricninomania.

Strychnos. Gênero de logomiáceas. Noz-vômica, fava de Santo Inácio.

study. Estudo; estudar.

stuffy. Mal ventilado, abafado.

stump. Coto de amputação. // **- of the eyeball.** Coto de evisceração do bulbo ocular (esclera, músculos e nervo óptico).

stun. Atordoar, aturdir.

stupe. Compressa, fomento.

stupefacient. Estupefaciente.

stupefaction. Estupefação.

stupor. Estupor.

stuporous. Estuporoso.

stutter. Gaguejar.

stuttering. Gagueira. // - **urinary.** Estrangúria, pausas involuntárias na emissão da urina.

sty, stye. Hordéolo.

stylet. Estilete.

styloglossus. Estiloglosso.

stylohyoid. Estilioídeo.

stylohyoideus. Estiloioídeo.

styloid. Estilóide.

styloiditis. Estiloidite.

stylomandibular ligament. Ligamento estilomandibular.

stylomastoid. Estilomastoídeo.

stylomaxillary. Estilomaxilar.

stylopharyngeus muscle. Músculo estilofaríngeo.

stylus. Estilo, estilete.

stymatosis. Estimatose, priapismo.

stype. Tampão de algodão.

stypsis. Constipação, ação de adstringentes.

styptic. Estíptico, adstringente.

Stypven. Preparado de veneno de abelha.

Styracin. Estiracina.

Styrax. Estoraque.

subabdominal. Subabdominal.

subacetabular. Subacetabular.

subacetate. Subacetato.

subacid. Subácido.

subacidity. Subacidez.

subacromial. Subacromial.

subacute. Subagudo.

subaponeurotic. Subaponeurótico.

subarachnoid. Subaracnoídeo.

subarachnoiditis. Subaracnoidite.

subarcuate. Adjetivo aplicado à fossa existente na face póstero-superior do rochedo.

subareolar. Subareolar.

subastragalar, subastragaloid. Subastragálino.

subastringent. Subadstringente.

subaural. Subauricular.

subaxillary. Subaxilar.

subcartilaginous. Subcartilagíneo.

subcerebellar. Subcerebelar.

subcerebral. Subcerebral.

subchondral. Subcondral.

subchordal. Subcordal.

subchorionic. Subcoriônico.

subclavian. Subclávio.

subclavicular. Subclavicular.

subclavious muscle. Músculo subclávio.

subclinical. Subclínico.

subconjunctival. Subconjuntival.

subconscious. Subconsciente.

subconsciousness. Subconsciência.

subcoracoid. Subcoracóide.

subcortical. Subcortical.

subcostal. Subcostal.

subcostales. Subcostais.

subcranial. Subcranial.

subcrepitant. Subcrepitante.

subcrureus muscle. Músculo articular do joelho.

subculture. Subcultura.

subcutaneous. Subcutâneo.

subcuticular. Subcuticular, subepidérmico.

subdelirium. Subdelírio.

subdiaphragmatic. Subdiafragmático.

subdorsal. Subdorsal.

subdural. Subdural.

subencephalon. Subencéfalo.

subendocardiac. Subendocárdico.

subendothelial. Subendotelial.

subendothelium. Subendotélio.

subepidermal, subepidermic. Subepidérmico.

subepiglottic. Subepiglótico.

subepithelial. Subepitelial.

subepithelium. Subepitélio.

subfacial. Subfacial.

subfascial. Subfascial.

subfebrile. Subfebril.

subflavous. Amarelado. // - **ligament.** Ligamento amarelo.

subfrontal. Subfrontal.

subgingival. Subgengival.

subglenoid. Subglenoídeo.

subglossal. Sublingual.

subglottic. Subglótico.

subhepatic. Subepático.

subhyoid. Subioídeo.

subicteric. Subictérico.

subiculum. Subículo.

subiliac. Subilíaco.

subilium. Subílio.

subinfection. Subinfecção.

subinflammation. Subinflamação.

subintrant. Subintrante.

subinvolution. Subinvolução.

subiodide. Subiodeto.

subject. Tema, assunto, caso.

subjective. Subjetivo.

sublatio. Separação, remoção. // - **retinae.** Descolamento de retina.

sublimate. Sublimado. // - **corrosive.** Sublimado corrosivo.

sublimation. Sublimação.
subliminal. Subliminal.
sublingual. Sublingual.
sublocular. Sublocular.
sublumbar. Sublombar.
subluxation. Subluxação.
submammary. Submamário.
submandibular. Submandibular.
submarginal. Submarginal.
submaxilla. Submaxila.
submaxillary. Submaxilar.
submedial. Submedial.
submembranous. Submembranoso.
submeningeal. Submeníngeo.
submental. Submental.
submerge. Submergir, afundar, imergir.
submicron. Submícron.
submicroscopical. Submicroscópico.
submorphous. Submorfo.
submucosa. Submucosa.
submucous. Submucoso.
subneural. Subneural.
subnormal. Subnormal.
subnucleus. Subnúcleo.
subnutrition. Subnutrição.
suboccipital. Suboccipital.
suboperculum. Subopérculo.
suborbital. Suborbital.
subordination. Subordinação.
suboxide. Subóxido.
subparietal. Subparietal.
subpatellar. Subpatelar, sub-rotuliano.
subpectoral. Subpeitoral.
subpericardial. Subpericárdico.
subperiosteal. Subperiostal.
subpetrosal sinus. Seio subpetroso.
subpharyngeal. Subfaríngeo.
subphrenic. Subfrênico.
subpituitarism. Subpituitarismo.
subplacenta. Subplacenta.
subplacental. Subplacentário.
subpleural. Subpleural.
subplexal. Abaixo do plexo, subplexular.
subpontine. Subpontino.
subpreputial. Subprepucial.
subprostatic. Subprostático.
subpubic. Subpúbico.
subpulmonary. Subpulmonar.
subpyramidal. Subpiramidal.
subrectal. Sub-retal.
subrectinal. Sub-retínico.
subsalt. Subssal: sal básico.
subsartorial plexus. Plexo abaixo do sartório.
subscapular. Subescapular.

subscapularis muscle. Músculo subescapular.
subscleral. Subescleral.
subsequent. Subseqüente.
subserous. Subseroso.
subside. Acalmia. Remissão.
subsidence. Remissão, cecalmia.
subsoil. Subsolo. // - **water.** Água do subsolo.
subspinous. Subespinoso.
substage. Parte do microscópio abaixo da platina.
substance. Substância.
substandard. Não acima do padrão normal.
substantia. Substância. // - **alba.** Substância branca. // - **cinerea.** Substância cinzenta. // - **propria.** Substância própria.
substernal. Subesternal.
substitution. Substituição.
substitution therapy. Terapêutica de substituição.
subsultory. Subsultório.
subsultus tendinum. Movimentos oscilatórios dos músculos e tendões nos estados típicos.
subsylvia. Subsilviano.
subtarsal. Subtarsal.
subtertian fever. Febre recorrente subterçã.
subthalamic. Subtalâmico.
subthalamus. Subtálamo.
subtrochanteric. Subtrocantérico.
subtrochlear. Subtroclear.
subtropical. Subtropical.
subtympanic. Subtimpânico.
subtypical. Subtípico.
sububeres. Lactente.
subunguinal. Subunguinal.
suburethral. Suburetral.
subvaginal. Subvaginal. // - **space.** Espaço subvaginal.
subvertebral. Subvertebral.
subzonal. Subzonal.
subzygomatic. Subzigomático.
succagogue. Sucagogo. Estimulante da secreção.
succedaneum. Sucedâneo. // - **caput.** Hematomas que se apresentam durante o parto sobre a parte apresentada da cabeça fetal.
succedaneus. Sucedâneo.
succeed. Triunfar.
successfully. Eficazmente.
succinate. Sucinado.
succinic acid. Ácido sucínico.
succinimide. Sucinimida.
succinous. Sucíneo.
succinyl-sulphathiazole. Sucinil-sulfatiazol.
succorrhoea. Sucorréia.

386

succus. Suco. // **- citri.** Suco de limão. // **- entericus.** Suco entérico. // **- gastricus.** Suco gástrico. // **- pancreaticus.** Suco pancreático.

Sucquet's canals. Anastomoses de Sucquet existentes entre as pequenas artérias e as veias, sem intervenção de capilares.

sucrase. Súcrase.

sucrosaemia. Sucrosemia.

sucrose. Sucrose. Sacarose.

sucrosuria. Sucrosúria.

sudamina. Sudâmina.

sudaminal. Sudaminal.

sudan. Sudan.

sudanophile. Sudanófilo.

sudation. Sudação.

sudatoria. Efidrose. Sudorese abundante.

sudatorium. Sudatório, sudorífico.

sudden. Repentino.

suddenly. Repentinamente.

Sudeck's atrophy. Atrofia de Sudeck. Atrofia pós-traumática aguda de osso. // **- critical point.** Ponto de Sudeck. Região do reto entre a artéria sigmoídea e a bifurcação da hemorroidal superior: a ligadura desta última artéria abaixo desta região produz gangrena do reto.

sudokeratosis. Sudoceratose.

sudor, sweat. Suor. // **- anglicus.** Febre sudoral inglesa, febre miliar. // **- sanguineus.** Suor sangüíneo, hematidrose.

sudoral. Sudoral.

sudoriferous. Sudorífero.

sudorous, sweaty. Sudoral.

sudorrhoea. Sudorréia, hiperidrose.

suet. Sebo. Gordura da cavidade abdominal de animais.

suffer. Sofrer.

sufferer. Vítima.

suffocation. Sufocação.

suffumigation. Fumigação.

suffusion. Sufusão.

sugar. Açúcar. // **- cane.** Sacarose. // **- milk.** Lactose. // **- malt.** Maltose.

suggest. Sugerir.

suggestible. Sugestionável.

suggestion. Sugestão.

suggillatio, sugilation. Sugilação, lividez cadavérica.

suicidal. Suicida.

suicide. Suicídio.

suitable. Conveniente, apropriado.

suitably. Convenientemente.

sulcate, furrowed. Sulcado.

sulcus, furrow. Sulco, fissura, ferida. // **- calcarine.** Cissura calcarina ou hipocampo menor.

// **- callosal.** Cissura caloso marginal. // **- centralis.** Cissura central ou de Rolando. // **- centralis insulae.** Cissura insular central. // **- cingulate.** Cissura do cíngulo ou calosomarginal. // **- collateral.** Cissura colateral. // **- dentate.** Cissura denteada ou colateral. // **- dentate.** Cissura denteada ou cissura de hipocampo. // **- ethmoidal.** Cissura etmoidal. // **- frontal.** Cissura frontal. // **- hippocampal.** Cissura do hipocampo. // **- hypothalamic.** Cissura hipotalâmica. // **- intermedius.** Cissura intermédia. // **- interparietal.** Cissura interparietal. // **- lateral.** Cissura lateral. // **- limitant.** Cissura limitante. // **- lunate.** Cissura semilunar. // **- marginal.** Cissura marginal. // **- occipital.** Cissura occipital. // **- of cerebrum.** Cissura do cérebro. // **- olfactorius.** Cissura olfatória. // **- olfactory.** Cissura olfatória. // **- orbital.** Cissura orbital. // **- paracentral.** Cissura paracentral. // **- parieto-occipital.** Cissura parieto-occipital. // **- post-central.** Cissura pós-central // **- precentral.** Cissura pré-central. // **- rhinal.** Cissura nasal. // **- sagittal.** Cissura sagital. // **- scleral.** Cissura escleral. // **- subparietal.** Cissura subparietal. // **- temporal.** Cissura temporal. // **- terminalis.** Cissura terminal. // **- tympanicus.** Cissura timpânica. // **- valleculae.** Cissura de valécula.

sulphacetamide. Sulfacetamida.

sulphadiazine. Sulfadiazina.

sulphadimidine. Sulfadimidina.

sulphaemoglobinaemia. Sulfemoglobinemia.

sulphaguanidine. Sulfaguanidina.

sulphaldehyde. Sulfaldeído.

sulphamerazine. Sulfamerazina.

sulphamethylthiazole. Sulfametiltiazol.

sulphamezathine. Sulfamezatina.

sulphaminol. Sulfaminol.

sulphanilamide. Sulfanilamida. Sin.: Sulfamidila, prontilina, prontosil álbum, lisococina.

sulphapyridine. Sulfapiridina. Sin.: Dagenan M e B693 paramida.

sulpharsenobenzene, sulpharsphenamine. Sulfarsfenamina.

sulphate. Sulfato.

sulphathiazole. Sulfatiazol.

sulphide. Sulfeto.

sulphite. Sulfito.

sulphocarbolic acid. Ácido sulfocarbólico.

sulphonal. Sulfonal.

sulphonamides. Sulfonamidas.

sulphur. Enxofre.

sulphureted. Sulfurado.

sulphuric. Sulfúrico.

sulphurize. Sulfurar.

sulphurous. Sulfuroso.

sum. Abreviatura da palavra latina *sumat* ou *sumendum*, "tome-se", "tomar".

sumach. Sumague.

sumbul. Nome de planta umbelífera da Ásia.

summation. Somação, adição, agregação.

summer diarrhoea. Diarréia de verão.

sunburn. Moreno, queimado do sol.

sunlight. Luz solar.

sunstroke. Insolação.

superacid. Superácido.

superciliary. Superciliar.

supercilium. Supercílio.

superdistension. Superdistensão.

superdural. Superdural.

superego. Superego. A consciência do inconsciente.

superexcitation. Superexcitação.

superfecundation. Superfecundação.

superficial. Superficial.

superficialis. Superficial.

superficies, surface. Superfície.

superfoetation. Superfetação.

superfunction. Superfunção.

superimpregnation. Superimpregnação. Superfecundação.

superinduce. Superinduzir.

superinfection. Superinfecção.

superinvolution. Superinvolução.

superior, higher. Superior.

superlactation. Superlactação.

supermedial. Supermedial.

supernatant. Sobrenadante.

supernormal. Supernormal.

supernumerary. Supranumerário.

superphosphate. Superfosfato.

supersalt. Supersal.

supersaturate. Supersaturado.

supersecretion. Supersecreção.

supertension. Supertensão, hipertonia, hipertensão.

supervene. Sobrevir, suceder.

supervirulent. Supervirulento.

supination. Supinação.

supinator muscle. Músculo supinador.

supine. Supino.

supplemental. Suplementar.

supply. Subministrar, abastecer, prover, abastecimento.

support. Sustentação, fundamento, suportar.

suppository. Supositório.

suppression. Supressão.

suppurant. Supurante.

suppuration. Supuração.

suppurative. Supurativo.

supraacromial. Supra-acromial.

supraauricular. Supra-auricular.

suprachoroid. Supracoroídeo.

supraclavicular. Supraclavicular.

supracondylar, supracondyloid. Supracondíleo.

supracostal. Supracostal.

supracotyloid. Supracotiloídeo.

supradiaphragmatic. Supradiafragmático.

supradural. Supradural.

supraglenoid. Supraglenoídeo.

suprahepatic. Supra-hepático.

suprahyoid. Supra-hioídeo.

suprainguinal. Supra-inguinal.

supraliminal. Supraliminal. // **- consciousness.** Consciência supra luminal.

supralumbar. Supralombar.

supramalleolar. Supramaleolar.

supramammary. Supramamário.

supramarginal. Supramarginal.

supramastoid. Supramastoídeo.

supramaxillar. supramaxilar.

supramaxillary. Supramaxilar.

supraoccipital. Supra-occipital.

supraorbital. Supra-orbitário.

suprapelvic. Suprapélvico.

suprapontine. Suprapontino.

suprapubic. suprapúbico, suprapubiano.

suprarenal. supra-renal.

suprascapular. Supra-escapular.

suprascleral. Supra-escleral.

supraseptal. Supra-septal.

supraspinal. Supra-espinal.

supraspinatus muscle. Músculo supra-espinoso.

supraspinous. Supra-espinoso.

suprasternal. Supra-esternal.

suprasylvian. Supra-silviano.

supratonsillar. Supratonsilar.

supratrochlear. supratroclear.

supravaginal. Supravaginal.

supravergence. Supravergência.

sura. Panturrilha.

sural. Sural.

suralimentation. Superalimentação.

suamin. Suamina.

surditas, deafness. Surdez.

surdity. Surdez.

surdomute, deafmute. Surdo-mudo.

surface. Superfície. Aplanar, igualar. // **- markings.** Superfície limitante.

surfen. Composto sintético da uréia.

surgeon. Cirurgião.

surgery. Cirurgia.

surgical. Cirúrgico.

surrogate. Substituir.

surround. Rodear.

sursanure. Úlcera curada só em sua superfície.

sursumduction. Sursundução.

survey. Estudo, investigação.

survival. Sobrevivência, sobrevida.

survive. Sobreviver.

susceptible. Susceptível.

susotoxin. Toxina encontrada no bacilo da cólera suína.

suspect. Suspeitar.

suspended. Suspenso. // **- animation.** Interrupção da função vital.

suspension, hanging. Suspensão.

suspensory. Suspensório.

suspicion. Suspeita.

suspitation, sigh. Suspiro.

sustentacular. Sustentar.

sustentaculum. Sustentáculo, suporte.

sussurrus, murmur. Sopro.

sutura, suture. Sutura.

sutural. Sutural.

suture. Sutura. // **- coronal.** Sutura coronal. // **- cranial.** Sutura cranial. // **- ethmolacrimal.** Sutura etmoidolacrimal. // **- frontoethmoid.** Sutura fronto-etmoidal. // **- frontolacrimal.** Sutura frontolacrimal. // **- frontomaxillary.** Sutura frontomaxilar. // **- interalveolar.** Sutura interalveolar. // **- intermaxillary.** Sutura intermaxilar. // **- internasal.** Sutura internasal. // **- interpremaxillary.** Sutura interpremaxilar. // **- Jarmer.** Sutura de Jarmer. // **- lambdoid.** Sutura lambdóide. // **- maxillary ethmoid.** Sutura etmoidomaxilar. // **- maxillary-lacrimal.** Sutura lácrimo-maxilar. // **- maxillary-premaxillary.** Sutura maxilopremaxilar. // **- median palatine.** Sutura mediopalatina. // **- metopic.** Sutura metópica. // **- nasofrontal.** Sutura nasofrontal. // **- nasomaxillary.** Sutura nasomaxilar. // **- neurocentral.** Sutura neurocentral. // **- occipitomastoid.** Sutura occipitomastoídea. // **- palatine.** Sutura palatina. // **- parietomastoid.** Sutura parietomastoídea. // **- petrosquamous.** Sutura petroscamosa. // **- premaxillary-maxillary.** Sutura premaxilomaxilar. // **- sagital.** Sutura sagital. // **- sphenoethmoidal.** Sutura esfeno-etmoidal. // **- spheno-frontal.** Sutura esfenofrontal. // **- sphenoorbital.** Sutura esfenoorbital. // **- sphenoparietal.** Sutura esfenoparietal. // **- sphenosquamosal.** Sutura esfenoscamosa. // **- sphenozygomatic.** Sutura esfenozigomática. // **- squamomastoid.** Sutura escamosmastoídea. // **- transverse palatine.** Sutura transversopalatina. // **- zygomaticofrontal.** Sutura zigomaticofrontal. // **- zygomaticomaxilar.** Sutura zigomaticomaxilar. // **- zygomaticotemporal.** Sutura zigomaticotemporal.

Suzanne's gland. Glândula de Suzane. Glândula mucosa que se encontra no soalho da boca, junto à linha média.

swab. Pincel, chumaço, esfregaço.

swallow. Deglutir, tragar.

Swammerdam's glands or corporal heterogenia. Corpúsculos vermelhos heterogêneos de Swammerdam. Glândulas adrenais dos anfíbios.

sweat. Suar, perspirar, transudar. Suor.

sweating. Transpiração, exsudação. // **- sickness.** Miliária.

Swedish gymnastycs. Ginástica sueca.

sweep. Varrer, varredura.

sweetbread. Pâncreas, moleja, timo.

swelling. Tumefação, entumescimento, turgescência, inchaço.

swinging. Oscilante.

swoon. Síncope, desfalecimento, desmaio.

sycoma. Condiloma, sicoma.

sycosiform. Sicosiforme.

sycosis. Sicose. // **- nuchae.** Sicose da nuca.

sycygial. Sizigiático.

sycygy. Sizígio.

Sydenham's chorea. Coréia de Sydenham. Coréia não complicada.

syllable stammering. Gaguejamento silábico.

Sylvian aqueduct. Aqueduto de Sílvio. // **- fissure.** Cissura de Sílvio.

Sylvius, bone of. Osso de Sílvio. // **- muscle of.** Músculo de Sílvio.

symbion, symbiont. Simbionte.

simbiosis. Simbiose.

symbiotic. Simbiótico.

symblepharon. Simbléfaro.

symblepharosis. Simblefarose.

symbol. Símbolo.

symbolism. Simbolismo.

symbrachydactilia. Simbraquidactilia.

Syme's operation. Operação de Syme. Uretrotomia externa. Ressecção do joelho por incisão anterior em forma de H.

Symington's anococcygeal body. Corpo de Symington. Massa fibromuscular situada no peritônio entre o cóccix e o ânus.

symmelus. Símelo.

symmetric, symmetrical. Simétrico.

symmetry. Simetria.

symparalysis. Simparalisia.

sympathectomy. Simpatectomia.

sympathetic. Simpático. // **- nervous system.** Sistema nervoso simpático.

sympatheticoparalytic. Simpaticoparalítico.

sympatheticotonic. Simpaticotônico.

sympathic. Simpático.

sympathicoblast. Simpaticoblasto.

sympathomimetic. Simpatomimético, simpaticomimético.

sympathy. Simpatia.

symphalangism. Sinfalangismo.

symphyseal. Relativo à sínfise.

symphysiectomy. Sinfisectomia.

symphysion. Sinfísio.

symphysiorrhaphy. Sinfisiorrafia.

symphysiotomy. Sinfisiotomia.

symphysis. Sínfise.

Symphytum. Gênero de plantas borragináceas.

sympodia. Simpodia, simelia.

symptom. Sintoma.

symptomatic. Sintomático.

symptomatology. Sintomatologia.

symptosis. Simptose.

sympus. Simpódio, sirenômelo.

syn-. Prefixo grego que significa "união".

synadelphus. Sinadelfo.

synaesthesia. Sinestesia.

synalgia. Sinalgia.

synalgy. Sinalgia.

synanastomy. Sinanastomose.

synanthema. Sinantema.

synape, synapsis. Sinapse.

synaptase. Sinaptase.

synaptic. Sináptico.

synarthrodia. Sinartrose.

synarthrodial. Sinartrósico.

synarthrosis. Sinartrose.

syncephalia. Sincefalia.

syncephalus. Sincéfalo.

syncheilia, synchilia. Sinquilia.

synchisis, scintilians. Sínquise.

synchondris. Sincondrose.

synchondrotomy. Sincondrotomia.

synchronism. Sincronismo.

synchronous. Síncrono.

synclitism. Sinclitismo.

synclonus. Síclono.

syncopal. Sincopal.

syncope. Síncope.

syncytial. Sincicial.

syncytioma. Sincicioma. // **- malignum.** Sincicioma maligno. Sin.: Corioepitelioma, placen-toma, deciduoma maligno. Sarcoma deciduocelular.

syncytium. Sincício.

syncytoid. Em forma de sincício.

syndactylia, syndactylism, syndactyly. Sindactilia.

syndactylus. Sindáctilo.

syndectomy. Sindectomia. Sin.: Circuncisão da conjuntiva, peritonia, peridectomia.

syndelphus. Sindelfo.

syndesis. Síndese, artrodese.

syndesmectomy. Sindesmectomia.

syndesmitis. Sindesmite.

syndesmo-. Elemento léxico de origem grega que significa "ligamento" ou "conjuntiva".

syndesmography. Sindesmografia.

syndesmology. Sindesmologia.

syndesmoma. Sindesmoma.

syndesmopexy. Sindesmopexia.

syndesmorraphy. Sindesmorrafia.

syndesmosis. Sindesmose.

syndesmotomy. Sindesmotomia.

syndesmus. Ligamento.

syndrome. Síndrome.

syndromic. Sindrômico.

synechia. Sinéquia, aderência de partes próximas.

synechotomy. Sinecotomia.

syneidesis. Princípio auto-regulador do organismo que dirige os instintos.

syneresis. Sinérese. Contração de um gel.

synergetic. Sinergético.

synergist. Sinergista.

synergy. Sinergia.

synezesis. Sinezese, oclusão. // **- pupillae.** Oclusão da pupila.

Syngamus. Gênero de vermes nematóides.

syngamy. Singamia.

syngenesis. Singênese.

syngignoseism. Hipnotismo.

synkaryon. Sincário.

synkinesia, synkinesis. Sincinesia.

synneurosis. Sineurose.

synocha, synochus. Sinoco.

synonym. Sinônimo.

synophthalmia. Sinoftalmia.

synophthalmus. Sinoftalmo.

synopsia. Sinopsia.

synorchism. Sinorquismo.

synoscheos. Sinosquia.

synosteology. Sinosteologia.

synosteosis, sinostosis. Sinosteose, sinostose.

synosteotomy. Sinosteotomia.

synotus. Sínoto.

synovectomy. Sinovectomia.

synovia. Sinóvia.

synovial. Sinovial. // **- membrane.** Membrana sinovial. // **- sheath.** Bainha sinovial.

synovin. Sinovina.

synoviparous. Sinovíparo.

synovitis. Sinovite.

synpneumonic. Simpneumônico.

syntaxis. Sintaxe.

synthesis. Síntese.

synthesize. Sintetizar.

synthetic. Sintético.

syntoxoid. Sintoxóide.

syntripsis. Sintripsia. Fratura cominutiva.

synthrophus. Sintrófico, congênito.

syntropic. Sintrópico.

synulosis. Sinulose, cicatrização.

synulotic. Sinulótico.

syphilelcosis. Sifilelcose. Ulceração sifilítica.

syphilelcus. Sifilelco.

syphilid, syphilide. Sifílide.

syphiline. Sifilina.

syphiliphobia. Sifilofobia.

syphilis. Sífilis.

syphilitic. Sifilítico.

syphilization. Sifilização.

syphiloderm, syphiloderma. Sifiloderma.

syphiloid. Sifilóide.

syphilologist. Sifilólogo.

syphilology. Sifilologia.

syphiloma. Sifiloma.

syphilomania. Sifilomania.

syphilopathy. Sifilopatia.

syphilophobia. Sifilofobia.

syphionthus. Sifílide descamativa de coloração bronzeada.

syr. Abreviatura de *syrupus*, xarope.

syrigmophonia. Sirigmofonia.

syrigmus. Sirigmo, zumbido.

syringe. Seringa.

syringectomy. Siringectomia.

syringitis. Siringite.

syringo-. Elemento léxico de origem grega que significa "tubo ou fístula".

syringobulbia. Siringobulbia.

syringocoele. Siringocele.

syringocystadenoma. Siringocistadenoma.

syringocystoma. Siringocistoma.

syringomyelia. Siringomielia.

syringomyelitis. Siringomielite.

syringomyelocele. Sirongomielocele.

syringomyelus. Dilatação do canal central da medula.

syringotome. Siringótomo.

syringotomy. Siringotomia.

syrinx. Termo grego que significa "fístula".

syrup. Xarope.

syspasia. Sispasia. Incapacidade de falar, de origem espasmódica.

syssarcosis. Sissarcose. União de ossos por meio de músculos.

syssomus. Síssomo. Monstro duplo com fusão dos corpos e independência das cabeças.

systaltic. Sistáltico.

system. Sistema.

systematic. Sistemático.

systemic. Sistêmico.

systole. Sístole.

systolic. Sistólico.

systolometer. Sistolômetro.

systremma. Sistrema. Cãibra dos músculos das panturrilhas.

FRASES E EXPRESSÕES

say it once again. Diga-o outra vez.

(to) send out. Emitir, transmitir.

short cut. Atalho, rota abreviada.

so far. Até agora, até então.

so far as. No que diz respeito a.

so long as. Enquanto.

so that. De modo que.

(to) sort out. Selecionar.

(to) speak of... as. Designar, denominar.

stricken down. Fulminado, derrubado.

(to) succeed (in doing something). Chegar ou conseguir (fazer algo).

such as. Tal como, da índole de.

(to) suck in (to): Aspirar.

T

Ta. Símbolo químico do *tantalum*, tântalo.

T.A.B. vaccine. Abreviatura de vacina contra a febre tifóide è paratifóide A e B.

tabacum, tobacco. Tabaco.

tabagism. Tabagismo ou tabaquismo.

tabatière anatomique, anatomical snuffbox. Tabaqueira anatômica.

tabefaction, emaciation. Consumpção, caquexia, tabes.

tabella. Pastilha, trocisco.

tabes. Tabes.

tabetic. Tabético.

tabetiform. Tabetiforme.

tabic. Tabético.

tabid. Tábido, tabético.

tabification, tabefaction. Consumpção.

tablet. Pastilha, comprimido, trocisco.

tabloid. Tablóide.

taboparalysis. Taboparalisia.

taboparesis. Taboparesia.

tachetic. Maculoso.

tachometer. Tacômetro.

tachycardia. Taquicardia.

tachycardiac. Taquicardíaco.

tachylalia. Taquilalia.

tachyphrasia. Taquifrasia.

tachyphrenia. Taquifrenia.

tachypnoea. Taquipnéia.

tactile. Táctil.

tactless. Falta de tato.

taedium vitae. Desgosto mórbido pela vida que conduz ao suicídio.

Taenia. Tênia. Verme cestóide.

taenia. Tênia, em anatomia é uma cinta de tecido mole semelhante a uma tênia animal.

taeniacide. Tenicida.

taeniafuge. Tenífugo.

taeniola cinerea. Tênia cinérea.

Tagliacotian operation. Operação de Tagliocoz-

zi. Rinoplastia.

tail. Cauda, apêndice.

Taillefer's valve. Válvula de Taillefer, no ducto nasolacrimal.

Tait's knot. Nó de Tait ou de Staffordshire. Nó para a ligadura dos pedículos, especialmente do ovário // **law.** Lei de Tait. Os estados criados em casos de afecções abdominais e pélvicas que fazem perigar a vida e podem transformar-se mediante uma laparotomia, exceto os conhecidos como malignos. // **operation.** Operação de Tait ou de Lawson-Tait. Laparotomia por lesão inflamatória dos anexos uterinos. Marsupialização dos cistos hidáticos do fígado. Restauração plástica do períneo com retalhos laterais. Operação de Battey, com inclusão da tuba de Falópio.

taka-diastase. "Taka-diástase".

take. Tomar, levar, colher.

talalgia. Talalgia.

talc, talcum. Talco.

taliped, club-footed. Talípodo.

talipes, club-foot. Talipe. Pé torto ou defeituoso. // **calcaneus.** Pé calcâneo. // **calcaneovalgus** Pé calcaneovalgo. // **calvaneovarus.** Pé calcaneovaro. // **cavus.** Pé cavo. // **equinovalgus.** Pé eqüinovalgo. // **equinovarus.** Pé eqüinovaro. // **equinus.** Pé eqüino.

talipomanus, club hand. Talipômano. Pessoa com mão torta, em flexão ou adução.

Tallerman's apparatus. Aparelho de Tallerman. Para tratamento do reumatismo, para aplicar calor seco em uma extremidade.

tallow. Sebo.

Talma's disease. Enfermidade de Talma. Miotonia adquirida. // **operation.** Operação de Talma. Formação de aderências artificiais entre o fígado e o baço, epíplon e parede abdominal, na ascite por cirrose hepática.

talocalcanean. Talocalcâneo.

talocrural. Talocrural.

talofibular. Talofibular.

talon. Cúspide inferior ou prolongamento posterior de um molar.

talotibial. Talotibial.

talpa. Nome obsoleto de cisto sebáceo, lobinho. Talpária.

talus. Astrágalo.

tamarind. Tamarindo.

tambour. Tambor, tímpano.

tampon. Tampão.

tank. Tanque, cisterna.

tannate. Tanato.

tannic acid. Ácido tânico.

tannin. Tanino.

tansy. Atanásia. Planta da família das compostas.

tantalize. Atormentar.

tantalum. Tântalo.

tantrum. Mau humor, raiva.

tap. Punção. Paracentese. Pancada.

tape. Cinta.

tapeinocephaly. Tapinocefalia.

tapetum. Tapetum. Porção do corpo coloso.

tapeworm. Tênia, cestóide, parasito do intestino humano.

taphophobia. Horror de ser enterrado vivo. Tafofobia.

tapinocephaly. Tapinocefalia.

tapioca. Tapioca.

tapir mouth. Boca de tapir.

tapping. Paracentese.

tar. Alcatrão, breu, betume. // - **coal.** Alcatrão de hulha.

tarantism. Tarantismo. Espécie de dança de S. Vito.

Taraxacum. *Taraxacum.* Gênero de compostas a que pertence o dente-de-leão.

Tardieu's spots. Manchas de Tardieu. Hemorragia petequial junto à pleura, que o autor havia considerado como sinal de certeza de morte por sufocação, porém, que se encontra em outras ocasiões.

tardiness. Lentitude, lentidão.

tare. Ervilhaca, tara, tarar.

Tarin's valves. Válvulas de Tarin. Véu medular posterior, prega membranosa cinzenta unida ao nódulo do vérmis inferior, de margem anterior livre e margem posterior aderida ao teto do quarto ventrículo.

Tarnier's forceps. Fórceps de Tarnier. Forma de fórceps a que se ajuntou uma nova curvatura perineal e em que, mediante um dispositivo, a tração se efetua pelo eixo das colheres, que

corresponde ao eixo do canal genital. // - **sign.** Sinal de Tarnier. Desaparecimento do ângulo entre os segmentos uterinos superior e inferior na gravidez, sendo sinal de aborto próximo e inevitável.

tarsadenitis. Tarsadenite.

tarsal. Tarsal.

tarsalgia. Tarsalgia. Sin.: pé plano, valgo doloroso, pé valgo inflamatório.

tarsectomy. Tarsectomia.

tarsectopia. Tarsectopia.

tarsitis. Tarsite.

tarsomalacia. Tarsomalácia.

tarsomegaly. Tarsomegalia.

tarsometatarsal. Tarsometatarsal.

tarsoorbital. Tarso-orbital.

tarsophalangeal. Tarso falângico.

tarsophyma. Tarsofima.

tarsoplasty. Tarsoplastia.

tarsoptosis. Tarsoptose.

tarsorrhaphy. Tarsorrafia.

tarsotibial. Tarsotibial.

tarsotomy. Tarsotomia.

tarsus. Tarso.

tartar. Tártaro, sarro.

tartaric acid. Ácido tartárico.

tartness. Acidez, azia.

tartrate. Tartarato.

tartrated. Que contém tártaro ou ácido tartárico.

tartrazine. Tartrazine.

Tashkent ulcer. Úlcera de Tashkent. Variedade de úlcera oriental.

tasikinesia. Tasicinesia.

task. Tarefa, labor.

taste. Gostar, saborear, provar.

tasteless. Insípido.

taurine. Taurina.

taurocholate. Taurocolato.

taurocholic acid. Ácido taurocólico.

taurophobia. Taurofobia.

tautomeral, tautomeric. Tautomérico.

tautomerism. Tautomerismo.

Tavel's serum. Soro de Tavel. Antiestreptocócico.

Tawara's node. Nó de Tawara. Nódulo átrio-ventricular.

taxis. Táxis. Redução manual de um tumor herniário. Tropismo.

taxonomy. Taxionomia. Ciência das classificações.

Tay's disease. Doença de Tay. Coroidite guttata senil. // - **spot.** Mancha de Tay. Mancha vermelha observada na fóvea central em caso de idiotia familiar amaurótica.

Tay-Sachs disease. Doença de Tay-Sachs. Idiotia amaurótica.

Tb. Símbolo químico do térbio.

Te. Símbolo químico do telúrio. Abreviatura de tétano.

teaberry. "Gaultheria".

Teale's amputation. Amputação de Teale. Amputação com retalhos retangulares de diferentes tamanhos.

teat, nipple. Teta, mamilo.

technetium. Tecnésio.

technic. Técnico (substantivo).

technical. Técnico (adjetivo).

technician. Técnico (substantivo).

technique. Técnica (substantivo).

technocausis. Tecnocause: cauterização mecânica; arte de cauterizar.

tecnotonia. Tecnotonia: assassinato de criança, infanticídio.

tecniform. Tecniforme.

tectocephaly. Tectocefalia, escafocefalia.

tectology. Tectologia.

tectorial. Tetorial.

tectorium. Tetório, membrana de Corti.

tectum. Teto ou coberta.

tedious. Tédio, desgosto, aborrecimento, fastídio.

teel oil. Óleo de sésamo.

teem. Produzir, conceber, dar à luz.

teeth. Dentes.

teething. Dentição.

tegmen. Placa de osso. Tegmento, teto, coberta.

tegmental. Tegmental.

tegmentum. Tegmento.

tegumen, tegument. Tegumento.

tegumental. Tegumentar.

Teichmann's crystals. Cristais de Teichmann. Cristais de hemina. // - **networks.** Plexos de Teichmann. Plexos linfáticos, superficiais e profundos na parede gástrica.

teichopsia. Teicopsia*. Sensação visual de centelhão luminosa em ziguezague. Sin.: espectro de fortificação, escotoma cintilante.

teiltree. Tília.

teinodynia. Tenodinia.

tela. Tela.

telaesthesia. Telestesia, telepatia.

telalgia. Telalgia.

telangiectasia, telangiectasis. Telangiectasia.

telangiitis. Telangiíte.

telangiosis. Telangiose.

---

* N. do T. — O correto seria ticopsia.

tele-. Tele. Elemento léxico de origem grega que significa "extremo", "fim". Mamilo.

teledactyl. Teledáctilo.

telegrapher's cramp. Cãibra dos telegrafistas.

telencephalon. Telencéfalo. Porção de encéfalo mais afastada da medula.

teleneuron. Teleneurônio.

teleologic. Teleológico.

teleology. Teleologia.

telepathist. Telepatista.

telepathy. Telepatia.

telescope. Telescópio.

telesyphilis. Telessífilis, metassífilis.

telesystolic. Telessistólico.

telectatile. Teletáctil.

tell. Dizer, indicar.

tellurate. Telurato.

telluric. Telúrico.

tellurism. Telurismo.

tellurite. Sal de ácido teluroso.

tellurium. Telúrio.

telodendron. Telodendro.

telolecithal. Telolecítico.

telolemma. Telolema.

telophase. Telófase.

temerity. Temeridade.

temper. Cólera, raiva, temperar.

temperament. Temperamento.

temperate. Benigno. Temperado.

temperature. Temperatura.

template. Moderado.

temple. Temporal (osso).

tempora, the temples. Têmpora.

temporal. Temporal.

temporalis muscle. Músculo temporal.

temporization. Temporização.

temporo-auricular. Têmporo-auricular.

temporofacial. Temporofacial.

temporofrontal tract. Feixe temporofrontal.

temporomandibular. Temporomandibular.

temporomaxillary. Temporomaxilar.

temporooccipital. Têmporo-occipital.

temporosphenoid. Temporosfenoídeo.

tempt. Tentar, provocar.

temulence. Temulência, embriaguez, intoxicação.

tenacious. Tenaz.

tenacity. Tenacidade.

tenaculo. Tenáculo. Instrumento em forma de gancho para sustentar uma parte ou órgão. Feixe ou ligamento fibroso que cumpre o mesmo fim.

tenalgia. Tenalgia, tenodinia.

tend. Tender.

tendency. Tendência.

tenderness. Ternura, delicadeza, suavidade.

tendinitis. Tendinite.

tendinosus. Tendinoso.

tendinosuture. Tendinossutura.

tendinous. Tendinoso, tendíneo.

tendo. Tendão. // - **Achillis.** Tendão de Aquiles.

tendon. Tendão.

tendoplasty. Tenoplastia.

tendovaginal. Tendovaginal.

tendovaginitis. Tendovaginite.

tenebrous. Tenebroso.

tenesmic. Tenêsmico.

tenesmus. Tenesmo.

tennis elbow. Cotovelo de tenista.

tenodesis. Tenódese.

tenodynia. Tenodinia.

Tenon's capsule. Cápsula de Tenon (cápsula bulbar). // - **space.** Espaço de Tenon. Espaço interfascial da órbita.

tenonectomy. Tenonectomia, tenectomia.

tenonitis. Tenonite. Inflamação de tendão. Inflamação da cápsula de Tenon.

tenontagra. Tenontagra. Afecção gotosa dos tendões.

tenontitis. Tenonite.

tenophyte. Tenófito, tenontofima.

tenoplasty. Tenoplastia.

tenorrhaphy. Tenorrafia.

tenostosis. Tenostose. Calcificação ou ossificação de um tendão.

tenosuture. Tenossutura, tenorrafia.

tenosynovitis. Tenossinovite.

tenotome. Tenótomo.

tenovaginitis. Tenovaginite.

tense. Teso, tenso.

tensiometer. Tensiômetro.

tension. Tensão.

tensive. Teso, tenso.

tensor. Tensor.

tent. Dilatador por embebição.

tentacle. Tentáculo.

tentative. Tentativa.

tenth nerve. Nervo vago.

tentiginous. Tentiginoso. Caracterizado por luxúria maníaca.

tentigo. Luxúria, lascívia patológica.

tentorium. Tenda.

tentum. Pênis.

tenuis. Tênue.

tenuity. Tenuidade.

tenuous, slight. Tênue.

tephro-. Elemento léxico de origem grega que significa "cinza", "cinzento".

tephromalacia. Tefromalácia. Amolecimento patológico da substância cinzenta do cérebro ou da medula espinal.

tephromyelitis. Tefromielite. Poliomielite.

tephrosis. Tefrose. Incineração ou cremação.

tepid. Tépido, tíbio, morno.

ter in die, three times daily. Três vezes ao dia.

teras, monster. Monstro.

teratic. Terático, monstruoso, malformado.

teratism. Teratismo.

teratoblastoma. Teratoblastoma.

teratogenesis. Teratogênese.

teratoid. Teratóide.

teratology. Teratologia.

teratoma. Teratoma. Sin.: tumor organóide, embrioma teratóide.

teratophobia. Teratofobia.

teratosis. Teratose.

terbium. Térbio. Metal raro.

terchloride. Tricloreto.

terebene. Terebeno.

terebinth. Terebinto.

terebinthina. Terebentina.

terebinthinate. Terebentinado.

terebinthism. Terebentinar.

terebrant, terebrating. Terebrante.

terebration. Terebração, perfuração ou trepanação.

teres. Longo e redondo, cilíndrico.

tergiversation. Tergiversão.

term. Termo. Limite. Gestação do nono mês.

terma. Terma. Lâmina cinérea do cérebro.

termatic. Térmico.

terminad. Para o fim.

terminal. Terminal.

termination. Terminação.

terminology. Terminologia.

terminus. Término.

termless. Ilimitado.

ternary. Ternário.

ternitrate. Ternitrato.

teroxide. Teróxido.

terpene. Terpeno.

terpinhydrate. Terpinidrato.

terpineol. Terpineol.

terra. Terra. // - **alba.** Argila branca. // - **foliata.** Enxofre. // - **japonica.** Catechu.

terracing a suture. Sutura por planos.

terraincure. Tratamento por exercício na montanha.

Terrier's valve or promontory. Válvula ou promontório de Terrier. Válvula proximal da vesícula biliar, entre a vesícula e o ducto cístico.

Terson's glands. Glândulas de Terson. Glândulas conjuntivais ou de Krause.

tertian. Terçã.

tertiary. Terciário. // - **syphilis.** Sífilis terciária.

tertipara. Tercípara.

tessellated. Marchetado. // - **epithelium.** Epitélio pavimentoso.

test. Teste, prova, reação, ensaio.

test-tube. Tubo de ensaio.

testa. Concha. // - **ovi.** Casca de ovo.

testaceous. Testáceo.

testectomy. Testectomia, castração, orquictomia.

testibrachial. Testibraquial, pré-pedúnculo.

testibrachium. Testibráquio. Pedúnculo superior do cerebelo.

testicle. Testículo.

testicond. Testicondo.

testicular. Testicular.

testimony. Testemunho.

testis. Testículos.

testopathy. Testopatia, orquiopatia.

testosterone. Testosterona. // - **proprionate.** Propionato de testosterona.

Testoviron. Marca registrada de produto com hormônio masculino.

tetania. Tetania. Sin.: tétano intermitente, tetania, contratura essencial das extremidades.

tetanic. Tetânico.

tetaniform. Tetaniforme.

tetanila. Tetania.

tetanine. Tetanina.

tetanization. Tetanização.

tetanoid. Tetanóide.

tetanolysin. Tetanolisina.

tetanospasmin. Tetanospasmina.

tetanus. Tétano. // - **toxin.** Tetanotoxina. // - **toxoid.** Toxóide tetânico.

tetany. Tetania.

tetrabasic. Tetrabásico.

tetrabachius. Tetrabráquio.

tetracaine. Tetracaína.

tetracheirus. Tetráquiro. Monstro com quatro mãos.

tetrachromic. Tetracrômico.

tetracoccus. Gênero ou forma de micrococos dispostos de quatro em quatro.

tetrad. Tétrada.

tetranopsia. Tetranopsia. Defeito do campo visual em quadrante.

tetraethyl lead. Chumbo-tetraetila.

tetragon. Tetrágono.

tetraiodophenolphthalein. Tetraiodofenolftaleína.

tetralogy of Fallot. Tetralogia de Fallot. Grupo de quatro defeitos cardíacos que se observam às vezes nos adultos: estenose pulmonar, septo interventricular defeituoso, dextroposição da aorta e hipertrofia do ventrículo direito, causa mais freqüente de cianose ou doença azul.

tetramazia. Tetramazia.

tetramethyl. Tetrametil.

tetraopsis. Tetropsia.

tetraplegia. Tetraplegia.

tetrapus. Tetrápode.

tetrascelus. Tetrascele. Monstro com quatro pernas.

tetraster. Tetraster.

tetrastichiasis. Tetrastiquíase.

Tetrastoma. *Tetrastoma.* Gênero de trematódeos encontrados às vezes na urina.

tetravalent. Tetravalente.

tetronal. Tetronal.

tetronerythrin. Tetroneritrina.

tetrophthalmos. Tetroftalmo.

tetrose. Tetrose.

tetroxide. Tetróxido.

Teutleben's ligament. Ligamento de Teutleben. Ligamento pulmonar ou pleurodiafragmático.

texis, parturition. Parto.

textoblastic. Textoblástico.

textoma. Textoma. Tumor de células indiferenciadas.

textometer. Textômetro.

textural. Textural, têxtil.

texture. Textura, estrutura.

Th. Símbolo químico de *Thorium*, tório.

thalamencephalie. Talamencefalia.

thalamencephalon. Talamencéfalo.

thalamic. Talâmico.

thalamocele. Talamocele.

thalamocortical. Talamocortical.

thalamocrural. Talamocrural.

thalamolenticular. Talamolenticular.

thalamus. Tálamo.

thalassanaemia. Talassanemia.

thalassophobia. Talassofobia. Tratamento por banhos de mar.

thallic. Tálico.

thalline. Talina.

thallium. Tálio.

Thallophyte. Talófita. Planta criptógama inferior, fungo, alga ou bactéria.

thanato-. Elemento léxico de origem grega que significa "morte".

thanatognomonic. Tanatognomônico. Que indica a proximidade da morte.

thanatography. Tanatografia.

thanatoid. Tanatóide.

thanatomania. Tanatomania. Mania suicida ou homicida.

thanatometer. Tanatômetro.

thanatophobia. Tanatofobia. Temor mórbido à morte.

thanatopsy, necropsy. Necropsia.

thanatosis. Tanatose, gangrena.

thaumatropy. Taumatropia. Transformação de uma estrutura em outra.

thaumaturgic. Taumatúrgico, milagroso, mágico.

thea (Latim). Chá. (v. *tea*).

thebaine. Tebaína.

thebaism. Tebaismo, envenenamento pelo ópio, opiismo.

Thebesius's foramina. Orifícios de Tebésio, das veias de Tebésio no átrio direito. // - **valve.** Válvula de Tebésio. Válvula do seio coronário. // - **veins.** Veias de Tebésio. Veias pequenas que conduzem o sangue dos tecidos do coração aos átrios e ventrículos.

theca. Teca, caixa ou bainha.

thecal. Tecal.

thecitis. Inflamação da bainha tendínea.

theft. Furto, roubo.

theic. Amante do chá.

Theile's canal. Canal de Theile. Espaço produzido pela reflexão do pericárdio sobre a aorta e a artéria pulmonar. // - **glands.** Glândulas de Theile. Formações glandulares na parede da vesícula biliar e o ducto cístico. // - **muscle.** Músculo transverso superficial do períneo; é um músculo subcutâneo inconstante, descrito também por Lesshaft.

Theileria. Gênero de diminutos protozoários.

theine. Teína.

theism. Teismo.

thelalgia. Telalgia.

Thelazia. Gênero de vermes de que algumas espécies são parasitas dos olhos de animais.

theleplasty. Teleplastia.

thelitis. Telite. Inflamação do mamilo.

thelium. Mamilo.

thelorrhagia. Telorragia.

thelothism. Telotismo.

thelyblast. Teliblasto.

thelygenic. Teligênico.

thelyplasty. Teliplastia.

thenad. Em direção à eminência tênar.

thenal. Pertencente à palma ou tênar.

thenar. Tênar. A palma ou a sola do pé.

theo-. Elemento léxico de origem grega que significa "DEUS".

Theobaldia. Gênero de mosquitos.

Theobroma. Gênero de plantas esterculiáceas a que pertence o cacau.

theobromine. Teobromina.

theomania. Teomania.

theomanic. Teomaníaco.

theophyline. Teofilina.

theoretical. Teórico.

therapeutic. Terapêutico. // - **test.** Prova ou ensaio terapêutico.

therapeutics. Terapêutica.

therapeutist. Terapeuta.

therapist. Terapeuta.

therapy. Terapia, terapêutica.

theory. Teoria.

theriaca. Teriaga, triaga. // - **andromachi.** Teriaga magna ou de Andrômaco. Antídoto contra as mordidas.

theriacal. Teriaga.

therm. Unidade de calor: pequena caloria.

thermae. Manancial de calor.

thermaesthesia. Termestesia.

thermaesthesiometer. Termestesiômetro.

thermal. Termal, térmico.

thermalgesia. Termalgesia.

thermanaesthesia. Termanestesia.

thermic. Térmico.

thermoanaesthesia. Termanestesia.

thermoanalgesia. Termanalgesia.

thermocauterectomy. Termocauterectomia.

thermocautery. Termocautério.

thermochemistry. Termoquímica.

thermoelectricity. Termeletricidade.

thermogenesis. Termogênese.

thermogenetic, thermogenic. Termogênico.

thermograph. Termógrafo.

thermohyperaesthesia. Termo-hiperestesia.

thermohyperalgesia. Termo-hiperalgesia.

thermoinhibitory. Termo-inibitório, termo-inibidor.

thermolabile. Termolábil.

thermolysis. Termólise.

thermolytic. Termolítico.

thermometer. Termômetro.

thermometry. Termometria.

thermoneurosis. Termoneurose.

thermophile. Termófilo.

thermophilic. Termofílico.

thermophobia. Termofobia.

thermophore. Termóforo.

thermoplegia. Termoplegia.

thermopolypnoea. Termopolipnéia.

thermostable. Termostável.

thermostat. Termostato.

thermotactic. Termotático.

thermotaxis. Termotaxia.

thermotherapy. Termoterapia.

thermotropism. Termotropismo.

thesis. Tese.

thews. Músculos, valor.

thiaemia. Tiemia. Presença de enxofre no sangue.

thiamine chloride. Cloreto de tiamina.

thiamine hydrochloride. Cloridrato de tiamina.

thiazamide. Tiazamida.

thiazole. Tiazol.

thick. Espesso, grosso, denso.

Thielmann's koleradraaber. Mistura de Thielmann, antidiarréica, composta de vinho de ópio, tintura de valeriana, ipecacuanha, essência de menta, álcool e éter.

Thiersch's graft. Enxerto de Thiersch. Enxerto delgado que contém epiderme, retículo e parte da cútis *vera*.

thigh. Coxa. // - **bone.** Fêmur. // - **joint.** Articulação coxofemural.

thigmaesthesia. Tigmestesia; sensibilidade táctil.

thin. Delgado, desnutrido.

thiochrome. Tiocroma.

thiogenic. Tiogênico.

thionin stain. Corante de tionina.

thiopentone sodium. Tiopentonato de sódio.

thiophene. Tiofeno.

thiosinamine. Tiosinamina.

thiouracil. Tiuracil.

thiourea. Tiuréia.

third nerve. Terceiro nervo, terceiro par, motor ocular comum.

thirst. Sede, ânsia, anseio.

Thiry's fistula. Fístula de Thiry. Fístula intestinal artificial feita para obter suco entérico puro.

Thomas's splint. Férula de Thomas. Dispositivo para o tratamento de urgência das fraturas do membro inferior e especialmente do fêmur.

Thomsen's disease. Doença de Thomsen. Miotonia congênita.

Thomson's fascia. Fáscia de Thomson. Fáscia e septo iliopectíneo.

thoracal. Torácico.

thoracentesis. Toracocentese.

thoracic. Torácico.

thoracicoabdominal. Toracoabdominal.

thoracocoeloschisis. Toracocelósquise. Fissura tóraco-abdominal.

thoracocyllosis. Toracocilose. Malformação do tórax.

thoracocyrtosis. Toracocirtose. Proeminência anormal do tórax.

thoracodelphus. Toracodelfo. Monstro duplo unido por cima do umbigo: tem uma cabeça e dois braços, porém quatro pernas.

thoracodidymus. Toracodídimo. Monstro duplo unido pelo tórax.

thoracodynia. Toracodinia. Pleurodinia.

thoracogastroschisis. Toracogastrósquise.

thoracoplasty. Toracoplastia.

thoracoscopy. Toracoscopia.

thoracostenosis. Toracostenose.

thoracostomy. Toracostomia.

thoracotomy. Toracotomia.

thoradelphus. Toracodelfo (v. *Thoracodelphus*).

thorascope. Torascópio, estetoscópio.

thorax. Tórax.

Thorel's bundle. Fascículo de Thorel. Fascículo de fibras musculares, encontrado no coração. Este fascículo passa ao redor do orifício da veia cava inferior e conecta o seio atrial e os nódulos atrioventriculares.

thorium. Tório.

Thormählen's test. Teste de Thormählen. Produção de coloração azul escura, ajuntando uma solução de nitroprussiato de potássio e ácido acético à urina, se há melanúria.

thorn. Espinha, espícula.

thornapple. Maçã espinhosa.

threadworm. Oxiúro.

threeday fever. Dengue.

threpsis. Trepsia. Nutrição.

threpsology. Trepsologia.

threshold. Umbral, entrada, começo, limiar.

thrice. Três vezes.

thrill. Estremecimento, tremor, frêmito.

thrive. Medrar.

thrix annulata. Cabelo crespo.

throat. Garganta.

throb. Palpitar, vibrar.

throbbing. Pulsação, vibração.

throe. Angústia, dor, agonia.

thrombase. Trombina.

thrombectomy. Trombectomia.

thrombin. Trombina. Sin.: Fibrinofermento, trômbase, plásmase.

thrombinogen. Trombinogênio.

thromboangiitis. Tromboangiite. // - **obliterans.** Tromboangiite obliterante.

thromboarteritis. Tromboarterite.

thromboclasis. Tromboclasia.

thrombocystis. Trombocisto.

thrombocyte. Trombócito.

thrombogen. Trombogênio.

thrombogenesis. Trombogênese.
thrombogenic. Trombogênico.
thromboid. Trombóide.
thrombokinase. Trombocínase.
thrombokinesis. Trombocinese.
thrombolymphangitis. Trombolinfangite.
thrombolysis. Trombólise.
thrombophlebitis. Tromboflebite.
thrombophthisis. Tromboftisia.
thromboplastid. Trombostídio, plaqueta sangüínea.
thromboplastin. Tromboplastina.
thrombosed. Trombosado.
thrombosin. Trombosina.
thrombotic. Trombótico.
thrombus. Trombo.
throttle. Garganta, traquéia. Afogar-se, asfixiar-se.
through. Através de.
through-drainage. Drenagem permanente.
throw. Atirar, arremessar.
thrush. Afta.
thrust. Meter, empurrar.
thrypsis. Fratura cominutiva.
thulium. Túlio, elemento raro.
thumb. Polegar.
thylacitis. Tilacite. Acne rosácea.
thyme. Planta da família das labiadas, gênero *Thymus*.
thymectomy. Timectomia.
thymelcosis. Timelcose. Ulceração do timo.
thymi oleum. Essência de tomilho.
thymic. Tímico, relativo ao timo ou extraído dele. Relativo à mente.
thymion, wart. Verruga cutânea.
thymiosis. Pian.
thymitis. Timite.
thymol. Timol.
thymolysis. Timólise.
thymopathy. Timopatia.
thymus. Timo, órgão glandular.
Thymus. Gênero de labiadas, tomilho.
thyrein. Tireína, iodotirina.
thyremphraxis. Obstrução da glândula tireóide.
thyreoarytenoid. Tireoaritenoídeo.
thyreoepiglottic. Tireoepiglótico.
thyreohyoideus. Tireo-hióideo.
thyroadenitis. Tireoadenite.
thyroarytaenoid. Tireoaritenoídeo.
thyrocele. Tirocele.
thyrochondrotomy. Tireocondrotomia.
thyroepiglottic. Tireoepiglótico.
thyroepiglottideus. Tireoepiglótico.
thyroglobulin. Tireoglobulina.

thyroglossal. Tireoglosso.
thyrohyoid. Tireo-hioídeo.
thyroid. Tireóide. // ‑ **cartilage.** Cartilagem tireoídea. // ‑ **gland.** Glândula tireoídea.
thyroidectomy. Tireoidectomia.
thyroidism. Tireoidismo.
thyroiditis. Tireoidite.
thyroidotomy. Tireoidotomia.
thyroiodine. Tireoidina.
thyroncus. Tireocele, tumor da tireóide.
thyrophyma. Tireofima. Tumor da glândula tireóide.
thyroprival. Tireoprivo.
thyroprivus. Tireoprivo.
thyroprotein. Tireoproteína.
thyroptosis. Tireoptose.
thyrosis. Tireotoxicose, tireopatia.
thyrotome. Tireótomo.
thyrotomy. Tireotomia.
thyrotoxicosis. Tireotoxicose.
thyrotrope. Tireótropo.
thyrotropism. Tireotropismo.
thyroxinaemia. Tiroxinemia.
thyroxine. Tiroxina.
Ti. Símbolo químico do titânio.
tibia. Tíbia.
tibial. Tibial.
tibialgia. Tibialgia.
tibiocalcanean. Tibiocalcâneo.
tibiofemoral. Tibiofemoral.
tibiofibular. Tibiofibular.
tibiotarsal. Tibiotársico.
tic. Tico. // ‑ **convulsive.** Tico convulsivo. // ‑ **douloureux.** Tico doloroso da face.
tick. Carrapato, ácaro. // ‑ **fever.** Febre das montanhas rochosas.
tickle. Fazer cócegas.
t.i.d., theree times daily. Abreviatura de *ter in die*, três vezes ao dia.
tidal breathing. Respiração de Cheyne-Stokes.
tidiness. Asseio, beleza..
Tiedmann's glands. Glândulas de Tiedmann ou Bartolin ou Duverney. // ‑ **nerve.** Nervo de Tiedmann. Pequeno nervo simpático que segue o trajeto da artéria central da retina.
tight. Distendido, tenso.
tigretier. Tarantismo.
tigroid. Tigróide. // ‑ **fundus.** Fundo tigróide.
tilmus. Arrancar-se os pêlos.
timbre. Timbre.
time. Tempo, vez, época, hora.
Timofeev's nerve endings. Terminações nervosas de Timofeev. Supostas terminações nervosas simpáticas de natureza sensitiva.

tin. Estanho, lata. // - **chloride.** Cloreto de estanho.

tinct. Abreviatura *tinctura*, tintura.

tinction, staining. Tingimento.

tinctura, tincture. Tintura.

tinea. Tinha. // - **cruris.** Tinha da perna. // - **versicolor.** Tinha versicolor.

Tinel's sign. Sinal de Tinel. Sensação de picada na extremidade de um membro, quando se percute sobre a secção de um nervo. Significa regeneração incipiente deste.

tingle. Formigamento, comichão.

tinkling. Tinido.

tint. Tingir, tinta.

tiqueur. Afetado de tico.

tire. Fatigar-se, cansar-se.

tiredness. Cansaço, lassidão, fadiga.

tisane. Tisana.

tissue. Tecido. // - **culture.** Cultura de tecido.

titanium. Titânio.

titillation. Titilação.

titrate. Titrato.

titration. Titulação.

titre. Título, grau, valor ou proporção.

titubation. Titubeação.

tinnitus. *Tinnitus aurium.* Sensação subjetiva do som como o de uma campainha.

Tl. Símbolo químico do *thallium*, tálio.

Tm. Símbolo químico de *thulium*, túlio.

TNT. Abreviatura de *trinitrotoluene*: trinitrotolueno.

toadhead. Forma da cabeça que se apresenta às vezes nos monstros considerados acéfalos (cabeça de sapo).

toast. Tostar.

tobacco. Tabaco. // - **heart.** Coração tabágico.

tobaccoism. Tabagismo, tabaquismo.

tocology. Tocologia.

tocopheryl acetate. Acetato de tocoferil.

Tod's muscle. Músculo de Tod. Músculo auricular oblíquo.

Todaro's tendon. Tendão de Todaro. Faixa tendinosa variável, inserida na válvula de Eustáquio, no coração.

Todd's bodies. Corpos de Todd. Estruturas eosinófilas encontradas no citoplasma das hemácias de anfíbios.

toddie. Titubear.

toe. Dedo do pé.

tokology. Tocologia.

tokus. Parto.

Toldt's fascia. Fáscia de Toldt. Fixação de planos fasciais atrás do corpo do pâncreas. // - **membrane.** Membrana de Toldt. Fáscia pré-renal.

tole. Arrastar.

tolerance. Tolerância. // - **acquired.** Tolerância adquirida.

tolerant. Tolerante.

tolu. Tolu (bálsamo de).

toluene. Tolueno.

toluidine. Toluidina.

tomentum. Tomento, estopa grossa, lanugem.

Tomes's fibres. Fibras de Tomes. Fibrilas da dentina.

Tomes's processes. Processos de Tomes. Prolongamentos das células do esmalte.

tomomania. Tomomania.

tonaphasis. Tonafasia, afasia musical.

tone. Tom.

tongs. Pinças, tenazes.

tongue. Língua.

tonic. Tônico. Sin.: metassincrático reconstituinte, recorporativo, restaurativo.

tonicity. Tonicidade.

tonitrophobia. Tonitrofobia, ceraunofobia, astrapofobia.

tonka bean. Semente de uma árvore americana.

tonograph. Tonógrafo.

tonometer. Tonômetro.

tonsil. Tonsila.

tonsilla. Tonsila. // - **cerebelli.** Tonsila cerebelar.

tonsillar. Tonsilar.

tonsillectome. Amigdalótomo.

tonsillectomy. Amigdalectomia.

tonsillitis. Amigdalite.

tonsilolith. Amigdalólito.

tonsillotome. Amigdalótomo.

tonsillotomy. Amigdalotomia.

tonsure. Tonsura.

tonus. Tono.

tooth. Dente.

Tooth's atrophy. Atrofia de Tooth. Tipo peroneal da atrofia muscular progressiva.

toothed. Dentado.

top. Cume, auge.

topaesthesia. Topestesia. Sensação de sensibilidade local.

topagnosis. Topagnosia.

topalgia. Topalgia.

Töpfer's test. Teste de Töpfer, para determinar o ácido clorídrico no conteúdo gástrico, que adquire cor vermelha com o reativo de Töpfer (dimetilaminobenzeno).

tophaceous. Tofáceo. De natureza dura e arenosa.

tophus. Tofo.

topic. Assunto, tema.

topical. De interesse atual.

Topinard's angle. Ângulo de Topinard. Ângulo ófrio-espinal. // **- line.** Linha de Topinard. Linha situada entre a glabela e o ponto mental.

topoalgia. Topalgia.

topographical. Topográfico.

topography. Topografia.

toponeurosis. Toponeurose.

toponymy. Toponímia.

topophobia. Topofobia.

torcular Herophili. Lagar de Herófilo.

toric. Tórico.

torment. Tormento, dor em cólica, intranqüilidade.

tormentil. Tormentila.

tormina. Tórmina. Dor intestinal.

torminal, torminous. Relativo à tormina.

torpent. Torpente, inativo, sedante.

torpid. Tórpido.

torpidity. Entorpecimento.

torrefaction. Torrefação.

torrefy. Tostar, torrefação.

Torres-Teixeira inclusion bodies. Corpos de inclusão de Torres-Teixeira. Observam-se nas células em caso de varíola.

torrid. Tórrido.

torsion. Torção, torcedura. // **- spasm.** Espasmo por torção.

torso. Torso.

torsooclusion. Torcioclusão.

tort. Torcido. Sem razão.

torticolis. Torcicolo.

tortuous, twisted. Tortuoso, sinuoso.

torture. Tortura.

Torula. Tórula, papila, espécie de fungo.

torulosis. Torulose.

torulus. Nódulo.

torus. Toro, nó, eminência. // **- occipitalis.** Eminência occipital. // **- palatinus.** Eminência palatina. // **- uterinus.** Eminência uterina.

totaquin. Mistura de alcalóides da "Cinchona".

touch. Tocar, palpar, manusear, roçar.

tough. Duro, forte.

Tourette's disease. Doença de Tourette. Afecção neurológica caracterizada por incoordenação, distúrbio da palavra e convulsões.

tourniquet. Torniquete.

Tourtual's membrane. Membrana de Tourtual, quadrangular; ligamentos aríteno-epiglóticos. // **- sinus.** Seio de Tourtual, fossa supratonsilar.

towel. Toalha.

toxaemia. Toxemia.

toxalbumin. Toxalbumina.

toxalbumose. Toxalbumose.

toxamines. Toxaminas.

toxanaemia. Toxanemia.

Toxascaris. Gênero de nematóides parasitos. // **- canis.** Toxáscaris do cão.

toxenzyme. Toxenzima. Enzima tóxica.

toxic-. toxi-toxo-. Elemento léxico de origem grega que significa "veneno" ou relação com ele.

toxicity. Toxicidade.

toxicoderma. Toxicodermia.

toxicodermatitis. Toxicodermatite.

toxicogenic. Toxicogênico.

toxicohaemia. Toxicoemia.

toxicoid. Toxicóide.

toxicologist. Toxicólogo.

toxicology. Toxicologia.

toxicomania. Toxicomania.

toxicomucin. Toxicomucina.

toxicopathy. Toxicopatia.

toxicopexis. Toxicopexia.

toxicophobia. Toxicofobia.

toxicophylaxin. Toxicofilaxina.

toxicosis. Toxicose.

toxidermitis. Toxicodermite.

toxiferous. Toxífero.

toxigenous. Toxígeno.

toxin. Toxina.

toxin-antitoxin. Toxina-antitoxina.

toxinaemia. Toxinemia.

toxinfection. Toxinfecção.

toxinic. Toxínico.

toxinicide. Toxinicida.

toxinophobia. Toxinofobia.

toxinosis. Toxinose.

toxoid. Toxóide.

toxoid-antitoxoid. Toxóide-antitoxóide.

toxolipoid. Toxolipóide.

toxolysin. Toxolisina.

toxomucin. Toxomucina.

toxon, toxone. Toxona.

toxophile. Toxófilo.

toxophore. Toxóforo. // **- group.** Grupo toxóforo.

toxophorous. Toxóforo.

toxophylaxin. Toxofilaxina.

toxosozin. Toxosozina.

Toynbee's corpuscles. Corpúsculos de Toynbee: os chamados corpúsculos corneais. // **- muscle.** Músculo de Toynbee. Músculo tensor do tímpano. Este músculo era bem conhecido de Eustáquio e dos anatomistas antigos e Albino lhe deu o nome definitivo.

trabal. Traval.

trabecula. Trabécula.

trabecular. Trabecular.

trabeculate. Trabeculado.

trabs. Trave. // - **cerebri.** Corpo caloso.

trace. Traço, marca, estria, linha.

tracer. Traçador. Isótopo radioativo indicador. // - **element.** Elemento indicador. Sin.: isótopo radioativo.

trachea. Traquéia.

tracheal. Traqueal.

trachealgia. Traquealgia.

tracheectasy. Traqueectasia.

tracheitis. Traqueíte.

trachelaematoma. Traquelematoma.

trachelagra. Traquelagra. Dor gotosa no pescoço.

trachelectomopexy. Traquelectomopexia.

trachelismus. Traquelismo.

trachelitis. Traquelite.

tracheloaerocele. Traquelaerocele.

trachelomastoid. Traquelomastoídeo.

trachelologist. Traquelólogo.

trachelology. Traquelologia.

trachelomyitis. Traquelomiite.

tracheloocipitalis muscle. Músculo complexo maior.

trachelopexis, trachelopexy. Traquelopexia.

tracheloplasty. Traqueloplastia.

trachelorrhaphy. Traquelorrafia.

tracheloschisis. Traquelósquise.

trachelotomy. Traquelotomia.

tracheobronchial. Traqueobrônquico.

tracheobronchitis. Traqueobronquite.

tracheolaryngeal. Traqueolaríngeo.

tracheolaryngotomy. Traqueolaringotomia.

tracheomalacia. Traqueomalácia.

tracheooesophageal. Traqueoesofágico.

tracheopathia, tracheopathy. Traqueopatia.

tracheopharyngeal. Traqueofaríngeo.

tracheoscopy. Traqueoscopia.

tracheostenosis. Traqueostenose.

tracheostoma. Traqueóstoma.

tracheostomy. Traqueostomia.

tracheotome. Traqueótomo.

tracheotomy. Traqueotomia. // - **tube.** Tubo de traqueotomia.

trachitis. Traqueíte.

trachoma. Tracoma.

tracomatous. Tracomatoso.

trachychromatic. Traquicromático.

trachyphonia. Traquifonia.

track. Vestígio. Pista.

tract. Região alongada, cordão, trajeto, curso, trato, coluna, fascículo, via. // - **anterior corticospinal.** Feixe corticospinal anterior. // -

anterior spinocerebellar. Feixe espinocerebelar anterior. // - **anterior spinothalamic.** Feixe espinotalâmico anterior. // - **bulbospinal.** Feixe bulbospinal. // - **comma.** Feixe semilunar. // - **corticorubral.** Feixe córtico-rubro. // - **crossed pyramidal.** Feixe piramidal cruzado. // - **dentorubrothalamic.** Feixe dento-rubrotalâmico. // - **direct cerebellar.** Feixe cerebelar direto. // - **direct pyramidal.** Feixe piramidal direto. // - **fastigiobulbar.** Feixe fastigiobulbar. // - **frontopontine.** Feixe frontopontino. // - **iliotibial.** Feixe iliotibial. // - **lateral corticospinal.** Feixe corticospinal lateral. // - **mammillotegmental.** Feixe mamilotegumental. // - **mammillothalamic.** Feixe mamilotalâmico. // - **of Flechsig.** Feixe de Flechsig. // - **of Goll.** Feixe de Goll. // - **of Gowers.** Feixe de Gowers. // - **of Helweg.** Feixe de Helweg. // - **of Lissauer.** Feixe de Lissauer. // - **of spinal cord.** Feixe da medula espinal. // - **olivocerebellar.** Feixe olivocerebelar. // - **olivospinal.** Feixe olivospinal. // - **optic.** Feixe óptico. // - **prepyramidal.** Feixe pré-piramidal. // - **reticulospinal.** Feixe reticulospinal. // - **rubro-olivary.** Feixe rubro-olivar. // - **rubroreticular.** Feixe rubro-reticular. // - **rubrospinal.** Feixe rubrospinal. // - **semilunar.** Feixe semilunar. // - **septomarginal.** Feixe septomarginal. // - **spinocerebellar.** Feixe espinocerebelar. // - **spinoolivary.** Feixe espino-olivar. // - **strio-olivary.** Feixe estrio-olivar. // - **striorubro-olivary.** Feixe estrio-rubro-olivar. // - **sympathetic.** Feixe simpático. // - **tectospinal.** Feixe tectospinal. // - **Temporopontine.** Feixe têmporo-pontino. // - **vestibulocerebellar.** Feixe vestibulocerebelar. // - **vestibulospinal.** Feixe vestibulospinal.

traction. Tração. // - **aneurysm.** Aneurisma por tração. // - **axis.** Tração axial. // - **skeletal.** Tração esquelética.

tactotomy. Secção de um feixe ou trato.

tractus. Trato. // - **gracillis.** Fascículo grácil. Parte mediana do funículo longal da medula espinal. // - **solitarius.** Feixe solitário.

tragacanth. Tragacanto.

tragal. Relativo ao trago.

tragophonia, tragophony. Tragofonia, egofonia.

tragus. Trato.

train. Adestrar, educar.

trait. Golpe, toque.

trajector. Instrumento para localizar projétil em ferimento.

tramomel. Impedimento.

trance. Síncope, êxtase.

tranquillity. Tranqüilidade.

transection. Transecção.

transfer. Transferência.

transfix. Transfixar.

transformation. Transformação.

transfusion. Transfusão.

transient. Transitório.

translation. Translação.

translucent. Translucente.

transmigration. Transmigração.

transmission. Transmissão.

transmutation. Transmutação.

transonance. Transonância.

transparent. Transparente.

transpiration. Transpiração.

transplantation. Transplantação, transplante.

transport. Transporte.

transposition. Transposição.

transudate. Transudato.

transudation. Transudação.

transurethral. Transuretral.

transversalis. Transversal.

transverse. Transverso.

transversectomy. Transversectomia.

transversus. Transverso. // - **abdominalis muscle.** Músculo transverso abdominal. // - **perinei superficialis.** Transverso superficial do períneo. // - **perinei profundus muscle.** Músculo transverso profundo do períneo. // - **thoracis. muscle.** Músculo transverso do tórax.

transvesical. Transvesical.

transvestism. Travestismo. Inversão sexo-estática.

transvestite. Travesti.

trapezium. Trapézio.

trapezius muscle. Músculo trapézio.

trapezoid. Trapezóide. // - **bone.** Osso trapezóide.

Traube's space. Espaço de Traube. Espaço semilunar.

Traube-Hering waves. Ondas de Traube-Hering. Variações rítmicas da pressão sangüínea observadas, se a medula padece de anoxemia, como na asfixia ou nos ferimentos do crânio, ou em outras condições que levam ao aumento da pressão intracranial.

trauma. Trauma. // - **psychic.** Trauma psíquico.

traumatic. Traumático.

traumatism. Traumatismo.

traumatologist. Traumatólogo.

traumatology. Traumatologia.

traumatopathy. Traumatopatia.

traumatopnea. Traumatopnéia.

Trautmann's triangular space. Espaço triangular de Trautmann. Área situada entre os seios sigmóide e petroso superior e nervo facial.

treat. Tratar.

treatment. Tratamento.

Treitz's fascia. Fáscia de Treitz. Fáscia retropancreática, situada atrás da cabeça do pâncreas. // - **fossa.** Fossa de Treitz. Fossa subcecal. // - **ligament.** Ligamento de Treitz. Músculo suspensor do duodeno. // - **muscle.** Músculo retrococcígeo.

Trematoda. Trematódeos.

trematode. Trematódeo.

tremble. Tremor.

tremor. Tremor.

tremulous. Trêmulo, convulsivo.

trend. Dirigir-se, inclinar-se.

Trendelenburg's operation. Operação de Trendelenburg. Excisão das veias varicosas. Ligadura da safena maior nas varizes. Embolectomia da artéria pulmonar. // - **position.** Posição de Trendelenburg. Posição supina sobre mesa inclinada a 45º, com a cabeça para baixo e as pernas suspensas no extremo superior da mesa: usa-se principalmente nas operações dos órgãos genitais internos da mulher. // - **symptom.** Sintoma de Trendelenburg. Modo de andar semelhante ao de um pato, na paralisia dos músculos glúteos. // - **test.** Prova de Trendelenburg. Levante-se a perna acima do nível do coração até esvaziar as veias e logo baixe-se rapidamente. Se as veias se distendem imediatamente é indício de varicosidade e insuficiência das válvulas venosas.

trepan. Trépano, trepanar.

trepanation. Trepanação.

trephine. Trefina, perfurador, fresa, coroa, trépano.

trephones. Trefônio.

trepidation. Trepidação.

Treponema. Treponema.

treponematosis. Treponematose, treponemíase, sífilis.

treponemicidal. Treponemicida.

Treve's bloodless fold. Prega de Treves. Prega do apêndice.

triad. Tríade.

trial. Esforço, ensaio, tentativa, experimento. // - **lenses.** Lentes graduadas.

triangle. Triângulo. // - **anterior.** Triângulo anterior. // - **of auscultation.** Triângulo de auscultação. // - **carotid.** Triângulo carotídeo. // - **deep perineal.** Triângulo perineal profundo. // - **digastric.** Triângulo digástrico. // - **femoral.**

403

Triângulo femoral. // - **Hesselbach's.** Triângulo de Hesselbach. // - **inguinal.** Triângulo inguinal. // - **lumbar.** Triângulo lombar. // - **lumbosacral.** Triângulo lombo-sacral ou sacro-lombar. // - **Macewen's.** Triângulo de Macewen. // - **Marcille's.** Triângulo de Marcille. // - **muscular.** Triângulo muscular. // - **occipital.** Triângulo occipital. // - **of Lesser.** Triângulo de Lesser. // - **Petit's.** Triângulo de Petit. // - **posterior.** Triângulo posterior. // - **Scarpas.** Triângulo de Scarpa. // - **subclavian.** Triângulo subclávio. // - **submandibular.** Triângulo submandibular. // - **submental.** Triângulo submental. // - **suboccipital.** Triângulo suboccipital. // - **supraclavicular.** Triângulo supraclavicular. // - **suprameatal.** Triângulo suprameatal.

triangular. Triangular.

triangularis muscle. Músculo triangular.

triatomic. Triatômico.

tribadism. Tribadismo.

tribasic. Tribásico.

tribe. Tribo, casta.

tribrachius. Tribráquio.

tribromide. Trisbrométo.

tribrommethane. Bromofórmio.

tribromoethanol. Tribromoetanol, avertina.

tribulation. Tribulação.

tricellular. Tricelular.

tricephalus. Tricéfalo.

triceps. Tríceps.

trichangeia. Vaso capilar.

trichangiectasis. Tricangiectasia. Telangiectasia.

trichauxis. Tricauxe. Hipertricose.

Trichina. Triquina, gênero de nematóides.

trichiniasis. Triquiníase.

trichinophobia. Triquinofobia.

trichinosis. Triquinose.

trichinous. Triquinoso.

trichitis. Triquite.

trichloride. Tricloreto.

trichloromethylchloroformate. Triclorometil-cloroformato.

trichlorphenol. Triclorfenol.

tricho-. Elemento léxico de origem grega que significa "pêlo" ou "cabelo".

trichoaesthesia. Tricoestesia.

trichoanaesthesia. Tricanestesia.

trichobacteria. Tricobactéria.

trichobezoar. Tricobezoar.

Trichobilharzia ocellata. Parasito do sangue dos patos.

trichocardia. Tricocardia.

trichocephaliasis. Tricocefalíase.

Trichocephalus. Tricocéfalo. Nematóide parasito intestinal. // - **dispar.** Tricocéfalo díspar.

trichoclasia; trichoclasis. Tricoclasia.

Trichodectes. Inseto parasito.

trichoepithelioma. Tricoepitelioma. Epitelioma cístico.

trichoglossia. Tricoglossia.

trichoid. Tricóide.

tricholith. Tricólito.

trichologia. Tricologia.

trichology. Tricologia.

trichomatosis. Tricomatose.

trichomatous. Tricomatoso. Parasito do gênero *Trichomonas*.

trichomonad. Parasito do gênero *Trichomonas*.

trichomonal. Pertencente ou relativo a *Trichomonas*.

Trichomonas. Tricomônada. // - **intestinalis.** Tricomônada intestinal. // - **vaginalis.** Tricomônada vaginal.

trichomoniasis. Tricomoníase.

Trichomycetes. Tricomiceto.

trichomycosis. Tricomicose.

trichonosis, trichonosus. Triconose.

trichopathy. Tricopatia.

trichophagy, trichophagia. Tricofagia.

trichophobia. Tricofobia.

trichophytic. Tricofítico.

Trichophyton. Tricófito.

Trichophytosis. Tricofitose.

trichopoliosis. Tricopoliose, canície.

trichoptilosis. Tricoptilose, tricorrexe nodosa.

trichorrhexis. Tricorrexe. // - **nodosa.** Tricorrexe nodosa.

trichorrhoea. Tricorréia.

trichoschisis. Tricósquise.

trichoscopy. Tricoscopia.

trichosis. Tricose, triquíase, hipertricose.

trichosporosis. Tricosporose.

Trichosporum. Gênero de fungo que parasita pêlo.

Trichostrongylus. Gênero de nematóides.

Trichothecium. Gênero de fungo.

trichotilomania. Tricotilomania.

trichroic. Tricróico.

trichoroism. Tricroísmo, tricromatismo.

trichromatopsia. Tricomatopsia, visão normal das cores.

trichuriasis. Tricuríase.

Trichuris. Gênero de verme tricocéfalo.

tricipital. Tricipital.

tricornis. Tricorne.

tricornute. Tricorne.

tricotic. Tricótico.

tricotism. Tricotismo.

tricuspid. Tricúspide. // **- valve.** Válvula tricúspide.

tridactyl. Tridáctilo.

trident, tridentate. Tridente, tridentado. // **- hand.** Mão tridente.

tridermogenesis. Tridermogênese.

tridermona. Tridermona.

trielcon. Pinça de três pontas para extrair projéteis.

triencephalus. Triencéfalo.

trifacial. Trifacial.

Trifolium. Gênero de papilionáceas a que pertence o Trifólio, o trevo.

trigeminal. Tríplice. Pertencente ao trigêmeo.

trigeminus. Trigêmeo.

trigger. Gatilho, disparador. // **- finger.** Dedo em gatilho. // **- knee.** Joelho em gatilho.

trigocephalus. Trigonocéfalo.

trigonal. Triangular.

trigone. Triângulo, trígono.

trigonocephalus. Trigonocéfalo.

trigonum. Trígono. // **- habenulae.** Trígono da habênula. // **- ventriculi.** Trígono ventricular. // **- vesicae.** Trígono vesical.

trihydric. Triídrico.

trilabe. Trilábio.

trilaminar. Trilaminar.

trilateral. Trilateral.

trilene. Trilene.

trilobate. Trilobado.

trilocular. Trilocular.

trim. Ajustado, enfeitado.

trimastigate, trimastigote. Provido de três flagelos.

trimensual. Trimestral.

trimethylene. Trimetileno.

trimorphism. Trimorfismo.

trinitrate. Trinitrato.

trinitrin. Trinitrina.

trinitroglycerin. Trinitroglicerina.

trinitrophenol. Trinitrofenol.

trinitrotoluene. Trinitrotolueno.

trinucleate. Trinucleado.

triocephalus. Triocéfalo.

trionym. Nome formado de três termos.

triorchid. Triórquido.

triorchidism. Triorquidismo, triorquismo.

triose. Triose.

trioxide. Trióxido.

tripara. Trípara.

tripeptid, tripeptide. Tripeptídeo.

triphtaemia. Triftemia.

triphasic. Trifásico.

triple. Triplo. // **- phosphate.** Fosfato triplo.

triplegia. Triplegia.

triplet. Um de três fetos nascidos do mesmo parto.

tripod. Trípode. // **- anatomical.** Trípode anatômico. // **- vital.** Trípode vital.

triquetrous. Triquetro: osso piramidal do carpo, osso wormiano.

triquetrum. Tríquetro: osso piramidal do carpo, osso wormiano.

triradial, triradiate. Trirradiado.

trismoid. Trismóide.

trismus. Trismo.

trisplanchnic. Trisplâncnico.

tristichia. Tristiquia.

tristimania. Melancolia.

tristis. Triste.

trisulphide. Trissulfeto.

tritanopia. Tritanopia.

triticeoglossus. Triticeoglosso (músculo).

triticeous. Semelhante a um grão de trigo.

triticeum. Semelhante a um grão de trigo. Nódulo triticeo.

tritopine. Tritopina.

triturable. Triturável.

triturate. Triturar.

triturated. Triturado.

trituration. Trituração.

trivalent. Trivalente.

trocar. Trocarte.

trochanter. Trocanter.

trochanteric. Trocantérico.

trochantin. Trocantino.

trochantitian. Trocantínico.

troche, trochicus. Trocisco. Medicamento em forma de pirâmide ou cubo.

trochiter. Troquiter.

trochiterian. Troquitérico.

trochlea. Tróclea, polia.

trochlear. Troclear.

trochocardia. Trococardia.

trochocephalia. Trococefalia.

trochoid. Trocóide.

trochoides. Trocóide, trocoídeo.

troilism. Troilismo. Apetência sexual pela pessoa que coabita com outra, pela qual a primeira sente afeição homossexual.

Troisier's syndrome. Síndrome de Troisier. Caquexia associada à cor bronzeada da pele, observada no diabetes.

Trolard's net. Rede de Trolard. Rede venosa do canal do hipoglosso. // **- vein.** Veia de Trolard. A grande veia anastomótica do córtex cerebral.

Tröltsch's depressions. Depressões de Tröltsch. Depressões da superfície interna da membrana do tímpano. // **- folds.** Pregas de Tröltsch. Pregas anterior e posterior do maléolo da membrana do tímpano. // **- pockets.** Bolsas de Tröltsch. As mesmas que as depressões de Tröltsch.

Trombicula. Trombícula. Gênero de ácaros cujas larvas são parasitas do homem e dos animais.

tromomania. Tromomania. *Delirium tremens.*

tromophonia. Tromofonia; voz trêmula.

trophesial, trophesic. Trofoneurose.

trophic. Trófico.

trophoblast. Trofoblasto.

trophotaxis. Trofotaxia.

trophotropism. Trofotropismo.

trophozoite. Trofozoita.

tropine. Trofina, opsonina.

tropism. Tropismo.

tropometer. Tropômetro.

trouble. Distúrbio, aflição, moléstia.

troublesome. Molesto.

Trousseau's sign. Sinal de Trousseau. Espasmo muscular pela pressão de artérias e nervos, observados na tetania. Trombose das extremidades observada no câncer visceral.

troy ounce. Unidade de peso igual a 480 gramas.

true. Verdadeiro, certo.

Trueta's method. Método de Trueta. Tratamento dos ferimentos de guerra por lavagem com água e sabão, extração dos corpos estranhos, excisão melhor possível dos tecidos desvitalizados e imobilização do membro com imobilização gessada.

truncal. Relativo ao tronco, troncular.

truncated. Truncado.

truncus. Tronco.

trunk. Tronco.

truss. Funda para hérnia.

trust. Confiança, fé em alguém, crédito, esperança.

try. Tratar.

trypagar. Meio de cultura.

trypan blue. Azul de trípano. Corante vital.

trypan red. Corante vital, em vermelho.

trypanocide. Tripanossomicida.

trypanolysis. Tripanólise.

trypanosoma. Tripanossomo.

trypanosomiasis. Tripanossomíase.

tryparsamide. Triparsamida.

trypesis. Trepanação, trípese.

trypsin. Tripsina.

trypsinogen. Tripsinogênio.

tryptone. Triptona.

tryptophane. Triptofânio. Sin.: proteinocromogênio.

tsetse fly. Mosca tsé-tsé. // **- disease.** Doença do sono.

tsu-tsugamushi disease. Febre fluvial japonesa.

tuba. Tuba. //, **- acustica.** Tuba acústica. // **- root.** Raiz da tuba. // **- uterina.** Tuba uterina. Salpinge.

tubal. Tubal. // **- pregnancy.** Gravidez tubal, na tuba.

tube. Tubo. // **- Carrel's.** Tubo de Carrel. // **- drainage.** Tubo de drenagem. // **- Durham's.** Tubo de Durham. // **- Leiter's.** Tubo de Leiter. // **- O'Dwyer's.** Tubo de O'Dwyer. // **- pharyngotympanic.** Tuba faringotimpânica. // **- Ryle's.** Tubo de Ryle. // **- Southey's.** Tubo de Southey. // **- stomach.** Tubo gástrico. // **- uterine.** Tuba uterina.

tubectomy. Tubectomia. Salpingectomia.

tuber. Engrossamento, tuberosidade.

tubercle. Tubérculo. // **- Darwin's.** Tubérculo de Darwin. // **- deltoid.** Tubérculo deltoídeo. // **- dorsal.** Tubérculo dorsal. // **- genial.** Processos "geni". // **- hyoid.** Tubérculo hioídeo. // **- infraglenoid.** Tubérculo infraglenoídeo. // **- Lisfranc's.** Tubérculo de Lisfranc. // **- Lister's.** Tubérculo de Lister. // **- marginal.** Tubérculo marginal. // **- mental.** Tubérculo mental. // **- Montgomery's.** Tubérculo de Montgomery. // **- nonarticular.** Tubérculo nonarticular. // **- orbital.** Tubérculo orbital. // **- of rib.** Tubérculo costal. // **- of Rolando.** Tubérculo de Rolando. // **- of scaphoid.** Tubérculo do escafóide. // **- of tibia.** Tubérculo da tíbia. // **- palatine.** Tubérculo palatino. // **- peroneal.** Tubérculo fibular. // **- pharyngeal.** Tubérculo faríngeo. // **- postglenoid.** Tubérculo post-glenoídeo. // **- preglenoid.** Tubérculo pré-glenoídeo. // **- pterygoid.** Tubérculo pterigoídeo. // **- pubic.** Tubérculo púbico. // **- quadrate.** Tubérculo quadrado. // **- scalene.** Tubérculo escalênico. // **- supraglenoid.** Tubérculo supra-glenoídeo. // **- Whitnall's.** Tubérculo de Whitnall. // **- Woolner's.** Tubérculo de Woolner.

tubercula. Tubérculos.

tuberculated. Tuberculado.

tuberculid, tuberculide. Tubercúlide.

tuberculin. Tuberculina.

tuberculinose. Tuberculinose.

tuberculitis. Tuberculite.

tuberculocele. Tuberculocele.

tuberculocide. Tuberculocida.

tuberculocidin. Tuberculocidina.

tuberculoderma. Tuberculoderma.
tuberculofibroid. Tuberculofibróide.
tuberculoid. Tuberculóide.
tuberculoma. Tuberculoma.
tuberculosis. Tuberculose.
tuberculotoxin. Tuberculotoxina.
tuberculous. Tuberculoso.
tuberculum. Tubérculo. // **- sellae.** Eminência do esfenóide junto à sela turca.
tuberiferous. Tuberífero.
tuberosity. Tuberosidade. // **- deltoid.** Tuberosidade deltoídea. // **- gluteal.** Tuberosidade glútea. // **- of ischium.** Tuberosidade isquiática. // **- of maxilla.** Tuberosidade da maxila. // **- of radius.** Tuberosidade do rádio.
tuberous. Tuberoso. // **- sclerosis.** Esclerose tuberosa.
tuboabdominal. Tuboabdominal. Relativo à tuba uterina e ao abdome.
tubocurarine. Tubocurarina.
tuboligamentous. Tuboligamentar.
tuboovarian. Tubo-ovariano.
tubular. Tubular.
tubule. Túbulo. // **- renal.** Túbulo renal. // **- seminiferous.** Túbulo seminífero.
tubuli. Túbulos.
tubulus. Túbulo.
Tuffier's inferior ligament. Ligamento inferior de Tuffier. Prega mesentericoparietal.
tugging tracheal. Sensação de repuxamento na traquéia.
tularemia. Tularemia.
Tulp's valve. Válvula de Tulpius, ileocecal.
tumefacient. Tumefaciente.
tumefaction. Tumefação.
tumescence. Tumescência.
tumid. Túmido.
tumidity. Tumefação.
tumour. Tumor.
tungsten. Tungstênio.
tunica. Túnica. // **- albuginea.** Túnica albugínea. // **- vaginalis.** Túnica vaginal. // **- vasculosa.** Túnica vasculosa.
tunicata. Tunicados.
tuning fork. Diapasão.
tunnel anaemia. Anemia das minas, ancilostomíase.
tunnel disease. Mal dos caixões.
turbid, cloudy. Turvo, espesso, túrbido.
turbidity. Turvação, turbidez.
turbinal. Conchal.
turbinated. Turbinado, figura de cone invertido. // **- bodies.** Corpos turbinados. // **- bone.** Concha nasal.

turbinectomy. Conchectomia. Ressecção de uma concha.
turbinotome. Turbinótomo. Conchótomo.
turbinotomy. Conchotomia.
Turck's column Coluna de Turck. Cordão piramidal direto. // **- tract.** Cordão de Turck. Têmporopontino.
turgescence. Turgescência.
turgid. Túrgido.
turgidization. Tumefação.
turgor. Turgor. // **- vitalis.** Turgor vital.
Turk's stain. Coloração de Turk. Solução fraca de iodo e iodeto de potássio.
turmeric. Erva-ruiva. Rizoma de *Curcuma longa*.
turn. Voltar, girar, mudar.
Turner's membrane. Membrana de Turner. Membrana subzonal do âmnio, sem a vesícula coriônica.
Turner's sulcus. Sulco de Turner. Sulco intraparietal do córtex cerebral.
turning. Volta, rodeio.
turnover. Dobrado para baixo.
turpentine. Terebentina.
turpethin. Turpetina.
turrecephaly, turricephaly. Turricefalia.
turunda. Tenta cirúrgica, supositório.
tussal. Relativo ou de natureza da tosse.
tussicular. Tussicular.
tussilago. Gênero de plantas sinanteráceas.
tussis. Tosse. // **- convulsiva.** Tosse convulsiva.
tussive. Pertinente à tosse.
tutamen. Tutâmen, defesa, proteção. // **- oculi.** Protetores do olho: pálpebras e cílios.
tutocain. Tutocaína.
tutty. Óxido de Zinco impuro.
tween-brain. Porção do cérebro que contém o tálamo óptico e o terceiro ventrículo.
twelfth nerve. Nervo hipoglosso.
twilight sleep. Sonho crepuscular.
twin. Gêmeo.
twine. Torcer, enroscar.
twinge. Sentir dor aguda, atormentar, sofrer.
twist. Torcer-se.
twitch. Repuxamento, abalo, contração curta e súbita.
Twort's phenomenon. Fenômeno de Twort ou de d'Hérelle. Fenômeno da lise bacteriana transmissível, atribuído a um parasito ultramicroscópico de bactérias que d'Hérelle denominou "bacteriófago".
tycalcin. Ticalcina.
tyle. Calo.
tylion. Tílio. Ponto médio da margem anterior do canal óptico do esfenóide.

tylosis. Tilose, ceratose.

tympanal. Timpânico.

tympanectomy. Timpanectomia.

tympanic. Timpânico. // - **annulus.** Anel timpânico. // - **antrum.** Antro timpânico. // - **artery.** Artéria timpânica. // - **bone.** Osso timpânico. // - **canaliculus.** Canalículo timpânico. // - **membrane.** Membrana timpânica. // - **nerve.** Nervo timpânico. // - **notch.** Fissura timpânica. // - **plate.** Placa timpânica. // - **plexus.** Plexo timpânico. // - **ring.** Anel timpânico. // - **tegmen.** Tegmento timpânico.

tympanism. Timpanismo.

tympanites. Meteorismo.

tympanitic. Timpânico; que ressoa como um tambor, diz-se ao som obtido à percussão nas coleções gasosas.

tympanitis. Timpanite.

tympanohyal. Timpano-hioídeo.

tympanotomy. Timpanotomia.

tympanum. Tímpano.

tympany. Timpanismo.

Tyndall's phenomenon. Fenômeno de Tyndall. Tindalização. As soluções coloidais que parecem límpidas à luz reflexa, iluminadas por um raio de luz que as atravessa, mostram partículas· f.utuantes.

type. Tipo.

Typhaceae. Grupo de bactérias em que está incluída a do tifo.

typhaemia. Tifemia.

typhic. Tífico.

typhinia. Febre recorrente.

typhlectasis. Tiflectasia, distensão do ceco.

typhlectomy. Tiflectomia.

typhlenteritis. Tiflenterite.

typhlitis. Tiflite.

typhlolithiasis. Tiflolitíase.

typhlology. Tiflologia.

typhlomegaly. Tiflomegalia.

typhlon. Ceco.

typhloptosis. Tifloptose.

typhlorrhaphy. Tiflorrafia.

typhlosis. Tiflose.

typhlostenosis. Tiflostenose.

typhlotomy. Tiflotomia.

typhlobacillosis. Tiflobacilose.

typhoid. Tifóide.

typhoidal. Tifóideo.

typholysin. Tifolisina.

typhomalarial. Tifomalárico.

typhomania. Tifomania.

typhonia. O mesmo que tifomania.

typhopaludism. Tifopaludismo.

typhophor. Tifóforo.

typhopneumonia. Tifopneumonia.

typhose. Tifose.

typhosepsis. Tifossepsia.

typhosis. Tifose.

typhotoxin. Tifotoxina.

typhous. Tifoso.

typhus, typhus fever. Tifo, febre tifóide ou abdominal.

typical. Típico.

typing of blood. Tipagem do sangue.

tyrannism. Tiranismo.

tyrein. Tireína, iodotirina.

tyremesis. Tirêmese.

Tyroglyphus. Gênero de acarídeos de corpo mole que se encontram na farinha e no queijo.

tyroid. Tireóide.

tyroleucine. Tiroleucina.

tyroma. Tiroma.

tyromatosis. Tiromatose.

tyrosine. Tirosina.

tyrosinosis. Tirosinose.

tyrosinuria. Tirosinúria.

tyrosis. Tirose, caseificação.

Tyrothrix. Gênero de esquizomicetos.

tyrotoxicon. Ptomaína tóxica cristalina de diazobenzeno.

tyrotoxin. Tirotoxina.

tyroxin. Tiroxina.

Tyrrell's fascia. Fáscia de Tyrrell. Aponeurose prostático-peritoneal.

Tyson's glands. Glândulas de Tyson. Glândulas sebáceas e de secreção do esmegma situadas no prepúcio e na coroa da glande.

tysonitis. Inflamação das glândulas sebáceas de Tyson.

FRASES E EXPRESSÕES

take a deep breath. Respire fundo.
(to) take exercise. Fazer exercício.
(to) take in (to). Ingerir, introduzir.
(to) take place. Ter lugar, suceder.
(to) take up. Eleger (uma atividade).
(to) throw up. Vomitar.
that is. Vale dizer.
that will do. Está bem, basta.
the chills? Calafrios?

the more so. Tanto mais.
thought to be. Considerando.
to a large extent. Em grande parte.
to (my) mind. Segundo minha opinião.
to some extent. Até certo ponto.
to what extent. Até que ponto.
tomorrow it will be too late. Amanhã será demasiadamente tarde.
try again. Tente outra vez.

U

U. Símbolo químico do *uranium*, urânio.

uabain. Ouabaína.

ubiquitous. Omnipresente.

udder. Úbere, teta.

Udranszky's test. Reação de Udranszky, para ácidos biliares. A 10 cm³ de líquido suspeito junta-se uma gota de solução a 0,1 por cento de furfurol em água; cobre-se com ácido sulfúrico e esfria-se. Se há bile, aparece uma cor vermelho-azulada.

Uffelmann's test. Reação de Uffelmann, para ácidos no conteúdo gástrico. A uma quantidade de matérias obtidas do estômago se juntam algumas gotas de um reativo composto de 3 gotas de solução de cloreto de ferro, 3 gotas de solução concentrada de fenol e 20 cm³ de água. O ácido clorídrico descora a solução e o ácido lático a torna amarela.

Uhlenhuth's test. Reação de Uhlenhuth. Reação de Bordet-Gengou ou de fixação de complemento.

Uhthoff's sign. Sinal de Uhthoff. Nistagmo na esclerose cerebrospinal múltipla.

ula, gum. Gengiva.

ulaganactesis. Ulaganactese. Irritação ou mal-estar nas gengivas.

ulalgia. Ulalgia.

ulatrophia. Ulatrofia.

ulcer. Úlcera. // - **callous.** Úlcera calosa. // - **irritable.** Úlcera irritável. // - **rodent.** Ulcus rodens. // - **trophic.** Úlcera trófica. // - **varicose.** Úlcera varicosa.

ulceration. Ulceração.

ulcerative. Ulcerativo. // - **colitis.** Colite ulcerativa.

ulcerous. Ulceroso.

ulcus. Úlcera.

ulectomy. Ulectomia. Excisão de tecido cicatricial. Gengivectomia.

ulegyria. Ulegiria. Proliferação de neuróglia e tecido conjuntivo nas circunvoluções cerebrais.

ulerythema. Uleritema. Dermatose eritematosa caracterizada pela formação de cicatrizes e atrofia.

uletic. Cicatrizado. Relacionado com a gengiva.

ulectomy. Ulectomia. Excisão de tecido cicatricial, gengivectomia.

ulitis. Ulite, gengivite.

ulmus. Olmo.

ulna. Ulna, cúbito.

ulnad. Em direção ao cúbito.

ulnar. Ulnar.

ulnaris. Ulnar.

ulnocarpal. Ulnocarpal.

ulnoradial. Ulnorradial.

ulo-. Ulo. Elemento léxico de origem grega, que significa gengiva*.

ulocace. Ulcerações nas gengivas.

ulocarcinoma. Ulocarcinoma.

ulodermatitis. Ulodermatite.

uloglossitis. Uloglossite.

uloid. Ulóide, semelhante à cicatriz.

uloncus. Uloncia, ulonco.

ulorrhagia. Ulorragia.

ulorrhoea. Ulorréia.

ulosis. Ulose.

ulotomy. Ulotomia.

ulotrichous. Ulótrico.

ultimate. Ultimar.

ultimum moriens. Átrio direito do coração, último a contrair-se no momento da morte.

ultra-. Prefixo latino que indica "excesso", "mais além".

ultrabrachycephalic. Ultrabraquicéfalo.

ultracentrifuge. Ultracentrífugo.

---

* N. do T. — E também significa cicatriz.

ultradolichocephalic. Ultradolicocefálico.
ultrafiltration. Ultrafiltração.
ultragaseous. Ultragasoso.
ultramicrobe. Ultramicróbio.
ultramicron. Ultramícron.
ultramicroscope. Ultramicroscópio.
ultramicroscopic. Ultramicroscópico.
ultrared. Ultravermelho.
ultrasome. Ultra-somo.
ultraviolet rays. Raios ultravioleta.
ululation. Ululação.
umber. Sombra.
Umber's test. Reação de Umber, para a escarlatina. A uma pequena quantidade de urina juntam-se gotas de uma solução composta de 30 cc de ácido clorídrico, 2 g de paradimetilaminobenzaldeído e 70 cc de água; uma coloração vermelha é reação positiva.
umbilectomy. Onfalectomia.
umbilical. Umbilical. // **- cord.** Cordão umbilical.
umbilicate. Umbilicado.
umbilication. Umbilicação.
umbilicus. Umbigo.
unable. Incapaz, inapto.
unaccesible. Inacessível.
unaided. Desamparado.
unalterable. Inevitável.
unapt. Inapto, inepto.
unavoidable. Inevitável.
unavoidable haemorrhage. Hemorragia inevitável (da placenta prévia).
umbending. Inflexível.
unbind. Desatar.
uncertain. Incerto.
uncia. Palavra latina que designa ounce (onça) e inch (polegada).
unciform. Unciforme, ganchoso.
Uncinaria. Gênero de vermes nematóides.
uncinariasis. Uncinaríase.
uncinate. Uncinado, ganchoso.
uncinate process. Processo uncinado.
uncinatum. Osso uncinado ou ganchoso.
uncivilized. Inculto, bárbaro.
unclean. Sujo.
uncoil. Desenrolar.
unconcern. Indiferença.
unconscious. Inconsciente.
unconsciousness. Inconsciência.
uncorrupted. Incorrupto.
unction. Unção.
unctious. Untuoso, gorduroso.
uncus. Gancho, unco.
uncut. Sem cortar.
undamaged. Ileso, indene.

under. Debaixo, inferior. // **- hung.** Expressão aplicada à mandíbula proeminente.
under-clothing. Roupa interior.
under-estimate. Subestimar.
undergo. Sofrer (trocas, etc.).
underlie. Causar, ser a origem de...
underlying. Subjacente.
understand. Entender, compreender.
undertake. Empreender.
undilant. Ondulante. // **- fever.** Febre ondulante.
undinism. Undinismo.
undress. Desnudar.
undulation. Ondulação.
undulatory. Ondulatório.
unfruitfut. Estéril, infecundo, infrutífero, infrutuoso.
ungual. Ungueal.
unguarded. Desguarnecido, indefeso.
unguent, unguentum. Ungüento, pomada.
unguiculate. Unguiculado.
unguinal. Ungueal.
unguis. Linha de dedo da mão ou pé, osso lacrimal, ungüis. // **- incurvatus.** Unha encravada.
ungula. Úngula.
unhand. Soltar.
unhang. Desprender.
uniaxial. Uniaxial.
unibasal. Unibásico, que tem apenas uma base.
unicellular. Unicelular.
uniceptor. Uniceptor.
unicorn. Unicórneo.
uniformity. Uniformidade.
unilateral. Unilateral.
unilobular. Unilobular.
unimpaired. Intacto.
unijured. Ileso.
uninuclear, uninucleated. Uninuclear, mononuclear.
uniocular. Uniocular.
union. União.
uniovular. Uniovular.
unipara. Unípara.
uniparous. Uníparo.
unipolar. Unipolar.
unison. Uníssono.
unit. Unidade.
univalent. Univalente.
universal. Universal.
unlike. Diferente, desigual.
unmake. Desfazer.
unmixed. Puro, simples.
Unna's boot. Bota de Una. Bandagem com pasta de Unna usada no tratamento de úlceras vari-

411

cosas. // - **paste**. Pasta de Unna, de óxido de zinco, mucilagem de goma e glicerina. // - **dermatosis**. Dermatose de Una. Eczema seborréico.

unnerve. Denervar.

unofficial. Não incluído na Farmacopéia.

unorganized. Desorganizado.

unpigmented. Despigmentado.

unpractised. Inexperto. Sem experiência.

unquiet. Inquieto.

Unschuld's sign. Sinal de Unschuld. Tendência às cãibras nas panturrilhas; sinal precoce do diabetes.

unstriated. Não estriado.

unsuspected. Insuspeito.

untoward. Intempestivo.

Unverricht's disease. Doença de Unverricht. mioclonia epilética.

unwell. Indisposto, doente.

unworried. Despreocupado.

upper. Superior, de cima.

upset. Transtornar.

upwards. Para cima.

urachal. Relativo ou pertinente ao úraco, uráquico.

urachus. Úraco.

uracrasia. Uracrasia. Alteração na composição da urina.

uracratia. Uracratia*, enurese.

uraemia. Uremia.

uraemic. Urêmico.

uranalysis. Uranálise.

uraniscochasma. Uraniscocasmas, uranósquise.

uranisconitis. Uranisconite.

uraniscoplasty. Uraniscoplastia. Uranoplastia. Plástica de palato.

uraniscorrhaphy. Uraniscorrafia, uranorrafia. Sutura do palato.

uraniscus. Uranisco. Palato. Céu da boca.

uranism. Uranismo. Homossexualidade, especialmente no homem.

uranist. Uranista.

uranium. Urânio.

uranoplasty. Uranoplastia.

uranoschisis. Uranósquise.

urari. Urari. O mesmo que curare.

urase. Uréase.

urataemia. Uratemia.

urate. Urato.

---

* N. do T. — O termo em questão não aparece no Voc. Ortográfico, deverá ser uracracia (Cfr. democracia), mas aparece com T em P. Pinto, em Eurico Fernandes e outros léxicos médicos em português médico.

uratic. Urático.

uratolysis. Uratólise.

uratoma. Uratoma.

uratosis. Uratose. Depósitos de uratos.

uraturia. Uratúria.

Urbach-Oppenheim's disease. Doença de Urbach-Oppenheim. Necrobiose lipídica dos diabéticos.

urea. Uréia. // - **concentration test**. Prova da concentração de uréia.

ureal. Uréico.

ureameter. Ureômetro.

ureapoiesis. Produção de uréia.

urease. Uréase.

urechisis. Infiltração, efusão de urina no tecido celular; uréquise.

uredo. Uredo, urticária, prurido.

ureide. Ureída.

urelcosis. Urelcose.

urerythrin. Ureritrina.

uresis. Ato de urinar. Urinação.

uretal. Uretral.

ureter. Ureter.

ureteral. Ureteral.

ureteralgia. Ureteralgia.

ureterectasis. Ureterectasia.

ureterectomy. Ureterectomia.

ureteric. Uretérico, ureteral.

ureteritis. Ureterite.

ureterocele. Ureterocele.

ureterocervical. Ureterocervical.

ureterocolostomy. Ureterocolostomia.

ureterocystostomy. Ureterocistostomia.

ureterodialysis. Ureterodiálise.

ureteroenterostomy. Ureterenterostomia.

ureterogram. Ureterograma.

ureterography. Ureterografia.

ureterolith. Ureterolito.

ureterolithiasis. Ureterolitíase.

ureterolithotomy. Ureterolitotomia.

ureterolysis. Ureterólise.

ureteronephrectomy. Ureteronefrectomia.

ureteropathy. Ureteropatia.

ureteroplasty. Ureteroplastia.

ureteroproctostomy. Ureteroproctostomia.

ureteropyelitis. Ureteropielite.

ureteropyelography. Ureteropielografia.

ureteropyelonephritis. Ureteropielonefrite.

ureteropielonephrostomy. Ureteropielonefrostomia.

uteropyeloplasty. Ureteropieloplastia.

ureteropyelostomy. Ureteropielostomia.

ureteropyosis. Ureteropiose.

ureterorectostomy. Uretero-retostomia.

ureterorrhagia. Ureterorragia.

ureterorrhaphy. Ureterorrafia.

ureterosigmoidostomy. Ureterossigmoidostomia.

ureterostegnosis. Ureterostegnose.

ureterostenoma. Ureterostenoma.

ureterostenosis. Ureterostenose.

ureterostoma. Ureteróstoma.

ureterostomy. Ureterostomia.

ureterotomy. Ureterotomia.

ureteroureterostomy. Uretero-ureterostomia.

ureterouterine. Uretero-uterino.

ureterovaginal. Ureterovaginal.

ureterovesical. Ureterovesical.

ureterovesicostomy. Ureterovesicostomia.

urethane. Uretânio, uretana.

urethra. Uretra.

urethralgia. Uretralgia.

urethratresia. Uretratresia.

urethrectomy. Uretrectomia.

urethremphraxis. Uretrenfraxia.

urethreurynter. Dilatador da uretra.

urethrism. Uretrismo.

urethritis. Uretrite.

urethroblennorrhea. Uretroblenorréia.

urethrobulbar. Uretrobulbar.

urethrocele. Uretrocele.

urethrocystitis. Uretrocistite.

urethrocystogram. Uretrocistograma.

urethrocystography. Uretrocistografia.

urethrocystopexy. Uretrocistopexia.

urethrodynia. Uretrodinia.

urethrograph. Uretrógrafo.

urethrography. Uretrografia.

urethrometer. Uretrômetro.

urethropenile. Uretropenial.

urethroperineal. Uretroperineal.

urethroperineoscrotal. Uretroperineoscrotal.

urethrophraxis. Uretrofraxia.

urethrophyma. Uretrofima.

urethroplasty. Uretroplastia.

urethroprostatic. Uretroprostático.

urethrorectal. Uretrorretal.

urethrorrhagia. Uretrorragia.

urethrorrhaphy. Uretrorrafia.

urethrorrhoea. Uretrorréia.

urethroscope. Uretroscópio.

urethroscopy. Uretroscopia.

urethrospasm. Uretrospasmo.

urethrostaxis. Uretrostaxe.

urethrostenosis. Uretrostenose.

urethrostomy. Uretrostomia.

urethrotome. Uretrótomo.

urethrotomy. Uretrotomia.

urethrovaginal. Uretrovaginal.

urethrovesical. Uretrovesical.

uretic. Pertinente à urina. Diurético.

uric. Úrico.

uricacidemia. Uricacidemia.

uricaciduria. Uricacidúria.

uricaemia. Uricemia, uriquemia.

uricase. Urícase.

uricocarboxylase. Uricocarboxilase.

uricocholia. Uricocolia.

uricolysis. Uricólise.

uricolytic. Uricolítico.

uricooxidase. Uricoxídase.

uricopoiesis. Uricopoese.

uricosuria. Uricosúria.

uricosuric. Uricosúrico.

uricotelic. Uricotélico.

uricotelism. Uricotelismo.

uricoxidase. Uricoxídase.

uridin. Uridina.

uridrosis. Uridrose. // ‑ **crystalina.** Uridrose cristalina.

uristhesia. Uristesia.

urina. Urina.

urinaemia. Urinemia.

urinal. Urinol.

urinalysis. Urinálise.

urinary. Urinário. / ‑ **organs.** Órgãos urinários.

urination. Micção.

urine. Urina.

uriniferous. Urinífero.

urinogenital. Urogenital.

urinogenous. Uropoético.

urinologist. Urologista.

urinoma. Urinoma.

urinometer. Urinômetro.

urinometry. Urinometria.

urinophil. Urinófilo.

urinoscopy. Urinoscopia.

urinous. Urinoso.

urinosexual. Urinossexual.

urinserum. Soro de animal injetado com urina de outro animal.

urisolvent. Urissolvente.

uritis. Urite. Dermatite calórica.

urn. Urna, jarro.

urning. Urningo.

urnism. Urningismo.

uro-. Uro. Elemento léxico de origem grega que significa urina.

uroacidimeter. Uracidômetro.

uroazotometer. Urazotômetro.

urobacillus. Urobacilo.

urobilin. Urobilina.

urobilinaemia. Urobilinemia.

urobilinicterus. Cor castanho-amarelada da pele devido ao depósito de urobilina nos tecidos.

urobilinogen. Urobilinogênio.

urobilinogenemia. Urobilinogenemia.

urobilinogenuria. Urobilinogenúria.

urobilinoid. Urobilinóide.

urobilinuria. Urobilinúria.

urocele. Urocele.

urochesia. Uroquezia, diarréia urinosa.

urochrome. Urocromo.

urochromogen. Urocromogênio.

urocinetic. Urocinético.

uroclepsia. Uroclepsia.

urocrisia. Urocrisia.

urocrisis. Urocrisia.

urocyanin. Urocianina.

urocyanogen. Urocianogênio.

urocyanosis. Urocianose.

urocyst. Bexiga urinária.

urocystic. Urocístico.

urocystitis. Urocistite.

urodialysis. Urodiálise.

urodynia. Urodinia.

uroedema. Uredema.

uroerythin. Ureritrina.

urofuscin. Urofuscina.

urofuscohaematin. Urofuscoematina.

urogaster. Urogáster. Parte da cavidade alantoídea do embrião.

urogenital. Urogenital.

uregenous. Urógeno, uropoético.

uroglaucin. Uroglaucina.

urogram. Urograma.

urography. Urografia.

urogravimeter. Urogravímetro.

urohaematin. Urematina.

urohaematonephrosis. Urematonefrose.

urohaematoporphyrin. Urematoporfirina.

urohypertensin. Mistura de bases obtidas de urina, que, injetadas, geram aumento da pressão arterial.

urokinetic. Urocinético.

urokymography. Urocimografia.

urolagnia. Urolagnia. Excitação sexual produzida pela visão de uma pessoa urinando.

urolith. Urólito.

urolithiasis. Urolitíase.

urolithic. Urolítico.

urologic. Urológico.

urologist. Urologista.

urology. Urologia.

urolutein. Uroluteína.

uromancy. Uromancia. Prognóstico pelo exame de urina.

uromelanin. Uromelanina.

uromelus. Urômelo. Monstro simélico, com um só pé.

urometer. Urômetro.

uron. Próton.

uroncus. Uronco, urinoma.

uronephrosis. Uronefrose.

uronophile. Uronófilo.

uronoscopy. Uronoscopia.

uropathy. Uropatia.

uropenia. Uropenia.

uropepsin. Uropepsina.

urophan, urophanic. Urofânico.

urophein. Urofeína.

urophobia. Urofobia.

urophosphometer. Urofosfômetro.

uropittin. Uropitina.

uroplania. Uroplania.

uropoiesis. Uropoese.

uropoietic. Uropoético.

uroporphyrin. Uroporfirina.

uropsammus. Uropsamo.

uropyoureter. Uropioureter.

urorrhithmography. Urorritmografia.

urorosein. Urorrodina, pigmento urinário.

urorrhagia. Urorragia.

urorrhoea. Urorréia. Enurese.

urorrhodin. Urorrodina.

urorrhodinogen. Urorrodinogênio.

urorubin. Urorrubina.

urorubinogen. Urorrubinogênio.

urosaccharometry. Urossacarometria.

uroscheocele. Urosqueocele.

uroschesis. Retenção de urina.

uroscopic. Uroscópico.

uroscopy. Uroscopia.

urosemiology. Urossemiologia.

urosepsis. Urossepsia.

uroseptic. Urosséptico.

urosis. Urose.

urospectrin. Urospectrina.

urostalagmometry. Urostalagmometria.

urostealith. Urosteálito.

urotherapy. Uroterapia.

urotoxia. Urotoxia. Unidade de toxicidade da urina.

urotoxic. Urotóxico.

urotoxicity. Urotoxicidade.

urotoxin. Urotoxina.

uroureter. Uroureter.

uroxanthin. Uroxantina.

Urtica. *Urtiga.* Gênero de plantas urticariáceas a que pertence a urtiga.

urticaria. Urticária. Sin.: cnidose, estigmasia, estigmatodermia, *epinictis pruriginosa*, febre urticária. // **- papulosa.** Urticária papulosa.

urticarial. Urticariáceo.

usage. Uso.

use. Usar.

useful. Útil.

useless. Inútil.

Uskov's pillars. Pilares de Uskov. Duas pregas do embrião inserida na porção dorsolateral da parede do corpo, que contribuem para a formação do diafragma.

ustulation. Ustulação. Secagem ao fogo de uma droga.

ustus, burned. Queimado, calcinado.

utensil. Utensílio.

uteralgia. Uteralgia.

uterectomy. Histerectomia.

uterine. Uterino.

uteritis. Uterite, metrite.

uteroabdominal. Uteroabdominal.

uterocele. Uterocele.

uterocervical. Uterocervical.

uterodynia. Uterodinia.

uterofixation. Uterofixação, histeropexia.

uterogestation. Uterogestação.

uterolith. Uterólito.

uteromania. Uteromania.

uterometer. Uterômetro.

uteroovarian. Uterovárico.

uteropelvic. Uteropélvico.

uteropexy. Uteropexia.

uteroplacental. Uteroplacentário.

uteroplasty. Uteroplastia.

uterosacral. Uterossacral.

uterosclerosis. Uterosclerose.

uteroscope. Uteroscópio, histeroscópio.

uterotome. Uterótomo.

uterotomy. Uterotomia.

uterotubal. Uterotubal.

uterovaginal. Uterovaginal.

uterovesical. Uterovesical.

uterus. Útero.

utricle. Utrículo.

utricular. Utricular.

utriculitis. Utriculite.

utriculis. Utrículo.

uvea. Úvea. Sin.: membrana iridocoroídea vascular ou nutritiva do olho. Trato uveal, túnica vascular do olho.

uveal. Uveal.

uveitis. Uveíte.

uveoparotid. Uveoparotídeo.

uviformis. Uviforme.

uvula. Úvula.

uvular. Uvular.

uvularis. Uvular.

uvulectomy. Uvulectomia.

uvulitis. Uvulite.

uvuloptosis. Uvuloptose.

uvulotome. Uvulótomo.

uvulotomy. Uvulotomia, cionotomia, estafilotomia.

FRASES E EXPRESSÕES

up against. Enfrentando com...

(to) use up. Utilizar.

V

V. Abreviatura de víbrio, vibrião.
vaccigenous. Vacinogênico, vacinogeno.
vaccinal. Vacínico, vacinal.
vaccinate. Vacinar.
vaccination. Vacinação.
vaccinator. Vacinador.
vaccine. Vacina.
vaccinella. Vacinela, vacina falsa ou espúria.
vaccinia. Vacina, varíola da vaca.
vaccinial. Vacínico.
vacciniculturist. Aquele que cria vacas para produção de vacina.
vaccinifer. Vacinífero.
vacciniform. Vaciniforme.
vacciniola. Vaciníola.
vaccinization. Vacinização.
vaccinogen. Vacinógeno, vacinogênico.
vaccinoid. Vacinóide.
vaccinophobia. Vacinofobia.
vaccinostyle. Vacinostilo.
vaccinotherapy. Vacinoterapia.
vaccinum. Vacina.
vacuity. Vacuidade.
vacuola, vacuole. Vacúolos.
vacuolar. Vacuolar.
vacuolated. Vacuolizado.
vacuolation. Vacuolização.
vacuum. Vácuo.
vagal. Vagal.
vagina, sheath. Vagina, bainha.
vaginal. Vaginal.
vaginalitis. Vaginalite.
vaginopexy. Vaginopexia, elitropexia.
vaginate. Envaginado, provido de bainha.
vaginectomy. Vaginectomia.
vaginiperineotomy. Vaginoperineotomia.
vaginismus. Vaginismo.
vaginitis. Vaginite.
vaginoabdominal. Abdominovaginal.

vaginocele. Vaginocele.
vaginodynia. Vaginodinia.
vaginofixation. Vaginofixação.
vaginogenic. Vaginogênico.
vaginogram. Vaginograma.
vaginography. Vaginografia.
vaginolabial. Vaginolabial.
vaginometer. Vaginômetro. Instrumento para medir comprimento e diâmetro da vagina.
vaginomycosis. Vaginomicose.
vaginopathy. Vaginopatia.
vaginoperineal. Vaginoperineal, perineovaginal.
vaginoperineorrhaphy. Vaginoperineorrafia.
vaginoperineotomy. Vaginoperineotomia.
vaginoperitoneal. Vaginoperitoneal, peritôniovaginal.
vaginopexy. Vaginopexia.
vaginoplasty. Vaginoplastia.
vaginoscope. Vaginoscópio.
vaginoscopy. Vaginoscopia.
vaginotome. Vaginótomo.
vaginotomy. Vaginotomia.
vaginovesical. Vaginovesical, vesicovaginal.
vaginovulvar. Vaginovulvar.
vagitis. Vaguite, neurite do vago.
vagitus. Vagido.
vagoglossopharyngeal. Vagoglossofaríngeo.
vagogram. Vagograma.
vagolysis. Vagólise.
vagomimetic. Vagomimético.
vagosplanchnic. Vagosplâncnico.
vagosympathetic. Vagossimpático.
vagotomy. Vagotomia.
vagotonia, vagotony. Vagotonia.
vagotrope, vagotropic. Vagotrópico.
vagotropism. Vagotropismo.
vagovagal. Vagovagal.
vagus. Vago.

Valangin's solution. Solução de Valangin. Solução de ácido arsenioso.

valence. Valência.

Valentin's ganglion. Gânglio de Valentin Situado no nervo dental superior. // **- nerve.** Nervo de Valentin. Estende-se do gânglio esfenopalatino ao sexto par. // **- tubes or cords.** Tubos ou cordas de Valentin. Disposição linear das células sexuais femininas no desenvolvimento do ovário.

Valentine's position. Posição de Valentine. Posição dorsal em um duplo plano inclinado com flexão das coxas, utilizadas na irrigação da uretra.

valeral, valeraldehyde. Valeraldeído.

valerate. Valerianato.

valerene. Amileno.

valerian, valeriana. Valeriana.

valerianate. Valerianato.

valerianic acid. Ácido valeriânico.

valetudinarian. Valetudinário, inválido, enfermiço.

valgus. Valgo, dirigido para fora. // **- hallux.** Hallux vagus. // **- spurious.** Valgo espúrio. // **- talipes.** Pé torto, valgo.

vallate. Circunvalado.

vallecula. Valécula.

vallecular. Valecular.

Valleix's points douloureux. Pontos dolorosos de Valleix, situados ao longo de certos nervos na nevralgia.

vallis. Valécula do cerebelo.

vallum unguis. Parede da unha, eponíquio.

Valsalva's experiment. Experimento ou manobra de Valsalva. Insuflação da tuba de Eustáquio e caixa de tímpano mediante expiração forçada com a boca e nariz fechados. // **- ligament.** Ligamento de Valsalva. Ligamento anterior do pavilhão auricular ao temporal. // **- muscle.** Músculo de Valsalva. Músculo do trago. // **- sinus.** Seio de Valsalva. Seio da aorta.

Valsuani's disease. Doença de Valsuani. Anemia perniciosa nas puérperas ou lactentes.

valuable. Valioso.

value. Valor, preço.

valval, valvar. Valvar, relacionado com valva.

valvate. Provido de valva, valvulado.

valve. Valva, válvula. // **- anal.** Válvula anal. // **- aortic.** Válvula aórtica. // **- atrioventricular.** Válvula atrioventricular. // **- bicuspid.** Válvula mitral ou bicúspide. // **- cardiac.** Válvula cardíaca. // **- Eustachian's.** Válvula "venae cavae". // **- Heister's.** Válvula de Heister. // **-**

Houston's. Válvula de Houston. // **- ileocolic.** Válvula ileocólica. // **- mitral.** Válvula mitral. // **- of Ball.** Válvula de Ball. // **- of Bauhin.** Válvula de Bauhin. // **- of Gerlach.** Válvula de Gerlach. // **- of Hasner.** Válvula de Hasner. // **- of inferior vena cava.** Válvula da veia cava inferior. // **- of Morgagni.** Válvula de Morgagni. // **- of Tarin.** Válvula de Tarin. // **- of Tulpius.** Válvula de Tulpius. // **- pulmonary.** Válvula pulmonar. // **- pyloric.** Válvula pilórica. // **- rectal.** Válvula retal. // **- spiral.** Válvula espiral. // **- Thebesian.** Válvula de Tebésio. // **- tricuspid.** Válvula tricúspide.

valveless. Avalvulado.

valviform. Valviforme.

valvotomy. Valvotomia.

valvula. Válvula. // **- of Guérin.** Válvula de Guérin.

valvulae conniventes. Válvulas coniventes: pregas transversas da mucosa do intestino delgado.

valvular. Valvular.

valvulitis. Valvulite.

valvuloplasty. Valvuloplastia.

valvulotome. Valvulótomo.

valvulotomy. Valvulotomia.

vanadate. Vanadato.

vanadiotherapy. Vanadioterapia.

vanadium. Vanádio.

van Buren's disease. Doença de van Buren. Endurecimento dos corpos cavernosos.

van de Graaff machine. Máquina de van de Graaff. Gerador eletrostático de alta voltagem.

van Deen's test. Prova de van Deen: para sangue no suco gástrico.

van den Bergh's test. Reação de van den Bergh. Prova para determinar se existe bilirrubina combinada ou não, no sangue.

vanillin. Vanilina.

vanish. Desvanecer-se.

vanity. Vaidade.

van Slyke's test. Reação de van Slyke: para aminonitrogênio. O ácido nitroso, agindo sobre o aminonitrogênio libera o gás nitrogênio, que se recolhe, e cujo volume é medido.

vaporization. Vaporização.

vapour. Vapor. // **- bath.** Banho de vapor.

vapours. Vapores, histerismo ou hipocondria.

variation. Variação.

varicella. Varicela.

varices. Varizes.

variciform. Variciforme.

varicoblepharon. Varicobléfaro.

varicocele. Varicocele.

417

varicocelectomy. Varicocelectomia.

varicomphalus. Varicônfalo.

varicose. Varicoso. // **- veins.** Veias varicosas.

varicosity. Varicosidade.

varicotomy. Varicotomia.

varicula. Varícula.

variola. Varíola. // **- haemorrhagic.** Varíola hemorrágica.

variolar. Variolar.

variolate. Variolar, variolizar.

variolation. Variolização.

varioloid. Variolóide.

variolous. Varioloso.

variolovaccine. Variolovacina.

variolavaccinia. Variolavacínia.

varix. Varize.

Varolius, ponts of. Ponte de Varoli. Mesencéfalo.

vas. Vaso sangüíneo ou linfático. // **- aberrans.** Vaso aberrante. // **- deferens.** Vaso deferente.

vasa. Vasa (plural de vas). // **- efferentia.** Vasos eferentes. // **- vasorum.** Vasa vasorum.

vasal. Vasal, vascular.

vasalium. Verdadeiro tecido vascular.

vascular. Vascular.

vascularity. Vascularidade.

vascularization. Vascularização.

vascularize. Vascularizar.

vasculitis. Vasculite, angiíte.

vasculum. Vaso diminuto.

vasectomy. Vasectomia.

vasifactive. Vasiformativo. Formador de vasos novos. Angiopoético.

vasiform. Vasiforme, angióide.

vasitis. Vasite.

vasoconstriction. Vasoconstricção.

vasoconstrictive. Vasoconstrictor.

vasocorona. Sistema de arteríolas que irrigam a periferia da medula. Coroa vascular.

vasodentin. Vasodentina.

vasodepression. Vasodepressão.

vasodepressor. Vasodepressor.

vasodilatador. Vasodilatador.

vasofactive. Vaso formativo, angiopoético.

vasoformative. Angiopoético.

vasoinhibitor. Vasoinibidor.

vasoinhibitory. Vasoinibitório.

vasoligation. Ligadura do ducto deferente.

vasomotion. Vasomotricidade.

vasomotor. Vasomotor. // **- rhinitis.** Rinite vasomotora.

vasomotorial, vasomotory. Vasomotor.

vasoneurophaty. Vasoneuropatia. Angioneurose.

vasoparesis. Vasoparesia.

vasopressin. Vasopressina.

vasorrhaphy. Vasorrafia.

vasosection. Vaso-secção.

vasosensory. Vasosensitivo.

vasospasm. Vasospasmo. Angiopasmo.

vasostimulant. Vasostimulante.

vasotomy. Vasotomia.

vasotrophic. Vasotrófico.

vasovagal. Vasovagal. // **- Gower's syndrome.** Síndrome vasovagal de Gowers.

Vater's ampulla. Ampola de Vater. Ampola do ducto biliar. // **- corpuscles.** Corpúsculos de Vater. Órgãos sensoriais terminais. // **- tubercle.** Tubérculo de Vater. Papila duodenal, papila de Santorino.

V.D. Abreviatura de *venereal disease*, doença venérea.

vection. Transmissão de vermes patogênicos de doentes a são.

vectis. Alavanca curva para apressar saída de cabeça fetal.

vector. Vetor.

vegetable. Vegetal, planta.

vegetal. Vegetal.

vegetarian. Vegetariano.

vegetarianism. Vegetarianismo.

vegetative. Vegetativo.

vehicle. Veículo.

vein. Veia. // **- anastomotic.** Veia anastomótica. // **- anterior caecal.** Veia cecal anterior. // **- anterior cardiac.** Veia cardíaca anterior. // **- anterior cerebral.** Veia cerebral anterior. // **- anterior facial.** Veia facial anterior. // **- anterior interventricular.** Veia interventricular anterior. // **- anterior jugular.** Veia jugular anterior. // **- anterior vertebral.** Veia vertebral anterior. // **- ascending lumbar.** Veia lombar ascendente. // **- axillary.** Veia axilar. // **- azygos.** Veia ázigos. // **- azygos (hemi) inferior.** Veia hemiázigos inferior. // **- azygos (hemi) superior.** Veia hemiázigos superior. // **- azygos lumbar.** Veia ázigos lombar. // **- basilic.** Veia basílica. // **- bronchial.** Veia brônquica. // **- cephalic.** Veia cefálica. // **- cerebellar.** Veia cerebelar. // **- choroid.** Veia coróidea. // **- comitans hypoglossi.** Veia comitante do hipoglosso. // **- common facial.** Veia facial comum. // **- common iliac.** Veia ilíaca comum. // **- cystic.** Veia cística. // **- deep cerebral.** Veia cerebral profunda. // **- deep cervical.** Veia cervical profunda. // **- deep-facial.** Veia facial profunda. // **- deep-median.** Veia mediana profunda. // - **deep middle cerebral.** Veia cerebral média profunda. // - **deep Sylvian.** Veia silviana profunda. // - **descending pharyngeal.** Veia faríngea descendente. // - **diploc.** Veia diplóica. // - **dorsal of penis.** Veia dorsal do pênis. // - **emissary.** Veia emissária. // - **external iliac.** Veia ilíaca externa. // - **external jugular.** Veia jugular externa. // - **femoral.** Veia femoral. // - **frontal.** Veia frontal. // - **gastric.** Veia gástrica. // - **great cardiac.** Veia cardíaca maior. // - **great cerebral.** Veia cerebral maior. // - **hemiazygos.** Veia hemiázigos. // - **hemiazigos inferior.** Veia hemiázigos inferior. // - **hepatic.** Veia hepática. // - **inferior cerebral.** Veia cerebral inferior. // - **inferior dental.** Veia dental inferior. // - **inferior haemorrhoidal.** Veia hemorroidal inferior. // - **inferior mesenteric.** Veia mesentérica inferior. // - **inferior pudendal.** Veia pudenda inferior. // - **inferior rectal.** Veia retal inferior. // - **inferior striated.** Veia estriada inferior. // - **inferior thyroid.** Veia tireoídea inferior. // - **infraorbital.** Veia infra-orbital. // - **innominate.** Veia inominada. // - **intercostal.** Veia intercostal. // - **interlobular.** Veia interlobular. // - **internal auditory.** Veia do ouvido interno. // - **internal iliac.** Veia ilíaca interna. // - **internal jugular.** Veia jugular interna. // - **internal mammary.** Veia mamária interna. // - **internal occipital.** Veia occipital interna. // - **internal pudic.** Veia pudenda interna. // - **intestinal.** Veia intestinal. // - **left gastric.** Veia gástrica esquerda. // - **left marginal.** Veia marginal esquerda. // - **lingual.** Veia lingual. // - **long saphenous.** Veia safena interna. // - **lumbar.** Veia lombar. // - **maxillary.** Veia maxilar. // - **median.** Veia mediana. // - **median basilic.** Veia mediana basílica. // - **median cephalic.** Veia mediana cefálica. / - **median sacral.** Veia sacra mediana. // - **meningeal.** Veia meníngea. // - **mental.** Veia mental. // - **middle cardiac.** Veia cardíaca média. / - **middle cerebral.** Veia cerebral média. // - **oblique.** Veia oblíqua. // - **obliterated umbilical.** Veia umbilical obliterada. // - **occipital.** Veia occipital. // - **of brain.** Veia cerebral. // - **of clitoris.** Veia do clitóris.

velamen. Velame, meninge, tegumento.

velar. Velar (do véu, especialmente do palato mole).

veldt sore. Úlcera do deserto.

velementum. Véu.

vell. Véu, velar, encobrir.

Vella's fistula. Fístula de Vella. Fístula intestinal artificial para obter a secreção intestinal pura.

vellication. Termo que significa contração muscular espasmódica.

vellum. Vitela.

velocity. Velocidade.

velosynthesis. Estafilorrafia.

Velpeau's canal. Canal de Velpeau. Canal inguinal. // - **fascia propria.** Fáscia de Velpeau. Camada subserosa ao redor do rim. // - **fossa.** Fossa de Velpeau: isquiorretal.

velum. Véu. // - **palati.** Véu palatino.

vena. Veia. // - **azygos.** Veia ázigos. // - **cava inferior.** Veia cava inferior. // - **cava superior.** Veia cava superior. // - **salvatella.** Veia salvatela. // - **cordis minimae.** Veias de Tebésio. // - **stellatae.** Veias estreladas. // - **vorticosa.** Veia vorticosa.

venenation. Envenenamento.

veneniferous. Venenífero.

venenose, venenous. Venenoso.

venenosity. Venenosidade.

venepuncture. Punção venosa.

veneration. Veneração.

venereal. Venéreo. // - **disease.** Doença venérea.

venereologist. Venereologista.

venereology. Venereologia.

venereophobia. Venereofobia.

venery. Coito, cópula.

venesection. Flebotomia.

venesuture. Fleborrafia.

veniplex. Plexo venoso.

venipuncture. Punção venosa.

venitis. Flebite.

venoauricular. Venauricular.

venoclysis. Flebóclise.

venofibrosis. Fibrose venosa.

venogen. Flebógeno, flebogenia.

venogram. Venograma.

venography. Flebografia.

venom. Veneno, particularmente o segregado por répteis e insetos.

venomosalivary. Que segrega saliva tóxica.

venomotor. Venomotor.

venous. Venoso. // - **blood.** Sangue venoso. // - **hum.** Ruído prouzido pela ausculta de uma veia.

venovenostomy. Fleboflebostomia. Anastomose cirúrgica de duas veias.

vent. Janela, respiradouro.

venter. Ventre, estômago, cavidade em geral.

ventilation. Ventilação.

ventouse. Ventosa.

ventosity. Ventosidade.

ventrad. Para o abdome, em sua direção.

ventral. Ventral.

ventricle. Ventrículo. // **- of brain.** Ventrículo cerebral. // **- fifth.** Quinto ventrículo ou de Silvius. // **- fourth.** Quarto ventrículo. // **- third.** Terceiro ventrículo.

ventricular, ventricularis. Ventricular.

ventriculostomy. Ventriculostomia.

ventriculus. Ventrículo.

ventricumbent. Ventricumbente. Em decúbito ventral ou prono.

ventriduct. Ventriducto.

ventrifixation. Ventrifixação.

ventriloquism. Ventriloquismo.

ventrimeson. A linha mediana ventral.

ventripyramid. Pirâmide anterior da medula oblongata.

ventrocystorrhaphy. Ventrocistorrafia. Marsupialização.

ventrofixation. Ventrofixação.

ventrose. Ventroso.

ventrosuspension. Ventrossuspensão, ventrofixação.

ventrotomy. Ventrotomia, laparotomia, celiotomia.

ventrovesicofixation. Ventrovesicofixação.

venula, venule. Vênula.

venular. Venular.

veracity. Veracidade.

Veratrum. Veratro. Gênero de liliáceas (venenosas).

Verbena. Gênero de verbenáceas.

verbigeration. Verbigeração. Repetição insana de palavras.

Verco's sign. Sinal de Verco. Estrias ou manchas hemorrágicas nas mãos e pés no eritema nodoso.

verdigris. Mistura de acetatos básicos de cobre.

verdohemin. Verdoemina.

verdohemochromogen. Verdoemocromogênio.

verdohemoglobin. Verdoemoglobina.

verdoperoxidase. Verdoperoxídase.

verdunization. Verdunização.

Verga's groove. Sulco lacrimal de Verga. Sulco debaixo da abertura normal do ducto nasolacrimal. // **- ventricle.** Ventrículo de Verga. Espaço situado entre o corpo caloso e o corpo do fórnix.

verge. Limite, margem, limiar.

vergence. Estrias da pele que se apresentam na gravidez, obesidade, etc.

Verheyen's stars. Estrelas de Verheyen. Veias estreladas do rim.

Verhoeff's operation. Operação de Verhoeff.

Esclerotomia posterior seguida de punções eletrolíticas múltiplas, no descolamento da retina.

verify. Verificar.

verjuice. Suco de frutas verdes.

vermicide. Vermicida.

vermicular. Vermicular.

vermiculate. Vermicular.

vermiculation. Vermiculação.

vermiform. Vermiforme. // **- appendix.** Apêndice vermiforme.

vermifugal. Vermífugo.

vermillion. Cinabar Vermelhão. Sulfeto Vermelho de mercúrio.

Vermin. Ectoparasita.

verminous. Pertencente ou devido a vermes.

vermis. Verme. Vérmis; lobo mediano do cerebelo.

vermouth. Vermute.

Vernal. Vernal. // **- catarrh.** Catarro vernal. // **- conjunctivitis.** Conjuntivite vernal.

Vernes's test. Reação de Vernes para a sífilis. Fundamenta-se na opacidade ou floculação produzida pelo soro em uma suspensão coloidal de peretinol, cuja intensidade se mede com um fotômetro especial. // Para a tuberculose: o soro do paciente se mistura com uma solução de resorcina; se a densidade óptica da mistura for inferior a 1.5, o indivíduo não é tuberculoso; se é superior a 20, padece de tuberculose.

Verneuil's disease. Doença de Verneuil. Bursite sifilítica. // **- neuroma.** Neuroma de Verneuil. Neuroma plexiforme. // **- operation.** Operação de Verneuil. Método de colostomia ilíaca.

vernin. Vernina.

vernix caseosa. Substância untuosa que cobre a pele do feto.

Veronal. Veronal. Sin.: barbital, dietilmaloniluréia, dormonal, malonal, sedival.

Veronica. Verônica. Gênero de plantas escrofulariáceas.

verruca. Verruga. // **- acuminata.** Verruga acuminada. // **- necrogenica.** Verruga necrogênica. Tubérculo anatômico.

verruciform. Verruciforme.

verrucose, verrucous. Verrucoso.

verrucosis. Verrucose.

verruga peruana. Verruga peruana. Doença de Carrion.

vert. Árvore ou arbusto.

vertebra. Vértebra.

vertebrarium. Coluna vertebral.

Vertebrata. Vertebrados.

vertebrate. Vertebrado.

vertebrectomy. Vertebrectomia.

vertebrochondral. Vertebrocondral.

vertebrocostal. Vertebrocostal.

vertebrosternal. Vertebrosternal.

vertex. Vértex.

vertiginous. Vertiginoso.

vertigo. Vertigem.

verrumontanum. Verumontanum. Sin.: *Caput gallinaginis.* Colículo seminal.

very. muito, mesmo.

Vesalius's bone. Osso de Vesálio. Tuberosidade separada da base do quinto osso metatárseo. // **- foramen.** Orifício de Vesálio. Orifício venoso diminuto, situado imediatamente diante do orifício oval. // **- glands.** Glândulas de Vesálio. Linfonodos brônquicos.

vesania. Vesânia, psicopatia, loucura.

vesica. Bexiga, vesícula. // **- fellea.** Vesícula biliar. // **- urinaria.** Bexiga urinária.

vesical. Vesical.

vesicant. Vesicante.

vesication. Vesicação.

vesicatory. Vesicatório.

vesicle. Vesícula.

vesico-abdominal. Vésico-abdominal.

vesicocele. Vesicocele, cistocele.

vesicocervical. Vesicocervical.

vesicofixation. Vesicofixação.

vesicoprostatic. Vesicoprostático.

vesicopubic. Vesicopúbico.

vesicorectal. Vésico-retal.

vesicorenal. Vésico-renal.

vesicospinal. Vesicospinal.

vesicotomy. Vesicotomia. Cistotomia.

vesicoureteral. Vésico-ureteral.

vesicouretral. Vésico-uretral.

vesicouterine. Vésico-uterino.

vesicovaginal. Vésico-vaginal.

vesicula. Vesícula.

vesicular. Vesicular.

vesiculation. Vesiculação.

vesiculectomy. Vesiculectomia, colecistectomia.

vesiculiferus. Vesiculífero.

vesiculiform. Vesiculiforme.

vesiculitis. Vesiculite.

vesiculobronchial. Vesicobrônquico.

vesiculocavernous. Vesiculocavernoso.

vesiculotympanic. Vesiculotimpânico.

Vesling's line. Linha de Vesling. Rafe escrotal.

vesel. Embarcação.

vestibular. Vestibular.

vestibule. Vestíbulo. // **- aortic.** Vestíbulo aorta. // **- of the ear.** Vestíbulo do ouvido. // **- of the larynx.** Vestíbulo da laringe. // **- of the mouth.** Vestíbulo da boca. // **- of the nose.** Vestíbulo do nariz. // **- of the perineum.** Vestíbulo do períneo.

vestibulourethral. Vestíbulo-uretral.

vestibulum. Vestíbulo.

vestige. Vestígio.

vestigial. Vestigial.

vesture. Vestidura.

vesuvine. Vesuvina. Pardo de Bismarck (corante).

veterinarian. Veterinário.

veterinary. Veterinária.

vex. Vexar.

vi antigen. Antígeno Vi. Antígeno específico do bacilo tifoso.

via. Via.

viability. Viabilidade.

viable. Viável, com viabilidade.

vial. Frasco, ampola, redoma.

viad. Vianda.

vibex, vibix. Víbice. Efusão sangüínea linear, estria.

vibrate. Vibrar.

vibratile. Vibrátil.

vibration. Vibração.

vibratory. Vibratório.

vibrio. Vibrião. Gênero de espiriláceas, em forma de bastonetes curvos. // **- cholerae.** Vibrião da cólera.

vibrissae. Vibrissas.

vibrotactile. Vibrotáctil.

vibrotherapeutics. Vibroterapêutica.

viburnum. Arbusto caprifoliáceo.

vicarious. Vicariante. // **- menstruation.** Menstruação vicariante.

vice. Vício, defeito.

Vichy douche. Ducha de Vichy. // **- union.** Falsa união.

Vicq d'Azyr's bundle. Fascículo de Vicq d'Azyr. Fascículo mamilotalâmico. // **- stripe.** Estria de Vicq d' Azyr ou de Genari.

victual. Abastecer, prover.

Vidal's operation. Operação de Vidal. Ligadura subcutânea das veias na varicocele.

Vidian canal. Ducto de Vidian. Ducto no osso esfenóide, que aloja artéria e nervo vidiano. // **- nerve.** Nervo vidiano. Nervo do ducto pterigoídeo. Sin.: Guidi's nerve.

Vieussens's annulus. Anéis de Vieussens. Alça subclávia dos nervos simpáticos. // **- scyphus.** Canal de Vieussens. Canal central da coluna coclear. // **- valve.** Válvula de Vieussens. Véu medular anterior.

view. Vista, ponto de vista, encarecer.

vigil. vigília, vela.

Vignal's bacillus. Bacilo de Vignal. *Leptotrichia buccalis.* // - **cells.** Células de Vignal. Célula do tecido conjuntivo embrionário situada sobre os cilindraxes das quais se derivam as fibras nervosas fetais, formando às vezes uma camada completa.

Vigo plaster. Emplastro de Vigo.

Vigouroux's sign. Sinal de Vigouroux. Diminuição da resistência elétrica da pele na tireotoxicose.

Villard's button. Botão de Villard. Modificação do botão de Murphy, usado nas anastomoses intestinais.

Villemin's sphincter. Esfíncter de Villemin. Fibras esfintéricas ou válvula muscular, na terminação do duodeno.

villi. Vilosidades. // - **intestinal.** Vilosidades intestinais.

villiferous. Vilífero.

villose, villous. Viloso.

villosity. Vilosidade.

villus. Vilosidade.

Vincent's angina. Angina de Vincent. Infecção da mucosa bucal causada pelo bacilo fusiforme de Vincent, freqüentemente associado a espirilos. Afeta amídala e palato e é contagiosa. // - **bacillus.** Bacilo de Vincent, fusiforme, produtor da angina deste nome. // - **serum.** Soro de Vincent. Soro antiestreptocócico. // - **sign.** Sinal de Vincent ou sinal pupilar de Argill-Robertson.

vincula acessoria tendinum. Prega tendínea das bainhas dos flexores dos dedos.

vinculum. Vínculo, ligamento, frênulo.

vindicate. Vingar, defender.

vinegar. Vinagre.

vinous. Vinoso.

vinum. Vinho.

viola. Violeta (planta).

violaceus. Violáceo.

violation. Violação.

violent. Violento.

violinist's cramp. Cãibra do violinista.

viper ventom. Veneno de cobra.

viperine. Viperino.

viraginity. Presença de caracteres masculinos na mulher.

Virchow's disease. Doença de Virchow: leontíase óssea. // - **spaces.** Espaços de Virchow, situados entre os vasos e as células nervosas na medula espinal.

virgin. Virgem.

virginal. Virginal.

virginity. Virgindade.

virile. Viril.

virilescence. Virilescência.

virilia. Órgãos genitais masculinos.

virility. Virilidade.

viripotent. Viripotente, sexualmente maduro, núbil.

virose. Virose.

virous. Viroso, que tem vírus ou veneno.

virtual cautery. Cautério virtual.

virulence. Virulência.

virulent. Virulento.

viruliferous. Virulífero.

virus. Vírus. // - **attenuated.** Vírus atenuado. // - **filtrable.** Vírus filtrável.

vis. Força, energia. // - **a tergo.** Força que impele. // - **conservatrix.** Poder natural do organismo de resistir aos danos. // - **medicatrix naturae.** Força curativa da natureza.

viscera. Víscera.

viscerad. Em direção à víscera.

visceral. Visceral.

visceralgia. Visceralgia.

visceroptosis. Visceroptose.

viscid. Viscoso, adesivo.

viscidity. Viscosidade.

viscin. Viscina, princípio glutinoso do agárico.

viscometer. Viscômetro.

viscosity. Viscosidade.

viscous. Viscoso.

viscosimeter. Viscosímetro.

Viscum. Gênero de lorantáceas a que pertence o agárico da Europa, o visco.

viscus. Víscera* (uma só).

visibility. Visibilidade.

visible. Visível.

vision. Visão. // - **central.** Visão central. // - **peripheral.** Visão periférica.

visit. Visitar.

visual. Visual. // - **field.** Campo visual. // - **purple.** Pigmento purpúrico visual.

visuoauditory. Audiovisual. // - **nerve fibres.** Fibras nervosas visuais e auditivas.

vita. Vida. // - **sexualis.** Vida sexual.

vitaglass. Fita com quartzo, capaz de transmitir raios ultravioleta.

vital. Vital. // - **capacity.** Capacidade vital. // - **centre.** Centro vital. // - **statistics.** Estatística vital.

vitalism. Vitalismo.

vitality. Vitalidade.

---

* N. do T. — É o singular latino de víscera.

vitalize. Vitalizar.

vitals. Órgãos vitais.

vitamins. Vitaminas.

vitellarium. Glândula vitelina.

vitellary. Vitelino.

vitellin, vitelline. Vitelino.

vitellolutein. Viteloluteína.

vitellorubin. Vitelorrubina.

vitellus. Vitelo.

vitiation. Depravação.

vitiliginous. Vitiliginoso.

vitiligo. Vitiligo.

vitiligoidea. O mesmo de Xantoma plano*.

vitium. Vício.

vitochemical. Bioquímico.

vitodynamic. Biodinâmico.

vitreodentine. Vitreodentina.

vitreous. Vítreo. // - **chamber.** Câmara vítrea. // - **humour.** Humor vítreo.

vitrify. Vitrificar.

vitrum. Vidro.

vituline. Vitulino.

vituperate. Vituperar.

vivification. Vivificação.

viviparous. Vivíparo.

vivisection. Visissecção.

vivisectionist. Vivissector.

Vladimirov's operation. Operação de Vladimirov. Método de tarsectomia.

vocal. Vocal. // - **cord.** Corda vocal.

vocation. Vocação.

Voge's test. Prova de Vogue. Prova para determinar a histidina na urina de mulheres grávidas.

Vogt's disease. Doença de Vogt. Displegia cerebral espasmódica. // - **syndrome.** Síndrome de Vogt. Encontrado nas lesões do corpo estriado.

Vogt's point. Ponto de Vogt. Ponto clássico para trepanação do crânio nos casos de hemorragia da meníngea média.

voice. Voz.

void. Vazio, desocupado.

Voigt's lines. Linhas de Voigt. Linhas que limitam as áreas de distribuição dos nervos periféricos.

Voillemier's point. Ponto de Voillemier. Situa-se na linha alba, 6 a 7 cm abaixo da linha que une as espinhas ilíacas anteriores superiores: orienta a punção vesical, que é feita abaixo dele, em obesos e edemaciados.

Voit's nerve. Nervo de Voit. Ramo da porção

---

* N. do T. — É como traduz e sinonimiza Eurico Fernandes.

---

anterior do nervo acústico.

Voit's nucleus. Núcleo de Voit. Núcleo cerebelar acessório do corpo dentado.

voix de polichinelle. Voz de polichinelo.

vola. Planta do pé ou palma da mão.

volar. Relativo à planta do pé ou palma da mão.

volatile. Volátil.

volatilization. Volatilização.

Volhard's solution. Solução de Volhard. Solução decinormal de tiocianato de potássio.

volition. Volição.

volitional. Volicional.

Volkmann's deformity. Deformidade de Volkmann. Luxação tíbio-tarsea congênita. // - **splint.** Férula de Volkmann. Para as fraturas de tíbia e fíbula que consta de três peças para adaptar atrás, lateralmente e inferiormente. // - **spoon.** Cureta de Volkmann, para raspar granulações, ossos, etc.

volsella. Pinça provida de ganchos na extremidade das lâminas.

volt. Volt.

voltaic. Voltáico.

voltaism. Voltaísmo, galvanismo.

voltameter. Voltâmetro.

voltimeter. Voltímetro.

Voltolini's disease. Doença de Voltolini. Inflamação aguda do ouvido interno.

volubility. Volubilidade.

volume. Volume.

volumetric. Volumétrico.

voluntary. Voluntário.

voluntomotory. Voluntomotor.

voluptuous. Voluptuoso.

volvulus. Vôlvulo.

vomer. Vômer. // - **cartilaginous.** Vômer cartilaginoso.

vomerine. Vomerino.

vomica. Vômica.

vomit. Vômito.

vomito negro. Febre amarela.

vomiturition. Vomiturição. Regurgitação.

vonulo. Broncopatia da África Ocidental.

voracious. Voraz.

Voronoff's operation. Operação de Voronoff. Tipo de rejuvenescimento mediante transplante cirúrgico dos testículos do macaco ao homem.

vortex. Vórtex.

voussure. Saliência precordial devido ao aumento do coração na infância.

vox. Voz.

vulcanite. Vulcanite.

vulcanize. Vulcanizar.

vulnerability. Vulnerabilidade.

vulnerary. Vulnerário.

vulnerate. Vulnerado.

vulnus. Ferida, trauma.

Vulpian's atrophy. Atrofia de Vulpian. Atrofia muscular progressiva que afeta o ombro e o braço. // - **law.** Lei de Vulpian: se se destrói parte do cérebro, a porção restante adquire a função da parte desaparecida.

vulsella, vulsellum. Fórceps provido de ganchos nas lâminas.

vulva. Vulva.

vulvectomy. Vulvectomia.

vulvismus. Vulvismo.

vulvitis. Vulvite.

vulvopathy. Vulvopatia.

vulvouterine. Vulvouterino.

vulvovaginal. Vulvovaginal.

vulvovaginitis. Vulvovaginite.

FRASE E EXPRESSÃO

Very much. Muito.

W

W. Símbolo químico do tungstênio ou volfrâmio.

wabble. Balançar, vacilar.

Wachendorff's membrane. Membrana de Wachendorff. Cobre a pupila durante a vida fetal.

wad. Borra.

wadding. Algodão em rama, bucha.

wafer. Hóstia, cápsula, bolo.

waft. Sinal feito com a bandeira, bafejo, fazer flutuar.

Wagner's corpuscles. Corpúsculos tácteis de Wagner, terminações nervosas tácteis. // - **spot.** Mancha de Wagner, nucléolo do ovo.

wail. Deplorar, lamentar.

waist. Cintura.

wait. Esperar, servir.

wakefulness. Vigília, insônia.

Wakeley's radium forceps. Pinça de Wakeley, para inserir tubos de rádio nos tecidos.

waken. Despertar-se, recordar.

Waldeyer's organ. Órgão de Waldeyer. Paradídimo ou órgão de Giraldés. // - **tract.** Trato ou zona de Lissauer. // - **white line.** Linha branca de Waldeyer. Acha-se situada nos testículos, na união do epitélio germinal e o peritônio.

walk. Andar.

walking typhoid. Forma leve da febre tifóide.

Wallerian degeneration. Degeneração Waleriana. Degeneração de um nervo depois de seccionado.

walnut. Nogueira, noz.

Walter's nerve. Nervo de Walter. Ramo menor do nervo esplâncnico que passa pelo plexo renal.

Walthard's cells rests or islets. Restos celulares ou ilhotas de Walthard. Restos de células escamosas nos ovários.

Walther's canal. Ducto de Walther. Ducto da glândula sublingual.

wamble. Ter náuseas.

wan. Pálido, macilento.

Wancher's mask. Máscara de Wancher, para aplicar éter.

wandering. Errante, migrante, migratório. // - **abscess.** Abscesso migratório. // - **cells.** Leucócitos. // - **organ.** Órgão migratório.

wane. Minguar, decair.

want. Falta, necessidade.

Warburg's factor. Fator de Warburg. Enzima isolada na levedura.

Warburg's tinture. Tintura de Warburg, antimalária.

Ward's triangle. Triângulo de Ward. Área triangular que intervém por meio de trabéculas do tecido reticular do colo do fêmur.

warm. Esquentar.

warn. Avisar, advertir.

wart. Verruga.

wary. Canto, prevenido.

wash. Lavar, loção.

washing soda. Carbonato de sódio.

Wasmann's glands. Glândulas de Wasmann. Glândulas pépticas.

waspishness. Mau gênio, irritabilidade.

Wassermann's reation. Reação de Wassermann. Fixação de complemento, prova da sífilis.

waste. Desejo.

water. Água. // - **glass.** Solução forte de silicato de sódio.

Waterhouse-Friderichsen syndrome. Síndrome de Waterhouse-Friderichsen. Forma grave de meningite meningocócica acompanhada de hemorragia supra-renal.

wateriness. Umidade.

watery. Aquoso, insípido.

watt. Watt.

wave. Onda.

wavemeter. Medidor de ondas.

wavy. Ondulado.

425

wax. Cera.

waxing. Céreo, ceráceo. // **- degeneration.** Degeneração cérea.

way. Modo, maneira, caminho.

wayward. Díscolo, voluntarioso.

weakness. Debilidade, fraqueza.

weal. Bem-estar.

weaning-brash. Grave diarréia infantil, que se apresenta geralmente na época do desmame.

wear. Usar, levar.

weariness. Cansaço.

weasand. Traquéia.

·weaver's bottom. Botão do tecelão: bursite crônica sobre a tuberosidade do ísquio.

webbed. Membrana dos palmípedes.

Weber's artery. Artéria de Weber. Artéria auditiva externa.

Weber's glands. Glândulas de Weber. Laterais da língua.

Weber's point. Ponto de Weber. Ponto situado 1 cm abaixo do promontório do sacro, que representa o centro de gravidade do corpo. // **-triangle.** Triângulo de Weber. Área da planta do pé, formada pelas cabeças do primeiro e do quinto metatárseos e o ponto médio da superfície plantar do calcanhar.

Weber's syndrome. Síndrome de Weber, do pedúnculo cerebral que consiste em paralisia do motor ocular comum no mesmo lado do cérebro em que se encontra a lesão e hemiplegia do lado oposto.

Weber's test. Prova de Weber. Aplica-se um diapasão do vértice da cabeça: o som se percebe melhor pelo ouvido são se a hipacusia é devido à afecção do aparelho auditivo e pelo ouvido enfermo se é de transmissão ou condução.

Weecks's bacillus. Bacilo de Weecks. Bacilo de Koch.

weeping. Pranto, choro, lágrimas.

weevil. Gorgulho.

Wegner's disease. Doença de Wegner. Osteocondrite epifisária em crianças heredossifilíticas.

Weigert's method. Método de Weigert. (v. *Weigert's stain; Gram's method*). // **- stain.** Coloração da mielina pela hematoxilina álcool.

weight. Carregar, peso, carga.

Weil's basal layer. Camada basal de Weil. Camada imediata à polpa dental, sem os odontoblastos.

Weil-Felix bacillus. Bacilo de Weil-Felix, do grupo *Proteus*, encontrado na urina e fezes dos tifosos. // **- reaction.** Reação de Weil-Felix, de aglutinação para a febre tifóide.

Weinberg's test. Prova de Weinberg, de fixação de complemento para as hidátides.

Weir-Mitchell's disease. Doença de Weir-Mitchell. Eritromelalgia.

Weiss's sign. Sinal de Weiss. Contração dos músculos faciais após ligeira percussão em casos de tetania.

Weiss's stain. Coloração de Weiss, para o bacilo da tuberculose.

Weissmann's bundle. Fascículo de Weissmann. Grupo de fibras musculares de um fuso neuromuscular.

Weitbrecht's fibres. Fibras de Weitbrecht. Fibras reticulares do colo do fêmur. // **- foramen ovale.** Forâmen oval de Weitbrecht. Orifício na cápsula da articulação do ombro entre os ligamentos glenoumerais. // **- ligament.** Ligamento de Weitbrecht. Ligamento oblíquo rádio-ulnar.

Welander's treatment. Tratamento de Welander. Tratamento da sífilis pela aplicação de pomada mercurial.

Welch's bacillus. Baculo de Welch. *Clostridium welchii.* // **- stain.** Coloração de Welch, das cápsulas dos pneumococos.

Welcker's sphenoidal angle. Ângulo esfenoidal de Welcker. Ângulo do eixo da base do crânio.

welfare. Bem-estar, prosperidade.

Wells's facies. Fácies de Wells, das pacientes com distúrbio ovárico.

Welsh's cells. Células de Welsh, da glândula parótida.

wen. Cisto sebáceo (epidermóide).

Wenckebach's period. Período de Wenckebach. Lentidão ocasional no intervalo entre as ondas P-R no eletrocardiograma, em caso de bloqueio cardíaco.

Wenzel's ventricle. Ventrículo de Wenzel. Primeiro ventrículo cerebral ou do *septum pellucidi.*

Wepfer's glands. Glândulas de Wepfer, duodenais.

Werdning-Hoffmann paralysis. Paralisia de Werdning-Hoffmann. Tipo de atrofia muscular progressiva.

Werlhof's disease. Doença de Werlhof. Púrpura hemorrágica.

Wernicke's aphasia. Afasia de Wernicke. Afasia sensorial cortical. // **- centre.** Centro de Wernicke. Centro sensorial da palavra no terço posterior da circunvolução temporal superior. // **- disease.** Doença de Wernicke. Poliencefalite hemorrágica aguda. // **- encephalopathy.** Encefalopatia de Wernicke. Encefalite hemorrágica aguda. // **- fissure.** Fissura de Wernicke. Fissura inconstante que divide os lobos temporal e parietal do lobo occipital.

Werniking's commissure. Comissura de Werniking. Decussação dos pedúnculos cerebrais superiores.

Wertheim's operation. Operação de Wertheim. Operação do carcinoma do colo do útero que consiste em histerectomia radical, eliminando a maior quantidade possível de tecido paramétrico.

Westphal's contraction. Contração de Westphal. Contração reflexa de um músculo próximo de suas extremidades, observada em certas condições neurológicas, como a paralisia agitante. // **- nucleus.** Núcleo de Westphal. Núcleo para a acomodação do terceiro par crânico em sua origem. // **- sign.** Sinal de Westphal. Perda do reflexo patelar na ataxia locomotora.

wet. Úmido.

Wetzel's test. Prova de Wetzel, para determinar o monóxido de carbono do sangue.

whacking. Grosso, enorme.

Wharthon's duct. Ducto de Wharton, da glândula submandibular.

wheal. Estria da pele, vergão.

wheat. Trigo.

Wheatstone's bridge. Ponte de Wheatstone. Aparelho para determinar a resistência elétrica.

Wheelhouse's operation. Operação de Wheelhouse. Uretrotomia externa para corrigir a estenose.

wheeze. Respirar com dificuldade, com sibilação e opressão.

whelk. Caracol do mar, concha.

whereas. Enquanto.

whey. Soro.

whiff, oral. Baforada de ar.

while. Enquanto, momento.

whilst. Enquanto.

whip. Açoitar, chicote.

whipworm. Nome que engloba nematóides parasitos do intestino humano.

whirl. Girar, giro, redemoinho. // **- bone.** Cabeça do fêmur, rótula.

whisper. Cochichar.

whistle. Assobiar, sibilar.

white-spot disease. Morféia "guttata" com manchas brancas lenticulares.

Whitehead's operation. Operação de Whitehead. Hemorroidectomia. Excisão da língua.

whiteleg. Perna branca, edematosa, devido trombose da veia femoral.

whites. Leucorréia, em linguagem popular.

whiting. Preparação para purificar o carbono de cálcio.

whitlow. Panarício.

Whitnall's tubercle. Tubérculo de Whitnall, no osso zigomático.

whole. Todo, total, inteiro.

wholly. Inteiramente.

whooping-cough. Coqueluche.

Whytt's disease. Doença de Whytt. Hidrocefalia interna. // **- reflex.** Reflexo de Whytt. Falta de reação pupilar à luz, devido a um transtorno do corpo quadrigêmeo anterior.

Wiart's duodenal notch. Mancha duodenal de Wiart. Sinal feito no pâncreas pelo duodeno.

Wichmann's asthma. Asma de Wichmann. Laringismo estriduloso.

wicked. Perverso, travesso.

Widal's reaction. Reação de Widal. Reação de aglutinação para a febre tifóide.

Widal-Abrami disease. Doença de Widal-Abrami. Icterícia hemolítica adquirida.

wide. Amplo.

widen. Alargar.

widespread. Difuso, extenso.

Wiesel's paraganglion. Paragânglio de Wiesel. Corpo cromafimo situado no plexo cardíaco dos nervos.

wild. Silvestre, selvagem.

Wilde's cone of light. Cone luminoso de Wilde. Aparece na timpanoscopia na membrana, quando a membrana se acha tensa. // **- cords.** Cordas de Wilde. Estrias transversais do corpo caloso. // **- incision.** Incisão retroauricular para acesso à mastóide.

Wilkie's artery. Artéria de Wilkie. Supra-duodenal.

Wilkinson's ointment. Pomada de Wilkinson. Sulfurosa.

will. Querer, desejar.

Willan's lepra. Lepra de Willan. Psoríase.

Willett's forceps. Fórceps de Willett, usado em obstetrícia.

Willia. Gênero de fungos com espécies parasitas do homem.

Williams's tracheal tone. Tom traqueal de Williams. Macicez na percussão do segundo espaço intercostal em caso de derrame pleural.

Williamson's sign. Sinal de Williamson. Tensão sangüínea evidentemente diminuída na perna, comparada com a do braço do mesmo lado que se observa no pneumotórax e no derrame pleural.

williasis. Infecção por fungo do gênero *Willia*.

willing. Desejoso, disposto, inclinado.

Willis's circle. Círculo de Willis. Círculo arterial na base do cérebro; círculo arterioso. // **- cords.** Cordas de Willis. Trabécula ural no seio sagital superior; corda transversal.

Wilms's tumour. Tumor de Wilms. Embrioma do rim.

Wilson's disease. Doença de Wilson. Degeneração lenticular progressiva.

Wilson's muscle. Músculo de Wilson. Fibras musculares que rodeiam a uretra por cima do ligamento triangular que procedem do elevador do ânus; elevador da próstata.

Wimshurst machine. Máquina de Wimshurst para produção de eletricidade estática.

wince. Reagir.

windage. Contusão interna.

windpipe. Traquéia.

wing. Asa.

Winslow's foramen. Forâmen de Winslow. Forâmen epiplóico. // **- ligament.** Ligamento de Winslow. Ligamento posterior do joelho. // **- pancreas.** Pâncreas de Winslow. Processo unciforme do pâncreas. // **- stars.** Estrelas de Winslow. Grupos de capilares de que se originam as veias vorticosas da coróide.

wintergreen. O mesmo de Gaultheria, gênero de ericáceas.

Winterhalter's ganglion. Gânglio de Winterhalter. Agrupamento de células nervosas simpáticas que constituem o gânglio ovárico.

wire. Arame, fio metálico.

Wirsung's duct. Ducto de Wirsung. Ducto pancreático.

wisdom tooth. Dente do siso, terceiro molar.

wise. Conveniente, sábio.

witch hazel. Hamamélis.

withdraw. Retirar.

withering. Murcho.

withstand. Resistir.

Witzel's operation. Operação de Witzel. Tipo especial de gastrotomia.

Woelfler's gland. Glândula de Woelfler. Glândula aórtica.

Wolff's body. Corpo de Wolff. Mesonefro ou rim primitivo, órgão excretor do embrião. Quando se desenvolve, forma a cabeça do epidídimo, o canal deferente e o ducto ejaculador no homem. // **- duct.** Ducto de Wolff. Ureter primitivo.

Wolff's law. Lei de Wolff. Todas as mudanças na função de um osso vão acompanhadas de alterações definitivas em sua estrutura.

Wolfring's glands. Glândulas de Wolfring. Glândulas conjuntivais.

wolfsbane. Acônito.

Wollaston's doublet. Sistema óptico de Wollastron, com lentes planoconvexas, para correção da aberração cromática.

womb. Útero, matriz.

wood. Madeira. // **- alcohol.** Álcool de madeira ou metílico. // **- sugar.** Açúcar de madeira.

Wood's muscle. Músculo de Wood. Abdutor ósseo do quinto metatarso.

wool. Lã. // **- fat.** Lanolina anidra.

Woolner's tubercle. Tubérculo de Woolner. Tubérculo de hélice da orelha, conhecido com o nome de tubérculo de Darwin.

woolsorter's disease. Antraz.

word. Palavra.

word blindness. Cegueira verbal (para a palavra escrita).

word deafness. Surdez verbal.

work. Trabalho.

worker. Trabalhador.

Wormian bones. Ossos vormianos.

wormwood. Absinto.

worry. Ansioso, preocupado

worst. Pior.

Woulfe's bottle. Botelhas de Woulfe. Usada para fazer passar gás através de um líquido.

wound. Ferida. // **- perforating.** Perfuração.

W.R. Abreviatura de *reação de Wassermann*.

Wrisberg's cartilage. Cartilagem de Wrisberg. Cartilagem cuneiforme da laringe. // **- ganglion.** Gânglio de Wrisberg. Gânglio cardíaco magno. // **- ligament.** Ligamento de Wrisberg. Fascículo inserido no ligamento cruzado posterior da articulação do joelho. // **- nerve.** Nervo de Wrisberg. Nervo braquial cutâneo interno menor.

wrist. Punho.

wristdrop. Incapacidade de fletir o punho por paralisia do nervo flexor.

writer's cramp. Cãibra dos escrivães.

wrineck. Torcicolo.

Wutz's valve. Válvula de Wutz. Situada entre o lúmen da bexiga e o canal do úraco.

FRASES E EXPRESSÕES

what have you been working at? Qual é o seu ofício?

when did you sprain your foot? Quando torceu o pé?

what was the duration of labor? Quanto durou o parto?

(to) well up. Brotar.

well-to-do. Próspero.

well on. Bem avançado.

X

x-chromosome. Cromossomo X.

x-legs. Pernas em x: *genu valgum.*

X-rays. Raios X.

xanthaematine. Xantematina.

xanthaemia. Xantemia. Presença de pigmentos amarelos no sangue.

xanthaline. Xantalina.

xanthate. Xantato. Sal de ácido xântico.

xanthein. Xanteína.

xanthelasma. Xantelasma.

xanthene. Xanteno.

xanthinuria. Xantinúria.

xanthochroia. Xantocróia, xantoderma.

xantochromatic. Xantocromático ou xantocrômico.

xanthochromia. Xantocromia.

xanthocreatine. Xantocreatina.

xanthocroous. Xantocrômico.

xanthocyanopsia, xanthocyanopsy. Xantocianopsia.

xanthocystine. Xantocistina.

xanthoderma, xanthodermia. Xantodermia, Xantoderma.

xanthodontous. Xantodonte: que tem os dentes amarelados.

xanthokyanopy. Xantocianopsia.

xanthoma. Xantoma. Manchas ou nódulos de cor amarela.

xanthomatosis. Xantomatose.

xanthomatous. Xantomatoso.

xanthomyeloma. Xantomieloma.

xanthopathy. Xantopatia.

xanthophane. Xantofânio, pigmento amarelo da retina.

xanthophore. Xantóforo.

xanthophyll. Xantofila.

xanthopicrine. Xantopicrina.

xanthoproteic. Xantoprotéico.

xanthoprotein. Xantoproteína.

xanthopsia. Xantopsia.

xanthopsin. Xantopsina.

xanthopuccine. Xantopucina.

xanthorrhoea. Xantorréia.

xanthosarcoma. Xantossarcoma.

xanthosine. Xantosina.

xanthosis. Xantose. Descoloração amarela da pele.

xanthous. Xantocrômico.

xanthuria. Xantúria.

Xe. Símbolo químico do xenônio.

xenia. Aparência do endosperma resultante, em polinização cruzada, dos caracteres herdados e o pólen (da planta masculina).

xenogenesis. Xenogênese, heterogenia.

xenogenous. Xenógeno.

xenomenia. Xenomenia, menstruação vicária.

xenon. Xenônio. Elemento gasoso encontrado no ar.

xenoparasite. Xenoparasito.

xenophobia. Xenofobia. Medo patológico ao estranho.

xenophonia. Xenofonia.

xenophthalmia. Xenoftalmia.

xeransis. Xerasia, dessecação.

xerantic. Xerântico, secante, secativo.

xeraxis. Xerasia, dessecação.

xerocollyrium. Xerocolírio.

xeroderma. Xerodermia. // - **pigmentosum.** Xeroderma pigmentoso.

xeroform. Xerofórmio.

xeroma. Xeroma, xeroftalmia.

xeromenia. Xeromenia. Sintomas do período mas sem fluxo menstrual.

xeronosus. Estado de secura da pele: xerose.

xerophagia, xerophagy. Xerofagia.

xerophthalmia, xerophthalmus. Xeroftalmia. Secura da córnea e conjuntiva.

xerosis. Xerose.

xerostomy. Xerostomia.

xerotes, dryness. Xerose, secura.

xerotic. Xerótico.

xerotripsis. Xerotripsia.

xiphicostal. Xifocostal.

xiphisternal. Xifosternal.

xiphisternum. Xifosterno.

xiphocostal. Xifocostal.

xiphodymus. Xifódimos, xifodídimo. Monstro duplo unido pela pelve e tórax e geralmente com duas pernas.

xiphodynia. Xifodinia.

xiphoid. Xifóide.

xiphoiditis. Xifoidite.

xiphopagus. Xifópago, xifódimo.

xyloidin. Xiloidina.

xylol. Xilol.

xylose. Xilose.

xysma. Xisma. Falsas membranas, às vezes encontradas em fezes diarréicas.

xyster. Xistra. Rugina.

xystus. Xisto.

Y

Y. Símbolo químico do *ytrium*, ítrio.

Y-angle. Ângulo Y. Ângulo entre o *radius fixus* e a linha que une o lambda ao ínio.

y-chromosome. Cromossomo Y.

y-ligament. Ligamento iliofemoral (de Bertin).

yank. Tirante, estirar.

yard. Jarda. Medida de comprimento inglesa.

yavaskin. Elefantíase.

yawn. Bocejo, bocejar.

yaws. Bouba, framboesia, pian.

Yb. Símbolo químico do itérbio.

yeast. Fermento, levedo, levedura. // **- brewer's.** Levedo de cerveja.

yelk. Gema de ovo.

yell. Vociferar.

yellow. Amarelo. // **- fever.** Febre amarela.

yelp. Gritar.

Yemen ulcer. Úlcera de Yemen. Furúnculo oriental.

yerba. Erva. // **- mate.** Erva-mate, mate do Paraguai.

Yersin's serum. Soro de Yersin. Soro antipestoso.

yield. Produzir, render, devolver.

yoghurt. "Yoghurt".

yohimbine. Ioimbina.

yoke bone. Osso zigomático.

yolk. Gema do ovo.

young. Jovem.

Young-Helmholtz theory. Teoria de Young-Helmholtz. A visão das cores depende de três séries de fibras retínicas correspondentes às cores: vermelho, verde, violeta.

Young's ligament. Ligamento de Young. Trapeziometacárpico.

Young's rule. Regra de Young. Método para determinar a dose dos medicamentos nas crianças.

youth. Juventude, mocidade.

ytterbium. Itérbio.

yttrium. Ítrio.

Z

zacatilla. Nome espanhol da melhor qualidade de cochonillha.

Zagari's disease. Doença de Zagari. Xerostomia.

Zaglas's ligament. Ligamento de Zaglas. Segundo ligamento iliotransverso.

Zahn's lines. Linhas de Zahn. Rugas observadas na superfície exposta de um trombo: são formadas pelas margens salientes das plaquetas sangüíneas.

Zambesi fever. Febre de Zambesi.

Zambrini's ptyaloreaction. Ptialorreação de Zambrini. Prova para gravidez. Feita com reativo com o qual a saliva toma diferentes cores, do amarelo claro ao violeta escuro: coloração ligeira indica escassa resistência vital e boa resistência se a cor é viva.

zanaloin. Zanaloína.

Zander apparatus. Aparelho de Zander. Uma das máquinas para exercício do corpo ou de suas partes e para aplicar manipulações ao mesmo.

Zang's space. Espaço de Zang, situado entre os tendões de origem do esternomastoídeo, na fossa supraclavicular.

Zangemeister's test. Prova de Zangemeister. A mistura de soros sangüíneos de pai e filho produz diminuição na permeabilidade à luz (descoberta pelo fotômetro).

Zappert's chamber. Câmara de Zappert, para contar os corpúsculos sangüíneos com o microscópio.

zaranthan. Endurecimento anormal do tecido do peito.

Zaufahl's fold. Prega de Zaufahl. Prega salpingo-faríngea.

Zea. Milho.

zeal. Zelo, desvelo.

zedoary. Zedoária.

zeism. Zeismus. Zeísmo, maidismo ou pelagra.

Zeiss's glands. Glândulas de Zeiss. Glândulas ciliares.

Zeissl's membrane. Membrana de Zeissl. Extrato compacto da camada subglandular da mucosa gástrica.

Zeller's test, treatment. Reação de Zeller. Para a melanina na urina. Junte-se água bromada; produz-se um precipitado amarelo que enegrece lentamente. // • **treatment.** Tratamento de Zeller. Insuflação subaracnoídea de acetileno na meningite.

zelotypia. Zelotipia. Excessivo fervor em uma empresa ou ocupação.

Zenker's crystals. Cristais de Zenker. Os mesmos cristais de Charcot-Leyden. // • **degeneration.** Degeneração de Zenker. Necrose e degeneração hialina que se produz nos músculos estriados.

Zenker's solution. Solução de Zenker. Solução utilizada na fixação de tecidos. Compõe-se de 6 partes de cloreto de sublimado corrosivo, 2,5 partes de bicromato de potássio, 1 parte de sulfato de sódio e 100 partes de sódio.

zeoscope. Zeoscopia.

Ziegler's operation. Operação de Ziegler. Iridectomia para pupila artificial.

Ziehen's test. Prova de Ziehen. Nas enfermidades mentais, pede-se ao paciente que explique a diferença entre objetos distintos.

Zichen-Oppenheim's disease. Doença de Ziehen-Oppenheim. Distonia muscular deformante.

Ziehl-Neelsen's method. Método de Ziehl-Neelsen. Coloração para bacilos tuberculosos. Primeiro se usa carbolfucsina e a contracoloração se faz com azul de metileno.

Ziemssen's treatment. Tratamento de Ziemssen. Injeções subcutâneas de sangue desfibrinizado na anemia.

Zimmerlin's type. Tipo de Zimmerlin. Atrofia muscular progressiva hereditária que começa pelos músculos volumosos da parte superior do tronco.

Zimmermann's granules. Grânulos de Zimmermann. Corpúsculos fantasmas ou eritrócitos cuja hemoglobina se dissolveu. Denominam-se também "acromácitos". Plaquetas sangüíneas.

zinc, zincum. Zinco.

zengiber. Gengibre.

Zinn's central artery. Artéria de Zinn. Artéria central da retina. // - **circle.** Círculo de Zinn. Anel de artérias situadas na esclera ao redor da entrada do nervo óptico. // - **ligament.** Ligamento de Zinn. Anel tendinoso; origem dos músculos oculares. // - **zonule.** Zônula de Zinn. Porção da membrana hialóide adjacente às margens da lente (cristalina).

Zinsser's inconsistence. Inconsistência de Zinsser. Fato observado para estabelecer a vacina preventiva do tifo que contém 5.000 milhões de "Rickettsias" por ml.

zirconium. Zircônio.

Zn. Símbolo químico do Zinco.

zoanthropy. Zoantropia. Alienação mental em que o enfermo se crê convertido em um animal.

zoetrope. Zootrópio, estroboscópio.

zoiatria. Zoiatria. Veterinária.

zoic. Pertencente a ou caracterizado pela vida animal.

zoism. Zoísmo, animalidade.

Zöllner's lines. Linhas de Zöllner. Série de linhas dispostas de modo peculiar que se empregam no exame da visão.

zona. Zona. // - **arcuata.** Zona arqueada. // - **orbicularis.** Zona orbicular. // - **pellucida.** Zona pelúcida.

zonaesthesia. Zonestesia.

zonal. Zonal, relativo à zona.

zone. Zona. Sin.: herpes zoster. Ganglionite posterior aguda, fogo sagrado, hemizona.

zonula. Zônula. // - **ciliary.** Zônula ciliar.

zonular. Zonular. // - **cataract.** Catarata zonular. // - **ligament.** Ligamento zonular. // - **space.** Espaço zonular.

zonule. Zônula. // - **of Zinn.** Zônula de Zinn.

zonulitis. Zonulite.

zooerastia. Zoerastia. Trato sexual com animais.

zoogamete. Zoogameta.

zoogamy. Zoogamia.

zoogenesis. Zoogênese, zoogenia.

zoogenous. Zoogênico.

zooid. Zoóide.

zoolagnia. Zoolagnia.

zoolite. Zoólito.

zoology. Zoologia.

zoomagnetism. Zoomagnestismo.

zoonite. Zoonito. Metâmero cerebrospinal.

zoonomy. Zoonomia.

zoophagous. Zoofágico.

zoophilism. Zoofilismo.

zoophobia. Zoofobia.

zoophysiology. Zoofisiologia.

zoophyte. Zoófito.

zoosperm. Zoosperma.

zoospore. Zoósporo.

zoosterol. Zoosterol.

zootomy. Zootomia.

zootoxin. Zootoxina.

zoster. Zoster. Herpes zoster ou zona. // - **auricularis.** Zoster auricular. // - **brachialis.** Zoster braquial. // - **ophthalmicus.** Zoster oftálmico.

zosteriform. Zosteriforme.

Zr. Símbolo químico de zircônio.

Zuckerkandl bodies. Corpos de Zuckerkandl. Massas aberrantes de tecido adrenal situado ao lado da aorta; paragânglio aórtico. // - **fascia.** Fáscia de Zuckerkandl. Fáscia retrorrenal.

zwitterion. Nome de um íon carregado positiva e negativamente.

zygal. Relativo a jugo.

zygapophysis. Processo zigomático.

zygion. Zigio. Ponto craniométrico em cada extremo de diâmetro zigomático.

zygodactily. Zigodactilia, sindactilia.

zygoite. Zigócito, zigoto.

zygolabialis. Zigolabial. Músculo zigomático menor.

zygoma. Zigoma.

zygomatic. Zigomático. // - **arch.** Arco zigomático.

zygomaticoauricularic. Zigomático-auricular.

zygomaticoauricularis. Zigomático-auricular.

zygomaticofacial. Zigomaticofacial. // - **canal.** Canal zigomaticofacial. // - **foramen.** Forâmen zigomaticofacial. // - **nerve.** Nervo zigomaticofacial.

zygomaticofrontal suture. Sutura frontozigomática.

zygomaticomaxillary. Zigomaticomaxilar.

zygomaticotemporal canal. Canal zigomaticotemporal.* // - **foramen.** Forâmen zigomaticotemporal. // - **nerve.** Nervo zigomaticotemporal. // - **suture.** Sutura zigomaticotemporal.

---

* N. do T. — Temporozigomático como é mais conhecido.

zygomaticus major. Zigomático maior.

zigomaticus minor. Zigomático menor.

zygon. Zigoma.

zygoneure. Zigoneuro: célula nervosa ligada a outras.

zycosis. Zigose. União sexual dos organismos unicelulares.

zygosperma. Zigosperma.

zygosphere. Zigosfera. Um dos germes que formam o zigósporo.

zygospore. Zigosporo, zigoto.

zygostyle. Zigóstilo. A última vértebra caudal.

zygoto. Zigoto.

zygotic. Zigótico.

zylonite. Zilonita.

zymase. Zímase.

zymasis. Zímase.

zyme. Enzima. Fermento organizado.

zymic. Zímico.

zymocyte. Zimócito.

zymogen. Zimogênio.

zymogenic. Zimogênico.

zymoid. Zimóide.

zymology. Zimologia.

zymolysis. Zimólise.

zymolytic. Zimolítico.

zymonema. Zimonema.

Zymophore. Zimóforo.

zymophorous. Zimofórico.

zymophyte. Zimófito.

zymose. Zimose (açúcar).

zimosimeter. Zimosímetro.

zymosis. Zimose.

zymotic. Zimótico.

Impressão e Acabamento
Oesp Gráfica S.A. (Com Filmes Fornecidos Pelo Editor)
Depto. Comercial: Alameda Araguaia, 1.901 - Tamboré - Barueri - SP
Tel. 4195 - 1805   Fax: 4195 - 1384